RAINER MARIA RILKE

Herausgegeben von
RÜDIGER GÖRNER

WISSENSCHAFTLICHE BUCHGESELLSCHAFT

DARMSTADT

CIP-Kurztitelaufnahme der Deutschen Bibliothek

Rainer Maria Rilke / hrsg. von Rüdiger Görner. –
Darmstadt: Wissenschaftliche Buchgesellschaft,
1987.
  (Wege der Forschung; Bd. 638)
  ISBN 3-534-01233-X
NE: Görner, Rüdiger [Hrsg.]; GT

1 2 3 4 5

317007

Ⓦ Bestellnummer 01233-X

© 1987 by Wissenschaftliche Buchgesellschaft, Darmstadt
Satz: Maschinensetzerei Janß, Pfungstadt
Druck und Einband: Wissenschaftliche Buchgesellschaft, Darmstadt
Printed in Germany
Schrift: Linotype Garamond, 9/11

ISSN 0509-9609
ISBN 3-534-01233-X

INHALT

EINLEITUNG

> Rilke hat den Schatten der Dinge gestaltet,
> die unsichtbare Welt, die die sichtbare über-
> wältigt.
>
> Reinhold Schneider am 11. Januar 1931

Um den Nachweis der Zeitgemäßheit Rilkes mühen sich seine Interpreten mehr denn je. Ist es die „revolutionäre Objektivität", die Rilke
den Dingen in seinen ›Neuen Gedichten‹ verlieh,[1] die uns postmodern
Sachliche wieder anspricht? Rührt uns Heutige Rilkes Klage über die
gottfreie Allmacht des Menschen, sein Warnen vor dem „fürchterlich
negativen" Potential einer entfesselten Technik, das die ›Sonette an
Orpheus‹ ahnten?[2]

> Sieh, die Maschine:
> wie sie sich wälzt und rächt
> und uns entgegenstellt und schwächt.

Und heute gar der Automat, der noch geräuschloser arbeitet, noch hy-
gienischer als die grabschaufelnden Lemuren in Goethes ›Faust‹ und
subtiler bedroht als die Maschinen, die Rilke im Sinn hatte. Herz-
raum contra Maschinenraum, Poesie contra Datenverarbeitung?

Rilkes Modernität liegt an der Radikalität seiner Fragen. Man hat sie
existentiell genannt, mystisch, aber nie überholt, nicht einmal jene Fragen des jungen Rilke,[3] des ästhetisierenden Schwärmers des ›Florenzer
Tagebuches‹, des Verseschreibers für die Poesiealben der bürgerlichen
Gesellschaft, vorzüglich ihrer weiblichen Vertreter. Aber dieser im
wahrsten Sinne des Rilkeschen Wortes „schöne" Anfang fand dann bald

---

[1] Erich Heller, Der zeitgemäße Rilke. In: E. H., Im Zeitalter der Prosa.
Frankfurt a. M. 1984, S. 35.

[2] Ebd., S. 42.

[3] Vgl. u. a. meinen Vortrag: Versuch über Rilkes frühe Prosa (Original: On
Rilke's Early Prose. Im Druck).

seine Ernüchterung in Lou Andreas-Salomés schon früh einsetzender konstruktiver Kritik an seinem Versüberschwang und gelangte schließlich zu seiner Substanz in Rilkes Auseinandersetzung mit dem Schaffensprozeß des für ihn wesentlichsten bildenden Künstlers: Auguste Rodin.

Nicht jenseits der Zeit stand Rilke, sondern mitten in ihrem Strudel. Auch die Auseinandersetzung mit der sozialen Umwelt findet im Werk Rilkes statt, in seinen ›Neuen Gedichten‹ ebenso wie in den ›Aufzeichnungen des Malte Laurids Brigge‹ und den ›Duineser Elegien‹. Er unterließ sie meistens nur dann, wenn es um seine eigene Existenz in einer Gesellschaft ging, die das anscheinend freie Dasein des von ihr geförderten Dichters als Beweis ihrer trügerischen Gesundheit ansehen mochte. Zumindest in schriftlicher Form dachte Rilke selten über die Frage nach, welche Rolle er gesellschaftlich zu spielen habe. Hier überlagerte sein Sendungsbewußtsein jeden Ansatz kritischer Selbstbetrachtung.

Aber stehen wir bei Rilke wirklich vor nichts anderem als Setzungen und ästhetischen Wahrheiten, die letztlich unüberprüfbar bleiben? Der letzte Dichter, so apostrophierte man Rilke seit je – spätestens seit Stefan Zweigs Grabrede auf Rilke, in der er den Verstorbenen als eine Art letzten Minnesänger gepriesen hatte.

Wer aber die These vom „letzten Dichter" übernimmt, der muß sich schwer tun, wenn er dessen Zeitgemäßheit nachweisen will. Die philologische Durchforstung der Rilkeschen Sprachwelt tat daher bitter not, zumal der geschichtliche Ort der Werke Rilkes kaum noch auszumachen war unter dem Gebetsteppich, den die rührendsten seiner Bewunderer über ihn gelegt hatten.

Zur kritischen Würdigung Rilkes gehört auch der Umstand, daß viele seiner Interpreten über das Ziel hinausschossen. Sie wiesen rassistische Blut-und-Boden-Spuren in seinem Werk nach und mutmaßten über Rilkes Hang zur (Selbst-) Stilisierung als Indiz seiner präfaschistischen Disponiertheit. Gewiß, Rilkes Bewunderung für Mussolinis Rhetorik gehörte nicht zu den Glanzbeispielen seines Geschmacks. Was aber Rilkes Verhältnis zur Macht ganz allgemein angeht, da hat Hermann Hesse gerade 1933 schärfer gesehen:

Mitten in einer Zeit der Gewalt und brutalen Machtanbetung wird ein Dichter zum Liebling, ja zum Propheten und Vorbild für eine geistige Elite, ein Dichter, dessen Wesen Schwäche, Zartheit, Hingabe und Demut zu sein scheint, der aber aus seiner Schwäche einen Antrieb zur Größe, aus seiner Zartheit eine Kraft, aus seiner seelischen Gefährlichkeit und Lebensangst eine heroische Askese gemacht hat.[4]

Was die Forschung zum „Phänomen Rilke" zu sagen hat, findet sich in den Ansichten der Zeitgenossen Rilkes bereits vorgebildet: hie die scharfen Kritiker, allen voran Joseph Roth, Bert Brecht, Gottfried Benn, dort die Preisenden: Hermann Hesse, Robert Musil, Stefan Zweig.

Dazwischen stehen die Unschlüssigen, die große Zahl derer, die Rilke teilweise überaus schätzen, teilweise beargwöhnen und über ihr zeitweiliges Unverständnis dem Werk Rilkes gegenüber selbst erschrekken, sich aber doch nicht davon abbringen lassen, sich nahezu ständig mit Rilke auseinanderzusetzen. Hugo von Hofmannsthal gehörte zu ihnen ebenso wie Hermann Broch.

Immer wieder äußerte sich Broch zu Rilke, und die Schattierungen seiner Auseinandersetzung mit ihm sind gewissermaßen von exemplarischem Wert für eine nicht untypische Art und Weise, wie Rilke aufgenommen wurde. In Brochs Briefen an Hermann J. Weigand finden sich die folgenden Stellen:

> Aber einmal muß man mit der Prävalenz des Ethischen gegenüber dem Ästhetischen Ernst machen und schweigen lernen: hätte Rilke den Ausweg ins Wissenschaftliche gehabt, er hätte ihn wahrscheinlich gewählt; er hat sich bitter genug beklagt, daß er keine Möglichkeit dazu gehabt hat.[5]

Und ein Jahr später schreibt Broch:

> Und hinsichtlich Rilke bin ich zwiespältig geblieben; ein koketter Eremit, der an beidem gelitten hat und sich's nicht leicht gemacht hat.[6]

Was haben Wissenschaft und Dichtung miteinander gemein? Nach Rilke das Nicht-Ungefähre, die Klarheit und Präzision. Die „klar ge-

---

[4] Hermann Hesse, Schriften zur Literatur. Hrsg. v. Volker Michels, Frankfurt a. M. 1970, Bd. 2., S. 446.

[5] Hermann Broch, Brief vom 9. 11. 1947 in: H. B., Briefe, Bd. 3; hrsg. von Paul Michael Lützeler. Frankfurt a. M. 1981, S. 184.

[6] Ebd., Brief vom 26. 11. 1948, S. 269.

schlagenen Hämmer des Herzens", von denen in der zehnten ›Duineser Elegie‹ die Rede ist, sind deren gemeinsamer Ausdruck. Aber Broch meinte ja mehr als das: er glaubte offenbar, daß Rilke (wie wohl jeder Schriftsteller) Ungenügen im rein Ästhetischen empfunden hatte, vor allem als es für ihn darum ging, sittliche Fragen aufzuwerfen. Ist aber der Ort des Ethischen wirklich die Wissenschaft? Es finden sich im Werk Rilkes dafür keine Anhaltspunkte, daß er dieser Ansicht gewesen wäre (und die Entwicklung der Wissenschaften gab ihm leider recht!). Zu gründlich hatte Rilke seinen Kierkegaard studiert, um nicht zu wissen, daß die Dialektik zwischen Ästhetik und Ethik nur (wenn überhaupt) im Religiösen aufgehoben werden könnte. Und diese Suche nach dem aufhebenden Religiösen bestimmte sein Schaffen im Zeitalter des – nach Nietzsche – „toten" Gottes.

Zu im strengen Sinne wissenschaftlichen Fragen der Rilke-Interpretation sind wir damit noch keineswegs vorgedrungen. Sie betreffen die Quellenkritik und die Erörterung der verschiedensten Einflüsse, unter denen Rilke stand; zu ihnen gehört aber auch eine Analyse der vielgestaltigen Rilke-Deutungen an sich. Denn in vielen von ihnen spiegelt sich eben nicht nur der Bewußtseinsstand über Rilkes Werk, sondern auch musterhaft der Wandel der Interpretationsmethoden. So zeigt sich an den Interpretationen Rilkes wie sonst an kaum einem deutschsprachigen Schriftsteller dieses Jahrhunderts die zähe, aber dann schließlich gründliche Ablösung von existentialistischen Deutungen zugunsten symbolgeschichtlicher Analysen und der Zusammenfassung thematischer Einheiten in seinem Werk. Strukturanalysen vor allem seiner Prosa, aber auch einzelner Gedichtzyklen haben sich auf diese Weise den herkömmlichen hermeneutischen Deutungsansätzen beigesellt.

Wenn ich in diesem Band hauptsächlich Beiträge vereinigt habe, die eine Verbindung strukturalistischer und hermeneutischer Elemente erkennen lassen, dann deshalb, weil ich diese Interpretationsmethode für eine Konstante in der Deutungsgeschichte der Werke Rilkes ansehe. Die frühen Beiträge von Felix Wittmer über Rilkes ›Cornet‹, Howard E. Romans Beitrag über Rilkes Psychodramen und Bernhard Blumes Betrachtung über ›Das Motiv des Fallens bei Rilke‹ zeigen, daß diese Verbindung schon latent vorhanden war, bevor die Methode vor allem in den sechziger Jahren eigens reflektiert wurde. Hermeneutik und Strukturalismus verstehe ich also komplementär und nicht „alternativ".

Eine Philosophie der Methodik will ich hier nicht schreiben. Aber gerade die Ansätze, die Rilkes Interpreten an seinem Werk erprobt haben, bestätigen Erich Hellers These, daß jedes Schreiben gerade über Rilke immer notwendig den Zusammenhang zwischen Dichten und Denken mit berücksichtigen muß, wie der Untertitel zu seiner bahnbrechenden Untersuchung über „Rilke und Nietzsche" besagen will.

Die auffälligsten Wendepunkte in der Geschichte der Rilke-Deutung sind rasch bezeichnet: Otto Friedrich Bollnows Studie über Rilke (1951), die den Höhepunkt der existentialistisch ausgerichteten Deutungstradition ausmachte.

Eine ebenso entschieden philosophische Deutung des Rilkeschen Hauptwerks, der ›Duineser Elegien‹, unternahm Romano Guardini in ›Rainer Maria Rilkes Deutung des Daseins‹ (1953). Diese Studie verdient meiner Auffassung nach neue Beachtung; nicht nur, weil sie den Wahrheitsbegriff in der Dichtung ernst nimmt und behauptet, daß Dichtung nicht nur mit Ausdruck gleichzusetzen sei, sondern auch mit *Aussage,* weil sie auch gleichzeitig Rilke gegenüber abwägend kritisch bleibt. Guardinis stilkritischer Kommentar zu Rilke liest sich erfrischend häretisch:

> Trotz aller Linien, die aus der Vergangenheit auf sie zu, und von ihr in die Zukunft voranführen, ist seine Sprache singulär. Jedem, der sich von ihr bilden läßt, wird sie zum Unheil. Nur bei Rilke selbst erträgt man die Weise, wie er mit Grammatik und Syntax umgeht, wie er Worte aus der Üblichkeit herausnimmt und in neue Beziehungen setzt und so fort. Und auch bei ihm nur mit Protest; denn dieser Gebrauch der Sprache schafft wohl neue Möglichkeiten des Ausdrucks, bewirkt aber auch eine Zerstörung . . . Wenn er einen Lehrer sucht, soll er zu Mörike gehen oder zu Goethe, nicht zu ihm.[7]

Auch nach Paul Celan sind in der Tat einige Schriftsteller in Rilkes Stilschule gegangen, und seine Themen bewegen weiterhin ihre Gemüter, wie ein sehr nützlicher von Heinz Ludwig Arnold besorgter Band mit dem Titel ›Rilke? Kleine Hommage zum 100. Geburtstag‹ zeigt. Stellvertretend für viele ihrer Generation bekannte darin Karin Struck, wie tief sie Rilkes Auseinandersetzung mit dem Tod und seine Unfähig-

---

[7] Romano Guardini, Rainer Maria Rilkes Deutung des Daseins. München 1953, S. 422 f.

keit zu bleiben bewegte; so bat sie um einen „Rilke von innen *und* außen"[8].

Davor liegen Beda Allemanns Betrachtung des Spätwerks in ›Zeit und Figur beim späten Rilke‹ (1961), in der die zuvor betonte Verbindung hermeneutischer und strukturalistischer Methodik so vorbildlich gelang; und schließlich Käte Hamburgers Band ›Rilke in neuer Sicht‹ (1971), mit dem sie versuchte, eine Bestandsaufnahme der Werkbetrachtung Rilkes vorzunehmen; Vergleichbares unternahmen dann Ingeborg Solbrig und Joachim Storck in der Reihe ›Rilke heute‹ (1975 ff.).

Methoden- und Deutungsvielfalt, die sinnvoll auf ein Werk angewendet werden können, sprechen für es. Aber schon dieser kleine Abriß der Untersuchungen zu Rilke zeigt, daß ihre Tendenz sich auf Einzelstudien richtet; eine zusammenfassende Studie über Rilke, wie sie Bollnow nach dem Krieg vorgelegt hat, fehlt.

Die Gründe dafür liegen auf der Hand: zum einen schrecken heute die Autoren vor „Gesamtdarstellungen" ohnehin zurück, zum anderen besteht einfach Unklarheit über den verbindlichen Leitgedanken im Werk Rilkes für unsere Zeit. Bollnow schälte Rilkes Existenzfragen aus seinem Werk heraus und konnte zeigen, wie der Dichter den Philosophen, Heidegger in diesem Fall, wieder einmal vorweggenommen hatte.

Was kann und soll nun dieser Band bieten? Entsprechend der Konzeption der „Wege der Forschung" eine repräsentative Darstellung der Forschungsentwicklung anhand von Texten, die in den bisher vorgelegten einschlägigen Sammelwerken bis auf wenige Ausnahmen nicht greifbar sind; ein Echolot demnach, um in der schieren Unüberschaubarkeit der Literatur über Rilke Orientierungsmarken zu orten. Vielleicht ergibt sich auf diese Weise die Grundlage einer solchen wünschenswerten Studie.

Es erübrigt sich, wie ich meine, die Beiträge im einzelnen zu charakterisieren. Sie sprechen für sich. Vielmehr geht es mir darum, sie als mögliche Ausgangspunkte für weiterführende Interpretationen zu bestimmen.

Die Deutung der Sprachformen Rilkes, seines einzigartigen Rhythmus und Melos dürfte auch weiterhin eine Voraussetzung für mehr „in-

---

[8] Edition Text und Kritik, München 1975, S. 76.

RAINER MARIA RILKE

WEGE DER FORSCHUNG

BAND 638

WISSENSCHAFTLICHE BUCHGESELLSCHAFT

DARMSTADT

haltsbezogene" Fragen bleiben – trotz und wegen Guardinis Bedenken.
Mag hier zu beidem sich zunächst ein zeitgenössischer Lyriker äußern.
Bei Karl Krolow lesen wir in einem 1981 veröffentlichten Gedichtband
folgendes [9]:

Herbstsonett mit Rilke

Altrosa wie Rilke oder wie
eine Ziegelwand im Regen:
das Staunen wird sich legen.
Du gewöhnst dich irgendwie

an Farben. An anderes nie.
Du weißt dich nicht zu bewegen,
im herbstlichen Blättersegen,
reibst dir beklommen das Knie.

Das ist nicht deine Sache.
Du stehst in der Wasserlache
und fühlst: der Herbst ist so –

Altrosa wie Rilke, dann düster.
Da stockt selbst das Geflüster.
Da gibt es kein WIE und kein WO.

Ein Gedicht über den Umgang mit Rilke, also über unser Lesen. Es lebt
von den Schattierungen des Vertrauten und Ungewohnten, die sich
gerade beim Lesen eines so bekannten Autors wie Rilke einstellen.

Rilke, so suggeriert Krolow, kommt und geht wie eine Jahreszeit,
wie sein Orpheus; er hat einen festen, unverwechselbaren Platz im Jah-
reslauf der Poesie. Aber er, dem Bewegung und Entwicklung so wesentlich waren, macht uns bewegungsunfähig, form- und ortslos: „da gibt es
kein WIE und kein WO". Wirklich nicht? Leben nicht alle Deutungsver-
suche auch davon, „Rilkes Ort" in seiner und unserer Zeit zu bestimmen? Wer fortfährt mit seinen Bemühungen, Rilke zu interpretieren,
der hat gegen Krolows Verse anzuschreiben und Wege zu wählen, die
aus der „Wasserlache", dieser Karikatur des Narziß-Teiches, heraus-
führen.

Auch deswegen habe ich es für wichtig gehalten, Beiträge zu sam-

[9] In: Karl Krolow, Herbstsonett mit Hegel, Frankfurt a. M. 1981, S. 37.

meln, die sich einerseits mit Rilkes Formen- und Mythenbestand und
seiner poetischen Umsetzung kritisch auseinandersetzen (besonders
Buddeberg, Himmel, Tschiedel) und seinen synästhetischen Ansatz bedenken (Parry, David) und schaffenspsychologische Aspekte berücksichtigen (Exner/Stipa). Auf dieser Grundlage läßt sich zeigen, daß
Rilke ähnliches versucht hatte wie Kafka, Joyce, Valéry und Eliot, aber
auch wie die Wiener Schule in der Musik und der expressive Kubismus
in der Malerei: mit einem in höchstem Maße variationsfähigen Formen-
und Mythenbestand Zeitsymptome zu erfassen, zu bannen, aber auch
gestaltend über sie hinauszugehen.

Die Ängste des Malte Laurids Brigge sind auch Gregor Samsas Ängste, der Ästhetizismus Ewald Tragys und jener des Stephen Daedalus
(in James Joyces ›The Portrait of an Artist as a Young Man‹) sind sich
nicht fremd, und Rilkes späte Prosaübertragung der Synthese von
Musik, Dichtung, Tanz und Architektur in Paul Valérys ›Eupalinous
ou l'Architecte, précédé de l'Ame et la Danse‹ versteht sich eben als
eine Synthese *beider* Schriftsteller. Und Gottfried Benns ›Statische
Gedichte‹, eine der Quellen postmoderner Lyrik, wären ohne die in
Rilkes Dingdichtung verborgen angelegte Statik nicht denkbar.

Radikal war Rilkes Wille, noch einmal zu einer Synthese oder Form
zu finden angesichts einer zunehmenden Atomisierung der Welt. Im
Zeitalter der Relativitätstheorie und zunehmender sozialer Bedingtheiten wollte Rilke nochmals Absolutheit, die des Künstlers in ›Orpheus‹
und die des Liebenden in Sappho. Und dennoch gingen an ihm die auf
uns wirkenden Komponenten der Relativität, Zeit und Raum, nicht
spurlos vorüber. Diese beiden, nicht absolut erfahrbaren Größen fanden wieder und wieder Eingang in seine Arbeiten, und das wohl auch
deswegen, weil er in Raum und Zeit Form- und Existenzprobleme entdeckte, die entscheidenden Gegenpole zur absolut verstandenen Liebe.

Unstreitbar litt Rilke an dieser Polarität, und der fehlende religiöse
Trost minderte dieses Leiden nicht, sondern verschärfte es nur. Dieser
komplexe Zusammenhang kommt in geraffter Form in einem 1911 in
Paris geschriebenen Text, ›Figurines pour un Ballet‹, zum Ausdruck [10]:

---

[10] In: Rainer Maria Rilke, Über den jungen Dichter und andere kleine Schriften aus den Jahren 1906 bis 1926 in zeitlicher Folge. (insel taschenbuch 340.)
Frankfurt a. M. 1978, S. 59f.

LA FOLIE: Oh, mit der Zeit: da kommt alles auseinander, nur gegen die Zeit bleibt man beisammen.

Und dann die unvermittelte Schlußfrage des

JUIF ERRANT: Ich habe Gott hinter mir, was soll vor mir sein?

Oder wird der tödliche Ernst, der hinter diesen Zeilen steckt, nicht dadurch ironisch abgemildert, daß eine Törin und der Ewige Jude sie sprechen? Aber gewährte Rilke der Ironie in seinem Werk überhaupt Daseinsberechtigung?

Kehren wir zur einleitenden Frage des Zeitgemäßen zurück. In einem seiner im Jahre 1920 geschriebenen Briefe an Hugo von Hofmannsthal urteilte Carl Jacob Burckhardt über Rilke: „Er ist sehr zeitgemäß, halb immer im Abschiednehmen begriffen, Gestriges, Wehmütiges, Vergilbtes besingend."[11] Nein, das Kriterium des Zeitgemäßen bringt uns nicht weiter, eher das wörtlich verstandene Sinn-Gemäße künstlerischer Gestaltung. Was im Falle Rilkes diesen Sinn bedingte, dem er wahrhaft „gemäßen" Ausdruck verlieh, hat Klaus Mann überzeugend zusammengefaßt: „Was mich an Rilke vor allem anzog, war die schillernde Zusammengesetztheit seiner geistigen Physiognomie, die Vielschichtigkeit seines Idioms, seiner Erbschaft."[12]

So will auch dieses Buch etwas dazu beitragen, einige der geistigen „Gesichtszüge" Rilkes nachzuzeichnen, ohne sie zu entstellen.

Im März 1985   RÜDIGER GÖRNER
University of Surrey

---

[11] In: Hugo von Hofmannsthal/Carl J. Burckhardt, Briefwechsel. Hrsg. v. C. J. Burckhardt. Frankfurt a. M. 1958, S. 48.
[12] Klaus Mann, Der Wendepunkt. Ein Lebensbericht. Frankfurt a. M. 1958, S. 115.

Publications of the Modern Language Association of America (PMLA) XLIV (1929), S. 911–924.
Mit freundlicher Genehmigung der Modern Language Association of America, New York, NY/
USA.

RILKES ›CORNET‹

Von Felix Wittmer

> Poesie und Prosa sind derart aufeinander ange-
> wiesen, daß sie sich zwar zeitweise voneinander
> entfernen und, wie zwei Arme eines Flusses, das
> Wasser sich abgraben können, dann aber immer
> wieder in Vereinigungen und neuen Verflechtun-
> gen sich gegenseitig stärken.[1]

Deuten Rilkes Werke, da seiner Persönlichkeit entsprechend, aus ihr
sprechend, sie aussprechend, im Zusammenhang, auf sein Wesen und
seine Entwicklung hin, so kann der ›Cornet‹ am ehesten gesondert, als
„Dichtung an sich" verstanden werden. Diese schon 1899 geschriebene
Weise mag, wie Heygrodt[2] vermutet, nicht lange vor ihrem Ersterschei-
nen, 1906, als Rilke sein ›Buch der Bilder‹ schrieb, endgültige Gestalt erfahren haben. Friedrich von Oppeln-Bronikowski hat in seiner (damals
fördernden) Arbeit[3] auf den ›Cornet‹, da er im nämlichen Jahre erschien, wohl nicht mehr einzugehen vermocht. Fritz Strich aber, der
den Weg des Gottsuchers und -künders darstellt, hat dieses am meisten
entpersönlichten Werks am ehesten entraten zu können geglaubt.[4] Vielleicht auch schenkte er ihm keine Beachtung, weil ihm der Rilke der
›Neuen Gedichte, Anderer Teil‹ und des ›Buchs der Bilder‹ am fernsten
steht. Stellt er doch den „russischen" Rilke, der durch Tolstoi sein
Selbst gefunden, als Typus dem „westlichen" George gegenüber, glaubt
er doch, erst in den ›Sonetten an Orpheus‹ und in den ›Duineser
Elegien‹ sei die Gefahr des Ästhetizismus überwunden.

[1] Karl Vossler, Poesie und Prosa (Gesammelte Aufsätze zur Sprachphilosophie, München 1923).

[2] R. H. Heygrodt, Die Lyrik Rainer Maria Rilkes. Versuch einer Entwick-
lungsgeschichte. Diss. Köln. Freiburg i. Br. 1921.

[3] Mlgen d. Lit.-Hist. Ges. Bonn, 2. Jahrg. 1907.

[4] Zs. für Deutschkunde, 1926.

Ein Ästhetizismus mag indessen eher noch in der komplizierten (und deshalb oft einfachen) Wortwahl, der eigenwilligen Syntax, der manchmal fast neurasthenisch erscheinenden sensiblen Gesamthaltung späterer Werke fortbestehen. Selbst bei langer Beschauung, bei innigem Hineinhorchen in Rilkes Singen und Sagen mag man sich vergeblich fragen, ob er diese oder jene kühne Wendung noch unwillkürlich empfunden, nicht gedanklich ausersonnen habe. Sind seine Intuition und Reflexion eins? Sind seine Organe, wie die des Marcel Proust (und auch die des noch von ihm übertragenen Paul Valéry) so sehr verfeinert, daß auch der vom fernsten Himmel herabgeholte Vergleich nicht abstrakt oder gar „erklügelt" genannt werden darf, da der Symbolwert im Schaffenden west und bei kleinster Berührung mit Außenwelt als Vision, unbewußt reagierend gleichsam, aufsteigt? Ist das unmittelbare Gefühl reflektiert, die Reflexion unmittelbar gefühlt? Wer vermag es heute schon mit letzter Bestimmtheit zu begreifen?

Hat auch Strich durch Gegenüberstellung des östlichen und westlichen Typus die beiden Gegenpole wieder einmal herausgearbeitet, die, scheinbar unversöhnlich, den deutschen Künstler, wie keinen sonst, bedrängen, in ihrer Spannung, wenn bezwungen, beglücken, so hat er doch durch seine im Grunde polemische Einstellung das Urteil nicht nur erhellt, auch getrübt. Man kann, dächte ich, sowohl Gundolfs Heidelberger Vorträgen über Klassik und über George als auch Strichs Münchener Ausführungen über Romantik und über Rilke zustimmen. Besteht für den westlichen Gestalter die Gefahr der „Hybris", so für den östlichen „Demütigen" die der Lebensunfähigkeit, des Sich-aus-der-Welt-Verlierens. *Uns* diene die Vergleichung Rilke–George zu nichts anderem als „wechselseitiger Erhellung".

Mancher Kritiker, mancher Professor steht dieser Schöpfung Rilkes, so berühmt, so volkstümlich sie auch sei, mit Zaudern gegenüber, nicht wissend, ob er sie Gedicht oder Erzählung, Gedicht in Prosa nennen soll. Auch die letzte, heute viel gehörte Bezeichnung trifft nicht zu; denn die äußere Tatsache des Fehlens taktmäßig geregelter Verse, regelmäßiger Reime kann das Werk noch nicht ins Gebiet des Prosaischen, der Prosa verweisen. Heute, da wir wieder gelernt haben, innerlich zu sehen, zu *schauen*, wissen wir, daß manches Gedicht prosaischer als ein Prosawerk ist, da die innere Haltung des Autors eine prosaische war, daß Prosa aber, selbst wissenschaftliche, von Poesie erfüllt sein kann.

Sobald wir uns aber bewußt wurden, wie sehr der „Cornet" aus dem Geiste der Musik entstanden ist, dürfen wir gerechterweise dieses so genannte Prosa-Gedicht nicht mehr vom hergebrachten Standpunkt der Prosa aus betrachten.

Es mutet seltsam an, wenn Richard Freienfels in seiner verständnisvollen Arbeit von Rilkes Sprachstil bemerkt:

> Fast immer stößt man auf Stellen, die noch nicht auf die letzte Formel gebracht zu sein scheinen, die noch nicht bis zur völligen Schlackenfreiheit durchgeglüht sind.[5]

„Formel", vom Standpunkt der Formel-Finder, die auf Grund schon alternder Werke Dogmen, „Regeln" aufzustellen belieben. Darf man von Schlacken sprechen, wenn die Syntax nicht den festgesetzten Regeln einer abstrakten, die Logik als Allherrscherin verehrenden Grammatik entspricht? Sollen wir der sanktionierten Syntax vor dem Leben das Recht zuerkennen? Ist aber ein Kunstwerk vom Leben zu trennen?

> Neuerdings aber (seit der Romantik) empört man sich gegen diesen Zwang der Logik und versucht – soweit das noch möglich ist – wieder nach der natürlichen Anordnung oder impulsiv oder impressionistisch oder rhythmisch zu gliedern.[6]

Harry Maync ist auf dem rechten Weg, wenn er in seiner liebevoll nachempfindenden, nachfühlenden, nachdenkenden „psychologisch-ästhetischen Literatur-Analyse"[7] von einem „neuen Kunstorganismus" spricht. Ein neuer Kunstorganismus, weil seine Zeit herangereift ist. Ein paar Vorläufer mag man im 19. Jahrhundert finden: Ansätze! Ältere Romantiker: Novalis, Tieck, jüngere: Eichendorff, Mörike. Ansätze in Frankreich: Baudelaire, die Symbolisten.

Da schreibt im letzten Jahre des vergangenen und vollendet in den ersten Jahren unseres Jahrhunderts der vorgeschrittene, verfeinerte, aber

---

[5] Richard Freienfels, Rainer Maria Rilke, Das literarische Echo, 9, S. 1292.

[6] Eugen Lerch, Typen der Wortstellung, Idealistische Neuphilologie, Vossler-Festschrift, Heidelberg 1922, S. 106.

[7] Harry Maync, Rainer Maria Rilke und seine „Weise von Liebe und Tod", Zs. für deutschen Unterricht, 30.

in der Tradition verwurzelte Rilke das kleine Werk, das Ausgangspunkt
einer neuen „Gattung" – wie dann die Formelfinder sagen können –
werden mag.

> Ich lebe grad, da das Jahrhundert geht,
> Man fühlt den Wind von einem großen Blatt,
> Das Gott und du und ich beschrieben hat
> Und das sich hoch in fremden Händen dreht.
> Man fühlt den Glanz auf einer neuen Seite,
> Auf der noch alles werden kann . . .

Das echt russische, doch auch bei Rodin erfahrene „Um-sich-Versammeltsein" erkennt von Oppeln-Bronikowski als die seelische Disposition, die Rilkes Verkürzung, seine Vereinfachung des Ausdrucks als
„technisches Korrelat" bedinge.

Ein „Um-sich-Versammeltsein" aber eignet allen großen Künstlern,
die ihre „Mitte" bewahrten. Wie hingegen kommt Rilke dazu, einen
neuen Kunstorganismus zu schaffen, nicht mehr Poesie der gewohnten
Art, nicht mehr regel-erhärtete Prosa? Was ist das Besondere seiner geistigen Artung, seiner seelischen Verfassung im Augenblick des Erschaf-
fens, das durch ihn, blindbewußt, unwillkürlich wollend, einen neuen
Stil formt? Welches ist die Persönlichkeitsvoraussetzung? (Da doch,
mit Schopenhauer zu reden, Stil sich als „Physiognomie des Geistes"
erweist.)

Ein großes Geschehen, Erwachen des Jünglings zum Leben, Erfüllung des Lebens durch Liebe und mannhafte Tat, Vollendung im Tod,
dies prägt sich dem der Welt geöffneten, empfindsamen Rilke als ein im
Nacheinander seltsam verwoben Einziges ein, be-drängt, be-stürmt,
er-greift ihn so sehr, daß er zunächst, von der Fülle umwirrt, der Fülle
wegen, fassungslos, niedergezwungen, in unzählige Empfindungen
und Gefühle scheinbar aufgelöst, ent-rückt, „am Leben hin", träumt.
Aber was außer ihm gewesen, beginnt in ihm zu wesen, mit seinem Wesen, seinem Leben eins zu werden, er beginnt das andere nicht nur
dumpf zu empfinden, unbewußt zu fühlen, sondern es zu er-fühlen, zu
er-leben. Das Ent-rückte rückt zusammen, was ihn bedrängte und be-
stürmte, drängt und stürmt in ihm: er ergreift, was ihn ergriff. Der Nie-
dergezwungene erhebt sich, das Entfernte schießt, in seiner „Mitte",
zusammen, wird Vision, das Aufgelöste, Lose wird dichter und dichter,
ver-dichtet sich in ihm: die er-lebte Vision, *sein* Leben nunmehr, unbe-

wußt-bewußt zu sagen, *aus*-zudrücken, bedeutet *Dichten*. Im Augenblick aber, da dem erst Fassungslosen das Un-faßbare faßbar, seelischgeistig greifbar wird, sind das Geschaute und der Schauende, die beiden Erlebnis umspannenden Pole noch am entferntesten, die *Spannung* also zwischen dem vormals scheinbar in wirrer Vielheit getrennten Leben und dem von seiner Mitte aus die Vielheit einenden Dichter am größten. In diesem Augenblick, dem „einzigen", wie Amiel ihn nennt, wird das Kunstwerk erschaffen.

Wie ein Soldat, da er in der Schlacht den Kameraden sterben sieht, in einem Augenblick der Spannung und Erregung also, die Konvention und Zeremonie mißachtet, unbewußt-bewußt, instinktmäßig handelt, so hat Rilke dichterischen Instinkt genug, der Konvention und hirnlich-zeremonieller Regeln zu entraten, natürlich und wesenhaft, unmittelbar, zu dichten. Wie der Soldat in diesem menschlichen, „verinnerlichten" Augenblick die äußerlichen, einer Zeit oder einer Klasse angehörenden Gepflogenheiten mißkennt, so der Dichter. Der Soldat wird keine Verbeugung machen, nicht Herr Geheimrat sagen, möglicherweise auch der ihm sonst geläufigen Höflichkeitsanrede vergessen, aber in Handlung und Sprache wird er, im einzelnen, das Ewige, das Menschliche erweisen. Er wird Worte finden wie „Freund, Feind, Mutter, Geliebte, Heimat", die Geste, mit der er dem Sterbenden den Trunk reicht, wird nicht an Bankett und Frack erinnern, sie wird eine ewige, menschliche sein. Der Dichter aber, in dem menschlichen, verinnerlichten Augenblick des Gestaltens wird das Wesentliche nicht nach allen Regeln der Ars poetica, brav studierter Rhetorik poetisch zu umkleiden haben, er wird auch nicht, gemäß gerade neu gefundenen wissenschaftlichen Methoden, seien sie biologischer, physiologischer, psychophysischer, psychologischer, psycho-analytischer, meta-physischer, soziologischer oder sonstwie -ischer Natur (bzw. Un-natur), prosaisch, in möglichst musikarmer, „exakter" Prosa das Wesentliche, von außen her, zu erhellen (bzw. zu verdunkeln) sich bemühen, seine Seele wird zu sehr erfüllt sein, um Platz zu haben für Syntax, Antithese, Anazeuxis, Trochäus, Jambus, Anapäst, er wird, weil instinktsicher, der höheren Pflicht bewußt, den Mut haben, ein anderes zu schaffen, als was man schlechthin Poesie, Prosa nennt.

So, da das Thema zumal alle angeht, ergibt sich volksliedhafte Weise als innerer Stil. Etwas von der schlichten, über wohlgedrechselter Rei-

merei erhabenen Größe der Volkslieder, wie „Morgenrot" oder „Ich
hatt' einen Kameraden", etwas von Detlev von Liliencrons soldatischer
Knappheit umweht die kleine Dichtung. „Nur nicht viel Worte machen, Worte sind heilig, die Zeit aber ist knapp!" So könnte man das
Motto dieses neuen Stiles fassen.

> Denn dann nur sind die Stimmen gut,
> Wenn *Schweigsamkeiten* sie begleiten,
> Und *hinter* dem Gespräch der Saiten
> Geräusche bleiben wie von Blut. (›Buch der Bilder‹)

Schweigsamkeiten klingen auf. Das Schönste steht zwischen den Zeilen. Der Marquis fragt: „Habt Ihr auch eine Braut daheim, Herr Junker?" „Ihr?" gibt der von Langenau zurück. (8)[8] Und er fragt eine
Frau, die sich zu ihm neigt: „Bist Du die Nacht?" Sie lächelt. (18) Der
trockene chronistische Bericht am Ende überläßt alles der Imagination:
Im nächsten Frühjahr (es kam traurig und kalt) ritt ein Kurier des Freiherrn von Pirovano langsam in Langenau ein. Dort hat er eine alte Frau
weinen sehen. (28)

Sätze sind ausgelassen. Aber man versteht. Der auf jeder Seite erscheinende Satzanfang mit „Und" (auch mit „Aber") zeigt zumeist an,
daß der Dichter etwas geträumt, verschwiegen hat, und erregt die
Phantasie des Hörenden.

So schreibt auch Pászthory[9] in seinem Melodrama dem Pianisten
vor: „Träumerisch", läßt er zuerst ppp den weichen Des-Dur-Quart-
sextakkord erklingen, bevor der Rezitator spricht: „Und der Mut ist so
müde geworden." So will er eine Fermate zwischen den beiden Sätzen:
„Die Sonne ist schwer, wie bei uns tief im Sommer. Aber wir haben im
Sommer Abschied genommen." (2) So schreibt er an ähnlicher Stelle
wieder den träumerischen Quartsextakkord, diesmal in A-Dur. („Wie
war? denkt der junge Herr. – Und sie sind weit." [8]) Arpeggiato, rite-
nuto tönt es an, und, als Gedankenstrich, erklingt fis-a, der ungewisse
Vorhalt, über dem Grundton e des Dominantseptakkords von A-Dur.
Alles im Diskant! So schiebt er zwischen die Sätze „Dann singt er" und

---

[8] In der Numerierung der Szenen folge ich der einmal von Harry Maync
durchgeführten Anordnung. (Zs. für deutschen Unterricht, 30.)

[9] Musik zum *Cornet* von Kasimir von Pászthory. Leipzig o. J.

„Und das ist ein altes, trauriges Lied" (7) zwei Takte in b-Moll, während noch eine ganze Periode (8 Takte) lang der träumerische, monotone Baß B-F, Tonika-Dominante, weiterklingt. So wechselt die Musik vom 2/4- zum 3/4-Takt, da, im Text, schon wieder ganz Neues gegeben ist, wenn es heißt: „Und sie können nicht voneinander." (9) Oft natürlich ist „Und" als Satzbeginn gebraucht, um zu verbinden, einzelne Sätze nicht zu schroff nebeneinander stehen zu lassen („Da sagt Spork, der große General: ,Cornet.' Und das ist viel." [11]), um das Abreißen einer Bewegung zu hindern. In mehrfacher Folge mag es zuvörderst als musikalisches Steigerungsmittel dienen. Wenn es bei Rilke heißt (27): „. . . und erkennt Männer und weiß, daß es die heidnischen Hunde sind –: und wirft sein Pferd mitten hinein", so setzt der musikalische Interpret mehrfach Crescendo-Zeichen, schreibt zweimal accelerando vor, läßt, im Zweivierteltakt, Triolen aufwärtsstürmen.

Dann wieder mag mehrfacher Satzbeginn mit „Und" müde Monotonie malen. Und die Punkte deuten an, was alles nicht gesagt ist. „Und denkt: Er wird bald duften davon. Und denkt: Vielleicht findet ihn einmal Einer . . . Und denkt: . . .; denn der Feind ist nah." (13) Auch hier untermalt die Musik die stilistischen Intentionen des Dichters. Wiederholt klingt die hohle, monotone Tonika-Quinte auf: Des-As, Des-As! Und müde sinkt es, chromatisch, nieder: F, E, Es. In den meisten Fällen aber soll der Satzbeginn mit aller Macht verkünden, wieviel verschwiegen ward.[10]

Dem gleichen Prinzip entspricht die Auslassung des Adjektivs. Wenn das durch ein Epitheton zu Kennzeichnende in Worten nicht gesagt werden kann, so findet Rilke Mut genug, das Adjektiv wegzulassen. „Magdalena, daß ich immer so – war, verzeih!" (8) „. . . und manchmal heben sie die Hände so –, und du mußt meinen" (17) Wie? fragt man. Und versteht . . . Es ist wie in moderner Musik. Eine Dissonanz erklingt, sagen wir, um ein zahmes Beispiel zu wählen, ein Dominantseptnonakkord. Während die an der Klassik (und auch noch der frühen

---

[10] Dieselbe Stileigentümlichkeit hat zweifellos bei zahlreichen Gedichtanfängen Richard Dehmels statt („Und wir gingen still im tiefen Schnee" usw.), die K. Bojunga durch Umschreibungen wie „Stileinheiten", „Wucht der Eingänge", zu kennzeichnen sich bemüht. Klaudius Bojunga, Bemerkungen zu Richard Dehmels Sprachkunst, Zs. für Deutschkunde, 1920, S. 116.

Romantik) orientierte Harmonielehre die „befriedigende" Auflösung, etwa in einen der Tonika angehörenden Akkord, später dann, mit Max Reger, auch in eine neue Tonart empfiehlt oder fordert, wird dem modernen Hörer die „Befriedigung" verweigert, er wird nicht im gewohnten Geleise musikalischen Ablaufs weitergeschoben, der konventionelle Schlummer wird ihm verwehrt, seine Mitarbeit wird erzwungen, die unaufgelöste Dissonanz schrillt, gleich einem Fragezeichen, auf und überläßt die Deutung seiner Phantasie. So auch verzichtet der moderne Maler auf die vom Realismus überkommene Kleinarbeit, so auch vermochte Lovis Corinth das schönste in seinen allerletzten Werken zu malen, wo in ein paar großen Zügen ein symbolisches Blumenstück ersteht, wo man fühlt, daß etwas „hinter den Farben" verborgen ist wie in Rilkes Sprache „zwischen den Zeilen".

Aus demselben, volksliedhafter Einfachheit verwandten Grundgefühl fällt das unpersönliche „Es" („Kommen bunte Buben . . ." [10], „Kommen Dirnen . . ." [10], „Kommen Knechte . . ." [10]), fällt das Subjekt („Packen die Dirnen" [10], „Drücken sie . . ." [10]). Auslassung des grammatischen Subjekts „es" muß auch angenommen werden, wo Rilke sagt: „Sie zögern. Und ist Hufschlag um sie." (9) Es handelt sich hier nicht um freie Inversion, wie sie etwa Oskar Walzel für den Jugend- und Altersstil Goethes nachweist,[11] sondern um die dem Volkslied gemäße Verkürzung, wie: „Sah ein Knab ein Röslein steh'n."

Auch das Verb ist selbstverständlich unterlassen, wo es sich „von selbst" versteht. „Und immer das gleiche Bild" (2). „Endlich vor Spork" (11).[12] „Es muß also Herbst sein. Wenigstens dort, wo traurige Frauen von uns wissen." (2) Überflüssig die Wiederholung: „Wenigstens dort *muß Herbst sein.*" Der Dichter ist ja zu müde, zu schwer vom Erlebten, als daß er sich um logisch exaktere (wesenlosere, oberflächlichere) Ausdrucksweise bemühte. Der Dichter hätte durch ein Komma nach „sein" den zweiten Gedanken, grammatikalisch korrek-

---

[11] Oskar Walzel, Wege der Wortkunst, Idealistische Neuphilologie, Vossler-Festschrift, Heidelberg 1922, S. 51.

[12] Genehmigt nicht selbst die Grammatik eine ähnliche syntaktische Verkürzung, wenn sie Auslassung des von einem der sechs Hilfszeitwörter abhängigen Infinitivs wie kommen oder gehen z. B., als im Hilfszeitwort und dem trennbaren Praefix mitverstanden, zuläßt? (Beisp.: Er will hinein, er muß fort usw.)

ter, dem ersten angliedern können. Aber nein! Dadurch wäre ja verwischt, daß der Junker lange Zeit, mag sein eine halbe Stunde lang, schweigend weiterritt, den ersten Gedanken fortspinnend, bevor er wieder anhebt: „Wenigstens dort, wo traurige Frauen von uns wissen." Das Komma ist durch ein langes Schweigen gegenstandslos geworden. Auch Pászthory, der Komponist, hat das gefühlt, wenn er die große Müdigkeit andeutet durch ein ppp arpeggiato des unendlich weichen Dominantseptnonakkords C-Dur, der bereits angeklungen hatte, als der Sprecher von den leuchtenden Kleidern der Frauen sagte.

Es wurde gerühmt, Chopin habe einen hohen Grad der Feinheit in unmittelbarer Übertragung seiner musikalischen Konzeption in Notenschrift erreicht. Er wird hierin vom Impressionisten Debussy, dem durch die in historischer Entwicklung erweiterte und gesprengte Form ein flexibleres Material zu Dienste steht, übertroffen. So kann Rilke ins Sprachliche noch Schwingungen einfangen, deren Ausdruck dem sensibelsten Romantiker versagt blieb.

Gerade an der Interpunktion Rilkes vermag man zu erkennen, was der so männlich um plastische Form ringende Stefan George durch teilweisen Verzicht auf diese „Satzzeichen" (Empfindungs-, Gefühls-, Gedanken-, Stimmungs-, Traumzeichen, Symbole) aufgab. Ein paar Beispiele nur, wo Rilke statt eines Kommas den Punkt setzt: „Denn was der Eine erzählt, das haben auch sie erfahren und geradeso. Als ob es nur eine Mutter gäbe." (5) „Und er sitzt schon zu Roß und jagt in die Nacht. Blutige Schnüre fest in der Faust." (12) „Und er ist nackt wie ein Heiliger. Hell und schlank." (19) „Kürzer sind die Gebete. Aber inniger." (20) Das ist das Grandiose, Echte an dieser Interpunktion, daß selbst sie, stilgemäß, der rein logischen Sphäre entrückt, konkreter, Symbol wurde.

Ein Doppelpunkt wirkt wie ein Crescendo-, wie ein Accelerando-Zeichen: „und es ist wie ein Schrei: über alles dahin und an allem vorbei" (26). Der Doppelpunkt hält zusammen, konzentriert: „Alle sind schwer: müde oder verliebt oder trunken." (20) Der Doppelpunkt weist Richtung, zeigt an, nun komme, was vorbereitet war: „Nach so vielen, leeren, langen Feldnächten: Betten!" (20) Der Doppelpunkt läßt den Atem anhalten, aufhorchen wie eine Schweigsamkeit aus dem Gebiete der Musik, wie eine Pause; so wird er selbst mitten im Satze gesetzt: „... bis in die Fingerspitzen so: nach dem Bad sein." (15)

„. . . und endlich aus den reifgewordnen Takten: entsprang der Tanz."
(16) Dieser Doppelpunkt erinnert an jene *spannende* Pause, die in der
Fuge, nach Entwicklung der Themen, das gleichzeitige Einsetzen aller
(di „tutti") zur letzten, höchstgesteigerten kontrapunktischen Durch-
führung ankündigt.

Hier ist die dem antiken Ideal der Cicero, der Demosthenes entsprechende, von Oberlehrern behütete Interpunktion verschmäht. Weg
vom rein hirnlichen „Konstruieren". So ersetzt auch der Doppelpunkt
die von der Grammatik geforderte koordinierende Konjunktion: „. . .
seid stolz: Ich trage die Fahne, seid ohne Sorge: Ich trage die Fahne,
habt mich lieb: Ich trage die Fahne." (13) „Er lächelt traurig: Ihn
schützt eine fremde Frau." (19) Wir fühlen: Das schmückende Verbinden, „Koordinieren", war oberflächlicher, wir sind dem Unmittelbaren, ja Unbewußten näher.

Wie ganze Sätze oder ein Adjektiv, ein Verb, eine Konjunktion ausgelassen werden, so ersetzen Partizip des Perfekts, ein Infinitiv, ein
Substantiv den zu weitläufigen, „regelrechten" Satz. „Infinitiv und Par-
ticipium kamen zu neuen Ehren. Was auf den ersten Blick wie Unbeholfenheit eines dumpfen Dranges scheinen mag, enthüllt sich bald als
gewollte künstlerische Gebärde, die von vorgeschriebenem Brauche
abweicht, weil sie zu verraten hat, was noch keiner ersah."[13]

„Eine einsame Säule, halbverfallen." (6) „Poltern, Klirren und Hun-
degebell! Wiehern im Hof, Hufschlag und Ruf." (14) „Nicht immer
Soldat sein." (15) Die Beispiele lassen sich beliebig vermehren. Anstatt
logischer Erklärung der reine „Ausdruck". Solche Sätze sind ein Akkord, eine Farbe! „Ich trage die Fahne" (13). Auch Wörter sind Ak-
korde, „Vielklänge". Ist nicht „Wachtfeuer" (7) oder „Rast" ein Grund-
akkord, die Tonika? Und so im ganzen Werk: „‚Abends' . . . ‚Klein
war'" (4). „Hornruf" (9). „Ein Tag durch den Troß, Flüche, Farben,
Lachen." (10). „Winken" (10). „Punktum" (11). „Ebene. Abend. –"
(12) „Hell und schlank" (19). „Rufe: Cornet! – Flüche: Cornet! Und
noch einmal: Cornet!" (25). Usw. Usw. So sehr ist diese Sprache aus
der Musik geboren, daß die für das musikalische Italienisch charakteristische Wortwiederholung (bella, bella) zur Stilnotwendigkeit wird:

---

[13] Oskar Walzel, Die deutsche Literatur von Goethes Tod bis zur Gegenwart.
In Scherer–Walzel, Geschichte der deutschen Literatur. Berlin 1921.

„Reiten, reiten, reiten, durch den Tag, durch die Nacht, durch den Tag." (2) „Man sitzt rundumher und wartet. Wartet, daß einer singt" (7) „. . . wie im Traum poltern sie, poltern –." (10) „Aber da schreit es ihn an. Schreit, schreit" (12) „. . . im Park, einsam im schwarzen Park" (18) „. . . in Waffen sein. Ganz in Waffen" (18) „Betten! Breite, eichene Betten." (20) „gemeinsam haben; so gemeinsam" (23) „von Zimmer zu Zimmer" (25) „von Trakt zu Trakt" (25) „Eisen an Eisen" (25) „Strahl um Strahl" (27). Wo die Wortwiederholung nicht rein musikalischer Natur ist, dient sie der Akzentuierung, wuchtigerer Heraushebung. Beides aber ist *germanisch*. (Was nicht ein Vorhandensein in französischer Literatur, des Verlaine zum Beispiel, ausschließt.) Ein französischer Stilkritiker wie Antoine Albalat würde solche Wiederholung als „unsachlich" verwerfen.

Die Klangmalerei erscheint in zahlreichen Alliterationen (Null und nichtig [1], Hast und Hufschlag [9], Raufen und Rufen [10], blutig und bloß [12], steigt steinern ein Schloß [14], Glas und Glanz [15], Licht lügt [18], steht steil [22], schwarz und schlank [22], den hellen, helmlosen Mann [26] usw.). Auf jeder Seite ein Ineinanderklingen. (Kaum einen Baum [2], der kleine, feine Franzose [3], auf seinem feinen, weißen Spitzenkragen [3], samtenen Sattel [3], laut und langsam [4], im Herbst, wenn die Ernten zu Ende gehen [7], in Traum halb und halb in Trotz [8], Einmal, am Morgen, ist ein Reiter da, und dann ein zweiter [9], Der von Langenau staunt. Lange . . . [9], bunte Buben [10], schwarzeisern wie wandernde Nacht [10], Der aber befiehlt: Lies mir den Wisch [11], ganz in Gedanken. Langsam malt er [13], Hufschlag und Ruf [14]. Usw. Usw.)

Es hieße Papier mit Buchstaben bedecken, wollte man alle die musikalischen Anklänge herzählen. Der reine Reim stellt sich an den intensivsten Stellen ein, im Mittelsatz besonders (nach Mayncs hübschem Vergleich mit einer dreisätzigen Symphonie). Aber das Klingen und Reimen ist hier unmittelbare Musik, selbst charakteristischer Ausdruck, fern der manchmal noch ästhetizistischen Spielerei im ›Buch der Bilder‹ (wo man lesen mag, in ›Mädchenmelancholie‹: Sein Lächeln war so weich und fein: / Wie Glanz auf altem Elfenbein, / Wie Heimweh, wie ein Weihnachtsschnein / Im dunkeln Dorf, wie Türkisstein, / Um den sich lauter Perlen reihn, / Wie Mondenschein / Auf einem lieben Buch. [!!])

Nur ein paar Beispiele eines Stilmittels, das, wie alle die erwähnten, dem fantasievollen Volkslied eigen ist, der Personifikation: „Fremde Hütten hocken durstig an versumpften Brunnen" (2) „Breit hält sich ihnen die Brücke hin" (14) „. . . die reglose Fahne hat unruhige Schatten. Sie träumt." (22) „Das sind die Fenster, die schrein" (24) „Säbel, die auf ihn zuspringen" (27). Usw. Solche Verpersönlichung des scheinbar Leblosen ist nicht spitzfindig ausgeklügelt und deshalb unwahr, sie ist, wie alles in dieser Dichtung, Zeichen, Symbol, ein Farbklang vielleicht, eine Steigerung der Intensität über das Rationale hinaus.

Was aber war das Auslassen von Sätzen, von Wörtern, die Verwendung von Substantiven, Infinitiven, Partizipien anstelle von Sätzen, das Anklingen von Wörtern gleich Akkorden anderes als Steigerung der Intensität? In der Wahl jedes einzelnen Wortes selbst ließe sich die Intensität des Ausdrucks erkennen. Rilke sagt nicht „ihm graust", sondern „ihn graust" (12), er wählt das intensivere *direkte* Objekt.

Ist das Volkslied durch seine schlaglichtartige Knappheit besonders prägnant, so waltet doch eine gewisse Allgemeinheit, ja Unbestimmtheit in ihm vor. Das Individuelle tritt hinter das Typische zurück. So nennt Rilke, außer in dem chronistischen Vorbericht (1), nicht des Junkers Namen Christoph, sondern sagt einfach: „Der von Langenau." So ist der Name der Geliebten ohne Belang. „Und er fragt eine Frau." (18) So wird die Mutter nicht genannt, heißt es nur: „eine alte Frau." (28) Denn wenn eine Mutter vom Heldentod ihres Sohnes hört, wird sie „eine alte Frau", jede *Mutter*. Es gibt eben in dieser Dichtung keinen eigentlichen Helden, sofern man nicht das Geschehen an sich, das allgemein menschliche, mit diesem Fachausdruck belegen möchte.

Wenn der Dichter sagt: „Und der Mut ist so müde geworden" (2), mögen wir fragen: „Wessen Mut?" Der Mut des Junkers, der Mut aller. Die Gemeinsamkeit, das letzthin Unpersönliche, ja Schicksalhafte kommt in dem (ebenfalls im Volkslied häufigen) Gebrauch des Neutrums und des Impersonale zum Ausdruck: Es gibt (2), Nichts (2), nirgends (2), man (2), manchmal (2), es kann sein (2), jemand (4), so reitet *man* in den Abend hinein, in *irgend einen* Abend (5), man schweigt . . . (5), fern ragt etwas in den Glanz hinein . . . (6), man sitzt rund umher (7), man muß sich trennen (9), er hat die Augen weit offen und *etwas* spiegelt sich drin; kein Himmel (14), als Mahl begann's. Und ist ein Fest geworden, kaum weiß man wie (16), es ist viel Fremdes, Buntes vor ihm (27), usw., usw.

Diese Unbestimmtheit ist urverschieden von der beabsichtigten Undeutlichkeit, Betonung des Halben, Unauffälligen, die z. B. der seinen Stil ausarbeitende, erarbeitende Thomas Mann durch Anwendung differenzierender Adverbien wie „vielleicht, hie und da, hin und wieder, dann und wann, kaum, beinahe, von ungefähr, etwas, ein bißchen, ein wenig, fast, nebenbei usw." anstrebt, sie ist der Ausdruck nicht des westeuropäischen, von seiner Ratio aus produzierenden Schriftstellers oder auch Poeten, sondern des östlichen und des germanischen und auch deutschen *Dichters*, in dem ES wirkt, in und aus dem das Kunstwerk wird.

Neutrum und Impersonale sind die Zufluchtswinkel der Phantasie in der Sprache. Sie setzen statt Zergliederung Synthese, statt Kausalität Mythologie, statt Rationalismus Intuition.[14]

Diese, wie nun erwiesen, in ihrem Gesamtstil dem Volkslied, der Ballade verwandte Dichtung, die wir als neuen Kunstorganismus bezeichnen dürfen, entspricht, wie eingangs erwähnt, der Persönlichkeit des Dichters. Sagt er doch schon in den Prager Novellen: „Mich rührt so sehr Böhmischen Volkes Weise, / Schleicht sie ins Herz sich leise, / Macht sie es schwer." Gibt es doch kein Werk Rilkes, aus dem nicht sein Verhältnis zur Musik, seine aber hier überall schaffende Allverbundenheit erhellt.

Hat der ›Cornet‹, wie überhaupt in der deutschen Literatur (und letzthin jeglicher) so im Schaffen Rilkes, keinen eigentlichen Vorgänger, steht das Werk vereinzelt da, so ist es doch, wie Ausdruck seines Wesens, Ausdruck *deutscher* Art. Darüber sind wir uns heute einig, daß ein Grundelement des Deutschen das Streben über die Ratio hinaus darstellt, wie es die Kunst und das Leben der Gotik, des Barock, der Romantik formt, ein dem östlichen Menschen verwandter Glauben an das Nichtnennbare, an das Fatum; das fühlen wir heute, daß der Deutsche am ursprünglichsten war und ist, wo immer er das Unaussprechliche auszusprechen wagte und wagt. Wir wissen, daß die deutsche *Musik* zu

[14] Leo Spitzer, Das synthetische und das symbolische Neutralpronomen im Französischen, Idealistische Neuphilologie, Vossler-Festschrift, Heidelberg 1922.

sagen vermochte, was romantischer Dichtung bestens halb gelang. Der lyrische Mensch aber, intensiv, gibt den Akzent dem bedeutendsten Wort, der bedeutendsten Silbe, während der reine Verstandesmensch das einzelne dem einmal Festgesetzten, dem „Standard" unterordnet. „Die germanische Dichtung war und blieb balladesk, liedhaft, musikalisch."[15]

Letzten Endes hält Rilkes so kühn, so neu erscheinende Dichtung ganz wesentliche Stilelemente altgermanischer Dichtung aufrecht, bricht da wieder etwas durch, was wir als ureigenstes Erbgut der Deutschen bezeichnen dürfen.

Wenn man die grammatikalischen Abweichungen wie die Stileigentümlichkeiten ihres, zuvörderst musikalischen, Charakters wegen als der inneren, persönlichen wie volklichen Form Rilkes gemäß deuten darf, so ist es ein leichtes, die Zeitzugehörigkeit zu bestimmen. Sind bis jetzt einzelne Arbeiten über musikalische Gesetze in der Dichtung erschienen,[16] so sollte, wenn einst genügend Material gesammelt ist, einer die Geschichte des musikalischen Stils in der Dichtung schreiben. Es würde dann ersichtlich werden, daß Rilke seine Leitmotive, wie „Sehnen und Sterben, Weib und Schicksal" (Maync), in kühnerer Weise spielt und abwandelt als E. T. A. Hoffmann die seinen im ›Goldenen Topf‹. Man würde erkennen, daß die losere Form seines Werkes der befreiten Struktur moderner Musik gleichkommt, daß sein Metrum den Takt so häufig wechselt wie das zerrissenste Werk Regers, ja, daß er Wortakkorde zu sagen vermochte, die dem geistreichen Musiktheoretiker Arnold Schönberg als „Klangfarbenharmonien" vorschwebten.

Man wird auch einmal erkennen müssen, daß diese schon 1899 geschriebene Schöpfung erst in einer Zeit berühmt werden konnte, da dem deutschen ins Unendliche strebenden Geist die nur dem Anscheine nach unvereinbaren Taten wie Spenglers Geschichtsbetrachtung, Freuds Seelenzergliederung, Vosslers Sprachforschung gelangen. Man wird auch zu erkennen haben, daß Rilkes Malen, durch Helldunkel an die Worpsweder gemahnend, Forderungen erfüllt, die, „tech-

---

[15] Fritz Strich, Natur und Geist der deutschen Dichtung, Die Ernte, Muncker-Festschrift, Halle 1926.

[16] Oskar Walzel, Leitmotive in Dichtungen, Zs. für Bücherfreunde, N. F. 8, 2. S. 270. Ad. von Grolman, Adalbert Stifters Romane, Halle 1926.

nisch", über die Kunst dieser hinausgehen, Forderungen, deren Gesetze von expressionistischen Malern erkannt, doch übersteigert, verzerrt wurden. Und man wird einsehen, daß um die Jahrhundertwende einer *konnte*, was eine vom Krieg erschütterte, von der Hohlheit des Konventionellen überzeugte, im literarischen Kunstschaffen aber ohnmächtige junge Generation *wollte*. Die einen brachen unter der Last des Eindrucks zusammen und vermochten nur zu stammeln, die andern schrien hinaus, was sie bestens anempfanden, nicht empfanden. Rilke aber gelang es, die beiden „Pole", sein Ich und die Welt, zu umspannen und im einzigen Augenblick die Stimme, das Unnennbare, ES sagen zu lassen.

Die Übertragung wesentlichster Schwingungen ist so unerhört fein, so *neu*, daß man zu wünschen versucht wäre, Rilke hätte in besonderer Notenschrift Tonhöhe, Tonstärke, Tempo und Nuancen vermerkt – wenn auch man weiß, daß Rilke nie sich dazu hätte hergeben können.

Wenn einmal die Formelfinder diesen „neuen Kunstorganismus" durch ehrenvolle Aufnahme in ihren Kodex sanktionieren, mag das weitergeschrittene Leben eine neue (und doch, wie auch hier, im Alten verwurzelte) Form hervorbringen.

Das aber dürfte man heute wissen, daß so viele dickleibige Romane unserer Zeit den Leser, voran den vom Tagwerk ermüdeten, zur Oberflächlichkeit verleiten, während bei Anhören dieser knappen, echten Dichtung auch für den Angestrengtesten noch Zeit zur Sammlung bleibt. (Vielleicht also haben wir hier die eigentliche „zeitgemäße" Dichtung.) Bedenken sollte man, daß an Gesten dieses kleinen Werks wiedererfahren werden kann, was ein einziges Zeichen anstatt der üblichen Zerschwätzerei vermag. Und man würde verstehen, daß dieser „neue Stil" nicht aus Geschmäcklerei, sondern aus persönlicher, volklicher, zeitlicher Notwendigkeit erstand.

Howard Roman, Rilke's Psychodramas. In: The Journal of English and Germanic Philology (JEGP) XLIII (1944), S. 402–410. Mit freundlicher Genehmigung der University of Illinois Press, Champaign, Ill./USA. Aus dem Amerikanischen übersetzt von Ileana Beckmann.

RILKES PSYCHODRAMEN

Von HOWARD ROMAN

Anders als bei den meisten großen Dichtern zeigt sich in Rilkes frühesten Werken zunächst wenig von seiner kommenden Größe. Seine spätere Größe läßt es jedoch sinnvoll erscheinen, die Umstände seiner Anfänge kennenzulernen, und sei es auch nur deshalb, weil gerade die Umwege des Genies zu seinen interessantesten Charakteristika gehören. Der vorliegende Aufsatz befaßt sich mit einer Reihe solcher Umstände und versucht, Rilkes frühe Tätigkeit und seine Schöpfungen ein wenig zu erhellen; denn die erstere zeigt uns zumindest etwas von des Dichters jugendlicher Methode und Persönlichkeit, während die letzteren uns lediglich beweisen, daß der Rilke, den wir kennen, in ihnen schwerlich zu finden ist.

Unter den ersten Veröffentlichungen aus Rilkes Feder befinden sich zwei sogenannte Psychodramen. Das erste, ›Murillo‹, erschien im Januar 1895 [1] und wurde vermutlich 1894 verfaßt. Die einzigen bekannten Kopien befinden sich im Rilke-Archiv in Weimar; ihren Inhalt beschreibt Sieber in seinem Buch ›R. M. Rilke‹. Das zweite, ›Das Hochzeitsmenuett‹, erschienen im Juli 1895,[2] wurde wahrscheinlich gleichzeitig oder unmittelbar nach ›Murillo‹ geschrieben.

Der Definition nach entspricht das Psychodrama dem Monodrama. [. . .] In seiner einfachsten Form ist das Monodrama nichts anderes als ein

---

[1] Laut F. A. Hünich, Rilke-Bibliographie, Leipzig 1935, S. 12, ist ›Murillo‹ in Psychodramenwelt, Vierteljahrschrift der Litterarischen Gesellschaft Psychodrama. Bremen, II. Jahrgang, Nr. 1, 1. Januar 1895, erschienen. Diese Angabe wird uns einige Schwierigkeiten bereiten, da die Existenz dieser Zeitschrift nur hier erwähnt wird.

[2] A. a. O., S. 12. ›Das Hochzeitsmenuett‹ erschien nicht in einer dem Psychodrama gewidmeten Zeitschrift, sondern in Jung-Deutschland und Jung-Elsaß, deren lokaler Herausgeber Rilke einige Zeit lang war. In der Von-Mises-Sammlung in Cambridge, Mass., existiert eine Fotokopie des Stücks.

Monolog-Drama. In seiner anspruchsvollsten Form hingegen kann es zusätzlich zum Einzeldarsteller eine Mehrzahl von Personen als auf der Bühne anwesend annehmen; in diesem Fall ergeht sich der Einzeldarsteller in einem einseitigen Dialog mit den anderen, deren Worte und Handlungen uns durch ihn mitgeteilt werden. Sämtliche Kulissen und Requisiten sind, wie die nicht sichtbaren Nebenrollen, ebenfalls imaginär. [. . .]

Eine Reihe von Schriftstellern früherer Epochen, insbesondere aus dem 18. Jahrhundert, verfaßte Monodramen von der einen oder der anderen Art, unter ihnen Rousseau (›Pygmalion‹) und Goethe (die Proserpina-Szene im ›Triumph der Empfindsamkeit‹). In seiner ursprünglichsten Form ist das Monodrama jedoch wahrscheinlich so alt wie die Tradition der Liebhaberbühne und nur wenig jünger als die Balladen. Die Bezeichnung *Psychodrama* taucht erst zu Rilkes Zeit auf; ein gewisser Richard von Meerheim scheint sie für seine Monodramen erfunden zu haben. 1882 veröffentlichte Meerheim eine Sammlung von ›Monodramen neuer Form‹, deren Untertitel ›Psycho-Monodramen‹ lautete. 1888 brachte er eine neue Sammlung heraus, diesmal unter dem Titel ›Psychodramen‹. Die Abfolge dieser Titel verdeutlicht die Entstehung des Namens. Obwohl Meerheimbs Werke heute längst vergessen sind, waren sie zu ihrer Zeit überaus gut bekannt, und man nimmt an, daß sie das Vorbild für die beiden oben erwähnten kurzen Stücke Rilkes waren. Dies erscheint nicht nur deswegen naheliegend, weil Meerheim der Neuerer und das Haupt der ganzen Mode der Psychodramen war, sondern auch deswegen, weil ihn ein etwas obskures Band bibliographischer Umstände mit Rilke unmittelbar verbindet.

Es gibt keinen besseren Beleg für die Popularität von Meerheimbs Psychodramen als die Tatsache, daß der ›Neue Theater Almanach‹, der jährlich Hunderte von Seiten Auflistungen und Statistiken, nie jedoch Schauspielen selbst widmete, im Jahre 1894 ein Meerheimbsches Psychodrama mit dem Titel ›Oktavia‹ abdruckte, und zwar mit folgenden Bemerkungen: „Die Psychodramen des zuerst als Epiker bekannt gewordenen Poeten, Richard von Meerheim, bieten begabten Vortragskünstlern den weitesten Spielraum zur Entfaltung der Redegewalt und haben nach und nach das Parquet des Salons wie der öffentlichen Auditorien erobert."[3] Reclam veröffentlichte zwei Bände von Meerheimbs

---

[3] Neuer Theater Almanach für das Jahr 1894, Berlin 1894, S. 68.

Psychodramen (1888), für die ein gewisser Carl Friedrich Wittmann enthusiastische Einführungen schrieb. Mit Blick auf die Bedeutung des von Meerheimb Erreichten zitierte er zahllose Zeugnisse verschiedener Zeitgenossen, unter ihnen den damals populären Schriftsteller Georg Ebers. Reclam brachte außerdem zwei Bände verschiedenartiger *Solospiele* mehrerer Autoren heraus, offenbar um die damals populäre Nachfrage nach monodramatischen Stücken zufriedenzustellen.

Die entscheidende – oben schon erwähnte – Verbindung zwischen Rilkes Psychodramen und Meerheimbs Aktivitäten läßt sich wie folgt herstellen. Nach seinem Lob auf Meerheimbs Dichtungen („eine abgeschlossene, neue Kunstform") schreibt F. Brümmer: „Im Anschluß an diese poetische Tätigkeit rief von Meerheimb am 1. Aug. 1892 die Litterarische Gesellschaft Psychodrama ins Leben, die seitdem ein eigenes Organ in den ‚Neuen Litterarischen Blättern' gründete."[4] Die 'Litterarische Gesellschaft Psychodrama' ist zweifelsohne identisch mit derjenigen, von der Hünich erwähnt, sie habe auch die Vierteljahres-Zeitschrift ›Psychodramenwelt‹ veröffentlicht, in welcher Rilkes ›Murillo‹ erschien (vgl. Anm. 1). Daß die Zeitschrift ›Psychodramenwelt‹ tatsächlich ein Meerheimbsches Organ war, wird überdies deutlich, wenn man die Titel der Meerheimbschen Werke betrachtet und seine Schwäche für Wortverbindungen mit der Endung *-welt* entdeckt: ›Soldatenwelt‹, 1857; ›Poetenwelt‹, 1859; ›Fürstenwelt‹, 1873; am überzeugendsten ist der Titel, unter dem 1886 die fünfte Auflage der ›Monodramen

---

[4] Biographisches Jahrbuch und Deutscher Nekrolog, Berlin 1897, Bd. I, S. 259. Ich nehme an, daß es sich in beiden Fällen um dieselbe Litterarische Gesellschaft Psychodrama handelt, nicht nur, weil es unwahrscheinlich ist, daß zwei verschiedene Gesellschaften mit demselben seltenen Namen und Ziel existiert haben, sondern auch, weil eine Notiz in der Von-Mises-Sammlung, die aus dem Rilke-Archiv stammt, den Sitz der Litterarischen Gesellschaft Psychodrama nach Bremen legt, wo sowohl Psychodramenwelt wie die Neuen Litterarischen Blätter ursprünglich veröffentlicht worden sind. Die Tatsache, daß die 1892 gegründeten Neuen Litterarischen Blätter später ihren Sitz nach Berlin verlegten und sich ab 1895 nur noch mit Dichtung befaßten und daß Psychodramenwelt erst ab 1894 erschien, läßt die Vermutung zu, daß die frühere Publikation sich von Meerheimb losgesagt hatte, daß aber an ihrer Stelle ungefähr zu der Zeit, als Rilke seinen ›Murillo‹ schrieb, eine neue, loyale Zeitschrift gegründet worden war.

neuer Form‹ erschien – ›Monodramenwelt‹. Es erscheint daher unbedenklich und möglicherweise erhellend, Rilkes Psychodramen im Licht
der Meerheimbschen zu betrachten.

Von Meerheimbs Psychodramen [5] bestehen aus Szenen, die ein ent-
scheidendes Ereignis im Leben zeitgenössischer Bürger oder Militärs
(Meerheimb war Offizier gewesen) oder historischer Personen behandeln. Bezeichnend für die letztgenannte Gruppe und auch am besten
gelungen ist das Stück, das im ›Neuen Theater Almanach für 1894‹
abgedruckt wurde, ›Oktavia‹. Es ist in Blankversen verfaßt und beschreibt uns Oktavias Ankunft in Alexandria, ihre Nachforschungen
nach Marc Anton und die plötzliche Entdeckung seiner Leiche – das alles allein durch die Augen und Worte Oktavias. Andere Stücke dieser
Gruppe tragen Titel, die den Inhalt andeuten: ›Der Siegesbote von Ma-
rathon‹, ›Actium‹, ›Thusnelda‹. Charakteristisch für die erste Gruppe
und für einen Vergleich mit Rilkes Versuchen auf demselben Gebiet
nützlich ist ›Kapellmeisters letzte Probe‹, ein Stück, das mit simplem
Pathos den Tod eines Musikers schildert.

Rilkes ›Murillo‹ weist, sofern wir ihn beurteilen können, einige Ähnlichkeiten mit Meerheimbs ›Kapellmeister‹ auf. Sieber faßt das Stück
folgendermaßen zusammen: „Murillo wird auf einem Spaziergang ster-
bend von einem Bauern in sein Haus geführt, und um zu beweisen, daß
er Murillo ist, malt er mit einer Kohle aus dem Weihrauchbecken des inzwischen gerufenen Priesters einen Ecce Homo an die Wand." [6] Er fügt
hinzu: „Das Psychodram, ein Monolog Murillos, ist nicht Rilkesch
und verrät in keinem Wort eine eingeprägte Persönlichkeit." [6]

Meerheimbs ›Kapellmeisters letzte Probe‹ beginnt in Form eines Mo-
nologs mit dem Tagtraum des Musikers von Ruhm und künstlerischer
Vollendung. Mit seiner kleinen Tochter geht der Meister dann zum
Konzertsaal; auf dem Weg dorthin versucht er, vor ihr zu verbergen,
daß er sich nicht wohl fühlt. Nach seiner Ankunft beginnt er, sein eigenes neues Werk zu dirigieren, kann den Einsatz der Instrumente nicht
hören, schreit und bricht zusammen; er wird in einen Vorraum getragen, wo er in plötzlicher und vollständiger Taubheit unter einem Por-

---

[5] Richard von Meerheimb, Psychodramen, Leipzig 1888 (Reclam 2410,
2604).
[6] Carl Sieber, R. M. Rilke, Leipzig 1932, S. 133.

trait von Beethoven stirbt. Vermutlich begann Rilkes Stück mit einem ähnlichen Monolog des Künstlers, der allein unterwegs ist, und zeigte dann den Schrecken des Künstlers über die Anzeichen eines Anfalls. Solche Szenen finden sich auch häufig bei von Meerheimb; sie bieten dem vortragenden Schauspieler stets erwünschte Gelegenheit für heftige theatralische Auftritte. Die Rolle des sterbenden Malers, der in des Bauern Haus gebracht wird wie der Kapellmeister vom Podium in den Vorraum, eignete sich ebenfalls für betont schmerzvolle Gesten und Seufzer. Da wir so wenig über Rilkes ›Murillo‹ wissen, ist es nicht möglich, den Text noch weiter mit Meerheimbs Stück zu vergleichen; wir können nur so viel sagen, daß beide Stücke den Tod eines Künstlers fern von seinem Haus und unter zufällig anwesenden Menschen schildern. Dies ist ein für das Psychodrama bestens geeignetes Muster, da eine höchst „pathetische" Situation verbunden mit einem passiven Publikum in einer Person konzentriert ist. Auch wenn Rilke Meerheimbs ›Kapellmeisters letzte Probe‹ nicht eigentlich vor Augen gehabt haben mag, als er ›Murillo‹ schrieb, so haben wir den Vergleich hauptsächlich deshalb angestellt, um die Ähnlichkeit psychodramatischer Elemente aufzuzeigen, eine Ähnlichkeit, die u. a. der allgemeinen Dominanz des Meerheimbschen Werks zu entstammen scheint.

Vermutungen darüber anzustellen, weshalb Rilke überhaupt ein Psychodrama über Murillo schrieb, werden wir erst wagen, wenn wir das zweite Psychodrama besprochen haben. Es sollte an dieser Stelle jedoch angemerkt werden, daß im Unterschied zur Handlung des zweiten Psychodramas, welche allem Anschein nach auf dem Thema bestimmter Gemälde der Dresdener Galerie beruht, das Murillo-Stück – obwohl es sich denken ließe – von dem allgemeinen Geist der Murillo-Gemälde nicht beeinflußt ist. In den Katalogen der Dresdener Galerie für die Jahre 1887 und 1896 (es besteht Grund zur Annahme, daß Rilke die Galerie 1894 besuchte) sind folgende Gemälde Murillos vermerkt: Der Tod der heiligen Clara; der heilige Rodriguez (im Bischofsgewande, mit Palmenzweig); Maria mit dem Kinde – keines von ihnen könnte die Handlung von ›Murillo‹ unmittelbar angeregt haben. Auch läßt sich nirgendwo in den historischen Berichten über Murillos Karriere ein Anhaltspunkt für Rilkes erfundene Todesszene finden.

In der Untersuchung des zweiten Psychodramas, ›Das Hochzeitsmenuett‹, können wir Vermutungen durch Tatsachen ersetzen, da das

Stück glücklicherweise vollständig vorliegt. Auch gibt eine Betrachtung dieses Stücks und seiner Entstehung mehr Einblick in ›Murillo‹, das wir nur deshalb zuerst besprochen haben, weil es offenbar zuerst geschrieben wurde. Zu diesem Schluß führen uns nicht nur die Erscheinungsdaten der beiden Stücke, sondern auch die Tatsache, daß ›Murillo‹ sich ziemlich eng an das Meerheimbsche Muster, wie es aus ›Kapellmeisters letzter Probe‹ hervorgeht, zu halten scheint, während ›Das Hochzeitsmenuett‹ dieses Muster verläßt und Gewagteres versucht.

Rilke schickte seinem Psychodrama eine erklärende Zusammenfassung voraus:

> Meinem Psychodrama liegt eine wahre Begebenheit zu Grunde. Franz van Mieris will trotz der anderweitigen Vorwürfe seines Freundes und Mitschülers Gabriel Metzu die jugendliche Gemahlin des greisen Meisters Gerhard Dow, einer flüchtigen Empfindung folgend, entführen. Dadurch, daß Meister Dow im Gartenpavillon zufällig die Hochzeitsmenuett spielt, erwacht im Herzen der jungen Frau das Pflichtgefühl und eine gewisse dankbare Zuneigung zu ihrem Gemahl, welche sie zwingt, das Verbrechen zu fliehen und – mehr noch – ihre ganze Schuld dem Hintergangenen einzugestehen. Was weiter geschieht, ist klar.
> In der Dresdener Gallerie befindet sich neben den Bildern van Mieris' und Metzu's – auch das Selbstportrait Dow's – die Violine in der Hand. [7]

Das Stück beginnt – wie die meisten Meerheimbschen – mit einem Monolog im üblichen Sinn des Wortes, der Hauptfigur und Thematik vorstellt. Van Mieris führt ein Selbstgespräch über die Rechte des Herzens und denkt zugleich über die Warnung seines Freundes Metzu nach, der – wie man uns zu verstehen gibt – soeben die Szene verlassen hat. Das Ganze ist in abgedroschenen und geschwätzigen Pentametern verfaßt. Meerheimb verwendete den stets reimlosen Blankvers in seinen heroisch-historischen Psychodramen, nicht jedoch in seinen bürgerlichen Stücken.

> Was warf er mir nicht alles vor? Ein heißer,
> Beherzter Feuereifer trieb ihn an,
> Von Line, Rose und Marie – und dann
> Sprach er nicht von Brigitte? Ahnt er? – Weiß er?
> Nicht doch. Er kann nicht wissen, daß ich täglich

---

[7] Jung-Deutschland und Jung-Elsaß, III. Jg. (1895), S. 108. Bei weiteren Zitaten aus diesem Stück wird am Schluß des Textes nur die Seite angegeben.

Sie im verborg'nen Gartenhause sprach . . .
(lauschend) Zwei . . . drei . . . nicht doch . . . acht!
Schon Zeit? . . . Brigitte, sie versprach – nun muß sie kommen.
. . . Dort bei der Gittertüre
Fährt eben schon der Reisewagen vor. (S. 108)

Mit dem Auftreten der zweiten Person, Brigitte, zeigt sich sogleich, daß Rilke komplexeres Material verwendet hat, als es bei Meerheimb üblich war. Damit verbesserten sich beide im Hinblick auf den „Meister" und gerieten zugleich in Schwierigkeiten. Meerheimb bedient sich fiktiver Dialoge, die nicht von dem Einzeldarsteller stammen, nur selten und zumeist andeutungsweise. Müssen die genauen Bemerkungen einer imaginären zweiten Person dem Publikum mitgeteilt werden, so läßt Meerheimb sie meistens vom Hauptdarsteller mit Hilfe von Kunstgriffen wiederholen. Im ›Kapellmeister‹ z. B. soll die Taubheit, die den Dirigenten während seines Sterbens befällt, mit der Eröffnung des Stücks einsetzen. Meerheimb benutzt dies, um unseretwegen den Kapellmeister das, was zu ihm gesagt wurde, wiederholen zu lassen, als ob er sichergehen wollte, daß er es richtig verstanden hat.

Rilke nimmt keine Zuflucht zu solchen Kunstgriffen, um uns durch den Einzeldarsteller wissen zu lassen, was die imaginäre zweite Person gesagt hat. Er versucht allenfalls, jede Wiederholung von Bemerkungen der imaginären zweiten Person natürlich klingen zu lassen, indem er den Hauptdarsteller überrascht sein und die Bemerkung in Form eines Ausrufs wiederholen läßt. So sagt Mieris nach dem Auftreten Brigittes: „Welch eine Frage, Lieb! / Ob ich dich ewig lieben werde?" (S. 109) Ansonsten entschuldigt sich Rilke kaum für diese notwendigen Wiederholungen; sein Sprecher hört sich manchmal fast kleistisch an: „Wie meinst du, wir, / Wir sollen nicht den Kiesweg gehen, daß Spuren / uns nicht verraten?" (S. 108) „Die Dienerschaft? . . . Ergeben unbedingt. / Nein, fürchte nichts." (S. 109)

Dieser Methode des direkten Zitats frei von Ausflüchten ist eine gewisse Frische und Dichte eigen, die Meerheimbs durchsichtigen Kunstgriffen abgingen; sie hält jedoch der Spannung der weiteren Entwicklungen nicht stand. In Meerheimbs Stücken besitzt eine imaginäre Zweit-Person selten eine solche Bedeutung wie Brigitte, und nie führt die Zweit-Person zu einer dritten Person von der Deutlichkeit und Wichtigkeit des Meisters Dow. Während im Garten van Mieris und Bri-

gitte gerade entfliehen wollen, hört man Schritte; van Mieris treibt zur
Eile an, aber Brigitte zögert. Nachdruck und Interesse verlagern sich
hier auf Brigitte. Die Gründe für ihr Zögern und der in ihr aufbre-
chende Konflikt lassen sie zur Hauptperson werden. Doch weil es sich
um ein Monodrama handelt, ist Rilke gezwungen, uns Brigitte durch
einen Mittler, nämlich van Mieris, und dessen eigene Reaktionen zu
zeigen. Hier überschreitet Rilkes Psychodrama entschieden die von
Meerheimb gesetzten Grenzen. Die Beschränkung der gesamten Rede
auf einen Schauspieler verlangt nun ein ständiges Zitieren der Anregungen der imaginären Person durch den Einzeldarsteller.

> Wie, schweigen soll ich, still
> Und horchen . . . horchen *jetzt* . . . Brigitte höhne
> Mich nicht . . . Was ich vernehme?
> Mein Gott! Geigentöne.
> . . . Doch nun genug.
> Gesteh, was soll's? . . . *Dein* Hochzeitsmenuett?
> Nun, und . . . Was sonst? Du spottest! (zornig) Bitte!
> Was hör' ich? „Geh'n Sie" sagst du *mir,* Brigitte?
> *Mir* das? Mich gehen heißen? Geh'n? und „Sie"?
> . . . Jetzt willst du mich verlassen?
> Sieh her, ich flehe um ein einzig Wort.
> Ich kniee . . . ganz umsonst . . . Nun ist sie fort. (S. 109)

Nach Brigittes Abgang ist van Mieris wieder allein; bei seinem weiteren Reden ergeht er sich daher in einem reinen Monolog. Von Meerheimb gestaltete seine Psychodramen entweder weitgehend als Mono-
loge, wobei die imaginären Personen kaum eine oder gar keine Rolle
spielen, oder er ließ eine Gruppen-Szene in die andere übergehen, so
daß der Einzeldarsteller stets andere nichtsprechende Personen an-
sprach. So vermochte er eine gewisse Einheit der Konvention auf-
rechtzuerhalten. Rilkes Psychodrama fehlt diese Einheit infolge der
Komplexität des von ihm hierzu gewählten Stoffes; auch bringt es die
Konvention durcheinander. Wie wir gesehen haben, wendet sich der
Schauspieler in dem einen Augenblick zugleich an sich selbst und an die
Zuhörer, indem er wie im Monolog seine eigenen Gedanken laut ausspricht; im nächsten Augenblick spricht er in einer Weise, wie sie im
Monodrama üblich ist, zu imaginären Personen. Die unmittelbare Wir-
kung läßt sich schwer vorstellen. Die Einheit der Illusion ist infolge die-

ses Schwankens zwischen den Konventionen im wesentlichen zerstört, wiewohl der endgültige Beweis der Durchführbarkeit beim Schauspieler bleibt.

Hauptthema von van Mieris' Monolog nach Brigittes Abgang ist die Reue. Vermutlich unter dem bewegenden Einfluß von des Meisters Geigenspiel bedauert van Mieris seinen fast ausgeführten Plan.

> ... An mein Ohr
> Dringt's mächtig nun. Als riefen gute Geister
> Mir warnend zu: Kehr um, du bist ein Tor,
> Ein Tor? Ein Sünder bist du ...
> ... Jetzt wolltest du Brigitte
> Verlocken auch, die Herrliche ... (S. 109)

Mit van Mieris' Augen sehen wir dann, wie Meister Dow seiner Frau verzeiht, die ihm ihr beabsichtigtes Vergehen gestanden hat. Zum letztenmal gerät Rilke mit dem Überfluß an Personen in Schwierigkeiten, denn nunmehr wird Meister Dow beim Betreten der Szene zum Hauptsprecher, obwohl er gezwungenermaßen weiterhin durch van Mieris spricht. Hier ist es nicht einmal mehr für van Mieris möglich, uns mit Hilfe einer der vorher erwähnten Methoden mitzuteilen, was Dow sagt, da – anders als in der Szene zwischen van Mieris und Brigitte – Dow vermutlich alles und van Mieris nichts sagt. Rilke ist hier gezwungen, einen weiteren Kunstgriff zu wagen, der mit der Einheit der Idee des Monodramas bricht. Mieris berichtet uns in einer Reihe von Randbemerkungen über den Verlauf der Worte des Meisters. Auf diese Weise wird er nun beides zugleich, kommentierender Betrachter für die Zuhörer und aktiver Teilnehmer. Es ist dem Schauspieler nicht möglich, das Geschehen so zu beschreiben, als ob es einen anderen betreffen würde, und gleichzeitig die eigene Betroffenheit auszudrücken. Das Psychodrama sollte aufgeführt und nicht bloß gelesen werden; hier wird jedoch deutlich, daß es Rilke nicht gelang, sich die Szene konkret in Gestik, Stimmen und in der Einbildungskraft der Zuhörer vorzustellen. Er hat die Grenzen des Psychodramas gesprengt. Nunmehr ist deutlich, daß zwei Schauspieler vonnöten sind:

> Wie? ... Er spricht
> Mich lieb und herzlich an, wie sonst ... ich träume ...
> Verdien' ich das? Wie sanft, wie mild. Was säume
> Ich noch zu knie'n. – Es will das Herz mich lähmen.

Jetzt steht er vor mir . . . heißt mich aufsteh'n . . .
Dein Schüler, Herr, will von dir Abschied nehmen
Zum letzten Male. Heut Abend noch reist er
Nach Rom . . .
(bebend) Er hebt mich auf? Er sieht sein Weib
Sein edles an? . . . Er küßt mich, sagt mir: bleib . . .?
Er, er vertraut mir, er verzeiht mir . . .
(innig): Meister! . . . (S. 109f.)

Die Konfusion der Rollen fällt an dieser abschließenden Stelle besonders auf. Mieris versucht, uns zur selben Zeit mitzuteilen, was Dow tut und sagt, und auch, was er, Mieris, tut, fühlt und sagt. Will man sich das mißliche bühnenpraktische Resultat vorstellen, braucht man sich nur einen Schauspieler vorzustellen, der durch Gesten zu zeigen versucht, wie er geküßt wird, während er im gleichen Augenblick sagt: „Er küßt mich."

Unsere ganze Kritik zielte nur darauf, die Fehler des psychodramatischen (monodramatischen) Aufbaus hervorzuheben und die fast unmögliche Bürde aufzuzeigen, die der Fähigkeit des Darstellers und der Vorstellungskraft der Zuhörer auferlegt ist. Wahrscheinlich in der Annahme, einer interessanten Mode zu folgen, beging Rilke den einen grundlegenden Fehler, seinen Stoff in dieser Form vorzutragen. Durchdenkt man sich diesen Stoff in Form eines Einakters mit gelegentlichen Monologen, so scheint er ganz annehmbar. Die Personen sind in einer Dreiecksbeziehung miteinander verbunden, so daß sie in jedem Moment lebhaft uns vor Augen stehen; dies ist der Grund, weshalb das Monodrama dem Stoff nicht hinreichend gerecht werden konnte.

Das Problem der Erfindung und der Quelle, das wir im Zusammenhang mit ›Murillo‹ zwangsläufig ohne Ergebnis besprochen haben, wird in ›Das Hochzeitsmenuett‹ viel deutlicher; nur scheint es hier, als ob es Rilke sei, der versucht, uns zu verwirren. Das oben vollständig zitierte Vorwort begann mit den Worten: „Meinem Psychodrama liegt eine wahre Begebenheit zu Grunde", erzählte uns den Inhalt und schloß mit der Feststellung: „In der Dresdener Gallerie befindet sich neben den Bildern van Mieris' und Metzu's . . . auch das Selbstportrait Dow's . . . die Violine in der Hand." Aufgrund der Reihenfolge dieser Sätze nimmt der Leser natürlich an, daß die Geschichte dieser Maler wahr ist und daß das Selbstportrait Dows mit dessen persönlicher Erfahrung in Verbindung steht, auf der Rilkes Stück vorgeblich beruht. Dies würde bedeuten, daß Rilke eine Geschichte, die er irgendwo gefunden hat, lediglich in eine dramatisierte Form brachte. Doch wo hat er sie gefunden?

Wie bei ›Murillo‹ belegt die Geschichte kein solches Ereignis, wie Rilke es erzählt, denn Dow war nie und van Mieris schon sehr früh verheiratet. Außerdem ist das sogenannte Selbstportrait des geigespielenden Dow nicht wirklich ein Portrait von Dow, obwohl es früher für ein solches gehalten wurde. Der Dresdener Katalog von 1887 hebt dies hervor; und zu der Zeit, als Rilke sieben Jahre später die Galerie besichtigte, muß die korrekte Beschriftung an dem Bild angebracht gewesen sein. Doch nichts davon berührte Rilke. Die letzte Bemerkung im Vorwort über das Selbstportrait Dows, „die Violine in der Hand", neben den Bildern von van Mieris und Metzu, die den Leser glauben machen sollte, die Geschichte sei wahr, weist vielmehr darauf hin, daß Rilke seine Idee vermutlich durch die Gemälde im Dresdener Museum erhalten, seine jugendliche Erfindungsgabe jedoch unter dem Mantel der historischen Wahrheit irgendwie versteckt hatte.

In der Dresdener Galerie finden sich relativ wenige Bilder der drei in Frage kommenden Maler; man kann, wenn auch nur zufällig, aus einigen dieser Gemälde die Anregung zu Rilkes Geschichte herauslesen. Neben dem sogenannten Selbstportrait des geigespielenden Dow gibt es in Dresden auch ein echtes Selbstportrait von Dow, der an seinem Schreibtisch sitzt und mit melancholischem Gesichtsausdruck von seiner Arbeit aufblickt. (Das erste Gemälde wurde möglicherweise für ein Selbstportrait gehalten, weil die dargestellte Person eine vage Ähnlichkeit mit dem Dow im zweiten Gemälde aufweist.) Unter den vielen Gegenständen, die Dow im echten Selbstportrait umgeben, befindet sich auch die immer gegenwärtige Violine, die in vielen seiner Gemälde als beliebtes Detail auftaucht. Geht man vom zweiten zum ersten Gemälde und sieht man einmal davon ab, ob das erste wirklich Dow darstellt oder nicht, könnte es scheinen, als wäre der Meister aufgestanden, um Geige zu spielen. Von van Mieris gibt es zwei Gemälde, die im Katalog folgendermaßen beschrieben werden: *„Die Liebesbotschaft ... Die Schöne stützt ihren Kopf lauschend in die Linke und hält den Brief, den die Alte gebracht, in der Rechten. Der Künstler eine Dame malend ... Der junge Künstler vor einer Staffelei, auf der das angefangene Bildnis einer*

Dame steht. Diese ... wendet ihr Gesicht dem Künstler zu, der sie
lächelnd anblickt."[8]

Van Mieris' und Dows Gemälde befinden sich in angrenzenden Räumen. Hat Rilke sich die Dame in den Bildern von van Mieris, die beide
ein wenig kokett sind, als Dows Frau vorgestellt, dann kann man leicht
verstehen, wie diese, zusammen mit der Figur des Geigenspielers, die
Grundlage für die Handlung von ›Das Hochzeitsmenuett‹ gebildet
haben könnten. Es scheint jedenfalls sicher, daß besondere Komposi-
tionsteile der Bilder Eingang in die Handlung gefunden haben, obwohl
wir nicht genau sagen können, welche es außer dem geigespielenden
Pseudo-Dow gewesen sind.

Daß van Mieris' und Dows Gemälde sich in angrenzenden Räumen
befunden haben und ihre Themen in Rilkes Stück vereint sein sollten,
ist nur das logische Ergebnis ihrer historischen Nachbarschaft. Wie
aber steht es mit Murillo? Der in den Katalogen von 1887 und 1896
(während dieser Jahre fand Rilkes Besuch statt) abgebildete Plan zeigt
uns, daß die kleinen angrenzenden Räume, in denen sich die Gemälde
der Leidener Schule des 17. Jahrhunderts (Dow, van Mieris, Metzu) be-
fanden, alle in einen großen Saal mündeten, der ... der Murillo-Saal
war; sie alle lagen nahe am Haupt-Treppenhaus. Es ist denkbar, daß
Rilke, der zu dieser Zeit wenig über Kunst wußte,[9] in das Museum
schlenderte, vom Haupt-Treppenhaus in die angrenzenden Räume
wanderte und – da ihm gefiel, was sie enthielten – dort blieb und sich in
seiner Begeisterung anregen ließ, Psychodramen über das Gesehene zu
verfassen. (Der Vater des Psychodramas, Richard von Meerheimb,
lebte zu dieser Zeit [1894] in Dresden. Wir können daher noch eine
letzte Konjektur auf der Grundlage dieser höchst zufälligen Indizien
vornehmen und annehmen, daß Rilke – begeistert wie er vom Psychodrama gewesen sein muß – den zeitgenössischen Meister dieser Form sowie die Dresdener Galerie am selben Tag besucht hat und, auf der Suche
nach psychodramatischem Stoff, das erste, was sein Auge mit Wohlgefallen
erblickte, als Thema aufnahm: Murillo und die Leidener Maler.)

Es gibt keinen wirklichen Beweis für auch nur eine dieser Vermutungen. Den einzigen Hinweis, daß Rilke die Dresdener Galerie so

---

[8] K. Woermann, Katalog der Königlichen Gemäldegallerie zu Dresden,
Dresden 1896, S. 567.

[9] Vgl. Sieber, op. cit., S. 116.

früh schon besichtigt haben könnte, finden wir in einem Brief in Versen
an die Baroneß von O. mit dem Titel „Musenhaus, 15/9/96", der folgendermaßen beginnt: „Wieder einmal Dresden-Gallerie / Die ich auf-
zusuchen nie vergesse"[10], und der unzählige Couplets über fast jeden
im Katalog aufgeführten Maler enthält. Bedenkt man, daß Rilke so
redet, als wäre er ein häufiger Besucher der Galerie, und daß er (1896)
eine Menge über Malerei zu wissen scheint, worüber er einige Jahre
zuvor noch nichts wußte, und vergegenwärtigt man sich zugleich die
Erwähnung der Galerie im Vorwort des Psychodramas, so scheint ein
erster Besuch, kurz bevor das Psychodrama geschrieben wurde (1894
bis 1895), wahrscheinlich.[11] Es ist unwahrscheinlich, daß Rilke sich
nur dadurch bemüßigt fühlte, über diese Maler zu schreiben, weil er
von ihren Werken im Katalog las. Und wenn er die Idee zu ›Das Hochzeitsmenuett‹ durch die Besichtigung der Gemälde in der Dresdener
Galerie erhalten hat, dann erschiene es eine allzu genaue Koinzidenz,
daß der Murillo-Saal neben dem der holländischen Maler liegen und
dennoch nichts mit dem Murillo-Psychodrama zu tun haben sollte.

Wir haben schon beiläufig erwähnt, daß, während ›Das Hochzeitsmenuett‹ in gewissem Ausmaß zumindest eine Verbindung mit dem
Thema der Dresdener Gemälde aufweist, dies auf ›Murillo‹ nicht zu-
trifft. Dies mindert die Gültigkeit unserer Mutmaßungen nicht. Die
holländischen Gemälde stellen häusliche Interieurs dar, sie erzählen
häufig eine Geschichte und stellen Szenen und Ereignisse dar, in die der
Künstler selbst eintritt. Murillos Gemälde sind sakraler oder biblischer
Art, und Rilke konnte natürlich kein Psychodrama über den Tod der
hl. Klara oder über den einen Palmzweig haltenden hl. Rodriguez
schreiben. Für ›Murillo‹ erdachte er eine dramatische Inszenierung des
Todes des Malers (es ist denkbar, daß der Ernst der Murillo-Gemälde
den entsprechend ernsthaften Charakter des Stücks verursacht hat), die
er entweder frei erfunden oder aus irgendeiner uns unbekannten Quelle

---

[10] Aus einem unveröffentlichten Brief der Von-Mises-Sammlung.

[11] Dow ist praktisch der einzige Maler, der in den 1894–1895 zur gleichen
Zeit wie ›Das Hochzeitsmenuett‹ geschriebenen Larenopfer-Gedichten erwähnt
wird. Dieses Herausstellen Dows vor allen anderen Malern zwecks Verwendung
in einem dichterischen Gleichnis könnte außerdem unsere These erhärten, daß
es seine Gemälde und nicht die bloße Erwähnung seines Namens sind, die Rilke
veranlaßten, über ihn zu schreiben. Vgl. Ges. Werke I, 59.

übernommen hatte. Es besteht auch eine gewisse Möglichkeit, daß ein Psychodrama von Meerheimb, wie der ›Kapellmeister‹, mit dem ›Murillo‹ verglichen wurde, einen gewissen Einfluß auf die Idee der Handlung sowie auf die Form von Rilkes Stück gehabt hat.

Treffen unsere Überlegungen hinsichtlich der Rilkeschen Schaffensprozesse zu, so zeigt sich nunmehr das eine oder andere greifbare Resultat. Mehr als sein frühes Dichten war für den neunzehnjährigen Rilke das Verfassen von Dramen noch ein reines Spiel.[12] Keine persönliche Erfahrung, keine Empfindung, keine ernsthafte Sorge noch Beobachtung des Autors ist sichtbar oder spürbar. Beide Psychodramen zeigen überdies, wie weit Rilke noch von der vorherrschenden literarischen Strömung des Naturalismus entfernt war, die ihrerseits bald wieder wechseln sollte.

Auch wenn Rilke sich wahrscheinlich mit wenig bewußter Überlegung und hauptsächlich in Nachahmung einer Mode entschied, Psychodramen zu schreiben, ist es gleichwohl interessant zu beobachten, daß die theoretische Grundlage dieser Form etwas bildete, worauf Rilke als Dramatiker zurückgriff, nachdem er die Phase des darauffolgenden dramatischen Realismus durchlaufen hatte. Erst als er künstlerisch gereift war, fand Rilke die naturalistische Wiedergabe des Lebens geschmacklos und falsch und die Bühnentricks billig und unkünstlerisch. Die Anziehungskraft, die die Form des Psychodramas auf Rilke ausgeübt hat, mag, zumindest in einem gewissen Maß, auf seinem schon vorhandenen, wenn auch naiven und nicht analysierten Gefühl beruht haben, daß ein Theater, das sich eher auf die Einbildungskraft denn auf Auge und Ohr stützte, dem Bereich der Dichtung viel näher kommen konnte als ein Theater mit künstlichen Szenerien und mechanischen Nebenrollen, die Illusionen der sogenannten Wirklichkeit zu vermitteln suchten.[13]

[12] Vgl. vom Verf. Rilke's Dramas–An Annotated List, in: Germanic Review XVIII (Okt. 1943), S. 202 ff., bezüglich eines allgemeinen Überblicks über Rilkes Entwicklung als Dramatiker.

[13] Um 1900, in der Zeit seines größten schöpferischen und kritischen Interesses am Theater, glaubte Rilke, die wahre Bestimmung des Theaters sei derjenigen der Dichtung insofern ähnlich, als sich beide mit der Enthüllung innerer Erfahrung und nicht mit der Beschreibung äußerlichen Verhaltens befassen sollten. Vgl. Rilkes Zeitungs- und Zeitschriftenaufsätze über das Drama, gesammelt in: Bücher, Theater, Kunst, Wien 1934, Privatdruck.

Modern Language Notes (MLN) LX (1945), S. 295–302.

DAS MOTIV DES FALLENS BEI RILKE

Von Bernhard Blume

Goethe hat mit dem Titel seiner Lebensbeschreibung auf unnachahmliche Weise deutlich gemacht, worauf es in *aller* Kunst ankommt. Dichtung und Wahrheit: das soll ja nicht heißen, daß hier einiges „wahr" und anderes „erdichtet" ist, daß der Autor Wirkliches und Erfundenes, geschehene und fiktive Dinge durcheinandergemengt hat; es heißt vielmehr, daß im großen Kunstwerk Wahrheit und Dichtung zusammenfallen, daß Wahrheit hier als Dichtung vor uns tritt. Und es heißt weiter, daß alle echte Dichtung, selbst da wo sie als Märchen spricht, die Wahrheit spricht. So daß, wenn immer die Aufgabe vor uns steht, Dichtung zu deuten, dies uns zwingt, nach eines Dichters Wahrheit zu forschen. Die Wahrheit eines Dichters aber nennen wir Erlebnis, und damit meinen wir, daß nicht gewußte, sondern nur gelebte Wahrheit im dichterischen Werke fruchtbar wird. Was aber ist nun Rilkes Wahrheit? Die Antwort darauf ist gegeben worden: Rilkes Urerlebnis ist die *Angst*.[1] Diese Angst zu bestehen, das Dasein zu *leisten*, wie der immer wiederkehrende Ausdruck Rilkes lautet, wird ihm zur ethischen Lebensaufgabe.

Zunächst freilich treibt ihn die Angst nur zum Rückzug. Da alles droht, ist es das sicherste, sich von allem fernzuhalten. Man muß sich dem tödlichen Griff des Lebens entziehen; Distanz wird das wichtigste. Aber sobald der ersehnte Abstand vom Leben wirklich erreicht ist, steigt sofort eine neue Gefahr auf: die Gefahr der Stagnation und Erstarrung. Da, wo der Rückzug gelingt, zeigt sich, daß er in der Wüste endet. Und der sich fürchtete, vom Strom des Lebens fortgeschwemmt zu werden, muß nun fürchten, auszudorren.

[1] Vgl. Fritz Dehn, Rainer Maria Rilke und sein Werk, Leipzig 1934, S. 68–81, und Hermann von Jan, Rilkes Aufzeichnungen des Malte Laurids Brigge, Leipzig 1938, S. 58–63.

Man kennt Rilkes Vorliebe für Schlösser. Wer Bilder von Duino oder Muzot gesehen hat, weiß, was solche „Asyle"[2] dem Dichter bedeutet haben: „ein großes, ununterbrochenes Stück beschützten Alleinseins" nämlich, wie er es in einem Brief aus Duino einmal ausdrückt[3]. Aber fast genau zur selben Zeit entfährt ihm eine Wendung, die fast erschreckend Aufschluß gibt, was es in Wahrheit mit solchem beschützten Alleinsein auf sich hat: „. . . hier auf diesem alten festen Schloß", schreibt er, wieder von Duino, „das einen ein bischen wie einen Gefangenen hält . . ."[4] Symbole der *Zuflucht,* das sind die Türme dieser Schlösser also – und: *Gefängnisse.* Mit Notwendigkeit stellt der Gedanke an den „Panther" sich ein, an das im Innersten gelähmte Tier hinter den Gitterstäben, in dessen müder Pupille die Welt sich fängt: nicht ein artistisches *Ab*bild meisterhaft belauschter Wirklichkeit aus dem Jardin des Plantes in Paris, sondern ein *Sinn*bild der im Gefängnis ihrer Isoliertheit sich verzehrenden Seele des Dichters selbst.[5]

„Manchmal", sagt Rilke, „ist mir zumut wie einem, der . . . um sich auf allen vier Seiten ganz hohe Wände hat entstehen lassen";[6] und wenn die Lebensangst ihn dahingebracht hat, sich einzumauern, so ist alles, was dabei gewonnen wird, im Grunde nur neue Angst: die Angst, im Schutze solcher Mauern nun seelisch zu verhungern. Immer zwingen-

---

[2] Briefe 1907–1914, Leipzig 1933, S. 263.

[3] Ibid., S. 211; vgl. a. Briefe aus Muzot, Leipzig 1936, S. 9, 25, 72, 136, 168.

[4] Ibid., S. 152; ganz ähnlich 12 Jahre später in einem Brief aus Muzot (S. 182): „ein Gefangener meiner Selbst in meinem alten Turm".

[5] Dies im Gegensatz zur Auffassung Franz Kochs, Rilkes Kampf um die Wirklichkeit, Jahrbuch des Freien Deutschen Hochstifts, Frankfurt 1936–40, S. 104, der die symbolische Gestaltungskraft der ›Neuen Gedichte‹ ausdrücklich bestreitet und betont, daß diese sich durch „artistische Empirie und Beobachtung" nicht schaffen lasse. Es ist überdies außerordentlich interessant, daß Rilke selbst in einem Brief aus Muzot die artistische Qualität des „Panthers" in den Vordergrund rückt. Der „Panther" sei das erste Ergebnis der „strengen guten Schulung" Rodins, sagt Rilke hier (S. 370 f.), womit technische Schulung gemeint ist, und unter Rodins „großem Einfluß" habe er gelernt, „vor der Natur zu arbeiten, unerbittlich begreifend und nachbildend". Aber selbst wenn Rilke die symbolische Bedeutung des Gedichts nicht erkennen oder nicht zugeben sollte, heißt das noch nicht, daß sie nicht vorhanden ist.

[6] Briefe 1907–1914, S. 154.

der wird das Gefühl, daß solche Trennung vom Leben, solches „sich geizig zuschließen, sparen und zurückbehalten"[7] zur Unfruchtbarkeit führt. Immer stärker wird deshalb die Sehnsucht nach einem Zerbrechen der Kruste, nach einem Durchbruch in den „Bezug".

Dieser Durchbruch kann auf zwei Wegen kommen: von außen und von innen. Von außen: als ein Stärkeres, das überwältigt. Die blassen, dünnen, frierenden Mädchengestalten der ›Frühen Gedichte‹, die am Wege stehen und auf das Wunder, auf das Leben, auf den Geliebten warten, die blanke Spiegelfläche des Teiches, die auf den Regen, die Mittagsstille des Parkes, die auf den Sturm wartet: Sinnbilder alle der angstvoll-sehnsüchtigen Erwartung, umgeworfen, erschüttert, befruchtet zu werden.

Aus der Not des sterilen Geschütztseins fragt es im ›Stundenbuch‹:

> Ihr vielen unbestürmten Städte,
> habt ihr euch nie den Feind ersehnt?[8]

taucht das Bild von Gott auf als dem „großen Mauerbrecher", spricht die Sehnsucht Rilkes, „der Tief*besiegte* von immer Größerem zu sein"[9].

Nicht ohne tiefen Grund freilich wird das Leben selbst da, wo es ersehnt wird, noch immer als der *Feind* gesehen. Denn daran hält Rilke durchaus fest: daß der Grundzug des Lebens furchtbar ist, so daß dem Menschen, in solches Dasein gestellt, der Gedanke an Flucht wohl das nächste sein mag. Aber immer deutlicher wird doch zugleich die Erkenntnis, daß diese Schrecklichkeit, aus welchem Grund auch immer, uns *auferlegt* ist und bestanden werden muß. Und die vielen Bilder des Grausigen und Ekelhaften in Rilkes Werk enthüllen erst dann ihren wahren Sinn, wenn man sie verstehen lernt als einen Akt der Selbsterziehung. Das ist der ›Malte‹: Härtungsversuch eines Verweichlichten, der sich „feige" weiß,[10] der nur allzu geneigt ist, sich abzuwenden und auszubiegen, und der sich nun zum Hinsehen *zwingt*. „Offensein", darauf kommt es an; „laß dir alles geschehen, Schönheit und Schrek-

---

[7] Briefe 1906–1907, Leipzig 1930, S. 34.
[8] Gesammelte Werke, Bd. II., Leipzig 1930, S. 209.
[9] Ibid., S. 138.
[10] „. . . feig wie ich jetzt bin . . ." Briefe 1907–1914, S. 233.

ken." [11] Und mehr noch: laß es dir nicht nur geschehen, geh ihm entgegen; hier erst ist die volle Bereitschaft. Diese äußerste Bereitschaft umschreibt Rilke mit dem Bilde des *Fallens*. Fallen und sich fallen lassen wird zum Symbol einer Haltung, die sich nicht absondert, die nicht im Sein beharrt, sondern die sich dem Leben überläßt und ausliefert. Ganz so, wie es die „Dinge" tun, die, dem Gesetz der Schwerkraft folgend, *fallen*.

Denn das sind die Dinge bei Rilke auch: nicht nur nach Rodinschem Muster Geformtes und Gearbeitetes, „Gekonntes", sondern Gleichnisse vorbildlicher Lebenshaltung. Und so wird dem Menschen aufgegeben, ihnen seine wahre Bestimmung abzusehen:

> Da muß er lernen von den Dingen,
> anfangen wieder wie ein Kind,
> weil sie, die Gott am Herzen hingen,
> nicht von ihm fortgegangen sind.
>
> Eins muß er wieder können: fallen,
> geduldig in der Schwere ruhn,
> der sich vermaß, den Vögeln allen
> im Fliegen es zuvorzutun. [12]

So ist denn „Fallen das Tüchtigste", wie es in dem späten Gedicht an Hölderlin heißt; [13] so schließen die ›Letzten Gedichte‹ mit Bildern vom Fallen und Stürzen:

> Wir in den ringenden Nächten,
> wir fallen von Nähe zu Nähe;
> und wo die Liebende taut,
> sind wir ein stürzender Stein; [14]

und so ist „Fallen" das letzte Wort der letzten ›Duineser Elegie‹:

> Und wir, die an *steigendes* Glück
> denken, empfänden die Rührung,
> die uns beinah bestürzt,
> wenn ein Glückliches *fällt*. [15]

---

[11] Ges. W. II, S. 218.
[12] Ibid., S. 246.
[13] Späte Gedichte, Leipzig 1934, S. 37.
[14] Ges. W. III, S. 473.
[15] Ibid., S. 308.

Fallen, das bedeutet für Rilke, dem Zug der inneren Gravitation folgen, bis der Ruhezustand erreicht ist, in dem die Dinge immer sind.[16] Denn dies bewundert Rilke so sehr an den Dingen, daß ihr Sein einem *Gesetz* unterstellt ist, während er selbst sich in „einer Freiheit leerem Raum"[17] befindet. Jener Schritt, der den wollenden Menschen absonderte vom Reich der bewußtlosen Natur, wird verurteilt, und die Pflanze gepriesen als Vorbild göttlich in sich ruhenden Seins.[18] Die Wehrlosigkeit solchen ungeschützten Daseins wird nun nicht mehr gefürchtet, Sicherheit nicht mehr in der *Flucht* aus dem Ungesicherten gesucht, sondern gerade in der *Bejahung* der Unsicherheit gefunden:

> . . . Dies schafft uns, außerhalb von Schutz,
> ein Sichersein, dort, wo die Schwerkraft wirkt
> der reinen Kräfte; was uns schließlich birgt,
> ist unser Schutzlossein und daß wirs so
> ins Offne wandten, da wirs drohen sahen,
> um es, im weitesten Umkreis irgendwo,
> wo das Gesetz uns anrührt, zu bejahen.[19]

So leben: nicht geizig, sondern hingegeben, gehorsam der Schwerkraft des Herzens, so leben heißt für Rilke, *fromm* leben. Es heißt den Willen Gottes erfüllen, es führt zu ihm. Denn er ist ja der Eine, der, wenn alles fällt, dies Fallen „unendlich sanft in seinen Händen hält"[20].

Alte mystische Weisheit taucht wieder auf bei Rilke, Erkenntnisse des Meisters Eckhart, bei dem, merkwürdig verwandt, dieselbe Beziehung von Schwerkraft und Gottesstreben sich findet. „In ihrem letzten Ziel", heißt es bei Eckhart, „suchen alle Kreaturen Ruhe, ob sie es selbst wissen oder nicht. Im Stein wird die Bewegung nicht früher geendet, bis er auf dem Boden liegt. Desgleichen tut das Feuer. Ebenso tun alle Geschöpfe: sie suchen ihre natürliche Statt. Also sollte auch die liebende Seele niemals ruhen als in Gott."[21]

„Hätte sie . . . einen Moment nachgegeben", sagt Rilke von der por-

---

[16] Vgl. „Schwerkraft", Späte Gedichte, S. 156, und „Wir sind die Treibenden". Sonnette an Orpheus, Ges. Werke III, S. 334.

[17] Ges. Werke II, S. 245.

[18] Vgl. „Weiß die Natur noch den Ruck . . .", Späte Gedichte, S. 89.

[19] Ibid., S. 90.

[20] „Herbst", Ges. Werke II, S. 54.

[21] Meister Eckhart, hrsg. von Alois Bernt, Leipzig o. J., S. 17.

tugiesischen Nonne Marianna Alcoforado, „sie wäre in Gott hineingestürzt wie ein Stein ins Meer."[22]

Es ist ein ungewohnter Gott, dieser Gott Rilkes, zu dem man stürzen und fallen muß. Hier ist nichts von jenem Aufwärtsstreben, das
den ›Faust‹ erfüllt, hier ist kein Weg, der aus der Verworrenheit nach
oben führt und der das Göttliche zuletzt im Licht und in der Klarheit
findet. Rilkes Gott wohnt in der Tiefe und im Dunkel.[23] Und: „schwer
ist zu Gott der *Ab*stieg", sagt er selbst.[24]

Rilke ist diesen Weg hinab nicht selbst gegangen. Um ihn zu gehen,
hätte er, nach seinen eigenen Begriffen, ein „Heiliger" sein müssen
oder wie eine Figur des von ihm so hoch bewunderten Dostojewski,
Myschkin im ›Idioten‹ oder Aljoscha in den ›Karamasoffs‹. Doch Rilke
wußte, und hat es ausgesprochen, daß er kein Heiliger war;[25] Rilke war
ein Künstler und entschied sich, sein Leben als Künstler zu leben.
Selbst wenn dies Nicht-Leben hieß.

Das bedeutet, daß er an seiner „obstinaten Abgesondertheit" zähe
festhielt und an den Schmerzen der Einsamkeit, die ihm dennoch „das
Größeste gegeben"[26]. Das bedeutet, daß er die Wände, die er nach seinen eigenen Worten um sich hatte entstehen lassen, nicht niederlegte,
sondern nur noch höher trieb. „Vielleicht gibt es da nur den Ausweg",
schreibt er im Januar 1912, „die Wände immer höher, schließlich so
hoch zu führen, daß man von unten am Ende, wie aus dem Grunde
eines Brunnens, auch bei Tage die Sterne sieht."[27]

Dies heißt, auf den gelebten Tag verzichten. Aber „die großen Menschen alle", sagt Rilke, von Rodin sprechend, aber er sagt es zu sich
selbst, „haben ihr Leben zuwachsen lassen wie einen alten Weg und
alles in ihre Kunst getragen. Ihr Leben ist verkümmert wie ein Organ,
das sie nicht mehr brauchen . . ."[28]

Den endgültigen Mut zur „Verkümmerung" aber hat Rilke sich nicht

---

[22] Briefe 1907–1914, S. 178.
[23] Vgl. Ges. Werke II, S. 176, 180, 183, 210, 211, 220, 235, 240 f., 263; s. a.
Briefe aus Muzot, S. 185 f.
[24] Briefe aus Muzot, S. 174.
[25] „. . . taug ich auch so völlig nicht zum Heiligen." Briefe 1907–1914, S. 255.
[26] Briefe 1907–1914, S. 329.
[27] Ibid., S. 154.
[28] Briefe 1902–1906, S. 36 f.

von Rodin, sondern von Cézanne geholt. Das Erlebnis Cézannes und seiner malend, schaffend, sich unbarmherzig aufbrauchenden Existenz ist in den sich überstürzenden Briefen an Clara Rilke vom Oktober 1907 festgehalten. Es ist ein Wendepunkt für Rilke; von da ab wird die Richtung seines Lebens unwiderruflich.[29] Und durchaus folgerichtig endet und gipfelt dies alles in dem für Rilke ungeheuren Symbol des ›Orpheus‹. Nicht die Gestalt des Heiligen steht am Ende dieses Lebens, ein so großer „Einseher"[30] des Heiligen auch Rilke gewesen ist, sondern der große Magier, der Wort-Zauberer, der in „Klage" und „Rühmung" das Bild der Welt beschwört. Selbst kein „Fallender", sondern ein fragil Bestehender, findet Rilke nicht in selbstlosem Tun, sondern im aussagenden Wort seine Erlösung. In Baudelaire, in Strindberg sieht er Bestätigung seiner eigenen Aufgabe und erkennt, „wie die reine Ausgestaltung auch dem Schrecklichsten noch einen Sinn gibt . . ., wie es im Werk zur Potenz wird, zur puren Intensität und so fort zur Seligkeit"[31].

Grillparzer spricht im ›Abschied von Gastein‹ davon, wie das „freudlose Muscheltier" im Meere seine Perlen schafft, wie es den Schmerz und die Verletzung in Schönheit umwandelt, und derselben geheimnisvollen, orphischen Verwandlung opfert auch Rilke sein Leben,

> daß im Notgestein die gedrängte Druse der Tränen,
> lange wasserrein, sich entschlösse zu Amethysten.[32]

[29] Noch 1921 betont Rilke in einem Rückblick auf die Bedeutung dieses Jahres 1907 die ihm „ganz entscheidende Stellung Cézannes", hinzufügend, „sie möchte ein Rat und eine Warnung sein für jede ernste künstlerische Entschlossenheit" (Briefe aus Muzot, S. 60 f.).

[30] Rilke gebraucht das Wort von Kassner (Briefe 1907–1914, S. 317), aber es trifft nicht weniger auf ihn selbst zu.

[31] Briefe 1907–1914, S. 205.

[32] Ges. Werke III, S. 469.

Deutsche Vierteljahrsschrift für Literaturwissenschaft und Geistesgeschichte (DVjs) 24 (1950),
S. 360–386.

SPIEGEL-SYMBOLIK UND PERSON-PROBLEM
BEI R. M. RILKE

Von Else Buddeberg

Rainer Maria Rilke hat in den verschiedenen Phasen seines Schaffens unter mannigfachen Zusammenhängen vom Spiegel gesprochen. Dieser geläufige Gebrauchsgegenstand des alltäglichen Lebens nimmt in seiner Dichtung den Charakter eines bedeutsamen Symbols an. Das mag einem aufgeklärten Bewußtsein zunächst befremdlich erscheinen. Aber nicht immer war der Spiegel ein so geheimnisloses Ding, wie es heute den meisten Zeitgenossen einer rational-technisch orientierten Epoche erscheinen mag. In den Mythen und Sagen der Völker,[1] sogar in ihren religiösen[2] und philosophischen[3] Vorstellungen spielte das Spiegelsymbol eine Rolle. Die Phantasie der Dichter hat bis auf den heutigen Tag[4] sich durch den Spiegel anregen lassen. Gemeinhin aber ist dieses alte mythische Gut nun zum Aberglauben denaturiert[5]. Doch auch noch in dieser Entstellung leuchtet oft genug der Zauber alter mythischer Weisheit auf. Die geheimnisvolle Bedeutung der Spiegelbegegnung für die Menschen hat sich durch die verschiedenen Zeiten nicht in der gleichen Weise konkretisiert. Es liegt aber immer die eine entschei-

---

[1] Der Äther als Spiegel der Gottheit in der griechischen Vorstellung; der Mythos von Dionysos Zagreus und von Narziß.

[2] Bei Dionysius Areopagita; im Islam; vgl. den Aufsatz und die umfangreichen Literaturnachweise: Hans Leisegang, Die Erkenntnis Gottes im Spiegel der Seele und der Natur, Zs. für philos. Forschung Bd. IV, 2, S. 163 ff.

[3] Im Neuplatonismus.

[4] Vgl. den neuesten Roman von Albrecht Schaeffer ›Rudolf Erzerum‹, Stockholm 1948, wenn auch von diesem Werk gesagt werden muß, daß hier die Spiegelsymbolik und Personproblematik erlebnismäßig nicht überzeugt; sie wirkt dünn und rein intellektuell-konstruktiv.

[5] Vgl. das Handwörterbuch des deutschen Aberglaubens v. Hanns Bächthold-Stäubli, Berlin 38/41.

dende Erfahrung zugrunde: Der Spiegel zeigt dem Beschauer sein eignes Bild. Man ermesse einmal die Tragweite dieser allmählich ansteigen-
den Erkenntnis für den naiven Menschen: Das was zunächst völlig
fremd und unerkannt aus einer spiegelnden Oberfläche dem Beschauer
entgegentritt, ist das eigne Selbst. Konnte dieses Selbst sich überhaupt
im Laufe einer Entwicklung konstituieren, bevor die grundsätzliche
Identifizierung mit dem eignen Spiegelbild gelungen war? War es nicht
dieser Identitätsvollzug, der den Weg öffnete zur Abgrenzung eines be-
harrenden Kerns in den vorüberfließenden äußeren Erscheinungen?
Das Selbst hat erst damit Gegenständlichkeit gewonnen. Ausbau und
Differenzierung der Subjekt-Objekt-Relation, die von urtümlichen
Ängsten und Gefahren umgeben war, erfolgten am Leitfaden dieser Erfahrung. Wie schwierig und langwierig die Entwicklung sich vollzog,
zeigt ein Blick auf die sogenannten magischen Kulturen.[6] Die Furcht
vor Selbstbezauberung liegt auf ihrem Wege; sie ist noch heute in den
abergläubischen Vorstellungen nachweisbar, die sich in weltabgeschie-
denen Gegenden, auch z. B. noch in Deutschland,[7] erhalten hat. Für
den späten Menschen schlägt diese Entwicklung um. Die Abgrenzung
zur gegenständlichen Welt hat er längst vollzogen. Heute ist sein Verhältnis zur Außenwelt und zum eignen Selbst durch die Reflexion gebrochen. Gewiß hat auch jetzt noch die Mehrzahl der Menschen ein
naives und selbstverständliches Verhältnis zum eignen Spiegelbild – und
das will heißen: sie hat eigentlich gar keines. Die Begegnung vor dem
Spiegel gehört zur morgendlichen Toilette oder ist für die Frauen eine
Betätigung der Eitelkeit. Da aber, wo das Verhältnis zum Selbst problematisch geworden ist, wo die Reflexion überwiegt, bekommt auf einmal
das, was der Spiegel 'reflektiert', eine merkwürdig zwielichthafte Be-
leuchtung, in der uralte menschheitliche Ängste mit der modernen Ichbezüglichkeit eine unheimliche Verbindung eingehen können. Alle Formen des Spiegelverhältnisses, die wir aus magisch-mythischer Überlieferung kennen, die von primitiver Selbstbezauberung bis zum Selbstverlust, von der Bewußtseinsspaltung bis zur Selbstliebe gehen, stehen
wieder auf. Es ist müßig, demgegenüber von Abartigkeit zu sprechen;
dann wäre der frühe Mensch auch schon „abartig" gewesen. Das psy-

---

[6] Vgl. z. B. James George Frazer, Der Goldene Zweig, Leipzig 1928, S. 281 ff.
[7] Vgl. das zitierte Handwörterbuch.

chologische Problem, das hier gewiß *auch* vorliegen mag, weist über sich selbst hinaus auf eine Urtatsache der Menschheit.

In Rilke ist die Bezogenheit zur magisch-mythischen Schicht auf eine ungewöhnliche Weise lebendig gewesen. Aber auch die moderne Komponente der Ungesichertheit des eignen Selbst gehörte Rilke zu. Sie ist deutlich erkennbar in den ›Aufzeichnungen des Malte Laurids Brigge‹[8] und in der vierten Elegie. In diesem Zusammenhang ist es von einiger Aufschlußkraft, sich zu erinnern, daß die vierte Elegie fast gleichzeitig mit dem Gedicht ›Der Tod‹ aus einer Zeit der schwersten Depression hervorgegangen ist.[9] Es ist aber auch gerade in diesen beiden Dichtungen, die einen abgründigen Tiefpunkt in Rilkes Schaffen darstellen, ebenso unverkennbar ein geradezu übermenschlicher Wille enthalten, die drohende Auflösung des Ich zu überwinden. Unmittelbar nach der entwickelten Pseudolösung vor der Puppenbühne für das Verhältnis von Engel und Puppe[10] wird im Symbol der Kindheit eine die Spaltung überwindende Kraft heraufgerufen, die mit sich selbst schon zum Jenseits des Abgrunds weist. Im Augenblick, wo das Gedicht ›Der Tod‹ „in einer Tasse ohne Untersatz" Gift als einzigen Ausweg fast unwiderstehlich anbietet, leuchtet nach einer langen Pause mit den letzten wunderbaren drei Versen[11] die Bezogenheit des Menschen zum Ewigen auf: Und mit dem einen letzten Wort erfolgt das Gelöbnis: „Stehn!". Dieses Durchstehen der Gefahren von Selbstentfremdung, Selbstauflösung, Selbstvernichtung wird vom Malte bis zu den Duineser Elegien, den Sonetten an Orpheus und den Späten Gedichten geleistet. Es führt in diesen Dichtungen zu einem schwer errungenen Sieg.[12] Die

---

[8] Leipzig 1927.

[9] November 1915 München.

[10] „Wenn mir zumut ist / zu warten vor der Puppenbühne, nein / so völlig hinzuschaun, daß um mein Schaun / am Ende aufzuwiegen dort als Spieler / ein Engel hinmuß, der die Bägel hochreißt / . . ."

[11] „O Sternenfall / von einer Brücke einmal eingesehn: / dich nicht vergessen. Stehn!".

[12] Romano Guardini, Nachtrag zu einer Kollegstunde über Rilkes Erste Duineser Elegie, in: Frankf. Hefte. 9. Jahrg. Heft 4, S. 360 ff., „fühlt sich versucht im Sinne der Psychopathologie von Depersonalisation zu reden". Diese Disziplin ist zu Unrecht bemüht. Angesichts eines Spätwerkes von äußerst zusammengefaßter Gestaltkraft wird von Guardini Rilkes Kampf und Sieg in der unleugba-

Gedichte aus dem Umkreis Spiegelungen und Narziß reflektieren diesen Weg gleichsam noch einmal – im Spiegel. Spiegel-Symbolik und Person-Problem stehen nicht nur in den Mythen der Völker, sondern auch in der Existenz und Dichtung Rilkes in engster Beziehung zueinander.

Platonisch-mystischer und mittelalterlich-christlicher Auffassung war der Spiegel Symbol, um in einer abbild-urbildhaften Begegnung Gott in der Seele oder die Seele in Gott zu spiegeln.

ren Gefährdung seiner Personbildung nachträglich entwertet. Diese *capitis diminutio* – nicht in bürgerlich-rechtlicher, wohl aber geistig-sittlicher Beziehung – vernichtete, wäre sie wirklich mit den Mitteln der hier zuständigen Wissenschaft zu verhängen, jede Möglichkeit einer Zuordnung der in diesen Werken Wort gewordenen Einsichten zu der Verantwortlichkeit ihres Dichters. Angesichts der Schwere und Tragweite einer solchen Bewertung ist es am Platze, das Urteil der zuständigen Fachwissenschaft einzuholen. Professor Dr. Gerhard Schorsch, Leitender Arzt der v. Bodelschwingh'schen Anstalten Bethel/Bielefeld, hat freundlicherweise mir nachstehende Ausführungen zur Verfügung gestellt: „Der Begriff der Depersonalisation meint einen psycho-pathologischen Sachverhalt. Dieser ist dadurch gekennzeichnet, daß das Gefühl der Eigenständigkeit des Ich, das normalerweise alles seelische Geschehen begleitet und das Erlebnis des Zu-Mir-Gehörens der jeweiligen Wahrnehmungen, Erinnerungen, Vorstellungen, Gefühle begründet, fehlt. Daher erscheinen die seelischen Erlebnisse und Vorgänge als fremdartig, nicht von mir vollzogen. – Depersonalisationserscheinungen treten im Beginn von Psychosen, aber auch bei psychasthenischen Persönlichkeiten als temporäre Erlebnisweisen auf. – Die Art einer seelischen Vollzugsweise vermag als solche nichts über den Wert der durch sie gewonnenen Ergebnisse auszusagen. Die von Guardini kritisierte Deutung der Liebe durch Rilke ist m. E. nicht in der Besonderheit einer seelischen Vollzugsweise nach Art der Depersonalisation begründet, sondern in einer metaphysischen Grundhaltung, die auf die Transparenz der Erscheinungswelt ausgerichtet ist. Es ist einleuchtend, daß bei einer solchen Schau die Art der Zuwendung zur erlebten Erscheinungswelt eine andere als die übliche sein wird; es kann den Anschein haben, als ob dabei die das durchschnittliche Erleben kennzeichnende unmittelbare Nähe zum Erlebnisinhalt fehlt, so daß einer Verwechslung dieser Erlebnisweise mit der eines Depersonalisierten Vorschub geleistet wird. Unter Berücksichtigung der oben dargestellten Definition ist es aber nicht berechtigt, Erkenntnisse, die auf dem Boden einer auf die Transparenz der Erscheinungen ausgerichteten Schau erwachsen sind, als Auswirkung einer psycho-pathologischen Vollzugsweise im Sinne der Depersonalisation zu werten."

Leisegang führt in seiner Abhandlung[13] mit einer Fülle von Zitaten aus der Antike, der Bibel und dem Mittelalter den Spiegel in seiner Funktion als Gotteserkenntnis auf drei Quellen zurück (S. 168). Ich habe diese Arbeit erst in der Drucklegung meiner hier vorliegenden kennengelernt und möchte lediglich zu den Leibnizzitaten der Leisegangschen Abhandlung einige Bemerkungen einfügen. Auch die Leibnizschen Monaden sind Spiegel.[14] Es bleibt in der Leisegangschen Auswahl die Frage offen, in welchem Sinne sie es sind. Einmal fangen sie auf *(percipere)*, das ist, trotz der Lebendigkeit der Monaden, eine mehr passive Tätigkeit.[15] Sie sind aber gleichzeitig Spiegel, die ausstrahlen = *représenter* = *exprimer*. In dem Zitat auf S. 165 der Abhandlung[16] finden wir diese beiden Formen der „Vorstellung": im Vordersatz die *perceptio* und im Zwischensatz des Nachsatzes die *repraesentatio*; letztere ist insofern *Vorstellung* als sie *darstellt*.[17] Es besteht gleichsam eine Wechselwirkung zwischen *perceptio* und *repraesentatio*; sie ist möglich auf Grund der „Abgestimmtheit aller erschaffenen Dinge auf jedes einzelne und jedes einzelnen auf alle andern", die zur Folge hat, „daß jede einfache Substanz Beziehungen enthält, die alle andern zum Ausdruck bringen"[18]. Das uranfängliche Eingedrücktsein dieser stets Funktion bleibenden Beziehungen in jede Monade erhebt wiederum jede einzelne zum Ausdruck des Ganzen. Und darum erst ist eine jede „unaufhörlicher lebendiger Spiegel des

[13] Vgl. Anm. 2.

[14] Vgl. dazu Kuno Fischer, G. W. Leibniz. Werke und Lehre, Heidelberg 1920.

[15] Das gilt sogar für die höchste (außergöttliche) Monade, den Geist: „dagegen ist der Geist, in dem was man Perzeption nennt, gewöhnlich rein passiv", Neue Abhandlungen, Kap. IX, § 1. (Der Fortgang zeigt, daß hier von Perzeption überhaupt und nicht etwa von Perzeption im Gegensatz zu der [deutlicheren] Apperzeption gesprochen ist.)

[16] „. . . Doch können die Perzeptionen der Geschöpfe nur mit Bezug auf wenige Dinge gleichzeitig distinkt sein, vielmehr werden sie durch die Stellungen oder, sozusagen, durch die Gesichtspunkte der Spiegel verschieden gestaltet, so daß ein und dasselbe Universum in unendlich mannigfacher Weise durch ebensoviele lebende Spiegel, deren jedes es nach seiner Art darstellt, vervielfältigt wird." (Briefentwurf von Leibniz an Remond.)

[17] „Das ‚Ausdrücken‘ gehört zu allen Formen überhaupt und bildet einen Gattungsbegriff, von dem die naturhafte Perzeption, die tierische Empfindung und die verstandesmäßige Erkenntnis Arten sind." Es ist die „mit wirklicher Einheit begabte Substanz, die ‚ausdrückt‘ oder ‚repräsentiert‘". Aus einem Brief vom 9. Oktober 1687 an Arnauld in der Krönerschen Leibniz-Ausgabe (hrsg. v. Gerhard Krüger) S. 101.

[18] Leibniz/Krüger, Monadologie 56, S. 147.

Universums". Über das passive Aufnehmen ist die aktive Spiegelfunktion per-
spektivische Projektion [19] und nicht direktes urbild-abbildhaftes Bezogensein.
Das mathematische Genie von Leibniz in Verbindung mit einer starken intuitiven Anschauungskraft läßt ihn ein hoch entwickeltes logisch-mathematisches
Prinzip des menschlichen Verstandes, die sogenannte „formale Äquivalenz", auf
die Metaphysik übertragen.[20] In dem bereits zitierten Brief an Arnauld heißt es
weiter: „Eine Sache drückt eine andere aus, wenn eine beständige und geregelte
Beziehung zwischen den Bestimmungen der beiden besteht wie zwischen einer
perspektivischen Projektion und dem zugehörigen geometrischen Gebilde."
Die Verschiedenheit der Individualitäten und die universelle Übereinstimmung
ist so gewährleistet. – Nur in einem Punkt nähert sich die Leibnizsche Spiegelfunktion der urbild-abbildhaften Bezogenheit. Für den Geist und die Geister
(Genien) nimmt Leibniz eine gleiche direkte Beziehung in Anspruch.[21] Der
Geist ist neben seiner Spiegelfunktion „außerdem ein Abbild der Gottheit"[22].

Die Ungebrochenheit antiker oder mittelalterlicher Spiegelerfahrung
ist grundsätzlich wenigstens dem neuzeitlichen Menschen versagt. Wie
sollte ihm, der allem vorab erst einmal dem Bedürfnis zu genügen hat,
sein Selbst zu konstituieren, die Seele dieses Selbst ein Spiegel der Gottheit sein können! Im *cogito sum* Descartes' hat er alle seelischen Fähig-
keiten gleichsam 'zusammenzutreiben'; co-agitare (Heidegger): im *com
(co)* des *co-agitare* entspringt das Ich, das zum tragenden Grund überhaupt hypostasiert wird und die Selbstgewißheit aus sich entläßt. Nur

---

[19] A. gl. O. 57: „Und wie eine und dieselbe Stadt von verschiedenen Seiten
betrachtet, jeweils ganz anders erscheint, wie sie gleichsam perspektivisch vervielfältigt ist, so kommt es, entsprechend durch die unendliche Menge der einfachen Substanzen, daß es gleichsam viele verschiedene Universa gibt, die jedoch
nur die Perspektiven eines einzigen Universums unter den verschiedenen
Gesichtspunkten jeder Monade sind." (So noch an vielen andern Stellen.)

[20] Siehe dazu: Dietrich Mahnke, Leibniz und Goethe. Die Harmonie ihrer
Weltansichten. Erfurt 1924; insbesondere S. 60 ff. Mahnke sieht in der „for-
malen Äquivalenz" die Möglichkeit zu zeigen, daß „Universalität und Individualität . . . einander als notwendige Ergänzungen fordern"; S. 65.

[21] „Die Geister aber sind überdies Bilder der Gottheit selbst oder des Urhe-
bers der Natur selbst, fähig das System des Universums zu erkennen und etwas
davon in Proben eigener Systemkunst nachzuahmen; denn jeder Geist ist in
seinem Bereiche gleichsam eine kleine Gottheit." Leibniz/Krüger, Monadologie
83, S. 154.

[22] Zitat der Leisegangschen Abhandlung.

ein objektiver außermenschlicher *ordo* mit einem *ens realissimum* oder den absoluten Ideen konnte die Voraussetzung platonischer oder mittelalterlicher Spiegelerfahrung sein. Auch gegenüber der Monadenlehre Leibniz', der es gelang, noch einmal eine großartige metaphysisch-kosmologisch-kosmogonisch-anthropologisch gegründete Ordnung herzustellen, ist die Herkunft des grundlegenden *principium perceptivum* vom *cogitare* nicht zu übersehen: „Indem er sich den Verstand Gottes in bloß gradueller Steigerung des menschlichen Verstandes denkt, gibt er auch seiner Metaphysik wieder einen mathematischen Charakter." [23]

Die Selbstgewißheit des Ich hielt den an sie gestellten Anforderungen nicht stand; wir wissen, wie es im 19. Jahrhundert zerfiel. Auf dieser Linie liegt es, daß der Mensch der Elegien von sich sagt: „Wir nur ziehen allem vorbei wie ein luftiger Austausch." Er fragt die Liebenden nach „Beweisen" – nicht ihrer Liebe, sondern ihrer Daseinsgewißheit. Er gewinnt in der Sehnsucht nach Bestätigung des eignen Selbst „ein wenig Empfindung", indem er sein Gesicht in seine Hände legt; aber er selbst weiß, wie prekär diese Sicherheit ist: der Vers fragt gleich weiter: „Doch wer wagte darum schon zu sein?" [24]. In der vierten Elegie wird das „Zuschaun" vor der Puppenbühne zu einem Ringen um Daseinsbehauptung. [25] Der Mensch ergreift im Zuschaun ein Surrogat des Seins, das nur darum für einige Augenblicke Tragfähigkeit zu gewähren scheint, weil es möglich macht, in diesem Hinschauen sich gleichsam einzufädeln in den objektiv abrollenden Vorgang auf der Bühne und so wenigstens der eignen Vorhandenheit gewiß zu werden. Es ist also leicht einzusehen, daß das Spiegelverhältnis des modernen Menschen im Verlangen nach der Begegnung, nach der Vergewisserung des eignen

---

[23] Leibniz/Krüger, a. a. O. Einleitung, S. XLIII; dazu Kuno Fischer, a. a. O. S. 450: „Die Weltharmonie ist . . . ein Gesetz. Um dieses Gesetz zu rechtfertigen bedürfen wir zunächst keines auswärtigen Gesetzgebers, und wenn Leibniz selbst die Weltharmonie gewöhnlich als eine von Gott gesetzte, vorherbestimmte oder prästabilierte darstellt, so ist diese Auffassung in dem strengen Geiste seines Systems keineswegs die nächste." Die Weltharmonie ist eine naturgesetzliche, die unmittelbar „folgert aus den Monaden als den Elementen des Universums". Ebenso Mahnke, a. a. O., S. 62.

[24] Zweite Elegie.

[25] Dieses zwanghafte Hinschauen steht im weitesten Gegenpol zur platonisch-mystischen-mittelalterlichen Schau einer Erkenntnis Gottes.

Selbst gründet, das immer wieder zu entgleiten droht. In Rilkes persönlicher Erfahrung wird die scharfe dialektische Wendung[26] eingeleitet mit dem Engelanruf auf der Schloßterrasse von Duino. Er ist Rückruf aus der Verlorenheit. Und wenn Leopold Ziegler[27] Rilkes Engelbegegnung „als religiösen Durchbruch wertet", so hat das im Ursinn des Wortes *re-ligio* zu gelten: Die erste *Möglichkeit* einer Rückbindung ist aufgetaucht. Die Engel der Duineser Elegien sind Spiegel in einem dreifachen Sinn. Einmal als „der Engel Ordnungen"[28] stellen sie das Wesen der Gottheit im direkten Auffangen des göttlichen Lichtes mit sich selbst dar. Dann, „Und plötzlich einzeln Spiegel" gleichen sie den Plotinischen Urbildern: Soviel sie auch von der in sie eingestrahlten göttlichen Schönheit immer weiterstrahlen – sie schöpfen sie wieder „zurück in das eigene Antlitz"; denn sie sind als eben diese Urbilder ewig. Hier in den Elegien, in denen sich der Mensch den Engeln zuwendet – „wissend um euch" –, erfährt er, dunkel zunächst, in diesem Wissen seine Bezogenheit auf Transzendenz. Der mythischen Anschauungskraft des Dichters schließt sich dieses Bezogensein nicht in einem Begriff zusammen, sondern in einer plastisch anschaubaren Gestalt: Der Engel als Gestalt der Transzendenz.[29] Der *Name* des Engels ist für Philon soviel wie der Engel als Spiegel. Die individuierte Erscheinung des Engels – „plötzlich *einzeln* Spiegel" – begleitet den Weg des Menschen durch die Elegien. Im Erfassen und Bewahren des ersten Rückrufes in der Engelbegegnung faßt sich der Mensch der Elegien erst einmal zu einem Selbst zusammen, als das er sich, wenn auch unter schwersten Rückfällen, zu bewahren sucht, indem er das Bild des Engels in sich bewahrt. Sein Tun ist fortan nicht mehr „ohne Bild". Der Mensch gewinnt seine Gestalt an der Gestalt des Engels; wir dürfen ihm darum den Namen „Engel der

[26] Im Jahre 1912; vgl. dazu auch das Gedicht „Wendung" (1914): „Schauend wie lang? / Seit wie lange schon innig entbehrend, / flehend im Grunde des Blicks?" und weiter „. . . Denn des Anschauns, siehe, ist eine Grenze."

[27] Leopold Ziegler, Menschwerdung, Olten, MCMXLVIII, Bd. 1, S. 357.

[28] Erste Elegie. In meinem Buch über die ›Duineser Elegien‹, Karlsruhe 1948, S. 24 ff., S. 203 ff. wird eingehend das Wesen der Engel der Elegien, der Engel als Spiegel, besonders auch im Hinblick auf Plotin und Dionysius Areopagita untersucht. In der Leisegangschen Abhandlung wird der Rilkesche Engel nicht erwähnt.

[29] gen. subj. und obj.

Elegien" geben; denn in diesem Spiegel erkennt der Mensch seinen Weg, erfährt er, wozu er in dieser urbildhaften Bezogenheit[30] angelegt ist; er übernimmt willentlich seine geschichtliche Situation[31] und lebt fortan im unverlierbaren Wissen um seinen „Auftrag"[32]. Situation und Auftrag setzen ihn in direkten Bezug zum eigentlichen Bereich des Engels, der das Unsichtbare ist. An „jener dumpfen Umkehr der Welt" heute, an der die „äußere Gestalt" dahinschwindet, reicht er sie, innen verwandelnd, dem Engel zurück, ihm, dem gestalthaften Prinzip als solchem. Durch den Menschen hindurch nimmt sie ihren Weg zurück ins Unsichtbare und damit ins Dauern – von jeher dem eigentlichen Bereich jeder echten Gestalt, dem Bereich des Engels als Gestalt der Transzendenz. Das „Zurückschöpfen ins eigene Antlitz" vollendet sich so – ein echt plotinischer Gedanke.

Wir gehen in der Betrachtung des Spiegelsymbols zu seinem Tiefpunkt zurück, dem Maskenspiel des Knaben Malte vor dem Spiegel.[33] Zunächst scheint dem Knaben mit der Spiegel-Begegnung eine unerhörte Ausweitung des eignen Selbst zu erwachsen, das sich, gleichsam erhöht durch das Anlegen von allerhand Verkleidungen und Masken, in bisher ungeahnten Möglichkeiten entdeckt. In der Ausformung und Darstellung der Maske liegt ein dem Künstlerischen verwandter Ansatz; Spontaneität in der Gestaltung, Betätigung der Phantasie sind lustvolle Erfahrungen im Alter des Knaben Malte. Aber alles das wurde ihm in seinem Spiel nicht zuteil. Der Umschlag ins Verhängnishafte geschah, weil er in diesem Mummenschanz von vornherein etwas anderes wollte als das, was das Spiel zu tun nur vorgab. Nicht die Ausgestaltung des „phantastischen Ungefähr" suchte er, sondern dahinter immer nur sich selbst. Je dringender er suchte, je mehr entglitt ihm dieses Selbst. Je mehr es ihm entglitt, je größer wurde seine Angst. Ein kleines Ungeschick mit plötzlichem Geräusch in der Stille, der Geruch vergossener

---

[30] IV. Enneade, Buch 3, 11 „Ein Ding ist immer geeignet, Wirkungen der Seele zu empfangen (Weltseele), wenn es wie ein Spiegel imstande ist, irgendeine Gestalt aufzufangen."
[31] Siebente Elegie „Nirgends Geliebte wird Welt sein als innen. / Unser Leben geht hin mit Verwandlung. Und immer geringer / schwindet das Außen."
[32] Siebente und Neunte Elegie.
[33] ›Die Aufzeichnungen . . .‹ S. 124 ff.

stark riechender Essenz, wurde zum äußeren Anlaß, der die unerträglich angestiegene Spannung zum Reißen brachte und die Katastrophe auslöste. Behindert durch das Maskenzeug im Aufräumen des Mißgeschicks, sucht er sich vor dem Spiegel aus seinen Umhüllungen zu befreien. Da ist der Spiegel zu einem dämonischen Wesen geworden; es hält ihn in seiner Verkleidung fest; entsetzlich fremd und ängstigend schaut aus dem Spiegel ein Unbekannter heraus, der kaum noch eine Beziehung zu dem so dringlich gesuchten Selbst aufzuweisen hat. Es war die Angst um die Bewahrung dieses Selbst, die ihn trieb, es gleichsam auf die Probe zu stellen; es sollte sich in seiner Dauer erweisen unter der Fülle der Verkleidungen, mit denen er es überfremdete – und so konnte es geschehen, daß dieses Selbst endlich „ganz ausfiel". Der Spiegel, dessen er sich soeben noch als eines willfährigen Gerätes bedienen zu können vermeinte, ist nun der Herr; er hat den kleinen Malte ganz in sich hineingenommen; sein Personcharakter ist vernichtet.

Eine Entsprechung zum alten griechischen Mythos von Dionysos Zagreus leuchtet auf: Das spielende Götterkind erblickt sich im Spiegel und verfällt in primitive Selbstbezauberung. Die von außen andringenden elementarischen Gewalten in Gestalt der Titanen haben es nun leicht; das Götterkind wird überwältigt, zerrissen und von ihnen verschlungen. Was im alten Mythos äußeren feindlichen Gewalten an zerstörerischer Kraft zugeschrieben wird, das leisten im Malte-Erlebnis die Dämonien des eignen Innern. Der Weg des modernen Menschen zur Selbstauflösung geht durch die Reflexion. Der 'reflektierende' Spiegel in seiner Hilfsstellung für die Vergegenständlichung des Selbst steht im Umkreis dieser modernen Problematik sehr oft im Dienst übersteigerter Ichbezüglichkeit. Die affektive In-Beziehung-Setzung des modernen Selbst zu den es beeindruckenden Erscheinungen leitet sich her aus einer krampfhaften Betonung des eignen Ich, die um so heftiger wird, je mehr das Selbst der Substanzialität entbehrt. Auch das ist aus dem Spiegelerlebnis des Knaben Malte abzulesen. Sein dringlich-forderndes Verhalten dem eignen Spiegelbild gegenüber steigert sich zum Höhepunkt, den die dichterische Darstellung meisterhaft genau unmittelbar vor den Eintritt der Katastrophe verlegt. Der momentane Ausfall des Selbst wird als solcher und nicht als das zu begrüßende Ziel einer dunkel gesuchten Selbstauflösung verstanden und dargestellt.

Die gefährdete Personbildung wird auch an andern Stellen der ›Aufzeichnungen‹ erkennbar. In der Begegnung mit dem Epileptiker[34] und dem Nachbarn[35] erweist sich der erwachsene Malte so verwundbar durch äußere Abläufe und Beeindruckungen, daß die Widerständigkeit seines Selbst vernichtet wird. „Les impressions me percent", hat Rilke einmal gesagt. Der weiche Personkern, unabgegrenzt gegen das Außen, scheint bloßzuliegen. Malte verläßt seine eigene Sphäre und fließt gleichsam in die andere, fremde hinüber, um ihr dienstbar zu werden. Im Erlebnis mit dem Nachbarn bezieht er jedes Maß und jede Schwingung, jede Zeiteinteilung, Schlaf und Nicht-Schlaf von dem andern, dessen Verhängnisse ihn, obwohl sie ihn, den Malte, eigentlich nichts angehen, schließlich aufschlucken. In dieser negativen, durch die Wand sich vollziehenden unmittelbaren Kommunikation bietet er endlich dem andern den eignen Willen an.

Im Zusammenhang mit der Person-Problematik betrachtet, enthüllt sich die Umdichtung der Geschichte vom verlorenen Sohn[36] als künstlerische Ausformung jener erlittenen Gefahren, die der Bildung insbesondere des kindhaften Selbst durch die besitzen-wollende Liebe des „Hauses" erwachsen. In der „Legende dessen, der nicht geliebt sein wollte", will der Knabe auf seinen Streifzügen nicht einmal mehr die Hunde mithaben, weil „auch in ihren Blicken Beobachtung war und Teilnahme, Erwartung und Besorgtheit; weil man auch vor ihnen nichts tun konnte, ohne zu freuen oder zu kränken". Man ermesse die unendliche Einsamkeit, die sich in dieser Erinnerung ausspricht. Das Kind Rilke „kränkte" allein durch sein Geschlecht die Vorliebe der Mutter, die einem Mädchen gegolten haben würde; es „erfreute" nur, indem es dieses Geschlecht und damit den ersten Kristallisationspunkt einer Personbildung umfälschte. Auf die Neigung der Mutter eingehend, war er ein Mädchen in Mädchenkleidern, war er die „Sophie" der ›Aufzeichnungen‹. Die Unterhaltungen zwischen der Mutter und Sophie „(die Sophie immer mit der gleichen hohen Stimme fortsetzte)", mit der sie sich der Mutter angekündigt hatte, bestanden meistens darin, „daß sie Maltes Unarten aufzählten und sich über ihn beklagten"[37]. Der Weg

[34] S. 80 ff.
[35] S. 208 ff.
[36] In ›Die Aufzeichnungen . . .‹ S. 291 ff.
[37] S. 120.

des frühen Kindes Malte zum Knaben Malte vor dem Spiegel, der unter allen Verkleidungen nur immer wieder sein eignes Selbst bestätigt sehen wollte und endlich in den momentanen Verlust des eignen Ich fiel, ist in der Entwicklung von Malte wahrhaft vorgezeichnet. Er mündet folgerichtig in die Erzählung der Legende dessen, der nicht geliebt sein wollte.

Die Freiheit der Nachmittage im Offnen der Landschaft, erlöst vom Druck der „Teilnahme" des Hauses, erfüllte ihn mit jener „innigen Indifferenz des Herzens", die seine Kritiker ihm heute noch verübeln. Und doch meinte diese innige Indifferenz des Herzens nichts weiter als das Zurückschwingen in die Gleichgewichtslage des bloßen schuldlosen einfachen Seins. Der dichterische Extrakt dieser auf Stunden erborgten Befreiung aus ungesicherter kindlicher Situation läßt die Armut einer Kindheit erkennen, die dieses fragile Glücksgefühl so inbrünstig zu erinnern weiß: „nicht Zeit und Atem zu haben mehr zu sein als ein leichter Moment, in dem der Morgen zum Bewußtsein kommt." – „Nur daß der Heimweg dann kam", auf dem ihn nichts so sehr beschäftigte wie die Nötigung, alle im „Offenen", im durch „Teilnahme" nicht verstellten Raum soeben noch gelebten Möglichkeiten des eignen Werdens „richtig (zu) vergessen; das war notwendig; sonst verriet man sich". Riesengroß steht das Schuldgefühl hinter jeder einzelnen der vorerst nur spielenden Betätigungen eigner Personhaftigkeit. Auch diese andern waren Person – aber „sie haben es gut, sie halten sich dunkel" –, so fühlt er, in den Schein der abendlichen Lampe tretend – „und auf ihn allein fällt mit dem Licht alle Schande, ein Gesicht zu haben". Wir sagen von dem, der wirklich ein Selbst, eine Persönlichkeit ist, er habe ein Gesicht. Der Weg dahin ist für Malte-Rilke in einer verstellten Kindheit mit Schuld- und Schande-Gefühlen belastet worden.

Das ist dann schließlich die Alternative: „das ungefähre Leben nachlügen, das sie ihm zuschreiben, und ihnen allen mit dem ganzen Gesicht ähnlich werden." Man beachte, wie bis hinein in die Diktion dieses einen Satzes das Ungesicherte – im „ungefähren Leben"; das Uneigne – im „Nachlügen"; die Gefahr der Bildung des Selbst – in „mit dem ganzen Gesicht" – zum Ausdruck kommt. – Das andere aber wäre: Fortgehen und damit den eignen Möglichkeiten, der Bildung des Selbst folgen. Das hieße dann nicht mehr: „es aufgeben, das zu werden, was denen aus seiner Familie, die nur noch ein schwaches Herz haben, schaden könnte." Auch hier zielt die Wortgebung als solche in den Kernpunkt des Problems der ungesicherten Person. In der Negativität der Formulierung, die die andere Alternative kennzeichnen soll, in der Negativität des angebotenen Kriteriums, das auch inhaltlich ein Leersein andeutet – „nur noch ein schwaches Herz haben" –, sagt jedes der gewählten Worte und die Konstruktion des Satzes selbst es aus, daß in der Anpassung an alle diese Negativitäten ein auf diese Weise für ihn selbst zu Erreichendes nur ein Nichtiges – eben die endgültige Etablierung der Nicht-Person – bedeuten könnte.

Aber der verlorene Sohn geht fort, und die mit dem gefaßten Entschluß gedanklich vorweggenommene Gestaltung seines Abganges ist nicht, wie man nur in der völligen Verkennung der hier auseinandergelegten Person-Problematik meinen könnte, eine besonders ausgeklügelte Herzlosigkeit aus mangelhafter Kommunikation; sie ist vielmehr die Enthüllung einer Situation von letzter Kommunikationslosigkeit überhaupt, weil in ihr die Voraussetzung jeder echten Kommunikation, die Respektierung des anderen Selbst, sei es auch eines erst in der Bildung begriffenen kindlichen Selbst, vollkommen fehlt. Diese Ausgestaltung des Fortgehens in der Phantasie ist die durch unendliche Leiden erpreßte und darum nur folgerichtige Antwort auf eine immerwährende Verletzung der sich konstituierenden Person.[38]

Nicht in der Legende, sondern in den ›Aufzeichnungen‹ selbst sind die unzähligen Erfahrungen, die diesen mit den wenigen Zeilen gekennzeichneten Entschluß langsam und schmerzhaft hervorgebracht haben, im einzelnen erzählt.[39] Die Konzeption der Gestalt des verlorenen Sohnes als „eines der nicht geliebt sein wollte" steht in notwendigem Zusammenhang mit dem Problem der Festigung des eignen Selbst. Die Vorstellung von der einsamen Liebe empfängt von hier ihr besonderes Licht. „Die entsetzliche Lage geliebt" zu werden ist die Usurpation des Selbst durch Liebe – oder das was man gemeinhin Liebe nennt. Der, der so liebt, „daß die Strahlen seines Gefühls" den Geliebten „verzehren", vernichtet dessen Personsein in seiner Eigenständigkeit. Vom verlorenen Sohn hingegen heißt es, daß er aus dem, was ihm selbst widerfahren war, endlich gelernt hatte, „den geliebten Gegenstand mit den

[38] S. 294.
[39] S. 174.

Strahlen seines Gefühls zu durchscheinen, statt ihn darin zu verzehren". Wieder erweist sich die dialektische Struktur des existentiellen Weiterschreitens Rilkes: Aus dem Zentrum gleichsam der negativen Erfahrung gewinnt er den Ansatzpunkt zur Positivierung seiner Einsichten. Was so von den Strahlen des Gefühls durchschienen wird, ist das Selbst des geliebten Andern. In der Durchscheinung wird dessen Kontur nur plastischer. Diese durchscheinende Liebe will nicht Besitz als Verzehr; ihrem „unendlichen Besitzenwollen" wird die geliebte Gestalt „transparent" auf die Weiten hin, die ihr, von deren eignem Urbild gesehen, zugehören. Diese so gemeinte Liebe verfehlt nicht das Du als Gegenüber;[40] sie ergreift vielmehr dieses Du in seinem Wesenskern und trägt ihm zu, was der Liebende, es durchscheinend, vom Urbild her ihm zu erkennen erleuchtet worden ist. Dieses Du, bereichert um Ewigkeit, die ihm nur in der Hellsichtigkeit des echten platonischen Eros[41] zuerkannt werden kann, ist nunmehr Gegenstand des unendlichen Besitzenwollens. Die schöpferische Kraft dieser Liebe reißt gleichsam die Grenze zur Transzendenz auf und holt ins Irdische hinein, was zu verwirklichen nur die Liebe vermag. Darum ist für den späten Rilke diese vollkommene und erfüllte Liebe zweier Liebender an sich selbst schon eine Gestalt des ewigen Seins, die darzustellen uns aufgegeben ist. Der Sinn dieser Liebe ist Darstellung einer Entelechie. Die siebente Elegie hat sie ins gültige Wort geschöpft.

Man wird immer dann die Gesamtheit der hier aufgewiesenen Problematik von Personbildung und Liebeserfahrung nicht erkennen, wenn man beweisführend auf ›Die Aufzeichnungen des Malte Laurids Brigge‹ zurückgreift, ohne jedoch die Stellung dieses Werkes im Gesamtschaffen Rilkes in Betracht zu ziehen. Es gibt eine große Anzahl Äußerungen Rilkes darüber, daß dieses „schwere, schwere Buch", dessen Vollendung jahrelang als unerträgliche Last auf ihm gelegen hatte, mit Notwendigkeit durch alle Phasen der Negativität führen mußte. Aber der Rilke der Nach-Malte-Zeit erkennt es selbst unter Krisen, daß

[40] Wie jetzt Guardini a. a. O. es auffaßt, während in seiner Schrift ›Zu Rainer Maria Rilkes Deutung des Daseins‹, Berlin 1941, die Deutung der Legende und des Liebesproblems nicht diesen nur-negativen Aspekt hat. Sie erfolgt im übrigen, ohne das Personproblem in Ansatz zu bringen.

[41] Vgl. ›Kunst und Existenz im Spätwerk Rilkes‹ von Else Buddeberg, Karlsruhe 1948.

dieser Höllensturz in die Negation – von der Existenz des Schöpfers dieser Gestalt, also von Rilke selbst aus gesehen – den einen einzigen Sinn hatte, ihm den eignen Untergang zu ersparen. Der Untergang des Malte war für Rilke ein notwendiger Durchgang; er bezeichnet sich nicht ohne die tiefste Einsicht als den Überlebenden dieses Buches. Als dieser Überlebende, der er war, führte er aus dem innersten Grunde seiner Existenz die in den Aufzeichnungen enthaltenen „durchaus hoffnungsvollen, großen, zur Leistung auffordernden Einsichten" weiter ins Positive der eignen und eigentlichen Leistung, die sich erst im Spätwerk zum letzten gültigen Ausdruck erhebt. Der Entwicklungsweg Rilkes ist ganz allgemein und in allen Einzelheiten dialektisch angelegt.[42] Aus der Negation selbst zieht Rilke, in überwindender Verwandlung, die Ansätze für den Weg in die Bejahung. Das ist der entscheidende und nie außer acht zu lassende Gesichtspunkt, unter dem seine Entwicklung und somit auch die ›Aufzeichnungen des Malte Laurids Brigge‹ im Gesamtschaffen zu betrachten sind.

Die Spiegelerfahrung führte uns aus sich heraus zum Problem der Person; unablösbar wiederum von diesem erwies sich das Liebesproblem. So eng also auch Spiegelerfahrung und Begegnung mit dem eignen Selbst verknüpft ist; so dringlich in ihr auch das Anliegen zu verspüren ist, das Selbst von der gegenständlichen Außenwelt abzugrenzen, es vor den das Innere überflutenden Sensationen zu sichern und als den beherrschenden Kern zu behaupten; sosehr es also in der Spiegelerfahrung um das eigne Ich geht, so hat sich doch gezeigt, daß auch das in der Liebe gesuchte Du in das Gesamt der aufgerollten Problematik notwendig hineingehört.

Die überlieferten Sagen und Vorstellungen im Umkreis Narkissos stehen unter dem Aspekt von Spiegel und Selbst sowie vom nicht gesuchten oder aber nicht erreichten Du. Es rundet also den ganzen Komplex der Spiegelerfahrungen ab, daß in Rilkes dichterischem Werk auch die Gestalt des Narkissos in den verschiedensten Varianten Eingang gefunden hat.[43] Der Jüngling Narziß wird uns sowohl in den Mythen wie

---

[42] Vgl. meine Darstellung in ›Kunst und Existenz . . . .‹.

[43] Aus Gründen des Umfangs kann die Darstellung der Narziß-Gedichte nicht in diese Abhandlung einbezogen werden. Sie mußte einer gesonderten Un-

auch in den Gedichten Rilkes vor Augen gestellt in einer ihm schon immer leid-vertrauten Zuständlichkeit; sie ist von der bereits mißlungenen Personbildung bestimmt. Die – trotz aller Gefährdung – immerhin doch mögliche rein positive Funktion des Spiegels[44] ist im Umkreis von Narziß von vornherein nicht zu realisieren. Narziß ist nicht nur der in der Spiegelerfahrung Bedrohte, der möglicherweise in Selbstverlust Geratende, er ist immer schon der, der eine eigne Mitte nicht auszubilden vermocht hatte. Er kann also folgerichtig niemals ein Selbst werden, das ein Du anzusprechen vermag: Die endgültig mißglückte Personbildung schließt auch die Liebesbegegnung aus. Eine Analyse der Narzißgedichte würde ergeben, daß nach Rilkes Auffassung die Begegnung mit dem Du das letzte geheime Ziel der Personbildung darstellt, so wie in der siebenten Elegie die volle Gestaltverwirklichung des Menschen in der Anverwandlung aller Herrlichkeiten der Welt erst in der Kommunikation mit der Geliebten wirklich wird.[45] In den Narzißgedichten schlägt die Sehnsucht nach der Liebeserfüllung in Selbstliebe um: und darum ist das Spiegelbild im Umkreis des narzistischen Fühlens immer ein Negativ, von dem ein positiver Abzug – gleichsam im Sinne des Weiter-Reichens an den Andern – nicht zu gewinnen ist. Das was sich als Selbst nicht zusammenzufassen vermag,[46] erreicht eine nur scheinhafte Zusammengefaßtheit, traditionsgemäß auf der spiegelnden Oberfläche des Wassers[47]. Es wird nicht Ankunft in einem andern, sondern nur Rückkunft in Narziß – aber nicht als das immer schon dumpfleidend vermißte Selbst, sondern als ein imaginiertes Du, das die Illusion einer Liebeserfüllung vorspiegelt. Narziß strebt seinem Abbild im Wasser nach. Er sucht nach der mythischen Überlieferung sowohl wie in den Rilkeschen Gedichten eine Vereinigung im Elementarischen. Diese

---

tersuchung vorbehalten bleiben. Ich habe mich hier damit zu begnügen, wenigstens mit den kurzen Linien des Textes auf den Zusammenhang hinzuweisen.

[44] So wie zum Beispiel das II. Sonett im zweiten Teil der Orpheus-Dichtung Spiegelbegegnung und Gestaltverwirklichung in den engsten positiven Zusammenhang stellt.

[45] Erst in dieser Elegie ist über die einsame Liebe hinaus die voll erfüllte Liebe doch wenigstens *möglich* geworden.

[46] „Nachgiebige Mitte in mir, Kern voll Schwäche".

[47] „Was sich dort bildet und mir sicher gleicht / und aufwärts zittert in verweinten Zeichen . . ."

gewährt die imaginierte Liebesbegegnung sowie die im Grunde immer schon ersehnte völlige Auflösung der Person. Paradoxerweise ist beides identisch. Und dieses Paradox ist konstitutiv für den Begriff Narziß: Selbstliebe, Liebesvereinigung, Selbstauflösung erfüllt sich im Rücksinken ins Elementarische, das als solches gestaltfremd, ja gestaltfeindlich ist. Überdies ist es hier Ursprung.[48]

Wir wenden uns jetzt zur Interpretation der Spiegelgedichte: sie haben durchweg einen positiven Klang. Das was die bis zu diesem Punkt geleistete Darstellung herauszuarbeiten gesucht hat, was sich sogar vom negativen Grund der Narziß-Gedichte deutlich abhebt: die engste Nähe von Spiegelsymbol zum Problem der Person und zum Liebesproblem, lassen die nun folgenden Gedichte noch klarer erkennen. Das Anliegen der Personbildung steigert sich in ihnen zum hohen Ziel der Verwirklichung von Gestalt.

> Da stehen wir mit Spiegeln:
> Einer dort . . ., und fangen auf,
> und Einer da, am Ende nicht verständigt;
> auffangend aber und das Bild weither
> uns zuerkennend, dieses reine Bild
> dem Andern reichend aus dem Glanz des Spiegels.
> Ballspiel für Götter. Spiegelspiel, in dem
> vielleicht drei Bälle, vielleicht neun sich kreuzen
>
> und keiner jemals, seit sich Welt besann,
> fiel je daneben. Fänger, die wir sind.
> Unsichtbar kommt es durch die Luft, und dennoch,
> wie ganz der Spiegel ihm begegnet, diesem
> (in ihm nur völlig Ankunft) diesem Bild,
> das nur so lang verweilt, bis wir ermessen,
> mit wieviel Kraft es weiterwill, wohin.
>
> Nur dies. Und dafür war die lange Kindheit,
> und Not und Neigung und der tiefe Abschied
> war nur für dieses. Aber dieses lohnt.

---

[48] Im griechischen Mythos ist Narkissos der Sohn des Flußgottes Kephissos und der Quellnymphe Leiriope. Narziß ist also dem Element des Wassers verwandt. Man vergleiche für den Zusammenhang von Elementarischen und Ursprung mit der Gestaltfeindlichkeit und den Schwierigkeiten der Personbildung auch die dritte Elegie.

Das Gedicht gehört zu den Späten Gedichten aus der Zeit der letzten Arbeit an den Elegien und dem Gnadengeschenk der Sonette an Orpheus. „Da stehen wir mit Spiegeln: und fangen auf." Wir selbst sind diese Spiegel, insofern wir überhaupt *sind*; und unser Sein geschieht, sofern es wesenhaft ist, darin, daß wir „auffangen". Es ist das Kennzeichen der Situation der heutigen Menschen, daß sie in der Beziehungslosigkeit nicht nur zueinander – „am Ende nicht verständigt" –, sondern zu einem umfassenden Sinn überhaupt stehen. Die Menschen heute sind im Gegensatz zu denen vergangener Zeiten „Einsamer nun"[49] und in ihrer Einsamkeit „aufeinander ganz angewiesen"; aber das „ohne einander zu kennen". Das Paradoxon der Gemeinsamkeit dieser Einsamkeit des Aufeinanderangewiesenseins „ohne einander zu kennen", ergibt eine dialektische Spannung. Das allgemein Verbindende dieser Gemeinsamkeit ist ein Negatives; es liegt genau darin, daß eine wirkliche Verbindung nicht besteht. Von diesem negativen Ausgangspunkt aus vollzieht das späte Gedicht eine Wendung. Es sieht uns – uns, das heißt grundsätzlich den heutigen Menschen überhaupt – in einer Haltung, die über diesen negativen Ausgangspunkt hinausstrebt: „Da stehen wir mit Spiegeln", wenn auch nicht „verständigt", wenn auch vielleicht nicht ein jeder, wenn auch zerstreut und fast wie zufällig, „Einer dort und Einer da . . ." – aber wir tun das Gleiche, wir halten Spiegel, wir sind Spiegel; „und fangen auf". Nachdem das Spiegelsymbol als allgemeines Menschheitsgut erkannt worden ist und seine tiefe Bedeutung von Rilke mit dem Engel der Duineser Elegien verbunden wurde, kann es nicht mehr fraglich sein, daß mit diesem „aufzufangenden" Spiegelbild hier im Gedicht die Herstellung eines Bezuges zur Transzendenz ausgedrückt werden will.

„Am Ende nicht verständigt; / auffangend aber". In der Verbindung mit dem Wort „aber" – „auffangend *aber*" – wird einmal der Ausdruck einer gesteigerten Bedeutsamkeit dieses Tuns erreicht, ein andermal die dialektische Wendung grundsätzlich abgeschlossen: „einsamer nun aufeinander / ganz angewiesen, ohne einander zu kennen /"[50] – „am Ende nicht verständigt"[51]; – „*aber*" nun in einem Tun begriffen, das letzten

---

[49] XXIV. Sonett an Orpheus, erster Teil.
[50] Sonett an Orpheus.
[51] Spätes Gedicht.

Endes die Einsamkeit aufheben soll. Die Herstellung des Bezuges zur Transzendenz hat ihr höchstes Ziel darin, dem Einzelnen den metaphysischen Ort des menschlichen Daseins überhaupt zu erhellen. Damit wird nicht der Einzelne, damit wird der Mensch schlechthin in die umfassende Ordnung einbezogen. Der Mensch, der einen neuen Sinn ergreift, erfaßt ihn also nicht nur für sich allein – da trüge er nicht weit –, er ergreift ihn für das menschliche Dasein überhaupt. Das, was er so „auffängt", legt er sich als Mensch zu: „und das Bild weither / uns zuerkennend," – es ist geflissentlich im Unbestimmten gelassen, ob dieses Wort „weither" meint, „von weither kommend" oder ob es gleichsam eine umgreifende Bewegung vollziehen will, die „weither" um uns einen Umkreis beschreibt, in dem wir nun weithin reichen. Es ist ein weitestes Weither, es kommt von jenseits der Zeit und führt wieder aus der Zeit heraus; es meint Transzendenz, angesichts deren das „weither" und das „weithin" in Eines zusammenfällt. Indem wir dieses Bild uns „zuerkennen", erkennen wir unsere Bezogenheit auf Transzendenz. Wir leben diese Bezogenheit in der Hinwendung auf Gemeinsamkeit: „dieses reine Bild dem anderen reichend aus dem Glanz des Spiegels"; nicht mehr nur Spiegel schlechthin, sondern: „Glanz des Spiegels" heißt es. Die dichterische Steigerung drückt eine Verstärkung der Strahlungskraft des Spiegels durch das aufgefangene Bild aus; – und damit eine Erhöhung des menschlichen Daseins durch das Zuerkennen des Bildes von „weither". Das „Zuerkennen" und das „Weiterreichen" schließen in sich das Bekenntnis zu dem „reinen Bild" als der Grundlage menschlicher Kommunikation. Was hier Bild genannt wird, steht naturgemäß in tiefem Bezug zur Gestalthaftigkeit schlechthin. – „Ballspiel für Götter": Bild kann nur sein und geworden sein, was in einen in sich geschlossenen Umriß eingespannt ist, was also Gestalt angenommen hat, rund und dicht und in sich beschlossen wie ein Ball. Der metaphysische Zusammenhang, in dem das Spiegelsymbol und damit das „Bild" steht, läßt auch hier wieder die Gestalt als ein Göttliches begreifen; ohnedies wird die Gestalt im Gedicht als „Ball" mit einem Tun der Götter in Beziehung gesetzt: „Ballspiel für Götter". Mit Gestalten und Bildern, mit Bildungen „spielen" die Götter; und in dieses Spiel aus höchster Herkunft sind wir als Fänger und Weiterwerfer einbezogen – „Spiegelspiel". Eine umfassende Bezogenheit ist ausgedrückt, in der der Mensch, von der Transzendenz aus angesprochen, mit seinem Tun

antwortet. Von den Göttern aus gesehen, ist das Spiel reine Spontaneität; diese kennzeichnet die Sphäre des Göttlichen. So begreift sich das
zunächst vielleicht befremdende Wort „Ballspiel für Götter". Die
gleichsam unwillkürliche Hinwendung des Menschen auf Transzendenz – „auffangend aber" – erweisen diese wenigen Verse als eingelassen
in den gesamten Seinszusammenhang. Was sich in einer anderen Sphäre
als freies Spiel vollzieht, selbst genügsam in sich, ist erkannt als bezogen
auf den menschlichen Bereich. Und dieser menschliche Bereich gründet
sich erst als der, der er seinem ganzen Umfange nach ist – „weither" –,
indem der Mensch auf diese Bezogenheit mit seinem Tun antwortet.

Die magischen Zahlen drei und neun, teilbar ineinander, die eine Element der andern, die sie als ein Vielfaches, dessen Maß sie selbst angibt,
auch mit sich selbst darstellt, deuten auf diesen geheimnisvollen Zusammenhang. In ihm ist nichts verloren. Keiner der Bälle, keines der
Bilder, „jemals seit sich Welt besann, / fiel je daneben". *Seit* sich Welt
besann – es gab also die Zeit, in der sie sich noch nicht „besonnen"
hatte? Jedenfalls: sie besinnt sich in uns. Denn unvermittelt folgt den
beiden Halbversen „seit sich Welt besann / fiel je daneben" der völlig in
sich beschlossene Halbvers – kenntlich durch die Interpunktion –:
„Fänger, die wir sind". Darin, daß wir „auffangen", „zuerkennen",
„weiterreichen" – „besinnt sich Welt". Nur in uns im ganzen Seinszusammenhang ist Besinnung. Und das meint hier: bewußt werdende,
tätig gelebte Bezogenheit auf Transzendenz. Es besteht keine andere
Möglichkeit als diese, um die unvermittelte Folge im gleichen Vers zu
verstehen, mit der wir als „Fänger, die wir sind" in den Zusammenhang
hineingestellt werden. Wie die magischen Zahlen 3 und 9 ineinander
enthalten sind, enthält unser Sich-Besinnen das Ganze und sind wir mit
unserm Sich-Besinnen vom Ganzen umfaßt.

Unsichtbar und doch bildhaft ist, was in den Spiegel, der wir je sind,
aus göttlicher Herkunft eingeht. Uranfängliche Entsprechung zwischen jenem Bild und dem Spiegel, der den „Ball" auffängt, scheint zu
bestehen; sie geht weit über jede sichtbar oder rational erkennbar werdende Bezogenheit hinaus: „Unsichtbar kommt es durch die Luft, und
dennoch" – trotz der Unsichtbarkeit – „wie ganz der Spiegel ihm begegnet" – darin erweist sich, daß die konkrete Gestaltwerdung, die sich im
Auffangen und Zuerkennen vollzieht, nur möglich werden kann, weil

dieses eine durch die Luft kommende Bild „in ihm nur völlig Ankunft" zu werden vermag. Auf diesen einen individuellen Spiegel, auf diesen Spiegel, der jeweils ein Einzelner ist, zielt das Bild, daß es ihm die einzig entsprechende Ankunft gewähre.

Gestaltwerdung kann nur vollzogen werden durch jeweils einen Einzelnen. Aber sie geschieht immer im Hinblick auf die andern: „dieses reine Bild dem Andern reichend." Die Entsprechung der menschlichen Sphäre auf die göttliche Sphäre schließt für die menschliche Sphäre Kommunikation in sich. In dieser erfüllt sich die umfassende Form von Kontinuität; sie reicht nicht nur von Mensch zu Mensch, von Zeit zu Zeit; sie umgreift Irdisches und Göttliches. Erst in einer so vielseitig verstandenen Bezogenheit ist jene Vereinzelung aufgehoben, in der am Anfang des Gedichtes der Mensch stand. Die von der Transzendenz her bestimmte Werthaftigkeit des Daseins ist bejaht; es ist notwendiges Glied eines Ganzen, ohne welches dieses Ganze nicht ein Ganzes sein könnte. Wir haben ein uranfängliches Wissen darum, daß das aufgefangene Bild in uns nur „so lang verweilt, bis wir ermessen, mit wieviel Kraft es weiterwill". Dieses „Weiter" durch uns hindurch ist als Zielstrebigkeit dem aufzufangenden Bilde immanent. Noch einmal, anders gewendet, wird uns gesagt, daß wir vom Urbild aus auf Mitteilung aneinander, in dem was wesenhaft ist, angewiesen sind. Sie vollzieht sich aus unserm erhöhten Innern: „aus dem Glanz des Spiegels", der wir je sind. Die Möglichkeit einer Aufhebung der Vereinzelung ist also in der Transzendenz begründet. – „Mit wieviel Kraft es weiterwill, wohin . . .". Das „Wohin" steht hier nicht als Frage; es hat die Funktion einer noch nicht konkretisierten Ortsbestimmung.[52] – Dem ewigen Vorrat an Urbildern entspricht es, daß auch in der Hinwendung dieser Bilder zur menschlichen Sphäre in dem Bereich der flüchtigen Zeit ein Verlust nicht eintreten kann. An den verschiedensten Stellen seines Werkes hat Rilke den tiefen Glauben bekannt, daß echte Gestalt unvergänglich ist. Die Verwandlung der dahinschwindenden äußern Gestalt ins Unsichtbare durch uns hindurch als „die Schwindendsten"[53], von der die siebente und die neunte Elegie sprechen, ist nur die letzte und höchste

---

[52] Ganz wie im XXIII. Sonett an Orpheus, erster Teil.

[53] Rilke hat diesem unsern „Gebraucht"-werden in der neunten Elegie den endgültig dichterischen Ausdruck gegeben.

gedankliche und dichterische Ausgestaltung eines innerlich gegründeten,
wenn auch zunächst nicht klar formulierten Wissens, das bis in die Zeit
des ›Florenzer Tagebuches‹ zurückreicht. Die Flüchtigkeit der Zeit und
unser Dahinschwinden in ihr erzwingt gleichsam aus sich selbst die
Kraft, die die Verwandlung in die Dauer gewährleistet. Wir sind dazu
aufgerufen, diese Verwandlung zu leisten. Das zehrende Leiden an der
Vergänglichkeit ist aufgehoben in einer Teilhabe am Dauernden. –
„Nur dies". Mehr zu sagen wäre Vermessenheit. Aber das „Nur dies"
ist der ungeheure Reichtum des menschlichen Daseins: „Und dafür war
die lange Kindheit / und Not und Neigung und der tiefe Abschied / war
nur für dieses." Die Einsicht aber in das „Nur dies" ist alles andere als
Resignation. Es hat den Klang eines Gelübdes, das die willentliche
Hinnahme alles dessen ausspricht, was dem menschlichen Dasein zugeordnet ist. Aus tiefer Beglückung wird Bestätigung des eignen Selbst,
letzte Bejahung schwersten Leidens und die Einsicht in unerbittliche
Notwendigkeiten ausgesagt.[54]

Handinneres

Inneres der Hand, Sohle, die nicht mehr geht
als auf Gefühl. Die sich nach oben hält
und im Spiegel
himmlische Straßen empfängt, die selber
Wandelnden.
Die gelernt hat, auf Wasser zu gehn,
wenn sie schöpft,
die auf den Brunnen geht,
aller Wege Verwandlerin.
Die auftritt in anderen Händen,
die ihresgleichen
zur Landschaft macht:
wandert und ankommt in ihnen,
sie anfüllt mit Ankunft.

Das Innere der Hand erschien Rilke als eines der größten Wunder,
das menschlicher Erfahrung begegnen kann. Er vermochte kaum zu
fassen, daß die deutsche Sprache dafür kein eigenständiges Wort ausgebildet hatte. Das Handinnere steht im kosmischen Bezug: „Inneres der

---

[54] In diesen ganzen Gedankenkreis ist auch das Späte Gedicht „Solang du

Hand, Sohle, die nicht mehr geht / als auf Gefühl." Einstmals schritt sie auf Wegen; jetzt ergeht sie sich nur mehr noch im Raum des Fühlbaren. Sie weiß ihrer Vergangenheit nach also um Wege und Straßen, und darum vermag sie aus eigner Entsprechung Spiegel zu sein für das, was im Kosmos Wandel und Wege meinen. Als magisches Gerät gleichsam wird das Handinnere in magische Identität mit dem Wandel der Gestirne gesetzt. Als ob die Hand ein geheimes Wissen um ihre kosmische Bezogenheit hätte, ist sie es selbst, „die sich nach oben hält und im Spiegel", der ihr Innerstes ist, „himmlische Straßen empfängt, die selber / Wandelnden". Die Hand empfängt sie als „Wandelnde"; denn auch in ihr stehen sie nicht fest; sie wandeln, sich selbst verwandelnd, weiter. Das Handinnere mit seinen geheimnisvollen und bedeutsamen Linien nimmt in sich, was als Bahn der Gestirne schicksalhaft über dem Menschen kreist. Ein Innen und Außen, ein Kosmisches und ein Menschliches sind somit nicht nur zueinander in Bezug, sondern in Identität gesetzt; und die Hand als Spiegel hat die Funktion, diese Identität zu vollziehen.

Hier wie im vorigen Gedicht ist das Auffangen und das Empfangen nicht bloße Passivität. Das was im ersten Gedicht „Ankunft" war, ist bestimmt zur Konkretion im einzelnen. Es geht durch diesen einzelnen hindurch, um, individuiert, nunmehr „Ankunft" in andern zu werden. Der Spiegel muß immer in seiner doppelten Funktion begriffen werden; einmal als Rezeption schlechthin, ein andermal als Spontaneität. Von dieser unablösbar ist ein schöpferisches Moment, und das ist im menschlichen Bereich eng an den Begriff der Person gebunden. „Verwandlerin" wird die Hand genannt und als solche schöpft sie aus sich; genau wie das „Zuerkennen" und „Weiterreichen" des vorigen Gedichtes nur aus Eigenem bestritten werden kann und somit persönlicher Akt ist. Nur in einer personhaft-gestalterischen Steigerung kann der für die ganze Spätdichtung Rilkes wichtigste Begriff der Verwandlung gefaßt werden. Verwandlung ist immer auch eine Gestaltgewinnung; was in ihr weitergegeben wird, ist daher immer auch Selbstdarstellung des Verwandelnden – nicht im Verstande des Psychologisch-Biographi-

Selbstgeworfnes fängst . . ." einzureihen, obwohl es nicht im engern Sinn zur Spiegelsymbolik gehört. Es meint aber ein Gleiches wie das Gedicht „Da stehen wir mit Spiegeln . . ." nämlich: urbildhaft bestimmte Gestaltwerdung.

schen, sondern im Sinn höchster Selbstverwirklichung. Vom ganzen Seinszusammenhang aus ist das der Sinn von Individuation überhaupt. Wie der Mensch sich anverwandelt, was der schicksalhafte Wandel der Gestirne ihm zuordnet, das bildet sich in den Linien der Hand mittels tausendfacher feinster Enervationen ab. *Wie* die Hand auf den in ihr Inneres eingelassenen „himmlischen Straßen" „geht", in leisen kaum wahrnehmbaren und immer unwillkürlichen Bewegungen, aber stets höchst empfindungsvoll – das ist ihr Gehen „auf Gefühl". Das Erfühlte und Erlebte prägt die Gestalt der Hand. Nicht nur das Auge, auch die Hand ist Spiegel der Seele, untrüglicher diese noch als jenes, weil jeder Verstellung unfähig. So schicksalhaft Person geworden, tritt die Hand auf als „aller Wege Verwandlerin", „in anderen Händen". Verwandelt sind ihre eignen Wege im Augenblick, in dem die andere, die fremde Hand erfüllt wird „mit Ankunft". Ankommend in ihr, durchwandert sie nun diese andern, die fremden Straßen und macht sie so „zur Landschaft" für sich selbst – Verwandlung aber nun auch der andern, der fremden Hand mitteilend, die in der Begegnung nicht unverändert bleiben kann. Es ist ein wunderbares Bild, in dem, eng ineinander gesehen, Kommunikation und Kontinuität sich wechselseitig bedingen. Beide sind so ineinander gefügt, daß nicht zu unterscheiden wäre, welche das Bedingende und welche von beiden das Bedingte ist. –

Es gehört zu den entscheidenden Voraussetzungen Rilkes, die Frau als kaum gefährdet durch die Problematik moderner Ichbezüglichkeit anzusehen, die den Mann fast zerreißt. Die Frau ruht tiefer und sicherer in dem unbewußten Grunde ihrer Natur. Sie hat von ihrem eignen fast unzerstörbaren Wesenskern her einen unmittelbaren Zugang in die Zeitlosigkeit; darum scheint sie dem heute alles zersetzenden Bewußtsein der Flüchtigkeit auch viel weniger ausgesetzt als der Mann. Nöte und Ängste der Personbildung sind ihr viel fremder. In dem Besitz dessen, was für sie als ein Selbst wesenhaft ist, scheint sie weniger bedroht; denn sie geht damit frei von Angst vor Verlust immer schon über sich hinaus, ohne sich zu verlieren. Die dritte Elegie zeichnet in der Mutter und im Mädchen des Jünglings, der, aus den Fluten der Herkunft aufsteigend, ein Selbst werden will, dieses Bild von der Frau. In sich beschlossen steht sie am Ufer des Stromes der Vergänglichkeit. Zeit rauscht vorüber, beladen mit Vergangenem, das gestaltlos geworden ist, immer wieder mit Flüchtigkeit zersetzend, was sich an Zukünftigem bilden will. Die Frau wird von alledem nicht berührt. Den Umgetriebenen, den als Kind die Mutter bewahrte, dem nun jugendlich sich Verströmenden und doch wieder Zukunft-versprechend Sich-Suchenden, wird das Mädchen gegenübergestellt und ihr zugerufen: „Verhalt ihn"; halte ihn in dem Kontur fest, den er in seiner Liebe ausruhend, aus Triebhaftigkeit und Getriebensein aufsteigend, sich zu geben sucht. Gewähr ihm die Festigkeit des eignen Umrisses und damit die Dauer, die er in den Strömen, in denen er steht, aus sich allein nicht zu gewinnen vermag.

Drei Gedichte aus dem Umkreis: Spiegelungen

I

O schöner Glanz des scheuen Spiegelbilds!
Wie darf es glänzen, weil es nirgends dauert.
Der Frauen Dürsten nach sich selber stillts.
Wie ist die Welt mit Spiegeln zugemauert

für sie. Wir fallen in der Spiegel Glanz
wie in geheimen Abfluß unseres Wesens;
sie aber finden ihres dort: sie lesens.
Sie müssen doppelt sein, dann sind sie ganz.

Oh, tritt, Geliebte, vor das klare Glas,
auf daß du seist. Daß zwischen dir und dir
die Spannung sich erneue und das Maß
für das, was unaussprechlich ist in ihr.

Gesteigert um dein Bild: wie bist du reich.
Dein Ja zu dir bejaht dir Haar und Wange;
und überfüllt von solchem Selbstempfange,
taumelt dein Blick und dunkelt im Vergleich.

II

Immer wieder aus dem Spiegelglase
holst du dich dir neu hinzu;
ordnest in dir, wie in einer Vase,
deine Bilder. Nennst es du,

dieses Aufblühn deiner Spiegelungen,
die du eine Weile leicht bedenkst,

eh du sie, von ihrem Glück bezwungen,
deinem Leibe wiederschenkst.

III

Ach, an ihr und ihrem Spiegelbilde,
das, wie Schmuck im schonenden Etui,
in ihr dauert, abgelegt ins Milde, –
ruht der Liebende; abwechselnd sie

fühlend und ihr inneres Geschmeid . . .
Er: kein eignes Bild in sich verschließend;
aus dem tiefen Innern überfließend
von gewußter Welt und Einsamkeit.

Das Verhältnis des Mannes zum Spiegel ist zwiespältig und seltsam
unerlöst. Es gibt in diesen drei Gedichten nur den dunklen Hintergrund, von dem sich das strahlende und bestätigende Gefühl schön abhebt, das die Frau mit ihrem Spiegelbild verknüpft. Darum treten auch
in den drei Gedichten die Dämonien nicht auf, die mit dem Spiegelerlebnis grundsätzlich verknüpft sind, man fühlt nur ihre gleichsam un-
terirdische Gegenwart. Denn sofort da, wo das Verhältnis des Mannes
zum Spiegel auch nur gestreift wird, steigt, wenn auch verhalten, die
ängstende Empfindung einer Ungesichertheit im Sein herauf. Nur fünf
Verse dieser drei Gedichte sprechen hiervon, da, wo der Mann dem
Spiegel allein gegenübersteht. Dieser negative Hintergrund verknüpft
die drei Gedichte eng mit den Narzißgedichten. Der Mann aus den eignen Nöten und Ängsten der Personbildung, aus der viel stärkeren Ich-
betontheit seines bewußteren Selbst scheint tief innerlich um diese Fragen von Narkissos zu wissen, ohne sie jedoch darum auch benennen zu
können. Narziß ist das vom Mann abgelöste Negativ für dessen eigne,
normalerweise auf das Positive gerichteten Versuche der Gestaltgewinnung. Der personhafte Kern ist die unabdingbare Voraussetzung dafür;
in Narziß ist er grundsätzlich schon immer verloren; im Mann wird er
als vorhanden, aber immer als gefährdet vorausgesetzt.

Die tiefe und echte Weisheit des griechischen Mythos faßt Narziß
nicht ohne Grund als Jüngling und nicht als Mädchen. Wäre die ver-
zückte Betrachtung des eigenen Spiegelbildes, also das was man Selbst-
verliebtheit nennt, wirklich das zentrale Phänomen dieses Mythos, so
wäre gar nicht einzusehen, warum Narziß nicht auch ein Mädchen sein

könnte. Man hat wohl auch gelegentlich von der androgynen Natur des Narkissos gesprochen; es scheint doch aber in den verschiedenen Versionen des Mythos wenig Anhalt für eine solche Auffassung zu bestehen. Jedenfalls sieht Rilke den Narziß in seiner männlichen Natur; [55] von dieser aus, vom Boden der Personproblematik her, ergeben sich auch die Beziehungen von Narziß zum grundsätzlich allgemeinen Verhalten, das den Mann hier in den Spiegelgedichten kennzeichnet.

Die Frau [56] vollzieht aus den ungefährdeteren, unbedürftigeren Möglichkeiten ihrer Natur die Begegnung mit dem Spiegel und gestaltet sie im Sinne einer Lebenssteigerung. Da wo der Mann an dieser Begegnung teilnehmen darf: „Oh, tritt, Geliebte, vor das klare Glas, / auf daß du seist" – hat auch er teil an ihrer Beglückung, die sich vom dunklen Hintergrunde seines eignen Unvermögens leuchtend abhebt. Seine eigne Problematik scheint im liebenden Zusammensein mit der Frau wenigstens beschwichtigt.

Eines der wunderbarsten ›Späten Gedichte‹ [57] sei, in einem Punkte wenigstens, in dem Zusammenhang der hier aufsteigenden Problematik der Geschlechter zitiert. Diese Problematik scheint im Spiegelgedicht soeben nur berührt und im schönen Miteinander zweier Liebender sofort versöhnt. Aber sie ist da; sie hat Rilke tiefer bewegt, als die drei Gedichte aus dem Umkreis Spiegelungen erkennen lassen würden, wüßte man nur um diese. Das ›Späte Gedicht‹ spricht von einer Grenze zwischen den Geschlechtern und nennt diese Grenze in Verbindung mit

[55] In diesem Zusammenhang wäre zum II., III. und IV. Sonett an Orpheus zweiter Teil, einiges zu sagen; es wird in meinem Buch über die Sonette an Orpheus geschehen.

[56] „Dame vor dem Spiegel", Neue Gedichte anderer Teil, veröffentlicht 1908, vermittelt ein Spiegelerlebnis, ganz in dem Stil, der in diesen Gedichten vorherrscht: er ist vom Schauen bestimmt, das noch nicht Herzwerk geworden ist. Das Gedicht „Wendung" (Juni 1914) ist noch nicht geschrieben.

[57] „Brau uns den Zauber, in dem die Grenzen sich lösen, / immer zum Feuer gebeugter Geist! / Diese vor allem heimliche Grenze des Bösen, / die auch den Ruhenden, der sich nicht rührte, umkreist. / Löse mit einigen Tropfen das Enge jener / Grenze der Zeiten, die uns belügt / denn wie tief ist in uns noch der Tag der Athener / und der ägyptische Gott oder Vogel gefügt. / Ruhe nicht eher, bis auch der Rand der Geschlechter, / der sich sinnlos verringenden schmolz . . .".

jener andern, die Rilkes Denken unablässig beschäftigt hat: Es ist die zer-
störerischste aller Grenzen, jene „Grenze der Zeiten", die nicht nur die
starre Fixierung der drei Modi der Zeit, sondern vorzüglich die Grenze
von Zeit und Tod meint.

Die drei Gedichte aus dem Umkreis Spiegelungen leisten noch nicht
das, was das späte Gedicht beschwörend fordert: „Der Rand der Geschlechter, der sich sinnlos verringenden", ist nicht „geschmolzen". Er
ist hier auch nicht leidvoll und zerreißend aufgebrochen, sondern nur
eben kenntlich geworden, um in der harmonischen Grundstimmung
der Gedichte fast vergessen zu werden. Auch die Nennung der Zeit
führt hier nicht das Leiden an der Vergänglichkeit heraus, vielleicht
darum, weil die Situation in den Gedichten überwiegend vom Blickpunkt der Frau bestimmt ist: „O schöner Glanz des scheuen Spiegelbilds! / Wie darf es glänzen, weil es nirgends dauert." Das was hier in
den Spiegel eingeht, dauert zwar nicht; aber der Mangel an Dauer,
sonst immer von Rilke als Negativum empfunden, verstärkt hier nur
die positiv aufgefaßte Spiegelerfahrung. Die Frau hat eine ursprüngliche Beziehung zur Zeitlosigkeit; hier im Gedicht „dauert" in *ihr*, was
im Spiegel vergeht. Die ersten zwei Verse führen zur Frau hin. „Der
Frauen Dürsten nach sich selber stillt(s)". Ihr stillt der Spiegel die gleiche Sehnsucht, die bei Narziß unstillbar ist. „Wie ist die Welt mit Spiegeln zugemauert / für sie"[58]. Hiermit ist nicht die banale Tatsache gemeint, daß die Frau gern aus jedem Schaufenster ihr Bild aufzufangen
sucht. Unter dieser Trivialität öffnet sich vielleicht ein geheimnisvoller,
mit dem Wesen der Frau tief verbundener Zusammenhang: Grundsätzlich werden für sie Begegnungen zum Spiegel ihres eignen Selbst; aber
warum ist dem so? Das was ihr begegnet, ob Spiegel oder nicht, wird
für sie zu der spiegelnden Fläche, die ihr Bild nicht nur konkret sinnlich zurückwirft. Sie sieht das Abbild im Spiegel aus Glas, im Spiegel,
der ein anderer Mensch für sie ist, als Entwurf ihrer selbst, zu dem sie
sich verwirklichen muß: ihr „Dürsten nach sich selber", nach dem was
sie sein will, wird so befriedigt. Frau, Spiegel, Abbild stehen in engster

---

[58] Von diesen „Mauern" wird ihr zurückgeworfen, was bei Narziß „unaufhörlich von ihm fort" sich hebt. Er selbst löst sich damit auf, wenn er auch
beteuert: „ich will nicht weg, ich warte, ich verweile", so sieht er doch selbst:
„doch alle meine Grenzen haben Eile, / stürzen hinaus und sind schon dort".

Kontinuität, die letztlich Selbstverwirklichung meint. Überdies schützt sie sich so gleichsam vor der feindlichen und zerstreuenden Welt.

Bedeutet also für die Frau der Spiegel erfühlte Erfahrung ihrer Möglichkeiten, Zusammenfassung im Entwurf und somit Bestätigung im sich gewinnenden Selbst, so hat der Spiegel für den Mann die genau gegenteilige Funktion: „Wir fallen in der Spiegel Glanz / wie in geheimen Abfluß unseres Wesens". Die Spiegelerfahrung der Frau wird mit den Augen des Mannes aus seiner eignen gegensätzlichen Grunderfahrung gesehen: „Sie finden ihres – (Wesen) – dort, sie lesens". Das Spiegelbild, das für den Mann niemals Entsprechung ist, gibt den Frauen eine Erhöhung ihres Wesens: „Sie müssen doppelt sein, dann sind sie ganz." Das was unbewußter Vollzug zwischen Frau und Spiegelbild ist, faßt hier der Mann in zweifach bedingter Hellsichtigkeit in das aussagende Wort: Einmal gibt die Negativität seiner eigenen Spiegelerfahrung die dunkle Folie ab, von der sich das helle Spiegelerlebnis der Frau nur um so leuchtender abhebt; ein andermal ist er als Liebender der Mitempfangende für die Daseinsbereicherung, die die Geliebte erfährt: „daß zwischen dir und dir / die Spannung sich erneue und das Maß / für das, was unaussprechlich ist in ihr." Die Spannung zwischen Frau und Spiegel ist die zwischen Entwurf und Verwirklichung; sie wird vom Mann als eine schöpferische nachempfunden; „das Maß für das, was unaussprechlich ist in ihr", erhöht die gestaltbildenden Kräfte und drängt das Unaussprechliche in sie hinein, um im Ausdruck des menschlichen Selbst zur Anschauung verdichtet zu werden. „Gesteigert um dein Bild: wie bist du reich. / Dein Ja zu dir bejaht dir Haar und Wange". Die letzten beiden Verse des Gedichtes steigern dieses „Ja" geradezu zum Glücksrausch. Das, was Narziß aus seinem fließenden, hinausgehenden Wesen vergeblich zu gewinnen suchte, das Selbst im festen gesicherten, anschaubaren Kontur, das wird der Frau geschenkt. „Und überfüllt von solchem Selbstempfange, / taumelt dein Blick und dunkelt im Vergleich."

Das zweite Gedicht sagt in schlichten einfachen Versen den tiefen Grund des glückhaften Verhältnisses von Frau und Spiegel aus. Von dem Bild, das ihr daraus entgegentritt, heißt es: „Nennst es du." Es ist ein Du, das die Frau sich selbst zulegt, ein Du, in dem sie gleichsam neu wird: „holst du dich dir neu hinzu". Der innere Sinn des Verhältnisses von Frau und Spiegel bedeutet Formgebung: „ordnest in dir, wie in

einer Vase, / deine Bilder. Nennst es du, / dieses Aufblühn deiner Spiegelungen, / die du eine Weile leicht bedenkst, / eh du sie, von ihrem
Glück bezwungen, / deinem Leibe wiederschenkst." Die Situation der
Gedichte ist die zwischen Liebendem und Geliebter. Die Beglückung
der Frau durch das Spiegelbild steht darum im heimlichen, unausgesprochenen Bezug zu ihrer Liebe. Liebe meint Gestaltverwirklichung
jedes einzelnen der beiden Liebenden; sie ist gleichzeitig immer höchstes Geschenk auch für den andern Liebespartner. Auch hier wieder
erweist sich die Rilkesche Konzeption der Liebe als bestimmt vom platonischen Eros. Die auffangende und abbildende Funktion des Spiegels
steht im Dienste der Selbstverwirklichung, auch hier in diesem Gedicht; und die in ihm ausgesprochenen Beglückungen erweisen erst im
engen Zusammenhang mit der umfassenden Spiegelsymbolik ihre
ganze Tiefe.

Die Frau kommt in diesen Gedichten überhaupt nicht zum Wort.
Der Geliebte spricht aus, worin sie ruht; in ihrem ruhenden Gegenwärtigsein ruht auch er, sich stillend, aus: „ach, an . . . ihrem Spiegelbilde /
. . . ruht der Liebende". Dieses „ach" als erstes Wort des letzten Gedichtes schlägt, wie in einem Seufzer, den Bogen zurück zur Aussage
des männlich-weiblichen Gegensatzes in der Spiegelerfahrung, die das
erste Gedicht vollzog. Noch einmal sprechen schöne Verse vom zeitent-
rückten Wesen der Frau, in das auch der Liebende eingeht. Das Bild,
das die Geliebte aus dem Spiegel zurückempfängt, ist gleichsam aus der
zerstörerischen Zeit herausgenommen. In der Frau selbst ist ihm Scho-
nung vor der Vergänglichkeit gewährt. Auch hier schließt sich wieder
ein Bogen, der zurück zu den ersten Versen des ersten Gedichts weist:
Das Bild im Spiegel, das dort „glänzt", aber nicht „dauert", dauert hier
in der Geliebten. In der Rückverwandlung an sie selbst wird es dem
Liebenden dargebracht, der es als ihren Schmuck erlebt. Zeitloses beru-
higtes Gegenwärtigsein einer beglückenden Zuständlichkeit wird auch
dem Liebenden vermittelt: „ruht der Liebende; abwechselnd sie /
fühlend und ihr inneres Geschmeid . . ."

Diese drei Punkte deuten eine lange Pause an, wie ausgefüllt mit dem
Genuß des in sich beruhenden Gefühls. Aber dann spricht der Mann
leidvoll, doch resigniert die unabänderliche Gegebenheit seiner eignen
Lage aus. Das Abbild im Spiegel steht für ihn selbst nicht in einer ungebrochenen und einfach zu bejahenden Beziehung; denn er ist immer

der, der „aus dem tiefen Innern überfließend" in der Gefahr der Zerstreuung steht. Die Einschmelzung der so viel mannigfaltigeren Elemente außer ihm für das eigne Selbst ist eine Leistung, um die er „am Judasbaum der Auswahl"[59] stehend, zuviel „weiß": „Er: kein eignes Bild in sich verschließend", sieht vielmehr dieses mit sich selbst zu entwerfende Bild von den einander widerstreitenden Möglichkeiten schwanken. Er ist „überfließend von gewußter Welt"; so steht er immer in einer dialektischen Situation, immer zwischen Ja und Nein, immer zwischen Negation und Position. Diese spannungsvolle Lage hat er in Einsamkeit zu bestehen: „Aus dem tiefen Innern überfließend, / von gewußter Welt und Einsamkeit." Damit ist die Spiegelsituation der drei Gedichte auch noch ausdrücklich in den Gesamtzusammenhang von Rilkes Spiegelsymbolik gestellt; sie gibt in die Tiefe gehende Aussagen zur menschlichen Existenz.

[59] Aus „Laß dir dass Kindheit war . . ."

Orbis Litterarum. Revue internationale d'études littéraires XI (1956), S. 64–109.

DAS PROBLEM DER SPRACHE BEIM SPÄTEN RILKE

Von Friedrich Wilhelm Wodtke

> Wahre Sprachliebe ist nicht möglich
> ohne Sprachverleugnung.
>
> (Hofmannsthal)

Für die Dichter unserer Zeit ist die Sprache in einem weit höheren Grade als etwa für die Dichter im 19. Jahrhundert seit der Romantik nicht nur einfachhin stoffliches Mittel, Material und Handwerkszeug ihrer Kunst, sondern vielmehr der eigentliche Daseinsraum der Dichtung überhaupt. Die romantische Sprachphilosophie hatte bereits erkannt, daß die schöpferische Sprache des Dichters, wie K. W. Solger einmal sagte, „als die Selbstoffenbarung der in ihrem Handeln begriffenen schaffenden Phantasie ... das ganze Dasein der Kunst" umfaßt und begründet und nicht nur „Mittel der Darstellung oder Mitteilung allein" ist.[1] Dichtung ist seitdem wieder gleichbedeutend mit Sprache, echte Sprache ist im Grunde schon Dichtung. Während die Dichter der deutschen Klassik und Romantik aber noch weitgehend getragen waren von einem in sich stimmigen Weltbild, das ihre Kunst bestimmte und Sprache der Dichtung als schöpferischen Prozeß ermöglichte, wenn sich auch der beginnende Nihilismus bei vielen Romantikern bereits in unheimlicher Weise anzukündigen und thematisch zu werden begann,[2] so verschärft sich doch erst die Situation des modernen Dichters in unvergleichlicher Weise durch den nihilistischen Zerfall aller Werte, der bis zu Nietzsche hin programmatisch behandelt, jetzt aber aktuell wurde, so weit, daß selbst die Sprache, in der auch er den eigentlichen

---

[1] K. W. Solger, Erwin. Vier Gespräche über das Schöne und die Kunst. 1815, II. Bd., S. 76.

[2] Vgl. dazu Werner Kohlschmidt, Nihilismus der Romantik, in: Form und Innerlichkeit, Bern 1955, S. 157–176.

Raum seiner Kunst, ja ihre letzte Zuflucht erblickt, in diesen unheimlichen Zerfall mit einbezogen wird. Bei fast allen bedeutenden Dichtern unserer Zeit – bei Stefan George, Hugo von Hofmannsthal, Franz Kafka, Franz Werfel usw., im Ausland vor allem bei James Joyce – treffen wir auf eine eigentümliche Krise des Wortes, das plötzlich seine sinnbildende Kraft verliert und sich dem Dichter versagt, so daß damit seiner ohnehin „ins Bodenlose gehängten" Existenz auch der letzte tragende Grund verlorenzugehen droht.

Ihren frühesten und gleichzeitig wohl auch radikalsten Ausdruck fand diese Krise der dichterischen Aussprache in Deutschland in dem berühmt gewordenen „Brief" Hugo von Hofmannsthals vom Jahre 1903.[3] Nach dem enthusiastischen Wortrausch seiner frühen Dichtung, in der der junge Dichter unbedenklich das sprachliche Erbe der Klassik und Romantik verschwendet hatte, überfiel ihn plötzlich das „Gefühl furchtbarer Einsamkeit", die Furcht vor Wort und Symbol, dem „bildlichen Flug" der dichterischen Sprache überhaupt. Unter der Maske eines jungen Renaissance-Dichters, des Lord Chandos, der an seinen großen Zeitgenossen Francis Bacon schreibt, hat Hofmannsthal sein plötzliches Verstummen als lyrischer Dichter bekannt und begründet. Er schildert die Qualen eines Menschen, dem die Allgewalt kosmisch-religiöser Gefühle, eine unerhört gesteigerte und verfeinerte Sensibilität in der Aufnahme und Beobachtung der Außenwelt und der eigenen Seelenlage und schließlich die Klarheit des zergliedernden Bewußtseins durchaus erhalten bleiben, der aber seine Worte nicht mehr mit den bisher mit ihnen verbundenen Begriffen, Vorstellungen, Gefühlen und Wertungen zur Deckung zu bringen vermag, dem die Identität von Denken im weitesten Sinne und Sprache verlorengegangen ist. Es heißt in diesem „Brief" des Lord Chandos: „Ich empfand ein unerklärliches Unbehagen, die Worte ‚Geist', ‚Seele' oder ‚Körper' nur auszusprechen . . . die abstrakten Worte, deren sich doch die Zunge naturgemäß bedienen muß, um irgendwelches Urteil an den Tag zu geben, zerfielen mir im Munde wie modrige Pilze."[4] Hinter diesem Zerfall der Sprache und durch die Worte hindurch offenbart sich ihm die schleichende Krank-

[3] H. v. Hofmannsthal, Gesammelte Werke in Einzelausgaben, hrsg. v. Herbert Steiner, Prosa II, 1951, S. 7–22.

[4] A. a. O., S. 12–13.

heit seiner Zeit, der Nihilismus, der nicht nur die Aufhebung aller bisher geltenden Werte bedeutet, sondern auch den Verlust der Sprache in ihrer bisherigen Funktion als der eigentlich sinngebenden Kraft des Menschen, in der die seienden Dinge in ihrer Einheit erscheinen und ihr eigentliches Wesen seinen sinnbildhaften Ausdruck erfährt. „Es gelang mir nicht mehr" – so läßt Hofmannsthal seinen Lord Chandos bekennen –, „sie mit dem vereinfachenden Blick der Gewohnheit zu erfassen. Es zerfiel mir alles in Teile, die Teile wieder in Teile, und nichts mehr ließ sich mit einem Begriff umspannen. Die einzelnen Worte schwammen um mich; sie gerannen zu Augen, die mich anstarrten und in die ich wieder hineinstarren muß: Wirbel sind sie, in die hinabzusehen mich schwindelt, die sich unaufhaltsam drehen und durch die hindurch man ins Leere kommt."[5] Dieser dämonische Prozeß des Sprachverfalls, den Hofmannsthal hier mit erschütternder Klarheit im Bilde des saugenden „Wirbels" oder „Strudels"[6] schildert, der die Abgründe der Leere und des Nichts eröffnet, die hinter dem Sein der Sprache und damit hinter allem Sein überhaupt drohen, hat zur Folge, daß ein tiefer Riß die bisher so einheitliche dichterische Welt durchzieht, der durch die Magie der Sprache nicht mehr zu schließen ist. Auf der einen Seite steht die Möglichkeit und Fähigkeit des Dichters zu einer fast mystischen Erfahrung der Einheit und Einung mit Welt und Ding, die sich im wortlosen Schweigen unmittelbar in Gefühl und Innerlichkeit vollzieht, auf der anderen Seite die Sprache, deren Ausdrucksmittel solchen Grenzerfahrungen gegenüber nicht nur unzulänglich sind – das wußten schon die mittelalterlichen Mystiker[7] –, sondern vielmehr völlig versagen. Sprachkrise mündet hier in Sprachkritik, wenn von Hofmannsthal gezeigt wird, daß nicht nur die Umgangssprache einfacher Mitteilung, sondern auch die so hochgezüchtete Sprache der Kunst und Dichtung versagt angesichts der bis zu äußersten Grenzen vorgetriebenen und maßlos gesteigerten dichterischen Gefühls- und Bewußtseinskräfte, der bis zu mikroskopischer Schärfe gediehenen Wirklichkeitserfassung

---

[5] S. 14.

[6] Vgl. Walter Bröcker, Im Strudel des Nihilismus (Kieler Universitätsreden Heft 3), 1951.

[7] Vgl. Josef Quint, Mystik und Sprache. Ihr Verhältnis zueinander insbesondere in der spekulativen Mystik Meister Eckharts. In: DVLG 27, 1953, 48–76.

und vor einem mystischen Alleinheitserlebnis, dem „Denken des Herzens", das der im Zerfall begriffenen Sprache als eine höhere Stufe der Selbst- und Welterfahrung gegenübergestellt wird. Da es ganz im Bereich des Unsagbaren sich vollzieht, kann Hofmannsthal es nur andeutend charakterisieren als „eine Art fieberisches Denken, aber Denken in einem Material, das unmittelbarer, flüssiger, glühender ist als Worte. Es sind gleichfalls Wirbel, aber solche, die nicht wie die Wirbel der Sprache ins Bodenlose zu führen scheinen, sondern irgendwie in mich selber und in den tiefsten Schoß des Friedens." Hofmannsthal konnte jedoch nicht, wie sein Lord Chandos, sich von der Übermacht des Unsagbaren überwältigt in ein tödliches Schweigen fallen lassen, das den Untergang seiner Kunst bedeutet hätte, sondern mußte sich die Aufgabe stellen, im Durchbruch durch die bisherigen Ausdrucksformen der Sprache, der menschlichen Rede und Konversation einerseits wie der Symbolsprache der Kunst andererseits zu neuen Ausdrucksmöglichkeiten zu gelangen. Er ist im Chandos-Brief nicht, wie man vielfach meint, bei der bloßen Negation, der Sprachkritik stehengeblieben, sondern hat bereits hier im Schlußabschnitt den Weg angedeutet, den er in seiner dann folgenden Dichtung bis zum ›Turm‹ zu gehen versuchte, um diese Krise der Sprache durch die Sprache selbst, die ja sein einziges Material weiterhin bleiben mußte, zu überwinden. Es kann hier nicht im einzelnen gezeigt werden, wie sich nun bei ihm im Kunstwerk das eigentlich Wesentliche und Schicksalhafte nicht mehr im unmittelbar ausgesprochenen Wort vollzieht, sondern sich gewissermaßen in einer höheren Dimension jenseits der Sprache, im Wortlosen, Unausgesprochenen, in symbolischen Gebärden, Gesten, Andeutungen und Konfigurationen verwirklicht, so daß die Sprache im Kunstwerk nur noch den Sinn hat, sich gewissermaßen selbst aufzuheben, nur noch Verweisungscharakter behält.[8] Der Schluß des Chandos-Briefes läßt erkennen, daß sein letztes Ziel eine magische, absolute Sprache jenseits der unlösbaren Antinomien der irdischen Sprachen war, eine Sprache der Dinge, der Toten und der Engel, in der die Antinomie von Sprechen

[8] Vgl. dazu die ausgezeichneten Darlegungen von Wilhelm Emrich, Hofmannsthals Lustspiel ›Der Schwierige‹, Wirkendes Wort 6. Jg. 1955–56, S. 17–25, über die Lösung und Aufhebung der immanenten Antinomien der modernen Sprache in Hofmannsthals Drama.

und Schweigen zur Identität aufgehoben sein sollte, die „das Obere und das Untere zugleich sagt".[9]

Blickt man von dieser radikalen Kritik des Dichters Hofmannsthal an den Aussagemöglichkeiten der Sprache auf *Rilkes* Verhältnis zur Sprache, so scheint auf den ersten Blick von einer grundsätzlichen Kritik ebensowenig wie von einer wirklichen Sprachkrise die Rede zu sein, sondern die Entwicklung seines Sprachbewußtseins sich ebenso bruchlos zu vollziehen wie die scheinbar ineinander übergehenden Stufen der Entwicklung seiner dichterischen Sprache.

Rilkes Verhältnis zur Sprache war jedoch bereits 1903 problematisch geworden. In der Zeit, in der er von Rodin das Gesetz handwerklicher geduldiger Arbeit als Grundlage auch seiner Kunst zu erkennen lernte, war es Lou Andreas-Salomé, die ihn auf seine ratlose Frage: „wo ist das Handwerk meiner Kunst, ihre tiefste und geringste Stelle, an der ich beginnen dürfte tüchtig zu sein?"[10] auf den prinzipiellen Unterschied zwischen der mit dem Stein als Material arbeitenden plastischen Kunst des Bildhauers und der Wortkunst des Dichters hinwies, dessen Material aber nicht eigentlich die Worte, sondern vielmehr die durch die Worte evozierten innerseelischen Regungen und „Gemütszustände" seien: „Denn Worte bauen doch nicht wie Steine, tatsächlich und unmittelbar, vielmehr sind sie Zeichen für indirekt vermittelte Suggestionen, und an sich allein weit ärmer, stoffloser als ein Stein."[11] Sie zog sogar die Möglichkeit einer noch über die Musik hinausreichenden „Kunst des Wortlosen, die dennoch ebenso strenge Wirklichkeit gibt, indem sie die rhythmischen Gesetze der Dinge anklingen läßt stofflos"[12] in Betracht. Rilke aber, der gerade von der Sprache seiner Jugenddichtungen, in denen das Wort vor allem durch seinen Klang und seine Farbigkeit Stimmungen evoziert hatte, ganz bewußt wegstrebte, mußten diese Hinweise auf die jenseits der Sprache liegenden „Gemütszustände" und eine musikalisch-rhythmische Kunst des Wortlosen zu

---

[9] Von ihr spricht der tote Julian zu Sigismund in der Beschwörungsszene V, 1 im ›Turm‹ (S. Fischer-Schulausgabe 1952, S. 90 – vgl. ferner S. 42 und 50 über die „Sprache der Engel", die Sigismund spricht).

[10] 8. 8. 1903, Briefwechsel S. 89.

[11] 10. 8. 1903, Briefwechsel S. 92.

[12] A. a. O., S. 92.

vage sein, sie bedeuteten ihm keine Förderung; schon im nächsten Brief bohrte er in der gleichen Richtung weiter: „Irgendwie muß auch ich das kleinste Grundelement, die Zelle *meiner* Kunst erkennen, das greifbare unstoffliche Darstellungsmittel für Alles." [13] Das Wort ist also auch für ihn, wie für seine Freundin, im Gegensatz zum Material des Bildhauers „stofflos", etwas rein Geistiges, Unsichtbares – aber er strebt doch danach, es durch äußerste Verdichtung möglichst „greifbar" zu machen, so daß Sprache sowohl „Hammer", d. h. Handwerkszeug, wie plastisch formbarer Stoff und Material des Dichters wird. Ein fühlbar unsicheres Tasten im Verhältnis zur Sprache als einer historischen Gegebenheit spricht sich in den dann folgenden Sätzen aus: „Liegt das Handwerk vielleicht in der Sprache selbst, in einem besseren Erkennen ihres inneren Lebens und Wollens, ihrer Entwicklung und Vergangenheit? (Das große Grimm'sche Wörterbuch, welches ich einmal in Paris sah, brachte mich auf diese Möglichkeit . . .) Liegt es in irgend einem bestimmten Studium, in der genaueren Kenntnis *einer* Sache? . . . Oder liegt es in einer gewissen, gut ererbten und gut vermehrten Kultur? (Hofmannsthal spräche dafür . . .)." [14] Wenn er im folgenden bekennt: „gegen alles Ererbte muß ich feindsälig sein und mein Erworbenes ist so gering; ich bin fast ohne Kultur", so gilt das auch für sein Verhältnis zur ererbten und erworbenen Sprache und erklärt seine Bemühung, mit Hilfe des Grimmschen Wörterbuches seinen dichterischen Wortschatz zu erweitern und zu vertiefen. Wieder ist es Lou, der er ein Jahr später aus Rom schreibt: „Dann habe ich in Paris etwas begonnen, was ich gerne fortsetzen würde: das Lesen in dem großen deutschen Wörterbuche der Gebrüder Grimm, daraus einem Schreibenden, wie mir schien, viel Zufluß und Belehrung kommen kann. Denn eigentlich müßte man doch alles, was in die Sprache einmal eingetreten ist und da ist, kennen und zu brauchen wissen, statt mit dem Zufallsvorrat, der gering genug ist und ohne Auswahl, auskommen zu wollen." [15] An die Stelle des subjektiven Verfügens über die Sprache, wie es für seine Jugenddichtung kennzeichnend ist, in der es im wesentlichen darum ging, die „armen Worte, die im Alltag darben, die unscheinbaren Worte" in ihrem eigent-

---

[13] 10. 8. 1903, Briefwechsel S. 97.
[14] A. a. O., S. 98–99.
[15] 13. 5. 1904, Briefwechsel S. 161.

lichen Wesen zu erneuern, sie ins Lied zu erheben und ihnen damit eine
höhere ästhetische Weihe zu geben,[16] tritt jetzt die Haltung der Aner-
kennung der Sprache als einer objektiven, historisch gewordenen Wirklichkeit, der sich umgekehrt als bisher der Dichter zu unterwerfen, der
er zu dienen und die nicht mehr durch sein „Lied", sondern durch
Arbeit und Lernen zu erneuern hat. War die erste Stufe seines Sprachverhältnisses im wesentlichen davon bestimmt, daß Sprache für ihn schöner Klang und das Wort Evokation von unendlichen Empfindungen,
Stimmungen und Erfahrungen bedeutete,[17] so tritt nun auf der neuen,
zweiten Stufe seines Sprachverhältnisses das Ideal einer „plastischen
Sprache" hervor, die er bei den mittelalterlichen Dichtern zu finden
glaubt, wobei er mittelalterliche Architektur der Kathedralen und die
mittelalterliche Dichtersprache unbedenklich in eins setzt: „jene Gotik, die, bildend, so unvergeßliches und weites zu geben hatte, sollte sie
nicht auch eine plastische Sprache gehabt und geschaffen haben, Worte
wie Statuen und Zeilen wie Säulenreihen?"[18] Schon die Sprache der
›Neuen Gedichte‹ zeigt, daß Rilke in diesen Jahren sich ganz bewußter
Arbeit an der Sprache hingab und seinen Wortschatz in überraschender
Weise zu erweitern wußte, so daß ihm die Bewältigung einer ganzen
Welt von Dingen mit einer fast spielenden Leichtigkeit möglich wurde.

Diese bewußt lernende Haltung gegenüber der Sprache setzte sich
dann auch fort, als er nach Vollendung der ›Neuen Gedichte‹ und der
›Aufzeichnungen des Malte Laurids Brigge‹ bestrebt war, im Hinblick
auf die geplanten großen Elegien, die ihm seit etwa 1911 vorschwebten,
eine hymnisch-elegische Sprachform zu entwickeln, eine höhere, ge-
steigertere Sprache, als sie ihm bisher zur Verfügung stand. Es ist inzwischen von den verschiedensten Seiten her gezeigt worden, wie er sich
durch intensive Auseinandersetzung mit der Hymnensprache Klopstocks[19] und Hölderlins[20] die Ausdrucksmittel zu erarbeiten suchte,
die ihm ermöglichten, seinen „Schrei", d. h. seine Klage über die exi-

---

[16] Vgl. G. W. I, 260.

[17] G. W. I, 349: „Die Worte sind nur die Mauern. / Dahinter in immer blau-
ern / Bergen schimmert ihr Sinn . . .".

[18] 12. 5. 1904 an Lou, Briefwechsel S. 161.

[19] F. W. Wodtke, Rilke und Klopstock, Kiel 1948.

[20] Werner Günther, Rilke und Hölderlin, in: Weltinnenraum, Berlin 1952,

stentielle Situation des Dichters und des modernen Menschen schlechthin in seiner Verfallenheit an das Nichts und den Tod künstlerisch zu formen und auszusagen. Die Möglichkeit einer Steigerung der Sprache als Medium des Ausdrucks bis an die Grenze des überhaupt noch Sagbaren, ja darüber hinaus zur Eroberung neuer Gebiete des „Unsagbaren", schien ihm damals nur eine Frage der Stärke und Intensität des künstlerischen Willens zu sein. So konnte er noch Ende 1911 kurz vor Beginn der Arbeit an seinen Elegien aus Duino schreiben: „Die Entwicklung wird immer die sein, daß man sich die Sprache voller, dichter, fester macht (schwerer), und dies hat dann freilich nur Sinn für einen, der sicher ist, daß auch der Schrei in ihm unablässig, unaufhaltsam zunimmt, so daß er später, unter dem Druck unzähliger Atmosphären, aus allen Poren des fast undurchdringlichen Mediums gleichmäßig austritt ... Darum bedeutet Gelingen nur noch etwas, wo das Höchste, Äußerste gelingt ..."[21] Noch immer geht Rilke also von der Vorstellung der Sprache als eines stofflichen Mediums, eines Materials aus, das zu äußerster Dichtheit und Härte, Undurchdringlichkeit und Schwere gesteigert werden muß – alles Analogien zum Stein als dem Material des Bildhauers –, um Ausdrucksmittel für den inneren Zustand des Dichters, seinen „Schrei" zu werden. Sprache wird hier ausdrücklich als Widerstand erfahren, als ein unstofflich-stoffliches Gebilde, durch das es hindurchzubrechen gilt, um das „Höchste, Äußerste" auszusagen. Trotz der Kühle der physikalischen Bilder, die Rilke hier für den künstlerischen Prozeß der Verwandlung ins Wort benutzt, fehlt hier noch jede Spur von Gereiztheit oder Kritik an der Sprache; die Möglichkeit eines Versagens der Sprache, eines Scheiterns an der selbstgestellten Aufgabe, den „Schrei" existentieller Not Sprache werden zu lassen, hat Rilke damals keineswegs ins Auge gefaßt. Er war sich vielmehr des „Gelingens" vollkommen sicher und hatte die Gesamtkonzeption seiner zehn Duineser Elegien klar vor Augen, als er im Februar 1912 die erste in einem Zuge, wie unter einem unsichtbaren Diktat, niederschrieb und auch die zweite noch vollenden konnte, wenn auch bereits unter

2. Aufl., S. 226–254. Herbert Singer, Rilke und Hölderlin, Diss. Köln 1950. Eine Untersuchung über das, was Rilke aus Goethes Sprache übernahm und sich aneignete, fehlt leider noch.
[21] A. Br. 1, Nr. 143, an Ilse Sadée, Duino, 26. 12. 1911, S. 322–23.

nachweisbarem Ringen um sprachlichen Ausdruck und Form.[22] Der Anfang der zehnten Elegie, die den Abschluß bilden sollte, zeigt in ihren ersten damals entworfenen Versen, wie deutlich ihm die innere und äußere Form seines Werkes, die Wandlung der tiefsten Klage in „Jubel und Ruhm" „am Ausgang der grimmigen Einsicht" vor Augen stand. Als er plötzlich abbrechen und sein begonnenes Werk für ein Jahrzehnt als Fragment und Torso stehen lassen mußte, da geschah das aus einem ihm selbst zunächst unerklärlichen „Instinkt"[23] heraus, indem er sich zunächst die Stockung als ein bloßes Ausbleiben der dichterischen „Inspiration", des „Geistes" zu deuten versuchte. Daß es sich dabei um eine viel tiefergehende Krise handelte, die auch sein Verhältnis zur Sprache plötzlich in sich einbezog und zu einer immer schärfer werdenden Sprachkritik führte, wird im folgenden zu zeigen sein.

Eine schärfere Konturierung dieser Krise Rilkes im Verhältnis zur Sprache scheint deswegen notwendig, da die bisherigen Forschungen über seine Einstellung zur Sprache diesem Problem wenig Aufmerksamkeit geschenkt haben. Fritz Kaufmann hat zwar schon 1934 das Problem der schöpferischen Sprache und ihrer Stilmittel beim späten Rilke in einer tiefgehenden Analyse erhellt, aber auf Grund der damals noch fehlenden Datierungen der in der Gesamtausgabe irrigerweise ›Letzte Gedichte und Fragmentarisches‹ benannten Gedichte Rilkes, die tatsächlich der Zeit von 1913–1914 angehören, eine falsche Entwicklungslinie im Sprachverhältnis des Dichters zeichnen müssen und das Versagen und Sichentziehen der Sprache an das Lebensende des Dichters gestellt.[24] Die „magische" Sprache der ›Sonette an Orpheus‹ ist dann von Hans Egon Holthusen in nahezu erschöpfender Gründlichkeit untersucht und dargestellt worden, wobei jedoch den vorhergegangenen Sprachstufen Rilkes ebensowenig nachgegangen werden konnte wie der Frage, ob nicht gerade die Entwicklung einer solchen Sprache der Magie durch „Namen", die ja in einem merkwürdigen Gegensatz auch zur Sprache der ›Duineser Elegien‹ steht, nur zu verstehen ist aus

---

[22] Vgl. Ernst Zinns Begleitwort zur Ausgabe der ›Duineser Elegien‹ im Faksimile, Zürich 1948; F. W. Wodtke, a. a. O., S. 74–93.

[23] An Marie v. Thurn und Taxis, 12. 2. 1912, Briefwechsel Nr. 73, S. 115.

[24] Fritz Kaufmann, Sprache als Schöpfung. Zeitschrift f. Ästhetik 28, 1934, S. 1–54.

einer vorhergehenden tiefen Krisis in der Bewertung der sprachlichen Aussagemöglichkeiten.[25] Als erster hat Hermann Kunisch in seinem Rilke-Buch darauf hingewiesen, daß Rilke seit seiner Pariser Zeit „die Sprache nicht mehr als ein einfach Hinzunehmendes betrachtet",[26] und wertvolle Hinweise zum Sprachverhältnis des Dichters sowie eine grundsätzliche Kritik seiner radikalen Absetzung der Dichtersprache von der Umgangssprache der Mitteilung gegeben. Die Folgerungen, die Brigitte Forsting in ihrer Dissertation über ›R. M. Rilkes Verhältnis zur Sprache‹[27] aus seinen Thesen zog, stehen aber allzuoft im schroffen Widerspruch zu Rilkes Selbstaussagen und bedürfen daher, wie vor allem in der Frage der Sprachkritik Rilkes, der Korrektur, zumal bei ihr nicht nur ganz entscheidende Gedichte und Briefstellen sowie Berichte wie der André Gides über Rilkes Gereiztheit gegenüber der deutschen Sprache übergangen, sondern auch so entscheidend wichtige Erörterungen wie die Werner Günthers im Anschluß an Rilkes Gedicht „Ausgesetzt auf den Bergen des Herzens . . ." in seinem Kapitel „Die letzte Ortschaft der Worte"[28] oder Dieter Bassermanns kleiner Aufsatz ›Am Rande des Unsagbaren‹, der einige äußerst wichtige, bis dahin unbekannte Äußerungen Rilkes über die Sprache bringt,[29] nicht berücksichtigt wurden.

Das Gefühl, mit seinem ersten Anlauf zu den ›Duineser Elegien‹ bereits an die Grenze des Sagbaren und der Sprache gekommen zu sein, klärte sich bei Rilke erst sehr langsam zu einem Bewußtsein von der grundsätzlichen Begrenztheit der Sprache gegenüber der Unendlichkeit der inneren wie der äußeren Welt, des Daseins wie des Seins. Ein bedeutender Schritt auf diesem Wege, der ihn immer tiefer in die radikale Krise der Sprache und des sprachlichen Ausdrucks hineinführen sollte, war seine Spanienreise von 1912–13, von der er sich zunächst erhoffte, sie werde ihm „die Vollmacht vielen Ausdrucks, der jetzt noch nicht gewährt ist, mit sich bringen".[30] Zu seiner Überraschung erlebte Rilke

---

[25] Hans Egon Holthusen, Rilkes Sonette an Orpheus, München 1937.

[26] Hermann Kunisch, R. M. Rilke. Dasein und Dichtung, Berlin 1944, S. 20.

[27] Brigitte Forsting, R. M. Rilkes Verhältnis zur Sprache, Diss. Berlin (Freie Universität) 1952.

[28] Werner Günther, Weltinnenraum, Berlin 1952, 2. Aufl. S. 209–225.

[29] Dieter Bassermann, Am Rande des Unsagbaren, Berlin 1948.

[30] Brief vom 2. 11. 1912.

das genaue Gegenteil: er sah sich unvermittelt einer heroischen Landschaft gegenüber, die sich in ihrer urtümlichen Großartigkeit jeder adäquaten Wiedergabe und künstlerischen Verarbeitung in Wort und Sprache entzog. Während es ihm seit der Zeit seiner ›Neuen Gedichte‹ die stolze Leistung der Sprache schien, das „Wesen" eines Dinges oder einer Landschaft zu benennen, zu erhellen und damit ins menschliche Bewußtsein zu erheben, war seine hochgezüchtete und nuancierte impressionistische Kunstsprache hier plötzlich völlig machtlos, denn alles Seiende trat ihm hier, wie er nicht müde wurde, in seinen Briefen zu betonen, mit der Gewalt unmittelbarer „Erscheinung" entgegen. Noch im Oktober 1915 begründete er seine „Sprachlosigkeit" mit dem Spanien-Erlebnis: „Die spanische Landschaft (die letzte, die ich grenzenlos erlebt habe), Toledo hat diese meine Verfassung zum Äußersten getrieben; indem dort, das äußere Ding selbst: Turm, Berg, Brücke zugleich schon die unerhörte, unübertreffliche Intensität der innern Äquivalente besaß, durch die man es hätte darstellen mögen. Erscheinung und Vision kamen gleichsam überall im Gegenstand zusammen, es war in jedem eine ganze Innenwelt herausgestellt, als ob ein Engel, der den Raum umfaßt, blind wäre und in sich schaute. Diese, nicht mehr von Menschen aus, sondern im Engel geschaute Welt ist vielleicht meine wirkliche Aufgabe, wenigstens kämen in ihr alle meine früheren Versuche zusammen; aber, um die zu beginnen, . . . wie müßte einer beschützt und beschlossen sein!"[31] Die „inneren Äquivalente", die er hier als Mittel der Darstellung dieser Landschaft bezeichnet, sind nichts anderes als die Worte, die richtigen „Namen", die während seiner Arbeit an den Themen und Motiven der ›Neuen Gedichte‹ sich während angespannter, inständiger Beobachtung gewissermaßen automatisch in seiner Innerlichkeit einstellten und dem „Wesen" des angeschauten Gegenstandes in rätselhafter und beglückender Weise entsprachen.[32] Jetzt erlebte er die Unzulänglichkeit der Sprache gegenüber der überlegenen „Intensität" einer „Landschaft, die nicht redet, die prophezeit, über die der Geist ihrer Großheit kommt".[33] Angesichts dieser jeder menschlichen Sprache an unmittelbarer Ausdrucksgewalt

[31] Br. 4, Nr. 36; 27. 10. 1915, S. 80.
[32] Br. 2, Nr. 120, 8. 3. 1907, an Clara Rilke.
[33] A. Br. 1, Nr. 177; 28. 11. 1912.

überlegenen Natur, die ihm in ihrer stummen Größe wie ein Prophet
eine göttliche Botschaft zu verkünden scheint, ohne dabei der Worte zu
bedürfen, schreibt Rilke: „Sagen können *wie* es hier ist, werd ich ja nie
. . . (da ist Sprache der Engel, wie sie sich unter den Menschen helfen),
aber *daß* es ist, daß es *ist*, das müssen Sie mir glauben. Man kann es niemand beschreiben, es ist voll Gesetz . . ."[34] Vielleicht in Anlehnung an
ähnliche Vorstellungen bei Klopstock, bei dem die Engel sich bewußt
sind, daß auch ihre überirdische „Sprache"[35] nicht an die Übermacht
und Intensität ihrer hochgespannten Empfindungen heranreiche,
wünscht Rilke sich hier als angemessenes Ausdrucksmittel für die
„Großheit" der spanischen Landschaft eine *„Sprache der Engel"*, d. h.
eine Sprachform von höchster Intensität, die der Intensität der Dinge
um ihn herum entsprechen würde, eine absolute, idealische Sprache der
Transzendenz, die Rilke allerdings in merkwürdiger Weise relativiert.
Er stellt sich nämlich gewissermaßen auf den Standpunkt der Engel,
von denen aus gesehen „Sprache" eigentlich ein Notbehelf ist, den sie
nur brauchen, wenn sie sich „unter den Menschen" bewegen und sich
ihnen verständlich machen wollen. Für Klopstock wie für Rilke bedürfen die Engel als die den Menschen unendlich übersteigenden Wesen
unter sich überhaupt keiner Sprache, sondern drücken das, was sie
sind, unmittelbar in ihrer Gestalt aus – das hat Klopstock unübertreff-
lich in seiner letzten, kurz vor seinem Tode verfaßten Ode „Die höheren Stufen" (1802) dargestellt, in der er die Frage beantwortet: „Sprachen vielleicht die Unsterblichen durch die geänderte Bildung?" und
schon bei den Bewohnern des Jupiter eine der irdischen „symbolischen
Wortsprache" überlegene „natürliche"[36] Sprache annimmt, die er bereits 1748 in der Ode: „Selmar und Selma" als „Sprache der Götter"
bezeichnet hatte, wozu C. F. R. Vetterlein in seinem Kommentar bemerkt: „Die menschliche Sprache, ein System *symbolischer* Zeichen
allgemeiner Begriffe und ihrer Verhältnisse, ist in Beziehung der Empfindungen und Leidenschaften, ihrer Arten, Schattierungen und Abstu-

---

[34] Briefwechsel M. v. Thurn u. Taxis, Nr. 130, 2. 11. 1912, S. 218.
[35] Vgl. Klopstock, Messias 6. Gesang, Vers 19–20. „Keine Namen im Himmel und keine Sprache der Engel / Nennt mir, was ich empfand."
[36] Klopstocks Oden und Elegien, hrsg. v. C. F. R. Vetterlein, Leipzig 1828,
1883, Bd. 3, Nr. 225, S. 377.

fungen sehr arm. Diesem Mangel abzuhelfen, könnte es vielleicht eine Sprache geben, die mit Hülfe *natürlicher* Zeichen (dergleichen z. B. menschliche Gebärden sind), alle Empfindungen vollständig und bestimmt nach Umfang und Intension ausdrückte, und wodurch sich die Sprechenden ganze Empfindungslagen und Gemüthszustände auf Einmahl mittheilen und einen Blick in ihr wahres Innere thun lassen könnten. Das nennt der Dichter eine *Göttersprache,* das Idiom höherer Wesen; und daß es wahrscheinlich, in andern Welten, eine solche Sprache gebe, den Glauben scheint K. noch im höhern Alter gehabt zu haben, wie man aus seiner letzten Ode *die höhern Stufen* sieht."[37] Die Vorstellung von einer „Engelsprache", welche der Armut der irdischen, an Begriff und Symbol gebundenen Sprache der Menschen gegenübergestellt wird, finden wir im 18. Jahrhundert auch bei Wieland[38] und bei Hamann in der ›Ästhetica in nuce‹, wo es heißt: „Reden ist übersetzen – aus einer *Engelsprache* in eine *Menschensprache,* das heißt Gedanken in Worte, – Sachen in Namen, – Bilder in Zeichen . . .",[39] zu Beginn des 19. Jahrhunderts bei Hölderlin („Winke sind von alters her die Sprache der Götter")[40] und schließlich bei Hugo von Hofmannsthal im „Brief" des Lord Chandos. Dort steht die Vorstellung von einer Sprache der Engel in ganz ähnlichem Zusammenhang mit einer überwältigenden Erfahrung der Intensität des stummen Seins wie später bei Rilke in Spanien: Chandos erlebt mitten in seiner Sprachkrise ein wortloses Identitätsgefühl mit allem Lebenden, ein „göttliches Gefühl . . . höheren Lebens" erfüllt ihn angesichts des Todeskampfs der Ratten, „ein ungeheures Anteilnehmen, ein Hinüberfließen in jene Geschöpfe oder ein Fühlen, daß ein Fluidum des Lebens und Todes, des Traumes und Wachens für einen Augenblick in sie hinübergeflossen ist", und er spricht nun, erfüllt von diesem enthusiastisch-schauerlichen Einheitsgefühl mit der niedrigsten Kreatur, deren Todeskampf seine Tragik symbolisiert, den Wunsch nach einer absoluten „Sprache" aus: „. . . wenn diese Zusammensetzung von Nichtigkeiten mich mit einer solchen Gegenwart des Unendlichen durchschauert, . . . daß ich in *Worte* ausbrechen möchte,

---

[37] Ebd., Bd. 1, 1833, S. 139.
[38] *Oberon,* 10. Gesang, Str. 15; vgl. ferner Beiträge zur Geschichte des Verstandes und Herzens, 5. Buch.
[39] Hamanns Werke, hist.-krit. Ausgabe v. J. Nadler, Bd. 2, S. 199.
[40] Ode „Rousseau", Stuttgarter Ausgabe Bd. 2, 1, S. 12–13.

von denen ich weiß, fände ich sie, so würden sie jene *Cherubim,* an die ich nicht glaube, niederzwingen, und daß ich dann von jener Stelle *schweigend* mich wegkehre ...".[41] Schon Hofmannsthal hat also die Vorstellung einer idealischen Sprache, die in die Sphäre der – nichtexistenten und daher nicht glaubbaren – Engel reicht. Er träumt von einer Sprache, die magischen Zwang auf die Engel auszuüben vermag, von einer „Sprache, von deren Worten mir auch nicht eines bekannt ist, eine Sprache, in welcher die stummen Dinge zu mir sprechen, und in welcher ich vielleicht einst im Grabe vor einem unbekannten Richter mich verantworten werde"[42]. Es ist sehr wahrscheinlich, daß Rilke der Chandos-Brief Hofmannsthals nicht unbekannt geblieben sein kann,[43] so daß er auch von daher angeregt wurde, von einer „Sprache der Engel" her die Ausdrucksmöglichkeiten der Sprache angesichts der spanischen Landschaft zu kritisieren.

Schon aus Rilkes Spanien-Briefen läßt sich erkennen, daß er damals vier verschiedene Stufen oder Formen der Sprache unterscheidet: 1. die alltägliche Umgangssprache der Mitteilung und des Gesprächs, die er meist als „reden" oder „sprechen" bezeichnet. Hierher gehört auch für ihn trotz aller künstlerischen Formung die Sprache der brieflichen Mit-

[41] Prosa II, S. 17. Kursiv vom Verf.

[42] Prosa II, S. 22.

[43] Beide Dichter pflegten sich ihre Arbeiten mit Widmungen zu senden oder bei gelegentlichen Treffen vorzulesen. Der Chandos-Brief erschien nicht nur 1902 im Berliner ›Tag‹, sondern auch 1905 mit dem ›Märchen der 672. Nacht und anderen Erzählungen‹ in Wien, die Rilke gekannt haben muß, denn „Der elfte Traum" (AW. II, 252–54) mit dem eine Katastrophe heraufbeschwörenden riesigen Pferd ist ein deutlicher Reflex des Hofmannsthalschen Märchens; „Ein Brief" findet sich ferner im 1. Band der ›Prosaischen Schriften‹, die 1907 in Berlin erschienen. Rilke las im gleichen Jahr Hofmannsthals Aufsatz ›Der Dichter und diese Zeit‹ in der ›Neuen Rundschau‹ und dankte dem Dichter im Brief vom 21. 3. 1907 aus Capri (Br. 2, Nr. 126, S. 294–5) dafür, empfahl sie außerdem am 16. 3. 1907 in einer Nachschrift Ellen Key (Br. 2, Nr. 123) und Emile Verhaeren (Br. 2, Nr. 128, 27. 3. 1907, S. 299). Diese Rede, in der die Stellung des Dichters mit dem unter der Treppe hausenden Heiligen verglichen wird, hat ihre Spur in Rilkes Aufsatz ›Über den jungen Dichter‹ von 1913 (AW. II, S. 297) hinterlassen, wo das gleiche Bild für die Unbehaustheit des Dichters in der eigenen Zeit wiederkehrt, das Hofmannsthal weitläufig ausführt (Prosa II, S. 280 bis 281).

teilung, die im besten Falle bis an die Grenze der dichterischen Prosa-
Sprache heranführt.[44] Darüber steht 2. die symbolische Dichtersprache, die er in dieser Zeit als „sagen" oder „nennen" bezeichnet. Erst
nach Überwindung der Sprachkrise, in der seine Kritik sowohl der Umgangssprache wie der Dichtersprache gilt, die er beide in seinem Brief
an Benvenuta unter dem gemeinsamen Begriff „Sprache der Menschen"
zusammenfaßt,[45] stellen sich dafür stärker hervortretend als vorher die
Bezeichnungen „singen", „preisen" und „rühmen" ein. Der antithetischen Aufspaltung der „Sprache der Menschen" in zwei unabhängige
Sprachbereiche entspricht als Analogie eine zweifache „Sprache der Engel": als 3. Sprachstufe die „Sprache der Engel, wie sie sich unter den
Menschen helfen" – also gewissermaßen die „Umgangssprache" der
Engel in ihrer Zuwendung zu den Menschen, über die allerdings noch
nichts Näheres ausgesagt wird, die aber doch noch eine aus Worten be-

---

[44] Rilke hat zwar, genau wie Klopstock, „Gedicht" und „Prosa", „lyrische"
und „epische" Sprache deutlich voneinander unterschieden, wie seine Briefe vom
13. 1. 1909 an Lili Schalk über den ›Malte‹ und an Graf Thun vom 12. 3. 1926
über Paul Valérys Dichtung (vgl. dazu an Lou Andreas-Salomé, 2. 5. 1925, Briefwechsel S. 495) beweisen, aber auch die künstlerisch geformte epische Sprache
immer zur 2. Sprachstufe, der symbolischen Dichtersprache gerechnet.

[45] Briefe gehören für ihn zur 1. Sprachstufe; er schreibt ihr am 20. 2. 1914
nach Erhalt ihres Briefes: „Ist mir doch als vernähm ich zum ersten Mal Sprache
der Menschen, sieh, sieh, ich kenne sie ja nur aus den großen ewigen Gedichten
und aus meinen ringenden. Nie war sie mir wunderbar in einem Andern, oh was
machst Du mir Sprache lieb. Reden wir nicht zueinander wie die Sterne zu der
Erde, wie die Erde zu den Sternen, nur daß es nicht Stille ist, nicht Weltstille,
sondern eben Sprache, Sprache der Menschen." (Briefw. S. 116) Das ist die einzige Stelle, an der Rilke einmal außer der Dichtersprache auch die Mitteilungs-
sprache hymnisch preist, da sie ihm existentielle Erfüllung in der ersehnten idealen Ich-Du-Beziehung einer nach klassischen Vorbildern (Goethe und Hölderlins „Diotima") im voraus entworfenen und stilisierten Liebe zu versprechen
schien. Vgl. dazu auch den Brief an Benvenuta vom 24. 2. 1914, wo diese Briefsprache den sonst dem dichterischen Wort vorbehaltenen Charakter absoluter
Innerlichkeit und eines innigen „Schoß"-Verhältnisses bekommt, das an die Mo-
tivik der 8. Elegie erinnert, aber das „Zu-Dir-Sprechen" doch in einen mythischen Raum (der 2. und 3. Sprachstufe) erhoben wird, der ihm sonst bei Rilke
nicht zukommt. Deutlich abgesetzt wird es von der 4. Ebene der „Weltstille",
der schweigenden Sprache zwischen Erde und Himmel.

stehende Sprache sein muß, wenn sie den Menschen verständlich sein soll. Sie ist jedoch nur eine Vorstufe zu der 4. Sprachstufe, der absoluten „Sprache der Engel" und des ganzen, ungeteilten Seins, in der die Antinomie von „Sprechen" und „Schweigen", die für die drei vorhergehenden Stufen charakteristisch ist, zu einer Identität wird. Es ist eine stumme Sprache, die bei Rilke wie bei Hofmannsthal für die „stummen Dinge", die Steine, Pflanzen und Tiere – bei Rilke vor allem die Fische[46] und die Toten, die Engel und Götter[47] – charakteristisch ist. Sie ist nur zu bezeichnen als „Schweigen" im höchsten, positiv-idealen Sinn, als „Erscheinung", „Vision", „Dasein" oder „Gebärde".

Diesem „Schweigen", das für Rilke seit langem als der eigentliche Ursprungsort des Wortes galt, steht das negative „Schweigen" gegenüber, das gleichbedeutend ist mit dem Zustand der „Sprachlosigkeit" des Dichters und dem Versagen der Sprache im Prozeß der künstlerischen Arbeit. Schon 1909 hatte Rilke in einem Gedichtentwurf positives Schweigen und negatives Schweigen einander schroff gegenübergestellt: „nicht der Geigen Schweigen, / Schweigen von Schreien fällt bei mir ein und ascht / endlos herab aus der Gewölbe Bug."[48] Rilke hat unter diesem negativen, ihn wie Asche erstickenden „Schweigen" nicht weniger gelitten als Hugo von Hofmannsthal, aber doch nicht die Summe dieser Erfahrungen, der inneren Dürre, des Versagens der dichterischen Inspiration und seiner dichterischen Sprache sogleich in einer so offenherzigen künstlerischen Form zusammengefaßt, wie das im „Brief" des Lord Chandos geschehen war. Es ist zudem für Rilke charakteristisch, daß sich sein Blick stärker auf den Zustand seines eigenen Inneren richtet und weniger auf die Problematik der Sprache, die sich bei ihm erst in einer sehr lang andauernden Krise in die Höhe des Bewußtseins und der Reflexion erhob. Die seit 1913 entstehenden Gedichte lassen jedoch erkennen, wie sehr er darum ringt, diese ihn quä-

---

[46] Mit negativem Akzent auf Grund der eigenen Sprachlosigkeit im Brief an M. v. Thurn und Taxis vom 14. 1. 1913, Briefwechsel S. 255, positiv im Sonett an Orpheus II, 20, wo die Frage gestellt wird, ob das Schweigen der Fische nicht an einem (mythischen) anderen Ort „Sprache wäre", die man dort „ohne sie spricht" – d. h. auf der 4. Stufe der „Weltstille", wo beides, Sprache und Schweigen, identisch ist.

[47] Vgl. G. 06–26, S. 34–35.

[48] Ebd., S. 517.

lende Erfahrung des Versagens der Sprache vor den ihn bestürzenden
äußeren „Eindrücken" zu klären, von denen er klagend schreibt: « Au
lieu de me pénétrer, les impressions me percent.»[49] Während die ›Spanische Trilogie‹[50] die Schuld am künstlerischen Versagen noch ganz auf
den Erstarrungszustand des eigenen Inneren schiebt, der die glühende
Verschmelzung von Innen- und Außenwelt, aus der allein der adäquate
„Name", die Verwandlung der stummen Außenwelt in Sprache des Gedichts zu entspringen vermag, verhindert, so zeigen andere Gedichte,
daß Rilke das gleiche Gefühl der eigenen Ohnmacht und des Versagens
der Sprache auch angesichts seiner „inneren Landschaft" empfand.
Nicht nur die äußere Landschaft, auch die inneren Erfahrungen des
Leides und der Qualen, die ihn damals bedrängten, als er die Bodenlo-
sigkeit seiner Existenz immer stärker spürte und auch die letzte Sicherung, die Macht über die Sprache mit dem negativen Schweigen der
Leere und des Nichts vertauschen mußte, entzogen sich jeder Sagbar-
keit. Das großartige Gedicht „Christi Höllenfahrt" vom Frühjahr
1913[51] ist der erste Versuch, diese zunächst noch ungeschiedene Krise
der dichterischen Existenz und der dichterischen Sprache darzustellen.
Die Hölle als der mythische Ort tiefster menschlicher Qualen fordert
von dem nach schrecklichen Leiden qualvoll gestorbenen Christus „Bewußtsein / seiner vollendeten Not: daß über dem Ende der seinen /
(unendlichen) ihre, während Pein erschrecke, ahne." Christus aber
vermag das erlösende Wort, in dem Gefühls- und Daseinserfahrungen,
Leiden und Tod, zum „Bewußtsein" gelangen, nicht zu sprechen; das
Begehren der Hölle reißt ihn zwar aus seinem „Unhandeln", er stürzt
sich „mit der völligen Schwere seiner Erschöpfung" hinab in die
Höllentiefen:

> eilte hinab, schwand, schien und verging in dem Stürzen
> wilderer Tiefen. Plötzlich (höher höher) über der Mitte
> aufschäumender Schreie, auf dem langen
> Turm seines Duldens trat er hervor: ohne Atem,
> stand, ohne Geländer, Eigentümer der Schmerzen. Schwieg.

[49] An Lou Andreas-Salomé, 19. 12. 1912; Briefwechsel S. 285.
[50] G. 06–26, 101–104.
[51] G. 06–26, 21–22; April–Anfang Mai 1913, Paris. Vgl. dazu F. W. Wodtke,
a. a. O., S. 123–134.

Wenn selbst Christus als der fleischgewordene Logos, in dem sich Gott nach christlicher Anschauung durch das Wort der Wahrheit, in der Menschensprache in Bildern und Gleichnissen redend, offenbarte, hier „ohne Atem", d. h., ohne Wort und Sprache zu finden, auf dem „Turm seines Duldens" steht, der „ohne Geländer", d. h. ohne die geringste Sicherung gegen den erneuten Absturz in die Tiefen einer bodenlos gewordenen Existenz ist, als „Eigentümer der Schmerzen" *schweigt*, so bezeugt sich in diesem göttlichen Schweigen zugleich die Ohnmacht der Sprache angesichts solcher „Grenzempfindungen des Daseins".[52] An ihre Stelle tritt jetzt die stumme *Gebärde* des Dastehns, in der sich ein stummer Trotz gegen das unendliche Leiden und vielleicht auch schon seine Überwindung ankündigt. Man wird daher Rilkes Gedicht „Christi Höllenfahrt", das seine damalige Situation der Sprachlosigkeit so erschütternd symbolisiert, Hofmannsthals Chandos-Brief an die Seite stellen dürfen, nicht nur, insofern es hier wie dort um die gleiche innere Erschütterung angesichts des Versagens menschlicher Sprache vor den Grenzsituationen des Daseins geht, sondern auch in bezug darauf, daß in beiden Fällen wiederum dem Dichter nichts als die Sprache bleibt – die hier bis an die äußerste Möglichkeit artistischer, ja expressionistischer Ausdruckssteigerung heranreicht –, wenn er seine Erfahrung des Versagens der Sprache ausdrücken will, eine Paradoxie, die das Unheimliche des dichterischen Bildes noch erhöht.

Es kann hier nur angedeutet werden, daß bei Rilke in dieser Zeit der Sprachkrise ähnlich wie im mittleren und späten Werk Hofmannsthals nach dem Chandos-Brief jetzt in vielen Gedichten symbolische Gesten und *Gebärden* eine große Rolle spielen und weitgehend an die Stelle des „Sagens" und „Nennens" treten. Sie waren Rilke schon früher, während seiner Beschäftigung mit den Plastiken Rodins, als Ausdruckmittel und Ausdrucksträger höchst bedeutend geworden, bekommen aber erst jetzt ihre eigentliche Funktion der Aussage des Unsagbaren in der Dichtung, zu der das Wort nicht mehr ausreicht. „Weil sie *Zeichen* brauchten, welche schrieen", vollzieht Jesus in dem Gedicht „Auferweckung des Lazarus"[53] das Wunder der Erweckung vom Tod nicht durch das beschwörende Wort, das die Evangelien ja überliefern, son-

---

[52] Br. 4, Nr. 95, 23. 1. 1919, S. 226–27.
[53] G. 06–26, S. 220–21; Ronda, Januar 1913.

dern durch eine höchst eindrucksvolle krallenartige Geste der Hand, die den Toten aus dem Grab ins Leben zurückreißt. Ähnlich ist es in dem zeitlich kurz vor „Christi Höllenfahrt" entstandenen Gedicht „Emmaus", wo die Jünger nicht am Wort, gar am Gespräch, sondern erst an der stummen Gebärde des Brotbrechens die Anwesenheit des Gottessohnes und die Herstellung des „unendlichen Bezuges" zwischen ihnen und dem Heiligen erleben. Jetzt stellt er auch mit bewußter Schärfe dem enthusiastischen Glauben Hölderlins an die Möglichkeit, die „Sprache der Götter", ihre „Winke" und „Boten" zu verstehen, das unheimlich stumme In-sich-Kreisen seiner „Götter" entgegen. In Hölderlins Ode „Rousseau"[54] heißt es:

> Vernommen hast du sie, verstanden die Sprache der Fremdlinge,
> Gedeutet ihre Seele! Dem Sehnenden war
> Der Wink genug, und Winke sind
> Von Alters her die Sprache der Götter.

Der Menschengeist ist bei Rilke nicht mehr, wie in dieser Ode Hölderlins, fähig, „im ersten Zeichen Vollendetes schon" zu erkennen und wie ein Adler den Gewittern „weissagend seinen / Kommenden Göttern" „vorauszufliegen", sondern auf der einen Seite steht der sinnlose „Lärmknäul" der Stadtmenschen und ihnen gegenüber die unheimlich stumme Existenz der Götter, die in der Gebärde eines kreisenden Schwanes anschaulich gemacht wird[55]:

> Wir lassen Götter stehn, um goren Abfall,
> denn Götter locken nicht. Sie haben Dasein
> und nichts als Dasein, Überfluß von Dasein,
> doch nicht Geruch, nicht Wink. Nichts ist so stumm
> wie eines Gottes Mund. Schön wie ein Schwan
> auf seiner Ewigkeit grundlosen Fläche:
> so zieht der Gott und taucht und schont sein Weiß.

Die „Sprache der Götter" ist also nicht mehr auf den Menschen gerichteter „Wink" und von diesem zu vernehmen, zu verstehen und zu deu-

---

[54] Stuttgarter Ausgabe Bd. 2, 1, S. 12–13. – Hinter Hölderlins Anschauung vom „Wink" als „Sprache der Götter" steht Heraklit B 93: „Der Herr, dem das Orakel in Delphi gehört, sagt weder, noch verbirgt, sondern winkt." (ὁ ἄναξ, οὗ τὸ μαντεῖόν ἐστι τὸ ἐν Δελφοῖς, οὔτε λέγει οὔτε κρύπτει ἀλλὰ σημαίνει.)

[55] G. 06–26, S. 34–35, Ende Febr. 1913, Paris.

ten, vorbei ist die Zeit, wo „er, der sprachlos waltet und unbekannt Zukünftiges bereitet, der Gott, der Geist Im Menschenwort, am schönen Tage Kommenden Jahren, wie einst, sich ausspricht".[56] Für den Rilke der Zeit seiner Zweifel an der Sprache der Menschen und Götter bleiben nur die äußersten Pole seiner Sprachstufen übrig: die zum „Lärm" und Geschrei entwertete Umgangssprache und die stumme, undeutbare Gebärde der Götter, zwischen denen es keine Brücke, keine Möglichkeit des Verstehens mehr gibt, wie sie Hölderlin als Aufgabe der Dichtersprache feierte. Daß diese Tendenz Rilkes, in seinen Gedichten der Jahre 1913–1914 stärker die Gebärden sprechen zu lassen, sich in seiner Spätzeit seit 1924 in einer ins Magische stilisierten Dichtung wiederholt und dort geradezu für die Struktur der Gedichtform bestimmend wird, hat kürzlich Ulrich Fülleborn gezeigt,[57] ohne jedoch den Zusammenhang dieser magischen Gebärdensprache mit der vorhergehenden Sprachkrisis Rilkes und der Erschütterung seines Vertrauens in den alleinigen Aussagewert der Sprache zu sehen und genügend herauszuarbeiten.

[56] Ode „Ermunterung" 2. Fassung, a. a. O. 2, 1, S. 36. In der 1. Fassung lautet die Schlußzeile „Wieder mit Nahmen, wie einst, sich nennet".

[57] ›Zur magischen Gebärdensprache des späten Rilke‹, in: Festgruß für Hans Pyritz, Euphorion-Sonderheft 1955, S. 67–73. Seine auf die Strukturanalyse der Gedichte „Der Magier", „Mausoleum" und „Eros" gerichtete Untersuchung, die in einer die gesamte Spätlyrik Rilkes umfassenden Analyse fortgeführt werden soll, bestätigt unsere These, daß in der Spätzeit die Gebärde eine prädominierende Stellung gegenüber der bloß sprachlichen Aussage erhält. Fülleborn faßt das dahin gehend zusammen: „Es ist ein Wille, der sich auf Sprachbeherrschung und Sprachsteigerung richtet: ‚in der Kunst: zur Flamme wird der Staub. / Hier ist Magie. In das Bereich des Zaubers / scheint das gemeine Wort hinaufgestuft . . .'! Auf welche Weise aber versucht Rilke, mit der ihrer Natur nach über den nur sprachlichen Raum hinausdrängenden, Verbindung suchenden magischen Gebärde eine absolute, sich selbst genügende Wirklichkeit aus Sprache zu schaffen? Die Antwort kann wohl nur lauten: indem er sie ‚verabsolutiert'; die Gebärde soll nicht mehr, wie etwa in den großen ekstatischen Nachtgedichten von 1913/14, Begegnung mit den numinosen Mächten der Welt im Hölderlinschen Sinn erzwingen, Rilke dichtet überhaupt nicht mehr in Richtung auf ein Gegenüber, sondern er hat aus jenen Versuchen ein formales Prinzip abstrahiert, aus dem sich die berechneten und in allen Teilen beherrschten, auf den Raum sehr kleiner Gedichte eingeschränkten ‚Beschwörungen' herleiten,

Noch eine andere Parallele zwischen Lord Chandos und Rilke sei hier erörtert, die bei beiden im Zusammenhang mit der Sprachkrise steht. Hofmannsthal läßt Chandos sagen: „Es ist mir ... als könnten wir in ein neues, ahnungsvolles Verhältnis zum ganzen Dasein treten, wenn wir anfingen, mit dem Herzen zu denken. Fällt aber diese sonderbare Bezauberung von mir ab, so weiß ich nichts darüber auszusagen; ich könnte dann ebensowenig in vernünftigen Worten darstellen, worin diese mich und die ganze Welt durchwebende Harmonie bestanden und wie sie sich mir fühlbar gemacht habe ..." [58] Rilke entwickelt sich jetzt in der Zeit seiner Sprachkrise zum Virtuosen dieser Kunst, „mit dem Herzen zu denken", mit der auch er sich über die innere Erstarrung und Trostlosigkeit seiner Existenz vergeblich hinwegzusetzen versucht – sie vermehrt vielmehr die „Sprachlosigkeit". In einem Brief gesteht er der Adressatin, er habe eine seltsame Angewohnheit angenommen: «Bien des fois, en réfléchissant, je vous confie, sans écrire, bien des choses, et alors cette habitude se mêle doucement aux lettres que j'arrive à vous écrire en réalité. Elles se font rares, ces lettres; car cette direction intérieure me prive parfois de toute expression.» [59] Rilke stellt also das schweigende Denken des Herzens, die Intensität des aufs höchste angespannten Hinfühlens und Hindenkens zum anderen Menschen

die sich ganz in seinem Innenraum abspielen. Der entscheidende innere Widerspruch der ‚absoluten Gebärdensprache' besteht nur darin, daß sie, die inhalt- und zwecklose Seinskunst verwirklichen möchte, durchaus nicht inhaltlos ist. Vielmehr sind in ihr heterogenste gedankliche Inhalte auf problematische Weise nebeneinander vorhanden." (73) Bei aller Schärfe der Beobachtung ist Fülleborn doch nicht genügend in die Sprachproblematik des späten Rilke eingedrungen. Was man vermißt, ist die vorgängige sorgfältige Scheidung von symbolischer Dichtersprache und absoluter Gebärdensprache, die erst, wie wir unten zu zeigen haben werden, die Entstehung der Dialektik von Sprache und Gebärde und den Weg, auf dem Rilke sie schließlich wieder in einer widersprüchlichen Einheit zur „Sprachgebärde" zusammenschließt, durchschaubar macht. Erst nachdem Rilke die Gegensätzlichkeit so weit aufgerissen hatte, wie das in der Zeit der Sprachkrise geschah, konnte er zu einer neuen, höheren Synthese kommen, in der die dialektische Funktion beider Ausdrucksmöglichkeiten des Künstlers in verwandelter und „hinaufgestufter" Form erhalten bleibt.

[58] Prosa II, 18–19.

[59] An Gräfin Pia de Valmarana, 30. Dezember 1913, A. Br. I, Nr. 199, S. 464 bis 467.

als Form der Mitteilung seiner Empfindungen und Gedanken höher als die sprachliche Mitteilung im Brief, in die sich im besten Falle etwas von dieser „Innigkeit" mischt und mitschwingt. Aber durch die Stärke und Intensität dieser „inneren Richtung" des Herzens auf den weit entfernten Mitmenschen kann Rilke sich „bisweilen jeden Ausdrucks beraubt" fühlen, d. h., die Briefsprache versagt vor der Gewalt einer solchen jede Ferne überbrückenden wortlosen Verständigung, die etwas Mediales hat. Sprache vermag auch hier dem Denken des Herzens nichts Adäquates an Ausdrucksmitteln gegenüberzustellen – auch in dieser brieflichen Äußerung Rilkes steckt also eine verborgene Kritik an der Sprache und ihrer Aussagekraft.

Mußten wir bisher Rilkes Sprachkritik im wesentlichen noch *ex silentio* und *e contrario* erschließen, so tritt sie nun vom Beginn des Jahres 1914 ab in ein akutes Stadium und ganz offen hervor. Das vielleicht bedeutendste Dokument seiner Auseinandersetzung mit dem Problem der Sprache ist sein Brief über Adalbert Stifter, den er am 11. Januar 1914 an den Prager Literarhistoriker und Stifterforscher August Sauer, seinen einstigen Universitätslehrer in Prag, richtete.[60] Dieser Brief bedarf einer genauen Analyse, da er in letzter Zeit, in entstellter und verstümmelter Form zitiert, zu sehr fragwürdigen Äußerungen über die sprachliche Situation Rilkes benutzt worden ist. Wie sehr für Rilke Anfang 1914 das Problem der Sprache im Mittelpunkt seiner Reflexionen stand, wie sehr er sich bemühte, für sein Versagen im Kampf mit der ihm mitgegebenen und von ihm erkämpften Sprache oder für das Versagen der Sprache als Ausdrucksmittel für seine inneren seelischen Erfahrungen, Gedanken und Erlebnisse plausible Gründe zu finden, zeigt sich sogleich darin, daß ihn an den ›Studien‹ Stifters, die er in diesem Winter 1913/14 las, kaum die inhaltlichen Probleme dieser „heilen Welt", in die er sich flüchtete, beschäftigten, sondern völlig einseitig einzig und allein die Frage nach der *sprachlichen* Leistung Stifters, das Problem, wie es Stifter möglich gewesen sei, sich unter Bedingungen, die Rilkes Sprachsituation in ganz ähnlicher Weise bestimmt hatten, eine so unverwechselbar eigene und vollkommene Sprache zu schaffen, der die Fragwürdigkeit der modernen Dichtersprache noch gänzlich fehlte.

[60] A. Br. I, Nr. 201, S. 470–474.

Rilke richtete sein Augenmerk zunächst auf die ihm und Stifter gemeinsame Ausgangslage, die Problematik des Österreichertums und seines Verhältnisses zu der deutschen und den übrigen Sprachen des buntgemischten und niemals völlig verschmolzenen Habsburgerreiches, wenn er an Sauer schreibt: „Irr ich mich, oder ist er wirklich eine der wenigen künstlerischen Erscheinungen, die uns dafür entgelten und darüber trösten, daß es Österreich, dem eine eigentliche Durchdringung seiner Bestandteile in keinem Sinne beschieden war, zu einer ihm eigenen Sprache nicht hat bringen dürfen?" Schon früher hatte Rilke die „dumme österreichische Mehrsprachigkeit" beklagt[61] und der Eindeutigkeit der stummen Sprache der Karstlandschaft um Duino entgegengestellt, ihr gewissermaßen die Schuld an dem Nichtgelingen, an der Nichtvollendung der ›Duineser Elegien‹ zuschiebend. Das wiederholt sich nun in seiner Behauptung, das Österreichische habe es im Gegensatz zur deutschen Sprache niemals bis zum Rang einer wirklich eigenständigen und homogenen Sprache gebracht. In dieser Feststellung, die er nicht als Unbeteiligter traf, bezeichnete er eine ihn unmittelbar angehende Tatsache, in der er die Ursache für sein Ringen mit der Sprache und seine Sprachkrise dieser Jahre entdeckt zu haben glaubte. Er setzt seinen Brief nämlich mit einer unerwarteten Zuwendung zu sich selbst fort: „Je älter ich werde, je schmerzlicher führe ich diesen negativ vorgezeichneten Posten mit, er steht gleichsam als Schuldübertrag auf jeder neuen Seite meiner Leistungen oben an. Innerhalb der Sprache, deren ich mich nun bediene, aufgewachsen, war ich gleichwohl in der Lage, sie zehnmal aufzugeben, da ich sie mir doch außerhalb aller Spracherinnerungen, ja mit Unterdrückung derselben aufzurichten hatte." Rilke sieht hier zum erstenmal im Rückblick sein gesamtes bisheriges Schaffen im Zeichen der Sprachnot und der Sprachkrisis. Er meint jetzt, das Leiden an der Negativität der Prager Sprachsituation,

---

[61] An Lou Andreas-Salomé, 10. 1. 1912, Briefwechsel S. 257; vgl. ferner Br. 5, Nr. 131, an Gräfin M., 25. 11. 1920 die Ablehnungen der „österreichischen Ausdrucksweise". Wie stark bei Rilke Sprache und Landschaft in Beziehung gesetzt werden, zeigt vor der Spanischen Reise schon der genannte Brief an Lou, in dem es heißt: „Schade nur, daß mir die Natur hier fast nichts entgegenbringt, sogar das Meer läßt mich gleichgültig; als ob diese dumme österreichische Mehrsprachigkeit sogar der Landschaft ihren einigen, eindeutigen Ausdruck nähme. Es ist kaum zu sagen, wie sehr mir alles Österreichische zuwider ist."

die ihn in seiner Jugend bestimmte, sei für seine ganze dichterische Arbeit bestimmend gewesen, und kennzeichnet gleichzeitig die zunehmende Erkenntnis der Problematik seiner sprachlichen Lage, wenn er meint, es habe sich ständig gesteigert und mit zunehmendem Alter immer „schmerzlicher" fühlbar gemacht, wobei die der kaufmännischen Buchhaltung entlehnten Metaphern für seine Haltung kühler Bewußtheit gegenüber dichterischer Arbeit und ihrer Belastung durch die Negativität der mitgegebenen Sprache charakteristisch sind. So gesehen erschien ihm jetzt seine künstlerische Arbeit als eine Auseinandersetzung mit der ihm vorgegebenen deutschen Sprache, deren Negativität es ins Positive, in eine ihm eigentümliche und unverwechselbar eigene dichterische Sprache zu verwandeln gegolten hatte. Wie schwer dieser Kampf ihm gewesen zu sein schien, zeigt sich in der Behauptung, er habe sich des öfteren in Versuchung gefühlt, sie „zehnmal aufzugeben", weil er daran verzweifelte, aus einem unvollkommenen und, wie er im folgenden erklärt, „verdorbenen" Medium ein vollkommenes und reines Ausdrucksmittel zu schaffen. In der Tat hat Rilke ja schon früh in russischer und französischer Sprache zu dichten begonnen und sich immer wieder zu Gedichten in anderen Sprachen verlocken lassen, ohne dabei doch jemals seine grundsätzliche Bindung an die deutsche Sprache aufzugeben. Schon 1907 hatte er bekannt: „Habe ich doch manchmal russische Gedichte versucht, in Augenblicken, da ein inneres Erlebnis nur in dieser Form sich verklären zu können meinte. Und immer noch bin ich von Zeit zu Zeit genötigt, gewisse Dinge französisch zu schreiben, um sie überhaupt ausformen zu können. Aber ich bin dabei auch zu der Einsicht gekommen, daß man diesem Drängen nicht zu sehr nachgeben, vielmehr immer wieder seine Kraft daran setzen muß, in der eigenen Sprache alles zu finden, mit ihr alles zu sagen: denn sie, mit der wir bis tief ins Unbewußte hinein zusammenhängen, und nur sie kann uns, wenn wir uns um sie bemühen, schließlich die Möglichkeit geben, ganz präzise und genau und bestimmt, bis in den Nachklang jedes Nachklangs hinein, unseres Erlebens Endgültigkeit mit ihr darzustellen."[62] Der Unterschied im Ton der Briefe von 1907 und 1913 ist außerordentlich aufschlußreich: auf der einen Seite zwar das Bekenntnis, sich „im Deutschen immer noch als Anfänger" zu fühlen, „der noch weit ent-

[62] Br. 2, Nr. 133, an Ernst Norlind, Capri 1907, S. 307–8.

fernt ist, sicher und entschlossen nach den Worten zu greifen, die jedesmal die einzig richtigen sind", [63] aber doch die Erkenntnis von dem „bis tief ins Unbewußte" reichenden Zusammenhang mit der eigenen Sprache, zu deren Möglichkeiten er sich leidenschaftlich bekennt − sechs Jahre später eine Distanzierung von der eigenen Sprache, eine Gereiztheit, die das unübersehbare Kennzeichen einer Sprachkrisis ist, bei der der Zusammenhang des Unbewußten, des schöpferischen Grundes im Dichter mit der Sprache abgerissen erscheint. Daraus erklärt sich sein Rückblick auf die Prager Vergangenheit und seine ihm so verhaßte österreichische Herkunft, so daß er sich seine eigene dichterische Sprache, sein Deutsch „außerhalb aller Spracherinnerungen, ja mit Unterdrückung derselben aufzurichten hatte". An die Stelle des Gefühls einer bis in die Tiefen des eigenen Wesens reichenden Verbundenheit mit der Sprache ist jetzt das einer schmerzlich spürbaren Wurzellosigkeit, einer Abgeschnittenheit von jeder Tradition getreten, die sich in leidenschaftliche Ablehnung der eigenen Ursprünge verwandelt, die er zu „unterdrücken" versuchte! Mit großer Schärfe schildert Rilke dann im folgenden, welche „Spracherinnerungen" es von Jugend auf zu unterdrücken galt: „Die unselige Berührung von Sprachkörpern, die sich gegenseitig unbekömmlich sind, hat ja in unseren Ländern dies fortwährende Schlechterwerden der Sprachränder zur Folge, aus dem sich weiter herausstellte, daß, wer etwa in Prag aufgewachsen war, von früh auf mit so verdorbenen Sprachabfällen unterhalten wurde, daß er später für alles Zeitigste und Zärtlichste, was ihm ist beigebracht worden, eine Abneigung, ja eine Art Scham zu entwickeln sich nicht verwehren kann." Rilke vermißte also in Prag sowohl wie in der ganzen Habsburgermonarchie die reinliche Abgrenzung der verschiedenen „Sprachkörper", der Nationalsprachen der einzelnen Völker, er sah statt dessen eine unheilvolle gegenseitige Beeinflussung von einander „unbekömmlichen", d. h. sich eigentlich ausschließenden und feindlichen Idiomen. Das „fortwährende Schlechterwerden der Sprachränder" ist, ganz allgemein genommen, eine sehr treffende Charakteristik der österreichischen Umgangssprache mit ihrer sehr weitgehenden Vermischung der verschiedenartigsten Sprachelemente, die nicht wirklich miteinander zu einer neuen einheitlichen Sprache verschmolzen wurden, wie z. B. die

[63] Ebd., S. 308.

an Rilke gerichteten Briefe der Fürstin Marie von Thurn und Taxis
zeigen.

Das Verdammungsurteil Rilkes über die sprachliche Situation im
Prag seiner Jugend, wo ihn von Anfang an nur „verdorbene Sprachab-
fälle" nährten und ihm „Abneigung, ja eine Art Scham" sogar gegen die
reinen Erfahrungen der Kindheit, die er in deutscher Sprache in sich
aufnahm, einflößten, hat Peter Demetz in seinem Buch ›René Rilkes
Prager Jahre‹[64] aufgenommen und eingehend geschildert, welch eigen-
tümlich eingeschränktes und bedrohtes Dasein die deutsche Sprache in
Prag, wie auf einer Sprachinsel, führte und welche Bedeutung diese
Situation für die aus Prag stammenden deutschen Dichter nach der Jahrhundertwende haben mußte: „René Rilke, Franz Werfel und Franz
Kafka fanden sich in die Isolation, die Starrheit, die Sterilität ihrer Muttersprache geworfen. Das Material ihrer dichterischen Arbeit war das
Idiom einer engen Gesellschaftsschicht inmitten eines Vakuums. Prager
Deutsch glich schon zur Zeit Renés einem gefährlich dünnen Glet-
scher, der an seinen zurückweichenden Rändern immer mehr dahin-
schmolz. Als Kommunikationsmittel einer Oberschicht lag das Prager
Deutsch eingebettet in die rapide Entwicklung der tschechischen Nation. Tschechisch schob sich rasch auch dort hin, wo es der Josefinis-
mus seiner ursprünglichen Geltung beraubt hatte. Ein Bereich der
deutschen Sprache nach dem anderen ging verloren; die Sprache wurde
arm, dünn, müde. Noch mehr: ihre Bedrohung wuchs ständig durch
zwei charakteristische Argots: das ‚Kuchelböhmisch‘, das sich die
Deutschen für den täglichen Verkehr mit den Tschechen zurechtgelegt
hatten, und eine deutsch-jüdische Mischsprache, die bald nach Aufhebung der Ghettogesetze durch den raschen Zustrom jüdischer Bevölke-
rungsteile aus den kleinen Landgemeinden Böhmens in die Hauptstadt
einzusickern begann. Zwischen ‚Kuchelböhmisch‘ und ‚Mauschel-
deutsch‘, wie der jüdische Sprachphilosoph Fritz Mauthner diese
Sprachmischung nannte, zwischen Tschechisch und echtem Jiddisch
vegetierte die Sprache des deutschen Bürgertums dahin. Der deutsche
Schriftsteller schien, wie Fritz Mauthner beklagte, ‚keine rechte Mut-

---

[64] Düsseldorf 1953. Vgl. dazu Else Buddeberg, R. M. Rilke, Stuttgart 1955,
S. 528–531, und die Besprechung von J. W. Storck in den Frankfurter Heften,
10. Jg., Heft 12, Dez. 1955, S. 865–870.

tersprache' zu haben."[65] Als Kommentar zu Rilkes brieflicher Klage über die sprachliche Situation im Prag seiner Jugend sind diese Ausführungen sehr wertvoll – Demetz will jedoch eine These beweisen, die er ganz unkritisch aus Rilkes Klage über die „Spracherinnerungen" als „negativ vorgezeichneten Posten . . . als Schuldübertrag auf jeder neuen Seite meiner Leistungen" entwickelt. Sie bildet den Höhepunkt seines Buches und lautet: „Der Familie, den Gefahren, der Provinz konnte sich René durch rasche Flucht entziehen. Vor dem gefährlicheren Verhängnis, das seine Arbeit seit früher Jugend bestimmte und bis in den letzten seiner Verse wirken sollte, gab es keine Rettung; dem eigentümlichen Verhängnis des Prager Deutsch blieb auch Rainer Maria Rilke ausgeliefert."[66] Diese These ist weiter nichts als eine Übersteigerung und Verabsolutierung einer aus dem Zusammenhang gerissenen Äußerung Rilkes, die der sonst gegenüber allen Selbstinterpretationen des Dichters so mißtrauische Demetz ungeprüft übernimmt, um dann die Mängel des Prager Deutsch, seine Armut und Verdorbenheit, auf Rilkes Dichtersprache, auf die „Mängel *seines* Sprachmaterials" zu übertragen, um nach dieser bewußten Unterschiebung den Dichter ein letztes Mal entlarven zu können als einen bewußten Betrüger: „Vielleicht war seine Arbeit als einziger Versuch geplant, über die Armut der Sprachmittel hinwegzutäuschen."[67]

Mit Recht hat sich daher bereits Else Buddeberg und nach ihr neuerdings J. W. Storck gegen solche Entstellungen gewandt, die einer allzu offensichtlichen Ranküne entstammen. Storck argumentiert sehr richtig gegen die These von Demetz, daß Rilkes Ausgeliefertsein an das Verhängnis des Prager Deutsch den eigentlichen „Schlüssel zur Deutung seiner Sprachprobleme bilde", indem er sagt: „Auch hier soll ein irreführender Briefauszug zum Beweis dienen. Rilkes Kritik an dem ‚Schlechtwerden der Sprachränder' in den österreichischen Ländern – und somit auch in Prag – wird als Erörterung der ‚Mängel *seines* Sprachmaterials' (ebendort) bezeichnet, obwohl Rilke in dem von Demetz unterdrückten Teil jenes Briefes seine fortdauernde entschlos-

[65] Demetz, a. a. O., S. 201–202. Vgl. ferner S. 151 die Ausführungen über die Kenntnis des Tschechischen bei Rilke und in den deutschen Familien Prags.
[66] Demetz, a. a. O., S. 200.
[67] Demetz, a. a. O., S. 205.

senste Abwendung von dieser ihm entsetzlichen Herkunft betont und gerade deswegen bekennt, daß er sich seine Sprache ‚außerhalb aller Spracherinnerungen, ja mit Unterdrückung derselben aufzurichten hatte‘. Es ist also vielmehr so, daß die Eindringlichkeit seiner äußersten Abkehr vom ‚Prager Deutsch‘ nicht zuletzt eine forcierte Sprachkunst in ihm entwickelte (wie bei George die Abwendung von der Umgangssprache schlechthin), aus der sich manche artistische Übersteigerungen seines bewußt verfeinerten Sprachgebrauchs erklären." Dann kommt Storck gegen Demetz zu dem entscheidenden Einwand, der sich in überraschender Weise mit der von uns vertretenen These deckt: „In erster Linie aber muß die Bedeutung und Gefährdung der sprachlichen Errungenschaften des reifen Rilke in ihrem wechselseitigen Zusammenhang mit der Krise der modernen Sprache gesehen und gedeutet werden, eine Fragestellung, die Demetz überhaupt nicht berührt."

Rilkes Brief über Stifter und das Problem der Dichtersprache in ihrem Verhältnis zur Muttersprache der heimatlichen Landschaft zeigt, daß er in Stifter eine Art Vorbild in seinem Kampf um die Sprache sah, aber doch einen vom Schicksal Begünstigteren, der es leichter gehabt habe, sich eine eigene, reine Sprache zu schaffen, als er. Daher heißt es im folgenden: „Stifter, in der reineren Verfassung des Böhmerwaldes, mag diese verhängnisvolle Nachbarschaft einer gegensätzlichen Sprachwelt weniger wahrgenommen haben, und so kam er, naiv, dahin, sich aus Angestammtem und Erfahrenem ein Deutsch bereit zu machen, das ich, wenn irgend eines, als Österreichisch ansprechen möchte, so weit es nicht eben eine Eigenschaft und Eigenheit Stifters ist und nichts anderes als das. Erstaunlich ist aber die Stärke der Gültigkeit, mit der es sich durchsetzt, auch wo es nur im persönlichsten Bedürfnis seinen Ursprung hat, für das in der Beschränkung so weite Erlebnis dieses Geistes die lautere Gleichung aufzustellen. Wenn man, nach der einen Seite hin, den Dichter daran erkennen mag, wie weit sein Ausdruck auch noch den unzugänglichsten Verhältnissen seiner Seele entgegenkommt, so wird man Stifter zu den, in diesem Verstande, glücklichsten und somit auch größten Erscheinungen zu rechnen haben."[68] Rilke betont hier die bewußte Einseitigkeit, mit der er hier die Größe des Dichters an seinem Verhältnis zur Sprache und seiner sprachlichen Leistung zu

[68] A. a. O., S. 473.

ermessen versuchte, „wie weit sein Ausdruck auch noch den unzugänglichsten Verhältnissen seiner Seele entgegenkommt". Diese Steigerung der eigenen dichterischen Sprache in den Raum des Unsagbaren hinein war die Aufgabe, die er sich mit den ›Duineser Elegien‹ gestellt hatte und an der er seit dem Frühjahr 1912 gescheitert war. Stillschweigend unterscheidet Rilke hier sein eigenes Verhältnis zur Sprache, das ein sehr stark reflektiertes, differenziertes und nuanciertes war, von dem Stifters, wenn er ihn hier in bezug auf die Art und Weise, wie dieser dazu kam, „sich aus Angestammtem und Erfahrenem ein Deutsch bereit zu machen", das Rilke in einzigartiger Weise als „Österreichisch" empfand, „naiv" nennt. Sehr aufschlußreich ist es, wie er sich hier das Phänomen der Entstehung der Dichtersprache vorstellt als ein „Bereitmachen", d. h. als ein künstlerisches Formen, Bearbeiten und Gestalten des Sprachmaterials. Die Sprache des Dichters ist also ein Produkt seines künstlerischen Formwillens, wobei er sich sein Sprach- und Wortmaterial bildet einerseits aus „Angestammtem", d. h. der überlieferten und von ihm bereits in einem bestimmten Aggregatzustand vorgefundenen, historisch bedingten Sprache seines Volkes, seiner Landschaft und vielleicht auch der Literatursprache seiner Zeit, andererseits aus „Erfahrenem", worunter Rilke wohl die Erweiterung des Sprachraumes durch die Einbeziehung verschollener und Neubelebung vergessener Wörter und die schöpferische Auseinandersetzung mit der Sprache der großen Dichter der Vergangenheit verstand; zu diesen „Erfahrungen" gehörte für ihn damals seine Beschäftigung mit dem Grimmschen Wörterbuch[69] und seine Begegnung mit der klassischen Dichtersprache Goethes,[70] Klopstocks[71] und Hölderlins[72]. Merkwürdig ist hierbei nur die passive Formulierung „Erfahrenes" für das Erarbeiten von Sprachmöglichkeiten, die sich nur dem zielbewußten, akti-

[69] Erste Erwähnung seiner Beschäftigung mit dem Grimmschen Wörterbuch im Brief v. 10. 8. 1903 an Lou Andreas-Salomé, Briefwechsel S. 98. Seit Juni 1913 besaß er die damals erschienenen Bände als Geschenk des Insel-Verlags; vgl. Br. 6, S. 178.

[70] Bisher am vollständigsten dargestellt wurde das Verhältnis Rilkes zu Goethe von Eudo C. Mason, Rilke and Goethe. In: Publications of the English Goethe Society 12, 1948, S. 101–159.

[71] F. W. Wodtke, a. a. O.

[72] Werner Günther, a. a. O., S. 226–254. Herbert Singer, a. a. O.

ven Zugriff des künstlerischen Formwillens erschließen; dementsprechend fehlt hier auch in der Schilderung der Spracharbeit des Dichters ganz der Begriff der „Sprachschöpfung", d. h. der Neuschöpfung von Worten, das freie Spiel mit der Möglichkeit der Sprache, das Rilke damals vor allem an Klopstock lernte und übte. Allerdings bot Stifter, der in seiner konservativen Art im wesentlichen auf diese kühne Erweiterung der Dichtersprache verzichtet hatte, keinen Anlaß zur Erörterung dieser Möglichkeit. Auch das mußte Rilke als ein Zeichen seiner „Naivität" erscheinen, eine Analogie zu der „Beschränkung" seiner Erlebnismöglichkeiten, die er als Charakteristikum Stifters empfand, auch wenn auf der anderen Seite die gewonnene „Weite" als Gewinn gegenübergestellt wird. Dahinter steht wiederum als stummer, aber deutlicher Gegensatz Rilkes grundsätzlich unbeschränkte Erlebnisfähigkeit, die für ihn das Problem, zu einer eigenen, adäquaten Sprache zu kommen, so sehr viel schwieriger machte, zumal er sich im Gegensatz zu Stifter damals noch nicht um eine bewußte Einfachheit und Armut der sprachlichen Mittel bemühte.

Was Rilke hier schließlich beschäftigt, ist die merkwürdige Tatsache, daß eine aus dem „persönlichsten Bedürfnis" des Dichters geschaffene Sprache, die fast völlig seine „Eigenschaft und Eigenheit" ist, dennoch trotz ihres subjektiven Ursprungs eine solche über den Dichter hinausreichende objektive „Stärke der Gültigkeit" gewinnen kann. Diese Gültigkeit der Dichtersprache wird nicht geschenkt, sondern schwer errungen: sie ist das Ergebnis des unablässigen Strebens um weitgehende Adäquatheit des sprachlichen Ausdrucks, das, was er hier „die lautere Gleichung" für „das in der Beschränkung so weite Erlebnis" nennt. Daß Rilke dabei jedoch eine völlige Deckung von Sprache und Erlebnis für ausgeschlossen hält, zeigt sich darin, daß er die Größe des Dichters nur daran ermißt, „wie weit sein Ausdruck auch noch den *unzugänglichsten* Verhältnissen seiner Seele *entgegenkommt*" – es gibt im besten Fall Annäherungswerte, aber niemals eine völlige Deckung des dichterischen Wortes mit der Tiefe und Unendlichkeit des Seelengrundes und der Weite der Erlebnismöglichkeiten. Es ist daher völlig irrig, wenn Brigitte Forsting gerade im Hinblick auf Stifter von Rilke behauptet: „Es gehört zu den entscheidend wichtigen Punkten in Rilkes Verhältnis zur Sprache, daß er einer der wenigen deutschen Dichter ist, die nicht geklagt haben, man müsse in der Dichtung das Beste, was man wüßte, un-

gesagt sein lassen, weil die Sprache nicht ausreiche, es wiederzugeben
. . . Es findet sich in Rilkes Bild kein Zug, der ein Leiden an der Sprache
andeutet, ein Bedauern, daß im Niederschreiben der Dichtung das
Schönste verdirbt. Nirgends in seinen Briefen zeigt sich so schmerzliche Resignation wie sie Adalbert Stifter gekannt hat." [73] Rilke dürfte
die Stellen, die sie für Stifters Resignation vor den Möglichkeiten der
Sprache anführt, gekannt und als Ausdruck für sein eigenes Leiden an
der Sprache aufgenommen haben, nachdem er die Stifter-Briefe gelesen
hatte, die er sich hier erbat.

Rilkes Stifter-Brief ist demnach ein Zeugnis der Reflexion über seine
eigene Sprachkrise, wobei ihm der stammverwandte Dichter als Gegen-
beispiel diente. An seinem Vorbild konnte Rilke sich die verhängnisvol-
len Voraussetzungen klarmachen, von denen sein eigenes Ringen um
eine adäquate, reine und vollkommene Dichtersprache bestimmt war,
deren Grenzen ihm aber immer bewußt blieben. Den Hauptunter-
schied zwischen sich und Stifter sah Rilke vor allem darin, daß dieser
sich „naiv" aus „Angestammtem und Erfahrenem" sein „Deutsch" bereitmachen konnte, während Rilke es sich auf Grund seiner unseligen
Prager Herkunft, mit der sein Leiden an der Sprache begann, wie er damals meint, in bewußter Abwendung von der österreichischen Sprache
„außerhalb aller Spracherinnerungen, ja mit Unterdrückung derselben
aufzurichten hatte". Rilke hatte schon früh durch seine Auslandsauf-
enthalte jene „reinere Verfassung" herzustellen gesucht, um seine
eigene Sprache unbeeinflußt von der verdorbenen Alltagssprache um ihn
herum formen zu können. Aber auch das hat man ihm verdacht und als
eine „grundsätzliche sprachliche *Zwangsneurose*" bezeichnet. Diese
Formulierung stammt von Peter Demetz, der die Symptome dieser an-
geblich krankhaften Einstellung Rilkes zur Sprache folgendermaßen
beschreibt: „René Rilke, dem in seiner Jugend nur die Vision eines
dichterischen Lebens zur Verfügung stand, mußte andere Wege gehen,

---

[73] A. a. O., S. 140. F. hätte den Stifter-Brief nicht übergehen dürfen, ebensowenig die anderen hier behandelten Zeugnisse der Sprachkrise Rilkes, z. B. die
Unterhaltung mit André Gide vom 26. 1. 1914, die seit 1924 bekannt ist und von
J. R. v. Salis, R.s Schweizer Jahre, 1936 ausführlich diskutiert wurde (3. Aufl.
1952, S. 149–150). Die wenigen von ihr besprochenen Andeutungen R.s über
das Ungenügen der Sprache und sein Leiden daran werden von ihr bagatellisiert,
die Bedeutung des „Schweigens" und des „Unsagbaren" entstellt.

um die Armut zu überwinden. Er begann die neuen Möglichkeiten auch des verarmten Idioms zu wittern und seinen verborgenen Klängen nachzujagen. Die Not verfeinerte sein Ohr für Nuancen, die dem Schriftsteller inmitten des deutschen Sprachgebietes entgehen mußten, weil sie der tägliche und lässige Gebrauch seiner Muttersprache übertönte. Als Erbteil seiner Jugend wurde es später Rainer Maria Rilke zur lieben Gewohnheit, die Armut der deutschen Sprache auch dort geradezu experimentell herzustellen, wo ihn die selbstverständliche Sprachfülle deutscher und österreichischer Städte umgab.[74] Er war gewöhnt, aus versiegenden Quellen zu schöpfen, und erlag dem Zwang, sich spärliche Brunnen auch dort, wo ihm Wasserfälle sprangen, vorzutäuschen. Seine Auseinandersetzung mit Richard Dehmel verriet seine grundsätzliche sprachliche Zwangsneurose. Er vermochte nur an jenen Orten zu schreiben, wo die deutsche Sprache dem alltäglichen Gebrauch enthoben war, wo sie sich, ähnlich wie in seiner Prager Jugend, zu einer Feiertagssprache verfeinert hatte."[75] Demetz zitiert dann, auch hier wieder unvollständig, ohne seine Auslassungen kenntlich zu machen, den Bericht, den Rilke von dieser Begegnung mit Dehmel gab, die kurz vor dem Weltkrieg, also eben in der Zeit der Sprachkrise, stattgefunden haben dürfte. Wir geben ihn hier vollständig wieder: „Dehmel (der immer eine Art abwartender Besorgtheit für mich hatte, wie ich später merken konnte) stellte mich gradezu zur Rede über mein ständiges Wohnen im Auslande. Ich konnte ihm unmöglich *alle* Gründe dafür anführen (seine Haltung später im Kriege bewies mir erst recht, wie wenig er die meisten verstanden hätte), so beschränkte ich mich unter anderem zu sagen – mich dessen keineswegs rühmend, sondern es, wenn man so will, als eine Schwäche zugebend –, daß ich arbeitend, kein Deutsch (das meistens so widerwärtig schlecht und faul gesprochene!)[76] um mich hören könne, sondern es vorzöge, dann von

---

[74] Wie Rilke ein solches Experiment zuwege brachte, verrät Demetz leider nicht!

[75] A. a. O., S. 203–204.

[76] Diese Parenthese erinnert merkwürdig an Nietzsches Klage in ›Jenseits von Gut und Böse‹, Nr. 246: „Welche Marter sind deutsch geschriebene Bücher für den, der das *dritte* Ohr hat! Wie unwillig steht er neben dem langsam sich drehenden Sumpfe von Klängen ohne Klang, von Rhythmen ohne Tanz, welcher bei Deutschen ein ‚Buch‘ genannt wird! Und gar der Deutsche, der Bücher *liest*!

einer anderen, mir als Umgangsmittel vertrauten und sympathischen Sprache umgeben zu sein: durch solche Isolierung (die er als enorm ‚unpatriotisch' empfunden haben mag) nähme dann, erzählte ich ihm, das Deutsch *in mir* eine eigentümliche Sammlung und Klarheit an; abgerückt von allem täglichen Gebrauch, empfände ich es als das mir angemessene herrliche (*wie* herrliche: nur, vielleicht, über das *Russische* so zu verfügen, gäbe eine noch größere Gamme, noch weitere Kontraste des Ausdrucks!) – Material –. Dehmel staunte meine Versicherung so ratlos an, daß ich, scherzhaft, noch hinzufügte, es wäre ja auch, beispielsweise für einen Bildhauer ungemein peinlich, wenn der Ton, den er zu modellieren habe, gleichzeitig noch überall (zu Verständigungszwecken oder sonst praktischen Anwendungen) höchst ungefähr und nachlässig verschmiert würde . . . Wir lachten beide, und das Gespräch wurde in dieser Richtung nie fortgeführt." [77]

Demetz läßt nicht nur Rilkes Rühmung des Deutschen als des ihm einzig „angemessenen herrlichen (wie herrlichen . . .) Materials" aus, die er 1922 nach der Vollendung seiner Elegien und Sonette niederschrieb, wobei er aber auch hier wieder die Begrenzung seines deutschen Sprachmaterials im Vergleich mit dem Russischen betonte, das über weitere Ausdrucksmöglichkeiten verfüge – Demetz läßt nicht nur nicht erkennen, daß Rilke hier von *einem* Grunde unter vielen anderen sprach, sondern stellt sich auch auf den naiven und „patriotischen" Standpunkt Richard Dehmels, den Rilke mit Recht als völlig rat- und verständnislos bezeichnete. J. W. Storck hat daher gegen die Behauptung, es handle sich hier bei Rilke um ein ganz einzig dastehendes, subjektives und pathologisches Verhältnis zur deutschen Sprache, um eine „Sprachneurose", auf die allgemeine Krise der modernen Sprache hingewiesen, die jeden modernen Dichter zur Auseinandersetzung mit dem Problem der Sprache zwinge, und im Anschluß an die bereits zitierten Sätze gesagt: „Diese, seit Rilke unendlich fortgeschrittene Krise

---

Wie faul, wie widerwillig, wie schlecht liest er! . . .". Der Zusammenhang der Sprachkritik Rilkes, Hofmannsthals und Georges mit der Nietzsches bedürfte einer besonderen Untersuchung.

[77] An Gräfin Sizzo, 17. 3. 1922, Briefwechsel S. 19–21 bzw. A. Br. 2, S. 340 bis 41. Vgl. dazu Lou Andreas-Salomé, R. M. Rilke, 1928, S. 90–91 und J. R. von Salis, a. a. O. 1936, 1. Aufl., S. 213, Anm. 3.

ist gekennzeichnet durch das Vordringen der technologisch bedingten Abstraktion und durch den Verlust einer einst mythisch gespeisten Anschaulichkeit, aber auch durch die Verarmung und Verrohung von Wortschatz und Syntax in einem publikationsüberschütteten, reklamebesessenen Massenzeitalter, für das Karl Kraus den ‚Untergang der Welt durch schwarze Magie' beschwörend voraussah."[78] Rilkes Sprachkritik und seine überaus scharfe Trennung zwischen täglicher und mißbrauchter Umgangssprache und der reinen Sprache der Dichtung stehen in engem Zusammenhang mit dem Kampf, den Karl Kraus schon vor dem Ersten Weltkrieg um die Reinheit der deutschen Sprache führte. Der Vergleich der nachlässig und schlecht gesprochenen Umgangssprache mit dem Material des Bildhauers, den Rilke im Gespräch mit Dehmel gebrauchte, findet sich auch in Karl Kraus' Schrift ›Pro domo et mundo‹ von 1912, in der es heißt: „Warum ist das Publikum so frech gegen die Literatur? Weil es die Sprache beherrscht. Die Leute würden sich ganz ebenso gegen die andern Künste vorwagen, wenn es ein Verständigungsmittel wäre, sich anzusingen, sich mit Farbe zu beschmieren oder Gips zu bewerfen. Das Unglück ist eben, daß die Wortkunst aus einem Material arbeitet, das der Bagage täglich durch die Finger geht. Darum ist der Literatur nicht zu helfen. Je weiter sie sich von der Verständlichkeit entfernt, desto zudringlicher reklamiert das Publikum sein Material. Das beste wäre noch, die Literatur so lange vor dem Publikum zu verheimlichen, bis ein Gesetz zustandekommt, welches den Leuten die Umgangssprache verbietet und ihnen nur erlaubt, sich in dringenden Fällen einer Zeichensprache zu bedienen. Aber ehe dieses Gesetz zustande kommt, dürften sie wohl gelernt haben, die Arie ‚Wie geht das Geschäft' mit einem Stilleben zu beantworten."[79] Was Rilke zur Verteidigung seiner persönlichen Distanzierung von der Umgangssprache sagt, wird bei Karl Kraus ins Grundsätzliche vertieft und das Problem der Trennung der Dichtersprache von der Alltagssprache, um das es beiden geht, stärker unter dem Aspekt der Feindschaft des Publikums gegen eine „Wortkunst" gesehen, die sich in ihrem Streben nach Reinheit der Sprache immer „weiter von der Verständlichkeit ent-

---

[78] A. a. O., S. 870.
[79] München, Albert Langen, 1912, S. 78. Jetzt neugedruckt im 3. Band der Werke ›Beim Wort genommen‹, München 1955, S. 233.

fernt". Diese Parallele zwischen den Äußerungen Rilkes und Kraus' beweist, daß es sich tatsächlich um ein für die Gegenwart typisches Problem handelt, das sich gerade den österreichischen Dichtern, Kritikern und Philosophen (wie Ludwig Wittgenstein)[80] mit besonderer Schärfe stellte, die Frage nämlich, inwieweit die Sprache bei schroffster Absetzung von der Umgangssprache und möglichst hochgesteigerter Reinheit und Vollkommenheit nicht doch schließlich unvermögend bleiben muß, das Wesentliche und Eigentliche auszusagen. Wenn man diese Zweifel an der Aussagekraft der Sprache als „pathologisch" bezeichnen will, so trifft das in weit stärkerem Maße als auf Rilke auf den Chandos-Brief Hofmannsthals und den ›Tractatus Logico-Philosophicus‹ Wittgensteins zu. Hofmannsthal sah tiefer als Demetz, wenn er die grundsätzliche Notwendigkeit der Sprachkritik für den Dichter unserer Zeit betonte und sagte: „Wahre Sprachliebe ist nicht möglich ohne Sprachverleugnung."[81]

Schließlich geht auch eine andere Gleichung von Demetz nicht auf, wonach Rilkes Wohnen im Ausland, wenn er dichten wollte, nichts weiter als eine bewußte Wiederaufnahme seiner Prager Jugendsituation sei. Wenn Rilke sich nach dem Ende des Krieges 1920 sogleich wieder hinaussehnte „in fremdsprachige Gegenden, da mich niemand kennt und wo mir die Sprache, die eigene, wieder in steter Abhebung aufglänzt als Material meiner Arbeit",[82] so suchte er niemals Gegenden auf, in denen sich ein Sprachengemisch störend bemerkbar machen konnte, wie in Prag, sondern ging in die französischsprechende Schweiz, wo er kein „fortwährendes Schlechterwerden der Sprachränder" zu befürchten hatte. Demetz versucht also vergeblich, die von Rilke eindeutig als negativ gezeichneten Prager Sprachverhältnisse, von denen sich der Dichter so entschieden abgewendet hatte, mit seinem freiwilligen Wohnen im Ausland auf einen Nenner zu bringen, nur um seine These zu beweisen, daß Rilkes Dichtung bis ans Ende durch sprachliche Armut gekennzeichnet sei, über die er seine Leser – mit Ausnahme von Demetz

---

[80] Vgl. José Ferrater Mora: Wittgenstein oder die Destruktion, in: Der Monat, 4. Jg., 1952, Heft 41, 489–95. Paul Feyerabend: Ludwig Wittgenstein, in: Merkur, 8. Jg., 1954, 1021–1038.

[81] Buch der Freunde, 1949, S. 84.

[82] Br. 6, 1. 7. 1920 an A. Kippenberg, S. 306.

natürlich, der das als einziger bisher durchschaute – hinwegzutäuschen bemüht war.

Rilke erkannte vielmehr die Grenzen der deutschen Sprache dadurch so scharf, daß er Russisch, Französisch und Italienisch beherrschte und bei seiner Übersetzungsarbeit ständig auf der Suche nach deutschen Äquivalenten des Ausdrucks war. Daß sich dabei sein Suchen, wenn es vergeblich war, bis zur Gereiztheit steigern konnte, hat uns André Gide berichtet, den Rilke in dieser Zeit der Sprachkrise am 26. Januar 1914 besuchte, um mit ihm seine Übertragung des ›Enfant prodigue‹ zu besprechen: «Heureux de trouver dans ma bibliothèque le grand dictionnaire de Grimm, il l'ouvrit à l'article *Hand* et se plongea dans une patiente recherche où je l'abandonnai quelque temps. S'amusant à traduire quelques sonnets de Michel-Ange, il m'a raconté son embarras devant le mot *palma* et sa surprise de s'apercevoir que la langue allemande avait bien un mot pour désigner le dos de la main, mais aucun pour en désigner l'intérieur. – Tout au plus, peut-on dire *Handfläche*: la plaine de la main. L'intérieur de la main, une plaine! s'écria-t-il. Par contre, *Handrücken* est d'emploi constant. Ainsi ce qu'ils considèrent, c'est le dos de la main, cette surface sans intérêt, sans personnalité, sans sensualité, sans douceur, cette surface qui s'oppose, de préférence à la paume tiède, caressante, douce, où se raconte tout le mystère de l'individu!

A force de fouiller dans le Grimm il découvrit enfin le mot: *Handteller,* avec quelques exemples empruntés au XVIme siècle.

– Mais, disait-il, c'est la paume d'une main qui se tend pour quêter, pour mendier, qui fait office de sébile. Quel aveu dans cette insuffisance de notre langue!»

Diesem Bericht über Rilkes Ausbruch gegen ein solches „*Ungenügen unserer Sprache*" fügte André Gide die aufschlußreichen Worte hinzu:

«Une fois de plus, je pouvais constater l'*irritation si révélatrice d'un écrivain allemand contre sa propre langue*; irritation que j'ai notée par ailleurs et que je ne sache pas qu'aucun écrivain d'aucun autre pays ait jamais connue.» Gide glaubte, wie die Schlußbemerkung zeigt, eine Wurzel dieser Gereiztheit gegen die deutsche Sprache in Rilkes „tschechischer Rasse" zu sehen, mußte sich aber zu seinem Erstaunen von einer dänischen Freundin belehren lassen, daß Rilkes Beobachtung richtig sei, da auch die skandinavischen Sprachen kein spezielles Wort für «la paume» besäßen.[83] Vielleicht war es auch Gide, der Rilke auf die Sprachkritik Goethes aufmerksam machte; Rilke notierte sich in dieser Zeit nach dem Besuch bei ihm folgende Sätze aus „Goethes letztem Brief an den Grafen Kaspar Sternberg" vom 15. März 1832 folgende Sätze: „Das Wunderbare ist dabey dass das Beste unserer Überzeugungen nicht in Worte zu fassen ist. *Die Sprache ist nicht auf alles eingerichtet und wir wissen oft nicht recht ob wir endlich sehen, schauen, denken, erinnern, phantasieren oder glauben* . . ."[84] Das Gespräch mit Gide und diese Goethe-Stelle, die Rilke sich damals aufschrieb, zeigen, daß er bei seiner Sprachkritik immer wieder von der Frage ausging, ob das Deutsche für die ihm bedeutenden Dinge, Erscheinungen und Ideen einen adäquaten Namen, ein kurzes, ursprüngliches Wurzelwort bereit

[83] R. M. Rilke–André Gide, Correspondance 1909–1926, Paris 1952, S. 87 bis 88. Die Herausgeberin Renée Lang bemerkt dazu: «sans doute Gide pensait-il à Heine, à Nietzsche et à Goethe surtout dont il connaissait la fameuse plainte dans les *Epigrammes vénitiennes*: ‹ Un seul de mes talents approche la maîtrise: celui d'écrire l'allemand. Et c'est ainsi que, malheureux poète, dans cette étoffe ingrate je gaspille ma vie et mon art.› . . .» Vgl. Rilkes Brief an A. Kippenberg, 3. 2. 1914, Br. 6, S. 215. R. Lang irrt jedoch, wenn sie in ihrer Ausgabe diesem Brief Rilkes an seinen Verleger die Behauptung anfügt, Rilke habe daraufhin erst das Grimmsche Wörterbuch von den Kippenbergs zum Geschenk erhalten – er besaß es vielmehr bereits selbst in Paris seit Anfang Juni 1913, wie schon bemerkt. Vgl. zu diesem Gespräch J. R. v. Salis, a. a. O., 3. Aufl., S. 149–150.

[84] Weimarer Ausgabe IV. Abt. Bd. 49, S. 271–72. Rilke fand ihn wohl in den Werken des Grafen Kaspar Sternberg, die er zwischen dem 12.–19. Februar 1914 von der Prager „Gesellschaft zur Förderung Deutscher Wissenschaft, Kunst und Literatur in Böhmen" erhielt, deren korrespondierendes Mitglied er auf Grund seines Briefs über Stifter vom 11. Januar 1914 wurde; vgl. Brief an A. Kippenberg vom 19. 2. 1914, A. Br. I, S. 488. Dazu stimmt auch, daß bei ihm anschließend eine Notiz aus Stifters Briefen folgt (Notizen aus dem Nachlaß, wiedergegeben mit Genehmigung des Rilke-Archivs und des Insel-Verlags). – Es ist jedenfalls völlig irrig, wenn Brigitte Forsting unter Berufung auf Josef Piepers ›Das Schweigen Goethes‹ (München 1951), dem sie ein ganz ähnliches Wort Goethes über die Sprache als bloßes Surrogat und die „Unzulänglichkeit der Sprache" entnimmt, behauptet: „Rilkes Sprachauffassung unterscheidet sich in diesem Punkte grundsätzlich von Goethe", und meint, „daß Rilke *nicht* aus Erkenntnis unzulänglicher Ausdruckskraft der Sprache zu der Feststellung gekommen ist, nichts wäre so stark wie das Schweigen". (S. 122.)

hätte – alle Substantivkomposita schob er als spätere unzureichende Bildungen unmutig beiseite. Ein späteres Beispiel für diese Bevorzugung eines kurzen Wortes gegenüber dem zusammengesetzten ist das französische Wort «verger», das er dem deutschen „Apfelgarten" überlegen fand [85] und daher ganz bewußt als Titel eines französischen Gedichtkreises [86] wählte, um auf seine Weise diese Vorliebe für das einzig adäquate Wort, das ihm in diesem wie in manch anderen Fällen nur das Französische darzubieten schien, auszudrücken. Sein Ideal, an dem er die deutsche Sprache maß und kritisierte, war die völlige „Identität von Ausdruck und Ideen", die ihm aber – und hier folgte er Goethes Worten – nur annäherungsweise erreichbar schien. Daher spricht er im Brief vom 18. Februar 1914 an Gide anläßlich der Übersetzung des ›Cornets‹ ins Französische, die er im voraus begeistert begrüßte, mit einer gewissen Vorsicht von diesem Gedanken, den er so formuliert: «car à la fin nous arrivons à une *certaine* identité d'expression et d'idées, et parfois je me dis qu'une chose qui, par exemple, s'appelle ‹ Hacas › ne peut pas pour un autre s'appeller ‹ Casa › – qu'un des deux doit avoir tort . . .» [87] Auch in diesem Wortspiel handelt es sich wieder um ein kurzes, prägnantes Nomen der italienischen Sprache, dem er ein durch Umkehrung gebildetes, nichtexistierendes Nomen einer idealen Sprache entgegenstellt, das dem bezeichneten Ding, dem „Haus", völlig adäquat ist. Diese ideale Sprache, die er sich erträumt, ist gewissermaßen der Ort, an dem sich die im Deutschen, Italienischen oder Französischen immer nur gradweise erreichbare Identität von Idee und Ausdruck vollzieht.

Einen Höhepunkt der Sprachkrisis Rilkes bedeutete es, wenn er im September 1914 in berühmt gewordenen Versen nicht nur seine Situation äußerster Verzweiflung und Verlorenheit nach dem Scheitern der Liebesbeziehung zu Benvenuta beklagte (wie in dem kurz vorher entstandenen Gedicht „Klage"), sondern die Besonderheit seiner existen-

---

[85] Brief v. Ende 1924 an Frau Contat-Mercanton, zit. v. I. R. v. Salis, a. a. O., S. 173.

[86] ›Vergers‹, in: Französ. Ged., 1949, S. 7–47; vgl. besonders das Titelgedicht „Verger" (Nr. 29), wo er ausdrücklich sagt: « Verger: ô privilège d'une lyre, de pouvoir te nommer *simplement* . . .» – d. h. mit dem kurzen Nomen.

[87] Correspondance Nr. 32, S. 99; A. Br. I, Nr. 207, S. 485.

tiellen Ungeborgenheit und Ausgesetztheit in Verbindung brachte mit
dem Versagen der Sprache vor den „unzugänglichsten Verhältnissen
seiner Seele",[88] den letzten „Grenzempfindungen des menschlichen
Daseins" [89]:

> Ausgesetzt auf den Bergen des Herzens. Siehe wie klein dort,
> siehe: die letzte Ortschaft der Worte, und höher,
> aber wie klein auch, noch ein letztes
> Gehöft von Gefühl. Erkennst du's?
> Ausgesetzt auf den Bergen des Herzens. Steingrund
> unter den Händen. Hier blüht wohl
> einiges auf; aus stummem Absturz
> blüht ein unwissendes Kraut singend hervor.
> Aber der Wissende? Ach, der zu wissen begann
> und schweigt nun, ausgesetzt auf den Bergen des Herzens.
> Da geht wohl, heilen Bewußtseins,
> manches umher, manches gesicherte Bergtier,
> wechselt und weilt. Und der große geborgene Vogel
> kreist um der Gipfel reine Verweigerung. – Aber
> ungeborgen, hier auf den Bergen des Herzens . . .[90]

Rilke gibt in diesem Gedicht das metaphorische Bild seiner trostlosen
Innenwelt und zugleich eine Art Topographie des Verhältnisses, in dem
Sprache, Gefühl, Gesang, das Schweigen und das Unsägliche für ihn als
den „Wissenden" stehen. Wenn er in „Christi Höllenfahrt" den Weg in
die eigene Innerlichkeit als Sturz in die Tiefe der Höllenkreise dargestellt hatte – die Parallele zu Dantes Höllenwanderung zieht er in seinem von uns erwähnten französischen Brief an Pia de Valmarana[91] –, so

---

[88] A. Br. 1, S. 473.

[89] Br. 5, S. 226.

[90] G. 06–26, S. 55, 20. Sept. 1914, München. Werner Günther, der als erster
die grundsätzliche Bedeutung dieses Gedichts für die Problematik der Sprache
im Bewußtsein des späten Rilke erkannte, wies auf eine Vorform in den ›Neuen
Gedichten‹ hin, „Béguinage I" (G. W. III, 88):

> und ihre Stimmen geht den immer steilern
> Gesang hinan und werfen sich von dort,
> wo es nicht weitergeht, vom *letzten Wort*
> den Engel zu, die sie nicht wiedergeben.

> (A. a. O., S. 211).

[91] A. Br. 1, Nr. 199, 20. 12. 1913, S. 465, wo er seine Erstarrung und Sprach-

ist es hier das Bild eines Aufsteigens in einer ganz in die Innerlichkeit hineingenommenen Berglandschaft – eine Bergwanderung wie in Dantes Purgatorio –, die ihn in den Raum des Unsagbaren und damit ins tödliche Schweigen führt. Das Verhältnis von Wort und Unsäglichkeit wird hier als Raumvorstellung besonders klar sichtbar. Gleichermaßen wie in „Christi Höllenfahrt" erscheint auch hier erneut die Problematik des „Bewußtseins der vollendeten Not" in ihrem engen Zusammenhang mit dem Sprachproblem.

Für den auf den „Bergen des Herzens" ausgesetzten Dichter liegt das menschliche Leben des naiven Daseins, damit aber auch die Umgangssprache der Mitteilung und der Liebesbegegnung weit hinter und unter ihm zurück in den Tälern seiner inneren Landschaft.[92] Auch die dichterische Sprache, die als „letzte Ortschaft der Worte" eine höhere Stufe der Sprache als die des Gesprächs darstellt,[93] hat er bereits verlassen und „überstiegen", wenn er mit einer hinweisenden Gebärde ihre Kleinheit betont, ihre Verlorenheit in dem unendlichen Raum des Schweigens. Sie erscheint hier als ein hoffnungsloser Versuch, durch immer höher ins Wortlose hinaufbauendes dichterisches Sprechen die Grenzen des Sagbaren immer weiter zurückzudrängen und immer neue Gebiete des Unsäglichen sagbar, deutbar und verkündbar zu machen.

losigkeit nach der Beendigung des Malte beklagt und sich von der Außenwelt gestört und abgelenkt fühlt, «dispensé de regarder plus longtemps en moi, où il y avait tant d'obscurité, rien qu'une prière vers l'avenir et, tout au fond, une enfance, qui s'ouvrait comme l'enfer de Dante vers des cercles toujours plus inconnus et plus gémissants. Malheureux celui qui se détourne de ses profondeurs et qui veut se retrouver autre part. Le jour vient pourtant où il rentre en soi-même, et alors il trouve le foyer de son cœur éteint, plein des cendres froides.» In dieser Lage sah er sich jetzt im September 1914. Vgl. auch die Wendung «mon cœur penché sur des abîmes» im Brief an Gräfin Valmarana, Nr. 216, 15. 6. 1914.

[92] Vgl. dazu G. 06–26, S. 252 das zwei Tage später, am 22. Sept. 1914 (für Lou Albert-Lazard geschriebene) Gedicht „Einmal noch kam zu dem Ausgesetzten, / der auf seines Herzens Bergen ringt, / Duft der Täler . . .".

[93] Als Metapher für die Dichtersprache, die Rilke sich selbst mühsam in langwierigem Ringen mit den Möglichkeiten der deutschen Sprache erkämpft hatte, faßt auch Werner Günther das auf in seinem grundlegenden Aufsatz ›Die letzte Ortschaft der Worte‹, in: Weltinnenraum, 1952, 2. Aufl., S. 209–225.

Im Winter 1913/14 hatte er noch sagen können: „Wir stehn und stemmen uns an unsre Grenzen und reißen ein Unkenntliches herein."[94] Jetzt ist ein solcher Stolz auf die „glühende und kühne", „großgewagte" menschliche „Existenz" nicht mehr denkbar, die Dichtersprache zusammengeschrumpft zu völliger Ohnmacht gegenüber dem Schweigen des Absoluten. Selbst das Gefühl, das Rilke sonst als eminent unendlich und unsäglich erfuhr, grenzt sich ähnlich wie die Sprache in dieser Situation hoffnungsloser Ungeborgenheit des Menschen zu einem „letzten Gehöft" ein, das sich in der tödlichen Einsamkeit verliert. Menschliches Gefühl reicht zwar höher als die Dichtersprache an das Absolute heran, aber auch seine Ohnmacht gegenüber dem „andern Bezug" wird schon hier, wie später in der siebenten ›Duineser Elegie‹, offenbar. Rilke sieht hier, ganz ähnlich wie Hofmannsthal im Chandos-Brief, den Zusammenhang zwischen Bewußtseinsproblematik und Sprachkrise, wenn er im folgenden sagt, daß nur „ein unwissendes Kraut" aus „stummem Absturz" „singend" hervorzublühen vermag. Im Raum des in seiner ganzen Negativität erfahrenen tödlichen Schweigens, in dem Sprache und Gefühl verstummen und versinken, ist am Rande des Abgrunds noch „Gesang" möglich – aber nicht orphischer „Gesang" des Dichters, sondern als Stimme der unbewußten, heilen Pflanze als der untersten Stufe der lebenden Naturwesen. Der Gegensatz zwischen dem „Gesang" der Pflanze, die noch auf „Steingrund" zu „blühen" versteht, und der Sprachlosigkeit des Menschen wird stark hervorgehoben: der Dichter als der Unbehauste und ungeborgen Ausgesetzte ist der „Wissende", er hat – wie sein Christus – das „Bewußtsein seiner vollendeten Not". Aber es ist nicht das unmittelbare, „heile Bewußtsein" der „gesicherten Bergtiere", des „großen geborgenen Vogels", der – ein Symbol der Daseinsvollendung – den Kreis um „der Gipfel reine Verweigerung" beschreibt, sondern in schroffem Kontrast, der später in der achten ›Duineser Elegie‹ in seinen Konsequenzen noch stärker herausgearbeitet wurde, das zerrissene und zwiespältige Bewußtsein, das keine Vollendung mehr erlaubt und zur Unfruchtbarkeit, zu einem Schweigen verdammt ist, das hier in den Versen beklagt wird: „Ach, der zu wissen begann / und schweigt nun . . .". Rilke hat in dieser Zeit, in der sich zwischen Sprache und Bewußtsein für ihn eine so

[94] G. 06–26, S. 471.

tödliche und scheinbar unüberbrückbare Kluft öffnete, auch zum Ausdruck gebracht, daß selbst die Konfrontation seiner eigenen Situation mit der Möglichkeit des Todes ihn nicht dazu bringen konnte, das für die Sprache undurchdringlich gewordene Schweigen zu brechen,[95] und die stumme Gebärde der Tränen als einzige Ausdrucksmöglichkeit des Schmerzes dieser Not entgegengestellt.

Über die persönliche Situation des Dichters hinaus, wie er sie in seinem klagenden Gedicht darstellt, ergibt sich hier eine deutliche Abstufung in der Bewertung von Sprache, Gefühl und Unsäglichkeit: das Höchste und Übergreifende ist das Unsägliche, das sich aber als „der Gipfel reine Verweigerung" jedem sprachlichen Ausdruck und sogar der Gefühlserfahrung letztlich entzieht – von hier aus wird die „Namenlosigkeit" und Anonymität Gottes beim späten Rilke zu verstehen sein! – Die höchste Annäherung an das Unsägliche vollzieht sich im „Gesang", d. h. in einer das Wort übersteigenden Ausdrucksform, der Musik, die Rilke in dieser Zeit „Sprache wo Sprachen enden" nennt und feiert: „O du der Gefühle / Wandlung in was? –: in hörbare Landschaft."[96] Auch das ist stillschweigende Sprachkritik, denn noch ist nicht die Rede vom „Gesang" im Sinne der magischen Sprache des Orpheus-Sonettenkreises, in der dieser Gegensatz zwischen der Gefühle und Sprache „übersteigenden" Musik und der Dichtersprache aufgehoben wird zu einer neuen Einheit. Hier, in der tödlichen Einöde dieser inneren Landschaft eines ariden Herzens stehen Unsägliches, Gesang, Gefühl und die „letzte Ortschaft der Worte" beziehungslos nebeneinander. Die Sprache steht von allen – und hierin liegt Rilkes wohl schärfste Kritik an der Macht des Wortes – am tiefsten.

[95] G. 06–26, S. 467: „Tränen, Tränen, die aus mir brechen . . .".

[96] G. 06–26, S. 125: „An die Musik". Vgl. dazu den Brief Lou Andreas-Salomés vom 10. 8. 1903 (Briefw. S. 91): „Worte bauen doch nicht wie Steine, tatsächlich und unmittelbar, vielmehr sind sie Zeichen für indirekt vermittelte Suggestionen und an sich allein weit ärmer, stoffloser, als ein Stein. Man kann sich auch die Kunst auf diesem Weg fortgesetzt denken, noch über die Musik hinaus, die *Kunst des Wortlosen,* die dennoch ebenso strenge Wirklichkeit giebt, indem sie die rhythmischen Gesetze der Dinge anklingen läßt stofflos (– Du bist momentan ungerecht gegen sie, wie Du sie einst kurze Zeit überschätztest, metaphysisch einschätztest)." Rilke hatte nämlich kurz vorher die Musik negativ als potenzierten Schein bezeichnet. Jetzt, in der Periode der Sprachkrise, erschien

In weniger scharfer Form zeigt sich Rilkes Sprachkrise in diesem Zeitraum von 1914 bis 1921 in einer Reihe von brieflichen Äußerungen, in denen der Begrenztheit der deutschen Sprache und ihrer Ausdrucksmittel abwechselnd die größeren Möglichkeiten des Französischen oder des Russischen vergleichend entgegengestellt werden, wobei er dann, im Gegensatz zu dem früher zitierten Brief vom Frühjahr 1907 an Norlind, das Russische „die meinem Gemüt nächste" Sprache nennen kann. An Marie von Mutius schreibt er Anfang 1918, vom Französischen ausgehend: „Was für ein Glück doch, dieser selbstbewußten und selbstsicheren Sprache ein eigenes Erleben übergeben zu dürfen, so daß es von ihr gewissermaßen in den Bereich einer allgemeinen Humanität eingeführt wird. Ich habe mir oft vorgestellt, daß man französisch schreibend, in die Lage kommen könnte, gegen den Strich, sozusagen gegen die Strömung der Sprache zu arbeiten: denn sie ist dem einzelnen Ringen gegenüber fast immer die stärkere, in sie eingehen, heißt sich ihr unterwerfen, aber durch welche Überlegenheit und Souveränität belohnt sie dann diese entgegenkommende Mitwirkung. Sie akademisiert, um mich so auszudrücken, den in sie geprägten und eingelassenen Beitrag, aber damit gibt sie ihm auch wirklich das Ansehen einer edlen Verständigung. Das deutsche Wort, dichterisch gesteigert, entschwebt der Gemeinsamkeit und muß erst von ihr irgendwie eingeholt werden, das russische vollends bleibt wie auf einem Spruchband bei dem Einzelnen stehen und nur, weil dort immer wieder ein Mensch zum anderen kommt, im wörtlichsten Sinn, überträgt es sich von Blut zu Blut, wie durch Ansteckung. Vor siebzehn Jahren, in Rußland, war ich nahe daran, mir diese Sprache, als die meinem Gemüt nächste, sogar für meinen künstlerischen Ausdruck aneignen zu wollen (es wäre selbstverständlich ohne enorme Verluste nicht möglich gewesen) – im Grunde müßte man alle Sprachen schreiben, wie ja das (was Sie begreiflicherweise jetzt als Klage aussprechen): diese Vaterlandslosigkeit sich auch jubelnd in positiver Form als eine Zugehörigkeit zum Ganzen bekennen ließe. Mein Herz und mein Geist waren von Kindheit an auf diese Welt-Ebenbürtigkeit eingerichtet, ich kann keinen Schritt zurück, und

sie ihm plötzlich wieder der Sprache überlegen, als die eigentlich „metaphysische", absolute und wirklich den Menschen transzendierende Ausdrucksweise der Innerlichkeit.

so mögen Sie begreifen, wie ich leide."[97] Mit welcher Intensität Rilke sich sofort nach Ende des Krieges vom August 1919 ab der französischen Sprache bediente, um die zartesten und innigsten Empfindungen in ihr auszudrücken, zeigen seine ›Lettres françaises à Merline‹[98], in denen er im März 1921, als Merline ihn um eine Übersetzung von Baudelaires ›L'invitation au voyage‹ bat, für die Schönheit der französischen Worte keine entsprechenden deutschen Äquivalente kennen wollte[99]. Es ist die Zeit, in der er seine Übertragungen von Paul Valérys Gedichten begann und ständig mit der deutschen Sprache zu ringen hatte. Damals entstand eine noch unveröffentlichte (und im genauen Wortlaut leider bisher nicht zugängliche)[100] Reflexion über das Verhältnis der deutschen zur französischen Sprache, von der J. R. von Salis folgendes berichtet: „Aus einer (französisch geschriebenen) Aufzeichnung des Dichters aus Etoy (vom Mai 1921) wissen wir, daß er im Kampf lag mit der deutschen Sprache – und letzten Endes doch mit ihrem tieferen Wesen, das der Ausdruck der sehr komplexen, nie ganz durchschaubaren psychischen Anlage eines Volkes ist. Er bewundert die französische Sprache, die während Jahrhunderten gereift und gepflegt worden sei wie ein Weinberg und beklagt, daß die Sprache, die er selber gebrauche, weit davon entfernt sei, eine ähnliche Klarheit und Sicherheit erreicht zu haben; die Hälfte der deutschen Dichtung lebe von den Ungewißheiten der deutschen Sprache und vermehre sie. Allerhand willkürliche Wendungen seien nichts als eine Ausbeutung ihrer Schwächen, und manche ,Kühnheiten' wären im französischen einfach unzulässig und fehlerhaft. Deutschland habe immer eine Akademie gefehlt, die die Pflicht gehabt hätte, einer Sprache, die auf der Straße liege, ihre un-

---

[97] München, 15. 1. Januar 1918, in: M. Betz, Rilke in Frankreich, Wien 1937, S. 53 f. Die Kritik am dichterisch gesteigerten deutschen Wort und seiner Esoterik, seiner Beziehungslosigkeit zum Mitmenschen erinnert wiederum an die oben (S. [111]) zitierten Sätze von Karl Kraus von der Literatur „Je weiter sie sich von der Verständlichkeit entfernt, desto zudringlicher reklamiert das Publikum sein Material."

[98] Paris 1950; Gesamtausgabe Zürich 1954, hrsg. v. Dieter Bassermann.

[99] Correspondance (1954), 19. 3. 1921, S. 262–263.

[100] Frau Ruth Fritzsche-Rilke teilte mir liebenswürdigerweise mit, es handle sich dabei um einen Brief Rilkes an Frau Nanny Wunderly-Volkart, der leider noch nicht zugänglich sei.

bestreitbare Majestät zu geben: die einzige deutsche Akademie, die es je gegeben habe, sei das Werk Goethes und dasjenige Stefan Georges. Man könne Akademien wieder zerstören, wenn sie ihre Aufgabe erfüllt haben, so wie man gut tue, sich gegen senile und verschlafene Mächte aufzulehnen; aber das bedeute nicht, daß man von Anfang an ihr Joch entbehren könne. Im übrigen entspreche das beklagenswerte Schauspiel, das die deutsche Sprache biete, durchaus demjenigen, das das ‚Reich' dargeboten habe, in dem die verstreuten Kräfte auch nie geordnet und einer wirklichen Herrschaft untergeordnet worden seien – denn der Gehorsam gegenüber Bismarck und Wilhelm II. sei das Gegenteil davon gewesen; diese beiden autoritären Männer seien nicht Repräsentanten einer echten gesetzlichen Ordnung gewesen." [101]

Vor allem durch seine intensive Arbeit an den Übertragungen der Gedichte Michelangelos und, seit 1921, Paul Valérys erschloß sich Rilke, wie die angeführten Briefstellen zeigen, der Strukturunterschied zwischen der deutschen, der französischen und der italienischen Sprache – wobei er freilich die letztere kaum erwähnt. Es ist aufschlußreich für die gewonnene Reife seiner Sprachreflexion, wenn er jetzt die Unterschiede zwischen dem Französischen und dem Deutschen historisch aus ihrem Werden und der ihnen zuteil gewordenen Sprachpflege zu erklären versucht, wobei ihm am Französischen die größere Nähe zwischen der Umgangssprache und der Dichtersprache auffällt, die beide den Vorschriften der Akademie gehorchen und damit eine „edle Verständigung" zwischen Dichter und Publikum ermöglichen, die dem „dichterisch gesteigerten" deutschen Wort fehlt. Bemerkenswert ist auch die Schärfe der Polemik gegen den Mißbrauch und die Willkür im Umgang mit der deutschen Sprache – es ist so gut wie sicher, daß Rilke hier die ihm wenig sympathischen, ja verhaßten Auswüchse expressionistischer Sprachexperimente angriff, von denen er an Katharina Kippenberg schrieb: „Gemeinsam scheint ihnen allen dieser rekonvaleszente Sprach-Taumel, diese wirbelige Wort-Schwäche, die sich, wie von Stuhllehne zu Stuhllehne, von ‚Brüderlich' zu ‚Bruder' und Aber-‚Bruder' weitertastet, blind . . .";[102] dieser unverantwortlichen Auflösung der deutschen Sprache stellte er das Prinzip der „Gestaltung" als das

---

[101] A. a. O., 2. Aufl. S. 145.
[102] 15. 9. 1919, Briefwechsel S. 376–77.

ihn leitende entgegen. Gerade den Subjektivismus, den Katharina Kippenberg an den expressionistischen Gedichten pries, lehnte Rilke entschieden ab, und es erscheint fast wie ein Widerspruch, wenn gerade er, der über Klopstocks und Hölderlins „Kühnheiten" hinaus die Möglichkeiten der deutschen lyrischen Sprache so einmalig erweiterte, sich für eine Akademisierung der deutschen Sprache erklärte. Aber gerade in solchen Äußerungen zeigt sich die sich anbahnende „Wendung" von der Sprache der Elegien zu der einfach-nominalen Sprachmagie der Sonette. „Akademisierung der deutschen Sprache", wie Rilke sie meinte, bedeutete für ihn, wie die Namen Goethe und Stefan George zeigen, keineswegs eine Einengung und Beschränkung der dichterischen Möglichkeiten im Umgang mit der Sprache, sondern vielmehr das Bewußtsein der Verantwortung gegenüber dem tiefsten Wesen der deutschen Sprache im künstlerischen Schaffensprozeß. Darum betonte er auch gegenüber der zeitgenössischen Zersetzung der ererbten Sprache plötzlich in einem ganz neuen und bei ihm beinahe ungewohnt anmutenden Traditions- und Verantwortungsbewußtsein so ausdrücklich die Notwendigkeit des Formwillens, der „Gestaltung", und lehnte jede Vermischung von Sprache und Gestaltlos-Unsäglichem ab: „Es ist nichts damit getan, daß einer ans Unsagbare heranreiche, indem er auch noch das längst und gewohnt Sagbare auf den Aggregat-Zustand des Unsäglichen ausdehne. Erst wo wir uns um das Ineffable mit dem reinsten Bestreben der Verkörperung bewerben, erweist es sich, ob wir seine Gegen-Liebe, sein Eingehen in unsere, ihm zu, aufgerissenen Grenzen gewonnen haben." [103]

Wenn Rilke sich so zum Hüter der deutschen Sprache gegenüber ihrer Zersetzung und Auflösung in der expressionistischen Dichtung der Nachkriegszeit machte, so beweist sich darin auch, daß sich die Radikalität seiner Sprachkritik und Sprachkrise allmählich abzuschwächen begann. Auch in anderen Briefen dieser Zeit hat Rilke eine solche Parallele zwischen dem Zustand der deutschen Sprache und den ihm so verhaßten politischen Verhältnissen des von Bismarck begründeten und von Wilhelm II. ins Verderben geführten Deutschen Reiches gezogen, dabei aber immer wieder betont, daß er sich zwar nicht mit dem so entarteten deutschen Wesen, wohl aber mit der deutschen Sprache identifiziere,

[103] Ebd., S. 376.

jedoch niemals mit dem Gebrauch, den seine Zeitgenossen von ihr machten. Daß er sich damit keineswegs von der Teilhabe an dem innersten und wahrhaften Wesen des deutschen Geistes ausschloß, sondern die tiefe Einheit zwischen Volksgeist und Sprache erkannte, zeigt seine Bemerkung, er könne nicht „deutsch" (d. h. im Sinne der alldeutschen Nationalisten der Kriegszeit) empfinden, „in keiner Weise; ob ich gleich dem deutschen Wesen nicht fremd sein kann, da ich in seiner Sprache bis in die Wurzeln ausgebreitet bin, so hat mir doch seine gegenwärtige Anwendung und sein jetziges aufbegehrliches Bewußtsein, soweit ich denken kann, nur Befremdung und Kränkung bereitet; und vollends im Österreichischen, das durch die Zeiten ein oberflächliches Kompromiß geblieben ist (die Unaufrichtigkeit als Staat), im Österreichischen ein Zu-hause zu haben, ist mir rein unausdenkbar und unausfühlbar." [104] Rilke hätte nicht der Dichter sein müssen, der er nun einmal war, wenn ihm nicht der Zugang zum Geistigen immer nur auf dem Wege über die Sprache möglich gewesen wäre – daher auch seine Sehnsucht, „alle Sprachen schreiben" zu können aus dem inzwischen gewonnenen Bewußtsein der Begrenztheit aller Sprachen, das ihn zu der antithetischen Vorstellung einer „Sprache der Engel", einer absoluten Sprache jenseits aller irdischen Sprachmöglichkeiten geführt hatte, die mit dem „Unsäglichen" wirklich identisch zu denken sei, während alle Menschensprache immer nur unzulängliche Annäherung bleiben müsse. Das hat er nach Vollendung der ›Duineser Elegien‹ im Gedicht ausgesprochen [105]:

> Glücklich, die wissen, daß hinter allen
> Sprachen das Unsägliche steht;
> daß von dorther, ins Wohlgefallen
> Größe zu uns übergeht!
>
> Unabhängig von diesen Brücken,
> die wir mit Verschiedenem baun:
> so daß wir immer, aus jedem Entzücken
> in ein heiter Gemeinsames schaun.

Rilkes Sprachkritik hat ihn niemals zu einer radikalen Abwendung von der ihm mitgegebenen deutschen Sprache gebracht, die, wie er

---

[104] A. Br. 2, Nr. 243, an Ilse Erdmann, 11. 9. 1915, S. 45.
[105] G. 06–26, S. 409, 15. 2. 1924.

fühlte, schließlich doch der letzte, ihn tragende Existenzgrund blieb, auch wo er ihre Möglichkeiten zweifelnd in Frage stellte und andere Sprachen bewunderte, die eine reichere Spannweite der Ausdruckskontraste boten. So konnte er, als man seine französischen Gedichte als eine Absage an die deutsche Sprache mißverstand, zu seiner Verteidigung aus echter Überzeugung schreiben: „Die deutsche Sprache wurde mir nicht als Fremdes gegeben, sie wirkt aus mir, sie spricht aus meinem Wesen. Konnte ich an ihr arbeiten, konnte ich sie zu bereichern suchen, wenn ich sie nicht als ureigenstes Material empfand? Daß ich einige Verse französisch abfaßte, war lediglich ein Versuch, ein Experiment in einer anderen Klanggesetzen folgenden Formgebung. Beherrschte ich noch einige Sprachen in gleichem Maße, ich würde den Versuch in ihnen wiederholen. Aber daraus zu folgern, daß ich mich nicht mehr als ein deutscher Dichter fühlte, ist ein Nonsens." [106]

Übrigens enthalten gerade Rilkes französische Gedichte an vielen Stellen das Thema der Sprachkritik und sprechen in dem fremden Idiom, das nach der Meinung des Dichters in vielem die deutsche Sprache übertraf, die Einsicht in die Begrenztheit der Sprache aus, wenn es sich darum handelt, das Zentralsymbol Rilkes, die Rose und ihr innerstes Wesen auszusagen [107]:

> On arrange et on compose
> les mots de tant de façons,
> mais comment arriverait-on
> à égaler une rose.
>
> Si on supporte l'étrange
> prétention de ce jeu,
> c'est que, parfois, un ange
> le dérange un peu.

Gerade die Rose zeichnet sich vor allen anderen Dingen dadurch aus, daß sie in der Vollkommenheit und Intensität ihrer reinen Erscheinung – wie früher die spanische Landschaft – unsagbar ist, so daß jede Bemühung des Dichters, ihr geheimes und gleichzeitig offenbares Wesen in Worten auszusagen, eine „sonderbare Anmaßung" bleibt, die nur er-

---

[106] In: Das Tagebuch, 6. Halbjahr, 1925, S. 1214–15.
[107] Gedichte in französischer Sprache, 1949, S. 45.

träglich wird durch den Eingriff des Engels, der dieses subtile, aber letztlich ergebnislose Spiel des Dichters stört und ihm durch sein Erscheinen zum Bewußtsein bringt, daß Menschensprache vor der Größe einer solchen „Erscheinung" versage und es einer „Sprache der Engel" bedürfe, der stummen Sprache der Dinge, von der auch Hofmannsthal im Chandos-Brief sprach. Das höchste Lob, das Rilke der Rose spenden kann, ist daher auch, sie besitze diese stumme Sprache der Dinge und Engel[108]:

> Ne parlons pas de toi. Tu es ineffable
> selon ta nature.
> D'autres fleurs ornent la table
> que tu transfigures.
>
> On te met dans un simple vase, –
> voici que tout change:
> c'est peut-être la même phrase,
> mais chantée par un ange.

Die Rose bewirkt durch ihr bloßes Dasein die Verwandlung ins Geistige, Unsichtbare, die dem dichterischen Wort so oft versagt bleibt, das gerade an ihr zuschanden wird und seine ganze Ohnmacht erkennen muß.

Daß dieses Bewußtsein von der Begrenztheit der menschlichen und dichterischen Sprache bei Rilke bis zum Schluß seines Lebens als Gegengewicht gegen seinen Glauben an die beschwörende Kraft des Wortes ständig wach blieb, sei ausdrücklich betont, um der neuerdings aufgetauchten Meinung entgegenzutreten, Rilke sei von blindem Vertrauen in die Aussagekraft der Sprache, ja von einem unstillbaren Sprachrausch besessen gewesen.[109] Er hat vielmehr gerade in der Spät-

[108] Ebd., S. 78.

[109] B. Forsting sieht in diesen Äußerungen nur „rhetorische Figuren" – man vergleiche ihren Kommentar zu „On arrange . . .": „In seinen ‚Neuen Gedichten' hat der Dichter vorbildlich gezeigt, wie die Worte gefügt werden müssen, um eine Blume aus Sprachmaterial zu ‚machen'" (S. 146), womit sie Rilke zu widerlegen sucht! Sie definiert schließlich den Begriff „Unsägliches" bei Rilke „als das bisher noch Ungesagte" (S. 155) und entwertet alle Äußerungen des Dichters, die dagegen sprechen. Obwohl sie selbst ausführlich belegt, daß „sagen" bei Rilke immer gleichbedeutend mit dichterischer Aussage ist, behauptet sie,

zeit noch bekannt: „Wie eingeschränkt ist doch immerfort das Gebiet unseres Beredtseins" und diesen Satz an zwei Beispielen, dem Erlebnis des Zitronendufts und dem orientalischer Shawls, entwickelt; von der „unbeschreiblichen Eindringlichkeit" des Zitronendufts schreibt er[110]: „Ihre Bitterkeit, so zusammenziehend sie im Geschmack sich geltend macht, als Duft eingeatmet, gibt sie mir eine Sensation von reiner Weite und Offenheit –; wie oft habe ichs bedauert, daß wir allen derartigen Erfahrungen gegenüber so endgültig verstummt, so sprachlos bleiben. Wie er*leb* ich ihn, diesen Citronen-Geruch, weiß Gott, was ich ihm zu Zeiten verdanke . . ., und wenn ich wirklich, wörtlich wiederholen soll, *was* er mir in die Sinne diktiert: Fiasko!" Daran schließt er sogleich das zweite Beispiel für ein solches „Fiasko" der Sprache vor einem derart intensiv erfühlten Ding, den 1923 im Berner Museum ausgestellten herrlichen persischen und turkestanischen Shawls: „Shawls mit runder oder quadratischer oder sternig ausgesparter Mitte, mit schwarzem, grünem, oder elfenbeinweißem Grund, jeder eine ganze Welt für sich, ja wahrhaftig, jeder ein ganzes Glück, eine ganze Seligkeit und vielleicht ein ganzer Verzicht – jeder alles dies, voll von menschlichem Einschlag, jeder ein Garten, in dem der ganze Himmel dieses Gartens miterzählt, mitenthalten war, wie im Citronenduft wahrscheinlich der ganze Raum, die ganze Umwelt sich mitteilt, die die glückliche Frucht in ihr Wachstum Tag und Nacht einbezog." Was Rilke hier gibt, ist eine bloße, wenn auch sehr gekonnte und reiche, alle Aspekte des Gegenstandes fast erschöpfende *Umschreibung,* aber keineswegs die *Wesensaussage,* nach der die dichterische Sprache auch dann noch oft vergeblich strebt, wenn dem Dichter die vorgängige *Wesensschau* zuteil geworden ist: „Wie vor Jahren in Paris die Spitzen, so begriff ich plötzlich, vor diesen ausgebreiteten und abgewandelten Geweben, das Wesen des Shawls! Aber es *sagen*? Wieder ein Fiasko. Nur *so* vielleicht, nur in den Verwandlungen, die ein greifliches, langsames Hand-Werk erlaubt, ergeben sich vollzählige, verschwiegene Äquivalente des Lebens, zu

Rilke meine im Brief über das „Fiasko" der Sprache lediglich die tägliche Umgangssprache, nicht Sprache der Dichtung bzw. Sprache ganz allgemein (siehe S. 147). Der „reine Widerspruch", die Dialektik in Rilkes Verhältnis zur Sprache wird bei ihr in unerträglicher Weise vereinfacht.

[110] Briefe an Gräfin Sizzo, 16. 12. 1923, S. 54–56.

denen die Sprache immer nur umschreibend gelangt, es sei denn, es gelänge ihr ab und zu, im magischen Anruf zu erreichen, daß irgendein geheimeres Gesicht des Daseins uns, im Raume eines Gedichts zugekehrt bleibt." Dieser brieflich geäußerten Kritik an der Aussagekraft der Sprache schlechthin ging ein bereits im Oktober 1923 geschriebenes Gedicht voraus, das beweist, daß Rilke hier nicht nur die Unmöglichkeit einer Wesensaussage im einfachen Schreiben oder Sprechen meint, sondern auch die magische Sprache des Gedichtes, der es nicht in allen Fällen gelingt, durch ihre „Namen" uns „ein geheimeres Gesicht des Daseins . . . im Raume eines Gedichts" zuzukehren [111]:

SHAWL

Wie, für die Jungfrau dem, der vor ihr kniet, die Namen
zustürzen unerhört: Stern, Quelle, Rose, Haus,
und wie er immer weiß, je mehr der Namen kamen,
es reicht kein Name je für ihr Bedeuten aus –

. . . so, während du sie siehst, die leichthin ausgespannte
Mitte des Kaschmirshawls, die aus dem Blumensaum
sich schwarz erneut und klärt in ihres Rahmens Kante
und einen reinen Raum schafft für den Raum . . . :

erfährst du dies: daß Namen sich an ihr
endlos verschwenden: denn sie ist die Mitte.
Wie es auch sei, das Muster unsrer Schritte,
um eine solche Leere wandeln wir.

Die Magie der dichterischen Sprache und ihrer „Namen", der zauberkräftigen Nomina, versagt überall dort, wo es sich um die entscheidende Mitte handelt, vor der Rose, deren Mitte ja, wie es im Grabspruch heißt „niemandes Schlaf" ist, vor „Gott", bei dem diese „Namenlosigkeit" „beginnen muß, um vollkommen und ohne Ausrede zu sein" [112], da er der „nicht mehr Sagbare" geworden ist. Nirgendwo hat

---

[111] G. 06–26, S. 605, vgl. auch S. 604 und 614.

[112] A. Br. 2, Nr. 378, an Ilse Jahr, 22. 2. 1923. Vgl. den von I. R. v. Salis, a. a. O., S. 82–83 zitierten Brief an N. Wunderly-Volkart: „Gott zu erwähnen war nicht nötig. Es bereitet mir jetzt oft eine unsägliche Genugtuung, ihn zu schonen – von etwas ganz Bewegendem zu handeln *und ihn doch nicht zu bemühen*. Qu'il se repose. C'est assez encombrant d'avoir fait le monde, es wäre eine

Rilke offener bekannt, daß sich sein Leben und sein Werk der Spätzeit nicht mehr, wie noch im ›Stunden-Buch‹, um „Gott, den uralten Turm" bewegte, sondern um den „reinen Raum" der „Leere", von der nicht mehr gesagt werden kann, als daß sie voll „Bezug" sei, die aber doch letztlich identisch mit dem Nichts ist, vor dessen Wesensaussage die Sprache immer ihre Ohnmacht zugeben muß – «cet ineffable accord du néant et de l'être / que nous ignorons», wie es in den französischen Gedichten heißt.[113] So werden auch für Rilke die Worte und „Namen" schließlich angesichts der „Leere" und des Nichts das, was sie schon in Hofmannsthals Chandos-Brief waren: „Wirbel sind sie, in die hinabzusehen mich schwindelt, die sich unaufhaltsam drehen und durch die hindurch man ins Leere kommt."[114] Kaum ein anderer moderner Dichter hat so wie Rilke auch um die tödliche Gewalt des Wortes, um seine gefährliche, das Dasein vernichtende Dämonie gewußt, wie an anderer Stelle noch zu zeigen sein wird.[115] Schließlich blieb es ihm auch versagt, für das Gefühl der Einheit von Leben und Tod, die Mitte seiner Spätdichtung, das treffende Wort, den „Namen" zu finden, so nahe er sich diesem Ziel geglaubt hatte, als er schrieb: „Und selbst Leben und Tod! Wie offen die Wege von einem zum anderen für uns, wie nah, wie nah am Fest-es-schon-wissen, wie *fast schon Wort* dieses dieses, in dem sie zur (vorläufig namenlosen) Einheit zusammenstürzen."[116] Auch hier blieb es bei der negativen Erfahrung, die sich in der bangen Frage seines französischen Gedichts „Cimetière", der Vorstufe seines Grabspruchs, äußert: «Et les abeilles trouvent-elles dans la bouche des fleurs *un presque-mot* qui se tait?» Und noch angesichts seines schließlich zum Tode führenden Leidens, dieser „unerklärlichen inneren Krise", für die ihm die gewöhnlichen Bezeichnungen (Kummer, Entbehrung,

---

Courtoisie dieser Welt, Gott zu verschweigen, wenigstens eine Zeit lang, sein Name, in allen Sprachen, hat etwas unbeschreiblich verschweigbares – –". Daß sein Gott ein Nicht-Existierender sei, hat Rilke in ähnlicher Form bereits im Brief vom 5. 1. 1910 an Mimi Romanelli (A. Br. 1, Nr. 115, S. 276–77) bekannt.

[113] A. a. O., S. 81.

[114] Prosa II, S. 14.

[115] Vgl. „Le magicien"; a. a. O., S. 115 (Febr. 1924), als Schlußpointe des Gedichts.

[116] Br. 5, Nr. 10, an G. Ouckama Knoop, 26. 11. 1921, S. 51–52.

Angst) nicht genügen, klagte er: „ach, wie sind doch alle Namen ungefähr für das irgendwo so namenlos Genaue, das man durchmacht."[117]
Mit dieser uns in das Zentrum der gesamten Problematik Rilkes führenden Herausarbeitung seiner Sprachkrise und seiner Sprachkritik
haben wir jedoch nur, wie ausdrücklich betont werden muß, *eine* Seite
seines Sprachverhältnisses in der Spätzeit erfaßt. Rilke hat, wie vor ihm
Hofmannsthal, die Negativität der Spracherfahrung wie alle seine negativen Lebenserfahrungen durch die Konsequenz überwunden, mit der
er sie durchschritt und an die äußerste Grenze führte, wo sie sich für
ihn plötzlich ins Positive umkehrte, wo aus „Klage" „Jubel" werden
konnte. Auf diese Weise überwand er ja auch seine Nihilismus-Erfah-
rung, die „Leere", die unheimliche Fremdheit und Stummheit des
namenlos gewordenen „Gottes", der mit keiner Gegen-Liebe mehr ant-
wortete und sich ihm in die Anonymität und Nichtexistenz entzog,
indem er gerade diese Seite seiner Erfahrungen in der Gestalt des Engels
absolut setzte und dem Nichts entgegenstellte.[118] Die Zeit radikaler
Sprachkritik beschränkt sich bei Rilke im wesentlichen auf die Jahre
zwischen 1912 und 1921, sie wird als Zwischenzeit zwischen die Sprachstufe der ›Neuen Gedichte‹ und der daran anschließenden Sprachstufe
der ›Duineser Elegien‹, die von ihr unterbrochen bzw. überlagert
wurde, gestellt werden müssen. Ihren Abschluß bildet die Sprachstufe
der ›Sonette an Orpheus‹. Analog zu Rilkes Schaffens- und Bewußt-
seinskrise vollzog sich bei ihm ein Übergang von schroffer Sprachkritik
zu einer Sprachanschauung, in der die Antinomien der Sprache, ihre
schöpferische Magie und ihr Versagen nicht mehr einseitig gegeneinan-
der ausgespielt wurden, sondern zu einer neuen Synthese zusammen-
genommen und als „reiner Widerspruch" aufgehoben, aber dennoch in
ihrer gegensätzlichen Spannung, ihrem antithetischen Bezug ständig
fühlbar blieben.

---

[117] A. Br. 2, Nr. 409, an Gräfin Sizzo, 12. 11. 1925, S. 476.
[118] A. Br. 2, Nr. 409, an Gräfin Sizzo, 12. 11. 1925, S. 476.

Herman Meyer, Zarte Empirie. Studien zur Literaturgeschichte. Stuttgart: J. B. Metzlersche Verlagsbuchhandlung 1963, S. 287–336. (Erstmals veröffentlicht in: Deutsche Vierteljahrsschrift für Literaturwissenschaft und Geistesgeschichte 31 [1957], S. 465–505.)

DIE VERWANDLUNG DES SICHTBAREN

Die Bedeutung der modernen bildenden Kunst
für Rilkes späte Dichtung

Von HERMAN MEYER

I

Läßt sich durch Betrachtung von Rilkes Verhältnis zur bildenden Kunst seiner Zeit Wesentliches zum Verständnis seiner späten Dichtung zutage fördern? Auf den ersten Blick scheint dies nicht sehr wahrscheinlich zu sein. Freilich: daß Rilke sich, allgemein gesprochen, wie kaum ein Dichter vorher oder nachher von bildender Kunst hat inspirieren lassen, darüber kann man füglich nur einer Meinung sein. In der Künstlerkolonie Worpswede, in Paris im jahrelangen Umgang mit Rodin und in der Begegnung mit dem Werke Cézannes, auf seinen vielen Reisen, durch Rußland, Italien, Spanien, bis nach Nordafrika und Ägypten – immer wieder sind es sowohl der Umgang mit Künstlern wie das intensive Erleben von Kunstwerken, die ihn zu seiner Dichtung anregen. Besonders in seiner mittleren Schaffenszeit steht er weitgehend im Banne der bildenden Kunst. In wie vielen von den ›Neuen Gedichten‹ werden nicht Bildvorstellungen verwertet, die ihm aus Architektur, Plastik und Malerei zugeströmt waren! Mehr noch: Rilke versucht es dort dem bildenden Künstler gleichzutun, er sucht seinen Dichtungen die konkrete Dinghaftigkeit und die Geschlossenheit zu geben, die ihm am sichtbaren Kunstwerk imponierten. Man geht wohl nicht zu weit mit der Behauptung, Rilke habe mindestens ebensosehr im Umgang mit Werken der bildenden Kunst wie mit Dichtwerken den Weg zu seinen eigenen dichterischen Möglichkeiten gefunden und grundlegende Einsichten in das Wesen der Dichtkunst gewonnen.

Dies gilt für die mittlere Periode von Rilkes Schaffen bis zum Abschluß der ›Neuen Gedichte‹ (1908) und des Malteromans (1910). Aber, so wird man sich fragen, steht es um das Verhältnis des späten Rilke zur bildenden Kunst nicht wesentlich anders? Die tatsächlichen Berührungen mit bildender Kunst und auch die schriftlichen (meistenteils brieflichen) Äußerungen über sie werden spärlicher und gelegentlicher. Aus der Zeit nach 1907 liegt nichts vor, das sich an Umfang und Abrundung mit dem Buch über die Worpsweder Maler, dem Rodinbuch und der Briefreihe über Cézanne vergleichen ließe. Und hängt dies nicht, so wird man weiter fragen, mit einem tiefgreifenden Wandel in Rilkes Dichtkunst zusammen? Nicht umsonst ist in den Briefen vom Jahre 1910 wiederholt die Rede von der „Wasserscheide", die er nach dem Abschluß des ›Malte Laurids Brigge‹ überschritten habe. Jenseits dieser Wasserscheide stellt sich Zweifel am Ideal der dinghaften Lyrik ein. Er empfindet es jetzt als „Eigensinn", als „Hochmut" und „Habgierigkeit", daß er in seiner Kunst bisher „auf lauter Dingen bestand", und er hofft, er lerne nun „ein wenig menschlich werden" [1]. In sehr ähnlichem Sinne statuiert das Gedicht ›Wendung‹ vom Jahre 1914 den Gegensatz von „Werk des Gesichts" und „Herzwerk". Aber auch abgesehen von diesen ausdrücklichen Bekenntnissen spricht sich dieser Wandel deutlich genug in den lyrischen Erzeugnissen selbst aus. Im Werk der Jahre 1912 bis 1914, die sich seit der Veröffentlichung des Bandes ›Gedichte 1906 bis 1926‹ als eine fruchtbare Schaffensperiode abzeichnen, herrscht die ichhafte Haltung direkter seelischer Aussage vor, die seit dem ›Stundenbuch‹ kräftig zurückgedrängt worden war. Rilke konzipiert seine Dichtung nicht mehr nach dem Vorbild der bildenden Kunst; das dieser analoge dinghafte „Sujet" tritt entschieden zurück. Zu diesen Tatsachen gesellt sich sekundär die Beobachtung, daß die Einwirkung der bildenden Kunst auf Rilkes Pariser Schaffen in der Forschung starke Beachtung gefunden hat, daß die Rilkeforschung sich aber einmütig über die Frage ausschweigt, was die bildende Kunst (mit Ausnahme vereinzelter Erlebnisse, wie Grecos und der ›Saltimbanques‹ Picassos) für sein Spätwerk bedeutet haben mag. Dies alles scheint darauf hinzuweisen, daß die Einwirkung der bildenden Kunst auf Rilkes Spätwerk, wenn es schon eine solche gibt, wohl sehr wenig relevant sein muß.

Dennoch wollen wir im folgenden versuchen, gewissermaßen das

---

[1] Brief vom 30. 8. 1910 an die Fürstin von Thurn und Taxis.

Gegenteil nachzuweisen. Wenn man die in den Briefen seit etwa 1910 zerstreuten, oft unscheinbaren, manchmal auch substantielleren Äußerungen über Erscheinungen der zeitgenössischen bildenden Kunst synoptisch betrachtet, so wird eine merkwürdige Konsistenz und Durchgängigkeit in der Auffassung und Stellungnahme sichtbar. In Bejahung und Verneinung, in Angezogen- und Abgestoßenwerden gibt es etwas wie einen verborgenen, aber festen Mittelpunkt des wertenden Interesses. In vorläufiger und noch unzulänglich grober Umschreibung (die genauere Spezifizierung wird sich im Laufe der Untersuchung ergeben): Rilke zeigt sich intrigiert und tief beunruhigt durch den seit etwa 1905 in Frankreich und bald auch in Deutschland in Erscheinung tretenden Prozeß der „Entgegenständlichung", durch die in mannigfaltigen Erscheinungen zutage tretende Tendenz der Malerei, sich von der konkreten Bildvorstellung zu emanzipieren. Und es wird sich zeigen, daß diese Beunruhigung, verbunden mit gewissen noch zu erörternden kulturkritischen oder zivilisationskritischen Beobachtungen und Gedankengängen, tief ins Zentrum von Rilkes Denken über das Wesen und die Aufgabe des Menschen hineingreift und als auslösendes Element einen wesentlichen Anteil am Aufbau der Ideenwelt und der dichterisch-symbolischen Formulierungen seiner Spätdichtung hat. Genauer gesagt: die Reflexion über Erscheinungen der bildenden Kunst ist ein wichtiges Ferment geworden im Wachstumsprozeß jener „Idee" oder „Lehrmeinung", die einen ideellen Mittelpunkt der ›Duineser Elegien‹ bildet, der Idee nämlich der dem Menschen aufgetragenen Verwandlung des Sichtbaren im inneren Herzen.

Wir werden diesen Zusammenhang unter Beweis stellen müssen. Wenn dies aber gelingt, so ist damit zu gleicher Zeit ein Hilfsmittel zur Deutung jener Lehrmeinung gewonnen, ein bescheidenes Hilfsmittel freilich, aber sicher kein überflüssiges, wenn man den Stand der Auslegung der Elegien bedenkt. Es ist vielleicht zweckdienlich, daß wir unser Verfahren im voraus etwas erläutern, weil der Weg, den wir zu gehen haben, recht verschlungen ist. Zunächst wollen wir uns das Problem dadurch vergegenständlichen, daß wir uns die einschlägigen Aussagen der siebenten und der neunten Elegie vor Augen stellen und vorläufig nach ihrer Bedeutung fragen. Darauf folgt die Behandlung von Rilkes kulturkritischen Reflexionen im allgemeinen und dann seiner Äußerungen über die zeitgenössische bildende Kunst im besonderen.

In dieser Behandlung ist dasjenige, was wir zur Interpretation der Elegien beisteuern können, vor allem implizit gegeben. Die philologisch fundierte Ausbreitung des Materials erfordert eine gewisse Umständlichkeit; um so mehr werden wir bestrebt sein, an allen geeigneten Stellen auch explizit auf unser Hauptproblem Bezug zu nehmen, damit der aufmerksame Leser den roten Faden nicht verliert.

II

Um eine angemessene Sicht zu gewinnen, wollen wir ausgehen von Rilkes Verhältnis zur Dingwelt, von seinem intimen Umgang mit den Dingen, an dem die Seele und die Sinne gleichermaßen intensiven Anteil haben. Die höchstverfeinerte Sinnlichkeit dieses großen Sensitivisten ist uns aus vielen seiner Werke und namentlich aus den ›Neuen Gedichten‹ genugsam bekannt. Aber bei sinnlicher Erfassung hat dieses Verhältnis zur Dingwelt nicht sein Bewenden. Hinsichtlich des frühen Rilke hat man mit Recht von Dingmystik und Dingfrömmigkeit gesprochen. Das Ding ist ihm gewissermaßen mehr als der Mensch: durch seine reinere und gesichertere Seinsweise hat es eine gewisse Vorbildlichkeit für den flüchtigen, dem Schicksal ausgelieferten Menschen. Schon im ›Stundenbuch‹ heißt es, der Mensch solle „ähnlicher den Dingen" werden,[2] und im ›Rodin‹ heißt das Ding (hier freilich das „Ding" im zugespitzen Sinn: das Kunstding) eine „Insel, überall abgelöst von dem Kontinent des Ungewissen"[3]. Während sich diese Ehrfurcht vor dem Ding durchaus als Gefühlsgrundlage behauptet, findet nun aber beim späten Rilke in anderer Hinsicht ein tiefer Wandel in der Auffassung der Dinge statt. Daß das Ding ohne weiteres gesicherter und „heiler" wäre als der Mensch – diese Auffassung erweist sich als zu simplistisch, als empfindsam und weltfremd. Denn auch die Dinge schwinden dahin, auch sie sind dem Verfall und der fressenden Zeit ausgeliefert. Es handelt sich um die Erfahrung, daß die technokratische Zivilisation die echten Dinge, die für uns in ihrer einfachen und sichtbaren

---

[2] GW Bd. 2, S. 137.

[3] GW Bd. 4, S. 387. – Eine wertvolle Sammlung weiterer Belege: O. F. Bollnow, Rilke, 1951, S. 109–131.

Konkretheit eine mythische Gültigkeit haben, durch Schein-Dinge, durch rationelle Konstruktionen ersetzt. Es ist außer allem Zweifel, daß diese Erfahrung der Hinfälligkeit der Dingwelt durch das Erlebnis des Krieges noch schmerzlicher wurde. Und das wesentlichste dabei ist: Rilke sieht jetzt ein, daß jener dem Ding zugebilligte Vorzug, sein heiles, gesichertes, abgerundetes Dasein, nicht etwas ohne den Menschen Bestehendes ist, sondern daß das Ding diesen Vorzug und die Vorbildlichkeit eben in der Vorstellung des Menschen hat, daß es seine mythische Gestalt durch unsere seelische Aktivität gewinnt. Daher braucht das Ding den Menschen; im Menschen, als dessen seelischer Besitz, kommt das Ding erst zu sich selbst. Und deshalb hat der Mensch die Aufgabe, das Ding in sich hineinzunehmen, die heile Gestalt der Dinge in sich hinüberzuretten, und dies um so mehr, je mehr die äußere Existenz der echten Dinge durch den Einbruch der Zivilisation gefährdet und korrumpiert wird.

Nach einigen überleitenden Zeilen, in denen die Vokabeln „sichtbar" und „innen verwandeln" zuerst auftauchen, fängt der sechste Abschnitt der siebenten Elegie an:

> Nirgends, Geliebte, wird Welt sein, als innen. Unser
> Leben geht hin mit Verwandlung. Und immer geringer
> schwindet das Außen.

Darauf folgt gleich exemplifizierend eine Evokation der technisierten und der technischen Welt:

> Wo einmal ein dauerndes Haus war,
> schlägt sich erdachtes Gebild vor, quer, zu Erdenklichem
> völlig gehörig, als ständ es noch ganz im Gehirne.
> Weite Speicher der Kraft schafft sich der Zeitgeist, gestaltlos
> wie der spannende Drang, den er aus allem gewinnt.

Auch die höchstwertige Sichtbarkeit ist verlorengegangen, der Tempel. Auch sie schlägt nach innen, in die Seele des Menschen:

> Tempel kennt er nicht mehr. Diese, des Herzens, Verschwendung
> sparen wir heimlicher ein. Ja, wo noch eins übersteht,
> ein einst gebetetes Ding, ein gedientes, geknietes –,
> hält es sich, so wie es ist, schon ins Unsichtbare hin.
> Viele gewahrens nicht mehr, doch ohne den Vorteil,
> daß sie's nun *innerlich* baun, mit Pfeilern und Statuen, größer!

Der in diesen Zeilen schon durch „nicht mehr" und „noch" angedeutete Gedanke, daß das Leiden der Zeit eine Krisen-, eine Umkehrerscheinung ist, wird explizit im nächsten Abschnitt ausgeführt:

> Jede dumpfe Umkehr der Welt hat solche Enterbte,
> denen das Frühere nicht und noch nicht das Nächste gehört.
> Denn auch das Nächste ist weit für die Menschen. *Uns* soll
> dies nicht verwirren; es stärke in uns die Bewahrung
> der noch erkannten Gestalt.

Die „Bewahrung der noch erkannten Gestalt" ist nichts Passives, kein bloßes Beharren beim Herkömmlichen, sondern höchste, durch Einsicht und Willen gelenkte seelische Aktivität. Sie impliziert, daß der Mensch diese „erkannte Gestalt", die sich sowohl dem „erdachten Gebild" (7, 54) wie dem „Tun ohne Bild" (9, 45) entgegensetzt, auch ausspricht, daß er ihr im Kunstwerk neue Wirklichkeit verleiht. Dieses gestaltende Aussprechen heißt bei Rilke kurzweg „sagen". Und so stellt, nach der in der siebenten Elegie vollzogenen Diagnose des negativen Tatbestandes, die neunte Elegie die positive Forderung. Diese wird zuerst nur noch indirekt laut in der vorsichtigeren Frageform:

> Sind wir vielleicht *hier,* um zu sagen: Haus,
> Brücke, Brunnen, Tor, Krug, Obstbaum, Fenster, –
> höchstens: Säule, Turm . . . aber zu *sagen,* verstehs,
> oh zu sagen *so,* wie selber die Dinge niemals
> innig meinten zu sein.

Aber dann ertönt die Forderung vollkräftig in der Form des Imperativs:

> Preise dem Engel die Welt, nicht die unsägliche, *ihm*
> kannst du nicht großtun mit herrlich Erfühltem; im Weltall,
> wo er fühlender fühlt, bist du ein Neuling. Drum zeig
> ihm das Einfache, das, von Geschlecht zu Geschlechtern gestaltet,
> als ein Unsriges lebt, neben der Hand und im Blick.
> Sag ihm die Dinge. Er wird staunender stehn; wie du standest
> bei dem Seiler in Rom, oder beim Töpfer am Nil.
> Zeig ihm, wie glücklich ein Ding sein kann, wie schuldlos und unser,
> wie selbst das klagende Leid rein zur Gestalt sich entschließt,
> dient als ein Ding, oder stirbt in ein Ding –, und jenseits
> selig der Geige entgeht. -- Und diese, von Hingang
> lebenden Dinge verstehn, daß du sie rühmst; vergänglich,
> traun sie ein Rettendes uns, den Vergänglichsten, zu.

Wollen, wir sollen sie ganz im unsichtbarn Herzen verwandeln
in – o unendlich – in uns! wer wir am Ende auch seien.

Dadurch, daß wir die Dinge zu unserem Seelenbesitz machen, sie „im unsichtbarn Herzen verwandeln", werden sie selbst „unsichtbar". Das sagen die anschließenden Zeilen:

> Erde, ist es nicht dies, was du willst: *unsichtbar*
> in uns erstehn? – Ist es dein Traum nicht,
> einmal unsichtbar zu sein? – Erde! unsichtbar!
> Was, wenn Verwandlung nicht, ist dein drängender Auftrag?

In einem Brief an Witold von Hulewicz hat Rilke dies folgendermaßen kommentiert: „Die Natur, die Dinge unseres Umgangs und Gebrauchs, sind Vorläufigkeiten und Hinfälligkeiten; aber sie sind, solang wir hier sind, unser Besitz und unsere Freundschaft, Mitwisser unserer Not und Froheit, wie sie schon die Vertrauten unserer Vorfahren gewesen sind. So gilt es, alles Hiesige nicht nur nicht schlecht zu machen und herabzusetzen, sondern gerade, um seiner Vorläufigkeit willen, die es mit uns teilt, sollen diese Erscheinungen und Dinge von uns in einem innigsten Verstande begriffen und verwandelt werden. Verwandelt? Ja, denn unsere Aufgabe ist es, diese vorläufige, hinfällige Erde uns so tief, so leidend und leidenschaftlich einzuprägen, daß ihr Wesen in uns ‚unsichtbar' wieder aufersteht. Wir sind die Bienen des Unsichtbaren. Nous butinons éperdument le miel du visible, pour l'accumuler dans la grande ruche d'or de l'Invisible." [4]

Wir haben die für uns wichtigen Kernstellen aus ihrem Kontext herausbrechen müssen; ein durch die Ökonomie unserer Arbeit bedingtes Übel, dem nur abgeholfen werden kann, wenn der Leser sie in ihrem Zusammenhang nachliest. Und auch müssen wir es uns versagen, eine erschöpfende Interpretation auch nur anzustreben. Im Brennpunkt unserer Fragestellung soll nur die Frage stehen: wie verhalten sich zueinander die beiden Forderungen, die sich auf die Formeln „Verwandlung des Sichtbaren in Unsichtbares" und „Bewahrung der noch erkannten Gestalt" bringen lassen?*

Widersprechen sie sich, oder stehen sie miteinander im Einklang? Man

[4] Brief vom 13. 11. 1925 an Witold von Hulewicz.

* Auch kann es nicht unsere Aufgabe sein, unsere Erörterungen bis in Einzelheiten mit den bestehenden Deutungen der Elegien zu konfrontieren. Es sei nur angedeutet, daß die Kommentare trotz inständigem Bemühen gerade hinsicht-

lich der hier aufgeworfenen Frage nicht zu letzter Klarheit gediehen sind und
auch untereinander ziemlich stark divergieren. Bollnow faßt die von Rilke gemeinte „Verwandlung" einfach als „Umsetzung von körperlichem in geistiges
Sein, in ein ideales Sein" auf, er bezeichnet das Rilkesche „Reich des Unsichtbaren" klipp and klar als „das Reich der Ideen" und spricht von „umgekehrtem
Platonismus" (O. F. Bollnow, Rilke, 1951, S. 143). Letzteres ist vielleicht nicht
geradezu unrichtig, aber doch gefährlich und zu Mißverständnissen verführend,
wenn gar nicht klargestellt wird, inwieweit die *visuelle Gestalt* der Dinge in
jenem „Reich der Ideen" bewahrt bleibt. Bollnow äußert sich denn auch nicht
über das Verhältnis der Verwandlung ins Unsichtbare zur „Bewahrung der noch
erkannten Gestalt", sonder erblickt in letzterer nur eine „zweite, der Vergangenheit zugewandte Aufgabe" (S. 145). Die Zeilen „Tempel kennnt er nicht mehr.
Diese, des Herzens, Verschwendung / sparen wir heimlicher ein" (7, 57) bedeuten für ihn, „daß sich der Akzent der menschlichen Tätigkeit in dem Sinne ins
Geistige verlagert, daß an Stelle der bildenden Künste die Dichtung die Führung
übernimmt" (S. 144). Wir werden aber sehen, daß sich die Verwandlung ins Unsichtbare nach Rilkes Auffassung auch *in* der bildenden Kunst *selbst* vollziehen
kann. – Für Romano Guardini (Rilkes Deutung des Daseins, 1953), dagegen re-
sultiert der Verwandlungsprozeß schließlich doch wieder in visuell wahrnehm-
barer Gestalt. Er kommentiert „Unser / Leben geht hin mit Verwandlung"
(7, 50f.) mit den Worten: „Das draußen Angetroffene wird ins Innere aufgenommen, durchwußt, durchfühlt und in die Werkgestalt übertragen" (S. 271);
und zu „Wollen, wir sollen sie ganz im unsichtbarn Herzen verwandeln" (9, 65)
lautet der Kommentar: „Diese Verwandlung ist aber von Rilke nicht nur psycho-
logisch, sondern real gemeint, . . . es entsteht eine neue, nicht nur gedachte oder
empfundene, sondern reale Weltgestalt" (S. 361). Diese Auffassung äußert sich
auch in Einzelheiten seines Kommentars. Es wird anläßlich der Worte „Tempel
kennt er nicht mehr" (7, 57) der Tempel, diese höchstgültige Sichtbarkeit, ausdrücklich ein „aus Verwandlung stammendes Werk" genannt (S. 276)). – Else
Buddeberg (Die Duineser Elegien R. M. Rilkes, 1948) betont sehr stark das Element der Gestalthaftigkeit in der Verwandlung ins Unsichtbare, dies in engem
Zusammenhang mit der durchgängigen Ausrichtung auf den Engel (den wir
nach Bollnow, S. 109, an entscheidenden Stellen streichen dürfen, ohne Wesentliches zu verändern . . .). Der Engel ist „Hort der Gestalt", „Gestalt der Transzendenz"; „auf ihn ist jede im Irdischen mögliche Gestalt ausgerichtet" (S. 294).
„Durchgehend durch die Elegien aber hat die Bezogenheit zur Transzendenz
ihren Sinn nur in der Zurückwendung ins Irdische; sie will Gestaltverwirklichung
ins Irdische . . ." (S. 295). (Sehr ähnlich also wie Guardini.) Und sogar wird
über die Elegien überhaupt gesagt: sie „sind der Weg der Vereinigung des scheinbar Unvereinbaren: Gestalt und das Unsichtbare" (S. 218). Mit dieser Ansicht
werden sich die Resultate meiner Untersuchung eng berühren. Nur bleiben bei
Buddeberg die mit den Begriffen „Gestalt", „Gestalthaftigkeit", „Gestaltverwirklichung" operierenden Gedankengänge von einer etwas spröden und
schwer faßbaren Begrifflichkeit, ohne schlagende Widerlegung der gegenteiligen
Auffassung. Es wird mein Anliegen sein, durch stärkere und durchaus induktive
Hineinbeziehung der ganzen Aura von Rilkes Erleben der sichtbaren Wirklichkeit den Gestalt-Begriff gegenständlicher zu fassen und dadurch weniger wehrlos gegen gegenteilige Ansichten zu machen.

könnte geneigt sein zu glauben, daß die Verwandlung ins Unsichtbare Verwandlung ins rein Ideelle bedeute. Was von den Dingen übrigbleibt, wenn sie in unser seelisches Inventar übergehen, wäre die überzeitliche und überräumliche, und weil aus Zeit und Raum weggenommen: die abstrakte Idee der Dinge. Die „Bewahrung der noch erkannten Gestalt" wäre dann eine durchaus andersartige, ja gegensätzliche Aktivität, vielleicht eine Art von harmloser Nebenbeschäftigung, die bloß durch Pietät der schönen Vergangenheit gegenüber eingegeben wäre. Dieser Gedankengang, auf den wir uns nur versuchsweise einen Augenblick einlassen, bedeutet aber einen Irrweg. Rilke ist weder ein Mystiker, der Raum und Zeit hinter sich läßt, um in das Eine, in das göttliche Einerlei aufzugehen, noch ist er ein Philosoph, dem die abstrakte Idee mehr als die Fülle der Gestalten gilt. Rilke ist zuerst und zuletzt ein echter Künstler, auf Gestalt versessen; ihm wird die Wirklichkeit erst als Gestalt sinn- und wertvoll. Und es ist gerade der Einsatz seines heißen Bemühens, die mythisch-gültige Gestalt der Dinge zu retten. Aber wie reimt sich dies mit ihrem Unsichtbarwerden? Die Antwort dürfte hier einmal relativ einfach sein. Natürlich ist unser Inneres, unsere Seele, in die sich die Dinge hinüberretten, per definitionem unsichtbar; aber das verhindert nicht, daß in ihr, als Vorstellung, die Gestalten der Dinge bewahrt bleiben. Verwandlung des Sichtbaren und Bewahrung der noch erkannten Gestalt sind eng miteinander verbunden und nahezu miteinander identisch; beide Forderungen meinen eine und dieselbe Wesenheit, nur unter verschiedenem Aspekt. Wir wollen dies dadurch unter Beweis stellen, daß wir sie mit den genannten Bereichen von Rilkes Wirklichkeitserleben konfrontieren.

III

Dem Leser von Rilkes Briefwerk fällt es auf, daß die Vokabeln „sichtbar" und „unsichtbar", oft in Zusammenhang mit benachbarten Begriffen wie „Gestalt", „Figur", „Bild", „Erscheinung", schon lange vor der Vollendung der ›Duineser Elegien‹ recht häufig und mit emphatischer Sinnschwere vorkommen, meistens in Äußerungen kulturkritischen (oder vielleicht besser: zivilisationskritischen) Inhalts oder doch in solchen, wo das zivilisationskritische Moment hineinspielt. Trotz

ihrer durch die bunte Fülle der Lebenswirklichkeit eben gegebenen Mannigfaltigkeit weisen sie einen durchgehenden Sinnzusammenhang auf.
Es wird hier überall das Bewußtsein des Auseinanderklaffens von Außen und Innen vernehmlich, die leidvolle Einsicht, daß die kulturelle
Erscheinungswelt in immer geringerem Grade die adäquate Abspiege-
lung des Inneren ist und daß das Innere ohnmächtig ist, sich wirklich
in Erscheinung umzusetzen. Das ist natürlich keineswegs ausschließlich Rilkes Gedankenbesitz; es ist Kulturkritik im Gefolge Nietzsches,
der in Deutschland als erster Diagnostiker die Verselbständigung und
Isolierung der Innerlichkeit, die Innerlichkeit ohne äußere Entsprechung, als Zeitkrankheit aufgezeigt hatte. Schon in ›Vom Nutzen und
Nachteil der Historie für das Leben‹ wird als „die eigenste Eigenschaft"
des modernen Menschen bezeichnet „der merkwürdige Gegensatz
eines Innern, dem kein Äußeres, eines Äußeren, dem kein Inneres entspricht, ein Gegensatz, den die alten Völker nicht kennen. Das Wissen,
das im Übermaße ohne Hunger, ja wider das Bedürfnis aufgenommen
wird, wirkt jetzt nicht mehr als umgestaltendes, nach außen treibendes
Motiv und bleibt in einer gewissen chaotischen Innenwelt verborgen,
die jener moderne Mensch mit seltsamem Stolze als die ihm eigentümliche ‚Innerlichkeit' bezeichnet." „Das dagegen, was wirklich Motiv ist
und was als Tat sichtbar nach außen tritt, bedeutet dann oft nicht viel
mehr als eine gleichgültige Konvention, eine klägliche Nachahmung
oder selbst eine rohe Fratze." [5] Diese kulturkritischen Gedankenmotive
haben sich um die Jahrhundertwende sehr verbreitet; als ein Beispiel sei
nur Hofmannsthal genannt, dessen Abhandlungen (›Der Dichter und
diese Zeit‹; ›Die Farben‹) manchmal von ihnen durchtränkt sind. „Es
ist das Wesen dieser Zeit, daß nichts, was wirkliche Gewalt hat über die
Menschen, sich metaphorisch nach außen ausspricht, sondern alles ins
Innere genommen ist, während etwa die Zeit, die wir das Mittelalter
nennen und deren Trümmer und Phantome in unsere hineinragen,
alles, was sie in sich trug, zu einem ungeheuren Dom von Metaphern
ausgebildet, aus sich ins Freie emportrieb." [6]
Diese Gedankengänge haben bei Rilke eine merkwürdige Persistenz

---

[5] Nietzsche, Werke, 11 Bde., 1912 ff. Bd. 2, S. 135 f. (Kröners Taschenausgabe.)
[6] Hugo von Hofmannsthal, Der Dichter und diese Zeit, 1907, in: Ges. Werke
in Einzelausgaben, Prosa Bd. 2, 1951, S. 268.

und in zunehmendem Maße eine eigene seelische Note und Reichweite über den Nietzscheschen bildungskritischen Ausgangspunkt hinaus gewonnen. Es seien die wichtigsten Belegstellen hier zusammengestellt und kurz kommentiert. Ein frühes, im Ausdruck noch sehr verhaltenes Zeugnis findet sich im zweiten Teil des Rodinbuches (1907): „In den Häusern des achtzehnten Jahrhunderts und seinen gesetzvollen Parken sah er wehmütig das letzte Gesicht der Innenwelt einer Zeit."[7] In den Krisenjahren seit 1910 häufen sich die bezüglichen Aussagen und werden sie nachdrücklicher und gegliederter. Auf dem Schlosse Duino liest Rilke die Annalen der italienischen Geschichte, die Muratori im 18. Jahrhundert zusammengestellt hat. „Ich staune, staune dieses vierzehnte Jahrhundert an, das mir immer das merkwürdigste war, unserem so genau entgegengesetzt, wo immer mehr alles Innere Inneres bleibt und sich dort zu Ende spielt ohne eigentliches Bedürfnis, bald fast ohne Aussicht, für seine Grade und Zustände draußen Äquivalente zu finden (daher die Gezwungenheit, Unaufrichtigkeit und Verlegenheit des jetzigen Dramas). Die Welt zieht sich ein; denn auch ihrerseits die Dinge tun dasselbe, indem sie ihre Existenz immer mehr in die Vibration des Geldes verlegen und sich dort eine Art Geistigkeit entwikkeln, die schon jetzt ihre greifbare Realität übertrifft. In der Zeit, mit der ich umgeh, war das Geld noch Gold, noch Metall, eine schöne Sache, die handlichste, verständlichste von allen. Und ein Gefühl gab nichts darauf, sich in irgendeinem Innern zu benehmen und dort etwas zu werden; kaum war es da, sprang es schon in die nächste Erscheinung und überfüllte die von lauter Sichtbarem volle Welt, in die der Große Tod des Jahres 1348, berauscht von soviel Dasein, seiner selbst nicht mehr mächtig, hineinzielte."[8] Noch eindringlicher und in der Kasuistik noch treffsicherer ist vier Tage später die direkte Fortsetzung dieser Gedanken im Brief an Ilse Sadée. Ausgangspunkt ist Goethes ›Tasso‹, über den Rilke ein abfälliges Urteil fällt. Das wirkliche Tassoproblem liege woanders, im „Schwanken zwischen Außen und Innen". „Damals fing vielleicht das an, was wir schon so seltsam vollzogen um uns sehen, das Zurückschlagen einer im Äußeren überfüllten Welt ins Innere. Sie werden verstehen, was ich meine: die inneren Erlebnisse

---

[7] GW Bd. 4, S. 417.
[8] Brief vom 1. 3. 1912 an Lou Andreas-Salomé.

waren im sechzehnten Jahrhundert im Sichtbaren draußen zu einer solchen Herrlichkeit gediehen, daß sie weiter nicht zu steigern war. Liebe
und Wunsch, Rache und Haß fanden fortwährend unmittelbare, glän-
zende Realitäten, die sie draußen vertraten, darstellten und sofort über-
trafen. Es liebte einer –, seine Liebe war die Geliebte, und wenn sie
nachdenklich, vor ihrem Spiegel, eine Kette versuchte oder Ohrge-
hänge, so wurde diese Liebe irgendeines Menschen mehr um diese
Kette, dieses Ohrgehäng. Und wenn einer noch soviel Haß in sich an-
sammelte, *es war ein Zuwachs*, wenn dieser Haß ins Handeln kam und
im Andrang eines Mordes greifbar und tragisch wurde. Für Raskolni-
kow ist die Ausführung eine Enttäuschung –: und dieser Umschlag
setzte irgendwie in Tasso ein und richtete ihn zugrund. Um diesen
Punkt ist sein Wesen beweglich. Sehen Sie nur, Petrarca konnte noch
auf dem Kapitol mit dem Lorbeer gekrönt werden, – wäre es zu
der Krönung Tassos gekommen – sie hätte ihm namenlosen Schmerz
bereitet – denn damals gab es schon kein äußeres Äquivalent mehr
für den Ruhm . . .“ Anschließend heißt es treffend, „daß der Brand
von Rom und die schöne Seeschlacht von Lepanto nur noch in uns vorgehen können“, und Rilke fügt hinzu, „ich hoffe, ich kann dies alles
einmal besser sagen und definitiv“. „Definitiv“, das heißt: im dichterischen Wort; es ist deutlich, daß diese Briefstellen (über ein Jahrzehnt
hinweg) die direkte Vorform von verschiedenen Formulierungen in
den diagnostischen Abschnitten der siebenten und neunten Elegie
bedeuten.

Es zeugt für die Persistenz dieses Gedankenmotivs, daß es sich bei
den verschiedensten Anlässen einstellt und sich auch auf die Sphäre der
individuellen Lebensgestaltung und Entscheidung erstreckt. Unter dem
Eindruck von Tolstois Tod auf der kleinen, unbekannten Station in
Rußland schreibt Rilke an Clara: „. . . wie hat dieses innere Leben doch
immer wieder ins Sichtbare ausgeschlagen, unmittelbar in seine Legende übergehend. Es wird immer schwerer, für das, was die Seele tut,
die äußere Handlung zu finden, Ibsen hat es aus Eigensinn innerhalb
der Kunst durchgesetzt, Tolstoi, ehrgeizig der Wahrheit gegenüber und
namenlos allein, zwang das Leben immer wieder, die Gradzahl zu sein
für den Stand seiner Seele.“ [9] Nicht nur das alte Motiv vom eigenen

---

[9] Brief vom 18. 11. 1910 an Clara Rilke.

Tode, sondern auch das von der Armut wird in den Gedankengang der Verinnerlichung und des Sichtbarwerdens hineinbezogen. In Assisi muß Rilke sich eingestehen, daß das franziskanische Armutsideal ein Anachronismus geworden ist und daß sein Herz sich ihm verschließt: „Der heilige Franz, das ist viel, aber uns umfaßt es nicht mehr, die Armut ist eines, handgreiflich wie ein Stein und ebenso hart, aber seither ist das Geld geistig geworden, weit über den greifbaren Besitz hinaus ein schwingendes, eindringliches, fast vom Besitzenden unabhängiges Element, eine Atmosphäre, die keinen Gegensatz mehr hat. Nun handelt sichs darum, zu diesem neuen ‚Reichtum' die neue Armut zu finden, alles das hat sich ja weit ins Unsichtbare hinein zurückgezogen; nachahmen kann mans freilich immer noch außen, daß man arm sei, aber die richtige Armut muß wieder von neuem innen in der Seele geboren werden und wird vielleicht gar nicht franziskanisch sein."[10] Nur eine Ausweitung dieser Gedanken bedeutet es, wenn Rilke drei Wochen später der katholischen Kirche keine Kraft der gültigen äußeren Sichtbarmachung zuerkennt und sich aus diesem Grunde ausdrücklich von ihr distanziert. Im „rein Geistigen" mag die Kirche „ein unabsehbarer Umkreis" sein; „wo aber einer (wie ich es bin) zunächst zu einer Sichtbarmachung des Geistigen verpflichtet ist, da muß ihm die Kunst als die überaus größere (als seine weiteste ins Unendlich überführende) Lebensperipherie einleuchten . . ."[11].

Zusammenfassend können wir sagen: Rilke sucht die Äquivalenz von Außen und Innen leidenschaftlich, aber im Bewußtsein, daß er sozusagen eine Nadel im Heuschober sucht. Das Schmerzliche dieses Bewußtseins wird noch ungleich akuter und heftiger in der Zeit des Weltkriegs, es ist geradezu zentral in Rilkes Kriegserleben. Merkwürdig genug ist das Verlangen nach gültiger Sichtbarkeit ein Hauptelement in dem komplizierten Seelendrang, aus dem heraus der Krieg zuerst jubelnd bejaht und gleich darauf in schroffem Umbruch radikal verneint wird. Der zweite der ›Fünf Gesänge‹ aus dem August 1914 hebt sehr charakteristisch an:

> Heil mir, daß ich Ergriffene sehe. Schon lange
> war uns das Schauspiel nicht wahr,
> und das erfundene Bild sprach nicht entscheidend uns an.

[10] Brief vom 18. 5. 1914 an die Fürstin von Thurn und Taxis.
[11] Brief vom 4. 6. 1914 an den katholischen Dichter Reinhard Johannes Sorge.

Aber dies waren nur „Einklänge ins Allgemeine"[12], und jäh darauf erfolgt der „Rückschlag aus dem allgemeinen Herzen, in das aufgegebene, in das verlassene, namenlose eigene Herz"[13]. Wo Rilke sich, von dieser Position des eigenen Herzens aus, jetzt vom Glauben an den Gemeingeist distanziert, der im Kriegsgott zur Sichtbarkeit gelangt wäre, da heißt es ebenso charakteristisch: „Alles Sichtbare ist eben wieder einmal in die kochenden Abgründe geworfen, es einzuschmelzen . . . In den ersten Augusttagen ergriff mich die Erscheinung (!) des Krieges, des Kriegs-Gottes . . ., jetzt ist mir längst der Krieg unsichtbar geworden . . ."[14] Das Motiv klingt weiter, wobei immer deutlicher wird, wie weitgehend Sichtbarkeit und Sinn, Unsichtbarkeit und Sinnlosigkeit sich decken. Ein Beispiel hierfür: „Ich verstehe die gegenwärtige Hölle nicht . . ., es gibt wenig Konstanten im Menschlichen, wie viele sind anders, sind unbegreiflich geworden – haben die Farbe einer Zeit angenommen, die selbst nicht zu sagen wüßte, ob sie eine hat, ich glaube, sie spielt sich an einer noch unentdeckten Stelle des Spektrums ab, in einem Ultrarot, das über unsere Sinne geht."[15] Ein anderer Brief legt in aller Klarheit und Schroffheit dar, daß „die geistige Kontinuität" in Deutschland aufgegeben sei. Und in *diesem* Zusammenhang heißt es dann, scheinbar höchst unvermittelt: „Denn (!) wo ist für uns hier das Sichtbare dieser verzweifelten Welt? Meint man nicht, man müßte, beladen mit dem jahrelangen Bewußtsein dessen, was sich in ihr an Unheil vollzieht, endlich irgendwohin kommen, wo Menschen auf den Knieen liegen und schreien –, dies verstünde ich, ich würfe mich zu ihnen und dürfte nun auch meinen Schrei haben unter dem Schutze der ihren." Wieder ist die mythisch-gültige Sichtbarkeit – hier die des knienden und schreienden Menschen – synonym mit Kenntlichkeit. Das Entsetzlichste an diesem Kriege sei, „daß sein Druck nirgends dazu beigetragen hat, den Menschen kenntlicher zu machen."[16] An diesem Gedankenmotiv hält Rilke eisern fest. Noch in der Rückschau führt er aus, daß die Schuld der Maßlosigkeit keinem Volke besonders anzurechnen

[12] Brief vom 9. 9. 1914 an Lou Andreas-Salomé.
[13] Brief vom 17. 9. 1914 an Thankmar von Münchhausen.
[14] Brief vom 6. 11. 1914 an Karl und Elisabeth von der Heydt.
[15] Brief vom 2. 8. 1915 an die Fürstin von Thurn und Taxis.
[16] Brief vom 9. 3. 1918 an Bernhard von der Marwitz.

sei – dies in Abwehr einer Anklage gegen Frankreich –, „denn diese Maßlosigkeit hat ihren Grund im ratlosen Verlorensein Aller". „Ja, solche Epochen mag es schon gegeben haben, voller Untergänge, aber waren sie ähnlich ohne Gestalt? Ohne eine Figur, die das alles um sich zusammenzöge und von sich hinausspannte; so bilden sich Spannungen und Gegenspannungen ohne zentrale Stelle, die sie erst zu Konstellationen machte, zu Ordnungen, wenigstens Ordnungen des Untergangs." «C'est le monde qui est malade, et le reste c'est de la souffrance.» [17] Die Gestaltlosigkeit ist ihm das Spezifische der Krankheit und des Leidens der Zeit.

Die angeführten Stellen sind durchweg negativer Art, indem sie eben den Schwund oder das Fehlen einer äquivalenten Sichtbarmachung des Innern konstatieren und beklagen. Gerade gegen diesen dunklen Hintergrund der Kriegserfahrung versteht man um so besser das beglückte Aufatmen, wenn Rilke ausnahmsweise einmal gültige Sichtbarkeit erlebt. Die höchst ausführliche und eindringliche Beschreibung der Herren-Insel im Chiemsee [18] ist darauf gerichtet, altgeformte Kulturlandschaft als sichtbaren Niederschlag von menschlichem Seelentum und Schicksal und somit als „innig" begreiflich zu machen. Von den hohen Bäumen heißt es, daß sie aus Stolz, vielleicht nicht ohne Trotz so groß geworden seien, „das geschonte Leben der Klosterherren hat sich in diesen Buchen und Eschen und Kiefern berechtigt und selbstbewußt zum Himmel erhoben und ausgebreitet, während die berühmten Linden (sie blühen jetzt), die drüben auf dem Anger des Frauenklosters stehen, aus Stille und Innigkeit durch die Jahrhunderte so groß geworden sind." Während dies für das Visuelle gilt, heißt es vom Akustischen: „Mit dem Turm ist, so wie man ihn gewahrt, die kleine Insel samt ihrer innigen Natur an die Vergangenheit geheftet, der Turm setzt Daten und löst sie alle wieder auf, indem er, seit er steht, Zeit und Schicksal hinausläutet über den See, als ob er die Sichtbarkeit aller hier aufgegebenen Leben in sich zusammenfaßte und immer wieder ihr Vergängliches unsichtbar, in der sonoren Verwandlung der Töne, in den Raum hinübergäbe." So halten sich „sichtbar" und „unsichtbar" hier die Waage, und die Stelle ist für uns besonders wichtig, weil Rilke hier

---

[17] Brief vom 21. 1. 1920 an Leopold von Schlözer.
[18] Brief vom 26. 6. 1917 an Gräfin Aline Dietrichstein.

nicht von einem zu beklagenden Schwund des Sichtbaren, sondern in
wertpositivem Sinne von einer *Verwandlung* gewesener Sichtbarkeit ins
Unsichtbare spricht, womit, soviel ich sehe zum ersten Male, das große
Thema der Elegien angeschlagen wird.

Wir müssen aber, in der Zeit zurückgreifend, noch auf ein anderes
Erlebnis einer Kulturlandschaft zu sprechen kommen, das ungleich
stärker auf Rilke eingewirkt hatte und in seiner Auswirkung dauernder
war: das Toledo-Erlebnis vom Herbst 1912. In Toledo gewinnt die Vorstellung der Äquivalenz von Außen und Innen einen Zug ins Ekstatische und Übersinnliche – das ist jene eigene seelische Note dem rein in-
nerweltlich-kulturkritischen Äquivalenzbegriff Nietzsches gegenüber,
von der oben schon die Rede war. Gültige Erscheinung ist ihm jetzt
eine solche, die durch Erde und Himmel, Leben und Tod hindurch-
schreitet. Er nennt Toledo „eine Stadt Himmels und der Erden", denn
„sie ist wirklich in beidem, sie geht durch alles Seiende durch", „sie sei
in gleichem Maße für die Augen der Verstorbenen, der Lebenden und
der Engel da" [19]. Die mythische Urkraft dieser phänomenalen Wirklichkeit ruft alttestamentliche Assoziationen hervor: „Welt, Schöpfung,
Gebirg und Schlucht, Genesis" [20]. In der Rückschau wird das Erlebnis
auf eine bündige Formel gebracht. Von Toledo heißt es, daß dort „das
äußere Ding selbst: Turm, Berg, Brücke zugleich schon die unerhörte,
unübertreffliche Intensität der inneren Äquivalente besaß . . . Erscheinung und Vision kamen gleichsam überall im Gegenstand zusammen,
es war in jedem eine ganze Innenwelt herausgestellt, als ob ein Engel,
der den Raum umfaßt, blind wäre und in sich schaute" [21]. Im Engel ist
das absolute Maß gegeben, auf das die Frage der Äquivalenz ausgerichtet wird. – Es muß freilich bemerkt werden, daß gerade diese ekstatische Komponente seines Toledo-Erlebnisses dem Dichter bald verdäch-
tig wurde. In Paris zurück, schreibt er aus merklicher innerer Distanz,
daß Paris sich zu Spanien verhalte wie die Rekonvaleszenz zum Fieber:
„Ich war, je länger ich blieb, desto mehr innerlich unterbrochen in Spanien, das Ekstatische der Landschaft beschämt jeden gelassenen Moment." „Ganz im Gegenteil zu Paris war man in Spanien durchaus in

[19] Brief vom 13. 1. 1912 an die Fürstin von Thurn und Taxis.
[20] Ebda.; vgl. auch den Brief an Else Bruckmann vom 28. 11. 1912.
[21] Brief vom 27. 10. 1915 an Ellen Delp.

der Fremde, nie an ein Dasein angelehnt, beständig der Vision gegenüber, vor hingerissenen Dingen als ein Zurückbleibender dastehend, nicht wie hier überall von hinreißenden mitgenommen."[22]

Der steile Zug ins Ekstatische und Visionäre und der aufgewühlte Ton sind denn auch stark herabgedämpft in den Schilderungen der Walliser Landschaft in den Briefen vom Jahre 1921, die im übrigen, wie man mit Recht bemerkt hat, in Wort und Bild erstaunlich eng an die spanischen Landschaftsevokationen anknüpfen[23]. Was übrigbleibt, ist eine wundervolle Harmonie maßvoller Ordnung und Gesetzmäßigkeit. Ein Brief an Gertrud Ouckama Knoop zählt beglückt die Dinge auf, die in dieses Maß eingeordnet sind, die Brücken, Tore, Wege, Brunnen, Burgen, Obstbäume: „Und keine Gestalt, keine – natürlich landestümlich gekleidete – Bauernfrau, die nicht Figur wäre in Alledem, Akzent wäre oder Maß."[24] (Beim Lesen dieser Briefstellen wird man inne, wie sehr die Verse der neunten Elegie: „Sind wir nicht hier, um zu sagen: Haus, / Brücke, Brunnen, Tor, Krug, Obstbaum, Fenster" Walliser Atmosphäre haben.) Für diese gesetzmäßige Gestalthaftigkeit des ihn umgebenden Wallis verwendet Rilke wiederum den Begriff der Äquivalenz: das Wallis sei „in großartiger Weise fähig, dem Ausdruck unserer innern Welt vielfältige Äquivalente und Entsprechungen anzubieten"[25]. Die vollgültige Sichtbarkeit, die Erscheinung als „Figur", deren Abhandenkommen im modernen Leben er so stark und so schmerzlich empfand, hat die alte Kulturlandschaft ihm zurückgeschenkt.

---

[22] Brief vom 27. 3. 1919 an Katharina Kippenberg. – Es ist übrigens interessant zu beobachten, daß Rilkes Toledo-Erlebnis ausging und gefärbt wurde von einem Werk der bildenden Kunst, nämlich von Grecos Gemälde ›Toledo‹, das er 1908 im ›Salon d'automne‹ gesehen und in einem Brief an Rodin vom 16. 10. 1908 eindringlich und ergreifend beschrieben hatte.

[23] Vgl. das wertvolle Kapitel ›Spanien, Wallis und das Spätwerk‹ in: Else Buddeberg, Rilke, 1955.

[24] Brief vom 26. 11. 1921 an Gertrud Ouckama Knoop; vgl. auch die Briefe vom 25. 7. 1921 an die Fürstin von Thurn und Taxis und vom 17. 8. 1921 an Nora Purtscher-Wydenbruck.

[25] Zit. bei Else Buddeberg, Rilke, 1955, S. 367.

IV

Eine Seite von Rilkes in den Elegien gestaltetem Begriff des Unsicht-
barwerdens ist, wie wir sahen, in den brieflichen zeit- und zivilisationskritischen Äußerungen der Vorkriegs- und der Kriegszeit intensiv vorgebildet: es ist der diagnostische Begriff der Unsichtbarkeit, die in den
Elegien in Wendungen wie „immer geringer schwindet das Außen",
„schlägt sich erdachtes Gebild vor", „Tun ohne Bild" evoziert wird. Es
ist deutlich, daß diese bloß *negative* Unsichtbarkeit, der *Schwund* der
„Gestalt", der „Figur", des „Bildes", mit der in den Elegien als *Postulat*
verkündeten, aus der *Verwandlung* des Sichtbaren im unsichtbaren
Herzen resultierenden Unsichtbarkeit zwar in irgendeinem sachlichen
Zusammenhang stehen muß, ohne aber beileibe mit ihr identisch zu
sein. Das Verhältnis ist vielmehr gegensätzlicher Art. Gerade die Unge-
nüge über den empirisch gegebenen Schwund gültiger Sichtbarkeit, zusammen mit dem Bewußtsein, daß dieser Schwund ein unaufhaltsames
und unausweichliches Verhängnis ist, treibt das Postulat einer wertposi-
tiven Verwandlung der Erscheinungswelt hervor. Dies legt die Vermutung nahe, daß in dieser Verwandlung die von Rilke immer schon so
sehr gefeierte „heile" Gestalt der Dinge bewahrt bleiben muß.

Diese Vermutung läßt sich dadurch bewahrheiten, daß wir uns genau
Rechenschaft von Rilkes Reagieren auf die Erscheinung der zeitgenössischen bildenden Kunst geben. Es wird ohne weiteres einleuchten,
daß sich das Thema „Verwandlung des Sichtbaren" irgendwie mit der
Problematik der modernen Kunst berührt. Ist es doch ein Hauptcha-
rakteristikum der modernen Kunst in vielen ihrer wesentlichsten Aus-
prägungen, daß sie die visuelle Erscheinungswirklichkeit in einem vorher unvorstellbaren Maße deformiert und in etwas ganz anderes trans-
formiert. Die Malerei macht zwar noch Anleihen bei der gegebenen
Erscheinungswirklichkeit, aber nur, um diese dem souveränen Schaffen
eigenständiger Formgebilde unterzuordnen. Diese tiefgreifende Wandlung, die die Kunst unseres Jahrhunderts wie durch eine Kluft von der
wirklichkeitsgebundeneren Kunst voriger Jahrhunderte zu trennen
scheint, bereitet sich um die Jahrhundertwende vor und setzt dann
machtvoll im Lauf der ersten Jahrzehnte unseres Jahrhunderts ein. In
Frankreich treten 1905 die ›Fauves‹ in Erscheinung und beginnt 1907
mit Picasso und Braque der Kubismus; in Deutschland setzt ungefähr

Pablo Picasso: La mort d'Arlequin. 1905

gleichzeitig die vielheitliche Bewegung des Expressionismus ein, mit
den Künstlergruppen ›Die Brücke‹ (1906) und ›Der blaue Reiter‹ (1911).
Wir müssen es hier bei diesen summarischen (und dadurch für das
Spezifische der einzelnen Richtungen höchst unzureichenden) Andeutungen bewenden lassen und können nur zusammenfassend sagen: im
Jahrzehnt vor dem Weltkrieg findet in der bildenden Kunst die Grundlegung dessen statt, was noch unsere Zeit beherrscht; es ist die Zeit, die
wir jetzt als den Sturm und Drang und zu gleicher Zeit als die Klassik
der Moderne empfinden.

Und in jener Zeitspanne der großen schöpferischen Eruptionen und
der radikalen Auseinandersetzung mit den überkommenen Werten der
bildenden Kunst, in jenen denkwürdigen Jahren, wo Matisse, Picasso,
Braque und ein Dutzend junger Weggenossen mit ihnen Schlag auf
Schlag und mit erstaunlichem Impetus von einem Ergebnis zum andern
fortschritten und der Malerei ein ungeahntes Neuland eroberten; wo
die Salons d'Automne und die Salons des Indépendants von einem Jahr
zum andern folgenschwere Ereignisse waren: in jener Zeit des Knos-
pens und Blühens lebte Rilke in Paris. Die Frage drängt sich förmlich
auf: Was hat er von diesen Dingen gewußt, wie hat er zu ihnen gestanden, welche Bedeutung haben sie für ihn gehabt? Rilkes einschlägige
Äußerungen sind manchmal etwas dürftig und zum großen Teil recht
summarisch, aber dennoch: wenn wir sie sorgfältig in die Annalen der
bildenden Kunst einpassen und mit den Fakten konfrontieren, so werden sie etwas spezifischer und ergeben zusammen ein ziemlich eindeu-
tiges Bild.[26] Eines wird ohne weiteres klar: ein so tiefes und positives
Verhältnis wie letztlich zu Cézanne hat Rilke zu der Kunst seiner Gene-
rationsgenossen keineswegs gefunden. Alles Spätere steht im Schatten
des Cézanne-Erlebnisses vom Jahre 1907, es bewahrheitet sich in
erstaunlichem Maße die nachherige briefliche Äußerung, daß er für diese
„späteren Erscheinungen" „nicht mit voller Aufmerksamkeit zu haben"

[26] Frau Ruth Fritzsche-Rilke und Herr Willy Fritzsche stellten mir freundlicherweise ein umfangreiches Material von bisher unveröffentlichten Briefen aus
dem Rilke-Archiv (im folgenden abgekürzt: R.-A.) in Abschriften zur Verfügung. Ich möchte beiden an dieser Stelle für ihr meiner Arbeit entgegengebrach-
tes Interesse und für ihre erhebliche Mühewaltung im Sichten und Abschreiben
der für meine Arbeit wichtigen Briefstellen meinen herzlichen Dank aussprechen.

Paul Klee, Angelus Novus. 1920

gewesen sei,[27] was nicht ausschließt, daß seine summarischen Urteile
oft von einer schroffen Negativität sind.

Fragt man sich hinterher, welche von den vielen wichtigen damaligen
Ausstellungen die bedeutendsten und wirklich epochemachenden gewesen seien, so müssen zwei von ihnen ganz besonders hervorgehoben
werden: der Salon d'Automne 1905 und die Cézanne-Gedächtnisaus-
stellung im Salon d'Automne 1907. Im Salon d'Automne traten 1905
Matisse und der um ihn versammelte Kreis von Koloristen (Marquet,
Dérain, Vlaminck, Rouault usw.), die durch ein Witzwort des Kritikers
Louis Vauxcelles bald den Nom de guerre ›Les Fauves‹ erhielten, zum
erstenmal als mehr oder weniger geschlossene Gruppe in Erscheinung,
und es entspann sich in den Zeitungen ein wütiger Federkampf über
diesen öffentlichen Skandal. Rilke hat jenen Salon besucht, und auch
das gewaltige Wellenschlagen in der Öffentlichkeit wird ihm kaum ent-
gangen sein. Er berichtet über Plastiken von Maillol und von Hoetger
und über Rodins Zustimmung zu beiden. Über die ›Fauves‹ aber kein
Wort. Für uns Nachgeborene und Rückschauende ist es befremdend zu
lesen: „Was den Salon sonst interessant macht, waren größere Ausstellungen von Ingres und Manet, von Raffaelli und von einigen japanischen Sachen moderner Entstehung."[28] – Im Salon der Indépendants
vom Jahre 1906 geben die ›Fauves‹, zu denen jetzt auch Braque hinzuge-
treten ist, sich ein neues Stelldichein; zusammen mit dem Salon d'Automne 1906 eine wichtige Etappe ihres Siegeszuges. Rilke berichtet an
Clara: „Montag war ich einen Augenblick (!) bei den Indépendants;
aber das ist Unfug und sinnlose Spielerei. Freiheit auf das armsäligste
mißbraucht, irgendwo hingebracht [sic]."[29] Obgleich sie nicht namentlich genannt werden, ist es doch deutlich, daß die Fauves gemeint oder
doch mindestens mitgemeint sind.

Ebensowenig hat Rilke damals ein Verhältnis zu jener Richtung gefunden, die von 1907 an in noch viel stärkerem Maße als der Fauvismus
die gesamte moderne Kunst beeinflußte: dem Kubismus. Ausgelöst
wurde der Kubismus recht eigentlich durch die Cézanne-Gedächt-
nisausstellung im Herbstsalon 1907: vor Cézannes Gemälden und in

---

[27] Brief vom 18. 5. 1917 an Elisabeth Taubmann.
[28] Brief vom 21. 11. 1905 an Professor Treu; R.-A.
[29] Brief vom 5. 4. 1906 an Clara Rilke; R.-A.

produktiver Auseinandersetzung mit dessen Errungenschaften haben Picasso und Braque den Ausgangspunkt und die Grundlagen der konstruktiven, nicht-imitativen Kunst gefunden, die sich dann bis in die letzten Vorkriegsjahre auf ihren Gipfelpunkt im synthetischen Kubismus hin fortentwickelten. Die beiden befreundeten Maler und andererseits Rilke, der die dreiwöchige Ausstellung täglich besuchte: sie mögen einander dort oft gesehen haben, ohne sich zu kennen. Und diesem merkwürdigen Umstand darf man ruhig eine symbolische Bedeutung beimessen. Denn: sosehr sich die Einsicht in die ästhetische Eigenständigkeit des Formgebildes, die Rilke vor Cézanne gewann, mit den Bestrebungen Picassos und Braques berührt, sie bleiben doch andererseits durch einen haarscharfen Schnitt voneinander getrennt. Rilke hält fest an einer maßvollen Mimesis und am Gleichgewicht von dargestelltem Gegenstand und künstlerischer Form. Er zitiert zustimmend die Worte einer befreundeten Malerin: „Es ist wie auf eine Waage gelegt: das Ding hier und dort die Farbe; nie mehr, nie weniger, als das Gleichgewicht erfordert." [30] Für ihn ist Cézanne nach wie vor das Non plus ultra; für die Grundleger des Kubismus ist Cézanne das solide Fundament, auf dem die von der Tyrannei der Mimesis sich emanzipierende Malerei ihre autonomen Bildstrukturen aufbauen soll.

Hierhin gehört es auch, daß Rilke sich, freilich bei andersartigem Anlaß, gegen eine sich von der Natur entfernende „Formvoreingenommenheit" wendet und beifällig Hokusais Worte zitiert: „Die Bilder der Dinge . . . neigen dazu hin, Schriftzeichen werden zu wollen; unsere Aufgabe ist es, sie immer wieder im Bildbereich, im Bildchen, zurückzuhalten." – Frau Ruth Fritzsche-Rilke versieht die Worte ‚im Bildchen‘ mit der Bemerkung: „Muß wohl heißen ‚im Bildlichen‘. Mir liegt hier nur eine fremde Abschrift vor." – 9. 5. 1910 oder 1911, an Edith von Bonin; R. A.

In den folgenden Jahren wird Rilkes Urteil wenn möglich noch schroffer. Über die „neuesten Wendungen in der (ich würde fast nur noch sagen:) sogenannten Malerei" heißt es: „Es geht in diesen Dingen schrecklich zu in Paris, die neuesten Dinge kommen erschöpft zur Welt, d. h. nein: unmittelbar zu den Kunsthändlern, werden in den Handel hineingeboren und sind schon beim nächsten Händler überholt, überlebt, übertroffen: es ist ganz gut, jetzt nicht in Paris zu sein, c'est de la blague, que l'on peut ignorer mais qui vous irrite quand-

---

[30] Brief vom 12. 10. 1907 an Clara Rilke.

même."[31] Das Urteil sitzt offenbar fest. Ebenso wegwerfend spricht er über „die heutigen, in abgeleiteten Spielereien abgelenkten jungen Maler"[32]. Den Gipfel erreicht seine Ablehnung in einem Brief an Elisabeth Schenk: „Eine ganze Weile schon begreife ich nichts mehr, seit Cézanne, um dessen Werk ich viel Liebe und immer mehr Bewunderung aufbringe. Der große Alte ist kaum fünf Jahre tot und schon wirtschaftet eine leichte Nachkommenschaft über sein halb- und schlechtbegriffenes Werk weiter, und bringt sich um jeden Preis fort, jeder zu seinem verfrühten Eintagsruhm und kläglichsten Ende. Wirklich, es ist jetzt nichts für junge Menschen hier, sie werden nur konfus von der Menge des Unreifen, Unnötigen und Auffallenden, das jeder Tag ausstößt; in eine Betätigung, in der selbst guter Wille noch wenig ist, ist purer schlechter Wille geraten, und der gibt, zusammen mit dem leichten Können und Allesverstehen, das unsere Zeit nun einmal hat, die widerlichste Mischung, ein Gift, das reine Gift, dürfen Sie glauben."[33] Es scheint mir evident zu sein, daß in dieser Urteilsbildung mit ihrer schematischen Gegenüberstellung von Cézanne und den jungen modernen Malern immer noch die ›Souvenirs sur Paul Cézanne‹ von Émile Bernard nachwirken, die Rilke im Oktober 1907 gelesen hatte. Dort spielt Bernard Cézanne gegen dessen ‹continuateurs prétendus› in Paris aus, «une queue déformatrice de factices élèves», und er läßt Cézanne von ihnen sagen: «Tout cela ne compte pas, ce sont des farceurs.»[34] Rilke hält in seinem Urteil über Cézannes „leichte Nachkommenschaft" genau an diesem Schema fest. Viel später noch empfiehlt er einer befreundeten Malerin die Lektüre von Bernards Erinnerungen[35].

Als Rilke 1914 nach Deutschland zurückgekehrt ist, bleibt seine Haltung der modernen Kunst gegenüber im allgemeinen ablehnend, aber die Auseinandersetzung mit ihr wird etwas substantieller und für unsere spezifische Fragestellung ergiebiger. Jetzt erfahren wir wenigstens, was Rilke an der modernen Malerei mißfällt: „Diese ganze subkutane Malerei, die *unter* der eigentlichen heilen Bildoberfläche vor sich geht

---

[31] Brief vom 9. 6. 1913 an Erica Hauptmann; R.-A.

[32] Brief vom 24. 3. 1913 an Kurt Becker.

[33] Brief vom Pfingstmontag 1911 an Elisabeth Schenk zu Schweinsberg; R.-A.

[34] ›Mercure de France‹ vom 16. 10. 1907, S. 614.

[35] Brief vom 8. 8. 1917 an Elisabeth Taubmann; R.-A.

und vom écorché bis zum Skelett der Erscheinung alle Bildunterlagen aufdeckt, erscheint mir nur noch als die Anarchie eines durch Mikroskope verdorbenen und durch die zunehmende Unsichtbarkeit vieler Erlebnisse zum äußersten gereizten Blicks."[36]

Der Bildgegenstand ist ihm geschändet und geschunden wie ein Marsyas oder ein Sankt Bartholomäus. Der Gedankengang setzt sich ein halbes Jahr später fort: „Ich muß annehmen, daß unsere Erlebnisse sich immer weiter ins Unsichtbare, ins Bazillare und Mikroskopische verschieben: und so läßt sich die absurde Gewaltsamkeit verstehen, mit der die Malerei, ebenso wie die Bühne, ihre vergrößerten und entrissenen Gegenstände zur Ausstellung bringt."[37] Aus diesen Briefstellen geht wiederum nicht hervor, welche speziellen Erscheinungen der Kunst Rilke meint, man kann sowohl an den Expressionismus wie an den Kubismus denken.[38] Aber darauf kommt es vielleicht weniger an. Wichtiger ist uns das Gedankenmotiv, das uns schon merkwürdig vertraut ist: der Schwund des heilen Gegenstandes, das Unsichtbarwerden der Erlebnisse, das ist das Stigma der technokratischen Zeit, das Rilke auch auf außerkünstlerischem Gebiet längst beklagt hatte. Es ist bezeichnend, daß die Metaphorik, mit der Rilke diesen Schaden beschreibt, dem Bereich des Technischen und Naturwissenschaftlichen entnommen wird (Mikroskop, Bazillen, Chirurgisches). Der Abbruch der Dingwelt in der Kunst ist ihm ein Symptom der zivilisatorischen Unnatur eines durch die böse Übermacht von Technik und Maschine verdorbenen Zeitalters.

„Erst in der ‚Verbannung‘, in der ich hier lebe, begann ich mich wieder, mehr aus désœuvrement als aus Aufnahme [sic] umzusehen . . ."[39] Die Berührungen mit bildender Kunst sind in der Münchener Zeit offenbar doch intensiver gewesen, als sie es zuletzt in Paris gewesen waren. Ein eigenes Verhältnis zum Werk einzelner Künstler zeichnet sich ab, aber meistens bleibt die Stellungnahme ambivalent und schwankend. Als ein Beispiel für diese Ambivalenz sei hier nur Kokoschka ge-

[36] Brief kurz nach 12. 12. 1916 an H. Tietze; R.-A.
[37] Brief vom 18. 5. 1917 an Elisabeth Taubmann.
[38] Der hier S. 181 f. veröffentlichte Brief vom 8. 8. 1917 an Elisabeth Taubmann zeigt indessen, daß wohl besonders der Kubismus gemeint ist.
[39] Brief vom 18. 5. 1917 an Elisabeth Taubmann.

nannt, mit dem Rilke in München auch freundschaftlichen Umgang pflegte. Kokoschkas Werk ist ihm im Jahre 1916 zum positiven Erlebnis geworden. Aber wie scheut Rilke dennoch vor intensiver Berührung zurück! Über die Möglichkeit einer Begegnung mit Kokoschka schreibt er ausweichend: „Da aber alles, was irgendwie aufs Eigene führt, eher schmerzhaft und verwirrend wirkt, solange man davon festgehalten ist, so halt ich mich lieber in gleichgültigster Schwebe und in einem vorsichtigen Abstand von Büchern, Bildern und den lebendigen Gesprächen."[40] In der tiefen Depression, die er damals durchmacht, hält Rilke sich auch und gerade das als verwandt Empfundene ängstlich vom Leibe. Er winkt ab, als Katharina Kippenberg bei ihm anfragt, ob Kokoschka den ›Cornet‹ illustrieren könnte,[41] und äußert sich sehr distanziert und kritisch über Kokoschkas Dramen[42]. Im Jahre 1920 lehnt er es ab, über Kokoschka einen Aufsatz zu schreiben. Freilich habe er im Jahre 1916 eine bewundernde Überzeugung für Kokoschka empfunden und ausgesprochen; aber an jenes Erlebnis vermöge er nicht mehr anzuknüpfen. Jene Eindrücke haben sich im Gegenteil „zu einer Art Besorgtheit zusammengezogen, als ob jene große Begabung untrennbar mit den ihr innewohnenden Gefährdungen verbunden sei, die vielleicht nicht andere sind als die allgemeinen der Zeit, nur daß sie, in diesem Künstler noch einmal mitgeboren, mit seiner Produktion wachsend, ihre zerstörende Kraft in demselben (hier fehlt im Original ein Wort: ‚Maße' oder ‚Grade'?) entwickeln, in dem seine Persönlichkeit zunimmt. Munch hat schon diese konstruktive Gewalt des Schreckens in seine Linien eingeführt, – aber er ist unendlich viel mehr ‚Natur' als Kokoschka und so gelang es ihm, die Gegensätze des Erhaltenden und Vernichtenden immer wieder im bloß räumlichen Ereignis, im ‚Bilde' zu entwaffnen."[43] Die Kunst Kokoschkas, des Expressionisten pur sang, sei „zerstörend", sie sei keine „Natur" und es gelinge ihr nicht, für die innere Aufwühlung die äquivalente äußere Form zu finden. Kokoschka mag mitgemeint sein, wo Rilke allgemeiner schreibt: „Der Expressionist, dieser explosiv gewordene Innenmensch, der die Lava sei-

[40] Brief vom 4. 3. 1916 an Lou Albert-Lasard; R.-A.
[41] Brief vom 30. 1. 1917 an Katharina Kippenberg.
[42] Brief vom 7. 6. 1919 an die Fürstin von Thurn und Taxis.
[43] Brief vom 12. 4. 1920 an Arpad Weixlgärtner, veröffentlicht in: Die graphischen Künste 53, 1930, H. 1, S. 23–26.

nes kochenden Gemüts über alle Dinge gießt, um darauf zu bestehen, daß die zufällige Form, in der die Krusten erstarren, der neue, der künftige, der gültige Umriß des Daseins sei, ist eben ein Verzweifelter . . .«[44] Das Anliegen des Expressionismus berührt sich aufs engste mit Rilkes Problem: Äquivalenz von Innenwelt und sichtbarer Form. Aber durch explosive Gewaltsamkeit läßt sich diese Äquivalenz nicht verwirklichen. Die „zufällige Form, in der die Krusten erstarren": das ist dasselbe negative Bild für fehlende Äquivalenz, das Rilke in der neunten Elegie verwendet: „Tun unter Krusten, die willig zerspringen, sobald / innen das Handeln entwächst und sich anders begrenzt."

Rilke ist kein Snob, er läuft nicht hinter dem ‚dernier cri‘ her, und das Maß der Berühmtheit der Künstler, die ihm zum Erlebnis werden, beeinflußt sein Werturteil nicht. Deshalb besagt es etwas, daß die zwei zeitgenössischen Maler, mit deren Werk er sich am eingehendsten auseinandersetzt, gerade die zwei waren, deren Ruhm sich seitdem am höchsten entfaltet hat und die nach heutigem Empfinden die überragenden Gestalten jener Zeit sind: Picasso und Paul Klee. Was Rilke über sie äußert, ist genauer und eindringlicher als die vorhin zitierten Urteile. Es greift ins Zentrum des im vorigen entwickelten Hauptproblems und will jetzt analysiert sein.

Picasso ist Rilke nicht schon in Paris, sondern erst in München zum bedeutenden Erlebnis geworden, in den Jahren 1915–1916. Jeder Rilkeleser denkt hier natürlich – und mit Recht – zuerst an die ›Saltimbanques‹, das monumentale Gemälde aus Picassos rosa Periode (1905), damals im Besitz von Hertha Koenig, einer Bekannten Rilkes.[45] Selber ein Fahrender – Rilke hatte gerade seinen ganzen Besitz, der in Paris geblieben war, verloren –, lebte er vier Monate als „Wächter am Picasso" in Frau Koenigs Münchener Wohnung. «Cette voisinage m'ouvre presque, par moment, le monde . . .», so schreibt er an die Fürstin von Thurn und Taxis.[46] Das Erlebnis haftete: die ›Saltimbanques‹ sind bekanntlich die wichtigste Inspirationsquelle der fünften Elegie gewe-

[44] Brief vom 12. 9. 1919 an Anni Mewes.
[45] Jetzt als Leihgabe der Chester Dale Collection in der National Gallery zu Washington.
[46] Brief vom 9. 7. 1915; ähnlich: Brief vom 28. 6. 1915 an Thankmar von Münchhausen.

sen.[47] Rilkes substantiellste Äußerung aus der Zeit des Picasso-Erlebnisses selbst betrifft aber ein anderes Gemälde, einen der vielen Picassos, die er damals in der Galerie Caspari in München sah, nämlich den ›Sterbenden Pierrot‹, entstanden im selben Jahr wie die ›Saltimbanques‹[48]. Der Brief, den er über dieses Gemälde an Marianne von Goldschmidt-Rothschild in Berlin schreibt, hat einen eigenartigen Verlauf. Er fängt an mit einer sachgetreuen, meisterhaft feinsinnigen Bildbeschreibung, die wohl dadurch bedingt ist, daß die Adressatin sich als Sammlerin für das käufliche Gemälde interessieren könnte. Aber über dem Beschreiben kommt unvermerkt ein anderes Element hinzu: Das Bild wird dem Briefschreiber zum Gleichnis für Picassos spätere kubistische Entwicklung. Ausgangspunkt dieser Wendung im Briefe sind die vier „Farbenflicken" auf Pierrots rechtem Ärmel, die, im Gegensatz zum übrigens dünnen und dürftigen Farbauftrag des Bildes, ganz „aus dem Vollen" gemalt seien, „als kämen sie unwillkürlich zu einem Glück zusammen, zu Pierrots Verklärung, zu seiner ewigen Seligkeit". Und dann fügt Rilke hinzu: „Man möchte fast versucht sein, von diesem viertönigen Anschlag aus den späteren Picasso zu begreifen, als ob, nach Pierrots Tode, die zerschlagene Welt nur noch in solchen schönen Scherben zusammenkäme." „Pierrot" steht hier gleichnishaft für die gegenstandsgebundene Kunst, die Picasso hinter sich gelassen hat: „Gehört nicht Pierrots ganzer Leichtsinn dazu, die Gestalten wörtlich zu nehmen, als ob sie greifbar wie Puppen wären und nahrhaft wie schöne Äpfel, die man mit den Augen ißt –, während sie doch hinstürzen, durcheinander und aneinander vorüber und auch der Schauendste noch als ein immer Gestürzter ins Stürzende sieht. So daß Ruhe nur ist im Gefäll, im Flußbett, wo die Stufen nebeneinanderliegen, die den Sturz verursachen, das Hohe und das Tiefe, die Übergänge und die Ge-

[47] Der Sachverhalt ist in der Rilke-Literatur schon verschiedentlich behandelt worden, zuletzt sehr gründlich und ergiebig von Peter H. von Blankenhagen, Picasso and Rilke, ›La Famille des Saltimbanques‹, in: Measure, A Critical Journal 1, 1950, S. 165–185; deutsch in: Rilke und die bildende Kunst (Kunstwerk-Schriften, Bd. 24), 1952, S. 43–54.

[48] Das von Rilke beschriebene Bild ist ohne jeden Zweifel identisch mit der Nr. 302 (Abb. 134) im Werkkatalog von Christian Zervos, Pablo Picasso, Bd. 1, Paris 1932: „La Mort d'Arlequin. Gouache 1905. Paris, Coll. Part. en Westphalie. Dim. 66×93 cm". – Daß Rilke statt „Harlekin" „Pierrot" sagt, spielt keine Rolle.

trenntheiten. Die Stelle am Ärmel des sterbenden Pierrot gibt zu denken: das ist nicht mehr der Schmerz und die Freude, die Sehnsucht und die Absage, Pierrot stirbt, die sind vorüber, aber man könnte meinen, dies alles sei entstanden, weil das Leben genau über diese Töne ging und fiel, von einem zum andern –, und so bleibt nichts übrig, als nach Pierrots Hingang einfach das Flußbett des Lebens zu malen, das Auf und Ab, die Neigungen und die Widerstände . . ." [49]

Hier wird ganz offenbar die spätere entgegenständlichende Kunst Picassos als unausweichlich begriffen und bejaht. Abbildnahe Kunst (die die Gestalten wörtlich nimmt, als ob sie greifbar wie Puppen wären) wäre von jetzt an ein „Leichtsinn". Denn die früheren Lebensgestalten stürzen hin, und auch der Schauendste sieht als ein immer Gestürzter ins Stürzende. Man spürt deutlich, wie sehr hier die Erschütterung durch den Weltkrieg hineinspielt. In den ersten Kriegsjahren finden sich in den Briefen immer wieder die Metaphern „Sturz", „stürzen", „Gestürzter", „Bergsturz", „Abgründe", „Verschüttung" usw. zur Bezeichnung des vom Krieg verursachten inneren Chaos. [50] Rilke erblickt hier im Hinstürzen der festen Dingwelt, das ihm im Krieg zum schmerzlichen Erlebnis geworden war, eine objektive, der seelischen Situation des hinstürzenden Menschen entsprechende Zeitnotwendigkeit, und er bejaht es, daß Picasso mit dieser Situation Ernst macht und nicht mehr die absoluten Dinge, sondern die dynamischen Bezüge hinter den Dingen („das Flußbett des Lebens") malt. So legt Rilke sich, positiv wertend, Picassos Kubismus zurecht. Nähe des Expressionismus, von dem er sich sonst so vorsichtig distanziert. Merkwürdig verwandt mit dem Gedankengang des Picassobriefes scheint mir der Gedichtentwurf ›Die Worte des Herrn an Johannes auf Patmos‹ aus demselben Jahre zu sein, wo der Zusammenbruch der geordneten und gestalteten Welt gleichfalls als notwendig akzeptiert, ja als gottgewollt bejaht wird und wo dem Herrn diese Worte in den Mund gelegt werden:

> Menschen heften sich an die Begriffe,
> fanden mühsam sich hinein.
> Eine Zeit noch sollen Schiffe Schiffe
> und ein Haus soll wie die Häuser sein.

---

[49] Brief vom 28. 7. 1915 an Marianne von Goldschmidt-Rothschild.
[50] Vgl. die Briefe vom 6. 11. 1914, 12. 7. 1915, 15. 2. 1916 u. a.

Und der Stuhl, der Tisch, der Schrank, die Truhe
und der Hut, der Mantel und die Schuhe
ohne daß man ihnen etwas tue –:
aber diese Formen sind nicht mein.

An der Bildung ist mir nichts gelegen
denn ich bin der Feuerregen
und mein Blick ist wie der Blitz gezackt.[51]

Aber dieser Drang vom Gegenständlichen weg hält nicht lange vor. Nicht daß Rilke deshalb Picasso verleugnet hätte – aber höchst bezeichnend scheint mir doch die völlig verschiedene Art der Argumentierung zu sein, durch die er schon 1917 die Entgegenständlichung im Werke Picassos rechtfertigt: nicht als ein Ziel in sich selbst, sondern als einen Durchgangsweg zur Neubegründung einer gegenständlichen Malerei.[52]

Man könnte dennoch versucht sein, das „Hinstürzen der Gestalten" im Brief über Picasso in direkten Zusammenhang mit den Elegien zu bringen, in dem Sinne, daß der im Brief doch emphatisch bejahten Entgegenständlichung die Forderung der Verwandlung des Sichtbaren in Unsichtbares in den Elegien entspräche. Diese Annahme ist jedoch nicht haltbar. Dies läßt sich nachweisen durch Vergleichung mit Briefen vom Anfang 1921, in denen Rilke in sehr verwandter Terminologie, aber mit stark verschobenem Wertmaßstab über die Entgegenständlichung im Werk von Paul Klee spricht. Diese Zeugnisse sind so bedeutend, daß es sich lohnt, gründlich auf sie einzugehen, auf die Gefahr hin, daß dies den Rahmen unsrer Darstellung fast sprengt.

In München war Rilke in den Kriegsjahren mit Klee gut bekannt gewesen. Im Jahre 1915 (in Rilkes Picassojahr also) hatte Klee ihm sogar eine große Anzahl seiner farbigen Blätter ins Haus gebracht (ungefähr 40 sagt der eine Brief, etwa 60 der andere). Rilke durfte sie monatelang behalten und hat sich intensiv mit ihnen beschäftigt. In vielen dieser Blätter wirkte der starke Eindruck nach, den Nordafrika – Tunis und

---

[51] ›Gedichte 1906 bis 1926‹, S. 572; dort die Angabe: „München, 19./20. November 1915. Geschrieben unter dem Eindruck von Dürers Apokalypse."

[52] Vgl. den hier S. 181 f. abgedruckten Brief vom 8. 8. 1917 an Elisabeth Taubmann. – Vielleicht wußte Rilke von der jüngsten ‚realistischen‘ Wendung (1915) in Picassos Werk.

besonders Kairuan – auf einer zusammen mit August Macke unternommenen Reise im April 1914 auf Klee gemacht hatte.[53] Rilke seinerseits war schon im Dezember 1910 in der „heiligen Stadt" Kairuan stark von der Lebendigkeit und Gegenständlichkeit der mohammedanischen Religion beeindruckt worden.[54] Aber dieses inhaltliche Moment ist sicher nicht das einzige gewesen, was Rilke an Klees Blättern fesselte. Lou Albert-Lasard, Rilkes damalige Weggefährtin, schreibt sogar: „Vielleicht ist es dem langen Kontakt mit diesem Werk zu danken, daß Rilke begann, die heutige Kunst zu fühlen." Darin mag ein richtiger Kern stecken.[55] Klee war damals der Öffentlichkeit noch ziemlich unbekannt. Von der Künstlergruppe ›Der Blaue Reiter‹, der Klee sich 1912 angeschlossen hatte, waren Kandinsky und Franz Marc nach außen sichtbarer geworden als der introvertiertere Klee. Jetzt, in den Jahren nach dem Ersten Weltkrieg, wurde Klee auch der Öffentlichkeit ein Begriff! Das Jahr 1920 brachte die erste umfassende Ausstellung (bei Hans Goltz in München; 362 Werke) und zwei Monographien über ihn zu gleicher Zeit.[56] Außerdem erschien im selben Jahre ein vielbeachteter Aufsatz von ihm in der Sammelschrift ›Schöpferische Konfession‹[57]. Im November wurde Klee als „Meister" ans „Bauhaus" in Weimar berufen; im Jahre 1921 beginnt seine dortige Lehrtätigkeit. Und jetzt erschien auch die dritte Monographie, die bedeutendste und eigenartigste: Wilhelm Hausenstein, Kairuan oder die Geschichte vom Maler Klee und von der Kunst dieses Zeitalters.[58] Rilke war in München im Jahre 1915 auch mit Hausenstein bekannt geworden,[59] und in den folgenden Jahren hat er in freundschaftlicher Verbundenheit der essayisti-

[53] Gerade die herrlichen Kairuan-Blätter, die als sehr selbständige Verarbeitung des Kubismus einen wichtigen Wendepunkt in Klees Entwicklung darstellen, haben in letzter Zeit durch farbige Reproduktionen in fast unzähligen Veröffentlichungen eine Art von Popularität gewonnen.

[54] Brief vom 21. 12. 1910 an Clara Rilke.

[55] Vgl. Lou Albert-Lasard, Wege mit Rilke, 1952, S. 95–97.

[56] H. von Wedderkop, Paul Klee, 1920; Leopold Zahn, Paul Klee, 1920.

[57] In der Sammlung ›Tribüne der Kunst und Zeit‹, hrsg. v. Kasimir Edschmid.

[58] Erschienen 1921 in München.

[59] Lou Albert-Lasard vermittelte die Bekanntschaft; vgl. ›Wege mit Rilke‹, S. 113.

schen und kunsthistorischen Publizistik Hausensteins volle Beachtung geschenkt[60]. Hausenstein wußte von Rilkes Bekanntschaft mit Klee und seinem Interesse für dessen Werk. Es war also nur natürlich, daß er ›Kairuan‹ nach Muzot sandte. Rilke schreibt am 23. Februar einen gehaltvollen (hier unten im ›Anhang‹ abgedruckten) Dankesbrief an Hausenstein, schickt das Buch am nächsten Tage an Merline und geht, nachdem sie am 26. auf seine Sendung reagiert hatte, im Brief vom 28. an sie wiederum ausführlich auf das Thema ein.[61] Die beiden Zeugnisse ergänzen und beleuchten sich gegenseitig. Im Dankesbrief an den Verfasser werden die Worte vorsichtig auf die Goldwaage gelegt; der Brief an die Freundin hat trotz der späteren Abfassung einen direkteren und spontaneren Ton. Als weitere Ergänzung kommt ein Abschnitt in einem Brief an Hertha Koenig vom 4. März hinzu.

Merline äußert in ihrem Antwortbrief ihr Befremden und macht schwere Vorbehalte. Klees Kunst kommt ihr gewaltsam und willkürlich vor. Darauf nimmt Rilke in seiner Antwort Bezug: „N'oubliez pas que lui-même (Hausenstein), quant à la production de Klee, se sert du mot: ‚Verhängnis‘. Anders kann man Klee nicht sehen, nur daß sein Verhängnis vielen Ungläubigen heutzutage, sozusagen, nahegelegt wird, à leur disposition – und daß Klee sich dieses ihm zugeschobenen Verhängnisses auf eine sehr besondere Weise bedient. Er macht es sich nämlich wirklich mit allen Mitteln unausweichlich, und nur *dann* ist ja ein Verhängnis echt, wenn nicht um es herumzukommen ist. Was erschütternd wirkt, das ist dieses, nach Fortfall des sujets, sich gegenseitig zum Sujetwerden von Musik und Graphik (Zeichnung), dieser Kurzschluß der Künste hinter dem Rücken der Natur und selbst der Imagination, für mich die unheimlichste Erscheinung von heute, aber auch schon wieder eine so befreiende: denn weiter geht es dann wirklich nicht. Und gleich dahinter (was Klee nicht mehr mitmachen wird, fürcht ich) kommt alles wieder in Ordnung. Ich habe während der Kriegsjahre (1915 brachte

[60] Einmal setzt Rilke sich mit ganzer Kraft und sogar drängend beim Insel-Verlag für Hausenstein ein wegen der Publikation von dessen Büchner-Ausgabe; vgl. den Brief an Katharina Kippenberg vom 1. 10. 1915.

[61] Die Datierung des letzteren Briefes in der Ausgabe der ›Lettres françaises à Merline‹, Paris 1950, auf den 23. Febr. ist offenbar falsch; auch der dortige Text enthält mehrere offensichtliche Fehler.

mir Klee etwa 60 seiner Blätter – farbige – ins Haus und ich durfte sie monatelang behalten: sie haben mich vielfach angezogen und beschäftigt, zumal soweit Kairouan, das ich kenne, darin noch zu gewahren war –) – ich habe also während der Kriegsjahre oft genau dieses zu erleben gemeint, dieses Ausfallen des Gegenstandes (denn es ist ja eine Glaubensfrage, wie weit wir irgendeinen acceptieren –, und noch obendrein uns durch ihn ausdrücken wollen: zerbrochene Menschen finden sich dann bestenfalls durch Stücke und Scherben bedeutet – –), aber jetzt, beim Lesen dieses geistreichen Hausenstein'schen Buches, entdeckte ich eine immense Beruhigtheit in mir und begriff, wie heil doch für mich alles sei ... es gehört eine Obstination von Städtern dazu (zu denen auch H. gehört), zu behaupten, es existiere nichts mehr: ich kann mit Deinen kleinen Himmelsschlüsseln ganz von neuem anfangen, wirklich, nichts hindert mich, alles unerschöpflich und unverbraucht zu finden: wovon sollte je Kunst ausgehen, wenn nicht von dieser Freude und Spannung unendlichen Anbeginns!?"

Es ist ganz deutlich: Rilke schätzt das Buch von Hausenstein als geistreich und bedeutend, aber er lehnt Klees Kunst, eine wie hohe Meinung er auch von ihr hat, letztlich ab. Er zweifelt nicht an Klees Genius, aber wohl an der Richtung, in der dieser sich verwirklicht. Hausenstein spricht über Klees Kunst, eine Kunst jenseits des Gegenstandes, als über ein unausweichliches Verhängnis. Rilke verneint dies nicht, aber er relativiert es. Verhängnis schon, aber nur für diejenigen, die nicht mehr an den Gegenstand glauben können. Selber habe er diesen Glauben zeitweilig zwar geteilt, in den Kriegsjahren – und hier denken wir unwillkürlich an den Brief über Picassos ›La Mort d'Arlequin‹ und an den ›Johannes auf Patmos‹-Entwurf – aber jetzt sei er über ihn hinaus.

Die terminologische Übereinstimmung mit dem Picassobrief ist handgreiflich. Dort „Hinstürzen der Gestalten", hier „Fortfall des Sujets", „Ausfallen des Gegenstandes". Dort „zerschlagene Welt", die nur noch „in schönen Scherben" zusammenkommt, hier „zerbrochene Menschen", die sich „durch Stücke und Scherben" bedeutet finden. Aber welch ein Unterschied im Wertakzent! Der Ausfall des Gegenstandes, damals bejaht, ist jetzt „eine Obstination von Städtern" geworden. Natürlich, es ist jeweils von einem anderen Künstler die Rede; hier Klee, dort Picasso. Aber es wäre zu simplistisch, den Wandel in Haltung und Wertung nur dorthin auszulegen, daß Rilke Picasso nun eben höher geschätzt hätte als Klee! Es handelte sich für ihn, durch beide hindurch, um eine zentrale Kunst- und Lebensfrage schlechthin. Ebenso wie er an Picasso das allgemeine Schicksal der Kunst in seiner Zeit erfaßte, ist das Hausensteinsche Buch ihm dadurch wichtig, „daß hier ein so eigentümlicher Durchschnitt durch die gegenwärtige Situation des Künstlers versucht worden ist" [62]. Daher auch die erstaunliche Übereinstimmung der Terminologie über den Abstand von fünf Jahren hinweg.

Der Schluß des Briefes an Merline, der den Begriff des „Heilen" exemplifiziert, fällt durch seinen empfindsamen Ton etwas ab. Im Brief an Hertha Koenig sind die Sätze mit entsprechendem Stellenwert viel wuchtiger und gehaltvoller geraten. „Mir schien es über dieser – sehr anratbaren – Lektüre", so schreibt Rilke, „daß wir über die Erfahrung der Sujetlosigkeit, die doch auch uns zuzeiten nicht ferne lag, schon wieder weit hinaus geraten seien, in eine Welt zwar nicht neuer, sondern eben jener urältesten Gegenstände, die sich durch die Jahrtausende hin dem künstlerisch-erstaunten Blick rein unerschöpflich erwiesen haben." [63]

Wir horchen auf: das ist, in genauer Entsprechung von einem Wort zum andern, die Vor-Formulierung des Auftrags, der in der neunten Elegie dem Menschen erteilt wird, dem Engel „die Dinge" zu sagen, ihm „das Einfache" zu zeigen, „das, von Geschlecht zu Geschlechtern gestaltet, / als ein Unsriges lebt neben der Hand und im Blick. / Sag ihm die Dinge. Er wird staunender stehn; wie du standest / bei dem Seiler in Rom oder beim Töpfer am Nil." Diese kurze Briefstelle ist ein wichtiges Glied in der Kette unserer Beweisführung. Denn hier wird vollends klar, daß mit der „Verwandlung" der Dinge ins „Unsichtbare" und dem verwandelnden „Sagen" eben nicht etwas der Entgegenständlichung in der bildenden Kunst Analoges gemeint ist, nicht die Zeiterscheinung, die Rilke im Brief an Hausenstein als „die Abrückung der Ereignisse ins Unsichtbare, diesen an allen Stellen gleichzeitig vorbereiteten Verzicht einer Welt auf das sinnliche Äquivalent" beschreibt. Gerade die Beunruhigung durch diese Erscheinung ist für Rilke ein höchst

[62] Im Brief an Hausenstein vom 23. 2. 1921.
[63] Brief vom 4. 3. 1921 an Hertha Koenig; R.-A.

wichtiger Antrieb geworden, der Entgegenständlichung eine andere Lösung entgegenzusetzen und sie dadurch zu überwinden. Die „Bewahrung der noch erkannten Gestalt" erweist sich als ein Aspekt oder als ein integrierendes Element der Verwandlung ins Unsichtbare.

Die Vollendung der Elegien im Februar 1922 ging bekanntlich höchst eruptiv vor sich, aber das heißt nicht, daß sie vom Himmel gefallen wären. Eine Inkubationszeit von intensivster Konzentration ging vorher. Rilke ist tief im Werdeprozeß der Elegien engagiert, als er, genau ein Jahr vorher, mit unleugbarer innerer Anteilnahme das Buch von Hausenstein liest; so tief engagiert sogar, daß er gerade in diesen Tagen Merline fast abergläubisch bittet, nicht daran zu rühren und nicht von den Elegien zu sprechen. «Je ferai tout mon possible, pour m'approcher, – mais si j'arrive lentement par une discipline rigoureuse de tous les jours, même en touchant au travail, je serai encore – et pour longtemps – loin de cette tâche suprême.»[64] Unter diesen Umständen ist es nicht unwichtig, zu fragen, was diese Lektüre für das Ganze der Elegien bedeutet hat. Der Ton von Hausensteins Buch ist artistisch eigenwillig und manchmal etwas gewaltsam und manieriert, aber das darf nicht darüber hinwegtäuschen, daß das Anliegen des Verfassers ernst genug ist. Er dringt ins Zentrum der Frage vor, die für Rilke seit einem Jahrzehnt ein Kernproblem war: der Frage nach den Bezügen zwischen den Sinnen und dem Geist, dem Außen und dem Innen. Genaue Vergleichung mit Rilkes Briefen ergibt, daß Rilke das Buch sehr aufmerksam gelesen hat; es würde zu weit führen, auf alle Einzelpunkte einzugehen. Die grundsätzlichste Erörterung der Lage der Kunst bietet das 14. Kapitel, das die Entgegenständlichung in der modernen Kunst angesichts des „Homunkelwesens"[65] der modernen Welt als ein notwendiges Verhängnis beschreibt. „Flucht aufs Land, Einsiedelei zwischen Bergen hat das Tatsächliche und Wesentliche der Stadt nicht aufgehoben . . . Das Homunkelwesen bleibt und regiert. Keine Eremitage macht frei davon; keine Eremitage setzt an die Stelle des Homunkel die Natur."[66] Von diesen Worten konnte sich Rilke in seiner Eremitage Muzot persönlich betroffen und zum Widerspruch herausgefordert fühlen; die „Obstination

[64] Brief vom 20. 2. 1921 an Merline.
[65] Hausenstein «Kairuan», 1921, S. 93.
[66] Ebd., S. 92f.

von Städtern", zu denen er im Brief an Merline auch Hausenstein rechnet, mag hierauf zurückgehen. Wichtiger als diese kleine Plänkelei
dürfte aber eine andere Bezugnahme sein. Als Vorklang zum eigentlichen Thema verwendet Hausenstein ein einprägsames, symbolisch ge-
meintes Bild: die neuzeitliche neorenaissancistische St.-Ursula-Kirche
in München-Schwabing, ein Gemisch von „venezianischen" und anderen Renaissanceelementen, ausgeführt in rotem Backstein und beziehungslos hingesetzt zwischen häßlichen Straßen und Plätzen. Das
historische Bauwerk ist ihm Symbol des Unvermögens, Äußeres als
gültige Form des Geistigen zu gestalten. „ Aber den Menschen ist gar
notwendig, Geist in sichtbare Standfestigkeit zu verwandeln. So bauen
sie Kirchen. Wie nun, wenn der Augenblick gemeinsamen Vermögens
zu dieser Leistung – es kann nur gemeinsam sein – vorüber ist? Dieser
Augenblick ist unser. Er ist der Augenblick zwischen den Kirchen: den
alten und den künftigen. Da bleibt der Geist wie Fledermaus in sich
verhängt." [67] Diese Schilderung appellierte an Rilkes persönliche Erinnerung.

Die Kirche der hl. Ursula steht in nächster Nähe der Ainmillerstraße, wo Klee
seine Wohnung hatte und wo auch Rilke vom 7. Mai 1918 bis zum 11. Juni 1919
als Klees Nachbar wohnte. Hausenstein gedenkt dieses Umstands: „Linkerhand
läßt ein Tor zur Wohnung des Dichters Rilke ein" (S. 21).

In Schwabing hatte Rilke die meiste Zeit seiner düstersten Lebens-
periode (1914–1919) gelebt. Bei Hausensteins Schilderung der häßlichen
Backsteinkirche als Symbol der Beziehungslosigkeit der modernen
Stadt denkt man unwillkürlich an die zehnte Elegie, an die Evokation
der „Leid-Stadt" und des „Trostmarkts", „den die Kirche begrenzt,
ihre fertig gekaufte: / reinlich und zu und enttäuscht wie ein Postamt
am Sonntag". Dies besagt vielleicht noch wenig, so merkwürdig die Verwandtschaft von Ton und Bild auch ist. Mehr als der persönlich-zufäl-
lige Umstand mußte etwas anderes den aufs Wort versessenen Dichter
ansprechen: die einprägsame Prägnanz von Hausensteins Formulierungen. „Dieser Augenblick ist unser. Er ist der Augenblick zwischen den
Kirchen: den alten und den künftigen." Darf man annehmen, daß diese
lapidare Formulierung in Rilkes Geist haften blieb und zum Bild des
„Tempels" in der siebenten Elegie aussproßte, das in genau derselben

[67] Ebd., S. 18.

Sinnkonstellation den Zwischenzustand zwischen dem Alten und dem Künftigen evoziert?

> Tempel kennt er nicht mehr. Diese, des Herzens, Verschwendung
> sparen wir heimlicher ein. Ja, wo noch eins übersteht,
> wie einst gebetetes Ding, ein gedientes, geknietes –,
> hält es sich, so wie es ist, schon ins Unsichtbare hin.
> Viele gewahren's nicht mehr, doch ohne den Vorteil,
> daß sie's nun *innerlich* baun, mit Pfeilern und Statuen, größer!

Unsere Vermutung wird bestärkt durch folgendes. Bei Hausenstein leitet das Bild vom „wie Fledermaus in sich verhängten" Geist zu Klee über, dessen Tun gleichfalls als ein „Zwischen" bestimmt wird: „Sein Tun steht zwischen der Historie der gestrigen Dinge, der Leere der heutigen und der ersehnten, noch nicht ergriffenen Fülle der Dinge von morgen." [68] In völlig entsprechender Gedankenfolge schließen sich in der siebenten Elegie die Zeilen an: „Jede dumpfe Umkehr der Welt hat solche Enterbte, / denen das Frühere nicht und noch nicht das Nächste gehört." Klee hat in Hausensteins Darstellung genau den Stellenwert, der in der Elegie den „Enterbten" zukommt. Verfolgt man die Relation weiter, so entspricht die dort gleich sich anschließende Mahnung *„Uns soll / dies nicht verwirren; es stärke in uns die Bewahrung / der noch erkannten Gestalt"* in ihrem Stellenwert ebenso genau jener Berufung im Brief an Hertha Koenig auf „jene urältesten Gegenstände, die sich durch die Jahrtausende hin dem künstlerisch-erstaunten Blick rein unerschöpflich erwiesen haben". Hausenstein sieht Klee als Symptom und als Opfer der technokratischen Zeit, als einen von denen, „die für uns andre die Rechnung der Epoche bezahlen" [69]. In Klee sei etwas vom Ingenieur, „auch er liebt das kühne Stangenwerk imaginärer Konstruktionen" [70]. Dazu vergleiche man wiederum in der Elegie die Evokation der technischen Welt (des „erdachten Gebilds" usw.), die dem Bild vom verschwundenen Tempel gleich vorhergeht. – Es soll mit all diesem natürlich nicht bewiesen werden, daß die Verse der Elegie eine verschlüsselte Paul-Klee-Kritik bedeuten, oder auch nur, daß Rilke beim Schrei-

---

[68] Ebd., S. 130.
[69] Ebd., S. 97.
[70] Ebd., S. 103.

Sophy Giauque, Pensées blanches. 1937

ben dieser Verse bewußt an Klee gedacht hätte. Aber wohl dürfte es evident sein, daß die Auseinandersetzung mit Klee an Hand des Textes von Hausenstein die gedankliche Struktur dieser Verse geprägt hat und daß dieser Sachverhalt für die gehaltliche Deutung dieser Verse relevant ist.

Nur in einer kurzen Randbemerkung, die uns aber vom Herzen muß, wollen wir hier die Ebene des rein philologischen Nachweises einen Augenblick verlassen, weil hier die philologische Wahrheit vielleicht doch nicht die ganze Wahrheit ist. Rilke und Klee: Zutiefst sind diese beiden Magier, die sich beide – ob nun in der Sprache der Worte oder der Farben und Linien – am Rande des Unsagbaren bewegen, doch viel mehr miteinander verwandt, als Rilkes Bewußtsein es wahrhaben will! Es ist eine Art von Trost, daß Rilke, wo er im Brief an Hausenstein vom „Sich-verständigen der Künste hinter dem Rücken der Natur" spricht, in einer Fußnote einen für Hausenstein und für Klee gemeinten Hinweis auf seinen vor gut einem Jahre erschienenen Aufsatz ›Urgeräusch‹ hinzufügt und damit doch eine Art von Verwandtschaft zugibt. (Freilich: das Verweisungszeichen steht zu „Sich-verständigen der Künste" und nicht zu „hinter dem Rücken der Natur . . .".) Der Hinweis gerade auf diesen Aufsatz ist übrigens verständlich genug – auch abgesehen davon, daß der groteske Humor, der die Eingangspartie dieses Aufsatzes auszeichnet, uns als eminent Kleeisch berührt. Die vom Dichter geforderte Erweiterung der fünf Sinnesgebiete, „damit einmal seiner geschürzten Entzückung der Sprung durch die fünf Gärten in einem Atem gelänge", und die Forderung, daß der Künstler „diese fünffingrige Hand seiner Sinne zu immer regerem und geistigerem Griffe entwickelt" [71] – welcher Maler hätte sie mehr verwirklicht als gerade Klee? Natürlich müssen wir bedenken, daß Rilke im Februar 1921 auf eine kleine Anzahl von, wie er mit Recht schreibt, „nicht sehr aussäglichen Abbildungen" [72] angewiesen und daß sein Urteil dadurch um so stärker vom Hausensteinschen Text abhängig war. Uns Nachlebenden, die wir das ganze Œuvre der beiden Künstler zu überschauen in der Lage sind, ist es natürlich leichter, das Gemeinsame zu sehen. Wir denken dabei nicht so sehr an gemeinsame inhaltliche Elemente,

[71] GW Bd. 4, S. 293.
[72] Brief vom 4. 3. 1921 an Hertha Koenig; R.-A.

Sophy Giauque, Le pavillon. 1939

wie etwa die Gestalt des Engels in beider Spätwerk, so intrigierend dieses Zusammentreffen auch sein mag, wir berufen uns auch nicht an erster Stelle auf Klees schriftliche Äußerungen, sosehr aus ihnen auch eine erstaunliche Übereinstimmung auf der Ebene des bewußten Selbstverständnisses hervorgeht. „Der Gegenstand erweitert sich über seine Erscheinung hinaus durch unser Wissen um sein Inneres": dieses Wort an Klee paßt nicht weniger für beide gemeinsam als sein Selbstzeugnis vom Jahre 1916, das später seine Grabinschrift geworden ist: „Diesseitig bin ich gar nicht faßbar. Denn ich wohne grad so gut bei den Toten, wie bei den Ungeborenen. Etwas näher dem Herzen der Schöpfung als üblich. Und noch lange nicht nahe genug."[73] Wichtiger als dies alles ist die aus der Betrachtung von Klees Werk selbst spontan hervorgehende Evidenz der fundamentalen Verwandtschaft, sowohl im künstlerischen Mittel wie im tiefsten Gehalt. Was ersteres betrifft, so ist besonders an die schroffe „Abstraktheit" von Rilkes Symbolsprache in den Elegien zu denken. Das Symbol entfaltet sich nicht von einer dargestellten empirischen Wirklichkeit aus, es ist in ihm überhaupt keine empirische Wirklichkeit mitgemeint, sondern nur der von dieser völlig losgelöste Sinn wird intendiert. Mit anderen Worten: das Symbol wird zur Chiffre. Man denke etwa an die gehäuften Attribute im Engelanruf in der zweiten Elegie, an das „kleinblütige Heilkraut", die „Vase" und die „Modistin Madame Lamort" in der fünften, an den „Enzian" in der neunten und ganz besonders an die zeichenhaften Sternbilder in der zehnten. (Die Beispiele ließen sich stark vermehren.) Diese Erscheinung findet in Klees enigmatischer Chiffrensprache ein erstaunliches Analogon. Und was den Gehalt betrifft, so dürfte nichts die Wesensart seiner Kunstübung treffender charakterisieren als Rilkes Begriff „Weltinnenraum", jene Interpenetration von Subjekt und Objekt, die demjenigen zuteil wird, der „auf die andere Seite der Natur geraten" ist.[74] Es wäre nicht unangebracht, Klee und Rilke als die beiden größten Orphiker der neueren Kunst zu bezeichnen.

Auf den Namen 'Orphisme' taufte Guillaume Apollinaire die Bewegung, die sich unter Führung von Robert Delaunay 1912 aus dem Kubismus losmachte. Es

[73] Will Grohmann, Paul Klee, 1954, S. 162.
[74] Vgl. das Gedicht „Es winkt zu Fühlung . . .", GW Bd. 3, S. 452, und den Aufsatz ›Erlebnis‹, GW Bd. 4, S. 281.

ist bekannt, daß Klee vom Werke Delaunays starke Anregungen erfuhr. Wenn ich richtig sehe, ist die Bekanntschaft mit Delaunays Werk im Jahre 1912 eins der folgenschwersten Ereignisse in Klees Entwicklung gewesen. – Will Grohmann weist in seiner umfassenden Klee-Monographie (1954) mehrfach auf triftige Weise auf die Verwandtschaft von Klee und Rilke hin; vgl. das Register daselbst.

Bei dieser vorsichtigen Andeutung, die nur durch eine mit feinster Apparatur operierende „wechselseitige Erhellung" ganz wahr gemacht werden könnte, müssen wir es hier bewenden lassen.

An dieser Stelle muß ein Randfall in Rilkes Auseinandersetzung mit dem Abstraktionsproblem eingereiht und kurz behandelt werden. Ein halbes Jahr nach dem Buch über Klee liest er mit großer Anteilnahme eine psychoanalytisch fundierte Studie über den Fall eines paranoiden Schizophrenen, der sich in weit vorgeschrittenem Stadium seiner Krankheit künstlerisch zu betätigen angefangen hat. Geradezu aufgeregt schreibt er an Lou Andreas-Salomé über dieses Buch von W. Morgenthaler,[75] und er kann kaum warten, bis es in ihren Händen ist. Wir können dies völlig verstehen, wenn wir von diesem klug und gut geschriebenen Buch Kenntnis nehmen und uns dabei Rilke als Leser vorstellen. Der Lebenslauf und das Schicksal des geisteskrank geborenen Proletarierkindes Adolf Wölfli sind ergreifend wie eine Erzählung Gotthelfs und veranlassen überdies den Verfasser zu Erörterungen, die sich an vielen Stellen mit Rilkes Erfahrungen merkwürdig eng berühren. Dieses pausenlose Schaffen als ein ehernes Müssen, als unentrinnbare innere Notwendigkeit, und die Unbeeinflußbarkeit durch äußere Momente: das alles muß Rilke an Rodins «toujours travailler» und an Cézannes Arbeitsfron gemahnt haben, ebenso wie er die eigene Überzeugung, daß das Kunstwerk seinen Schöpfer unendlich übersteige, in Wölflis Werken und Worten in äußerster Zuspitzung bestätigt finden mußte.[76] Auf diese und andere Punkte, deren breitere Behandlung sich lohnen würde, können wir hier nicht eingehen. Es kommt hier vor allem auf die formale Beschaffenheit von Wölflis Schöpfungen an, auf „den vollständigen Mangel an Naturtreue oder nur Naturähnlich-

[75] W. Morgenthaler, Ein Geisteskranker als Künstler (Arbeiten zur angewandten Psychiatrie. Bd. 1), 1921
[76] Vgl. ebd., S. 14 u. 15.

keit",[77] auf die Zerschlagung der natürlichen Formen[78] und deren Umwandlung zu Gebilden meist geometrisch-dekorativer Art. Während
der Inhalt der Zeichnungen maßlos und titanisch ist, herrscht im For-
malen eher das Gegenteil, eine regelnde Ordnung bis zur Formalisie-
rung und Erstarrung.[79] Zur Deutung dieser Erscheinung knüpft der
Verfasser, der im Kunsttheoretischen ganz auf der Höhe seiner Zeit ist,
an Aussprüche von Cézanne, Kandinsky usw. und besonders an Wilhelm Worringers bekannte Kategorie der „Abstraktion" an.[80]

Rilke befand sich hier auf vertrautem Gebiet: im Jahre 1913 hatte er Worringers
›Abstraktion und Einfühlung‹ gelesen, das bedeutende Buch, das seit seiner ersten Auflage (1908) mehr als irgendeine andere kunsttheoretische Schrift auf das
expressionistische Kunstschaffen in Deutschland einwirkte. Rilke las es „mit
unbedingter Zustimmung", wenn er auch dazu neigt, die schroffe Gegenüberstellung von aus Abstraktion resultierendem „Stil" und auf Einfühlung fußendem
„Naturalismus" etwas zu mäßigen. Anläßlich der lapidaren Konstatierung im
Schlußkapitel: „Mit der Gotik sinkt der letzte ‚Stil‘ dahin" (S. 131 im Neudruck
1948) schreibt er: „Die letzte Zusammenfassung ist mir eine Spur zu rasch, auch
ist für mich ‚Stil‘ immer wieder da, auch *nach* der Renaissance, wie sollte er
nicht, im Greco zum Beispiel" (22. 7. 13, an Lou Andreas-Salomé).

Rilke nimmt den „Fall" Wölfli offenbar in existentiell verpflichtendem
Sinn sehr ernst; ernster, möchte man fast meinen, als er den „Fall" Klee
genommen hatte. Das klingt fast wie ein Hohn, ist es aber kaum. Denn
es ist nicht eigentlich das gestaltete Werk als solches, das ihn hier inter-
essiert, sondern die Frage, was für Aufschlüsse der Fall Wölfli über die
inneren Bedingungen des künstlerischen Schaffens, über die „Ursprünge des Produktiven" aus der Krankheit geben kann. „Offenbar
wird jenes Ordnende, das unter den Kräften des Künstlerischen die un-
aufhaltsamste ist, durch zweierlei innere Lagen am dringendsten aufgerufen: durch das Bewußtsein des Überflusses und durch den völligen
Einsturz in einem Menschen: als welcher ja auch wieder einen Überfluß
ergiebt . . . Der Fall Wölfli's wird dazu helfen, einmal über die Ursprünge des Produktiven neue Aufschlüsse zu gewinnen und er bringt
Beiträge zu dem merkwürdigen, offenbar zunehmenden Erkennen,

[77] Ebd., S. 44.
[78] Ebd., S. 77.
[79] Ebd., S. 77 u. 85.
[80] Ebd., S. 79 u. passim.

wieviele Krankheitssymptome (wie Morgenthaler ‚vermuthet‘) zu *un-
terstützen* wären, weil sie den Rhythmus heraufbringen, durch den die
Natur das ihr Entfremdete wieder für sich zu gewinnen und zu einem
neuen Einklang zu melodisieren versucht." [81]
Die Ausführungen tendieren in die Richtung des „Weltinnenraum"-
Begriffs, was auch durch Lous sehr klare und genaue Antwort bestätigt
wird, wo es unter anderem heißt: „Im Psychoten wie im Künstler
schließt sich der Kreis von neuem, innerhalb dessen sonst der Einzelne
und das Ganze, Subjekt und Objekt einander gegenüberstehen." [82]
Dies alles knüpft natürlich engstens an Rilkes vor Jahren unter Lous
Einfluß gefaßten Entschluß an, sich nicht psychoanalytisch behandeln
zu lassen. Es sei ihm, so schrieb er damals, nicht erlaubt, „die Kindheit
so in Brocken von sich zu geben", er sei als schaffender Künstler darauf
angewiesen, „ihr Unbewältigtes . . . in Erfundenem und Gefühltem
verwandelt aufzugebrauchen, in Dingen, Tieren – worin nicht? –, wenn
es sein muß in Ungeheuern" [83]. – Auf Rilkes Denken über die Abstraktion in der Kunst wird der Fall Wölfli, so nahe dieser ihm sonstwie
ging, kaum eingewirkt haben. Eher noch darf man vermuten, daß der
Jungsche Begriff der archetypischen Urbilder, der „urtümlichen Bilder", die Morgenthaler im „ursprünglichen Fühldenken" seines Patien-
ten antrifft,[84] für Rilkes Begriffe „Bild", „Gestalt", „Figur" eine gewisse Bedeutung gehabt hat. Dies wäre erst feststellbar durch eine
(höchst erwünschte) gründliche Untersuchung, welche Bedeutung
die Psychoanalyse in ihren verschiedenen Ausstrahlungen für Rilkes
Denken gehabt hat.

Wir können unseren Indizienbeweis schließlich nach der positiven
Seite abrunden. Im November 1925 veranlaßt Witold von Hulewicz
Rilke zu jenem bedeutenden Kommentarbrief, wo die dem Menschen
aufgetragene Verwandlung des Sichtbaren in diskursiverer Form als in
den Elegien behandelt wird. Dieser Brief ist mit Recht berühmt gewor-

---

[81] Brief vom 10. 9. 1921 an Lou Andreas-Salomé.
[82] Brief vom 22. 9. 1921 an Rilke.
[83] Brief vom 9. 9. 1914 an Lou Andreas-Salomé; vgl. auch den Brief vom
24. 1. 1912 an dieselbe.
[84] Morgenthaler, S. 68.

den. Weniger bekannt ist der lange französische Brief, den Rilke noch keine zwei Wochen später, noch ganz in der Atmosphäre und gleichsam im Kielwasser jenes Selbstkommentars, am 26. November 1925 an die französisch-schweizerische Malerin Sophy Giauque schreibt.[85] Im Gedankengang und in den einzelnen Prägungen berühren beide Briefe sich so eng, daß der letztere geradezu als eine Art von Fortsetzung des ersteren aufgefaßt werden muß. Und hier liegt nun der für unsere Untersuchung besonders glückliche Umstand vor, daß der Brief an die Malerin in der Terminologie der Elegien und des Selbstkommentars geradeswegs über Malerei spricht, nämlich über die aquarellierten Blätter, welche die Malerin dem Dichter offenbar teils geschenkt, teils geliehen hatte. Aus den Andeutungen im Briefe und mehr oder weniger auch aus den genannten Titeln (›Guitare‹, ›Étang bleu‹, ›Pavillon‹) wird deutlich, daß es sich hier nicht um nonfigurative Kunst handelt, nicht um Zerschlagung der gegenständlichen Bildvorstellung, aber wohl um deren Transformation im Sinne von Verinnerlichung.

Die Blätter sind leider verschollen. Herr Fernand Giauque, der Bruder der verstorbenen Künstlerin, war so freundlich, mir aus der Erinnerung folgendes über die Aquarelle mitzuteilen: «Ces œuvres, de petites dimensions, sont figuratives, imaginées et poétiques (en aucun cas nonfiguratif). Mais dans ces petites créations se reflète une abstraction qui certainement n'a pas échappé au subtil esprit de Rilke . . . D'autre part dans les œuvres de ma sœur se retrouve quelque peu l'esprit des artistes japonais bien que l'artiste n'ai pas été influencé par ceux-ci.» – Die zwei hier beigegebenen Abbildungen, die ich der hilfreichen Vermittlung Werner Kohlschmidts verdanke, sollen von der Kunst dieser Malerin einen allgemeinen Eindruck geben; der spezifische Charakter dieser Gemälde darf natürlich nicht ohne weiteres mit demjenigen jener verschollenen Blätter identifiziert werden.

Es ist nun auffällig, daß Rilke auf diese Bilder, die er «images tout intérieures» nennt, die Kernbegriffe „Verwandlung" («un acte transformatif») und „Innenraum" («espace intérieur») anwendet – nicht beiläufig, sondern ausdrücklich und so ausführlich, daß wir nur einige Hauptstellen zitieren können. «. . . ce qui confère à vos petites images cette force de contenter et de remplir une lente attention, n'est-ce point votre puissance d'avoir pu placer ces détails dans un espace tout intérieur et imaginaire sans faire aucun emprunt auprès de l'espace réel qu'imitent toutes

[85] ›Rilke en Valais‹, Lausanne 1946, S. 83–92; in gekürzter Form: Briefe, 2 Bde., 1950, Bd. 2, S. 487–491.

les peintures (et d'ailleurs aussi tous les poèmes) incapables à se créer cet espace transposé, profond et intrinsèque.» Für diesen Begriff des „verwandelten Raumes" ist es weiter erhellend, daß Rilke diese kleinen, vignettenartigen Gebilde mit den seit dem 15. Jahrhundert von den Japanern kultivierten ›Haï Kaï‹ genannten Kurzgedichten vergleicht.[86] Er schreibt im Brief 29 solcher Gedichte ab, zum Beispiel:

> N'était la voix
> Le héron ne serait
> Qu'une ligne de neige.

> Un pétale tombé
> Remonte à la branche:
> Ah, c'est un papillon!

> Au moindre vent
> Les feuilles tremblent:
> Jeune bambou.

Von beiden, den japanischen Gedichten und den Blättern der Malerin, wird dann gesagt: «Le visible est pris d'une main sûre, il est cueilli comme un fruit mûr, mais il ne pèse point, car à peine posé, il se voit forcé de signifier l'invisible.» Und diese Bilder, die also die sichtbare Gegenständlichkeit bewahren und sie gerade dadurch das Unsichtbare bedeuten lassen, veranlassen den lyrischen, das Thema ausweitenden Schlußteil des Briefes: «Comme toutes les choses sont en migration! Comme elles se réfugient en nous –, comme elles désirent, toutes, d'être soulagées du dehors et le revivre dans cet au-delà que nous enfermons en nous-mêmes pour l'approfondir! Deux couvents de choses vécues, des choses rêvées, des choses impossibles, tout ce qui craint le siècle se sauve en nous, et y fait, sur genoux, son devoir d'éternité. Petits Cimetières que nous sommes, ornés de ces fleurs de nos gestes futiles, contenant tant de corps défunts qui nous demandent de témoigner de leurs âmes. Tout hérissés de croix, tout couverts d'inscriptions, tout béchés et remués par les innombrables enterrements de ce qui nous arrive, nous voilà chargés de la transmutation, de la résurrection, de la transfiguration de toutes choses. Car comment supporter, comment

---

[86] Rilke entnahm sie dem Buch von Paul Louis Couchoud, Sages et poètes d'Asie, 3. Aufl., Paris 1919, das sich in seinem Besitz befand.

sauver le visible, si ce n'est en en faisant le langage de l'absence, de l'invisible?»

In abwandelnder Wiederholung («le visible est pris d'une main sure, ... mais ... il se voit forcé de signifier l'invisible», «sauver le visible ... en faisant le language de l'absence, de l'invisible») werden hier die „Bewahrung der noch erkannten Gestalt" und die „Verwandlung ins Unsichtbare" eng aufeinander bezogen, ja zu einem und demselben Akt zusammengezogen. Daß es keine entgegenständlichenden, sondern durchaus gegenständliche Darstellungen sind, die ihn zu diesen Sätzen veranlassen, bestätigt noch einmal die Feststellungen, die sich im Verlauf unserer Untersuchungen ergaben: Rilke setzt sich zur Wehr gegen solche Abstraktion in der Kunst, welche die Auflösung und den Schwund der Gestalt der Dinge mit sich bringt. Dem Menschen ist es aufgegeben, die mythische Urgestalt der Dinge zu schützen vor der anstürmenden Gewalt der Zivilisation, sie zu diesem Zweck in sein Inneres hinüberzuretten und ihnen durch die Verinnerlichung hindurch im Kunstwerk ein neues Dasein zu verleihen.

Dieter Bassermann identifizierte in seinem kleinen Aufsatz ›Rilke und Picasso‹ (Am Rande des Unsagbaren, Berlin und Buxtehude 1948, S. 41–47) das „Hinstürzen der Gestalten" und die „zerschlagene Welt" im Brief über Picasso vom Jahre 1916 mit dem «acte transformatif» im Brief an Sophy Giauque, aus dem er einige Stellen in Übersetzung wiedergab. Aus unserer Darstellung möge hervorgegangen sein, daß diese Identifizierung nicht haltbar ist.

Zur Abrundung unserer Übersicht seien hier noch die Namen einiger moderner Künstler zusammengestellt, zu denen Rilke ein positives Verhältnis gefunden hat, ohne daß er ausführlich zu ihrem Werk Stellung genommen hätte. Jedes für sich betrachtet, besagen die flüchtigen Zeugnisse recht wenig, aber sie werden vielsagend, wenn wir sie aufeinander und auf das Gesamt unserer Untersuchung beziehen. So scheint es mir höchst erhellend zu sein, daß Rilke einmal gerade das Werk des Zöllners Henri Rousseau ausdrücklich von seinem Nichtinteressiertsein für neuere Kunst in den späteren Jahren in Paris ausnimmt.[87] Wir können uns mühelos vorstellen, daß Rilke zu Rousseaus magischem Realismus ein inniges Gefühlsverhältnis gefunden hat. In ähnlicher Richtung liegt übrigens seine warme Bejahung der „expressionistischen

[87] Brief vom 18. 5. 1917 an Elisabeth Taubmann.

Bauernmalerei" und des gleichnamigen Buches von Max Picard.[88]
Nicht weniger im Einklang mit unseren Befunden scheint es mir zu
sein, daß sich Rilke in ergriffenen Worten über Franz Marc äußert –
„endlich wieder einmal ein œuvre, eine im Werk erreichte und errungene Lebens-Einheit und welche seelige, unbedingte, reine"[89] –, während andrerseits das abstrakte Werk Kandinskys, den er, soviel ich sehe,
nie nennt, ihm vermutlich nichts bedeutet hat. Gegen Ende des Krieges
findet Rilke nach anfänglichem Zaudern ein positives Verhältnis zum
Werk Chagalls.[90] Was die Bildhauer betrifft, so hat er zu Adolf von
Hildebrand und Kolbe ein wenig beweiskräftiges Respektverhältnis,
warme Bewunderung aber für Lehmbruck, Renée Sintenis und nach
wie vor für Rodin und Maillol. Sicher, die Namen dieser von Rilke bejahten Künstler bilden eine bunte Reihe, und ihre Eigenart läßt sich
nicht auf irgendwelche Einheitsformel einer ‚Schule' oder ‚Richtung'
bringen. Aber dennoch darf mit der nötigen Vorsicht ein gewisses Ge-
meinsames konstatiert werden. Durch alle Verschiedenheit hindurch
handelt es sich um Künstler, die das Gegenständliche nicht aufgeben
und auflösen, sondern es, in jeweils sehr verschiedener Weise, auf seine
wesentliche Gestalt zu reduzieren und dadurch zu mythischer Gültigkeit zu erheben suchen. Dadurch tragen diese Künstler bei zur Stiftung
einer „heilen" Welt, die sich nach dem Zeugnis von Rilkes Brief an Merline erst *jenseits* der „zerschlagenen" Welt eines Paul Klee auftut. Die
„heile" Welt ist nach Rilkes Terminologie die durch des Menschen innere Verwandlungskraft gestiftete Welt gesetzmäßiger Gestalthaftigkeit. Durch die Vergegenwärtigung dessen, was Rilke auf dem Gebiete
der bildenden Kunst bejaht und sich innerlich anverwandelt hat,[91] mögen wir ein volleres, anschaulicheres und gegenständlicheres Verständ-

---

[88] Max Picard, Expressionistische Bauernmalerei, 1922; vgl. Rilkes Brief vom
15. 1. 1918 an Marianne von Goldschmidt-Rothschild, R.-A.

[89] Brief vom 28. 9. 1916 an Marianne von Goldschmidt-Rothschild; R.-A.

[90] Brief vom 19. 10. 1917 an Katharina Kippenberg; vgl. auch den Aufsatz von
Walter Mehring, Einige Reminiszenzen an R. M. Rilke, in: ›Die literar. Welt‹
vom 14. 1. 1927, auf den E. C. Mason mich freundlicherweise aufmerksam
machte.

[91] Ein treffliches Hilfsmittel zu solcher Vergegenwärtigung bietet der vorzügliche und reichhaltige, von Ingeborg Schnack zusammengestellte und bearbei-
tete Band ›Rilkes Leben und Werk im Bild‹, 1956.

nis gewonnen haben für jenen scheinbar so rätselhaften und letzten Endes doch so schlichten Auftrag zum „Sagen" der Dinge und zur inneren „Verwandlung", der in der neunten Elegie erteilt wird.

Nur kurz und gleichsam epilogisch sei angedeutet: Was der späte Rilke in der neunten Elegie als Forderung ausspricht, das hat der späteste Rilke in vollgültigster Weise dichterisch verwirklicht. Wir denken hierbei nicht an erster Stelle an die Gedichte in deutscher Sprache, obgleich auch diese bei einer umfassenden Betrachtung eine Rolle zu spielen hätten, sondern an das Gnadengeschenk der französischen Gedichtzyklen, die bis vor kurzem viel zuwenig beachtet wurden und erst in letzter Zeit in den Blickpunkt der Forschung gerückt sind. Was uns vor allem interessieren muß, ist das neue Verhältnis dieser Dichtung zur gegenständlichen Welt. „Preise dem Engel die Welt", „Sag ihm die Dinge": das in dieser Forderung enthaltene Versprechen ist hier in beglückender Weise erfüllt worden.

Die eindringliche und feinfühlige Charakteristik der französischen Gedichte in Bollnows Rilke-Buch S. 335–346 ist sehr wertvoll. Hier wurde zum erstenmal das durchaus Neuartige und Eigenartige dieser Gedichte im Gesamt von Rilkes Entwicklung klar aufgezeigt. Nur mit Bollnows Ansicht, daß die französischen Gedichte die in den Elegien entwickelte Lebensdeutung „widerrufen", ja daß diese als eine „vorläufige" „beiseitegeschoben" wird, können wir uns – aus Gründen, die aus unserer Darstellung selbst deutlich geworden sein mögen – nicht einverstanden erklären. Vgl. hierzu auch die etwas scharf geratene, aber im Grunde zutreffende Widerlegung von Bollnows Ansicht in Else Buddebergs Rilke-Biographie, S. 568f.

Ganz besonders in den ›Quatrains Valaisans‹ wird gegenständliche, gestaltreiche Wirklichkeit heraufbeschworen, die Wirklichkeit der Walliser Landschaft. Auf diesen Zyklus wollen wir unsere Betrachtung beschränken, obgleich das zu Sagende auch für die andern französischen Zyklen eine gewisse Gültigkeit hat. In starkem Gegensatz zur „abstrakten", chiffrenmäßigen Verwendung der Konkreta in der Symbolsprache der Elegien werden hier die Dinge selber in ihrer Konkretheit gemeint. In dieser Hinsicht besteht eine gewisse Verwandtschaft mit den sujethaften ›Neuen Gedichten‹, von denen sich die französischen Gedichte aber andrerseits sehr wesentlich unterscheiden. Denn mit dem bohrend-analytischen, um die adäquate Wiedergabe der letzten Nuance ringenden Verfahren des „sachlichen Sagens" auf Rilkes Mittelstufe hat das feiernde Sagen der Dinge auf der Spätstufe wenig gemeinsam. Das feiernde Sagen beschränkt sich in diesen gelösten und schlichten Versen vorzugsweise auf evozierende Nennung der konkreten Dinge, die zu den Wesenselementen dieses Landschaftsraumes gehören. Die einfachen Dinge werden genannt, in beglückender Fülle: Tal und Gipfel, der staubige Weg und der Wasserfall, die Kapellen und Türme, Pappel, Weide und Nußbaum, der Hügel und die Matte, Rebe und Maisstengel, und immer wieder: le pays, la contrée. Zur Nennung des Einfachen gehört es, daß auch das Nennen selber einfach ist. Die exemplarische Form dieser Einfalt besteht darin, daß das konkrete Ding als vollgültiges Wort am Eingang des Gedichts hingesetzt wird, sprachlich in einer merkwürdigen Schwebe zwischen Anruf und Konstatierung, und daß sich an dieses Wort die weitere Aussage in nebensätzlicher oder appositioneller Fügung anschließt.

> Chemin qui tourne et joue
> le long de la vigne penchée,
> tel qu'un ruban que l'on noue
> autour d'un chapeau d'été.
>
> Vigne: chapeau sur la tête
> qui invente le vin.
> Vin: ardente comète
> promise pour l'an prochain.[92]

Nicht weniger als ein Drittel der ›Quatrains Valaisans‹ weist diese schlichteste „elliptische" Form auf.[93] Die Eigenart dieser Form wird nur wenig abgewandelt, wenn die am Eingang des Gedichts genannten Dinge Subjekt des Vollsatzes sind:

> Les tours, les chaumières, les murs,
> même ce sol qu'on désigne
> au bonheur de la vigne,
> ont le caractère dur.[94]

---

[92] ›Gedichte in französischer Sprache‹, Insel-Verlag 1949, S. 59.

[93] Diese elliptische Form ist übrigens morphologisch mit den von Rilke gerade um diese Zeit so bewunderten Haï Kaï merkwürdig verwandt und wurde auch wohl von diesen beeinflußt. Auf die Bedeutung der Haï Kaï für den späten Rilke hoffe ich einmal näher einzugehen.

[94] ›Gedichte in französischer Sprache‹, S. 63.

Die sprachliche Formung scheint fast dürftig zu sein. Aber dies ist das Wunder dieser Gedichte: in der spröden Form der Einfalt wird Fülle ausgebreitet, Fülle irdischer Wirklichkeit, und diese wird überstrahlt von überirdischem Glanz. Das konkrete Ding hat volle Gültigkeit als empirische Gegebenheit, und zu gleicher Zeit ist es aufs Übersinnliche hin transparente „Figur". Die sichtbare Welt ist hier schlakkenlos ins Seelische eingeschmolzen, sie ist „innen verwandelt" und in diesem Sinn „unsichtbar" geworden. Es läßt sich kaum ein Wort finden, das diese Verwandlung in Rilkes spätester Dichtung genauer umschriebe als die Worte des Dichters selbst, die ihm durch das Werk der Schweizer Malerin und durch die Haï-Kaï-Gedichte eingegeben wurden: «Le visible est pris d'une main sûre, il est cueilli comme un fruit mûr, mais il ne pèse point, car à peine posé, il se voit forcé de signifier l'invisible.»

Anhang

Die im obigen herangezogenen Briefe findet man in: R. M. Rilke, Briefe, 6 Bde., hrsg. v. Ruth Sieber-Rilke u. Carl Sieber, 1936 ff.; R. M. Rilke, Briefe, 2 Bde., hrsg. v. Ruth Sieber-Rilke in Verbindung mit Karl Altheim, 1950; R. M. Rilke und Marie von Thurn und Taxis, Briefwechsel, 2 Bde., hrsg. v. Ernst Zinn, 1951; R. M. Rilke und Lou Andreas-Salomé, Briefwechsel, hrsg. v. Ernst Pfeiffer, 1952; R. M. Rilke und Katharina Kippenberg, Briefwechsel, hrsg. v. Bettina von Bomhard, 1954; R. M. Rilke et Merline, Correspondance, hrsg. v. Dieter Bassermann, 1956.

AUS ZWEI UNVERÖFFENTLICHTEN RILKE-BRIEFEN

An Frau ELISABETH TAUBMANN, am 8. August 1917:

Wie mag Ihnen die Ausstellung des ›Sturm‹ erschienen sein? Unbegreiflich?

Ich habe es diesmal versäumt hinzugehen und zweifle, ob es Sinn für mich gehabt hätte, denn ich kann nur ausnahmsweise einzelnes in der dort üblichen Formsprache verstehen und zugeben. Picasso ist mir auch dort, wo er sich so ausdrückt, recht und zuverlässig, bei den meisten anderen liegt der Verdacht von Willkür, Verstellung und Absicht zu nahe. Und vor Picasso's ‚kubistischer‘ Zeit liegt ja auch schon ein ganzes gekonntes Werk, das so traditional, so im besten Herkommen befestigt ist, daß bei ihm selbst die zerlegende Malerei aus der Richtung einer geraden Überlieferung nicht eigentlich herausfällt. Wenn Sie

mich nach allen diesen Bewegungen fragen, so kann ich nur sehr unzulänglich
Antwort aufbringen, denn ich habe mich um ihr Entstehen und Zunehmen nur
wenig gekümmert. Unter ‚Futuristen' verstehe ich doch schließlich nur Leute,
die allem von der Vergangenheit geprägten Ausdruck ausweichen, ihrer eigensten Art nach nicht Hervorbringer, sondern Ausweicher sind und, indem sie die
Momentbilder ihres Erlebens in willkürlicher Durchdringung anschaulich machen, dem Realismus und dem Impressionismus, die sie beide verdammen, gar
nicht einmal so ferne stehen. Viel ernster sind die Ehrlichen unter den Cubisten
zu nehmen, die wirklich etwas der Malerei Wesentliches behandeln, nur daß sie
nicht die Erfinder einer neuen Bildoberfläche sind, vielmehr die Bildstruktur gewissermaßen bloßlegen, das (sagt man so?) subcutane Netz unter der Bildhaut
ans Licht schälen: denn unter ihrem blühenden Gesicht sind natürlich alle Bilder
irgendwie cubistisch gewesen in ihren Grundlagen und Geweben, – und es mag
nicht unnützlich sein, sich das einmal besser und gründlicher klar zu machen; so
halte ich diese ganze Richtung für eine, die, in einer weniger schamlosen und
neugierigen, weniger drängenden und zudringlichen Zeit, lediglich eine Sache
des Ateliers geblieben wäre: als solche könnte sie außerordentlich fruchtbar
sein, indem durch eine Beschäftigung mit dem Zellengewebe des Bildes die Gesetzmäßigkeit der Malerei besser erforscht und verstanden, die Verwandlung der
wirklichen Dinge in bildmäßige unterstützt und die gegenständliche Bedeutung
der zum Bildganzen geordneten Einzelheiten erst völlig aufgehoben wird. Ich
möchte einen großen Maler erleben, der – wie das übrigens bei Picasso zu sein
scheint – auf seiner eigenen Spur durch den Cubismus hindurchgegangen ist;
erst er wäre imstande restlos zu lösen, was Cézanne's unsägliche, heroische und
verzweifelte Arbeit war: die Gleichberechtigung aller Bildstellen durch eine gegenständliche Indifferenz der dargestellten Dinge wirklich durchzusetzen. Man
glaubt nicht, wie weit doch noch am Sujet haftende Vorlieben den Maler beein-
flussen, Madonna und Apfel sind gleichwertig, aber in hundert Einzelheiten
überwiegt doch noch der Inhalt! Merken Sie sich das Buch von Max Rafael, von
Monet zu Picasso, vor, (in dem ein wunderbares Mädchen-Bildnis Picasso's aus
seiner früheren Zeit, da er immer Gaukler und Akrobaten der Pariser foires
malte, reproduziert ist) – und lesen Sie Bernard's Briefe und Erinnerungen, die
ich Ihnen gebracht habe.

An WILHELM HAUSENSTEIN, am 23. Februar 1921:
Wie recht hatten Sie, mir gerade dieses Ihrer Bücher zu schicken, es hat mich
sehr angezogen und ich habe es gestern gleich gelesen. Ich bewundere es sehr,
daß Sie Mittel gefunden haben, die Bedingungen, das Schicksal, das Verhängnis
dieser (wie ich immer meinte, inkommensurablen) Produktion darzustellen: Sie
haben das mit einer Unbeirrlichkeit und Penetranz getan, die mir nicht nur für
die Arbeiten Klee's behilflich bleibt, sondern auch wichtig dadurch, daß hier ein

so eigentümlicher Durchschnitt durch die gegenwärtige Situation des Künstlers versucht worden ist.

Wir haben das wohl alle kommen sehen, diese Abrückung der Ereignisse ins Unsichtbare, diesen an allen Stellen gleichzeitig vorbereiteten Verzicht einer Welt auf das sinnliche Äquivalent; die tiefe Verzweiflung im Schaffen Cézanne's, sein Ringen um „réalisation" hat mir oft wie eine Gewaltsamkeit geschienen, Gegenstand und Bedeutung noch einmal, um jeden Preis, gleichzusetzen: aber schon damals war der Preis dafür das Opfer, die tägliche Hingabe und Aufopferung des Lebens an dieses schon kaum mehr Erzwingliche.

Schon über der Leistung Cézanne's, so ungeheuer sie noch gelingt, erscheint der Name „Verhängnis" –, daß Sie nicht gezögert haben, ihn über das Dasein Klee's zu schreiben, auszuschreiben –, hat Ihnen die Freiheit erwirkt, innerhalb dieses Eingeständnisses, die wunderbaren Erfolge festzustellen, die ein Mensch erringen kann, der die Vorschläge seiner inneren Gegebenheiten berücksichtigt und überall den Verlockungen widersteht, Mittel des Ausdrucks anzuwenden, die ihn genau doch nicht bedeuten würden.

Wie jene Schiffbrüchigen oder im Treibeis des Polarmeeres Eingekeilten, die es über sich vermögen, bis zuletzt noch ihre Erfahrungen und Empfindungen aufzuzeichnen, um an den reinen Rand des Blattes, wo bisher niemand hinreichte, noch eine Lebenskurve zu ziehen –, so erscheint Klee (nach Ihrem Buche) als ein Aufzeichner von Teilnehmungen und Anschlüssen an die hiesige Erscheinung, die sich zusammenhanglos abgewendet hält und ihm so wenig dient, daß er, „ivre d'absence"[95] ihre Formen zuweilen als einen Überfluß seiner Armut zu gebrauchen vermag. Hier beginnt vermutlich sein eigentliches „Wahr-Sagen", dessen ein Ahnen mich schon damals erfüllte, als ich (im Jahre 1915) etwa vierzig seiner Blätter durch Monate in meinem Zimmer haben durfte.

Daß seine Graphik oft Umschreibung von Musik ist, hätte ich damals schon errathen, selbst wenn man mir nicht von seinem unerschöpflichen Geigenspiel erzählt haben würde. Dies ist für mich der unheimlichste Moment seiner Produktivität; denn obgleich die Musik dem zeichnenden Stift Gesetzmäßigkeiten unterlegt, die hier und drüben gelten, so vermag ich doch diesem Sich-Verständigen der Künste[*] hinter dem Rücken der Natur nie ohne eine Art von Schauder

[95] Zitat aus Valéry, Le cimetière marin, Z. 77: « La vie est vaste, étant ivre d'absence », in Rilkes Übertragung: „Der Rausch des Nicht-Seins sprengt des Lebens Grenzen" (GW Bd. 6, S. 291).

[*] Ob Klee – fällt mir in diesem Zusammenhang ein – meine Anmerkungen kennt, die das ›Insel-Schiff‹ unter dem Titel „Urgeräusch" (der nicht von mir stammt) abgedruckt hat? Bringen Sie ihm einmal das Heft, mit vielen meinen Grüßen!

zuzusehen: als ob wir von dorther einmal sollten überfallen und entsetzlich wehrlos gefunden werden.

Abbildungsnachweis

PABLO PICASSO: La mort d'Arlequin. 1905. Aus: Christian Zervos, Pablo Picasso. Paris, Band 1 (1932). © 1985 by SPADEM, Paris/BILD-KUNST, Bonn.

PAUL KLEE, Angelus Novus, 1920. Aus: Wilhelm Hausenstein, Kairuan oder die Geschichte vom Maler Klee. München 1921. © 1985, Copyright by COSMO-PRESS, Genf.

SOPHY GIAUQUE, Pensées blanches, 1937 – Museum Lausanne.

SOPHY GIAUQUE, Le pavillon, 1939 – Privatbesitz Lausanne.

Zeitschrift für deutsche Philologie 81 (1962), S. 472–496.

RILKE UND SAPPHO [1]

Von Hellmuth Himmel

Die Stelle in den ›Aufzeichnungen des Malte Laurids Brigge‹ über
Sappho sowie die drei auf sie bezogenen Stücke der ›Neuen Gedichte‹
(AW II 172, 196 ff.; SW I 483 f.) haben bereits Ernst Zinn veranlaßt, der
Dichterin von Lesbos eine bedeutende Stelle in dem Bilde anzuweisen,
das Rilke sich von der Antike machte. [2] Anscheinend ohne Kenntnis
von dieser Arbeit versuchte dann Ingeborg Pahlke zu klären, weshalb
sich Rilke gerade von Sappho so sehr angezogen fühlte; [3] sie meint, daß
zwischen beiden Dichtercharakteren eine "afinidad" bestehe in der Art
"de ver y sentir las cosas del mundo circundante" [4]. Wie Zinn bleibt
auch Pahlke die Antwort auf die Frage schuldig, auf welchem Wege der
Dichter sich diese „fernste Gestalt" (AW II 172) entdeckt haben mag;

[1] Die herangezogenen Ausgaben der Werke und Briefe Rilkes werden mit fol-
genden Abkürzungen zitiert: SW I ff. = Sämtliche Werke. . . . Besorgt durch
E. Zinn. Bd. 1 ff. (Wiesbaden) 1955 ff. – AW II = Ausgew. Werke. . . . Besorgt
durch R. Sieber-Rilke, C. Sieber u. E. Zinn. Bd. 2. Leipzig 1938. – BA I, II =
Briefe. [Auswahl.] . . . Besorgt durch K. Altheim, Bd. 1. 2. (Wiesbaden) 1950. –
BB I, II = Gesammelte Briefe. Hrsg. von R. Sieber-Rilke u. C. Sieber. Bd. 1. 2.
Leipzig 1939. – B 06/07 = Briefe aus d. Jahren 1906–1907. Hrsg. von R. Sieber-
Rilke u. C. Sieber. Leipzig 1930. – BH = Briefwechsel mit Benvenuta [d. i.
Magda v. Hattingberg]. Hrsg. von M. v. Hattingberg. Eßlingen (1954). – BL =
R. M. Rilke u. Lou Andreas-Salomé: Briefwechsel (. . . hrsg. von E. Pfeiffer.)
Zürich u. Wiesbaden (1952). – BM = R. M. Rilke et Merline [d. i. Baladine Klos-
sowska]: Correspondance. (Réd.: Dieter Bassermann.) Zürich (1954). – BT =
R. M. Rilke u. Marie v. Thurn und Taxis: Briefwechsel. (Besorgt durch
E. Zinn.) Bd. 1. 2. [Durchlaufend paginiert.] Zürich (u. Wiesbaden) (1951).

[2] Ernst Zinn: Rilke und die Antike. E. Vortragsfolge. In: Antike u. Abendland, Bd. 3, 1948, S. 201 ff.

[3] Ingeborg Pahlke: Cómo Rilke vió a Safo. In: Estudios Germánicos. (Uni-
versidad de Buenos Aires.) Boletín 10, 1953, S. 204 ff.

[4] Ebd., 206.

einer weiterdauernden Wirkung auf ihn wird nicht nachgeforscht: so entsteht der Eindruck, als bezeichneten die erwähnten Stellen eine Episode von relativ geringer Bedeutung innerhalb seiner persönlichen Bildungsgeschichte.

Für eine umfassendere Würdigung ist zunächst von Bedeutung, in welchem Zeitpunkt seiner dichterischen Entwicklung Rilke den entscheidenden Eindruck von Sapphos Versen empfing. Zinn ist zur Überzeugung gekommen, daß die – weiter unten noch zu behandelnde – Übertragung des Dialogs zwischen Sappho und Alkaios im Brief vom 25. 7. 07 von Rilke selbst stammt.[5] Da der Dichter nach der Externistenmatura längere Zeit kein Griechisch-Studium mehr betrieb, ist ein Anstoß von außen wahrscheinlich. Wenn Zinns Datierung der Gedichte „Eranna an Sappho" und „Sappho an Eranna" im Winter 1905/06 richtig ist (SW I 859), muß der Anstoß vor diesen mit Korrespondenzarbeit für Rodin ausgefüllten Monaten liegen. Man möchte an das Berliner Sommer-Semester 1905 denken, das Rilke zum Teil hörte; doch heißt es im Brief vom 15. 7. 1905 ausdrücklich: „Ich habe hier auch griechische Tragödien in Übersetzung gelesen . . .; aber mit dem Lesen ist das kaum getan, es ist ein weiter Weg dazu hin; und zum Begreifen jener Welt, aus der die Nike und der kleine Panther stammen, hilft auch das nicht hin" (BB II 80). Dagegen halte man die Malte-Stelle über die Sappho-Lektüre des alternden Sonderlings: „Nie war er der Antike so gewiß . . . Nun begreift er momentan die dynamische Bedeutung jener frühen Welteinheit, die etwas wie ein neues gleichzeitiges Aufnehmen aller menschlichen Arbeit war. Es beirrt ihn nicht, daß jene konsequente Kultur mit ihren gewissermaßen vollzähligen Versichtbarungen für viele spätere Blicke ein Ganzes zu bilden schien und ein im Ganzen Vergangenes." (AW II 197). Gibt es also einen Anhaltspunkt dafür, daß sich Rilkes Verhältnis zur Antike im Laufe des Sommers 1905 durch die Bekanntschaft mit Sapphos Lyrik änderte?

Das derzeit publizierte Material gestattet keine sicheren Schlüsse. Eine schwache Spur glauben wir in der Beschreibung zu erkennen, die von der Umwelt des Sonderlings im ›Malte‹ gegeben wird: „Daß sie den kühlenden, glatten Band [der Sonette von Louïze Labé] mitnähme hinaus in den summenden Obstgarten oder hinüber zum Phlox, in dessen

[5] Zinn, a. a. O., 216.

übersüßtem Duft ein Bodensatz schierer Süßigkeit steht . . . Daß einer, ein Nachbar vielleicht, ein älterer Mann, der . . . als Sonderling gilt, euch diese Namen [Dika, Anaktoria usw.] verriete. Daß er euch manchmal zu sich einlüde, um seiner berühmten Pfirsiche willen oder wegen der Ridingerstiche zur Equitation oben im weißen Gang . . ." (AW II 196). Die Charakteristik eines derartigen Herrensitzes in obst- und blumenreicher Umgebung trifft man in einem Brief aus dem August 1905: „. . . nach Appenborn, dem alten Stammsitz der rabenauschen Hauptlinie. Ein kleiner, bäurisch-senioraler Herrenhof . . . mit einem alten, terrassenförmig nach dem Haus hin abfallenden Garten, in dem die Pächtersfrau alle Blumen zieht. Und der Phlox steht hoch neben den alten, zusammengezimmerten Apfelbäumen und Georginen und Astern und Gladiolen . . ." (BB II 83 – 23. 8. 1905). Sollte nicht nur die Szenerie, sondern auch die Gestalt des Sonderlings eine Reminiszenz an den Sommer 1905 sein, so wäre der „zurückgezogene Mann", der „zuzeiten seine Muße an die Übertragung dieser Versstücke zu wenden" liebt (AW II 197), im Kreise um die Gräfin Schwerin zu suchen. Stellt man einen Spielraum poetischer Umgestaltung in Rechnung, so könnte das Urbild dieser Figur der – natürlich keineswegs zurückgezogen lebende – Bankier Karl von der Heydt sein, der siebzehn Jahre älter als Rilke und auch schriftstellerisch tätig war.[6]

Leider hat Helmut Rehder, dem der Briefwechsel Rilke – von der Heydt zugänglich war, nichts Besseres zu tun gewußt, als eine Darstellung der äußeren Beziehungen zu geben und nachzuweisen, in welchem Ausmaß von der Heydt den Dichter finanziell unterstützte.[7] Immerhin mag es kein Zufall sein, daß Rilke knapp nach einem Besuch, den ihm das Ehepaar von der Heydt in Paris abstattete, das Gedicht „Sappho an Alkaios" verfaßte und – als zeitlich letztes – in das Manuskript der ›Neuen Gedichte‹ einlegte: jener Sammlung, die dem Ehepaar gewidmet ist (vgl. BB II 349 – 22. 7. u. 25. 7. 1907).

Gleichviel ob nun Karl von der Heydt oder eine andere Persönlich-

---

[6] K. v. d. Heydts Schauspiel ›Aphrodite‹, das er Rilke 1906 zusandte (vgl. BB II 183 u. 461), ist anscheinend in keiner deutschen Bibliothek greifbar; eine dreimonatige Umfrage verlief ergebnislos.

[7] Helmut Rehder: Poet and Patron: Rilke and Karl von der Heydt. In: Symposium (Syracuse), Vol. 6, 1952, S. 100 ff.

keit aus dem Kreise der Gräfin Schwerin Rilkes Aufmerksamkeit auf die Gedichte Sapphos lenkte: der Dichter war zu dieser Zeit zweifellos selbst bemüht, ein echtes Verhältnis zur Antike zu gewinnen, wie der bereits zitierte Brief vom 15. 7. 1905 zeigt. Das beginnt wohl während der ersten Bekanntschaft mit Rodin, bei dem er den Abguß des kleinen antiken Panthers bewunderte (BB I 272 – 27. 9. [1902]), und führt über die Reise nach Rom, deren große Erwartungen nicht erfüllt wurden (vgl. BL 103 – 15. 8. 1903 u. 114 – 3. 11. 1903; BA I 60 – 29. 10. 1903), und die ersten antiken Themen der späteren ›Neuen Gedichte‹ („Hetären-Gräber", „Orpheus. Eurydike. Hermes", „Geburt der Venus": alle 1904) bis zum Plan einer Griechenland-Reise (BB II 180 ff.) im Herbst 1906, für welche die Phantasie des Dichters schließlich Ersatz in Capri findet (BB II 264 – 18. 2. 1907 u. 277 f. – 4. 3. 1907). Das Jahr 1905 sieht ihn als Gast der Gräfin Schwerin in Friedelhausen; doch ahnen die dort Versammelten noch kaum, welcher Wandel der Kunstanschauung sich in dem Dichter des eben erschienenen ›Stunden-Buchs‹, den sie bewundern,[8] bereits anbahnt. Gerade an seine Neigung zu den Dingen, die ihm schon 1903 hatte Rom erschließen sollen (BL 103), könnte aber Karl von der Heydt (oder ein anderer) angeknüpft haben, um ihn mit einer gleichgestimmten, obgleich durch zweieinhalb Jahrtausende von ihm getrennten Dichterseele bekannt zu machen – wenn nämlich dieser Liebhaber griechischer Lyrik ihm dieselbe Beobachtung mitgeteilt haben sollte, die Pahlke macht: daß für Sappho "nada [es] demasiado ínfimo para no ser acogido en sus versos"[9]. Ein Liebhaber: wir betonen dies ausdrücklich, denn es wird sich zeigen, daß Rilke auf dem Wege zu Sappho einer fachmännisch-philologischen Leitung durchaus entbehrte.

Nicht sicher ist, ob Rilke bei seinem Besuch im Nationalmuseum zu Neapel am 2. Dezember 1906 (BB II 197) eine neue Anregung empfing, sich mit Sappho zu beschäftigen: die Bronzebüste, die die Dichterin darstellen soll,[10] wird in diesem Brief nicht erwähnt. Doch glauben

---

[8] Vgl. J[akob] v. Uexküll: Niegeschaute Welten. Die Umwelten meiner Freunde. E. Erinnerungsbuch. Berlin 1936. S. 257 ff.

[9] Pahlke, a. a. O., 207.

[10] Th. Gsell Fels: Unteritalien und Sizilien. 4. Aufl. Leipzig u. Wien [1906/07]. (Meyers Reisebücher.) S. 94, Nr. 4896. Am 27. 6. 1907 dankt Rilke Ellen Key für die Übersendung eines kleinen Bildes, „das vielleicht Sappho vorstellt"

wir, in einem französischen Gedicht aus demselben Monat (SW II 693: «Ô chant éloigné, suprême lyre») eine neuerliche Annäherung an Sappho zu erkennen. Es heißt dort: «Les mots massifs, les mots profonds en or.» Der derart anklingende Vergleich der Worte mit Schmuckgegenständen wird dann im ›Malte‹ (AW II 197) und im Essay ›Die Bücher einer Liebenden‹ (BT 891) wiederkehren.

Kurz vor dem 16. März 1907 erhält Rilke auf Capri den Besuch von Ellen Key; bei dieser Gelegenheit scheint er sie um Literaturhinweise ersucht zu haben: offenbar ist in ihm der Wunsch wach geworden, seine Kenntnisse über Sappho wissenschaftlich zu untermauern. Im April muß ihm die schwedische Schriftstellerin die erbetenen Auskünfte verschafft haben, denn er antwortet ihr: „... vielen Dank für Deine Nachrichten in bezug auf Sappho und die Mühe, die Du Dir darum gemacht hast. Ja: nun habe ich genug Anhaltspunkte, und in Paris werde ich sehen, mir vor allem Renée Viviens Übersetzungen[11] und das Brandtsche Buch[12] zu verschaffen" (BB II 311 – 18. 4. 1907). Da in der bereits erwähnten Malte-Stelle (AW II 198) die französische Namensform „Galien" für „Galen(os)" begegnet, was bereits Zinn als Hinweis auf eine französische Quelle auslegte,[13] darf Viviens Buch als diese Quelle gelten; daraus ergibt sich, daß die Stelle nicht vor dem 31. Mai 1907 entstanden ist: an diesem Tage traf Rilke wieder in Paris ein (B 06/07, 259).

Ob der Dichter auch für „Sappho an Alkaios" aus den genannten Werken schöpfte, ist schwer zu bestimmen. Brandt übersetzt den angeblichen Dialog Alkaios – Sappho (Alk. 63 D. – Sappho 149 D.) zwar als solchen,[14] jedoch mit z. T. anderen Worten als Rilke in seinem Brief vom 25. 7. 1907 (BB II 351). Das Vasenbild, das im selben Brief erwähnt

(B 06/07, 287); die Anmerkung ebd., 423), verweist auf ein Original in Neapel, doch deutet im Brieftext nichts darauf hin, daß Rilke dieses gekannt habe.

[11] Renée Vivien: Sapho. Traduction nouvelle avec le texte grec. Paris 1903.

[12] Paul Brandt: Sappho. E. Lebensbild aus d. Frühlingstagen altgriechischer Dichtung. Leipzig [1905].

[13] Zinn, a. a. O., 246 (Anm.).

[14] Brandt, a. a. O., 52 f. – Die Vereinigung der beiden Stücke zu *einem* Gedicht findet sich in der bei Teubner erschienenen Anthologia Lyrica Graeca zwar noch in der Editio altera von Th. Bergk, 1868, nicht mehr jedoch in der Ausgabe von E. Hiller, 1897. Vgl. dazu nunmehr: Sappho. Griechisch und deutsch. Hrsg. von Max Treu. (2., durchges. Aufl.) München (1958), S. 230 f.

wird, dürfte der Dichter kaum im Original gekannt haben, da die Vase sich in München befindet,[15] wo er nur auf der Durchreise vom 25. bis 27. November 1906 kurz weilte (BA I 563; BB II 190); von einem Museumsbesuch ist nichts bekannt. Das Fehlen jedes Hinweises auf die seit Aristoteles an Sappho 149 D. geknüpfte Überlieferung[16] vor dem Juli 1907 muß aber selbstverständlich nicht bedeuten, daß Rilke auf sie erst damals aufmerksam wurde. Sein am 24. Juli entstandenes Gedicht ist eine freie Fortsetzung von Sapphos „Antwort" (149 D.). Bald danach folgte ein weiteres, das – wie noch zu zeigen sein wird – den Einfluß griechischer Lyrik erkennen läßt: „Delphine" (SW I 559 – 1. 8. 1907). Dieses wurde jedoch erst in den ›Anderen Teil‹ der ›Neuen Gedichte‹ aufgenommen. Ob der Essay ›Die Bücher einer Liebenden‹ [über Anna de Noailles] damals bereits entstanden war oder erst im Herbst 1907 verfaßt wurde, steht nicht fest; im Gedicht „Griechisches Liebesgespräch" (SW II 356 – Herbst 1907 od. Frühjahr 1908) ist zwar thematische Beeinflussung durch die Antike gegeben, doch kein Zusammenhang mit Sappho festzustellen: hier spricht vielmehr ein Mann zum Mädchen. Eher könnte Sappho als Sprecherin des Fragments „. . . diese weichen / Nächte" (SW II 363 – Sommer 1909) vorgestellt werden; doch ist nach dem Jahre 1907 jedenfalls keine unmittelbare Beschäftigung mit der Lyrikerin von Lesbos nachzuweisen. Um die Fortwirkung des damals Gewonnenen zu erkennen, ist es daher vonnöten, einerseits die Bedeutung der griechischen Dichterin für Rilke, auf die in der bisherigen Literatur mehrfach hingewiesen wurde, nochmals zusammenzufassen, andererseits aber die Art seines Eindringens in ihr Werk näher zu bestimmen.

Abzulehnen ist de Sugars These vom Einfluß Baudelaires auf Rilkes Sappho-Darstellung; die gebrachten Beispiele beweisen weit eher das Gegenteil von dem, was sie belegen sollen.[17] Das ist kaum befremdlich: der französische Dichter steht, trotz seiner Bewunderung für ihre Gestalt, durchaus im Banne jenes Sappho-Bildes, das die deutsche For-

---

[15] Vgl. Hans Berendt: R. M. Rilkes Neue Gedichte. Versuch e. Deutung. Bonn 1957. S. 75 f.

[16] Vgl. Ulrich von Wilamowitz-Moellendorff: Sappho und Simonides. Untersuchungen über griech. Lyriker. Berlin 1913. S. 41 f.

[17] L[olotte] de Sugar: Baudelaire et R. M. Rilke. Étude d'influences et d'affinités spirituelles. Paris (1954). S. 101 f.

schung seit Welcker energisch zu korrigieren bestrebt war – nur auf *dieser* Grundlage aber, die durchaus auch das erwähnte Buch Brandts
bestimmt, ist Rilkes Sappho-Deutung möglich, wenngleich bei ihm die
gelegentlich allzu prüde Auffassung der Gelehrten des 19. Jahrhunderts
bereits überwunden ist.[18] Während für Baudelaire das sinnliche Element den Anreiz zu dichterischer Gestaltung bildet, erscheint es bei
Rilke – und zwar nur im ›Malte‹, nicht in den Gedichten – als angedeu-
teter Einzelzug innerhalb des Strebens der Dichterin, ihre Gefährtin-
nen zu „Liebenden" zu erziehen (AW II 199), weil für „jene konsequente Kultur mit ihren gewissermaßen vollzähligen Versichtbarungen" (AW II 197) die Sinnlichkeit nichts vom geistig-seelischen Dasein
Getrenntes oder gar ihm Entgegengesetztes war.

Zinn formuliert durchaus treffend, daß Sappho für den Dichter „die
Ahn-Herrin aller derjenigen Mädchen und Frauen" ist, „die in Rilkes
Sprache 'Liebende' heißen"[19]. In eben den Jahren, da er sich mit ihr beschäftigt, liest er zahlreiche literarische Zeugnisse ungestillter weib-
licher Liebe, die er – z. T. erst später – auch nachdichtet: wir erinnern
nur an die Briefe der Marianna Alcoforado und die Sonette der Louïze
Labé.[20] Die zuletzt genannte Gestalt dient im ›Malte‹ zur Vorbereitung
der Sappho-Stelle, welche sich mit der Erwähnung der griechischen
Mädchennamen plötzlich aus der um die Sonette verdichteten Atmosphäre niederzuschlagen scheint (AW II 196). Der Name der Louïze
Labé fehlt jedoch im Essay ›Die Bücher einer Liebenden‹: wir glauben
nicht, daß dies einen Datierungsanhalt gibt, sondern vermuten stilisti-
sche Gründe.

Dieser Essay zeigt, daß Rilke die Dichterin Anna de Noailles sogleich in die Tradition der Frauendichtung stellt, die auf Sappho zurückgeht. Man darf daher nicht, wie Hermann von Jan es tut,[21] die grie-

---

[18] Vgl. hierzu allgemein: Horst Rüdiger: Sappho. Ihr Ruf und Ruhm bei der
Nachwelt. Leipzig 1933. (Das Erbe der Alten. R. 2. 21.) Zur Stelle im ›Malte‹:
S. 157 ff.

[19] Zinn, a. a. O., 236.

[20] Vgl. BA I 144 f. – 11. 9. 1906 über Marianna Alcoforado; wann Rilke sich
die Sonette der Louïze Labé entdeckte, ist nicht bekannt: wahrscheinlich war es
1907 in Paris.

[21] Hermann v. Jan: Rilkes Aufzeichnungen des Malte Laurids Brigge. Leipzig
1938. (Von dt. Poeterey. 18.) S. 51.

chische Lyrikerin bloß unter dem Aspekt der „Liebenden" sehen und
ihre künstlerische Produktivität vernachlässigen. Es ist zwar naheliegend zu folgern, da ein Einblick in die Natur einer solchen Liebenden
nur durch eine schriftliche Hinterlassenschaft zu erlangen sei, fielen
jene Liebenden stets mehr oder minder deutlich in die Kategorie
schriftstellerisch tätiger Frauen. Doch Rilke benützt gerade die Gestalt
der Marianna Alcoforado, um den Unterschied aufzuzeigen: die ungestillt Liebende ist die Vorstufe der Dichterin. Er spricht geradezu von
der „Genesis einer Dichterin", die „als Kind schon, von dem heroischen Anwachsen ihres Gefühls erschreckt, begonnen hat, es in das
Schicksallose hinauszudrängen" (BT 891). Dem Anwachsen des Gefühls sollte ein Anwachsen des Objekts entsprechen; doch Sappho
klagt „um den nicht mehr Möglichen, der ihrer Liebe gewachsen war"
(AW II 198). Ähnlich ist im Essay die Rede „von der zu großen Liebe,
die über jeden Geliebten hinausgewachsen war" (BT 894); die großen
Liebenden wissen doch nicht, „wie sehr ihr elementarisches Gefühl
schon über jeden Gegenstand hinausgewachsen" ist (BT 891). Hätte
man diese Liebe „zu den Dingen zu führen" vermocht, so wären, meint
Rilke, „jene Gedichte entstanden, an deren Rand die Briefe [der Marianna Alcoforado] überall heranreichen" (ebd.). Die Dichterin unterscheidet sich also von der Liebenden durch die Erkenntnis, daß der
Größe ihres Gefühls kein (menschlicher) Gegenstand mehr entspricht,
und die daraus folgende Hinwendung zu den Dingen; so vollzieht sie
den „Schritt von der Hingabe der Liebenden zum Hingegebensein des
lyrischen Dichters" (BT 891). Man versteht nun, was Rilkes Sappho
meint, wenn sie Eranna „weitergeben" will „an das Alles: allen diesen
Dingen" (SW I 483): sie will sie nicht nur zur Liebenden erziehen, sondern zur Dichterin erwecken. Es wird sich noch zeigen, daß Rilke diese
Freundin Sapphos mit der Dichterin Erinna identifizierte, die damals
als ihre Zeitgenossin galt.[22]

Das Anwachsen des Gefühls ist übrigens das Thema des Gedichts
„Mädchen-Klage" (SW I 481 f. – um 1. 7. 1906): diesem folgt in den
›Neuen Gedichten‹ das „Liebes-Lied" (SW I 482 – Mitte III. 1907), das

---

[22] Vgl. den Großen Brockhaus von 1908 unter „Erinna"; die neuere Auffassung bei Pauly–Wissowa, Suppl. VI, 1935, Sp. 54–56 (P. Maas). Ferner Treu,
a. a. O., 147.

die Unmöglichkeit beklagt, die Seele „über" den Geliebten oder die Geliebte hinzuheben „zu andern Dingen" – eben dies leistet aber Sappho an Eranna, indem sie sie „weitergibt". Die beiden Gedichte leiten also bereits den sapphischen Kreis ein, dessen Ausklang dann das Gedicht „Grabmal eines jungen Mädchens" (SW I 485 – vor 1. 2. 1906) bilden dürfte – falls man es nämlich mit dem frühen Tod der sagenhaften Eranna in Verbindung setzen will.[23]

Voraussetzung des „Schritts" zur Dichterin ist, daß die Liebende bereits als Kind begonnen hat, ihr Gefühl „ins Schicksalslose" zu leiten (BT 891); daher ist „der Sappho fernste Gestalt" nicht von jenen zu finden, die „sie im Schicksal suchten" (AW II 172). Das „Schicksal" ist für Rilke – wie noch die Anfangsverse der neunten Elegie bekunden – menschliches Los, namentlich insofern es in den Beziehungen unter den Menschen gründet. Das anwachsende Gefühl der Liebenden muß sich von den Menschen zu entfernen beginnen (SW I 481: „Neigung, . . . viel allein zu sein"), um später ganz den „Dingen" zugewandt werden zu können. Daher singt Sappho ihren „Lieblinginnen" das Brautlied „über dem Schicksal" (AW II 199), damit sie nicht vom Bräutigam die Erfüllung erwarten, welche dann nur *im* Schicksal wäre. Rilke gebraucht den Vergleich mit dem Absterben für menschliche Objekte und Neugeboren-Werden für die Dinge: das „Weitergeben" vollzieht „Sappho an Eranna" „wie das Grab" (SW I 483). Bei der „Liebenden" stürzten die „Ströme ihrer Liebe" über den Geliebten fort, „in den Abgrund dessen, was verloren war, und gingen unter der Erde weiter" (BT 891). „Ihre Legende ist die der Byblis, die den Kaunos verfolgt bis nach Lykien hin. Ihres Herzens Andrang jagte sie durch die Länder auf seiner Spur, und schließlich war sie am Ende der Kraft; aber so stark war ihres Wesens Bewegtheit, daß sie, hinsinkend, jenseits vom Tod als Quelle wiedererschien . . ." (AW II 194). Der Essay spricht dann ziemlich unbestimmt von einem „System von Kanälen" (BT 891), durch welches das Gefühl der Liebenden zu den Dingen geleitet werden könnte: das Ans-Licht-Treten der Quelle ist hier also noch nicht die Zuwen-

---

[23] Berendt (a. a. O., 75 [hier 190]) sieht bereits in „Eranna an Sappho" eine Anspielung auf Erannas frühen Tod, bringt jedoch das „Grabmal" nicht damit in Verbindung, wiewohl er dieses als mit „Sappho an Alkaios" verwandt empfindet (a. a. O., 77).

dung zu den Dingen selbst. Diese muß vielmehr als eine besondere
Form der schicksalslosen Liebe aufgefaßt werden, so daß es möglich
ist, von der „Klage" der Liebenden zu reden, gleichviel ob sie bloßes
persönliches Bekenntnis oder Gedicht geworden ist. Das Schicksallos-
Werden von Marianna Alcoforados Liebe muß dem Dichter ebenso bewußt gewesen sein wie die Schicksallosigkeit Sapphos, denn bei einer
späteren Gelegenheit rühmt er den „sublimen Ausdruck der Nonne:
'Meine Liebe hängt nicht mehr davon ab, wie du mich behandelst –'"
(BA I 346 – 23. 1. 1912). Diese Liebe wird also durch das Verhalten des
Objekts nicht beeinflußt; sie ist keine Wechselbeziehung, sondern reine
Intensität des Gefühls und als solche ohne Schicksal – allerdings auch
notwendig „ungestillt", denn jede Stillung wäre ja Veränderung und
damit Schicksal.

In „Sappho an Alkaios" wird, über die Zuwendung zu den Dingen
hinaus, das „Sagen dieser Dinge" hervorgehoben (SW I 484) – ein weiterer Schritt in der „Genesis einer Dichterin", die sich nun insgesamt so
darstellt: ein ins Ungeheure anwachsendes Gefühl erkennt, daß kein
menschlicher Gegenstand ihm zu entsprechen vermag; es verzichtet auf
einen Geliebten und richtet sich auf den „nicht mehr Möglichen" (AW
II 198). Da aber das Herz „zu so großer Glücks- und Leidensmöglich-
keit ausgedehnt" ist, daß „kein Schicksal mehr es je hätte füllen können" (BT 892), muß der personale Charakter des nicht mehr möglichen
Geliebten auch aufgegeben werden; es wendet sich „allen diesen Dingen" zu (SW I 483) und nimmt sie auf. „Alle Hingabe, die wir kennen,
scheint *seine* Hingabe zu sein; alle Inständigkeit und alles Glück der
Kreatur, von dem keiner Besitz ergreift, fällt ihm, wie durch Verwandtschaft, zu" (BT 893f.). Doch „in ein Herz verpflanzt, hat das alles
Stimme bekommen" (BT 893): so ergibt sich das „Sagen" der Dinge als
ihre „Wortwerdung" in der Dichterin, worin sie die „einseitige Seligkeit
des bloßen Seins" verlieren und „Glück und Sorge" werden (ebd.). Bei
Sappho drängen sich „aus den Vorräten des Seins an die Taten ihres
Herzens die Seligkeiten und Verzweiflungen heran, mit denen die Zeiten auskommen müssen" (AW II 198): das heißt, Sapphos Dichtung ist
aus dem Ganzen alles überhaupt möglichen „Glücks" und aller überhaupt möglichen „Sorge" erwachsen.[24] In demselben Zeichen sieht

[24] Vgl. dazu die Erklärung Rilkes für die Übersetzerin Inga Junghanns: R. M.

Rilke die Bücher von Anna de Noailles: „Uns aber, die wir die Gestalt der Sappho kaum mehr zu erkennen vermochten, ist gewährt, die Wirklichkeit der großen Liebe in einem Werke zu bewundern" (BT 895).

Wenn bereits die Antike Sappho als „die Dichterin" verehrte (AW II 198), so geschah das nach Rilkes Meinung mit vollem Recht, weil sie ein Urbild des Dichtertums darstellt: denn der Dichter ist „außerhalb alles Schicksals gemeint" (AW II 335 – 1911) und soll sich von menschlichen Bindungen fernhalten, um dem „sachlichen Sagen" (BA I 207 – 19. 10. 1907) obliegen zu können. Diese „Feindschaft zwischen dem Leben und der großen Arbeit" (SW I 655 f. – 31. 10./2. 11. 1908) bestimmt Rilkes Pariser Jahre; unter dieser Leitvorstellung steht auch seine Sappho-Deutung.[25] Bezeichnend ist, daß sich diese „Feindschaft" auch in der damaligen Sprachauffassung des Dichters widerspiegelt. Bei einem Besuch Richard Dehmels betonte er diesem gegenüber, er möge, „arbeitend, kein Deutsch . . . hören", dadurch nehme das Deutsch *in* ihm „eine eigentümliche Sammlung und Klarheit an; abgerückt von allem täglichen Gebrauch", empfinde er es als das ihm „angemessene herrliche . . . Material"[26]. Die Sprache des Dichters soll von den „Verständigungszwecken" möglichst unabhängig sein, bloßes Material wie das des bildenden Künstlers (BA II 341). Die Entgegensetzung von künstlerischem Material und „Schicksal" leitet ein Gedicht ein, das ursprünglich „Der Goldschmied" heißen sollte (vgl. SW II 27 u. 753 f.), dann aber umgestaltet wurde und den Titel „Der Reliquienschrein" erhielt (SW I 577 f.): „Draußen wartete auf alle Ringe / und auf jedes Kettenglied / Schicksal, das nicht ohne sie geschieht. / Drinnen waren sie nur Dinge, Dinge / die er schmiedete . . .". Schon 1903 hatte Rilke als sein Ziel bezeichnet, „Dinge zu machen; nicht plastische, geschriebene Dinge" (BL 97 – 10. 8. 1903) – Dinge also, deren Material die Sprache ist.

Als solches Material aber empfindet der Dichter das Griechische, wo

Rilke – Inga Junghanns: Briefwechsel. (Hrsg. v. W. Herwig.) (Wiesbaden) 1959; S. 68 (1917).

[25] Dies ändert sich später zugunsten einer polaren Auffassung (vgl. BM 91 – 18. 11. 1920, BT 639 – 17. 2. 1921 u. BA II 229 f. – 10. 3. 1921).

[26] Rilke berichtet erst im Brief an Gräfin Sizzo vom 17. 3. 1922 (BA II 340 f.) von diesem Gespräch, das vermutlich bei Dehmels Aufenthalt in Paris Ende Mai/Anfang Juni 1908 stattfand (vgl. R. Dehmel: Ausgew. Briefe aus d. Jahren 1902 bis 1920. Berlin 1923; S. 154).

er von Sappho spricht: vom „schönen, echten Bruch der massiven Schmucksprache . . ., die in so starken Flammen gebogen ward" (AW II 197), und über die „goldenen Verse mit den schönen massiven Bruchstellen" (BT 891). Wir müssen damit rechnen, daß diese Auffassung der Sprache auf Rilkes Verständnis des Originalwortlautes eingewirkt hat: als Material sind die Sprachelemente zweckfrei, sie erhalten erst in der poetischen Verwendung ihre Funktion. Das bedeutet aber weiter, daß die Mehrdeutigkeit des Wortes Anteil am künstlerischen Erlebnis bekommt; man wird sich erinnern, daß Rilke gleichzeitig in den ›Neuen Gedichten‹ mit Doppelbedeutungen (SW I 495: „Gesicht" 506: „Lauf"), seltenen Verwendungen (SW I 522: „ungelächelte Verführung") und nicht sofort verständlichen Fremdwörtern (SW I 537: „Chryselephantine") arbeitet. Die metaphorische Bezeichnung der Hörner der Gazelle als „Reim" (SW I 506) zeigt, daß die Struktur des Gedichts als Analogon zur Dingstruktur empfunden wird. Hierher gehört aber auch Rilkes Wunsch, mit Hilfe des Grimmschen Wörterbuchs Geheimnissen der deutschen Sprache nachzuspüren (vgl. B 06/07, 91 – 1906). Dementsprechend wird man bei der Betrachtung der im folgenden besprochenen „Anleihen" bei griechischen Lyrikern eine Kombination von Wörterbucharbeit und poetischer Phantasie annehmen müssen, die oft zu unerwarteten Resultaten geführt hat.[27]

Bereits Pahlke verweist für die Wendung „in einer nächtlichen Stunde, die vorübergeht" (AW II 199), auf Sappho 94 D.: πάρα δ᾽ ἔρχετ᾽ ὤρα.[28] Für: „Meine Schwestern denken mich und weben," in „Eranna an Sappho" (SW I 483) dürfte das sapphische Gegenbild des liebenden Mädchens, das nicht mehr weben kann (114 D.), die Anregung geboten haben. Dem „Apfelgarten" in „Sappho an Alkaios" (SW I 484) begegnet man in Sappho 5/6 D.; für das Gedicht „Delphine" (SW I 559) mag das 3. Fragment Erinnas, die von Rilke für Sapphos Schülerin gehalten wurde, einen Anknüpfungspunkt geboten haben: Πομπίλε, ναύταισιν πέμπων πλόον εὔπλοον ἰχϑύ usw.[29] Die Stelle: sie „über-

---

[27] Der Phantasieanteil verhindert auch meist die Identifizierung der benützten Wörterbücher; wenn im einen oder andern Fall ein bestimmtes genannt wird, dient dies nur dem Nachweis möglicher Auffassungen und soll nichts über die Wahrscheinlichkeit der Benützung durch Rilke aussagen.

[28] Pahlke, a. a. O., 205. Vgl. zur Interpretation Treu, a. a. O., 212.

[29] Anthol. Lyrica Graeca, ed. Diehl (1925), S. 486.

trieb ihnen den nahen Gemahl" (AW II 199), findet ihre sachliche Stütze in Sappho 123 D. und 149 D. sowie in der Überlieferung 105 (b) LP.[30]

Die Verwandlung in eine Liebende ruft bei Rilke gern das Verbum „glühen" (transitiv u. intransitiv) herauf. Im ›Malte‹ heißt es von Sappho, daß sie „die schwachen Geliebten . . . an sich zu Liebenden glühte" (AW II 199) – inhaltlich vielleicht bestimmt von Sappho 1 D.: αἱ δὲ μὴ φίλει, ταχέως φιλήσει. In „Eranna an Sappho" ist es die „Göttin", die Erannas Leben „glüht und lebt" (SW I 483): viel später, im Briefwechsel mit Erika Mitterer, wird in ähnlichem Zusammenhang vom „Glühendliegen" gesprochen (SW II 300 – 21./22. 7. 1924). Ob in allen diesen Fällen das (gleichfalls transitiv und intransitiv verwendbare) griechische καίω aus Sappho 48 D. nachwirkt (. . . καιομέναν πόθωι), bleibe dahingestellt.

Viel merkwürdiger ist Rilkes Übersetzung von Alkaios 63 D.: Ἰόπλοκ' ἄγνα μελλιχόμειδε Σάπφοι – „Weberin von Dunkel, Sappho, Reine mit dem Lächeln der Honigsüße" (BB II 351 – 25. 7. [1907]). Für μελλιχόμειδε (att. μειλιχόμειδε) bieten die Wörterbücher meist „sanftlächelnd" oder „süßlächelnd". Rilke scheint hier *μελιχρόμειδε gelesen zu haben – vielleicht, weil er ein Wörterbuch benützte, das die äolischen Formen nicht besonders anführte. So konnte er an μελίχρως geraten, für das etwa Boisacq «doux comme le miel» bietet. Wie aber kommt es zu „Weberin von Dunkel"? Fast jedes größere Wörterbuch verzeichnet ἰόπλοκος bzw. ἰοπλόκος; als Bedeutung wird entweder „veilchenflechtend, veilchengeflochten" oder „dunkelgelockt, veilchengelockt" angegeben, z. T. auch beides nebeneinander. Offenbar genügte dem Dichter diese Übersetzung nicht; sei es, daß ihm die Vorstellung eines von Veilchen gewundenen Kranzes nicht nahelag, sei es, daß er die Schilderung eines äußeren Eindrucks (des Veilchenflechtens oder der Haarfarbe) als Anrede für nicht überzeugend hielt. Möglicherweise war ihm auch die Überlieferung bekannt: τὸν Ἔρωτα Σωκράτης σοφιστὴν λέγει, Σαπφὼ μυθοπλόκον;[31] dann schien ihm das „Flechten" von Worten, das Sappho dem Eros zuschreibt, auf die Dichterin selbst wohl besser zu passen als eine der Wörterbuch-Übersetzungen. Es

---

[30] Treu, a. a. O., 106 f.; vgl. dort auch S. 226 u. 233.
[31] Treu, a. a. O., 102 f. (= 172 et 188 LP.).

heißt zwar in Alk. 63 D. nicht μυθοπλόκ' sondern ἰόπλοκ' – aber „Worte" und „Dunkel" stehen bei Rilke in enger Beziehung. Man vergleiche zunächst: „Und manchmal ist in einem alten Buche / ein unbegreiflich Dunkles angestrichen" (SW II 15 – XII. 1906), wo „dunkel" auf den Inhalt eines Satzes bezogen ist; dann aber die Erwähnung eines „Namens", der – wie ein Gewässer – auf seinem Grunde „ganz dunkel wird" (BB II 213 – 15. 12. 1906); und schließlich die Rede vom „dunklen Dichter" (SW I 440 – 3. 10. 1900). Die „Dunkelheit" eines Satzes kann also davon herrühren, daß seine Worte darin ihren „Grund" offenbaren (im Gegensatz zur „Oberflächen"-Bedeutung in der Konversation); insofern diese Worte ihren „Grund" im Innern eines Dichters haben, wird auch dieser als innen „dunkel" bezeichnet. Dieses Innere aber ist etwas Überpersönliches, gelegentlich selbst Göttliches: der Ursprung der Welt im Wort, ein dichtendes Es voll „heiligen Dunkels" (SW III 653 – 7. 8. 1899). Und von diesem unpersönlichen, göttlichen Dichter sagt bereits der junge Rilke: „das Dunkel laß ich langsam weiterweben" (SW III 618 – 21. 5. 98). Hier liegt also schon das Bild vor, das er neun Jahre später in der Anrede des Alkaios an Sappho wiederzufinden meinte.

Daß in der Übersetzung „weben" für „flechten" eintritt, hat – abgesehen davon, daß es dem Dichter von früher her vertraut war – wenig zu sagen: der Gebrauch des einen oder des andern Wortes hängt vom konkreten Material ab (Teppiche werden gewebt, Matten geflochten). Ob bei „Worten" oder „Dunkel" ein Unterschied zwischen beiden Verben besteht, ist zu bezweifeln. Allenfalls würde die Wahl von „weben" auf die Vorstellung des Teppichs deuten, der symbolisch nicht nur als „Lebensteppich", sondern auch für das sprachliche Kunstwerk stehen kann. Übrigens heißt es auch in einer Überlieferung von Sappho, jedes schöne Wort sei „in ihre Dichtung hineingewoben" (ἄπαν καλὸν ὄνομα ἐνύφανται αὐτῆς τῇ ποιήσει)[32].

Im Fortgang des „Dialogs" (Sappho 149 D.) ist die Übersetzung „Worte drängen zu meinen Lippen" (für θέλω τί τ' εἴπην) zwar sehr frei, doch sinnentsprechend; auch in den noch folgenden Zeilen findet sich keine Abweichung vom griechischen Text, die näheres Eingehen forderte.

---

[32] Treu, a. a. O., 106f. (195 LP.).

Hingegen glauben wir, ein anderes Beispiel phantasievoller Sprachdeutung in den beiden Gedichten aus dem Winter 1905/06 erkennen zu können. Niemandem, der „Eranna an Sappho" und „Sappho an Eranna" liest, kann entgehen, welch merkwürdiges Bild beide Gedichte verknüpft: „O du wilde weite Werferin: / Wie ein Speer . . . / lag ich" – und: „schwingen will ich dich, umrankter Stab" (SW I 483)[33]. Der in Bewegung gesetzte (werfen – schwingen) stabförmige Gegenstand ist gewiß kein naheliegendes Vergleichsobjekt. Wenn aber – wie wir schon weiter oben annahmen – Rilke in der Dichterin Erinna die Sappho-Schülerin Eranna[34] sah, dann dürfte ihm auch der Titel ihres zum größten Teil verlorenen Werkes Ἠλακάτη bekannt gewesen sein. Einen Nachklang eines der drei damals bekannten Fragmente glaubten wir in Rilkes Gedicht „Delphine" zu finden; vielleicht regte auch die Unterweltsvision des 2. Fragments die Wendung mit an: „Wie das Sterben will ich dich durchdringen / und dich weitergeben wie das Grab" (SW I 483). Am weitesten scheint jedoch die Wirkung des Titels zu reichen. Es gilt als ausgemacht, daß er „Die Spindel" oder „Der Spinnrocken" bedeutet, wiewohl Maas (Pauly–Wissowa, a. a. O.) dies „unverständlich" findet. Doch ist es nicht unwahrscheinlich, daß dem Dichter diese Auffassung zu prosaisch erschien – ganz wie im Falle von ἰόπλοκ'. Am nächsten käme dem Sinne von „Spinnrocken" noch der Ausdruck „umrankter Stab": innerhalb einer „Schmucksprache" mochte Rilke es jedoch für erlaubt halten, jedes stabförmige Objekt darunter einzubegreifen, also auch einen Speer. Die Wörterbücher verlockten vielleicht dazu, wenn sie etwa angaben: „. . . auch von anderen spindel- oder schaftartigen Dingen, die aus Rohr gemacht . . . sind, . . . Rohr, Stengel, Halm, . . . ein aus Rohr gemachter Pfeil". Pape deutet noch einen Zusammenhang mit ἕλκω (ziehen, schleppen) und weiter mit ἐλαύνω (in Bewegung setzen) an; heute (Menge-Güthling, [12]1954) neigt man dazu, ἠλακάτη als Fremdwort zu betrachten. Allerdings müßte Rilke dann übersehen haben, daß (wieder nach Pape) ἐλαύνω niemals für Wurfwaffen gebraucht wird: das schlösse die Bedeutung „Speer" für

---

[33] Berendt will „umrankt" als „irgendwie umhegt" verstehen (a. a. O., 75): dies ist nicht sehr überzeugend.

[34] Vgl. Sappho 64 D. und 86 D.; an der zweitgenannten Stelle liest Treu ῏Ω‹υ›ρ‹ν›αν‹υ›α (a. a. O., 70), aber noch Diehl las ὦ 'ραννα (vgl. Treu, a. a. O., 209).

ἠλακάτη ebenso aus wie die bekannte Tatsache, daß Speere nicht aus Rohr angefertigt werden. Andererseits mochte dem Dichter der Unterschied zwischen „Speer" und „Pfeil" geringfügig erscheinen angesichts ihres Zweckes, ein Ziel zu treffen. Da aber die Vorstellung des Ziels in den beiden genannten Gedichten nicht auftaucht, bleibt der Flug des Speeres oder Pfeiles übrig, für den – wir werten bewußt das vom Dichter Verschwiegene aus – das Ziel nur Veranlassung ist. Das aber entspricht wieder der Charakteristik der ungestillt Liebenden: der portugiesischen Nonne („Mit den Maßen der Hingabe gemessen, existiert ihr Gegenstand nicht mehr" – BA I 145 – 11. 9. 1906) wie der griechischen Dichterin („den nicht mehr Möglichen" – AW II 198). Als „Pfeile" oder „Speere" treffen sie den Geliebten nicht mehr, weil er als Ziel bedeutungslos geworden ist – sie „übertreffen" ihn: „Immer übertrifft die Liebende den Geliebten" (AW II 172).

Man muß im Auge behalten, daß der Speer oder Pfeil für jene Liebenden steht, die aus Sapphos Herzenserziehung hervorgehen. Über deren Einzelheiten schweigt der Dichter; doch ist schwer vorstellbar, daß aus Geliebten Liebende würden (AW II 199), ohne daß Sappho selbst vorübergehend die Rolle der Geliebten übernähme, über die das Gefühl ihrer Freundinnen hinauszuwachsen hat. Dann ist sie als Geliebte einerseits das Ziel, andererseits aber die Werferin des Speers oder der abschnellende Bogen für den Pfeil. Als ungestillt Liebende ist sie aber zugleich selbst Speer oder Pfeil; die drei Bildelemente entsprechen also drei Herzenszuständen, die so zusammenhängen: der oder die Geliebte kann Ja oder Nein sagen, getroffenes Ziel oder abstoßender Bogen sein; die Liebende ist in Bewegung – Speer oder Pfeil, dessen Schwung jedoch erlahmen würde, träfe er sein Ziel. Daher ist nur diejenige Frau eine Liebende in Rilkes Sinn, die beständig in der Bewegung des Herzens ist, ohne ein Ziel im Geliebten zu erreichen.

Die Vorstellung des Liebespfeils könnte selbstverständlich aus der Tradition übernommen sein, die Eros mit Pfeil und Bogen ausstattet. Gerade diese scheint aber Rilke innerlich fremd geblieben zu sein; wo er Eros nennt (z. B. BA I 375 – 5. 3. 1912; BH 65 f. – 13. 2. 1914), ist es der Eros Platons, nicht die Rokokofigur, die ebensogut Cupido heißen kann.[35] Bogen und Pfeil sind nicht Attribute einer Gottheit, sondern

---

[35] Berendt (a. a. O., 76 [hier 191]) glaubt, der Gott, der „nicht der Beistand

stehen für Menschen oder menschliche Gefühle. An einer Stelle allerdings verkörpert der Pfeil die göttliche Liebe; hier aber handelt es sich um den christlichen Gott: «... je comprends cet événement d'âme avec une intensité telle que j'en suis comme transpercé ... [!] (C'est, avec une conviction pareille que Saint-Sébastien a dû comprendre l'amour de Dieu ... [!])» (BA I 465 f. – 30. 12. 1913). Die Märtyrerlegende wird also symbolisch nach Analogie der mystischen Erfahrung der heiligen Teresa de Avila verstanden,[36] die übrigens im ›Malte‹ ebenfalls genannt wird (AW II 205). Dort ist sie aber ein Beispiel für die „Schwachen“: denn die vom Pfeil durchbohrt werden, sind ja die „schwachen Geliebten“ (AW II 199)[37].

Wir haben bei diesem Bild, dessen Aufdämmern wir im Winter 1905/ 06 beobachten konnten, etwas länger verweilt, weil es als Gleichnis bis in Rilkes Spätzeit Bedeutung behält und in sich seine Erfahrungen an Sappho verdichtet. Nicht immer wird es freilich in gleicher Weise verwendet. Wenn der Geliebte den abschnellenden Bogen darstellt, kann die Richtung des Pfeils, der kein Ziel zu treffen bestimmt ist, als Richtung auf Gott zu verstanden werden, der „eine Richtung der Liebe ist, kein Liebesgegenstand“ (AW II 204). Andererseits stellt sich die „Anwendung“ des Gefühls „an Gott“ bereits als eine Lösung dar, die aus der ungestillt Liebenden etwas anderes macht – nämlich eine Heilige. So kann von Marianna Alcoforado gesagt werden, ihr „Fall“ sei darum „so wunderbar rein, weil sie die Ströme ihres Gefühls nicht ins Imaginäre weiter wirft ... Es widerstrebt ihrem seltenen Takt, an Gott anzuwenden, was nicht von Anfang an für ihn gemeint war ... Und doch wars fast unmöglich, den heroischen Anlauf dieser Liebe vor dem Absprung aufzuhalten und über einer solchen Vibration des innersten Daseins nicht zur Heiligen zu werden“ (BA I 347 – 23. 1. 1912). Das Wort „Absprung“, das hier mit der Vorstellung des Laufens verbunden

---

zweier“ ist (SW I 484), müsse ein phallischer Gott sein, der in Alkaios walte. Eher spricht Sappho hier wohl von sich selbst und meint den Eros ihres Werkes, der nicht mit Hymenaios identisch ist.

[36] Man erinnere sich der bekannten Plastik Berninis sowie der Stelle BH 58 – 12. 2. 1914.

[37] Wie die Trennung zwischen der Liebenden und der Dichterin, so ist auch die zwischen der Liebenden und der Heiligen nicht immer scharf: so wird im Essay von 1907 die heilige Teresa von Avila neben die Liebenden gestellt (BT 895).

ist, begegnet in der zwei Tage zuvor geschriebenen ersten Elegie innerhalb des Pfeilgleichnisses; zwei Jahre später wird der Geliebte ausdrücklich als „der geliebte Vorwand zu solchen Absprüngen ins grenzenlos Aufgetane" bezeichnet (BA I 469 – 3. 1. 1914). Es ist demnach
der Augenblick der Loslösung von der Bogensehne, in dem die Liebende ihre höchste Daseinsform erreicht – wobei dieser Augenblick
dennoch für ihr ganzes Leben als Liebende eintreten kann. Das ist insofern nicht unvereinbar, als die Liebende ja „schicksallos" ist, die einzelnen Augenblicke ihres Lebens sich also gleichen, sobald sie diese ihre
äußerste Position erreicht hat. In der Briefstelle über die portugiesische
Nonne vom Januar 1912 ist freilich das Pfeilgleichnis nur angetönt,
nicht wirklich eingesetzt – vielleicht weil bei diesem Sichverhalten vor
dem „Absprung" der Bogen nicht mit dem sie verlassenden Geliebten
(vgl. „Don Juan" SW I 616 – 1907/08) identisch sein kann.

In der ersten Elegie jedoch wird die Erinnerung an die Dichterin
Gaspara Stampa zum Anlaß, die ungestillt Liebenden aufzurufen und
die Frage zu stellen:

> Ist es nicht Zeit, daß wir liebend
> uns vom Geliebten befrein und es bebend bestehn:
> *mehr* zu sein als er selbst. (SW I 687 – 21. 1. 1912).

Das Wort „bestehen" klingt an das „überstehen" in der Malte-Stelle
über Sappho an, wo die Mädchen sich auf den Bräutigam vorbereiten
„wie für einen Gott und auch noch *seine* Herrlichkeit überstünden"
(AW II 199; vgl. auch SW II 364). In der Elegie ist nicht deutlich, ob
„vom Geliebten" als Neutrum zu verstehen ist (d. h. als Erweiterung
der zwischenmenschlichen Liebesbeziehung auf Liebe zu irgend etwas)
oder ob das „es" nur den Vorgang meint, der in der Lösung von einer
geliebten Person zu „bestehen" ist. Bezeichnenderweise fährt der Dichter fort: „Denn Bleiben ist nirgends". Jede Objektbindung unterliegt
der Veränderung, dem „Schicksal"; nur das ungestillte Gefühl ist zeitlos, kann in den Raum reiner Dauer eingehen. So sagt schon Rilkes Sappho von 1907: „. . . unter euch verginge / dürftig unser süßes Mädchentum, // welches wir . . . / . . . / trugen unberührt . . ." (SW I 484). Der
Gegensatz zwischen dem „Vergehen" und dem „Unberührtsein" ist der
zwischen „Schicksal" und „Schicksallosigkeit". Mit dem Absprung ins
Schicksallose wird der Pfeil *mehr* als er selbst", ist er – wie es Jahre

später heißt – „Richtung . . . und Ding" (SW II 300 – 21./22. 7. 1924).
Wir müssen es uns hier versagen, auf die „ nicht immer völlig gleiche –
Bedeutung dieser Ausdrücke bei Rilke näher einzugehen; es sei nur an die
„reine / Richtung im unendlichen Entzug" (SW II 466 – 15./17. 2. 1922)
erinnert und an das Bestreben des Dichters, Gefühlsqualitäten zu ver-
dinglichen, „Auch noch das Entzücken wie ein Ding / auszusagen"
(SW II 466 – 1909) oder das „Leid" „in ein Ding" eingehen und dadurch
„Gestalt" werden zu lassen (SW I 719 – 9. 2. 1922). Im Sinne der Unterscheidung zwischen der Liebenden und der Dichterin wäre der „Pfeil"
in den Belegen außerhalb der ersten Elegie nicht mehr sie selbst, sondern
ihr Gefühl, das bei der Liebenden bloß „Richtung", bei der Dichterin
aber zugleich auch „Ding" wird. In den Jahren 1905 bis 1907 mußte das
Gefühl zu den Dingen geführt werden; in späterer Zeit wird es, in die
Dinge eingehend, selbst Ding und damit Gestalt. Die „ältesten
Schmerzen" der ungestillt Liebenden in der ersten Elegie (SW I 687)
erinnern bereits an „der Sappho fernste Gestalt" (AW II 172); das folgende Pfeilgleichnis[38] zeigt, daß der Ansatzpunkt für das Elegienwerk
die Konzeption des sapphischen Dichtertums ist, das auf „Stillung"
(AW II 199) verzichtet, um das Gefühl in schicksallose Dauer überfüh-
ren zu können. Dieser Ausgangspunkt wird am Schluß der ersten Elegie unter das Bild des Linos-Mythos gebracht: durch einen Objektver-
lust entsteht „Raum", in welchem sich „erste Musik" bildet (SW 688).
Schon zweieinhalb Jahre vorher war eine derartige Entstehung von
Raum bei den ungestillt Liebenden erkannt worden: „Bilden die
Nächte sich nicht aus dem schmerzlichen Raum / aller der Arme, die
jäh ein Geliebter verließ" (SW II 364 – Sommer 1909); mit der Nennung

---

[38] Hans Urs von Balthasar (Apokalypse der deutschen Seele. Studien zu einer
Lehre von den letzten Haltungen. Bd. 3. Salzburg–Leipzig 1939; S. 294) glaubt,
dieses Pfeilgleichnis der ersten Elegie aus Kierkegaards ›Buch des Richters‹ ablei-
ten zu können. Dort aber verdeutlicht es die Notwendigkeit psychologischer
Distanz: der oder die Geliebte ist das Ziel, niemals aber der Bogen. Da Otto
F. Bollnow (Rilke. 2., erw. Aufl. Stuttgart [1956]: S. 25) diesem Mißverständnis
zustimmt, sei hier ausdrücklich betont, daß diese angebliche „Quelle" Rilkes
nicht nur ohne Schaden, sondern gerade zum Nutzen für ein Verstehen des
Gleichnisses auszuschalten ist. Inwieweit ein derartiges Distanzbedürfnis als
seelische Gemeinsamkeit zwischen Kierkegaard und Rilke besteht, ist natürlich
eine andere Frage, der mit Gleichnissen nicht sehr gedient ist.

der „Quelle" wird dann auf die Byblis-Sage angespielt. Man wird im Auge behalten müssen, daß auch das Pfeilgleichnis eine Vorstellung von Raum zur Grundlage hat.

Im November 1915 entstehen zwei Widmungs-Sonette, die als „Frage" einer Frau „an den Gott" und „Des Gottes Antwort" bezeichnet sind (SW II 228 f.). Als Ziel für den Pfeil werden erst „die Vögel meiner Welt" genannt; dann aber heißt es: „den Himmel selbst . . . will ich durchbohren, wenn ich einmal fühle". Der Mann ist der Bogen, doch läßt der Dichter diesen Vergleichsgegenstand vorerst erraten: „Hab ich nicht recht, daß ich sie langsam spanne, / . . . / . . . prüfend erst, von welchem Manne / mein gradestes Gefühl am höchsten schnellt?" Ausgesprochen wird das Gleichnis im ersten Terzett: „wo ist der Bogen für so weiten Pfeil?" Der „Gott der Liebe" antwortet ihr: „Gibt es ihn nicht, so hast du *mich* geliebt" – d. h., wenn sich ihr die Männer als die „doch nicht Brauchbaren" erweisen und der gesuchte „Einzige" nicht existiert (man denkt an den „nicht mehr Möglichen" im ›Malte‹), dann war ihre Liebe dem Liebesgott selbst zugewandt. Das Wort „bestehst" weist auf die erste Elegie zurück; „deiner ganzen Strahlung" klingt an die Briefstelle aus 1912 über die „portugiesische Nonne" an (BA I 347: „ihr ganzes Strahlen"). In einem Brief an Merline vergleicht Rilke seine Arbeit mit dem Anlegen eines Pfeils, um den Himmelsvogel («l'oiseau céleste») zu durchbohren, ohne ihn zu töten; der Pfeil werde aber im Rücksturz das Herz der Geliebten treffen (BM 91 f. – 18. 11. 1920). Wie hier die Hoffnung auf Liebeserfüllung, so wird in einem Gedicht an Erika Mitterer ein Verzicht unter dem Bild von 1915 formuliert: „Was hilft es uns, daß ich den Bogen spanne, / wenn ich den Pfeil nicht an die Sehne lege?" (SW II 306 – etwa 4. 8. 1924). Der Dichter meint wohl, kein Recht auf engere Beziehung zu ihr zu haben, wenn es ihm nicht um ein Werk, einen „Himmelsvogel" zu tun ist, der durch das abschnellende Gefühl erreicht werden soll.

In diesen Belegen mischt sich nämlich eine neue Bildvariante ein: denn in einem anderen Gedicht an Erika Mitterer sind Sterne erwähnt, die ein „werbender Bogen / . . . gewinnen mag" (SW II 302 – 21./22. 7. 1924). Der Stern kann das Herz einer Geliebten meinen, die in unendliche Ferne entrückt ist (vgl. SW II 313 – 27. 10. 1925); eher wird man bei diesem „Entlegnen" (SW II 302) als dem Ziel an die „Vögel" im ersten Widmungssonett aus 1915 (SW II 228) denken dürfen. Kurz vor Abfassung von SW II 302 aber hatte Rilke die „Stimme" der Dichterin Mitterer als „wie ein Bogen angespannt" bezeichnet; dieser Bogen sei – in merkwürdigem Bildwechsel – eine „unbewährte Waage", die erst durch das „Gewicht" des Pfeils, „welcher Richtung ist und Ding", gleichsam geeicht wird (SW II 299 f. – 21./22. 7. 1924). Das Spannen des Bogens wäre dann die werbende Liebesdichtung, die erst einer Bewährung bedarf; es scheint, daß dieses erste Erheben der „Stimme" – wie schon in den Orpheus-Sonetten dem Jüngling – hier der Dichterin nur „den Mund . . . aufstößt" (SW I 732 – 2./5. 2. 1922).

Die Schlußstrophe des Gedichts an Erika Mitterer (SW II 300) wünscht der Dichterin, daß Melitta „Dein Zeitlosbleiben überrage / mit dem stundenvollen Angesicht". Schicksallosigkeit und Schicksalsgebundenheit treten in bisher ungewohntem Verhältnis auf: die schicksalsgebundene Gestalt („stundenvoll") überragt die zeitlose Gestalt. Dieses „Überragen" ist nicht als eine Form des „Bestehens" oder Dauerns schlechthin zu interpretieren, sondern eher als eine Hindeutung darauf, daß die zeitlose Dichtergestalt nur möglich ist, insofern sie unterhalb des Schicksals bleibt. Besonders auffallend ist der Gegensatz zur Malte-Stelle, wo Sappho das Brautlied „über dem Schicksal" sang (AW II 199). Während Rilke in seinen Pariser Jahren eine Überwindung der Zeit und Vergänglichkeit nur durch Entrückung des Gefühls *aus* der Zeit kannte, „stürzt" ihm in der Spätzeit die „Vergänglichkeit" selbst „in ein tiefes Sein" (BA II 481 – 13. 11. 1925): das heißt, das Vergangene ist keineswegs nichtexistent, sondern vielmehr „unsichtbar" geworden – „wie unser eigenes Schicksal in uns fortwährend *zugleich vorhandener und unsichtbar* wird" (BA II 483 f. – desgl.). In dem Maße, in dem sich das Schicksal des einzelnen erfüllt, wird es wirklich, jedoch im Unsichtbaren; die Aufgabe des Dichters ist es, im Sinne der neunten Elegie, das derart im Schicksal Vergehende im Wort schicksallos zu bewahren, indem er aus dem Bewußtsein des „Ganzen" gestaltet, worin das durch die Zeit Aktualisierte seinen Seinsgrund hat.[39] Damit schließen sich Schicksallosigkeit des Dichters und menschliches Schicksal nicht mehr aus, sondern treten in ein polares Verhältnis, das im Dichter selbst

---

[39] Zur Bedeutung der Termini „das Ganze" und „heil" kann hier nur auf einige Beispiele verwiesen werden: SW II 94 – IX. 1914; AW II 194; SW II 159 – Ende III. 1924; SW II 271 – 9. 6. 1926.

rhythmisch in Erscheinung tritt: „kaum ist es getan [= das Gedicht ge-
schrieben], gehört man schon wieder ins allgemeine blindere Schicksal"
(BA II 449 – 9. 8. 1924). Wenn wir „Des Gottes Antwort" aus 1915 zugrunde legen, läßt sich die veränderte Position so bestimmen: die Frau
hat den „Gott der Liebe" nicht nur „statt des Liebes-Mannes" geliebt,
wenn es einen solchen nicht gibt (SW II 229), sondern sie kann ihn auch
im „Liebes-Manne" geliebt haben, weil der Gott „mit Spiegeln" zu
spielen vermag (SW II 289 – 4./5. 7. 1924), so daß der Liebende, der die
Geliebte zu berühren glaubt, vielleicht den Spiegel des Eros berührt,
während umgekehrt im „Mund der Geliebten" etwas „vom Munde des
Gotts / spiegelt" (SW II 294 – 5./7. 7. 1924). Eros selbst ist ja «*en
nous* . . . / comme le noir milieu / d'un châle brodé de cachemire» (SW
II 525 – 15./20. 2. 1924)[40].

Einem derartigen „schwarzen" göttlichen Spiegel begegnet man auch
in einem fragmentarischen Gedicht vom November 1925, das in allgemei-
nerer Form die Verbindung von Schicksal und Schicksallosigkeit feiert.
Derjenige, der in der Zeitwelt „Geber" ist, ist zugleich im Spiegel seines Innern „Verlierer an den namenlosen Schatz", wobei die Namenlosigkeit der Ziellosigkeit des ins Göttliche fliegenden Pfeils entspricht.
Daher wird hier auch das Pfeilgleichnis eingesetzt:

> Oh Bogen,
> den die Sehne, unsichtbar gezogen
> in die andere Parabel riß:
> Spiegelbilder deiner Pfeile flogen
> in die glatte Spiegelfinsternis. (SW II 507.)

Gleichviel also, ob der sichtbare Pfeil ein Ziel (etwa den Geliebten oder
die Geliebte) erreicht, kann das im schwarzen Spiegel unsichtbare göttliche Ziel getroffen werden.

Die Entwicklung des Motivs zeigt, daß die Schicksallosigkeit des
sapphischen Dichtertums für den späten Rilke nicht mehr ausschließ-

---

[40] Daß nun auch in der Liebeserfüllung – entsprechend dem Vorklang in der
II. Elegie (SW I 691 – 1912) – das Erlebnis der Schicksallosigkeit gegeben sein
kann, zeigt der Brief an Merline vom 22. 2. 1921 (BM 213); vgl. auch BA II 350 f.
– 23. 3. 1922. – Zu dem hier angetönten Motiv des Kaschmirshawls, das sich
dem Dichter nicht zum Gedicht runden wollte, vgl. BA II 427 – [16. 12.] 1923;
SW II 476 f. – X. 1923; 488 f. – um 1. 7. 1924.

liche Gültigkeit hat. Es bleibt jedoch Urbild dafür, wie eine „naive äolische Seele" (BT 893 – 1907) aus dem Übermaß des Gefühls zur dichterischen Schöpfung gelangt, ohne mit der Sinnenwelt in Konflikt zu kommen. Rilke glaubt, daß diese Möglichkeit vor allem der Frau gegeben sei, die – auf Grund „ihres in sich heil zurückkehrenden Wesens" (BA II 150 – 30. 8. 1919) – „Unberührtes . . ., nie angegriffener Vorrat" ist (BA I 146 – 11. 9. 1906). Im Essay von 1907 heißt es, daß diese „äolische Seele . . . sich nicht schämt, dort zu wohnen, wo die Sinne sich kreuzen, und . . . nichts entbehrt, weil diese entfalteten Sinne einen Kreis bilden, der keine Lücke hat: so weilt sie im Bewußtsein einer ununterbrochenen Welt" (BT 893). Mörchen führt in seinem Buch über die ›Sonette an Orpheus‹[41] hierzu aus, es sei „zunächst schwer verständlich", daß dieser lückenlose Kreis als Kreuzweg vorgestellt werde; es erkläre sich jedoch „aus der *Doppelheit* des Überwältigenden draußen und im Herzen". Damit ist allerdings das Bild nicht erklärt; uns will es scheinen, daß das Charakteristische des Kreuzwegs, das Ankommen und Auseinandergehen aus und nach verschiedenen Richtungen, nur dann im lückenlosen „Kreis" aufgehoben sein kann, wenn dieser Kreuzweg sphärisch verstanden wird: als auf jener „heilen, goldenen Kugel"[42] gelegen, die im ›Malte‹ als Sinnbild „jener frühen Welteinheit" des Griechentums eingesetzt ist (AW II 197). Der „Kreuzweg" der „Sinne" im letzten der Orpheus-Sonette (SW I 770 – 19./23. 2. 1922) wird durch „Zauberkraft" zum heilen Sein der Kugel ergänzt. Die von Mörchen angedeutete Gedankenverbindung zur „Kreuzung zweier / Herzwege" des Sonetts I/3 (SW I 732 – 2./5. 2. 1922) besteht wohl darin, daß dort die „Zauberkraft" noch nicht wirksam ist, so daß die Wegkreuzung als „Zwiespalt" erlebt wird. Das dem Dichter in I/3 gestellte Problem, dem Orpheus nachzufolgen, findet also im Schlußsonett seine Lösung. Man darf daher erwarten, daß mit dem Sonett I/4 der erste Schritt auf diese Lösung hin unternommen wird.[43]

[41] Hermann Mörchen: Rilkes Sonette an Orpheus erläutert. (Stuttgart 1958.) S. 414 f.

[42] Ob in dieser Prägung ein Nachklang von χρυσαστράγαλοι φίαλαι (Sappho 133 a D.) gesehen werden darf? Zur Vorstellung des heilen Kreises beim späten Rilke vgl. SW II 256 – 31. 1. 1922.

[43] Auf die verdienstliche und ausführliche Interpretation Mörchens (a. a. O., 73 ff.) sei hier verwiesen, wiewohl wir uns nicht mit jeder Einzelheit identifizieren.

Freilich verbaut man sich den Zugang, wenn man – wie es Eva Cassirer-Solmitz tut[44] – in I/3 liest: „der ‚Mann‘, der Mensch". Dann wird
man auch versucht sein, das Sonett I/4 als Einschub zu betrachten, der
gegebenenfalls auch eine andere Stelle haben könnte.[45] Nein: der Zwiespalt, der an der Nachfolge des Orpheus hindert, ist eine Eigenschaft
des Mannes, die der „naiven äolischen Seele" einer Dichterin fremd
ist.[46] Gegen diesen Zwiespalt des Mannes setzt das Sonett I/4 die „Heilen", die „Seligen" (SW I 733 – 2./5. 2. 1922), nämlich die Frauen –
ganz wie es die ursprüngliche fünfte Elegie („Gegen-Strophen":
SW II 136 ff. – 1912/1922) gegenüber der vierten, der Elegie der „Ge-
spaltenheit"[47], getan hatte. Ja, es ist geradezu die Situation des „Dialogs" zwischen Alkaios und Sappho wiederholt; nur ist es nun der
Dichter Rilke, der die beiden nacheinander anspricht. Jenem Alkaios,
der sagt: „Worte drängen zu meinen Lippen" (BB II 351), erwidert er:
„Dies *ists* nicht, Jüngling, daß du liebst, wenn auch / die Stimme dann
den Mund dir aufstößt" (SW I 732). Die „Zärtlichen" des folgenden Sonetts aber sind dann nicht etwa Liebende verschiedenen Geschlechts,[48]
sondern die Mädchen Sapphos[49]: sie scheinen „der Anfang der Her-

[44] Eva Cassirer-Solmitz: R. M. Rilke. [Einbandtitel.] Das Stundenbuch / Die
Aufzeichnungen . . . / Die Duineser Elegien / Die Sonette an Orpheus / Die
Götter bei Rilke. Heidelberg (1957). 4. Paginierung, S. 19.

[45] Dieser Meinung scheint auch Agnes Geering (R. M. Rilkes Sonette an
Orpheus. Versuch einer Einführung, Frankfurt a. M. [1948]; S. 28) zu sein, wenngleich sie später doch einen „tiefen Sinn" in der Einordnung des Sonettes zu
erkennen glaubt, die sie allerdings dort falsch bezeichnet (ebd., 44).

[46] Es bedürfte einer besonderen Untersuchung, inwieweit vereinzelte Stellen,
die das Problem der Frau als Künstlerin für noch schwieriger erklären als das des
Mannes als Künstler (BA I 173 u. 340), von einem besonderen Anlaß her konzipiert sind oder auf die Rolle der *modernen* Frau Bezug nehmen.

[47] Vgl. Else Buddeberg: R. M. Rilke. Eine innere Biographie. Stuttgart 1955;
S. 416. – Man beachte, daß in der vierten Elegie „für eines Augenblickes Zeichnung / ein Grund von Gegenteil bereitet" werden muß (SW I 697 – 22./23. 11.
1915), während für die „Liebenden" stets „jeder Teil . . . Glanz des Gegenteils"
hat (SW II 293 – 5./7. 7. 1924).

[48] Dies scheint Geering, a. a. O., S. 44, zu meinen.

[49] Cassirer- Solmitz, a. a. O., 4. Pag., S. 44 versteht zwar, daß Mädchen angesprochen sind, glaubt aber, daß es sich um die im ›Buch der Bilder‹ angeredeten handle. Das starke Echo des Sappho-Erlebnisses im Briefwechsel mit Erika

zen", da das „mutige Herz" (BT 892) einer solchen Dichterin zu „Taten" entschlossen ist (AW II 198), also gleichsam anfängt, ein eigenes Leben als Herz zu führen, worin „die neue Maßeinheit von Liebe und Herzeleid" entsteht (ebd.).

Im ersten Quartett haben die Mädchen freilich diese Aufgabe noch nicht erkannt; sie werden aufgefordert, „in den Atem, der euch nicht meint", zu treten. Der Schluß des vorhergehenden Sonetts scheint nahezulegen, daß es sich um den Atem Apollos handle, den göttlichen „Wind" (SW I 732) – eine Vorstellung, die eine alte Tradition hinter sich hat.[50] Mörchen jedoch erklärt den „Atem" des Sonetts I/4 im Hinblick auf das Prosastück „Erlebnis" (AW II 259f.) als „Schicksal", was nicht zur „inspiratio" durch den Gott der Dichtkunst gezählt werden dürfte.[51] Wesentlich ist, daß dieser Atem sich an den Wangen der Mädchen teilt und sich erst hinter ihnen wieder schließt und von dieser Unterbrechung „zittert". Wenige Tage vorher hatte Rilke über den „Moment der Windstille in der großen Ägyptischen Zeit" geschrieben: „Welcher Gott hielt den Atem an, damit diese Menschen um den vierten Amenophis so zu sich kamen? . . . Und wie schloß sich wieder, gleich hinter ihnen, die Zeit, die einem ‚Seienden' Raum gegeben, – es ‚ausgespart' hatte?!" (BA II 306 – 28. 1. 1922). Das Atemanhalten eines unbekannten Gottes wird im Sonett ersetzt durch menschliche Aktion, die einen unpersönlichen Atem zwingt, sich zu teilen und die Menschen auszusparen. Es ist also wirklich der Atem der Zeit, des Schicksals, das ja (wie BA II 360 u. 449 zeigen) „blind" und „allgemein" ist, also keinen einzelnen „meinen" kann. Die „Windstille", die in der Briefstelle als Zeitraum erschien, in dem die Zeit nicht verfloß, wird nun als der von einer Gestalt eingenommene Raum verstanden, den die Zeit wie eine Insel umspült. In dem „Zittern" des sich wieder schließenden Zeitstromes wird man die Nachwirkung einer derartigen Gestalt sehen dürfen, die als solche dennoch nicht in diesem Strome, dem „Schicksal", zu finden ist, sondern nur in dem ausgesparten „hellen Raum . . . [der]

Mitterer erklärt sich wohl aus der dort „Die Liebenden (Erika und Melitta)" überschriebenen Gedichtgruppe.

[50] Vgl. Vergil, Aeneis VI, 49–51: maiorque videri / nec mortale sonans, adflata est numine quando / iam propiore dei.

[51] Mörchen, a. a. O., 74.

Einsicht" (AW II 172). Das zweite Quartett bringt das nun vertraute Pfeilgleichnis dergestalt, daß die Geliebten Sapphos als „Bogen der Pfeile und Ziele von Pfeilen" erscheinen, und schließt: „Ewiger glänzt euer Lächeln verweint". Mörchen[52] stellt hierzu mit Recht die Zeilen: „Aber die Liebenden gehn / über der eignen Zerstörung / ewig hervor . . ." (SW II 221 – 23. 9. 1914), denn die Geliebten sind ja durch Sappho in Liebende verwandelt worden. Damit ist also die erstrebte Schicksallosigkeit erreicht; weitere Ausdeutung verlangt das Leiden, das im Wort „verweint" zum Ausdruck kommt. Diese besorgt das erste Terzett, das die nunmehr Liebenden auffordert, die „Schwere" zurückzugeben „an der Erde Gewicht". Daß das Element der Schwere zu Rilkes Bild der Antike gehört, beweist der Brief, den der Dichter 1905 vor der Abreise aus Berlin schrieb: „. . . daß es auch das Schwere war, was alles: Himmel von Göttern und Werke wie Sterne . . . sich erzwang, daran zweifelt man, je mehr man weiß, je weniger" (BB II 80 – 15. 7. 1905). Im Essay von 1907 hatte es von der „Klage" der Liebenden geheißen: „Aber schließlich wirft sie sich in das unwissende Gras und will aufhören und aufgehen in der Natur . . ." (BT 894); von der Portugiesin sagt Rilke, sie wäre, hätte sie „einen Moment nachgegeben, . . . in Gott hineingestürzt wie ein Stein ins Meer" (BA I 347 – 23. 1. 1912). In der „Klage" kehrt die „Schwere" zur Erde zurück, die als der Inbegriff des „Schweren" erscheint: alles ihr Zugehörige wird schwer, so auch die wachsenden Bäume, die das zweite Terzett einleiten. Mörchen[53] findet, es seien „offenbar" gestürzte Bäume gemeint; davon steht freilich nichts im Sonett. Neben der von ihm beigebrachten Parallelstelle wäre auch auf das Gedicht „Klage" hinzuweisen, wo der „Jubel-Baum", dadurch daß er „bricht", zu einer Klage wird (SW II 84 – Anf. VII. 14). Der Vergleich des dichterischen Werkes mit Bäumen begegnet auch in einem Brief an Benvenuta (BH 31 – 5. 2. 1914); die Richtungsumkehrung des Jubels zur „Klage" durch menschliches „Gewicht" in der Marina-Elegie (SW II 272 – 9. 6. 1926). Doch ist zu bedenken, daß die „Schwere" ja nicht eine Eigenschaft des gestürzten Baums ist, sondern in ihm nur besonders auffällig wird. Hält man an der Vorstellung der gestürzten Bäume für das Sonett fest, dann ist die Schlußzeile unerklär-

[52] A. a. O., 76.
[53] A. a. O., 80.

bar. Ob das Bild der Apfelbäume von Mytilene nachwirkt, ist belang-
los; Werke von Dichterinnen aus der Schule Sapphos sind wohl bloß
hypothetisch; was bleibt, ist das Gefühl der „Liebenden", dessen „Anwachsen" sie „als Kind schon . . . erschreckt" hat (BT 891 – 1907): auch
diese Bäume haben die Mädchen ja „als Kinder" gepflanzt (SW I 733).
Mit dem Pflanzen ist dann das Hinausdrängen des Gefühls „in das
Schicksallose" (BT 891) begonnen, die „Schwere" des anwachsenden
Gefühls von vornherein der Erde überantwortet. Wenn diese Bäume
den Liebenden „zu schwer" geworden sind, werden sie bereits getragen
– von wem aber, da ja die Erde selbst schwer ist? Es sind „die Lüfte",
„die Räume", die diese Bäume und mit ihnen die schwere Erde tragen,
nach der Vorstellung eines französischen Gedichts: «Vues des Anges,
les cimes des arbres peut-être / sont des racines» (SW II 539 – Anf. III.
24). Die Bäume wurzeln also – vom Standpunkt der Engel – in den Him-
melsräumen, die derart das Gegengewicht zur schweren Erde bilden.
Wendet man nun die Richtungsvorstellungen von Jubel und Klage an,
so trägt der Jubel-Baum vom Irdischen aus die Himmel, der Klage-
Baum von den Räumen aus die Erde. Man wird nochmals an die Charakteristik Griechenlands im ›Malte‹ erinnert: dort „ward . . . wirklich
des Lebens himmlische Hälfte an die halbrunde Schale des Daseins
gepaßt, wie zwei volle Hemisphären zu einer heilen, goldenen Kugel
zusammengehen" (AW II 197). Die Bäume stellen die Verbindung der
Hemisphären her, wodurch jene Kugel entsteht, die in geschlossenen
Kreisen die Gefahr des Kreuzwegs bannt.

Schließlich ist es kaum Zufall, daß gerade im Sonett I/4 die jambi-
schen Fünffakter erstmals durch ein anderes Versmaß ersetzt werden:
der – hier unregelmäßige – Wechsel von Daktylen und Trochäen kennzeichnet ja die sapphische Strophe; die Zeilen 9, 11 und 14 können
sogar als je zwei Adoneen aufgefaßt werden.

Das folgende Sonett (I/5) eröffnet „eine Reihe (I 5–9) . . ., durch die
Wesen und Sinn der Orpheusgestalt in besonderem Maße erhellt wer-
den"[54]. Mörchen meint, daß dabei „eine unmittelbare Anknüpfung an
das vorhergehende Sonett nicht erkennbar" sei. Mit der Deutung des
Sonetts I/4 auf die Liebenden und ihre Ahnherrin Sappho ist jedoch der
Übergang zu Orpheus mittels der Heraufrufung der Rose ohne weite-

[54] Mörchen, a. a. O., 82 f.

res verständlich: man vergleiche Sappho 58 D., wo „die Dichtkunst . . .
nicht ein Können und Haben, sondern ein Teilhaben an Göttlich-Schö-
nem, an den Rosen der Musen des Olymp" ist.[55] Hierzu stimmt auch
die Überlieferung test. 117 Gall.: ἡ Σαπφὼ τοῦ ῥόδου ἐρᾷ καὶ στεφα-
νοῖ αὐτὸ ἀεί τινι ἐγκωμίῳ.[56]

Selbst in den Sonetten 6 bis 8 kann man, wenn man will, späte Spuren
sapphischer Lyrik entdecken; die Heimat des Orpheus in „beiden Reichen" wie seine Aufgabe zu „rühmen" könnten in der Anrede der
Aphrodite an Sappho dieser zugedacht sein: πάνται κλέος [. . . / καὶ σ'
ἐνν 'Αχέρ[οντος (68 D.)[57]; das Sonett I/8 teilt die Einschränkung der
„Klage" mit Sappho 109 D., wenn man annimmt, daß θρῆνος jenen
Klagegesang meint, der nicht „Rühmung" (im Sinne von νηνία) ist:
denn Klagelieder hat auch Sappho gedichtet (z. B. 107 D.). In I/8 wird
übrigens mittels des „geweinten Quells" (SW I 735 – 2./5. 2. 1922)
wieder der Anschluß an die Byblis-Sage hergestellt.

Solche Nachklänge beruhen natürlich keinesfalls auf irgendwelchen
Notizen aus der Pariser Zeit; wenn es aber allzu unglaubhaft scheinen
sollte, daß die Gestalt Sapphos dem Dichter noch 1922 gegenwärtig gewesen sei, der möge bedenken, daß etwa das Sonett I/20 eine Erinnerung aus Rußland verwertet, die über 23 Jahre frisch geblieben war.
Daß die Dichterin selbst im Sonett I/4 nicht genannt ist, stimmt nur zu
der Art, in der etwa in I/10 (Z. 5–8) die Sarkophage der Alyscamps
oder in I/21 das Kinderlied in der Kirche von Ronda beschworen
werden.

So mögen neben dem Bewußtsein, in Sappho erstmals der echten Antike begegnet zu sein und so den Kreis des Orpheus betreten zu haben,
gerade jene Sapphostellen unbewußt nachgewirkt haben, in die eine orphische Thematik hineingelesen werden konnte. Darüber, daß Rilkes
Sappho-Deutung bereits in den Pariser Jahren höchst subjektiv war,
kann ja kaum ein Zweifel bestehen.

In den ›Sonetten an Orpheus‹ bildet das sapphische Motiv zwar einer-

---

[55] Treu, a. a. O., 200.

[56] Treu, a. a. O., 106 f.

[57] Wenig zu besagen hat für diesen Zusammenhang die Tatsache, daß der
„Ruhm" in dem genannten Fragment wohl als personaler Nachruhm aufzufas-
sen ist. Vgl. Treu, a. a. O., 205.

seits den ersten Schritt zur zeitlosen Gestalt des Orpheus (vgl. SW I 733: „Ein für alle Male"), andererseits aber im Gesamtbild nur den *einen* Pol: den der Schicksallosigkeit des Dichters *als* Dichter, der doch wieder als Mensch rhythmisch in das Schicksal eingegliedert wird, in welchem er nun zu bestehen hat, ohne seine Seele „durch einen Riß im Schicksal" der „Zeit" ganz entziehen zu können (vgl. SW I 512 – 1906). Anläßlich des Sonetts II/21 bemerkt Mörchen treffend: „Aber, und das ist der entscheidende Schritt, den der späte Rilke zu tun im Begriff ist: es gilt nun, das ‚Unterscheiden' von zeitlichem Schicksal und zeitlosem Dauersein zu verlernen." [58] Zugleich ist daran festzuhalten, daß jener Pol nur für die „naive äolische Seele" erreichbar ist, deren Herz „alle Inständigkeit und alles Glück der Kreatur" (BT 893) umfassen darf. Bezeichnenderweise ist diese „Inständigkeit" oder „Innigkeit" (vgl. SW II 82 u. 417 – 20. 6. 1914) das, was Rilke seit 1911 zu überwinden strebt (vgl. BA I 309 – 16. 6. 1911, BH 97 – 17. 2. 1914). „Nicht wissend von Unsichtbarkeit oder anderem Dasein" (BT 893) ist ja eben nur jene, während der Dichter, der „im Unsichtbaren einen höheren Rang der Realität" erkennt (BA II 484 – 13. 11. 1925), jene „Zauberkraft" erwerben muß, die im Schlußsonett die polare Spannung zwischen der Schicksallosigkeit Sapphos und der Liebenden einerseits, der Schicksalsgebundenheit des Mannes andererseits aufrechterhält und im Dichter wie in dem angeredeten Freunde Weras gestaltend werden läßt.

---

[58] Mörchen, a. a. O., 360.

Idris Parry, Space and Time in Rilke's Orpheus Sonnets. In: The Modern Language Review. A Quarterly Journal ed. for the Modern Humanities Research Association by T. J. B. Spencer [and others]. LVIII (1963), S. 524–531. Aus dem Englischen übersetzt von Ileana Beckmann.

RAUM UND ZEIT IN RILKES ORPHEUS-SONETTEN

Von Idris Parry

Die Beziehung zwischen Raum, Zeit und Tod ist in Rilkes Werk besonders eng; sie wirkt freilich nirgendwo enger als in seinen ›Sonetten an Orpheus‹. Orpheus selbst existiert in einem idealen Raum, der grenzenlos und unermeßlich zu sein scheint. Dem Bereich der Wirklichkeit begegnet man dann an Stellen wie der folgenden:

> Nur im Raum der Rühmung darf die Klage
> gehn, die Nymphe des geweinten Quells.
> (Sonette an Orpheus, 1. Teil, Nr. 8)

Der wirkliche Raum entspricht dem, was Rilke in der achten Duineser Elegie „das Offene" nennt; die Kreatur existiert in diesem Raum, weil sie sich – unbewußt – *in* der Wirklichkeit befindet, ja, gerade weil sie dies nicht weiß: „Mit allen Augen sieht die Kreatur / das Offene" (achte Duineser Elegie). Der Mensch aber verhält sich anders. Er ist sich des Raumes bewußt –, aber man kann sich des Raumes nur bewußt sein, wenn man ihm geistige Grenzen setzt. Die Vorstellung eines grenzenlosen Raumes, des Erbes aller wahrhaft natürlichen Dinge, hatte er aufgegeben. Rilke läßt dies in seiner achten Elegie anklingen: „Wir haben nie, nicht einen einzigen Tag, / den reinen Raum vor uns, in den die Blumen / unendlich aufgehn." Es ist der Mensch, der den Raum begrenzt hat. Indem er den Tod, den er zu „dem anderen" macht, verbannt, hat er dem Raum Grenzen gesetzt; er hat den ruhigen Bewußtseinsstrom, in dem Leben und Tod ein und dasselbe sind, durchschnitten. Geburt und Tod gelten als Grenzen der Zeit, die der Mensch in Vergangenheit, Gegenwart und Zukunft aufteilt. Das Tier hingegen kennt den Tod als einen eigenen Bereich nicht, es ist sich daher auch der Einteilung der Zeit nicht bewußt: „Und wo wir Zukunft sehn, dort sieht es Alles / und sich in Allem und geheilt für immer" (achte Duineser Elegie).

Ortszeit und Ortsraum sind voneinander abhängig, die Welt des

Menschen sieht sich durch viele Trennungslinien aufgespalten. Rilke deutet diese wechselseitige Abhängigkeit menschlicher Auffassungen von Raum und Zeit häufig an, so etwa, wenn er ein räumliches Bild verwendet, um Dauer in der Zeit zu bezeichnen. Er tut dies, weil er in der menschlichen Auffassung vom Vergehen der Zeit ein Hindernis für das Verständnis derjenigen Wirklichkeit sieht, die sich im reinen Raum *befindet*. Im ›Brief des jungen Arbeiters‹, der im selben Monat wie die Orpheus-Sonette geschrieben wurde, läßt er seinen jungen Arbeiter sagen: „Die Zeit war so lächerlich kurz, einem anderen hätte sie nur für wenige Eindrücke hingereicht, – mir, der ich nicht gewohnt bin, freie Tage zu verbringen, erschien sie weit. Ja, es kommt mir fast unrecht vor, noch *Zeit* zu nennen, was eher ein neuer Zustand des Freiseins war, recht fühlbar ein *Raum*, ein Umgebensein von Offenem, kein Vergehn" (Über Gott, 1933, S. 37). Kurz zuvor, am 28. Januar 1922, hatte er einem Briefpartner gegenüber die alten Ägypter erwähnt: „Wo, plötzlich, stammten sie her? Und wie schloß sich wieder, gleich hinter ihnen, die Zeit, die einem ‚Seienden' Raum gegeben, – es ‚ausgespart' hatte?!" (Briefe aus Muzot, 1935, S. 111). Dies wiederum gibt die Sprache wieder, die Rilke in einem Brief vom 26. November 1915 verwendet hat, in welchem er einen Augenblick mystischen Einklangs mit der Natur beschreibt, wie er ihn in einer Villa mit Namen Saonara bei Padua in Begleitung der Prinzessin Marie 1912 erlebt hat: „... draußen der Park: alles war Einklang zu mir, eine jener Stunden, garnicht gebildet, sondern nur gleichsam ausgespart, als ob die Dinge zusammenträten und Raum gäben, einen Raum, unberührt wie ein Roseninneres, einen angelischen Raum, in dem man sich still hält" (Briefe aus den Jahren 1914–1921, 1937, S. 94).

Diesem „Raum" entspricht kein Raum im physischen Sinn. Er ist eine Abstraktion, ein Raum, in dem Zeit nicht existiert, das Unendliche, der „Weltraum" des Sonetts II, 26. Er ist die Bedingung künstlerischer Inspiration, wenn die Zeit zerstört ist und nichts außer der von Henry Vaughan gesehenen Ewigkeit *existiert*. In der vierten Duineser Elegie verbindet Rilke dies mit kindlicher Unschuld: „O Stunden in der Kindheit, / da hinter den Figuren mehr als nur / Vergangenes war und vor uns nicht die Zukunft." „Raum" ist Raum und Zeit zugleich, unauflösbar in die Wirklichkeit verwoben. In diesem idealen Raum fühlt der Dichter nicht länger die Grenzen seines Körpers, so wie er sich in der idealen Zeit seiner endlichen Existenz nicht bewußt ist. Diesen Zeitraum erfüllt der ekstatische Zustand des Dichters, der sich selbst eins mit dem Ganzen fühlt.

Es ist bezeichnend, daß in der achten Duineser Elegie die Tiere die räumlich-zeitlichen Eingrenzungen nicht wahrnehmen, weil sie „frei von Tod" sind. Auch der Mensch – so wird angedeutet – kann seinen Sinn für Grenzen verlieren, wenn er den Tod als einen Bestandteil des Ganzen zu akzeptieren beginnt. Dann wird es keinen Konflikt mehr zwischen Subjekt und Objekt, zwischen Erkennendem und Erkanntem geben, weil beides in der Einheit der Wirklichkeit zusammenwächst. In den Sonetten wird das Individuum ermutigt, sich der Wirklichkeit gegenüber zu öffnen, wie die Quelle ihr Wasser verströmt. Dann wird es eins werden mit dem Zyklus der Wirklichkeit, einem Zyklus, der ob seiner Vollständigkeit kein Ende und keinen Anfang hat, es sei denn im Sinne Eliots, der im ›East Coker‹ sagt: „In meinem Ende liegt mein Anfang."

> Wer sich als Quelle ergießt, den erkennt die Erkennung;
> und sie führt ihn entzückt durch das heiter Geschaffne,
> das mit Anfang oft schließt und mit Ende beginnt. (II, 12)

In der achten Duineser Elegie, verfaßt im selben Monat wie die Sonette, wird Wirklichkeit als etwas uns Immer-Gegenwärtiges betrachtet, das unbewußt erfahren wird wie die Luft, die wir atmen: „. . . das Reine, Unüberwachte, das man atmet und / unendlich *weiß* und nicht begehrt." In den Sonetten wird der Akt des Atmens zu einem Symbol für die natürliche Annahme der Wirklichkeit, ohne jegliche Anstrengung oder Bemühung; göttliche Musik, auch sie tönt als Wirklichkeit. Doch schon früher, in den Gedichten „Bestürz mich, Musik" (1913–14) und „Musik: Atem der Statuen" (1915), verwendet Rilke den „Atem" als ein Symbol für göttliche Musik, jene mühelose Stimme der Natur, die ihr höchstes Symbol im Gesang des Orpheus findet: „Ein Hauch um nichts. Ein Wehn im Gott. Ein Wind" (I, 3). Unmittelbar nach der Schlußzeile des dritten Sonetts, einer Zeile, die betont, daß Orpheus' Musik fern und unbeteiligt ist, beginnt das vierte Sonett des ersten Teils:

> O ihr Zärtlichen, tretet zuweilen
> in den Atem, der euch nicht meint,

> laßt ihn an eueren Wangen sich teilen,
> hinter euch zittert er, wieder vereint.

In einem anderen Sonett wird das Atmen zu einem Symbol für den rhythmischen Austausch zwischen dem Dichter und dem reinen Zeit-Raum. Der Dichter, will er ein Dichter und nicht ein bloß rezeptives Behältnis sein, muß aus dem heraus schaffen, was er in sich aufnimmt. Indem er die aus den Erscheinungen der Welt aufgenommene Wirklichkeit in sich selbst entdeckt, sie in neuen Formen in seine Verse einbringt, bewahrt er eben diese Wirklichkeit:

> Atmen, du unsichtbares Gedicht!
> Immerfort um das eigne
> Sein rein eingetauschter Weltraum. Gegengewicht,
> in dem ich mich rhythmisch ereigne.
>
> Einzige Welle, deren
> allmähliches Meer ich bin;
> sparsamstes du von allen möglichen Meeren, –
> Raumgewinn.

Hier zeigt sich wieder ein „reiner Widerspruch". Der Dichter weiß sich mit dem „Weltraum" identisch, denn er hat diese Substanz in sich; gleichwohl ist er sich auch der vereinzelten Existenz bewußt. Er muß vereinzeln und für sich bestehen, um seinen eigenen Beitrag zum Ganzen zu leisten. Das zeitliche Phänomen rhythmischen Atmens wird zum räumlichen Bild, zu einer Identifikation mit dem Raum, die mystisch erscheint, es aber nicht ist, da das Individuum seiner selbst gewahr bleibt. Wie so oft in Rilkes Werk vereinigen sich die Gegensätze und hören auf, Gegensätze zu sein; so erweist sich der augenscheinliche Gegensatz zwischen Leben und Tod als gänzlich nichtig; er geht vielmehr in einer notwendigen Verbindung auf. Der Dichter mag noch immer in dem Sinne „gegenüber" sein, von dem in der achten Duineser Elegie die Rede ist: „Dieses heißt Schicksal: gegenüber sein / und nichts als das und immer gegenüber." Dieses Gefühl des Getrenntseins muß jedoch nicht zu Verzweiflung oder dem Empfinden der Unzulänglichkeit führen. Der Dichter behält seine individuelle Persönlichkeit, die er braucht, um schöpferisch zu sein; doch er erweitert seine Wahrnehmung, indem er die Wirklichkeit aus dem Zustand des reinen Seins („Weltraum") in sich aufnimmt (einatmet), so daß er, obwohl seinerseits vereinzelt, dennoch gewahr ist, daß er aus dem Stoff der Wirklichkeit besteht und sich daher nicht in der verlassenen menschlichen Art „gegenüber" befindet.

Der zweite Teil der Sonette beginnt und endet rhythmisch mit einem „Atem"-Bild. Das eine habe ich soeben erwähnt; das andere leitet das letzte Sonett des Zyklus ein, ein Gedicht, das sich an den Dichter selbst als einen Freund Weras und der Toten wendet:

> Stiller Freund der vielen Fernen, fühle,
> wie dein Atem noch den Raum vermehrt. (II, 29)

Der Dichter existiert im und für den reinen Raum, in dem Orpheus ist. Die Sonette sind, wie die Schöpfungen des Orpheus, Schöpfungen im Raum. Das Lied des Orpheus wird nämlich ausdrücklich als architektonisch bezeichnet. Es errichtet „Tempel im Gehör" (I, 1) und baut „im unbrauchbaren Raum ihr vergöttlichtes Haus" (II, 10).

> Erkennst du mich, Luft, du, voll noch einst meiniger Orte?
> Du, einmal glatte Rinde,
> Rundung und Blatt meiner Worte. (II, 1)

Der Dichter atmet aus und ein. Das Gedicht enthält – gleich allen Dingen, die aus Wirklichkeit bestehen – denselben Stoff wie der reine Raum, doch besitzt es seine eigene Existenz. Der Dichter bildet sein Lied aus den unsichtbaren Elementen, die er aus den sichtbaren Gegenständen der Welt herausholt, ein Vorgang, der dem des „Atmens" in II, 1 entspricht. Diese unsichtbaren Elemente sind selbst reiner Raum; sein künftiges Gedicht ist das „unsichtbare Gedicht".

Wenn wir also berücksichtigen, daß der Stoff des unsichtbaren Gedichts derselbe ist wie der Stoff der Wirklichkeit, erscheint uns der Schöpfungsprozeß des Gedichts eher als die Entdeckung von etwas immer schon Dagewesenem denn als Schöpfung von etwas vollständig Neuem. Natürliche Strukturen sind selbstverständlich nur Rekonstruktionen früherer Strukturen. Das Gedicht ist eine bestimmte bedeutsame Form, welche der Wirklichkeit gegeben wird. Es existiert in der Wirklichkeit in der Weise, wie man von einer Skulptur sagen könnte, sie sei bereits im unbehauenen Block gegenwärtig. In Rilkes Geschichte ›Von einem, der die Steine belauscht‹ (aus: ›Geschichten vom lieben Gott‹) ist Michelangelo der Künstler, dessen göttliche Sendung darin besteht, einzelne Steinstücke abzuschlagen, um die darin verborgene

Gestalt freizulegen (und zu entdecken). Gott ist hier wie im ›Stundenbuch‹ ein Symbol für die Wirklichkeit, welche der offenbarenden und
bildenden Kraft des Künstlers harrt: „Und da fühlte Gott, daß er auch
im Steine sei, und er war mitten drin eingeschlossen und hoffte auf die
Hände Michelangelos, die ihn befreien würden, und er hörte sie kommen, aber noch weit."

Der allgemeine Eindruck, den ein wahres Kunstwerk macht, ist der,
daß man all dies schon die ganze Zeit kannte, es aber nicht in diesem
Licht gesehen hatte. Bei einer reinen Inhaltsangabe kann das beste
Schauspiel wirkungslos erscheinen. Was ein ablehnender Kritiker auf
seine Weise erreichen kann, zeigt Tolstoi in ›Was ist Kunst‹, Anhang IV,
dem man passend den Untertitel „Das war Wagner, wie er war" geben
könnte. Das gehaltvollste Gedicht kann trivial erscheinen, versucht
man, seinen Sinn in Prosa niederzuschreiben. Die Form, die der Dichter der Wirklichkeit verleiht, ist das wichtige Element. Ist der Inhalt
„real", dann wirkt er vertraut. Es ist die Form, welche die Bedeutung
aufzeigt. Für den Dichter ist die Sprache das Material, in dem er die be-
deutungsvolle Form entdecken muß. So ging Rilke an die Sprache
heran auf die Weise, wie nach seiner Meinung die Handwerksleute in alten Zeiten ihre konkreten Arbeitsmaterialien behandelten.[1]

Wenn also die Wirklichkeit im Menschen liegt, so kann man ihre Entdeckung als die Entdeckung Gottes in einem selbst darstellen. Die Verbannung von Tod und Gott an die Peripherie, was Rilke als Hauptursa-
che unserer menschlichen Isolation ansieht,[2] ist nur ein Verschließen
des Teils des Bewußtseins, welches der Mensch lästig findet: „Könnte
man die Geschichte Gottes nicht behandeln als einen gleichsam nie an-
getretenen Teil des menschlichen Gemütes, einen immer aufgeschobe-
nen, aufgesparten, schließlich versäumten" (Briefe aus den Jahren
1914–1921, S. 88). Die Entdeckung Gottes, der Kräfte der Wirklichkeit,
bedeutet daher in Wahrheit das Aufdecken desjenigen Teils des eigenen
Ichs, der bisher unbekannt war. Durch das Entdecken seines wahren
und vollständigen Ichs entdeckt der Dichter die Wirklichkeit, den
Gott, der in ihm ist, wie er auch im Steinblock des Bildhauers ist:

---

[1] Vgl. Rilkes Gedanken über alte Schals, die er im Historischen Museum in
Bern gesehen hat, in : Die Briefe an Gräfin Sizzo (1950), S. 55 f.
[2] Briefe aus den Jahren 1914–1921, S. 89; Die Briefe an Gräfin Sizzo, S. 38.

> Wie viele von diesen Stellen der Räume waren schon
> innen in mir. Manche Winde
> sind wie mein Sohn. (II, 1)

Auch der reine Raum der Wirklichkeit besteht aus diesen geistigen Selbst-Entdeckungen, als wären sie getrennt von ihrem Entdecker, um neue Bereiche des Raums zu bilden:

> Jeder glückliche Raum ist Kind oder Enkel von Trennung,
> den sie staunend durchgehn. Und die verwandelte Daphne
> will, seit sie Lorbeern fühlt, daß du dich wandelst in Winde. (II, 12)

Der „Weltraum" selbst wird in Rilkes Werk durch die Gestirnkonstellationen symbolisiert, die zu unserer Welt gehören und dennoch fern wie die Ewigkeit sind. 1925 erinnert er sich (Briefe aus Muzot, S. 350) an eine mystische Erfahrung in einem Garten von Capri, „da ein Vogelruf draußen und in seinem Innern übereinstimmend da war". Der Bericht über einen Augenblick vollständiger Einheit zwischen innerer und äußerer Wirklichkeit fährt fort: „Auch fiel ihm wieder ein, wieviel er darauf gab, in ähnlicher Haltung an einen Zaun gelehnt, des gestirnten Himmels durch das milde Gezweig eines Ölbaums gewahr zu werden, wie gesichthaft in dieser Maske der Weltraum ihm gegenüber war." In der ›Spanischen Trilogie‹ (1912–13) spricht Rilke vom „Hirten" als der ideal empfänglichen Figur, „beteiligt so an diesem Raum voll Vorgang": „Da steht er nächtens auf und hat den Ruf / des Vogels draußen schon in seinem Dasein / und fühlt sich kühn, weil er die ganzen Sterne / in sein Gesicht nimmt."

Für Rilke werden die Sterne zu einem Symbol kosmischer Dauer und Reinheit. In den Sonetten sagt der Dichter von der Nymphe Klage, die plötzlich im „Raum der Rühmung" ihren Platz kennenlernt:

> Aber plötzlich, schräg und ungeübt,
> hält sie doch ein Sternbild unsrer Stimme
> in den Himmel, den ihr Hauch nicht trübt. (I, 8)

Unter den Sternbildern wird der „Reiter" zum Symbol der Einheit von Mensch und Wirklichkeit:

> Sieh den Himmel. Heißt kein Sternbild *Reiter?*
> Denn dies ist uns seltsam eingeprägt:

dieser Stolz aus Erde. Und ein Zweiter,
der ihn treibt und hält und den er trägt.

Ist nicht so, gejagt und dann gebändigt,
diese sehnige Natur des Seins?
Weg und Wendung. Doch ein Druck verständigt.
Neue Weite. Und die zwei sind eins. (I, 11)

Der „Reiter" ist ein Sternbild, das aussieht wie ein Mann auf dem Rük-
ken eines Pferdes. Es ist zufällig auch eines der Sternbilder im „Leid-
land" der zehnten Duineser Elegie. Die menschliche Natur ist wie das
Pferd, das von dem Gott, der Wirklichkeit, geritten und diszipliniert
wird. Reiter und Pferd sind wahrhaft eins, so wie sie auch im Sternbild
erscheinen. Manchmal scheint es jedoch, als ob dies nicht so sei. So wie
im Leben Pferd und Reiter verschiedene Eßplätze haben – „Tisch und
Weide" –, so kann der Mensch Absichten haben, die sich nicht mit der
Wirklichkeit in Einklang bringen lassen. Selbst das Sternbild im Himmel ist eine Täuschung und nicht wirklich Pferd und Reiter; dennoch
können wir weiterhin an das glauben, was es darstellt. Es ist eine reine
Beziehung, die wesentliche Harmonie zwischen dem Menschen und
den Kräften der Wirklichkeit.

„Sternbild" wird noch einmal (mit dem bezeichnenden Adjektiv
„rein") in einem an Wera, die Tänzerin, gerichteten Sonett verwendet.
Hier läßt es deutlich an einen Zustand der Vollkommenheit denken:

O komm und geh. Du, fast noch Kind, ergänze
für einen Augenblick die Tanzfigur
zum reinen Sternbild eines jener Tänze,
darin wir die dumpf ordnende Natur
vergänglich übertreffen. (II, 28)

Wir erfahren hieraus, daß wir nur dann eins werden mit der Wirklichkeit, wenn wir sowohl mit der Erde als auch mit den Sternen, den beiden Polen unseres Universums, vereint sind. Es ist Orpheus, der den
Menschen zu diesem glücklichen Zustand führen kann:

Wann aber *sind* wir? Und wann wendet *er*
an unser Sein die Erde und die Sterne? (I, 3)

In diesen Gedichten bezeichnet das Wort „Raum" sowohl zeitliche
als auch räumliche Unendlichkeit. Wir wissen, daß Rilke das vergängli-

che Leben wie die Spitze einer Pyramide (Eisberg wäre wahrscheinlich ein besseres Bild gewesen) ansah, an deren Grundfläche die unendliche Wirklichkeit *ist*, in der Vergangenheit, Gegenwart und Zukunft zusammenfallen.[3] Rilke sah im Verstreichen der Zeit keinen Anlaß zur Trauer, sondern eine Herausforderung und Inspiration. Weil diese Welt vergänglich ist, muß der Dichter eine Aufgabe erfüllen. Unsere Welt ist vergänglich, verglichen mit der Weite der Ewigkeit:

> Und mit kleinen Schritten gehn die Uhren
> neben unserm eigentlichen Tag. (I, 12)

Die Ewigkeit aber ist unser eigentlicher Tag. In der Verherrlichung und Verwandlung dieser vergänglichen Welt spielt der Dichter eine göttliche Rolle; der Dichter ist Orpheus:

> Ach, das Gespenst des Vergänglichen,
> durch den arglos Empfänglichen
> geht es, als wär es ein Rauch.
>
> Als die, die wir sind, als die Treibenden,
> gelten wir doch bei bleibenden
> Kräften als göttlicher Brauch. (II, 27)

Innerhalb des weiten, zeitlosen Bewußtseins, dem wir entstammen, erweist sich der von uns erfahrene Ablauf der Zeit als eine Trivialität. Indem er dem flüchtigen Augenblick Dauer verleiht, vollbringt der Mensch einen heiligen Auftrag:

> Wir sind die Treibenden.
> Aber den Schritt der Zeit,
> nehmt ihn als Kleinigkeit
> im immer Bleibenden.
>
> Alles das Eilende
> wird schon vorüber sein;
> denn das Verweilende
> erst weiht uns ein. (I, 22)

So wie wir erkennen müssen, daß der Tod die Fortsetzung des Lebens ist, so müssen wir Vergangenheit und Zukunft als mit der Gegenwart

---

[3] Diese „Bewußtseinspyramide" erscheint in: Briefe aus Muzot, S. 291 f.

wesensgleich begreifen. ›Die Sonette an Orpheus‹, so schreibt Rilke in seinem Brief vom November 1925 an seinen polnischen Übersetzer, haben denselben Ursprung wie die ›Duineser Elegien‹:

> ... und daß sie plötzlich, ohne meinen Willen, im Anschluß an ein frühverstorbenes Mädchen, aufkamen, rückt sie noch mehr an die Quelle ihres Ursprungs; dieser Anschluß ist ein Bezug mehr nach der Mitte *jenes* Reiches hin, dessen Tiefe und Einfluß wir, überall unabgegrenzt, mit den Toten und den Künftigen teilen. Wir, diese Hiesigen und Heutigen, sind nicht einen Augenblick in der Zeitwelt befriedigt, noch in sie gebunden; wir gehen immerfort über und über zu den Früheren, zu unserer Herkunft, und zu denen, die scheinbar nach uns kommen. In jener größesten „*offenen*“ Welt *sind* alle, man kann nicht sagen „gleichzeitig“, denn eben der Fortfall der Zeit bedingt, daß sie alle *sind*. Die Vergänglichkeit stürzt überall in ein tiefes Sein (Briefe aus Muzot, S. 372/73).

Briefe aus dem Jahr 1923 zeigen, daß Rilke ›Die Sonette an Orpheus‹ als eine persönliche Bemühung ansah, Tradition zu bewahren und weiterzugeben.[4] Die Sonette erinnern uns ständig daran, daß die Vergangenheit hier und jetzt gegenwärtig ist. Es handelt sich um Ereignisse, Orte, Menschen und Dinge aus der eigenen Vergangenheit des Dichters: die antiken Sarkophage in I, 10; der Hund in I, 16; das Pferd in I, 20; die Ronda-Kinder in I, 21; Wera in I, 25 und II, 28; die Anemone in II, 5; sein Vetter Egon in II, 8; die Jäger in II, 11; der Brunnen in II, 15; der blinde Bettler in II, 19; Parks, Statuen, die große russische Glocke und die Säule in Karnak in II, 22; der Frühlingsbeginn in II, 25. An anderer Stelle sind Vergangenheit und Gegenwart ineinander verschlungen wie die Mädchenhände „von einst und jetzt“ in II, 7. Es sind dies keine individuellen Hände, sondern Typen, die als Symbole Dauer und Wirklichkeit erhalten haben, so wie die in den obigen Sonetten erwähnten vergänglichen Augenblicke festgehalten und vor der Vorhölle der Zeit gerettet worden sind; durch ihre Nennung haben sie eine tiefe Bedeutung erhalten, eingehüllt in die Wirklichkeit dichterischer Form.

Indem er die Rose verherrlicht, verherrlicht Rilke alle Rosen, an die er sich im Laufe der Zeiten erinnert:

> Rose, du thronende, denen im Altertume
> warst du ein Kelch mit einfachem Rand.

---

[4] Briefe aus Muzot, S. 200 f.; Die Briefe an Gräfin Sizzo, S. 47 f.

Uns aber bist du die volle zahllose Blume,
der unerschöpfliche Gegenstand. (II, 6)[5]

Das Gedicht sucht das uralte Wesen der Rose einzufangen; Rilke gelingt dies, indem er bekennt, es gelinge ihm nicht. Seine Verlegenheit *ist* die Flüchtigkeit der wesenhaften Rose, sein Gedicht das sichtbare Gegenstück zur inneren Rose, deren Form in Sprache gegossen ist. Dem Dichter, der gelobt hatte, die Tradition zu bewahren und weiterzugeben, ist dies hier geglückt. Er reicht sein Gedicht, diese starke und wahre Rose, an die weiter, die nach ihm kommen werden. Nicht nur erbt der Dichter die Vergangenheit in Form von Blumen und anderen Naturdingen; er ist zugleich der Erbe jahrhundertelanger menschlicher Bemühungen:

> O diese Lust, immer neu, aus gelockertem Lehm!
> Niemand beinah hat den frühesten Wagern geholfen.
> Städte entstanden trotzdem an beseligten Golfen,
> Wasser und Öl füllten die Krüge trotzdem. (II, 24)

Unsere Götter, unsere eigenen Versuche, die Wirklichkeit zu entdekken, mögen durch die Ablenkungen unserer menschlichen Existenz zerstreut werden; doch ist die Wirklichkeit unvergänglich; es muß uns schließlich gelingen, einen Weg zu ihr zu finden:

> Götter, wir planen sie erst in erkühnten Entwürfen,
> die uns das mürrische Schicksal wieder zerstört.
> Aber sie sind die Unsterblichen. Sehet, wir dürfen
> jenen erhorchen, der uns am Ende erhört. (II, 24)

Die Menschheit besteht aus einer die Jahrhunderte durchlaufenden Verbindungslinie; sie arbeitet stets mit Blick auf die Zukunft, damit diese die Gegenwart übersteigt:

> Wir, ein Geschlecht durch Jahrtausende: Mütter und Väter,
> immer erfüllter von dem künftigen Kind,
> daß es uns einst, übersteigend, erschüttere, später. (II, 24)

---

[5] Rilkes eigene Bemerkung (Briefe aus Muzot, S. 440) lautet: „Die antike Rose war eine einfache ‚Eglantine‘, rot und gelb, in den Farben, die in der Flamme vorkommen. Sie blüht hier, im Wallis, in einzelnen Gärten."

Welche unendliche Zeit liegt vor uns! Erst im Tod enthüllt sich die
wahre Natur des Menschen; je mehr wir uns in unserem Erdendasein
dem Geist des Todes zu nähern vermögen, desto mehr können wir
beim Verlassen der endlichen Welt zum erweiterten Bewußtsein der
Wirklichkeit beitragen:

> Wir, wir unendlich Gewagten, was haben wir Zeit!
> Und nur der schweigsame Tod, der weiß, was wir sind
> und was er immer gewinnt, wenn er uns leiht. (II, 24)

Indem wir uns als die Erben vergangener und als die Erbauer neuer Zeiten betrachten, gelingt es uns, die Zeit mit anderen Augen zu sehen.
Die Zeit ist vielleicht nicht so zerstörerisch, wie es scheint, selbst dort
nicht, wo konkrete Gegenstände betroffen sind:

> Gibt es wirklich die Zeit, die zerstörende?
> Wann, auf dem ruhenden Berg, zerbricht sie die Burg?
> Dieses Herz, das unendlich den Göttern gehörende,
> wann vergewaltigts der Demiurg? (II, 27)

In diesem Gedicht erscheint „Demiurg“ als unsympathische Gottheit,
als negative und zerstörerische Macht, und Zeit als „der Feind“. Hier
steht der Dichter vor einem Rätsel. Seine Fragen sind aus seiner eigenen
Erfahrung nicht zu beantworten. Das Sonett fährt fort, reiht Frage an
Frage und bildet so eine jener „Fragendynastien“, die Rilke in einem
Brief vom 8. November 1915 erwähnt hat: „. . . dies sind ja alle die Fragen, die immer wieder mit Fragen zugedeckt worden sind oder (besten
Falls) durchscheinender sich gaben unter dem Einfluß anderer selbst-
leuchtender Fragen –; das sind ja die großen Fragendynastien – wer hat
denn je geantwortet?“ (Briefe aus den Jahren 1914–1921, S. 85/86). So
erhellen die Fragen sich gegenseitig in dem Maße, wie der Dichter
fortfährt, diese Dynastie zu errichten:

> Sind wir wirklich so ängstlich Zerbrechliche,
> wie das Schicksal uns wahr machen will?
> Ist die Kindheit, die tiefe, versprechliche,
> in den Wurzeln – später – still? (II, 27)

Auch Fragen sind Teil der Wirklichkeit; sie finden ihren Platz und ihre
Befriedigung in jener „ganzen heilen Welt“. Ein Brief vom Juli 1903 an

den jungen Dichter Kappus gibt Ratschläge, die Rilke selbst in Gedichten wie dem obigen gerne zu befolgen scheint:

... ich möchte Sie, so gut ich es kann, bitten, lieber Herr, Geduld zu haben gegen alles Ungelöste in Ihrem Herzen und zu versuchen, *die Fragen selbst* liebzuhaben wie verschlossene Stuben und wie Bücher, die in einer sehr fremden Sprache geschrieben sind. Forschen Sie jetzt nicht nach den Antworten, die Ihnen nicht gegeben werden können, weil Sie sie nicht leben könnten. Und es handelt sich darum, alles zu leben. *Leben* Sie jetzt die Fragen. Vielleicht leben Sie dann allmählich, ohne es zu merken, eines fernen Tages in die Antwort hinein (Briefe an einen jungen Dichter, 1929, S. 23).

Es ist nicht des Dichters Aufgabe, Erklärungen zu geben. Antworten mögen gelegentlich aus den Tiefen der Erfahrung in sein Bewußtsein aufsteigen. Auch Fragen bilden die Grundlage für ein Lied, da der Zweifel erkennbar wirklich ist. Des Dichters Tätigkeit verwandelt selbst den Zweifel in wirkliche Entsprechungen, so daß auch die flüchtigsten Phänomene durch die Formgebung Dauer erhalten. Es gibt keinen ängstlichen Blick über die Schulter nach dem geflügelten Wagen der Zeit, der sich eilends nähert. Rilke glaubte, es sei seine Aufgabe als Dichter, selbst in dem Wagen Platz zu nehmen und das zu kontrollieren, was im Volksmund als ein Ausreißerpferd gilt.

John Hennig, Literatur und Existenz. Ausgewählte Aufsätze. Heidelberg: Carl Winter Universitätsverlag 1980, S. 257–271. (Erstmals veröffentlicht in: Literaturwissenschaftliches Jahrbuch, N. F. 6 [1965], S. 235–249.)

ZU RILKES GEDICHT ›TODES-ERFAHRUNG‹

Von JOHN HENNIG

Todes-Erfahrung

Wir wissen nichts von diesem Hingehn, das
nicht mit uns teilt. Wir haben keinen Grund,
Bewunderung und Liebe oder Haß
dem Tod zu zeigen, den ein Maskenmund

tragischer Klage wunderlich entstellt.
Noch ist die Welt voll Rollen, die wir spielen.
Solang wir sorgen, ob wir auch gefielen,
spielt auch der Tod, obwohl er nicht gefällt.

Doch als du gingst, da brach in diese Bühne
ein Streifen Wirklichkeit durch jenen Spalt,
durch den du hingingst: Grün wirklicher Grüne,
wirklicher Sonnenschein, wirklicher Wald.

Wir spielen weiter, bang und schwer Erlerntes
hersagend und Gebärden dann und wann
aufhebend; aber dein von uns entferntes,
aus unserem Stück entrücktes Dasein kann

uns manchmal überkommen, wie ein Wissen
von jener Wirklichkeit sich niedersenkend,
so daß wir eine Weile hingerissen
das Leben spielen, nicht an Beifall denkend.

Das in den ›Neuen Gedichten‹ im Dezember 1907 unter dem Titel ›Todeserfahrung‹ (ebenso in der Ausgabe von 1919) erschienene Gedicht Rilkes ist im Manuskript ›Todes-Erfahrung‹ betitelt. Es entstand auf Capri am 24. Januar 1907 zum Gedächtnis der am 24. Januar 1906 verstorbenen Gräfin Luise Schwerin, die im März/April 1905 Rilke im Sanatorium Weißer Hirsch bei Dresden kennengelernt und in ihren Freundeskreis eingeführt hatte.

Aus Rilkes Brief vom 4. Mai 1905 geht hervor, daß dies nicht der erste von Rilke an die Gräfin gerichtete Brief war. Für unseren Zusammenhang ist interessant, daß die Empfängerin sich zu der Zeit auf Capri befand und daß in diesem Brief ein Begriff von „Wirklichkeit" vorkommt („aus dieser Wirklichkeit [der Parks von Schwetzingen] zurück in die fremde . . . Stadt"), der in ›Todes-Erfahrung‹ (›T.‹) wieder anklingt („Grün wirklicher Grüne, wirklicher Sonnenschein, wirklicher Wald . . . von jener Wirklichkeit"). Aus dem Brief vom 5. Juni 1905, ebenfalls aus Worpswede, lernen wir, daß die Gräfin Rilke ein Buch über Meister Eckhart gesandt hatte, was hinsichtlich ›T.‹ nicht uninteressant ist, und daß Clara Rilke auch mit Gudrun, der Tochter der Gräfin Schwerin und Gattin von Jacob Baron von Uexküll, der Rilke die erste Buchausgabe des ›Cornet‹ widmete,[1] in freundschaftlicher Verbindung stand. An dem dritten Brief vom 10. September 1905 ist bemerkenswert, daß ihn Rilke nur mit seinen Vornamen unterzeichnete.[2]

Die Gräfin Luise Schwerin war eine geborene Freiin v. Nordeck zu Rabenau, mütterlicherseits britischer Abstammung; ihr Gatte war 1901 gestorben. Unmittelbar unter dem Eindruck der Nachricht vom Hinscheiden der Gräfin hatte Rilke ein Gedicht geschrieben, das jetzt die Abteilung ›Vollendetes‹ im zweiten Band seiner ›Sämtlichen Werke‹ eröffnet und dem Ernst Zinn den Titel ›Auf den Tod der Gräfin Luise Schwerin‹ gegeben hat. Im Gegensatz zu diesem Gedicht spricht ›T.‹ kaum direkt von der Dahingegangenen. An dem biographischen Anlaß ist für das Verständnis von ›T.‹ wichtig, daß die Gräfin Schwerin, als sie Rilke kennenlernte, 56 Jahre alt war. Der jüdisch-christlichen Sitte des Jahrgedächtnisses folgend, hat Rilke in ›T.‹ die Erfahrung niedergelegt, die er mit dem Tod der „Erhabenen" während des seither verflossenen Jahres gemacht hatte.

Wenn ich versuche, ›T.‹ aus der philologischen Analyse des Textes monographisch als einen Grundtext existentieller Bewußtheit zu interpretieren,[3] so berufe ich mich auf das, was im Jahre der Entstehung und

---

[1] ›Im Gedächtnis einer Erhabenen‹ [Rilke, Sämtliche Werke, Wiesbaden 1955, Bd. 1, S. 518, 862 u. 786, u. Bd. 2, S. 753].

[2] Rilke, Briefe, Leipzig 1939, Bd. 2, S. 69. 72 u. 85, u. Bd. 6 (1936), S. 488.

[3] Die entwicklungsgeschichtliche Betrachtung der ›Neuen Gedichte‹ ließ Ro-

des Erscheinens dieses Gedichtes Theodor v. Grienberger im Bezug auf das älteste Gedicht in deutscher Sprache sagte:

Verstehen, würdigen, erklären kann man es nicht aus dem Sinne eines Anderen, der viele Jahre vor unserer Gegenwart lebte, sondern einzig und allein philologisch, d. i. nach den Sätzen, die dastehen, nach den Potenzen, die es birgt.[4]

Meine Zitate aus anderen Gedichten sowie aus Briefen Rilkes beanspruchen nicht eine Einordnung in das Gesamtwerk oder Leben; vor allem ist nicht beabsichtigt, Rilkes Todeserfahrung hier noch einmal darzustellen. Für das Werk sei nur auf die Bedeutung dieses Gedichtes für

bert H. Heygrodt [Die Lyrik R. M. Rilkes, Diss. Köln 1921] ›T.‹ übersehen. Emil Casser [Grundzüge der Lebensanschauung R. M. Rilkes, Diss. Bern 1925] widmete (81) ›T.‹ eine kurze Bemerkung. Jürgen Petersen [Das Todesproblem bei Rilke, Würzburg 1935, S. 31 f.] konnte nur mutmaßen, daß es sich bei diesem Gedicht um eine Frau handele. Walther Rehm [Orpheus, Düsseldorf 1950, S. 604 f.] erkannte den Zusammenhang zwischen ›T.‹ und ›Der Tod der Geliebten‹ (s. u.). Erstaunlich ist das Fehlen des Bezugs auf ›T.‹ in Werken, die Rilkes Beziehungen zur Existenzphilosophie, vor allem natürlich im Hinblick auf die Todesvorstellungen, besonders behandelt haben (Otto F. Bollnow, Joseph F. Angelloz, Erich Simenauer). Auch Martin Heideggers Vortrag über ›Rilke als Dichter in dürftiger Zeit‹ [‚zum zwanzigsten Todestage im engsten Kreise gesprochen‘, ›Holzwege‹, Frankfurt 1950, S. 252–295] erwähnt ›T.‹ nicht, da sich nach ihm „das gültige Gedicht Rilkes in geduldiger Sammlung auf die Duineser Elegien und die Sonette an Orpheus zusammenzieht". Aber ›T.‹ klingt an in Heideggers Worten: „Noch sind die Sterblichen nicht im Eigentum ihres Wesens. Der Tod entzieht sich in das Rätselhafte." Nach Hans Berendt [Rilkes Neue Gedichte, Bonn 1957, S. 138] ist der Bezug von ›T.‹ auf die Gräfin Schwerin nur „wahrscheinlich", nach dem unten zu zitierenden Brief vom 16. Juni 1922 jedoch ist dieser Bezug als sicher anzunehmen. Berendts ›Versuch einer Deutung‹ (S. 41, 138–141) beruht einerseits auf der Einordnung von ›T.‹ in eine Reihe, wobei die Eigenart zu kurz kommt, andererseits auf der Vernachlässigung der Originalschreibung des Titels (die Berendt bekannt war), woraus sich das Eingangsurteil („schildert *noch nicht* eigentlich die Verwandlung des Sterbenden, sondern *nur* die Wirkung des Scheidens") erklärt.

Vorbildlich als monographische Untersuchung eines Rilke-Gedichtes: H. Heimann, Der Turm (18. Juli 1907), Publications of the English Goethe-Society 32 (1962), S. 70 ff.

[4] Das Hildebrandslied, Wiener Sitzungs-Berichte, phil.-hist. Kl. 158 (1907) nr. 6; s. meine Arbeit: Ik gihorta dat seggen, DVjs 1965, S. 5.

die Entwicklung vieler Grundwörter Rilkes hingewiesen.[5] Hinsichtlich
des Lebens sei aus dem Brief an Clara vom 2. Februar 1906 zitiert, was
als Motto meiner Arbeit dienen könnte:

> Da ist kaum ein Schimmer erst vom Nächsten . . . es kann fast nie erscheinen,
> das kleine Grün. Dein langer Brief mit allen den Fragen, was das Leben uns will.
> Und Morgens und Nachmittags mit der Bibel auf dem Lesepult.

Unser Gedicht und besonders sein Anfang klingt an in den Worten
von Lou Albert-Lasard:

> Niemals zu seinen Lebzeiten war Rilke so gegenwärtig, als während der Wo-
> chen nach seinem Tode, dieses Todes, den ich wußte, ehe man ihn mir mitge-
> teilt . . . Er ist derjenige, welchen alles durchdringt, auf daß er alles durchdringe.
> Selbst das Schreckliche hielt ihn nicht zurück. Er enthüllte unsere Zwiespältig-
> keit, die wir nicht wahrhaben wollen.[6]

Hinsichtlich der Geschichte von Rilkes Todeserfahrung lernen wir
aus dem Brief, den Rilke am 16. Juni 1922 an Gräfin Alexandrina
Schwerin nach dem Tode ihres Vaters und ihres Söhnleins schrieb,
welche Schlüsselstellung ›T.‹ einnimmt:

> Der Tod ist nur ein unerbittliches Mittel, uns auch mit der uns abgekehrten
> Seite unseres Daseins (was soll ich mehr betonen: „unseres" oder „Daseins?"
> Beides ist hier von der schwersten Betonung, wie mit dem Gewicht aller Sterne
> aufgewogen!) vertraut, vertraulich zu machen . . . Meine eigene lange Schulung in
> diesen Dingen begann mit dem Tod der Gräfin Schwerin, Ihrer Schwiegermut-
> ter. Was ich damals staunend, ungläubig zunächst, zu erlernen begann, wie sehr
> bestätigte es sich später [14. 3. 1906] beim Verlust meines Vaters.[7]

Beachten wir nur den Zusammenhang zwischen den Worten „die uns
abgekehrte Seite unseres Daseins" mit dem Ausdruck „dein von uns
entferntes, aus unserem Stück entrücktes Dasein" in ›T.‹ sowie den Gebrauch des Wortes „erlernen" in beiden Texten.
Wenn Hermann Pongs in seinem vor 1935 in Stuttgart gehaltenen
Rilke-Vortrag bezüglich der „Neuromantik, aus der Rilke hervorgegan-

---

[5] Grundlegend hierzu Hermann Kunisch, R. M. Rilke. Dasein und Dichtung, Berlin 1944, Anm. 8, S. 103–105.
[6] Wege mit Rilke, Wiesbaden 1952, S. 9.
[7] Rilke, Briefe, Frankfurt 1950, Bd. 2, S. 363.

gen ist", meinte, daß „der Weltkrieg sie von uns abgerückt" habe,[8] so können wir sagen, daß die Erfahrungen, die wir im politischen, geistigen und persönlichen Leben seither gemacht haben, die „Potenzen", die Rilkes Gedicht „birgt", herausgestellt haben. ›T.‹ gehört zu den Texten, von denen bezeugt werden sollte, daß sie in Grenzsituationen standgehalten haben.

Todeserfahrung ist das, was wohl am ehesten Karl Jaspers' Begriff „Grenzsituation" klarzumachen vermag. Indem aber Rilkes Gedicht ›Todes-Erfahrung‹ betitelt ist, scheidet es klarer, als es das existentielle Denken gemeinhin tut, zwischen Gegenstand und Inhalt der Erfahrung. Hier wird nicht vom Tode, sondern von der Erfahrung, dem Leben mit dem Tode, vom Tode her, eher denn auf den Tod hin, gehandelt, wobei es dahingestellt bleibe, ob man diese Worte im traditionellen Sinne des Lebens im Angesicht des Todes, im Sinne Kierkegaards, Heideggers oder noch anders verstehen will. Todes-Erfahrung steht im Gegensatz zum Wissen vom Tode. Daß wir nichts vom Tode wissen, sondern ihn ‚nur‘ erfahren, ist, wenn man so sagen darf, die erkenntnistheoretische Grundlehre von Rilkes Gedicht. Wir wissen vom Tode nur eins, daß er existiert, andere hat hingehen lassen und uns wird hingehen lassen. Jedes weitere Wissen, was der Tod für den Verstorbenen bedeutet, wann, wo, wie wir hingehen werden, ist uns versagt.[9] Zwischen dem 22. August und dem 5. September 1907 schrieb Rilke das Gedicht ›Der Tod der Geliebten‹:

[8] Euphorion 32 (1931), S. 35–74.

[9] Zur Stellung von ›T.‹ in der Reihe von Rilkes Abschieds-Gedichten s. Behrendt, Rilkes Neue Gedichte, S. 138. Zum Thema Bollnow, Rilke, Stuttgart 1951, S. 188. Unter den ›Improvisationen aus dem Capreser Winter‹ (während dessen auch ›T.‹ entstand) finden wir:

> Uns verwirrten all diese Frauen,
> die wir liebten, ohne daß sie mehr
> als ein Kommen und Vorüberschreiten
> uns gewährten. Sag, wer waren sie?
> Warum bleibt uns keine je zuseiten
> und wo gehn sie alle hin, Marie?

Man denkt an: „Sagt, wo sind die Vortrefflichen hin?" in Schillers ›Die Sänger der Vorzeit‹ bis hinunter zu dem in seinem intellektuellen Anspruch verruchten Schlager ›Sag mir, wo die Blumen sind‹.

> Er wußte nur vom Tod, was alle wissen:
> daß er uns nimmt und in das Stumme stößt.
> Als aber sie, nicht von ihm fortgerissen,
> nein, leis aus seinen Augen ausgelöst,
> hinüberglitt zu unbekannten Schatten,
> da wurden ihm die Toten so bekannt,
> als wäre er durch sie mit einem jeden
> ganz nah verwandt; er ließ die andern reden
> und glaubte nicht und nannte jenes Land
> das gutgelegene, das immersüße.[10]

Ein biographischer Hintergrund scheint für dieses Gedicht nicht ermittelt worden zu sein. Ich möchte annehmen, daß es nicht autobiographisch ist. In ›T.‹ nimmt Rilke durch die Worte: „Wir wissen nichts" das Schicksal derer auf sich, die der um seine Geliebte Trauernde „alle" und „die anderen" nennt. Wissen können wir vom Tode nur durch Mitteilung Hingegangener, aber nicht einmal der, den Rilke den „Auferstandenen" nannte, hat uns davon etwas mitgeteilt.

Der Tod ist das Hingehn, das nicht mit uns teilt. Anderes Hingehn kann mit uns teilen: Vergangenheit wird Geschichte durch Mitteilung, die wesentliche Mitteilung des Lebens im Hinblick auf sein Ende in Tod und Vergessenheit.[11] Im Anschluß an das Gebet für die Toten bittet die Liturgie: *partem aliquam et societatem donare digneris cum tuis sanctis* (*sanctus* eher im ursprünglichen Sinne des ‚Abgeschiedenen‘). Der Ausdruck *pars aliqua* ist in seiner Vorsichtigkeit dem, was Rilke sagt, verwandt. Zwar wird „Mitteilung" als „mit uns Teilen" verstanden, aber es handelt sich doch nur um ein Teilen, und selbst dieses Teilen erscheint hinsichtlich des Todes als ein Glaube „furchtbar, ohne Gnade", wenn auch „groß" (›Das jüngste Gericht‹, ›Buch der Bilder‹ [B. B.] II, 1). Das wahrhaft Merkwürdige an der Erinnerung ist, daß in ihr etwas, das nicht mehr da ist, noch irgendwie – *pars aliqua* – da ist. Teilen können

---

[10] Sämtliche Werke, Bd. 1, S. 865.

[11] S. meine Arbeit: Das Rohmaterial der Geschichte, Geschichte in Wissenschaft und Unterricht 14 (1963), S. 733–741, und meine weiteren dort in Anm. 2 genannten Arbeiten, sowie meine Arbeit: Zur Stellung des Begriffs ‚gegenwärtig‘ in der Religions- und Geistesgeschichte, Zeitschrift für Religions- und Geistesgeschichte 17 (1965), S. 193–206.

die Dahingehenden mit uns Hinterbliebenen nicht die *existentia*, allenfalls die *essentia* des Todes; von ihr aber gibt es keine Mitteilung, keine Erinnerung, keine Erfahrung, kein Wissen.

Mitteilung, Erinnerung und Wissen rufen Beurteilung hervor, „Bewunderung und Liebe oder Haß". Indem die *existentia* des Todes sicherer ist als jede andere – während doch sonst die *existentia* des Zukünftigen völlig ungewiß ist –, seine *essentia* aber unserem Wesen absolut verschlossen bleibt, haben wir keinen Grund – ‚Grundlage' eher denn ‚Veranlassung' – zu Beurteilung. Der Tod als das schlechthin Wissen Versagende aber an Gewißheit alles Übertreffende ist das Unergründliche, Abgründige, Grundlose und bietet keinen Grund etwas zu zeigen, ja „verbietet" selbst „des Rührens Vorgefühl" (›Der Auferstandene‹, Neue Gedichte [N. G.] II). Es ist nicht Pedanterie, die Ergänzung von „Bewunderung", „Liebe oder Haß" entsprechend, etwa durch „Verachtung" zu erwarten. Der Tod ist als das höchstgewiß uns zum Hingehn Zwingende das einzige, das wir nicht verachten können. Todesverachtung ist, wenn wirklich Verachtung, furchtbare Seinsverfehlung,[12] wo sie echt ist – Rilke würde dann wohl schreiben: Todes-Verachtung –, ist sie höchste Achtung. Der Tod, von aller Wesensmitteilung frei, ist reine *existentia* und fordert als solche nur Beachtung, nicht die auf Inhalte gehenden Reaktionen wie Bewunderung und Liebe oder Haß. Er bleibt selbst davon unberührt, ob wir gerade seiner Freiheit von Wesensmitteilung solche Reaktionen entgegenbringen.

Der Tod des Anderen, des ‚Nächsten', ruft Klage hervor. Die Worte „Maskenmund tragischer Klage" weisen auf die höchste Kunstgestalt der Klage hin. Maske ist hier noch nicht wie später etwa in den ›Duineser Elegien‹ das Gegenteil zu Echtheit, sondern die Objektivität der persönlichen und individuellen Klage in dem Gemeinschaftsritus des Chors, der Klageweiber, der *wake*[13] (Joh. 11, 19), der Liturgie.

> Laß sie meinen, daß sich in privater
> Wehmut löst, was einer dort bestritt.
> Nirgends sonst als da ist ein Theater;

---

[12] Zu Rilkes Verständnis des Selbstmordes als „unreifer Tod" s. Pongs, a. a. O., S. 42. Vgl. auch ›Die Spitze II‹ (s. u.): „Ein Leben ward vielleicht verschmäht".

[13] S. u. Anm. 25.

> reißt den hohen Vorhang fort: da tritt
> vor den Chor der Nächte, der begann
> ein unendlich breites Lied zu sagen,
> jene Stunde auf. . . . (›Das Bett‹, N. G. II)

„Wunderlich" hat hier, wie schon an mehreren Stellen im ›B. B.‹ (vor allem ›Das jüngste Gericht‹), die alte Bedeutung von „das dem Wunder entsprechende Wundern hervorrufend". Dem Tragischen im Leben ist der Maskenmund der Klage angemessen, ja, die Verobjektivierung in der tragischen Maske gehört zu dem verehrungswürdigsten Schutz des Lebens gegen das Hereinbrechen des Un-heils. Den Tod selbst aber ‚entstellt' diese Maske, denn sie unterstellt ihm eine Wesensmitteilung, die Bewunderung und Liebe oder Haß hervorrufen kann. Klage meint die Trennung, obwohl wir im Grunde nicht wissen, ob dieses Hingehen Trennung ist. Klage meint Ende, obwohl die allentscheidende Ungewißheit besteht, ob und in welchem Sinne der Tod Ende ist (vita mutatur non tollitur). Klage entstellt den Tod nicht in einer beliebigen Hinsicht, so als könnte an ihre Stelle Ruhe oder gar Freude treten, sondern in seinem Wesen, von dem nichts gewiß ist, als daß es unwißbar ist.

Natürlich trägt nicht der Tod den „Maskenmund tragischer Klage". Der Tod trägt überhaupt nichts. Die Frage, ob der Tod – im Verfall der Leiche [14] – entstellt oder vielmehr das Wahre darstellt, gehört zu den Fragen, auf die uns die Antwort so radikal verwehrt ist, daß das Stellen der Frage bereits Entstellen ist. Rilke spricht auch hier wieder nicht vom Wesen des Todes, vom Tode selbst, sondern von unserer Erfahrung, vom Tod als Inhalt unserer Erfahrung; sie und nicht der Tod werden durch den „Maskenmund tragischer Klage" wunderlich entstellt, d. h. in ihrem Wesen, das es darzustellen gilt, verfälscht. Das ›B. B.‹ schließt:

> Der Tod ist groß.
> Wir sind die Seinen
> lachenden Munds.
> Wenn wir uns mitten im Leben meinen,
> wagt er zu weinen
> mitten in uns.

[14] Rilkes Verhältnis zur Leiche bedürfte einer tieferen Betrachtung als bei Petersen, Todesproblem, S. 28.

Indem gesagt wird, daß die tragische Maske entstellt, wird bekannt, daß am Tode vor allem auch die Kunst versagt. Ein ›Todes-Erfahrung‹ betiteltes Gedicht ist mithin *sui generis*; es verbietet sich selbst, von dem Gegenstand der gemeinten Erfahrung zu sprechen. Der Akzent liegt entscheidend auf dem zweiten Wort, das den Titel unseres Gedichtes bildet.

Erfahren ist der Erwerb von Wissen durch Fortbewegung, somit das Gegenteil von zudringlichem Begreifen. Es ist das Abstandhalten, die Gesamtansicht, der Respekt vor der Wesensgestalt, den die Vorsilbe ver- in dem Wort „verstehen" meint. Auf materielle Dinge gerichtet, kann Begreifen sich zutrauen, im Betasten das Ding selbst zu haben, dessen Materialität sich durch Widerständigkeit ausweist. Verstehen aber schließt die Erkenntnis ein, daß die Worte ‚Sache' und ‚Ding' (beide ursprünglich Gegenstand von Gerichtsverhandlungen [15]) nicht Gegenstand, sondern Inhalt meinen. Der Tod ist der eigentümliche Gegenstand, dessen Wesen wir in der Abkehr von ihm als Gegenstand und in der Zuwendung als Inhalt unserer Erkenntnis, unserer Erfahrung mit ihm eher denn von ihm, gerecht werden. Keinem anderen Gegenstand gegenüber ist die kopernikanische Wendung so eindeutig nicht Methode, sondern Wesen der Erkenntnis. Die Abkehr von der Entstellung des Todes durch den Maskenmund tragischer Klage eröffnet den Weg zu echter Erfahrung von ihm.

Erfahren ist die der Welt als Zeit-Raum-Bereich eigene Weise des Wissenserwerbs. Erfahren ist notwendig wegen der Stückhaftigkeit unseres Wissens. Wir können durch Erfahrung die uns gegebene *pars aliqua* etwas erweitern. Indem wir uns von dem seinem Wesen widrigen Versuch abwenden, vom Tod direkt etwas zu wissen, erfahren wir von ihm. Daß der Tod der Maßstab des Lebens sei, wird gemeinhin so verstanden, daß er die Nichtigkeit aller oder der meisten Dinge zeigt. Wenige Tage nach ›T.‹ schrieb Rilke die dann als zweiter Teil von ›Die Spitze‹ veröffentlichten Verse: „Und wenn uns eines Tages dieses Tun und was an uns geschieht gering erschiene." In ›T.‹ hatte er gezeigt, daß den Tod so im Rücken zu haben, die Erfahrungstiefe der Welt entschei-

---

[15] Vgl. auch griech. *rhema*, lat. *res*. S. Hermann Kunisch, R. M. Rilke und die Dinge, Köln 1946, ein schon durch Ort und Datum (Berlin 21. 1. 1945) besonders bedeutsamer Vortrag.

dend verändert. In der Abwendung von der entstellenden Wesensinterpretation des Todes werden wir des Abstands zur Welt inne, zu dem uns ›T.‹ zwingt und wodurch wir die Wirklichkeit verstehen. „Noch ist das Leben . . .“ heißt nicht: solange wir leben, sondern: in der Unbetroffenheit von der *existentia* des Todes in der Welt, die wir in dem nicht mit uns teilenden Hingang des Nächsten wahrnehmen.

Der tragische Maskenmund ist eine der Rollen, die wir in der Welt spielen. Die Abkehr von Klage, von Bewunderung und Liebe oder Haß weitet die Sicht auf die abendländische Konzeption des Welttheaters. Ebensowenig wie bei Calderón haben hier die Worte „Rolle“ und „spielen“ den abwertenden Sinn.[16] Die Abwertung kommt erst durch das den modernen Menschen als modernen konstituierende Bewußtsein und Unechtheit hinein. „Was Rilke suchte, ist der Kern, das Wesen, die Echtheit des Seins, das, worauf es ankommt“.[17] Eine Woche ehe er ›T.‹ schrieb, schrieb er an Clara:

> In gewissen Pflichten glaube ich einen Stützpunkt zu erkennen, eine Hülfe . . . ein Nichtverschiebbares, Dauerndes, Wirkliches. Ich plante eigentlich etwas für das Entstehen und Dasein dieser Wirklichkeit zu tun, ich meinte, sie käme, wie alles Wunderbare kommt, aus der Tiefe unseres Zusammenschlusses, aus seiner ungeheuren Notwendigkeit und Reinheit. Ich ersehnte Verantwortung für das tiefste innerste Dasein einer lieben, mit mir unzerstörbar zusammenhängenden Wirklichkeit.

Und zwei Tage später:

> . . . etwas Wirkliches, eine Wirklichkeit, die in unerhörter Weise mit dem Wunderbaren verbunden, von ihm kaum zu unterscheiden war und doch wirklich,

während am 15. Dezember die Verse entstanden waren:

> Von irgendwo bringt dieser neue Wind
> über das Meer her, was wir sind.

---

[16] Zu Calderóns Worten: „Es spielen auf dem großen Welttheater die Menschen, und jeder findet, was seine Rolle“ vgl. Urs von Balthasars Nachwort zu seiner Übersetzung, Einsiedeln 1959, S. 66 f. Anderseits etwa den Vergleich des Lebens mit einem „schalen Marionettentheater“ in Schillers Räuber IV, 5.

[17] Pongs, a. a. O., S. 39.

Wären wirs doch, so wären wir zuhaus.
(Die Himmel stiegen in uns auf und nieder.) [18]

Diese Stellen, deren Zusammenhang mit ›T.‹ erst durch das Bekanntwerden des genauen Datums seiner Entstehung deutlich geworden ist, umreißen das, was in unserem Gedicht als der Gegensatz zwischen „Rolle" und „Wirklichkeit" erscheint. Die Sorge, ob wir auch gefielen, ist zunächst das Gegenstück zu dem Trieb der Erfahrung und des Wissens, der Beurteilung zu unterwerfen. So wird das Goethe-Wort, das Beste an der Geschichte sei der Enthusiasmus, den sie in uns erweckt, mißverstanden: Dieser Enthusiasmus speist sich keineswegs aus einzelnem Wesen, sondern aus der Definition der Geschichte als dem Hingehn, das mit uns teilt. Die Sorge, ob wir auch gefielen, entstellt uns, so wie unsere Sorge, daß das Dahingegangene gefallen möge, es entstellt.

Das Wort „gefallen" wird hier von Rilke ohne den Dativ des sogenannten indirekten Objekts gebraucht. Der Wegfall des Dativobjekts ist heute weit verbreitet, um der Urteilskraft die Allgemeingültigkeit der reinen Vernunft zu verleihen. Kants Definition des Schönen hat hier verwüstend gewirkt, indem in ihr an die Stelle des konkreten Dativs der Person das Adverb „allgemein" trat. In dieser Form hat Kants Definition den Prozeß der Abwirtschaftung des Begriffs „gefallen" vollendet, der sich in Werthers Ausruf andeutet: „Gefällt! das Wort hasse ich auf den Tod." [19] Tassos Wort: „Erlaubt ist, was gefällt" [20] kann die Prinzessin schon deshalb verwerfen, weil als indirektes Objekt der Dativ von „man" („einem") impliziert ist – „sie sagen: Ich und Ich und meinen: Irgendwen" (›Menschen bei Nacht‹, ›Buch der Bilder‹ I, 2), während „was sich ziemt" als Reflexivform schon sprachlich in sich vollendet ist. Was „gefällt", ist „gefragt" – wem etwas gefällt, wer nach etwas fragt, bleibt unspezifiziert, das Gegenteil von ›Ernste Stunde‹ (B. B. I, 2): „Wer jetzt geht irgendwo in der Welt, geht zu mir".

Das unscheinbare „auch" drückt weiter aus, daß die hier gemeinte Sorge die Unschuld verloren hat, die die dem Menschen aufgegebene Sorge, seine Sache recht zu machen, wo Gott ihn hingestellt hat, also

---

[18] Sämtl. Werke, Bd. 2, S. 12 u. 885.
[19] Weimarer Ausgabe I, Bd. 19, S. 51.
[20] Tasso II, 1, V. 994 ff.

etwa die berufliche Sorge des Schauspielers, dem Publikum zu gefallen,[21] hat. Der Wegfall des Dativs der Person zeigt, daß die Verzerrung dieser Sorge in Eitelkeit, etwa in der Frage des Artisten: „Gefalle ich auch?", gemeint ist. Der Tod würde nicht spielen, wenn wir nur einfach unsere Rolle in Calderóns Sinne spielten ohne Selbstgefälligkeit, ohne die große und absolute Sorge, auf die uns ›T.‹ hinweist, in die Vielzahl von Sorgen zu zerlegen, mit denen Individualpsychologie, Psychoanalyse, Marxismus und Existentialismus sich abgeben, in denen das Spielen einer Rolle verstanden wird als eine Rolle spielen und die Sorge, ob man auch gefiele, zum Selbstzweck wird.

> Abseits erwägen gelassene Leute
> langsam ihre besonderen Sorgen,
> das Warum und das Wann und das Wie,
> und man hört sie sagen: Ich glaube –;
> aber in ihrer Spitzenhaube
> ist sie sicher, als wüßte sie (›Die Greisin‹, N. G. II).

Wenn wir spielerisch im Leben stehen, „spielt auch der Tod". Natürlich spielt er nicht selbst: Nur der Mensch spielt, und wenn er meint, etwas außer ihm spiele, so ist es seine Spielerischkeit, die es ihm so erscheinen läßt. Das Spiel des Todes, das uns entgegentritt, wenn wir Sorgen spielen, ist anderer Art. Hier ist es voll Sinn, das indirekte Objekt weglassend, zu sagen: „obwohl er nicht gefällt", denn die dadurch zum Ausdruck gebrachte Bezugslosigkeit ist dem Tode angemessen. Auch hier teilt er nicht mit uns.

Der Durchbruch durch die Selbstgefälligkeit wird in den ersten Worten der dritten Strophe vollzogen. Die Erfahrung des eigenen Todes ist nur in der Vorstellung möglich, wenn auch an ihr wie an nichts sonst die uns aufgegebene Vielschichtigkeit unseres Wirklichkeitsbewußtseins abgelesen werden kann. Als Erfahrung, als Wirklichkeitszuwachs, der uns über uns selbst hinausführt, begegnet uns der Tod nur im Tod des Nächsten. Da wird die Welt nicht etwa brüchig, sondern es bricht in sie die Wirklichkeit ein. Der Tod ist nicht Maßstab oder Katalysator der Wirklichkeit. Die Worte „Grün wirklicher Grüne, wirklicher Son-

---

[21] Zu Goethes Begriff „Respekt vor dem Publikum" s. meine Arbeit: Goethes Schottlandkunde, Goethe 25 (1963), Anm. 92.

nenschein, wirklicher Wald"²² sind gerade in ihrem konkreten Bezug
Ausdruck der Wandlung des Begriffs „Wirklichkeit": Gemeint ist nicht
die äußere Wirklichkeit (die Wirklichkeit ist), so etwa, daß das Gegenteil wäre: ‚imaginäre Grüne', sondern die innere (die Wirklichkeit hat,
eignet eher denn besitzt, mehr oder weniger – den Komparativ „wirklicher" findet man etwa in ›Damenbildnis aus den achtziger Jahren‹,
geschrieben im Herbst 1907 –)²³: Parallel zu den Begriffen „Wahrheit"
und „Existenz" hat sich der Begriff „Wirklichkeit" von den substantiel-
len zu der funktionellen Bedeutung gewandelt. Die „Ungeduld" nach
dieser „Wirklichkeit" (›Übung am Klavier‹, N. G. II, ebenfalls Herbst
1907) ausgesprochen zu haben wie keiner zuvor, ist das, wofür Rilke
jedenfalls die ihm folgende Generation leidenschaftlich dankte.

An dieser entscheidenden Wendung seines Gedichtes – und nur hier
– redet Rilke die Dahingegangene an. In der Kargheit des Bezugs auf
die konkrete, bis vor kurzem in diesem Zusammenhang unbekannt ge-
bliebene Person wird deutlich, daß sie eine „Erhabene" gewesen sein
muß. Aber es gilt, Bewunderung und Liebe auszuschalten, denn es war
nicht die Besonderheit dieses Menschen, sondern das Widerfahrnis des
Todes überhaupt in seinem Hingehn, das die Verwandlung hervorrief.
Es wurde bereits gesagt, daß in ›T.‹ der Dichter sich mit denen identifiziert, die in ›Der Tod der Geliebten‹ als „alle" oder „die anderen" bezeichnet werden. Das „Wir" in „Wir wissen nichts" und „wir spielen
weiter" ist nicht der Plural der Majestät, sondern echte Identifikation
des Dichters mit der Menschheit. So spricht er auch nicht von einer
Toten, sondern von den Toten.

In den Worten „durch den du hingingst" wird die erste Zeile des Ge-

²² S. „das kleine Grün" in dem oben zitierten Brief an Clara vom 1. 6. 1906.
Nach Behrendt (a. a. O., S. 139, 335) ist Grün bei Rilke „die Farbe geistiger
Wirklichkeit". Was aber hätte es dann mit der Folge „Grün, Sonnenschein,
Wald" auf sich (s. auch die eingangs zitierte Stelle aus dem Brief an die Gräfin
Schwerin vom 4. 5. 1905)? Auf Capri suchte Rilke natürlich „wirklichen Sonnenschein". Der aus dem Norden Stammende sehnt sich dort wohl nach „wirklichem Wald", aber eben diese „Wirklichkeit" ist hier nicht gemeint. Vgl. hierzu
Hermann Kunisch, R. M. Rilke, Berlin 1944, S. 69 u. 74, und R. M. Rilke, Köln
1946, S. 17 u. 22.
²³ Die Umkehrung ist: „Das nimmt aber von Stufe zu Stufe ab an Wirklichkeit" (Uwe Johnson, Mutmaßungen über Jakob, Frankfurt 1959, S. 273).

dichtes und die erste dieser Strophe wieder aufgenommen. In ›Der Tod der Geliebten‹ war das Hingehn nicht ein Fortgerissenwerden, sondern ein Ausgelöstwerden aus den Augen der Lebenden. In ›T.‹ aber bewirkt das Hingehn einen Bruch. Es entsteht ein Spalt in dem sonst so dichten Hintergrund, gegen den wir sicher spielen zu können glauben. Das Wort „Spalt" gehört zu den scheinbar zweitrangigen Wörtern in diesem Gedicht, deren Verfolgung durch Rilkes Werk zu Einsichten verhelfen würde. Ich erinnere nur an ›Am Rande der Nacht‹ (B. B. I, 2):

> (das Licht, das)
> durch schmale, schmachtende Spalten
> in die alten
> Abgründe ohne
> Ende fällt . . .

oder an den Schluß von ›Der Berg‹ (N. G. II): „um auf einmal wissend, wie Erscheinungen sich heben hinter jedem Spalt". Zwar ist die Änderung, die das „doch", das die Wendung in ›T.‹ bezeichnet, elementar, aber sie ist nur *pars aliqua*: Durch einen Spalt bricht ein Streifen; keineswegs die ganze Welt, das ganze Leben wird verändert. Der räumlichen Partialität entspricht die zeitliche: Wir spielen weiter, und nur manchmal überkommt uns die Erfahrung und auch sie ist nur „wie ein Wissen . . .".

Was durch den Spalt einbricht, ist ja nicht unmittelbares Wissen vom Wesen des Todes, sondern eine Blendung im Leben. Aber dies genügt, es ist das Eine, worauf wir warten,

> das dein Leben unendlich vermehrt,
> das Mächtige, Ungemeine,
> das Erwachen der Steine,
> Tiefen, dir zugekehrt.
> (›Erinnerung‹ B. B. I, 2).

Die Menge der Rollen in der Welt verwirrt. Wir halten uns daran, Erlerntes herzusagen. Das Erlernen ist nicht mehr ein Kinderspiel, sondern „bang und schwer". Nur noch dann und wann heben wir eine Gebärde auf – eine „schwere", mit der sich „Menschen bei Nacht" (B. B. I, 2) „bei ihren Gesprächen verstehn" oder eine aus der „Million kleiner Gebärden, wie jemand der austeilend durch eine Menge geht" (an Clara

20. Januar 1907) – man denkt an die Kommunion als Grund der Kommunikation. Wir fragen uns, ob wir uns nicht durch eine Maske verstellen. Gegenüber dieser Brüchigkeit im Eigenen steht die Erfahrung des Todes des Anderen unverbrüchlich. Wir haben die Dahingegangenen nur in der Erinnerung und wissen sie doch als dahingegangen. Hingehen des Es nehmen wir hin; wir erwarten nicht, daß es mit uns teilt. Es versinkt, wenn auch die zerebrale Spur von ihm verschwunden sein wird, im Orkus der Vergessenheit. Hingehn des Du dagegen – das „du" in ›T.‹ ist ja als absolutes Du zu verstehen – wird als aus unserem „Stück" (*pars* sowohl wie Theaterstück) entrückt, oder, wie wir, der Todeserfahrung angemessener, sagen: entrissen erfahren. Diese Erfahrung macht das Dahingehende vielfach erst zum Du, von dem wir erwarten, daß es mit uns teilt, uns im Zeugnis die Möglichkeit in die Hand gebend, es als innere Wirklichkeit zu bewahren. Selbst die geisterhafte Scheinexistenz des Dahingegangenen in der geschichtlichen Erinnerung wird zu Ende kommen. Das absolute Du, das absolut Dahingehende schenkt uns mehr als Erinnerung: In der Plötzlichkeit der Entrückung, der Entstellung des Leibes zur Leiche, der radikalen Unumkehrbarkeit des Hingangs, der letzten Unmitteilsamkeit bricht ein Streifen Wirklichkeit ein.

Vernichtung würde das Du zum Es degradieren. Das dahingegangene Du ist weiter da, aber nicht als konkretes Wesen, Bewunderung und Liebe oder Haß heischend oder auch nur zulassend, sondern als reine *existentia* in dem Ort, in dem Wirklichkeit beheimatet ist. Die Entrückung erweist sich als der Mittelpunkt dessen, was wir heute Geschichtlichkeit nennen.

Vergleichen wir noch einmal mit dem Gedicht ›Der Tod der Geliebten‹: „[Er] nannte das Land das gutgelegene, das immer süße." Wesensbezeichnung, voller Bewunderung und Liebe, Gegenstand meinend. „Wirklichkeit" dagegen ist kein Ort, ist frei von Beurteilung und dadurch das ‚Mächtige, Ungemeine'. „Wirklichkeit" nimmt ihren Namen nicht von der verursachenden Wirkung. Die Worte: „Dein von uns entrücktes Dasein kann uns manchmal überkommen, wie ein Wissen von jener Wirklichkeit sich niedersenkend" sind ein Ausdruck dessen, was Husserl die phänomenologische Reduktion nannte. Das Komma steht vor und nicht hinter den Worten „wie ein Wissen": „Ein Wissen von jener Wirklichkeit" ist das, was nur im Gleichnis („wie") auf uns sich niedersenkt, nicht als ein Wissen von einem Ding auf uns zukommen kann.

Als „von uns entferntes, aus unserem Stück entrücktes" ist das Dasein der Hingegangenen „nur noch" innere Wirklichkeit, Er-innerung. Als solche überkommt es, ist es „wie ein Wissen von jener Wirklichkeit". Die Worte „überkommen" und „sich niedersenken", die vom Materiellen genommen sind, bezeichnen ganz eigentlich die neu gewonnene innere Wirklichkeit, deren Verteidigung gegen die Übermacht der äußeren immer stärker unser Schicksal geworden ist. Der Tod als das unweigerliche Ende der äußeren Wirklichkeit ist an dieser Stelle deutlich der Geburtsort der inneren Wirklichkeit. Der Ernst, den der Tod gebietet, seine Entzogenheit von allem Beurteilen macht das Wissen der inneren Wirklichkeit zum würdigen Partner des ernsten und verantwortungsbewußten Wissens um äußere Wirklichkeit, das sich mit Recht als Maßstab von Wissenschaft vorstellt.

Die Beachtung der Interpunktion in der letzten Strophe zeigt, daß hier nicht von einem Als-ob-Wissen die Rede ist, sondern von der Aufdringlichkeit des Wissens der inneren Wirklichkeit, die in ›Erinnerung‹ als „Erwachen der Steine" bezeichnet wird. Jetzt scheiden sich die Menschen nicht mehr in solche, die an ein Leben nach dem Tode glauben, und solche, die nicht mehr daran glauben, sondern in solche, die die Wirklichkeit der Todes-Erfahrung haben, und „die anderen". Inhaltliche Aussagen des Glaubens und Nichtglaubens haben sich vor dieser Wirklichkeit auszuweisen.

Würdige Partner sind Wissen der inneren Wirklichkeit und Wissen der äußeren Wirklichkeit, wo sie, die Frage „Was können wir wissen?" übersteigend, vorstoßen zu der Frage „Was sollen wir tun?" und tiefer noch zu der „Was ist der Mensch?". Indem das Du aus unserem Stück entrissen wird, werden wir entlang dem Streifen Wirklichkeit, der einbricht, hingerissen.[24] Die Wirkung dieser Hingerissenheit beschreibt Rilke mit sparsamen Worten, die jedoch Glück und Elend des modernen Menschen schlechthin zusammenfassen. Alle Vorstellungen von Theater sind versunken. Nun „spielen wir das Leben" selbst so, wie die Weisheit vor aller Zeit vor Gott spielte, und in der Hingerissenheit von

---

[24] „Anders, wirklicher, wie in Romanen, hingerissen und verhängnisvoll" (›Damenbildnis aus den achtziger Jahren‹, N. G. II).

jener Wirklichkeit gelingt es, die tiefste Eitelkeit, die Kierkegaard auch noch im Beter aufspürte, „eine Weile" zu verlieren. Die Selbstvergessenheit an das Ding kann die gleiche Würde erreichen, die hier dem Leben in innerer Wirklichkeit zuerkannt wird. Im Angesicht des Todes erfährt sich der Mensch als das Wesen, das sich im Selbstverlieren gewinnen kann, Worte, die nur am Maßstab von Todes-Erfahrung gemessen von furchtbaren Perversionen bewahrt bleiben.

Es ließ sich nicht vermeiden, in der Interpretation der „Sätze, die dastehen", auf die „Potenzen", die dieses Gedicht „birgt", vorzugreifen. Der erste, der in der deutschen Literatur die zugrundeliegende Situation beschrieben hat, ist Gottfried Keller gewesen. Die Beschreibung von Todes-Erfahrung in dem ›Annas Tod und Begräbnis‹ betitelten 7. Kapitel des 3. Buchs des ›Grünen Heinrich‹ gehört ebenso wie ›T.‹ zu den Grundtexten des Existentialismus. Hier erscheint zum ersten Male (wenn auch schon bei Heine vorgebildet) in der schönen Literatur das Wort „objektiv" in der abwertenden Bedeutung als eine „Erfindung" der „Gelehrsamkeit" (Urfassung: „der deutschen Ästhetik"), und hier wird m. W. erstmalig die Erfahrung des Todes des Nächsten als die Grenzsituation beschrieben, an der die Objektivität als Seinsverfehlung erscheint und Existenz gefordert wird. Keller konnte zweifeln, ob „Genießen", eher denn Erdulden, an dieser Stelle „Stärke oder Schwäche" war. Während der folgenden Generationen sollte es immer klarer werden, daß die Herausforderung der inneren Wirklichkeit durch den Tod Bewunderung und Liebe oder Haß oder auch nur tragische Klage zur „Entstellung" werden läßt.

In der historischen Perspektive wird auch erst die Bedeutung des merkwürdigen Details klar, daß man in Annas Sarg „der Sitte gemäß" eine Glasscheibe eingelassen hatte, auf der in diesem Falle sich noch die ursprünglich darauf abgebildeten Engel sehen ließen. Ist es purer Zufall, daß in seinem Brief vom 19. Dezember 1906 Rilke an seine Frau schrieb: „. . . wie ein nur teilweise belegter Spiegel, an manchen Stellen spiegelnd, an anderen durchsichtig"? Das Einbrechen der Wirklichkeit wird hier als das beschrieben, was dann in erstaunlicher Unabhängigkeit voneinander Schriftsteller unserer Zeit als „Transparenz" bezeichnen sollten.[25]

[25] S. meinen Artikel: Karl Jaspers und Gottfried Keller, Baseler Nachrichten 26. Juni 1953.

Keller begann seine Schilderung der Totenwache des grünen Hein-
rich mit den Worten: „Ich ward durch das unmittelbare Anschauen des
Todes nicht klüger aus dem Geheimnis desselben." Ihm ging auf, daß
Todes-Erfahrung Transparenz ist. Keller und Rilke gehören zu den
Quellen, aus denen sich die Entdeckung des Todes des Anderen als
eines der entscheidenden Themen der Philosophie herleitet. Der zentrale
Abschnitt ›Tod des Nächsten‹ in Jaspers' ›Philosophie‹[26] ist als eine
Interpretation von Rilkes Gedicht ›Todes-Erfahrung‹ zu lesen.

[26] München ²1948, S. 484. Auch die mit ›T.‹ eng verbundene Stelle aus
›Malte‹, Leipzig 1914, Bd. 2, S. 145: „Wir entdecken wohl, daß wir die Rolle
nicht wissen . . . wir möchten wirklich sein. Aber irgendwo haftet uns noch ein
Stück Verkleidung an, das wir vergessen . . . weder Seiende, noch Schauspieler"
führt eher zu Jaspers als zu Heidegger hin. Vgl. auch Hugo von Hofmannsthals
Gedenkwort auf Kainz: Der aufgeflogene Sperber.

Jahrbuch der Deutschen Schillergesellschaft 15 (1971), S. 341–374.

,HYPOTHETISCHES ERZÄHLEN':
ZUR FUNKTION VON PHANTASIE UND EINBILDUNG
IN RILKES ›MALTE LAURIDS BRIGGE‹ [*]

Von JUDITH RYAN

„Bis hierher geht die Sache von selbst, aber nun, bitte, einen Erzähler, einen Erzähler." [1] Dieser Satz aus Rilkes ›Malte Laurids Brigge‹ bezieht sich ausdrücklich auf den Versuch Maltes, die Geschichte von
Grischa Otrepjow, dem falschen Zaren, nachzuerzählen, er bezeichnet
aber genau den Punkt, von dem aus sowohl Leistung und Problematik
als auch die literaturgeschichtliche Bedeutung dieses scheinbar ,lyri-
schen' Romans zu erfassen sind. Das Wort „Aufzeichnungen" im Titel
betont nicht so sehr den biographisch-konfessionellen Charakter des
Werkes, sondern weist vielmehr auf das Problem hin, das das eigentliche Thema des ›Malte‹ bildet: Wie läßt sich die für Malte nicht mehr
selbstverständliche Fähigkeit zu erzählen wiedergewinnen?

Die hiermit bezeichnete Erzählproblematik ist in der neueren Forschung mit der ,Krise des Erzählens' im modernen Roman in Verbindung gebracht worden. In welchem Sinne ›Malte‹ sich diesem Zusammenhang zuordnen läßt, ist aber noch umstritten. Auf der einen Seite
erblickt Ulrich Fülleborn in ihm die Auflösung des Erzählens, das „an
sich selbst, an seiner inneren Unmöglichkeit" breche und das sich in
diesem Sinne mit dem modernen Roman vergleichen lasse. [2] Bei Rilke

---

[*] Die vorliegende Arbeit geht auf einen Vortrag zurück, der am 11. 4. 1970 im
Rahmen einer Tagung der Sektion 5 der Modern Language Association in
Irvine, Kalifornien, gehalten wurde.

[1] Zitiert wird nach: Rainer Maria Rilke, Sämtliche Werke (zit. SW), hrsg. v.
Ernst Zinn, Bd. VI (Malte Laurids Brigge. Prosa 1906–1926), Frankfurt a. M.
1966, S. 884.

[2] Ulrich Fülleborn, Form und Sinn der ,Aufzeichnungen des Malte Laurids
Brigge'. Rilkes Prosabuch und der moderne Roman, in: Unterscheidung und
Bewahrung. Festschrift Hermann Kunisch, Berlin 1961, S. 151. Auch in: Deut-

sei aber diese Erzählproblematik „letztlich anders begründet als die der
großen modernen Romane",[3] insofern er nicht durch „Dekomposition
und gleichzeitige Rekomposition eine totale Transformierung des
Romans" versuche, sondern „gleichsam vom Nullpunkt her" die ›Aufzeichnungen‹ entstehen lasse[4].

Die Ganzheit des ›Malte Laurids Brigge‹ bestehe demnach nicht in
der Mehrdimensionalität und Vielperspektivität, die die Werke Musils
und Joyces kennzeichnen, sondern in der „größtmöglichen Ausweitung
des Bewußtseins eines fingierten Ich-Erzählers"[5]. Die einzelnen Abschnitte, die nach Fülleborn strukturell „zur Gattung des Prosage-
dichts" gehören,[6] werden letztlich durch das „Gesetz der Komplementarität"[7] zusammengehalten, das durch das Schwingen von einem
Gegensatz zum anderen vermittels der „assoziativen Phantasie" die Totalität einer „vollzähligen Zeit" herstelle[8]. Diese These wird aber nur an
einigen beispielhaften Abschnitten exemplifiziert; wie sich das „Gesetz
der Komplementarität" im ganzen Roman auswirkt, wird nur angedeutet. Fülleborn nimmt an, daß dieses „Gesetz" den „Umschlag"
bewirke, der schließlich in der Parabel vom Verlorenen Sohn in einen
Entwurf der von Rilke erstrebten „Seinsdichtung" einmünde.[9] Die „as-
soziative Phantasie" verstehe sich letztlich als „Organ eines übergreifenden Bewußtseins, über das der Dichter nicht verfügt, das ihn vielmehr bestimmt".[10] Im Gegensatz zu dieser These eines den Roman tragenden transzendierenden Bewußtseins soll aber gezeigt werden, daß
die ›Aufzeichnungen‹ im wesentlichen der erlebenden Subjektivität verhaftet bleiben und die erstrebte Totalität trotz der von Fülleborn postu-
lierten Ergänzung dieser Subjektivität durch „komplementäre" Bilder
ausbleibt.

sche Romantheorien. Beiträge zu einer historischen Poetik des Romans in
Deutschland, hrsg. u. eingel. v. Reinhold Grimm, Bonn 1968, S. 251–273.

    [3] Ebd., S. 153.
    [4] Ebd., S. 153–154.
    [5] Ebd., S. 168.
    [6] Ebd., S. 154.
    [7] Ebd., S. 156.
    [8] Ebd., S. 159.
    [9] Ebd., S. 167.
    [10] Ebd., S. 157.

Walter Seifert knüpft an diese Vorstellung einer durchgehenden Polarität an und führt den Ansatz Fülleborns durch eine detaillierte Analyse
der einzelnen Episoden – und somit der Gesamtentwicklung des Romans – weiter.[11] Die dem Werk zugrundeliegende Polarität wurzele im
Gegensatz zwischen Vergangenheit und Gegenwart, der schon am Anfang der ›Aufzeichnungen‹ zum Ausdruck komme; beim Versuch, die
beiden Extreme zu vermitteln, nehme Malte verschiedene „Idealgestalten" (Beethoven, Ibsen, Eleanora Duse u. a.) auf, die seine Kunstvor-
stellung verkörpern, indem sie in ihrer eigenen Kunst die gesuchte
‚Totalität' erzielen. Dieser Reihe von Idealgestalten gehöre auch der Verlorene Sohn an, in dessen „mythisch-idealtypischer Biographie"[12] das
Werk gipfele und selbst zu einer Totalität werde. Bei allem Formalismus
des Grundschemas wird in der Interpretation Seiferts die Gesamtstruk-
tur des Werkes neu beleuchtet; die Erzählproblematik bleibt aber weitgehend unberücksichtigt.

Im Gegensatz zu diesen Interpreten sieht Ernst Fedor Hoffmann im
›Malte Laurids Brigge‹ „Versuche dichterischer Gestaltung"[13], Ansätze
zu einer innerhalb der Romanfiktion sich herausbildenden Entwicklung zur Fähigkeit des Erzählens. Malte selbst bleibe als Romanperson
„gewissermaßen ausgeklammert", da der „schriftstellerisch-techni-
sche" Aspekt der ›Aufzeichnungen‹ das Persönlich-Biographische
überwiege.[14] Die einzelnen Abschnitte seien nicht als zufällig oder ta-
gebuchartig geordnet zu betrachten: auch die Zusammenstellung der
›Aufzeichnungen‹ gehöre zu der schöpferischen Arbeit Maltes.[15] Hoffmann gliedert den Roman in drei Hauptteile: die ersten Pariser Eindrücke, die wegen ihrer relativen Gestaltlosigkeit in seiner Interpretation nicht eingehend behandelt werden; die Kindheitserinnerungen,
wo Malte zum erstenmal auf lange Strecke „zusammenhängend" erzählen lernt; und die Geschichten aus dem zweiten Teil, die ein größeres
Gestaltungsvermögen bezeugen. Im Verlauf des Romans lerne also der

---

[11] Walter Seifert, Das epische Werk Rainer Maria Rilkes, Bonn 1969.
[12] Ebd., S. 319.
[13] Ernst Fedor Hoffmann, Zum dichterischen Verfahren in Rilkes ‚Aufzeichnungen des Malte Laurids Brigge', in: DVjs 42 (1968), Heft 2, S. 213.
[14] Ebd.
[15] Ebd., S. 215.

zunächst seinen subjektiven Eindrücken ausgelieferte Malte ‚objektiv‘ erzählen, er überwinde die Subjektivität seiner Anfänge und somit auch die ‚Krise‘ des Romans.

Diese Vorstellung einer Entwicklung vom Subjektiven zum Objektiven greift Theodore Ziolkowski auf, der sie mit der Gattungsproblematik in Zusammenhang bringt, und zwar unter Berufung auf Stephen Dedalus' Theorien der Entstehung des Epischen aus dem Lyrischen in Joyces ›Portrait of the Artist as a Young Man‹.[16] Eine ähnliche Entwicklung vom Lyrischen zum Epischen meint Ziolkowski in der Struktur des ›Malte‹ vorzufinden: Der junge Dichter, der am Anfang des Romans lediglich die eigenen subjektiven Eindrücke wiedergebe, lerne im Verlauf der ‹Aufzeichnungen› seine Erlebnisse immer mehr gestalten: er lerne ‚erzählen‘.

Daß Rilke in der Tat vom Postulat der Unmöglichkeit des Erzählens ausgeht, kann nicht geleugnet werden. Im Zusammenhang mit den Erzählungen seiner jungen Tante Abelone behauptet Malte: „Daß man erzählte, wirklich erzählte, das muß vor meiner Zeit gewesen sein. Ich habe nie jemanden erzählen hören" (844). Diese Aussage mit Musils Formulierung einer verwandten Problematik im ›Mann ohne Eigenschaften‹ weitgehend gleichzusetzen, wie es Fülleborn – trotz seiner sonstigen Abgrenzung des ›Malte‹ von den anderen modernen Romanen – tut,[16a] bedeutet aber eine Vereinfachung, eine Entstellung von Rilkes Intention. Bei näherer Betrachtung erweist sich nämlich, daß Rilke unter der Unmöglichkeit des Erzählens etwas ganz anderes versteht als Musil, der vom Verlust der Übersicht und vom mangelnden Bewußtsein der Kausalität ausgeht. Das Modell des Erzählens, an dem sich Rilke orientiert, wird von Maltes Großvater mütterlicherseits, dem Grafen Brahe, dargestellt. Obgleich die Erzählungen des Grafen nur über Abelone vermittelt werden, weiß Malte, daß der Großvater das Erzählen „noch gekonnt haben" soll (844). Für den Grafen bestand das ‚Erzählen‘ nicht etwa in der Wiedergabe seiner Erlebnisse als zusammenhängendem Handlungsverlauf, sondern vielmehr in der Fähigkeit, den Hörern das Erzählte ‚sichtbar‘ zu machen. Diese Fähigkeit be-

---

[16] Dimensions of the Modern Novel. German Texts and European Contexts, Princeton 1969.

[16a] Fülleborn, a. a. O., S. 151.

ruht darauf, daß er – wie wir später zeigen wollen – kein Bewußtsein des Zeitlichen hat: Er kann das Vergangene ‚vergegenwärtigen', weil er es sich gar nicht als vergangen vorstellt. Er erwartet, daß auch andere das Erzählte unmittelbar ‚sehen', und wird ärgerlich, wenn sein Erzählen diese Wirkung verfehlt. Im Laufe des Erzählens fragt er sich immer wieder: „Und werden sie es überhaupt *sehen*, was ich da sage?" und blickt seinen Diener, Sten, böse an, „als sollte Sten in einem gewissen Augenblicke sich in den verwandeln, an den er dachte. Aber Sten verwandelte sich noch nicht" (849). Gegen Ende seiner Erzählung fragt er Abelone: „Siehst du ihn?" und: „Abelone erinnerte sich, daß sie ihn gesehen habe" (850). Dieser Versuch, den Gegenstand unmittelbar zu vergegenwärtigen, beruht auf der Tendenz des Großvaters, alles als „Gegenwart" betrachten zu wollen; – auf das fehlende Bewußtsein des Zeitlichen, das damit verbunden ist, werden wir später zurückkommen. Daraus geht aber hervor, daß eine solche ‚zeitlose' Sichtbarmachung grundsätzlich anders ist als das Erzählen im herkömmlichen Sinne des Wortes, nämlich im Sinne einer zusammenhängenden, zeitlichen Wiedergabe eines Handlungsverlaufs. In dieser Hinsicht unterscheidet sich Maltes Versuch, wieder ‚erzählen' zu lernen, von der Entwicklung einer neuen Erzählweise bei Musil, für den die moderne Erzählmöglichkeit in erster Linie durch Reflexion getragen wird. Es wird sich zeigen, daß Malte eine neue Entsprechung zum verlorengegangenen ‚zeitlosen' Erzählen herstellen möchte, bei der allerdings das Vergangene nicht durch die Reflexion mit dem Gegenwärtigen vermittelt, sondern in eine überzeitliche Ganzheit aufgenommen werden soll. Dem Mechanismus dieses Erzählversuchs gilt es nun nachzugehen.

Daß dieser Roman – im Gegensatz zu den Romanen Musils und Brochs – durchweg in der ersten Person geschrieben ist, läßt sich nicht einfach durch die zweifellos vorhandenen Zusammenhänge mit Rilkes eigenem Leben erklären. Dies wird schon durch die ersten Entwürfe des Eingangs verdeutlicht, die in der dritten Person, und zwar – um nach der etwas ausführlicheren zweiten Fassung zu urteilen – als eine Art Rahmenerzählung konzipiert waren. In der ersten Fassung erinnert sich ein fingierter Erzähler, der nicht näher gekennzeichnet wird, an einen Menschen (offensichtlich Malte), der „eine Weile mit mir gelebt hat und eines Tages mein Leben verlassen hat" (949); in der zweiten Fassung wird eine Begegnung zwischen Malte und einem Bekannten von einem ‚objektiven' Erzähler beschrieben, wobei Malte die Erinnerungen an seine Kindheit in Urnekloster wiedergibt, die in der endgültigen Fassung den 15. Abschnitt des ersten Buchs ausmachen (729–741). Daß bei einer solchen Struktur die Erzählproblematik gar nicht erst aufkommen konnte, liegt auf der Hand; gleichzeitig wird aber deutlich, daß die von Rilke in der letzten Fassung gewählte Erzählweise ihre Begründung nicht ausschließlich in der Persönlichkeit Maltes haben kann, die Rilke genausogut in einer Rahmenerzählung hätte darstellen können. Das Strukturprinzip des ›Malte Laurids Brigge‹ muß also außerhalb des bloß Autobiographischen, aber auch außerhalb der fiktiven Biographie einer Romanperson gesucht werden.

Im Gegensatz zu den schon genannten Theorien über die Komposition des ›Malte‹ wollen wir eine These aufstellen, die es uns ermöglicht, die verwirrende Fülle von fragmentarischen Abschnitten als einen sich entfaltenden Prozeß zu sehen. Einerseits sollen die Pariser Eindrücke, die in Hoffmanns Interpretation des ›Malte‹ als eines im Entstehen begriffenen Kunstwerks etwas zu kurz kommen, als Teil einer übergreifenden Entwicklung gesehen werden; andererseits sollen die Kindheitserinnerungen, die noch vielfach unter dem Aspekt der Psychologie Malte/Rilkes betrachtet werden, nicht als relativ selbständiger Erzählstrang, sondern als ein weiteres Stadium in dieser Entwicklung gedeutet werden. Vor allem soll der Frage nachgegangen werden, wie der zweite Teil des Romans einzuordnen ist, der ja weitgehend aus geschichtlich weit zurückliegenden Episoden besteht, die scheinbar nur durch eine lose motivische Verwandtschaft mit den übrigen Teilen des Buchs verknüpft sind. Hier bietet – wie schon angedeutet – Fülleborns These eines „Gesetzes der Komplementarität" nur eine partielle Erklärung: für ihn bleibt nämlich die Romanstruktur im Grunde eine mosaikartige Zusammensetzung gegensätzlicher Fragmente; eine übergreifende Entwicklung gibt es in seiner Interpretation nur, insofern er den Roman als die „größtmögliche Ausweitung eines Bewußtseins" auffaßt. Aber auch die vielleicht noch weiter verbreitete ‚existentielle' Interpretationsrichtung, die durch die Hervorhebung des Motivs der ‚Angst' viele Zusammenhänge aufweisen konnte, hat den Roman im Grunde genommen als Fragmentensammlung gesehen, als ein System von Bezügen, die letztlich in der Persönlichkeit Malte/Rilkes wurzeln. So zum Beispiel Else Buddeberg, für die in bezug auf ›Malte‹ „das alles aufschließende Wort"

„Angst" heißt[17]: die Pariser Aufzeichnungen geben die „existentielle Erfahrung"[18] einer Gestalt wieder, die sich als ein „Nichts" auffaßt; die Kindheitserinnerungen stellen das Hervorbrechen der nicht bewältigten „Ängste" dar;[19] die geschichtlichen Episoden nennt sie – unter Berufung auf Rilkes Wendung „Vokabeln der Not" – „Äquivalente aus Zeit und Raum und Geschichte für ein ganz im Unsichtbaren ablaufendes Schicksal"[20], sie drücken das gleiche „Grauen" aus, „das jetzt unsichtbar in Malte herrscht und ihn innerlich zerreißt"[21]. Wiederum wird bei Buddeberg das Werk eher als „Gewebe"[22] gesehen denn als fortschreitende Entwicklung. Man fragt sich, warum das Grundthema der Angst in so vielfältiger Weise ausgebreitet werden muß; man fragt sich, ob die vielen Erzählungen von Gespenstererscheinungen, von Todesfällen, von alten Häusern und einer merkwürdig verzweigten Familie wirklich alle nötig sind, um die „Ängste" eines jungen Dichters zu veranschaulichen, der in einer fremden Stadt dichten lernen will.

So sollen hier unter einem etwas anderen Aspekt die Zusammenhänge der verschiedenen Erzählstränge untersucht werden. Dabei möchten wir die These aufstellen, daß die Pariser Eindrücke, die Kindheitserinnerungen und die historischen Episoden als Teile eines einzigen Gestaltungsprozesses zu sehen sind. Im Gegensatz zu Hoffmann erblicken wir aber im ›Malte‹ keine fortschreitende Entwicklung von der ‚subjektiven' Wiedergabe der eigenen Erlebnisse zum ‚objektiven' Erzählen, vielmehr unterscheiden wir drei Tendenzen, die als *Sehenlernen*, *Erinnern* und *Versuch des Erzählens* zu bezeichnen wären. Dabei handelt es sich nicht um einander ablösende, voneinander abgegrenzte Phasen, sondern um eine allmähliche Gewichtsverlagerung im Verlauf des Werkes: Die drei ‚Tendenzen' überschneiden sich ständig und erweisen sich, insofern sie alle durch das noch zu besprechende Motiv der *Einbildung* geprägt sind, als Aspekte des Malte vorschwebenden Schaffensprozesses.

[17] Else Buddeberg, Rainer Maria Rilke. Eine innere Biographie, Stuttgart 1955, S. 148.
[18] Ebd., S. 159.
[19] Ebd., S. 171.
[20] Ebd., S. 189.
[21] Ebd., S. 190.
[22] Ebd.

Werfen wir einen Blick auf den Anfang des Romans zurück. Der junge Dichter, der seit drei Wochen in Paris wohnt, fühlt sich einer verwirrenden, kaum zu bewältigenden Fülle von Eindrücken ‚ausgesetzt‘, die ihm fremd und ohne Zusammenhang vorkommen. Sein eigenes Dasein scheint bedroht, angegriffen, ja er hat gleichsam das Bewußtsein der eigenen Identität verloren. Schon im zweiten Abschnitt heißt es: „Elektrische Bahnen rasen läutend durch meine Stube. Automobile gehen über mich hin" (710). Später sagt er von sich selber: „mein Gott, ich habe kein Dach über mir, und es regnet mir in die Augen" (747). Man ist versucht, diese und ähnliche Stellen als Zeichen einer lyrischen Offenheit auf alles hin, einer seismographischen Empfänglichkeit für alle äußeren Erscheinungen zu deuten. Das ‚Sehen-Lernen‘ ist aber für Malte schon ein Vorstadium des Dichtens, und er erkennt relativ bald, daß das Dichten nicht einfach seismographisch vorgehen kann. Es wird ihm allmählich bewußt, daß den Dingen jeder Zusammenhang abgeht, wie der bekannte Passus „Ist es möglich . . .?" (726–727) zum Ausdruck bringt. Einmal decken sich Wörter und Wirklichkeit nicht, insofern die Wörter, als verallgemeinernde Begriffe verstanden, die Individualität der einzelnen Dinge nicht mehr treffen:

> Ist es möglich, daß man ‚die Frauen‘ sagt, ‚die Kinder‘, ‚die Knaben‘ und nicht ahnt (bei aller Bildung nicht ahnt), daß diese Worte längst keine Mehrzahl mehr haben, sondern nur unzählige Einzahlen? (728)

Zum andern ist aber die Geschichte „mißverstanden" worden, „weil man immer von ihren Massen gesprochen hat" (727); sogar das einzelne Leben, über das man einen Überblick zu haben meint, läuft ab „mit nichts verknüpft, wie eine Uhr in einem leeren Zimmer" (ebd.). Angesichts dieser Zusammenhanglosigkeit der Dinge kann der Dichter also nicht einfach seine Eindrücke registrieren, sondern muß die verlorengegangene Einheit durch sein eigenes Gestaltungsvermögen herstellen.

Nur selten scheint sich eine gewisse Einheit augenblickshaft von selbst herzustellen, aber solche zufälligen Ganzheitsvisionen lassen den Dichter nur um so mehr an seiner eigenen Gestaltungsfähigkeit verzweifeln. Eine solche Ganzheitsvision stellt sich schon früh ein: im zwölften Abschnitt: „Was so ein kleiner Mond alles vermag" (722). Zunächst einmal hat man den Eindruck, daß die Ganzheit nicht auf der schöpferischen Einbildungskraft des Dichters beruhe, sondern – wie Malte meint – von dem „kleinen Mond", also von äußerlichen, im Grunde genommen unerklärlichen Einflüssen bewirkt werde. Die ganze Szene wird wie ein Bild gesehen, wo Vordergrund und Hintergrund miteinander verknüpft sind und die verschiedenen Farbwerte einander entsprechen und ergänzen:

Das Nächste schon hat Töne der Ferne, ist weggenommen und nur gezeigt, nicht hergereicht; und was Beziehung zur Weite hat: der Fluß, die Brücken, die langen Straßen und die Plätze, die sich verschwenden, das hat diese Weite eingenommen hinter sich, ist auf ihr gemalt wie auf Seide. (Ebd.)

Diese Vorstellung der kleinen Szene als eines gemalten Bildes wird dann weiter ausgeführt, bis sich die verschiedenen Erscheinungen zu einer Ganzheit abrunden:

Die Bouquinisten am Quai tun ihre Kästen aus, und das frische oder vernutzte Gelb der Bücher, das violette Braun der Bände, das größere Grün einer Mappe: alles stimmt, gilt, nimmt teil und bildet eine Vollzähligkeit, in der nichts fehlt. (723)

Aber schon die Stilisierung der Szene zu einem gemalten Bild[23] läßt erkennen, daß hier die Wirklichkeit nicht ganz objektiv aufgenommen, sondern mit den Augen eines Künstlers gesehen wird. Kennzeichnenderweise folgen dann im 14. Abschnitt die Überlegungen über die Entstehung der Dichtung, die mit der Erkenntnis, daß man zunächst ‚sehen lernen' muß, anfangen und, durch die schon zitierten Gedanken über die Zusammenhanglosigkeit der äußeren Wirklichkeit motiviert, zu dem Schluß kommen, daß „etwas geschehen" muß:

Dieser junge, belanglose Ausländer, Brigge, wird sich fünf Treppen hoch hinsetzen müssen und schreiben, Tag und Nacht: ja er wird schreiben müssen, das wird das Ende sein. (728)

[23] Der Zusammenhang mit der bildenden Kunst läßt sich teilweise dadurch erklären, daß diese Stelle ursprünglich Teil eines Briefes an seine Frau Clara bildete (Briefe in 2 Bdn., hrsg. vom Rilke-Archiv in Weimar; in Verbindung mit Ruth Sieber-Rilke besorgt durch Karl Altheim, Wiesbaden 1950, S. 195–196); sie stellt nur ein Beispiel für seine Versuche dar, alles mit den Augen eines Malers bzw. Bildhauers zu sehen.

Von vornherein hebt Malte hervor, daß es nicht einfach um die Registrierung von Eindrücken geht, sondern um die schöpferische Verwandlung des Gesehenen. Erst wenn der junge Ausländer sich hinsetzt und schreibt, kann die Zusammenhanglosigkeit der Dinge vielleicht überwunden werden.

Es muß in diesem Zusammenhang betont werden, daß für Malte das ,Sehen' in einer imaginativen Durchdringung der äußeren Gegenstände besteht. Kennzeichnenderweise sieht er nicht das Äußere, sondern die Innenseite der Dinge, die jeweils durch die Einwirkung seiner Phantasie modifiziert werden. Das wird schon an seiner Beschreibung alter Pariser Häuser deutlich. Oder, wie er weiter erklärt: „um genau zu sein, es waren Häuser, die nicht mehr da waren. Häuser, die man abgebrochen hatte von oben bis unten" (749). Was Malte daran auffällt, ist charakteristischerweise nicht „die erste Mauer der vorhandenen Häuser", sondern „die letzte der früheren". „Man sah ihre Innenseite", wie er es ausdrückt (ebd.), und er liest von dieser „Innenseite" den früheren Bauplan, ja sogar die frühere Geschichte der abgebrochenen Gebäude ab. Seitenlang beschreibt er das, was schon lange nicht mehr zu sehen ist, und er gibt schließlich zu, daß er nicht – wie man annehmen könnte – „lange davor gestanden" habe, sondern daß er „zu laufen begann, sobald [er] die Mauer erkannt" hat (751):

Ich erkenne das alles hier, und darum geht es so ohne weiteres in mich ein: es ist zu Hause in mir. (Ebd.)

Diese Erkenntnis, daß das Gesehene im Grunde eine Spiegelung des eigenen Inneren darstellt, steht in einem merkwürdigen Kontrast zu seiner früheren Beteuerung, daß er bei seiner Beschreibung der Häuser nicht „fälscht": „Diesmal ist es Wahrheit, nichts weggelassen, natürlich auch nichts hinzugetan." (749) Der Widerspruch löst sich erst, wenn man erkennt, daß für Malte die „Wahrheit" nicht so sehr in der äußeren Realität als in der eigenen Sicht dieser Realität liegt. Das wird schon an seiner ersten Definition des ,Sehen-Lernens' evident, wo das Sehen mehr eine innere Umarbeitung als eine äußere Wahrnehmung des Gesehenen zu sein scheint:

Ich lerne sehen. Ich weiß nicht, woran es liegt, es geht alles tiefer in mich ein und bleibt nicht an der Stelle stehen, wo es sonst immer zu Ende war. Ich habe ein Inneres, von dem ich nicht wußte. Alles geht jetzt dorthin. Ich weiß nicht, was dort geschieht. (710–711)

Als Beispiel für diese besondere Art des ,Sehens' führt er seine Gedanken über die vielen „Gesichter" an, die jeder Mensch besitzt und von denen einige jahrelang nur das eine tragen, bis es abgenutzt und schmutzig wird, während andere sie so schnell wechseln, daß ihr letztes dünn wird und „die Unterlage heraus[kommt], das Nichtgesicht, und sie gehen damit herum" (711–712). Diesen Gedanken, denen eine gewisse spielerische Phantasie nicht abzusprechen ist, folgt die Darstellung einer Frau, deren Gesicht „in den zwei Händen" blieb, so daß Malte „seine hohle Form" sehen konnte (712). Daß dieses Erlebnis sich nur in Maltes Vorstellungswelt abspielt, wird durch das vorangegangene Metaphernspiel unterstrichen; die Erzählung der Häuser, die erst drei Abschnitte später kommt, macht diese Tatsache noch deutlicher. Aber Rilke gibt sich auch an anderen Stellen Mühe, die Subjektivität der erzählten Erlebnisse hervorzuheben. Typisch dafür ist die Beschreibung des blinden Blumenkohlverkäufers, die ebenfalls – wie der Schluß des Abschnitts zum Ausdruck bringt – als Beispiel für Maltes neue Sehweise gemeint ist:

Habe ich schon gesagt, daß er blind war? Nein? Also er war blind. Er war blind und schrie. Ich fälsche, wenn ich das sage, ich unterschlage den Wagen, den er schob, ich tue, als hätte ich nicht bemerkt, daß er Blumenkohl ausrief. Aber ist das wesentlich? Und wenn es auch wesentlich wäre, kommt es nicht darauf an, *was die ganze Sache für mich gewesen ist?* Ich habe einen alten Mann gesehen, der blind war und schrie. Das habe ich gesehen. Gesehen. (748; Hervorhebung von mir).

Hier wird völlig klar, daß Malte gar nicht darauf aus ist, die Erscheinungen der äußeren Welt realistisch-impressionistisch wiederzugeben: er verfährt vielmehr selektiv und macht aus dem Vorhandenen sein eigenes Bild. Immer wieder fallen Hinweise darauf, daß das ,Sehen' schon weitgehend ,Einbildung' ist.

Je mehr er von seinem Leben in Paris erzählt, desto deutlicher wird es, daß ihm nur Teile der Wirklichkeit zugänglich sind. Der größte Teil der Aufzeichnungen seiner Pariser Zeit besteht aus Vermutungen, die Malte aufstellen muß, um seine Teilwirklichkeit zu ergänzen. So beschreibt er mit Vorliebe Gegenstände, die ihm fremd sind und die sich auf den ersten Blick nicht erschließen. Die übliche Deutung seiner Entfremdung von seiner Umgebung als Zeichen einer existentiellen Angst ist also nur die halbe Wahrheit: denn die Betonung liegt genausosehr

auf den gedanklichen Konstruktionen, durch die er die unzugängliche
Wirklichkeit ergänzt, als auf der Unzugänglichkeit dieser Wirklichkeit
selbst. Anläßlich der Krankenwagen, die in Richtung Hôtel Dieu gefahren kommen, bemerkt er zum Beispiel, daß „diese verteufelt kleinen
Wagen ungemein anregende Milchglasfenster haben, hinter denen man
sich die herrlichsten Agonien vorstellen kann" – wobei er dann hinzufügt: „dafür genügt die Phantasie einer Concierge. Hat man noch mehr
Einbildungskraft und schlägt sie nach anderen Richtungen hin, so sind
die Vermutungen geradezu unbegrenzt" (713). Seine Antwort auf das
Häßliche, auf das Mechanistische des Lebens und Sterbens in Paris ist
die Betätigung seiner Phantasie.

Seine Versuche, sich in andere Menschen einzufühlen, sind auf ähnliche Weise als Übungen der Phantasie zu verstehen. Am bekanntesten
ist vielleicht die Erzählung vom Menschen, der vor Malte auf der Straße
hüpft und den er durch das Angebot seines eigenen Willens von seinen
Anfällen retten möchte. Bezeichnend ist das von Anfang an bestehende
Gefühl, mit dem anderen Menschen verbunden zu sein. Die merkwürdigen Blicke der anderen Vorbeigehenden lassen in Malte schon „ein
wenig Angst" aufkommen (769); er möchte auf die andere Seite der
Straße gehen, aber etwas zwingt ihn, hinter dem anderen zu bleiben.
Als er schließlich im anderen die Zeichen des drohenden Anfalls erkennt, fühlt er sich „von diesem Augenblick an . . . an ihn gebunden"
(771). Die Angst des anderen vor dem Anfall spürt er jetzt auch in sich
(772); schließlich legt er sein „bißchen Kraft zusammen wie Geld" und
bittet ihn (in Gedanken), „er möchte nehmen, wenn er es brauchte"
(773). „Ich glaube, daß er es genommen hat; was konnte ich dafür, daß
es nicht mehr war." (Ebd.) Diese Ausweitung der eigenen Erfahrungs-
welt durch die Einfühlung in andere ist für Maltes Verfahrensweise in
den ›Aufzeichnungen‹ charakteristisch. Wie bei den Milchglasfenstern
der Krankenwagen sind auch sonst für Malte die „Vermutungen geradezu unbegrenzt" – daß er sich nach diesem Erlebnis wie ein „leeres
Blatt Papier" fühlt (774), läßt sich nur dadurch erklären, daß keine fest-
gelegte Auffassung des eigenen Ich die unzähligen Möglichkeiten ein-
grenzt, die sich seiner Vorstellungskraft anbieten. Das Gesehene wird
nicht vorgeformten Kategorien untergeordnet, sondern fungiert als
Anlaß zur Entfaltung seiner Phantasie.

Eine ähnliche Ergänzung der Wirklichkeit wird in der Erzählung von seinem Nachbar sichtbar, der für seine kommende Prüfung studiert. Durch die Zimmerwand hört Malte immer wieder ein merkwürdiges Geräusch, als ob nebenan ein „blecherner Gegenstand", wie etwa der Deckel einer Blechbüchse, fiele, taumelnd weiterrollte und schließlich liegen bliebe. Maltes Erklärung dieses Phänomens wird so berichtet, als ob es sich um eine feststehende Tatsache handelte, die er sich „hatte sagen lassen":

> Es berührte mich fast gespenstisch, daß das, was diesen Lärm auslöste, jene kleine, langsame, lautlose Bewegung war, mit der sein Augenlid sich eigenmächtig über sein rechtes Auge senkte und schloß, während er las. (873)

Aber es wird klar, daß es sich hier – trotz solcher Beteuerungen wie: „ich bin sicher" (ebd.) – nur um eine Vermutung handelt, mit deren Hilfe Malte die ihm entfremdete Wirklichkeit zu erklären versucht.[24] Genau wie bei dem Veitstänzer fühlt er sich in die vermutliche Situation des anderen ein: Er nimmt einfach an, daß er den Zustand des Studenten „begriffen" hat:

> Ich bin sicher, daß er wochenlang der Meinung war, man müßte das beherrschen können. Sonst wäre ich nicht auf die Idee verfallen, ihm meinen Willen anzubieten. Eines Tages begriff ich nämlich, daß der seine zu Ende sei. (873)

Nur bis zu einem gewissen Grade erkennt Malte, daß er sich das alles einbildet, indem er sich fragt, ob der Student die Augenblicke, die er

---

[24] Hoffmann, a. a. O., weist in diesem Zusammenhang auf eine Briefstelle hin, wo ein ähnliches Geräusch durch die Nervosität eines Studenten erklärt wird, der in seinem „Unwillen" „Dinge auf den Boden" wirft, „irgendwelche blecherne Dinge, die dafür gemacht waren und weiterrollten, um wieder aufgenommen und hingeworfen zu werden, wieder und wieder" (Brief vom 19. 6. 1907 an Clara; Briefe aus den Jahren 1906–1907, hrsg. von Ruth Sieber-Rilke und Carl Sieber, Leipzig 1930, S. 271–272). Hoffmann betont mit Recht, daß eine auf solchen Parallelstellen basierte „Auflösung der rätselhaften Aussagen ins Verständliche" „nicht im Sinne der Malteschen Darstellung" ist (a. a. O., S. 204); vielmehr kommt hier die „ganz andere Auffassung der Dinge" (Malte) zum Ausdruck, die sich in Malte herausgebildet habe (ebd., S. 205). Unsere Deutung solcher Stellen unterscheidet sich von Hoffmanns in der Akzentuierung: während Hoffmann sie schon als Ansätze zur objektiven Dichtung bewertet, sehen wir sie vielmehr als Belege für Maltes noch bestehende subjektive Befangenheit.

durch den ‚geliehenen‘ Willen Maltes gewonnen hat, fürs Lernen aus-
nutzen könne. Seine eigenen Kraftausgaben genügen, um ihn von der
Richtigkeit seiner Vorstellungen zu überzeugen. Erst gegen.Ende des
Abschnitts fallen einige Bemerkungen, die darauf hinweisen, daß die
ganzen erzählten Vorgänge in Maltes Einbildung zurechtgelegt werden.
So heißt es, daß es Malte „schien", als trete man bei seinem Nachbar
ein; es sei „möglich", daß seine Tür mehrmals geöffnet würde; ein gewisses Geräusch „mußte seine Türe sein"; es „kam . . . [Malte] vor", als
nähere sich ein Mensch im Gang (874). Aber die Stille, die sich dann
einstellt, wird wiederum von Malte gedeutet, als ob er etwas wüßte,
was er nicht wissen kann:

> Lieber Gott, dachte ich, seine Mutter ist da. Sie saß neben dem Licht, sie
> redete ihm zu, vielleicht hatte er den Kopf ein wenig gegen ihre Schulter gelegt.
> Gleich würde sie ihn zu Bett bringen. Nun begriff ich das leise Gehen draußen
> auf dem Gang. Ach, daß es das gab. So ein Wesen, vor dem die Türen ganz
> anders nachgeben als vor uns. Ja, nun konnten wir schlafen. (875)

Nur die Wendung „dachte ich", das Wort „vielleicht" und der Kon-
junktiv im dritten Satz deuten an, daß es sich hier um Vermutungen
handelt; Malte zieht seine Schlüsse, als ob die von ihm ausgemalte
Szene Wirklichkeit wäre.

Paradoxerweise leitet Malte diese Erzählung aber genauso ein, wie er
die Erzählung der abgebrochenen Häuser einleitete, indem er zu verstehen gibt, daß es sich hier um „Tatsachen" handelt, welche er – „den Vermutungen gegenüber" – als „einfach und erleichternd" kennzeichnet
(870). Diese Abgrenzung der Tatsachen gegen die Vermutungen bezieht
sich nicht nur auf die Erzählung vom Studenten, sondern auch auf die
unmittelbar vorangehende Erzählung von Nikolaj Kusmitsch, der seine
Zeit „in Kleingeld" wechselte, nur um zu erfahren, daß er dadurch ‚be-
trogen‘ wird. Der ganze Abschnitt fängt mit der Beschreibung eines
Wesens an, „das vollkommen unschädlich ist, wenn es dir in die Augen
kommt", sich aber „verheerend" entwickelt, „sobald es dir . . . unsichtbar auf irgendeine Weise ins Gehör kommt" (863). Dieses Wesen ist –
wie Malte erklärt – der Nachbar. Er behauptet, er könne die Geschichte
seiner Nachbarn schreiben, welche ein Lebenswerk sein könnte; aber es
wäre auch, wie er hinzufügt, „mehr die Geschichte der Krankheitser-
scheinungen, die sie in mir erzeugt haben" (864). Wiederum, wie im

Falle des Blumenkohlhändlers, gibt Malte hier zu, daß die Geschichten nur in der Bedeutung wichtig sind, die sie für ihn haben. Er erzählt weniger die Geschichte seiner Nachbarn als die Geschichte seiner eigenen Reaktionen. Wie im Falle des Medizinstudenten, über den er die ,Tatsachen' von anderen gehört haben will, behauptet er auch hier, daß er wahrscheinlich noch merkwürdigere Vorstellungen gehabt hätte, wenn er nicht von einem Studenten, der Nikolaj Kusmitsch manchmal besuchte, die Geschichte seines Nachbarn erfahren hätte – „eine wörtliche, eindeutige Geschichte, an der die vielen Würmer meiner Vermutungen zugrunde gingen" (865). Aber die Geschichte von Nikolaj Kusmitsch, der von seinem anderen Selbst die ihm noch verbleibenden Jahre seines Lebens in Minuten verwandeln läßt, die aber noch schneller vorbeizugehen scheinen, als die Jahre es getan hatten, und der schließlich in seiner Verzweiflung im dunklen Zimmer sitzt und die „wirkliche Zeit" vorüberziehen spürt (869) und nachher auf seinem Bett liegt und beruhigende Gedichte hersagt – diese Geschichte entspricht nicht dem, was man normalerweise unter ,Tatsachen' versteht. Angesichts der Betonung, die das Motiv der Vermutungen in den Geschichten der beiden Nachbarn erhält, können die beiden Gestalten kaum als „nur eine Chiffre für das wehrlose Ausgesetztsein seiner eigenen [Maltes] Existenz" gedeutet werden;[25] vielmehr bezeugen sie Maltes Bemühungen, aus seiner subjektiven Vorstellungswelt auszubrechen und die ,Tatsachen' zu ergründen. Insofern unterscheiden sich diese beiden Geschichten aus dem zweiten Buch von der Geschichte des Veitstänzers, die im ersten Buch eine Parallele zum Motiv des Sich-Einfühlens in andere Menschen bildet. Seine Versuche, sich das Leben der Nachbarn vorzustellen, bleiben erfolglos, wie er schließlich erkennen muß:

> Man kann sich mit Leichtigkeit ein beliebiges Zimmer vorstellen, und oft stimmt es dann ungefähr. Nur das Zimmer, das man neben sich hat, ist immer ganz anders, als man es sich denkt. (876)

An solchen Beispielen erkennt man, wie sehr das ,Sehen-Lernen' mit dem Einbilden verbunden ist. Denn die äußere Wirklichkeit – und somit die ,Tatsachen' – sind für Malte unzugänglich; er kann in seinen

[25] Buddeberg, a. a. O., S. 179.

Aufzeichnungen nur das beschreiben, was sie „für mich gewesen" sind,
oder die „Krankheitsgeschichten" wiedergeben, die sie „in mir erzeugt" haben. Andere Menschen interessieren ihn hauptsächlich, insofern er sich in sie einfühlen kann, die äußere Wirklichkeit ist für ihn in
erster Linie da, um von ihm durch die Phantasie ergänzt zu werden.
Aber nicht nur die Außenwelt ist für Malte unzugänglich, auch die
Kontinuität seiner eigenen Erfahrung scheint ihm nicht gesichert. Unter diesem Aspekt ist sein Entschluß zu sehen, die Kindheit „noch einmal zu leisten". Es handelt sich hier nicht um ein sentimentales Sich-
Vertiefen in das Leiden der Kindheit, sondern um einen Versuch, durch
die Erschließung von Erinnerungen neue Wege der Gestaltung zu eröff-
nen. Mehrmals betont er, daß er „ohne Erinnerungen" zu sein scheint:

> Hätte man doch wenigstens seine Erinnerungen. Aber wer hat die? Wäre die
> Kindheit da, sie ist wie vergraben. Vielleicht muß man alt sein, um an das alles
> heranreichen zu können. Ich denke es mir gut, alt zu sein. (721)

Er stellt sich vor, wie es gewesen wäre, wenn er eine eigene Wohnung
hätte mit eigenen Möbeln: „Ich hätte viel geschrieben, denn ich hätte
viele Gedanken gehabt und Erinnerungen von Vielen." (746) Aber es
hilft nicht, die Kindheitserinnerungen einfach wieder ins Gedächtnis
zu rufen, denn sie sind „immer noch so schwer . . . wie damals" und es
hat scheinbar „nichts genützt, älter zu werden" (767). Solange es nämlich nur ein „ganzes Gewirr irrer Erinnerungen" ist (766), kommt
Malte sich wie verloren vor, er gerät in Angstzustände und hat das Gefühl, daß „alles unsagbar ist" (767). Denn die Erinnerungen sind für
Malte ohne Einbildungskraft nicht zu bewältigen: ja, sie sind eine wichtige Voraussetzung für die Entfaltung der Einbildungskraft. Auch die
Erinnerungen müssen durch die Phantasie neu gestaltet werden.
    Das wird schon an der ersten Erzählung aus der Kindheit sichtbar,
wo Malte zum erstenmal ‚zusammenhängend‘ erzählt (es handelt sich
um die Geschichte von der „Familie" in Urnekloster und von der Erscheinung Christine Brahes, die schon im zweiten Entwurf zum Eingang des Romans festgehalten wurde). Ausgangspunkt des Abschnitts
ist das „merkwürdige Haus" (729), wo sein Großvater Brahe gelebt
hat, das Malte seit seiner Kindheit nie wieder gesehen hat:

> So wie ich es in meiner kindlich gearbeiteten Erinnerung wiederfinde, ist es
> kein Gebäude; es ist ganz aufgeteilt in mir; da ein Raum, dort ein Raum und hier

ein Stück Gang, das diese beiden Räume nicht verbindet, sondern für sich als Fragment, aufbewahrt ist. (Ebd.)

Obgleich er sich an viele Einzelheiten erinnert, die er ziemlich genau beschreiben kann, hat er den Zusammenhang verloren, der diese Einzelheiten verbindet. Er hat das Gefühl, als existiere das Haus nur mehr „aufgeteilt" in seinem Gedächtnis. Den einzigen Saal, von dem er behauptet, daß er „ganz in [seinem] Herzen erhalten" sei, muß er trotzdem in seiner Phantasie neu konstruieren: Er weiß nicht mehr, ob er Fenster hatte, er „vermutet" nur, daß er gewölbt war; er hat allein die Erinnerung an seine damaligen Reaktionen auf die unheimliche Höhe des Saales behalten, von denen her er die eigentliche Beschaffenheit des Saals erschließt.

Mit dieser Beschreibung verwandt ist die Erzählung eines Erlebnisses, das sich schon in seiner Kindheit abspielte. In diesem Fall handelt es sich aber um ein Haus, das eigentlich nicht da ist, obgleich sowohl Malte als auch seine Mutter so tun, als ob es noch da wäre: denn „für uns alle war es in diesem Augenblick da" (838). Sie steigen die Treppe hinauf, die zur Terrasse führt, und erkennen erst die Nicht-Existenz des Hauses, als sie von dem danebenstehenden Haus, wo sie eigentlich Besuch abstatten wollen, Rufe hören. Sie werden von ihren Gastgebern ausgelacht, aber Malte und seine Mutter halten noch daran fest, daß das Haus doch eben da war (ebd.). Überhaupt interessieren sich Mutter und Sohn viel mehr für das, was „nicht da" ist, als für die ,objektive Wirklichkeit'.

Unter diesem Aspekt läßt sich der Umgang mit Gespenstern erklären, der in der ganzen Familie verbreitet zu sein scheint. Immer wieder staunt Malte darüber, daß auch die „großen deutlichen Menschen" sich „mit etwas Unsichtbarem beschäftigen" und zugeben, „daß etwas da war, was sie nicht sahen" (841). In solchen Fällen wird das eigentlich nur Eingebildete Wirklichkeit – eine Wirklichkeit, auf die man reagiert, als wäre sie sichtbar (oder in einem Fall riechbar). Maltes Mutter erzählt ihm gern von dem Erscheinen der verstorbenen Ingeborg (man nimmt an, daß es sich um eine Schwester der Mutter handelt), wo sogar der Hund so tut, als wäre sie wie immer mit der Post zum Nachmittagstisch zurückgekommen: „er begann rund herum zu springen, . . . um etwas, was nicht da war, und dann hinauf an ihr, um sie zu lecken, gerade hinauf" (791). Auch die anwesenden Familienmitglieder scheinen

fast glauben zu wollen, daß Ingeborg wieder erschienen sei. Auf Uls-
gaard erscheint zweimal das Gespenst der Christine Brahe, wobei bei
der zweiten Erscheinung das Sichtbarmachen des Unsichtbaren thematisch wird. Hier ist es der kleine Erik – der dazu bestimmt ist, früh zu
sterben, und daher eine besondere Beziehung zu den Toten hat –, der
diese Verhältnisse beleuchtet. Denn als Malte den Versuch macht, sich
Christine Brahe vorzustellen, entdeckt er, daß ihr Bild in der Bilderga-
lerie des Hauses nicht vorhanden ist. Erik erzählt ihm, daß man gerade
dabei sei, das Bild zu suchen, weil Christine „sich sehen" möchte; statt
dessen bringt er ihr aber einen Spiegel, der als Ersatz für das verlorengegangene Bild fungieren soll (816). Aber der Spiegel, der ja für Rilke die
„andere Seite" der Wirklichkeit darstellt,[26] zeigt Christines Bild nicht,
und Erik erklärt altklug: „Man ist entweder drin . . ., dann ist man
nicht hier; oder wenn man hier ist, kann man nicht drin sein." (817) Solange Christine also als Gespenst im Hause herumirrt und sich mit dem
noch lebenden Erik in Verbindung setzen kann, ist es ihr unmöglich, an
der Spiegelwelt teilzuhaben. Trotz der rätselhaften Erklärungen Eriks
bleibt aber das Verhältnis von Sichtbarem und Unsichtbarem, das an
der Halbwirklichkeit Christines verdeutlicht werden soll, für Malte im
Unklaren; auch für den Leser gibt die Stelle manches Rätsel auf, da sie
ausschließlich aus der Kindheitsperspektive erzählt wird, ohne durch
spätere ‚Vermutungen' ergänzt zu werden.

Einen Gegensatz dazu bildet der darauffolgende Abschnitt, dessen
Wechsel zur Erwachsenenperspektive die Lückenhaftigkeit des voran-
gegangenen in ein schärferes Licht stellt. Auch hier kommt das Motiv
des „Bildes" vor, diesmal aber im Zusammenhang mit Erik selbst.
Malte erinnert sich, daß sein Großvater Eriks Bild malen ließ, wahrscheinlich weil man schon vermutete, er würde früh sterben. Wie der
Maler aussah und wie er hieß, ist Malte entfallen, aber er beschäftigt
sich mit dem Gedanken, ob er Erik so gesehen habe, wie Malte ihn
noch (in der Einbildung) sieht (818). Maltes jetzige Vorstellung von
Erik wird nun auf eine merkwürdig indirekte Weise beschrieben. Wiederholt fangen die Sätze mit den Worten an: „nehmen wir an": nehmen

---

[26] Die Vorstellung der „anderen Seite der Natur" kommt hauptsächlich in
dem Prosastück „Erlebnis" vor (SW, VI, 1038). Zum Spiegelmotiv vgl. das
„Spiegelsonett" (SW, I, 752).

wir an, daß er ein richtiger Maler war, daß er „die Sache gar nicht sentimental ansah", daß er die Wirklichkeit so darstellte, wie sie war, ohne sie zu entstellen; „Nehmen wir sonst noch alles Nötige an und lassen es gelten: so ist ein Bild da, dein Bild, in der Galerie auf Urnekloster das letzte" (ebd.). Aber das Bild, von dem hier die Rede ist, ist gar nicht das wirkliche Bild, das damals gemalt wurde, sondern ein Bild, das nur in Maltes Vorstellungen existiert und das er gerade auf diese indirekte Weise beschrieben hat. Wie so oft nehmen auch hier die Vorstellungen überhand und lassen die Wirklichkeit zu einer blassen Spiegelung von sich selber werden. Das Erinnerte bildet nur den Ausgangspunkt für eine völlig neue Konstruktion, die sich von der vergangenen Wirklichkeit loslöst und eine selbständige Existenz erhält.

Die Sichtbarmachung des Unsichtbaren und die phantasievolle Ergänzung des Lückenhaften ist aber nur ein Aspekt der Erinnerungsthematik. Noch wichtiger – obgleich damit verbunden – ist die Funktion der Erinnerungen als Voraussetzung für Maltes Erzählversuch. Zwei Hauptgestalten spielen bei der Erschließung der Erinnerungen eine wichtige Rolle: der mütterliche Großvater Graf Brahe und Maltes Tante Abelone, die jüngere Schwester seiner Mutter. Es wird wohl nicht zufällig sein, daß Malte, Abelone und Graf Brahe drei Generationen derselben Familie darstellen, so daß die Erzählung auf diese Weise bis in eine Zeit zurückreicht, die weniger ,fragmentiert' war als Maltes eigene Gegenwart. Abelone, die an Maltes verstorbene Mutter erinnert, deren Bild in Maltes Erinnerung etwas verschwommen ist, bildet eine Brücke zwischen Vergangenheit und Gegenwart. Sie stellt aber auch die Verbindung zur entfernteren Vergangenheit dar, denn erst unter ihrem Einfluß lernt Malte wirklich lesen und macht eine Phase durch, wo er wahllos alles mögliche verschlingt. Einige Erzählungen aus seiner damaligen Lektüre werden im zweiten Teil des Romans wiedergegeben. So wird am Verhältnis zwischen Malte und Abelone die Verbindung von Erzählen und Erinnern evident.

Über Abelone wird auch sein Vorbild des Erzählens vermittelt. Aber obgleich Malte ihr fast alles verdankt, was er über seinen Großvater und die Mädchenzeit seiner Mutter weiß, hat Abelone selber keine Fähigkeit zum Erzählen (844). Diese Fähigkeit wird – wie schon erwähnt – durch die Gestalt des Großvaters exemplifiziert. Dabei wird es klar, daß das ,Erzählen' vor allem vom Vermögen des Erzählenden abhängt,

sich Vergangenes (und auch Zukünftiges) unmittelbar zu vergegenwärtigen. Bezeichnend dafür ist die Tatsache, daß der Großvater kein Bewußtsein von Vergangenheit oder Zukunft hat: für ihn ist alles einfach
Gegenwart:

> Die Zeitfolgen spielten durchaus keine Rolle für ihn, der Tod war ein kleiner
> Zwischenfall, den er vollkommen ignorierte, Personen, die er einmal in seine
> Erinnerung aufgenommen hatte, existierten, und daran konnte ihr Absterben
> nicht das Geringste ändern. (735)

So erklärt es sich, daß das Gespenst der Christine Brahe, das einmal
beim Familienessen erscheint, für ihn einen anderen Wirklichkeits-
grad besitzt als für die anderen Anwesenden. Während Maltes Vater
erschreckt aus dem Saal stürzt, besteht der Großvater darauf, daß Christine „das Recht hat, hier zu sein" (738). Nicht nur Tote, auch Unge-
borene besitzen für ihn die gleiche Wirklichkeit wie die gegenwärtig
Lebenden: er erzählt zum Beispiel einer jungen Frau von ihren Söhnen,
„von den Reisen eines dieser Söhne insbesondere", während die junge
Frau, „eben im dritten Monate ihrer ersten Schwangerschaft, fast besin-
nungslos vor Entsetzen und Furcht neben dem unablässig redenden Alten saß" (735). Graf Brahe diktiert, wie wir am Anfang dieser Arbeit
angedeutet haben, seine Memoiren – aber kennzeichnenderweise handelt es sich nicht um politische oder militärische Erinnerungen, „wie
man mit Spannung erwartete" (846), sondern um Erinnerungen an die
Kindheit. Aber auch er ist sich dessen bewußt, daß seine Schriften nicht
die Gleichzeitigkeit seiner Erinnerungen wiedergeben können. Er
findet nämlich das Schreiben „zu langsam für seine Erinnerungen",
und er gibt bald das Diktieren für immer auf. Ob das von ihm erstrebte
‚zeitlose' Erzählen überhaupt möglich wäre, muß freilich dahingestellt
werden. Es handelt sich aber hier um einen Übergang von der Zeit, wo
eine solche Vorstellung des ‚Erzählens' noch möglich war, zu der Zeit,
wo sie zum erstenmal fraglich erscheint.

Wenn man sich nun Maltes eigenen Kindheitserinnerungen zuwendet, so stellt sich heraus, daß dem Motiv des Erzählens ein großes
Gewicht zukommt – aber im Gegensatz zum Erzählen des Großvaters
besteht es jetzt weitgehend in der Betätigung der Phantasie. Das wird
besonders an seinem Verhältnis zu seiner Mutter evident, wo Szenen über-
wiegen, in denen die Phantasie des Kindes sich entfaltet. Dem Vorlesen

überlieferter Kindermärchen ziehen Malte und seine Mutter das Austauschen eigener Erinnerungen vor; als Beispiel für solche Erinnerungen führt Malte die Zeit an, wo er spielte, er sei die von der Mutter erwünschte Tochter Sophie (800). Auch später beteuert er, Sophie sei nicht gestorben, obgleich er in seiner Malte-Rolle „freilich keine Auskunft" darüber geben kann (801). Eine einzige Ausnahme, wo das Erzählen der Mutter dem großväterlichen Modell nahekommt, ist die Erzählung von Ingeborg, die Malte immer wieder zu hören verlangt. Denn Ingeborg, die er sich trotz noch so detaillierter Beschreibungen nicht vorstellen kann (786), kann er bei der Erzählung seiner Mutter „sehen" (ebd.). Es handelt sich um die schon kommentierte Geschichte von der Erscheinung Ingeborgs kurz nach ihrem Tode, wo der Hund sie gegrüßt hat, als ob sie wie immer da gewesen wäre. Diese Erzählung versetzt sogar die sonst kränkliche Mutter in einen Zustand, in dem sie sich über ihre Neurose zu erheben scheint:

> Wenn sie aber von Ingeborg erzählte, dann konnte ihr nichts geschehen; dann schonte sie sich nicht; dann sprach sie lauter, dann lachte sie in der Erinnerung an Ingeborgs Lachen, dann sollte man sehen, wie schön Ingeborg gewesen war. (787)

Bei solchen Erzählungen kann sie, wie es auch der Großvater tun konnte, das Vergangene vergegenwärtigen und für den Hörer ‚sichtbar‘ machen. Aber sonst überwiegt die Phantasie, die über das ‚wirklich‘ Vorhandene hinausgeht. Besonders aufschlußreich ist in diesem Zusammenhang der Abschnitt, der von der gemeinsamen Betrachtung alter Spitzenstücke handelt. Unser erster Eindruck ist, daß wir es hier mit einer etwas übertriebenen Empfindsamkeit zu tun haben. Aber allmählich geht die Bewunderung der Spitzenbahnen in die Einbildung über: wie so oft ist der Gegenstand selbst nur insofern von Bedeutung, als er die Einbildungskraft anregt und von ihr verwandelt wird. Die Spitzenstücke verwandeln sich in Gebäude und Gartenanlagen, durch die die beiden Betrachtenden zu wandern scheinen[27]:

---

[27] Daß diese Stelle in ihrer Stilisierung an den Jugendstil erinnert, ist nicht ganz zufällig; wie bei der Stelle vom „kleinen Mond" zeigt sie, wie weit die Umgestaltung der Wirklichkeit unter dem Einfluß der bildenden Kunst fortgeschritten ist. Die Sentimentalität der Stelle zeigt aber auch, daß sie kaum als Ansatz zu

Dann war auf einmal eine ganze Reihe unserer Blicke vergittert mit venezianischer Nadelspitze, als ob wir Klöster wären oder Gefängnisse. Aber es wurde wieder frei, und man sah weit in Gärten hinein, die immer künstlicher wurden, bis es dicht und lau an den Augen war wie in einem Treibhaus: prunkvolle Pflanzen, die wir nicht kannten, schlugen riesige Blätter auf, Ranken griffen nacheinander, als ob ihnen schwindelte, und die großen offenen Blüten der Points d'Alençon trübten alles mit ihren Pollen. (835)

Eine solche Stelle, wo das tatsächlich Vorhandene durch die Phantasie in etwas anderes verwandelt wird, beleuchtet die frühere Behauptung Maltes, daß er und seine Mutter von den in herkömmlichen Märchen vorkommenden „Verwandlungen in etwas anderes" nicht viel erwarteten und statt dessen im Natürlichsten das Wunderbarste fanden (799). Denn das Wunderbare im Märchen ist schon festgelegt, es läßt sich nur geringfügig abwandeln oder ausmalen, während die Dinge des alltäglichen Lebens – und vor allem die gemeinsamen Erinnerungen – als Anregung für die unbegrenzte Übung der Phantasie dienen können.

Trotz der wesentlichen Rolle, die die Phantasie während Maltes Kindheit spielt, ist für ihn schon das Erzählen problematisch geworden. Es gibt nämlich Dinge, die nicht erzählt werden können. Kennzeichnend dafür ist sein Erlebnis der Entfremdung von der eigenen Hand, die, während er unter dem Tisch einen gefallenen Bleistift sucht, ihm plötzlich wie ein Wassertier vorkommt. Als er dann die merkwürdigen, tastenden Bewegungen der Hand mit den Augen verfolgt, kommt ihr plötzlich eine andere Hand entgegen, „eine größere, ungewöhnlich magere Hand, wie ich noch nie eine gesehen habe" (795). Damals hat der kleine Malte nicht davon erzählen können, weil er es nicht ausdrücken konnte, „so daß es einer begriff" (796). Nur einmal, unter dem Einfluß der Erzählung seiner Mutter von Ingeborg, hat er das Gefühl, davon erzählen zu können, aber er hat Angst davor, sie könne dabei die unheimliche Hand ‚sehen'. Eine Zeitlang spielt er mit dem Gedanken, die Geschichte dem kleinen Erik anzuvertrauen, aber er kommt nie dazu. Dieses kindliche Gefühl der Unmöglichkeit des Erzählens deutet auf die spätere Problematik des jungen Dichters voraus. Erst im Rahmen der ›Aufzeichnungen‹ kann er von diesem Erlebnis

einer ‚objektiv' zu verstehenden künstlerischen Verwandlung des Gesehenen gedeutet werden kann.

erzählen, und zwar, wie er selber betont, „schließlich auch nur mir selber" (792). Eine enge Verwandtschaft mit dieser Szene weist auch das bekannte Spiegel-Erlebnis auf, wo Malte, der auf dem Dachboden alte Kostüme anprobiert, von dem plötzlichen Anblick seines Spiegelbildes erschreckt wird, wie verrückt davonrennt und zum Erstaunen der Dienerschaft, die das Ganze für einen Spaß hält, ohnmächtig hinfällt (807–809). Genauso wie er nach der Hand-Episode keine Worte fand, um sein Erlebnis zum Ausdruck zu bringen, ist es ihm auch hier unmöglich, seine Angst auszusprechen. Er kniet vor den Dienern und fleht, aus Kostüm und Maske gelöst zu werden: „aber sie hörten es nicht; ich hatte keine Stimme mehr" (809). In beiden Fällen handelt es sich um die Verselbständigung der Phantasie, die von dem Kinde nicht durch das Erzählen gebannt werden kann.

Während in diesen Fällen die ›Aufzeichnungen‹ eine erste Gelegenheit des Erzählens bieten, läßt sich die Erzählproblematik wiederum an Maltes Versuch erkennen, Erzählungen wiederzugeben, die er als Kind gelesen hat. Im zweiten Teil der ›Aufzeichnungen‹ spielt ein gewisses ‚grünes Buch', das er einmal als Kind besessen, aber seither verloren hat, eine große Rolle. Malte macht keinen Versuch, den Inhalt dieses Buchs nachzuerzählen, er ist auch nicht ganz sicher, ob er je das ganze Buch durchgelesen hat. Er erinnert sich nur an zwei Geschichten, die darin enthalten waren: das Ende des Grischa Otrepjow und Karls des Kühnen Untergang (882).[28] Diese Geschichten gilt es nun zu erzählen;

[28] Die erste dieser Geschichten, das Ende des Grischa Otrepjow, wird von Fritz Martini (in: Das Wagnis der Sprache. Interpretationen deutscher Prosa von Nietzsche bis Benn, Stuttgart 1954, S. 133–175) ausführlich kommentiert, der nicht nur diese Geschichte dem Gesamtzusammenhang des Romans zuordnet, sondern auch die stilistischen Einzelheiten der Erzählweise eingehend untersucht. Dabei unterscheidet sich seine Deutung von der hier versuchten in der Akzentuierung, die der Einbildungskraft und dem Spiel mit Möglichkeiten gegeben wird. Was wir als einen hypothetischen Erzählstil bezeichnen möchten, wird von Martini als „zurückhaltendes Sprechen" gesehen (S. 167), dessen Ziel es sei, „das richtige Erkennen" zutage zu fördern (S. 173). Was wir eher als phantasievolle Ergänzung des nur lückenhaft Erinnerten betrachten, faßt Martini als „schöpferisches Einbilden" auf, als „Ein-Bilden der Wahrheit in diesen historischen Vorgang" (S. 174). Mit anderen Worten: Martini sieht die Geschichte als positives Zeugnis für Maltes schöpferische Fähigkeit – allerdings „nur ein Ver-

aber es fällt dabei auf, wie sehr das Erzählen eine Umgestaltung der ‚Wirklichkeit' voraussetzt. Die Verwirrung des Lesers in diesen Abschnitten rührt hauptsächlich daher, daß die Geschichten gar nicht zusammenhängend erzählt werden; vielmehr werden nur diejenigen Szenen wiedergegeben, die Malte besonders angehen. Noch dazu wird das Erzählen immer wieder unterbrochen durch Bemerkungen, die darauf hinweisen, daß das Erzählte nur eine Hypothese darstellt. Nach seinen ersten Überlegungen zur Geschichte des falschen Zaren schreibt Malte zum Beispiel folgendes:

> Ich kann natürlich nicht dafür einstehen, wie weit das alles in jener Geschichte berücksichtigt war. Dies, scheint mir, wäre zu erzählen gewesen. (883)

Der Rest der Geschichte wird dann ausdrücklich in der Form einer Hypothese erzählt, und zwar einer Hypothese nicht so sehr darüber, wie sie im grünen Buch erzählt wurde, sondern wie sie hätte erzählt werden können. Malte fährt fort:

> Es wäre jetzt ein Erzähler denkbar, der viel Sorgfalt an die letzten Augenblicke wendete; er hätte nicht unrecht. (Ebd.)

Dann beschreibt er, was zu erzählen wäre, leitet aber den Schluß der Geschichte mit den schon am Anfang dieser Arbeit zitierten Worten ein:

> Bis hierher geht die Sache von selbst, aber nun, bitte, einen Erzähler, einen Erzähler. (884)

An solchen Beispielen läßt sich erkennen, daß es beim Nacherzählen der Geschichten aus dem grünen Buch nicht, wie Hoffmann beweisen möchte, um eine Steigerung von Maltes Fähigkeit bis zu einem Punkt geht, wo er wirklich ‚dichten' kann, noch, wie Martini behauptet, um den „Ernst sich behutsam annähernder Benennung", deren Ziel im „Aussprechen des wahren Seins" liege,[29] sondern daß hier vielmehr ge-

---

such in der Perspektive auf das Unerreichbare" (S. 175), aber trotz dieser Einschränkung doch als eine Übertragung des Wirklichen „in eine neue Ebene seines wahrhaftigen Da-Seins" (S. 165). Im Gegensatz dazu möchten wir – wie die untenstehende Analyse der Erzählung verdeutlicht – das Hypothetische und subjektiv Bezogene dieser Geschichte hervorheben.

[29] Ebd., S. 167, 174.

rade die ‚Krise des Erzählens' zum Ausdruck kommt. Das Erzählen kann keine zeitlose Ganzheit heraufbeschwören, wie das zur Zeit des Großvaters noch der Fall war, sondern es kann nur indirekt, auf dem Wege der Hypothese erzählt werden.

Auch in einem anderen Sinne lassen sich die Erzählungen aus dem grünen Buch nicht als ‚objektives Erzählen' beschreiben. Denn die beiden Geschichten – die Geschichte eines Mannes, der eine Maske trug (Grischa Otrepjow), und die eines Mannes, der „sein ganzes Leben lang Einer war" (Karl der Kühne; 884) – weisen einen unverkennbaren Bezug zu Malte auf, insofern sie die Identitätsproblematik des jungen Dichters beleuchten, der sich am Anfang des Romans als ein „Nichts" bezeichnete. Der falsche Zar, Grischa Otrepjow, hat nämlich jahrelang gleichsam eine Maske getragen, die aber so überzeugend gewesen war, daß sogar die Zarin-Mutter eine Zeitlang in ihm ihren Sohn zu erkennen meinte. Bei seinem nächtlichen Sprung aus dem Fenster, wo er selber nahe daran ist, seine wahre Identität zu bekennen, glauben die Wachen noch, daß er der Zar ist, bis dann die Stimme der Zarin-Mutter gehört wird, die ihn jetzt verleugnet. Als man ihn ersticht, versucht man „auf das Harte einer Person [zu] stoßen" (884), aber er ist eigentlich nur mehr Maske, ja, die Maske überdauert ihn noch drei Tage nach dem Tode. Er ist mit anderen Worten – wie Malte – ein „Nichts" gewesen, aber gerade in diesem Nichts-Sein lag für ihn die Möglichkeit, sich in einen anderen zu verwandeln. Malte kommentiert: „Ich bin nicht abgeneigt zu glauben, die Kraft seiner Verwandlung hätte darin beruht, niemandes Sohn mehr zu sein." (882) Und später, zwischen der Verleugnung seiner Mutter und dem Pistolenschuß der Wachen – in dem Augenblick vor dem Tode also, wo dieses Nicht-Sein entlarvt wird –, „war noch einmal Wille und Macht in ihm . . ., alles zu sein" (884). – Karl der Kühne ist in der Festigkeit seiner Identität das genaue Gegenteil zum falschen Zaren. Auch wenn er gegen Ende seines Lebens glauben möchte, daß er Kaiser sei, überzeugt er sich selbst eigentlich nicht: „sein Blut glaubte ihm nicht, . . . es war ein mißtrauisches Blut" (886). Am Dreikönigstag wird er vermißt, und der ganze Hof macht sich auf den Weg, ihn zu suchen. Durch sein Verschwinden verfestigt sich aber seine Identität mehr denn je: „Nie vielleicht war der Herzog so wirklich in jeder Einbildung wie in jener Nacht" (887), ja, mehr noch: „es fror diese Nacht, und es war, als fröre auch die Idee, daß er sei; so hart

wurde sie" (ebd.). Schließlich findet man eine Leiche, die so sehr entstellt ist, daß die Gesichtszüge nicht mehr zu erkennen sind; an äußeren
Merkmalen – einer Narbe, zwei Abszessen, einem eingewachsenen Na-
gel – glaubt man aber mit einiger Sicherheit den Herzog identifiziert zu
haben. Aber die „Idee" des Herzogs, die in der „Einbildung" der Be-
völkerung sich entwickelt hat, bleibt weiterhin überzeugender als die
gefundene Leiche, und die Aufbahrung des Herzogs kommt seinem
treuen Narren wie eine Maskerade vor: „Der Tod kam ihm vor wie ein
Puppenspieler, der rasch einen Herzog braucht." (890) Bei aller Gegensätzlichkeit der Thematik von wirklicher und unwirklicher Identität
zeigen diese beiden Geschichten die Bedeutung, die für Malte den Vorstellungen zukommt: denn die „Verwandlung" des falschen Zaren liegt
in seiner Fähigkeit, andere von der teilweise auch von ihm selber einge-
bildeten Rolle zu überzeugen; beim Herzog dagegen, dessen wirkliche
Identität etwas fester steht, kann sogar die eigene Einbildung (die Vorstellung, daß er Kaiser sei) nicht den Glauben an ihn untergraben, der
in anderen auch nach seinem Tode weiterlebt. In diesem Sinne erheben
die Geschichten aus dem grünen Buch keinen Anspruch darauf, historische Gegebenheiten ‚objektiv' wiederzugeben; sie sind vielmehr in
ihrer Behandlung der Identitätsproblematik wesentlich subjektiv bezogen und projizieren nur verschiedene Aspekte von Maltes eigenem
Selbstverständnis in die erinnerten Geschichten.[30]

Die Vorstellung der Erzählung als Spiegelung der eigenen Probleme
läßt sich durch den ganzen Roman hindurch verfolgen. Sie kommt besonders deutlich in den Abschnitten über Abelone zum Ausdruck, vor
allem in der lyrischen Stelle über die Wandteppiche der Dame à la
licorne. Diese Beschreibung ist eigentlich für Abelone gemeint; obgleich
sie nicht da ist, „bildet" Malte sich „ein", daß sie mit ihm die sechs
Teppiche der Reihe nach betrachtet (826). Seine phantasievolle Beschreibung der Teppiche erinnert in mancher Hinsicht an die schon bespro-

---

[30] Vgl. die Geschichte vom König Karl VI., mit dem sich Malte ausdrücklich
vergleicht: „Ich weiß, wenn ich zum Äußersten bestimmt bin, so wird es mir
nichts helfen, daß ich mich verstelle in meinen besseren Kleidern. Glitt er [der
König] nicht mitten im Königtum unter die Letzten?" (905). Die damit ver-
knüpfte Geschichte von Jacob und Cahors läßt sich auch unter dem Aspekt der
Identitätsproblematik verstehen, wie die Abhängigkeit des Papstes von den
eigenen Wachsbildnissen bezeugt (914).

chene Beschreibung der Spitzenstücke. Man hat schon darauf hingewiesen, daß Rilke die Teppiche nicht in der ursprünglichen Reihenfolge
beschreibt, sondern sie neu ordnet, um eine Art von Geschichte daraus
zu machen. Wie sonst ist hier die Verwandlung durch die Phantasie
wichtiger als der objektive Sachverhalt. Auch hier hat die Erzählung
einen hypothetischen Charakter, der durch häufige Fragen hervorgehoben wird: daraus wird ersichtlich, daß sich der Einbildungskraft des
Dichters eine Fülle von Interpretationsmöglichkeiten anbietet, zwischen denen nicht zu unterscheiden ist. Er beschreibt nicht ,objektiv'
das, was zu sehen ist, sondern versucht, Motivationen und Deutungen
in die Teppichbilder hineinzulesen. Er fragt zum Beispiel, warum das
kleine Kaninchen springt, ob der Löwe das Banner hält oder sich an das
Banner hält, ob dessen Haltung als Trauer gedeutet werden könne, ob
die Jungfrau sich hingesetzt hat, weil sie müde ist oder weil sie etwas
Schweres („man könnte meinen, eine Monstranz") in der Hand hält
(828–829). Die künstliche Anordnung der Teppiche schließt mit dem
Bild von Einhorn und Jungfrau, wobei die Jungfrau dem Einhorn im
Spiegel sein Bild zeigt. Gerade das ist aber auch das Verhältnis zwischen
Abelone und Malte gewesen: sie war ein Spiegel, in dem er sein eigenes
Bild gesehen hat. Das geht ihm aber erst beim Beschreiben der
Teppiche auf, und er ruft aus:

Abelone, ich bilde mir ein, du bist da. Begreifst du, Abelone? Ich denke, du
mußt begreifen. (829)

Erst nachträglich wird er sich dessen bewußt, was er alles Abelone
verdankt, die ihm während seiner Kindheit bei der Entfaltung der eigenen inneren Möglichkeiten geholfen und durch die gemeinsame Lektüre der Briefe Bettines sein späteres Ideal der ,intransitiven Liebe' geprägt hat. Wiederum ist also das Erzählen nur der Vorwand gewesen,
Einsichten in die eigenen Verhältnisse zu gewinnen. Das Erzählen
selbst hat nach wie vor einen hypothetischen Charakter und erhält in
erster Linie durch das ,Einbilden' sein Gepräge.

Eine weitere Entwicklung des Spiegelphänomens läßt sich im dritt-
letzten Abschnitt des zweiten Teils finden, wo Malte eine Doppelgängerin von Abelone zu sehen glaubt (er benutzt die Wendung „sah dich
ein"; 931). Bezeichnenderweise befindet sich Malte jetzt in Venedig, der
Stadt, die Rilke in den ›Neuen Gedichten‹ geradezu als Symbol der

Spiegelung benutzt hatte.[31] Der Erscheinung der Doppelgängerin Abelones geht eine imaginäre Beschreibung des „anderen Venedigs" voraus, das Malte als das „schöne Gegengewicht der Welt" (933) beschreibt:

> In kurzem würde es kalt sein. Das weiche, opiatische Venedig ihrer [der Touristen] Vorurteile und Bedürfnisse verschwindet mit diesen somnolenten Ausländern, und eines Morgens ist das andere da, das wirkliche, wache, bis zum Zerspringen spröde, durchaus nicht erträumte: das mitten im Nichts auf versenkten Wäldern gewollte, erzwungene und endlich so durch und durch vorhandene Venedig. (932)

Mitten in dieser Heraufbeschwörung des (wohlbemerkt: in die Zukunft projizierten) „anderen Venedigs" erscheint nun die Dänin, die an Abelone erinnert und die das bekannte Lied von der besitzlosen Liebe singt („Du, der ichs nicht sage . . ."). Aber auch hier handelt es sich nur um eine Vision, die hypothetisch bleibt und die von Malte selbst nicht weiter verwertet wird. Der darauffolgende Abschnitt besteht aus einer Reflexion über Abelone, die bis in die kleinsten stilistischen Einzelheiten eine Haltung des Fragens, ein Spielen mit Möglichkeiten verrät („früher fragte ich mich", „fast glaube ich es", „es ist gleichwohl möglich", „ich könnte mir vorstellen", „ich vermute"; 937–938). Die Vision der Dänin in Venedig ist also nicht das letzte Wort, sondern wird wiederum durch den konjunktivischen Stil, der für diesen Teil des Romans typisch ist, abgelöst.

In diesem Zusammenhang muß noch kurz von der Vorstellung der ‚intransitiven Liebe' die Rede sein, denn hier finden wir ein Ideal vor, das es dem einzelnen ermöglichen soll, sich von der Subjekt-Objekt-Bindung zu lösen und die eigene Subjektivität zu transzendieren. Die echten „Liebenden", von denen Malte mehrere Male spricht, haben den „Umschlag" von Elend in Seligkeit erlebt, den er auch für sich erhofft. Indem sie „Jahrhunderte lang die ganze Liebe geleistet haben" (832), sind sie über sich selbst hinausgewachsen, „bis ihre Qual umschlug in eine herbe, eisige Herrlichkeit, die nicht mehr zu halten war" (833). Wir wissen nur von einigen von ihnen, deren Briefe erhalten worden sind, „aber es sind ihrer zahllos mehr gewesen", deren Briefe ent-

---

[31] Vgl. insbesondere ›Venezianischer Morgen‹ (SW, I, 609) und ›Spätherbst in Venedig‹ (SW, I, 609–610).

weder verbrannt sind oder die nicht mehr die Kraft hatten, Briefe zu schreiben. „Wer kann sagen, wie viele es waren und welche. Es ist, als hätten sie im voraus die Worte vernichtet, mit denen man sie fassen könnte." (Ebd.) Auch die großen Liebenden sind also nur ein Ideal, auf das man höchstens hinweisen, von dem man aber nicht erzählen kann. So ist es kennzeichnend, daß die Geschichte von Gaspara Stampa oder der portugiesischen Nonne Marianna Alcoforado – deren Briefe Rilke immerhin übersetzt hat – von Malte nicht erzählt werden, obgleich sie scheinbar genauso gut wie die Geschichten aus dem grünen Buch Stoff für seine dichterischen Versuche bieten würden. Aber im Gegensatz zu den anderen Geschichten sind sie nicht so eng mit seiner Persönlichkeit verbunden, sie sind nur ein Modell, dem er sich annähern kann. Der Sprung von seiner jetzigen, der eigenen Subjektivität verhafteten Situation zu der „herben, eisigen Herrlichkeit" der großen Liebenden ist zu groß, um erzählerisch überbrückt werden zu können. Die Annäherung an die Liebenden erfolgt nur in der Form eines ermutigenden Vorschlags: „wie, wenn wir ganz von vorne begännen die Arbeit der Liebe zu lernen, die immer für uns getan worden ist?" (834); aber Malte nimmt sich nicht ausdrücklich vor, die intransitive Liebe zu leisten, ja, es gibt keinen eigentlichen Ansatz zu einer solchen Liebe. Auch die Liebe zu Abelone kann ihm nicht dazu verhelfen, die ,intransitive Liebe' selber zu leisten, sie bildet nur ein Modell dieser Liebe.

Was ihn in erster Linie von den großen Liebenden trennt, ist, daß er sich noch in der Situation eines Sich-Verwandelnden befindet, während das Kennzeichen der Liebenden – im Gegensatz zu dem Manne, der „sich verwandelt" (899) – gerade ihre ,Ewigkeit' ist. Um überhaupt den Liebenden näherzukommen, müßte er sich – wie er an einer früheren Stelle erkannt hat – „verändern" (834). Die großen Liebenden dagegen sind in zweierlei Hinsicht „ewig": einmal, weil das „namenlose Leid ihrer Liebe" noch nach Generationen gehört werden kann, zum andern, weil sie im Grunde miteinander identisch sind – dieselbe Klage erhebt sich den Briefen Heloisens und der Portugiesin, und hinter beiden erkennt man „der Sappho fernste Gestalt" (899). Durch Maltes Erinnerungen an Abelone ist in ihm auch jene andere große Liebende, Bettine (deren Briefe an Goethe Abelone im Sinne der ,intransitiven Liebe' verstand), „wirklicher" geworden: sie ist gleichsam in die Natur eingegangen, die Malte ein ständiger Beweis für ihre Gegenwart ist:

Eben *warst* du noch, Bettine; ich seh dich ein. Ist nicht die Erde noch warm von dir, und die Vögel lassen noch Raum für deine Stimme. Der Tau ist ein anderer, aber die Sterne sind noch die Sterne deiner Nächte. (897)

Aber er fragt sich, warum „nicht noch alle erzählen von deiner Liebe" (898); er selbst tut es freilich auch nicht. Die Natur um ihn hat sich verändert durch sein Wissen um Bettine, er selbst hat aber noch nicht die entscheidende Verwandlung erfahren, die ihn den Liebenden gleichstellen würde. Während bei den Liebenden Name und Identität gleichgültig sind, ist Malte noch seiner eigenen Identitätsproblematik verhaftet. So bleibt für ihn die einzige Liebende, die er gekannt hat, rätselhaft und undurchdringlich: er fragt sich, warum Abelone nicht die „Kalorien ihres großartigen Gefühls" an Gott wandte, der doch „nur eine Richtung der Liebe ist, kein Liebesgegenstand" (937). Er kann nur Vermutungen darüber aufstellen, warum sie nicht ganz den Schritt getan hat, der sie von anderen irdischen Liebenden trennen und den „großen Liebenden" zugesellen würde: Vielleicht fürchtete sie, daß Christus sie „halben Weges" aufhalten und sie zur Geliebten machen würde (ebd.), vielleicht fürchtete sie nur „jenes gespenstische Anderswerden", das die ewigen, schicksalslosen Liebenden von allen anderen unterscheidet (938). Ob er aber selbst so „anders werden" möchte – oder könnte –, bleibt in der Schwebe.

Das gleiche gilt für die anderen „Idealgestalten" (Seifert), die ebenfalls Modelle darstellen, deren Vollkommenheit Malte sich nur annähern kann. Noch mehr: sogar die Größe Beethovens, Ibsens und der Duse erfährt in Maltes Darstellung eine gewisse Relativierung, denn die scheinbare Selbstgenügsamkeit dieser Künstler wird von ihrem Publikum zerstört, das die künstlerische Leistung immer wieder auf sich selbst bezieht und diese durch den Kunstgenuß ihrer ‚Objektivität' beraubt. In dieser Hinsicht entsprechen sich der Beethoven-Abschnitt aus dem ersten Teil und der Duse-Abschnitt aus dem zweiten. Die ideale Wirkung der Musik Beethovens wird nur als Wunsch postuliert: „daß sie hätte um die Welt sein dürfen, nicht um uns" (779). Wenn seine Musik sich nicht auf uns gerichtet hätte, wäre sie einfach ‚da' gewesen, gleichsam als Naturkraft; der große Künstler hätte „ausgeströmt . . . ungehört; an das All zurückgebend, was nur das All erträgt" (ebd.); seine Kunst hätte genauso gewirkt wie die Orphische Musik, denn die Löwen hätten ihn bei Nacht umkreist, „erschrocken vor sich selbst, von ihrem bewegten Blute bedroht" (ebd.). Das ist aber nicht der Fall: vielmehr wird Beethovens Musik von seinen Zuhörern falsch aufgenommen, denn sie beziehen die an sich richtungslose Musik auf sich selbst:

> Wer treibt sie aus den Musiksälen, die Käuflichen mit dem unfruchtbaren Gehör, das hurt und niemals empfängt? da strahlt Samen aus, und sie halten sich unter wie Dirnen und spielen damit, oder er fällt, während sie daliegen in ihren ungetanen Befriedigungen, wie Samen Onans zwischen sie alle. (780)

Denjenigen, der fähig ist, diese Musik ohne einen solchen selbstbezogenen Kunstgenuß zu hören, stellt sich Malte – seine etwas übertriebene Metapher weiter ausführend – nur als Möglichkeit vor: der „Jungfräuliche unbeschlafenen Ohrs" „stürbe an Seligkeit oder er trüge Unendliches aus und sein befruchtetes Hirn müßte bersten an lauter Geburt" (ebd.). Aus dieser konjunktivischen Darstellungsweise wird ersichtlich, daß Malte keine Möglichkeit sieht, selber unter dem Einfluß der Beethovenschen Musik „Unendliches" auszutragen oder den erhofften „Umschlag" in die Seligkeit zu erfahren. Seine Beschäftigung mit der „Idealgestalt" Beethoven zeigt eher die Unmöglichkeit der wirklich objektiven – oder objektiv wirkenden – Kunst.[32] – Die Parallelstelle über Eleonora Duse erörtert eine ähnliche Frage. Im Gegensatz zu der griechischen Antike hat die neuere Zeit nach der Vorstellung Maltes kein wirkliches Theater, wo die große Wirkung der Duse sich offenbaren könnte. Einen Augenblick lang scheint sie ihr Ziel erreicht zu haben, ihr Herz steigert sich zu einer „immensen Wirklichkeit", und sie scheint nahe daran, sich selbst zu transzendieren; aber gerade in dem Moment bricht der Beifall aus, der zeigt, daß ihre Kunst doch ob-

---

[32] Seifert faßt das, was hier nur als unrealisierte, ideale Möglichkeit beschrieben wird, als die tatsächliche Wirkung der Beethovenschen Musik (wie Malte sie sich vorstellt) auf. So sieht er in Beethoven einen Gegensatz zu Malte, „insofern er nicht [wie Malte] durch objektive Verhältnisse, die in ihn eindringen, vernichtet wird, um dann außerhalb seiner selbst auf einen Umschlag der Negativität . . . zu hoffen" (a. a. O., S. 245), sondern als „Weltvollender" zu verstehen sei, der in der Kunst „die verfallene innere und äußere Realität . . . mit ihrem universalen Ursprung" (S. 246) versöhne. Daß diese ideale Wirkung der Musik Beethovens nur in der Form eines Wunsches hypostasiert wird, zieht Seifert nicht genügend in Betracht.

jektbezogen ist, und durch den die Zuschauer versuchen, das „Äußerste" von sich „abzuwenden" (924).[33] Wiederum erreicht die Kunst keine vollständige Objektivität, wiederum wird die Hoffnungslosigkeit von Maltes künstlerischer Zielsetzung offenbar.

Etwas anders als diese beiden Stellen ist die Stelle über Ibsen, mit dem sich Malte viel stärker identifiziert. Man hat sogar diesen Abschnitt als Schlüsselstelle für den ganzen Roman gedeutet, insofern hier so etwas wie ein künstlerisches Programm geäußert wird. Es handelt sich um die Vorstellung der Kunst als einer Suche nach „Äquivalenten . . . für das innen Gesehene" (785), auf die sich die meisten Interpreten des ›Malte‹ berufen. Aber diese Suche, sosehr sie vielleicht eine Parallele zu Maltes eigenen Bemühungen darstellt, ist von vornherein dazu bestimmt, erfolglos zu sein. Sie wird „immer ungeduldiger, immer verzweifelter"; der große Künstler probiert verschiedene Bilder aus, Erfahrungen und Gesehenes aus seiner Umgebung, „aber das reichte nicht aus" (ebd.); schließlich versucht er es mit Türmen, Gebirgen und gewaltigen Lawinen, aber er muß wiederum aufgeben:

> Die beiden Enden, die du [Ibsen] zusammengebogen hattest, schnellten auseinander; deine wahnsinnige Kraft entsprang aus dem elastischen Stab, und dein Werk war wie nicht. (Ebd.)

Die Suche nach „Äquivalenten für das innen Gesehene" hat sich also als erfolglos erwiesen. Schließlich stellt sich Malte den Dramatiker vor, wie er am Fenster sitzt und die Vorübergehenden beobachtet:

> denn es war dir der Gedanke gekommen, ob man nicht eines Tages etwas machen könnte aus ihnen [den Vorübergehenden], wenn man sich entschlösse anzufangen. (Ebd.)

---

[33] Daß die Zuschauer gerade das „Äußerste" von sich „abwenden", weist darauf hin, daß die Duse nicht – wie Seifert sie auffaßt – als Beispiel für eine „innere Totalität" in der Gegenwart gesehen werden darf (S. 303). Gegen seine Auslegung dieser Stelle, daß bei der Duse, im Gegensatz zur „ewigen Totalität" der antiken Theater zu Orange (ebd.), die „Entäußerung der reinen Substantialität an den Augenblick gebunden als Gipfelpunkt einer dramatischen Steigerung" sei (S. 304), spricht die Tatsache, daß diese Steigerung schon vor dem Erreichen des Gipfelpunkts vom Beifall der Zuschauer unterbrochen und die Verwirklichung des „Äußersten" verhindert wird.

Aber der Gedanke, wieder anzufangen, ist nur eine Möglichkeit, die er wahrscheinlich nie verwirklichen wird – man nimmt an, daß es ihm vielleicht beim zweiten Versuch genauso ergehen könnte wie bei seinen bisherigen Versuchen. Aus dieser Darstellung von Ibsens Kunst ergeben sich nun zwei Konsequenzen: einmal geht daraus hervor, daß man die Vorstellung der „Äquivalente für das innen Gesehene" nicht ohne weiteres – wie man das vielfach getan hat – mit den Pariser Eindrücken Maltes gleichsetzen darf, denn diese würden, genauso wie die Eindrücke Ibsens, „nicht ausreichen"; zum anderen zeigt sich aber an Ibsen wieder einmal die Hoffnungslosigkeit einer solchen Zielsetzung. Auch wenn Ibsen für einen Augenblick die „beiden Enden" seiner Kunst „zusammengebogen" hat, ist sein Werk am Ende doch „wie nicht". Dem jungen Dichter Malte, der noch keinen Augenblick der Erfüllung erlebt hat, kann es kaum anders ergehen. In diesem Sinne lassen sich die „Idealgestalten" genauso wenig als Zeichen einer für Malte erreichbaren Möglichkeit der künstlerischen Erfüllung oder des „Umschlags" in die Seligkeit deuten; vielmehr stellen sie eine gesteigerte Parallele zu seiner eigenen Situation dar, indem sie sein Ziel der ‚objektiven' Kunst als etwas Unerreichbares entlarven.

Man könnte nun einwenden, daß die Parabel vom Verlorenen Sohn, die am Ende des Romans steht, doch ein Zeichen dafür sei, daß Malte dieses Problem gelöst und gleichzeitig ‚erzählen' gelernt habe. Aber die Geschichte vom Verlorenen Sohn hat die gleiche Struktur wie die Erzählungen aus dem grünen Buch. Immer wieder wird die Darstellung des Verlorenen Sohns durch Hinweise auf den Erzählprozeß unterbrochen. Reflexionen über die Möglichkeit des Erzählens überhaupt, wie wir sie schon aus den Geschichten aus dem grünen Buch kennen, prägen deutlich den Stil der Legende:

> Wer beschreibt, was damals mit ihm geschah? Welcher Dichter hat die Überredung, seiner damaligen Tage Länge zu vertragen mit der Kürze des Lebens? Welche Kunst ist weit genug, zugleich seine schmale, vermantelte Gestalt hervorzurufen und den ganzen Überraum seiner riesigen Nächte. (942)

Aus solchen Bemerkungen erhellt, daß für Malte die Geschichte des Verlorenen Sohns im Grunde nicht erzählbar ist. Er entwirft eine Fülle von Möglichkeiten, ohne diese in einem verbindlichen Erzählzusammenhang miteinander verknüpfen zu können:

Oder soll ich ihn denken zu Orange, an das ländliche Triumphtor geruht? Soll ich ihn sehen im seelengewohnten Schatten der Allyscamps, wie sein Blick zwischen den Gräbern, die offen sind wie die Gräber Auferstandener, eine Libelle verfolgt? (943)

Schon der Anfangssatz macht darauf aufmerksam, daß hier nur eine eigene Deutung der Parabel gegeben wird:

Man wird mich schwer davon überzeugen, daß die Geschichte des verlorenen Sohnes nicht die Legende dessen ist, der nicht geliebt werden wollte. (938)

Die Eigenwilligkeit dieser Deutung zeigt sich in Maltes Projizierung der eigenen Problematik in den Verlorenen Sohn, den er sich als einen Menschen vorstellt, der – wie er selbst – die „Kindheit noch einmal leisten" muß. Sogar die gelegentliche Verwendung des unbestimmten Pronomens „man" (939–940; 942) läßt auf eine gewisse Selbstidentifizierung mit dem Verlorenen Sohn schließen: „Wachte man nicht auf mit dem Gefühl, ohne Zukunft zu sein? Ging man nicht sinnlos umher ohne Anrecht auf alle Gefahr? . . ." (942). Wie Malte hat der Verlorene Sohn das Gefühl, daß sein Leben „noch nie gewesen" ist; seine Identität hat sich noch nicht verfestigt, und er tut alles mögliche, um diese Verfestigung zu verhindern, um nicht „Zeit und Atem zu haben, mehr zu sein als ein leichter Moment, in dem der Morgen zum Bewußtsein kommt" (938–939). Bei seinen kindlichen Spielen übernimmt er immer wieder neue Rollen, und er verbringt den Nachmittag „mit lauter Einfällen" (939). Wie beim jungen Malte sind dies im wesentlichen „Einbildungen", ja auch die „zwischendurch" liegenden Zeiten, da er sich den „Einbildungen" entziehen will, werden letztlich so beschrieben, als ob er eine weitere Rolle übernähme:

Soviel Einbildungen sich aber auch einstellten, zwischendurch war immer noch Zeit, nichts als ein Vogel zu sein, ungewiß welcher. (Ebd.)

Was ihn besonders stört, ist die Festlegung der Identität durch andere: „im ganzen war man der, für den sie einen hier hielten" (940). Das ist der eigentliche Grund, warum er nicht geliebt werden will, denn das Geliebtwerden setzt voraus, daß andere eine bestimmte Vorstellung von seinem Charakter haben, daß er in einer gewissen Richtung festgelegt wird. Erst nachdem er weggelaufen ist, hat er das Gefühl, daß seine „viele Vergangenheit" (die ja sonst seine Identität bestimmen würde) sich „beruhigt" hat (942), daß er dazu imstande ist, sich selbst zu transzendieren. Sein erster Schritt in der Richtung der ‚intransitiven Liebe' besteht darin, „zu bewältigen, was sein Binnenleben ausmachte" und seine Kindheit „nachzuholen" (944–945). Malte deutet seine Heimkehr als Versuch, seine Erinnerungen, die jetzt „das Vage von Ahnungen an sich" hatten und so vergangen zu sein schienen, daß sie „nahezu zukünftig" waren (945), ja, die ganze Vergangenheit wieder auf sich zu nehmen und sie noch einmal zu leisten. Aber auch hier kann Malte sich den Prozeß nicht zu Ende denken, denn er selber hat nur den ersten Schritt unternommen, die Bewältigung der Erinnerungen: „Wir wissen nicht, ob er blieb; wir wissen nur, daß er wiederkam." (Ebd.) Bei der Heimkehr des Sohnes, auf die es in den meisten Darstellungen der Legende vor allem ankommt, beruft sich Malte auf andere, die vor ihm diese Geschichte erzählt haben:

Die die Geschichte erzählt haben, versuchen es an dieser Stelle, uns an das Haus zu erinnern, wie es war; denn dort ist nur wenig Zeit vergangen, ein wenig gezählter Zeit, alle im Haus können sagen, wieviel. Die Hunde sind alt geworden, aber sie leben noch. Es wird berichtet, daß einer aufheulte. (Ebd.)

Besonders kennzeichnend für den hypothetischen Charakter dieser Ausführungen ist der Satz: „es wird berichtet, daß einer aufheulte", der sicherlich nicht als Anspielung Maltes auf eine ihm bekannte Darstellung der Legende zu verstehen ist, sondern als weiteres Zeugnis für sein ambivalentes Verhältnis zum eigenen Erzählverfahren: Die Hinzufügung neuer Einzelheiten (das Aufheulen des Hundes) wird dadurch verschleiert, daß er sich auf Vorliegendes zu stützen vorgibt und es mithin vermeidet, den Vermutungscharakter der eigenen Darstellung zuzugestehen. Auch die Gefühle des Verlorenen Sohnes, die zunächst mit scheinbarer Sicherheit wiedergegeben werden, erweisen sich als Vermutungen Maltes: „es *muß* für ihn unbeschreiblich befreiend *gewesen sein*, daß ihn alle mißverstanden" (946; Hervorhebung von mir). Die letzten Sätze sind als erlebte Rede gestaltet („Wahrscheinlich konnte er bleiben"; ebd.) und bezeugen nach wie vor, daß die Legende des Verlorenen Sohnes mehr als Einfühlungsversuch Maltes denn als ‚objektive' Erzählung zu verstehen ist.

Wenn wir also rückblickend Maltes ganze Entwicklung betrachten, so wird klar, daß er in der Legende des Verlorenen Sohnes sein ur-

sprüngliches Erzählziel einer zeitlosen Totalität im Sinne des großväterlichen Erzählens nicht erreicht. Die Geschichte nimmt zwar Motive aus
dem Leben Maltes auf und entwickelt sie in einem neuen Kontext, der
in der Anlehnung an Traditionelles einen gewissen exemplarischen
Charakter erhält, aber gerade als Neudeutung, die nur bestimmte
Aspekte der Geschichte hervorhebt, hat sie einen subjektiven Bezug,
der die Allgemeingültigkeit des Erzählens relativiert. In diesem Sinne
läßt sich nicht etwa behaupten, daß Geschichtliches und Persönliches
in einer zeitlosen Totalität zusammenfallen: im Grunde genommen
wird ja das Vorgeprägte dem Subjektiven untergeordnet.[34] Das wird
einmal rein äußerlich in der Umdeutung der Legende sichtbar, die nicht
mehr als Parabel desjenigen betrachtet wird, der seinen Glauben verliert und wiederfindet, sondern als Geschichte desjenigen, „der nicht
geliebt werden wollte". Das Theologisch-Allgemeingültige weicht einer
mehr persönlichen Problematik, die im Grunde nur im Zusammenhang mit Maltes Vorstellung der ‚intransitiven Liebe' verstanden werden kann.[35] Auch formal läßt sich kaum behaupten, daß hier eine

[34] Diese These des Zusammenfallens von Vergangenheit und Gegenwart in
einer zeitlosen Ganzheit wird von Jutta Goheen unter Hinweis auf die für den
›Malte‹ charakteristische Mischung der Tempusformen vertreten (in: Tempus-
form und Zeitbegriff in R. M. Rilkes ›Die Aufzeichnungen des Malte Laurids
Brigge‹, in: Wirkendes Wort 19, 1969, S. 254–269). Sie bemerkt, wie in vielen
Abschnitten Präsens und Präteritum – und das beide verbindende Perfekt –
gleichzeitig vorkommen, woraus sie schließt, daß Malte „von seiner Gegenwart
in seine und die historische Vergangenheit zurück[schreitet], um am Ende die
untrennbare Verbindung beider zu erkennen" (S. 257). In der Parabel des Verlorenen Sohnes werde die legendäre Vergangenheit „deutlich auf Maltes Schicksal
bezogen", so daß Anfang und Ende des Romans in eine „unlösliche Verbindung
von Gegenwart und Vergangenheit" aufgenommen werden (S. 257–258). Trotz
der detaillierten Analyse der verschiedenen Zeitformen werden aber die Modi
völlig außer acht gelassen; die Funktion des Konjunktivisch-Hypothetischen,
das die Gültigkeit der erstrebten Ganzheitsvision wesentlich relativiert, wird in
der Deutung Goheens nicht erkannt.
[35] Vgl. dazu Käte Hamburger, Die Geschichte des Verlorenen Sohnes bei
Rilke, in: Fides et communicatio. Festschrift für Martin Doerne zum 70. Geburtstag, hrsg. von D. Rössler, G. Voigt u. F. Wintzer, Göttingen 1970, S. 126–
143. Von einem Vergleich zwischen Rilkes Geschichte und dem biblischen
Gleichnis ausgehend, betont Käte Hamburger die zentrale Rolle des Motivs der

‚Totalität‘ sich abzeichne, insofern die Rückkehr zur Familie eine „Rückkehr zum Ursprung", ein Schließen des Kreises bedeute,[36] denn diese Rückkehr bringt keine eigentliche Lösung der Problematik mit sich. Vergangenheit und Gegenwart fallen nicht zusammen, da die Mißverständnisse der Kindheit infolge der dazwischenliegenden Veränderung des Verlorenen Sohnes sich extrem verschärft haben und der Sohn über seine Familie weit hinausgewachsen ist.

Man hat aber auch behauptet, daß Malte hier in einem anderen Sinne ‚erzählen‘ gelernt habe, insofern er in der Legende zum erstenmal „die chronologische Darstellung einer chronologisch sinnvoll fortschreitenden Entwicklung" gebe,[37] den Ablauf eines einzelnen Lebens von der Kindheit an, der ja in bezug auf Malte selbst nicht erzählt werden konnte. In der Tat unterscheidet sich die Legende in diesem Sinne von den früheren zusammenhängend erzählten Abschnitten, etwa über die Besuche in Urnekloster oder über den Tod des Kammerherrn Brigge, die nur einzelne Episoden wiedergeben. Die verschiedenen Motive und Erzählstränge werden zum erstenmal zusammengebracht, der Roman erfährt also eine gewisse Abrundung. Aber auch diese letzte Geschichte bleibt offen: die Kluft zwischen der Liebe der Familie, die den Verlorenen Sohn nach wie vor liebt, und seiner Abwehr dieser Liebe wird nicht geschlossen; die erhoffte Verbindung mit einem Absoluten bleibt aus („Der aber wollte noch nicht"; 946). Unser Wissen über den Verlorenen Sohn hört notwendigerweise an einem gewissen Punkt auf, nach dem nicht weiter erzählt werden kann. Auch die Rekonstruktion einer Chronologie hat ihre Grenzen.

Es wäre aber vielleicht noch zu fragen, ob Malte nicht eine neue Form des Erzählens gefunden hat, die weder dem großväterlichen Mo-

unerwiderten Liebe. Im Gegensatz zur biblischen Vorlage, die als Beweis für die Liebe Gottes zum abtrünnigen ‚Sohn‘ zu verstehen sei, werde bei Rilke das Hauptgewicht vom Vater auf den Sohn verlegt, wobei der Problematik der Gegenliebe Gottes, die ein Hindernis an der Erfüllung der vom Sohn erstrebten intransitiven Liebe bieten würde, ein größeres Gewicht zukomme. In diesem Zusammenhang weist Hamburger auf die Rilke bekannte Lehre Spinozas vom Amor dei intellectualis hin, die mit Rilkes Vorstellung der intransitiven Liebe gewisse Ähnlichkeiten aufweist.

[36] Seifert, a. a. O., S. 318.
[37] Hoffmann, a. a. O., S. 230.

dell der Zeitlosigkeit noch dem herkömmlichen ‚chronologischen‘ Erzählen entspricht, aber eigene Gesetze hat, die seinen Ansatz rechtfertigen und seine Entwicklung als Künstler vollenden. Ließe sich vielleicht
sagen, daß die Selbstprojizierung in den Verlorenen Sohn auch eine Objektivierung der eigenen Probleme bedeute? Oder, wie Seifert es formuliert, daß hier aus der „Selbstentfremdung" die „postulierte Selbstent-
faltung" (in der Idealgestalt) hervorgehe, daß „das Ich und seine biographische Einheit" sich erst in der künstlerischen Gestaltung der Legende
„objektiviere und konstituiere"[38]? Das ist gewiß die Intention, die sich
in diesem letzten Erzählversuch Maltes birgt. Aber schon der konjunk-
tivische Stil relativiert die beabsichtigte Objektivierung des Subjektiven: denn auch das Vorgeprägte, das Gegebene läßt sich für Malte nicht
eindeutig festlegen. Wenn er fragt, ob er sich den Verlorenen Sohn zu
Orange oder zu Allyscamps vorstellen soll, so gibt er zu verstehen, daß
die ‚Tatsachen‘ nicht relevant sind, daß er mit den biographischen Gegebenheiten nach Belieben schalten und walten kann. Aber wenn das
Gegebene nicht mehr festgelegt werden kann, gibt es keinen Anhaltspunkt, nach dem sich Malte bei der ‚Objektivierung‘ der eigenen Problematik orientieren, kein feststehendes Ziel, dem er sich annähern
könnte. Die stets fragende Erzählhaltung widerlegt also jeden Anspruch auf ‚Objektivität‘ der Darstellung. Sie relativiert aber nicht nur
das Gegebene, sondern auch die eigene Position, die bei der etwas schillernden Bewertung der Legende selbst nicht viel eindeutiger wird.
Seine ganze Problematik wird zwar wieder einmal in aller Vielfalt ausgebreitet, aber sie bleibt nach wie vor offen, der ersehnte ‚Umschlag‘
stellt sich nicht ein.

Die künstlerische Entwicklung Maltes reicht also nur bis zu einem
gewissen Punkt, gelangt aber nicht zum Ziel des Erzählen-Könnens.
Die Angst, die er in der Mitte des ersten Teils geäußert hat, daß er nur
„noch eine Weile" werde alles „aufschreiben und sagen" können (756),
hat er zwar abgewehrt. Aber die Verwandlung, nach der er sich gesehnt
hat, bleibt aus. „Nur ein Schritt, und mein tiefes Elend würde Seligkeit
sein", heißt es an derselben Stelle; aber er gibt zu, daß er diesen Schritt
nicht tun kann. Die Gründe dafür sind Malte nicht bewußt, sie müssen
vom Leser seiner Aufzeichnungen erraten werden. Der Schlüssel liegt

---

[38] Seifert, a. a. O., S. 316.

gerade in dem hypothetischen Charakter dieser Aufzeichnungen: denn
Gesehenes und Erinnertes (einschließlich des historisch Gegebenen)
können erst dann dialektisch vermittelt werden, wenn sie eine gegenseitig voneinander abgegrenzte ,Wirklichkeit' besitzen, wenn sie als zwei
verschiedene Kräfte in einem echten Spannungsverhältnis zueinander
stehen. Das ist aber bei Malte nicht der Fall, denn Gesehenes und Erinnertes sind beide Teile seiner Innenwelt. Freilich ist das, was wir sehen
und erleben – auch das, was wir lesen –, in einem gewissen Sinne immer
Produkt unserer Subjektivität; aber wir handeln sonst so, als ob die
,Tatsachen' eine äußere Existenz hätten, als ob Ich und Außenwelt in
einer Wechselwirkung stünden. Bei Malte geht die subjektive Bedingtheit
des ,Äußeren' aber noch weiter, insofern er das ihm nicht unmittelbar
Zugängliche durch eigene Phantasiekonstruktionen ergänzt. Ja, er in-
teressiert sich eigentlich nicht für das im normalen Sinne des Wortes
,Gesehene' oder Erlebte, sondern vielmehr für die eigenen Vermutungen. Nicht die noch stehenden Häuser interessieren ihn, sondern die
zusammengerissenen; nicht seine lebenden Mitmenschen interessieren
ihn, sondern die verstorbenen Verwandten oder die schon weggezoge-
nen Nachbarn; nicht der legendäre Verlorene Sohn, sondern die nicht-
existente Selbstbespiegelung. Er unterschlägt Tatsachen aus der äußeren Welt, die für ihn nicht relevant sind (zum Beispiel, daß der blinde
Blumenkohlhändler „Choufleur" ausrief), er erfindet andere, die
gerade in seine innere Vorstellungswelt passen (wie die beruhigende
Ankunft der Mutter des Medizinstudenten). Da Äußeres und
Inneres zusammenfallen, ergibt sich keine echte Dialektik, in deren
Rahmen ein ,Umschlag' aus dem ,Elend' in die ,Seligkeit' denkbar
wäre. Die verschiedenen Aspekte seiner Entwicklung: Sehenlernen,
Erinnern und Erzählen bleiben seinen subjektiven Vorstellungen
verhaftet.

Wenn aber in diesem Sinne Maltes Erzählversuch als gescheitert zu
verstehen ist, so bedeutet das freilich nicht, daß Rilkes Roman in seiner
Intention nicht gelungen ist. Denn hier kommen die Krise der Subjektivität und deren Auswirkungen auf die herkömmlichen Möglichkeiten
des Erzählens in exemplarischer Weise zum Ausdruck. Die Gefahr
einer allzu intensiven Vertiefung in die eigene Vorstellungswelt – vor
allem für den angehenden Künstler – ist im Verlauf des Romans deutlich
geworden: in diesem Sinne ist ja Rilkes Mahnung zu verstehen, daß

›Malte‹ „gegen den Strom" zu lesen sei.[39] Daraus geht aber auch hervor, daß ›Malte‹ im Zusammenhang des modernen Romans eine eigene Stellung einnimmt. Andere moderne Romanschriftsteller gehen von der Unüberschaubarkeit des Erzählverlaufs aus und stellen durch die Konstruktion einer zusammenhängenden ‚mythischen' Ebene (Joyce), durch die Einbeziehung der Reflexion als strukturierende Kraft (Musil) oder durch die Mehrperspektivität des ‚Polyhistorischen' (Broch) eine neue, vermittelte Ganzheit her. Auch mit Kafka, der die Einzelperspektive konsequent durchhält und durch strukturelle Techniken relativiert, läßt sich das eigenartig Schillernde der Malteschen Subjektivität nicht vergleichen. Noch drastischer als diese anderen Erzählversuche zeigt Rilke hier die Ausweglosigkeit der subjektiven Befangenheit, aus der keine überlegene erzählerische Ironie, kein mythischer oder polyhistorischer Überbau den Weg weist. Es entsteht keine „aperspektivische Welt mit offenen Horizonten"[40], sondern eine zwar „unbegrenzte Vermutungen" in sich bergende, aber doch in sich geschlossene Welt der begrenzten Subjektivität.

[39] Briefe in 2 Bdn., Bd. I, S. 363. Man hat oft darauf hingewiesen, daß Rilke in bezug auf ›Malte Laurids Brigge‹ widersprüchliche Meinungen geäußert hat. Man muß aber berücksichtigen, daß er sich erst sehr langsam von der Problematik des Romans gelöst hat, so daß sein Schwanken über dessen Beurteilung als Reflex einer persönlichen Entwicklung zu verstehen ist. Außerdem richtet sich die jeweilige Äußerung an einen bestimmten Adressaten: einerseits warnt Rilke den allzu begeisterten Leser davor, den Roman ausschließlich positiv zu deuten, andererseits erinnert er den sich zu sehr in die Malte-Gestalt vertiefenden und von dessen Untergang bedrückten Leser daran, daß der Roman „gegen den Strom" gelesen werden müsse.

[40] Fülleborn, a. a. O., S. 167.

Antike und Abendland. Beiträge zum Verständnis der Griechen und Römer und ihres Nachlebens
XIX (1973), S. 61–82.*

ORPHEUS UND EURYDICE

Ein Beitrag zum Thema: Rilke und die Antike**

Von Hans Jürgen Tschiedel

Wohl von kaum einer anderen Gestalt der antiken Sage ist bis in die jüngste Gegenwart hinein eine so schöpferisch anregende Wirkung auf sämtliche Kunstgattungen ausgegangen wie von der des Orpheus.[1]

Der göttliche Sänger, der Liebende im Hades, der um die Gattin Trauernde und schließlich der von den Mänaden Zerrissene – all diese überkommenen Bilder und Vorstellungen haben sowohl durch die zeitlose Menschlichkeit, die sie ausstrahlen, als auch durch ihre tiefe Symbolkraft nie aufgehört, die Gemüter der Menschen zu bewegen.

* Die Übersetzungen der Vergil- und Ovidzitate wurden für den vorliegenden Wiederabdruck entnommen aus: Vergil (Publius Vergilius Maro), Landleben. Bucolica. Georgica. Catalepton. Lat. u. dt., hrsg. von Johannes Götte, Tusculum-Bücherei, München [4]1960; Publius Ovidius Naso, Metamorphosen, in dt. Hexameter übertr. und mit dem Text hrsg. von Erich Rösch, Tusculum-Bücherei, München [5]1972. Die Übersetzungen in Anm. 36 stammen vom Autor.

** Aus der ungedruckten Festschrift für Rudolf Till zum 60. Geburtstag (8. 4. 71).

[1] In H. Hungers Lexikon der griechischen und römischen Mythologie (Wien [6]1969, S. 295 ff.) nehmen die Hinweise auf das Fortwirken des Orpheus-Stoffes in bildender Kunst, Literatur und Musik mehr als zwei Seiten in Anspruch. Speziell über das literarische Nachleben gibt E. Frenzel (Stoffe der Weltliteratur, Stuttgart [3]1970, S. 562 ff.) einen guten Überblick. Dem sei ergänzend hinzugefügt, daß erst jüngst der Schriftsteller und Maler Dino Buzzati, Träger des „Premio Strega", eines der höchsten italienischen Literaturpreise, einen mit eigenen Handzeichnungen illustrierten Roman unter dem Titel ›Poema e fumetti‹ veröffentlicht hat, dem ebenfalls die Thematik des Orpheus-Mythos zugrunde liegt. Der Autor gibt darin dem Schicksal des jungen Beat-Sängers Orfi und seiner Geliebten Eura Transparenz, um dahinter die fragwürdige Realität des Daseins und das Seelisch-Untergründige der Handlung aufscheinen zu lassen.

Ein besonders eindrucksvolles Zeugnis dafür bietet das dichterische Werk Rainer Maria Rilkes; denn ihm verdanken wir die wohl am stärksten verinnerlichte Deutung des Orpheus-Mythos.

Gewiß, das mutet erstaunlich an, wenn man weiß, daß gerade Rilke zur antiken Tradition als solcher in nur loser und oberflächlicher Beziehung stand.[2] War ihm doch während seiner Schulzeit der Zugang zum Lateinischen und Griechischen gänzlich verschlossen geblieben, und die Kenntnisse in den alten Sprachen, die er sich später als Externist bei der Vorbereitung auf die Matura aneignete, waren bescheiden und wurden, soweit wir es wissen, nie durch zusammenhängende Lektüre antiker Texte vertieft. Einzig mit den Metamorphosen Ovids scheint sich Rilke ausführlicher befaßt zu haben. Sie bilden wohl die wichtigste Quelle für die zahlreichen mythologischen Anspielungen, die sich seit den ›Neuen Gedichten‹ (veröffentlicht 1907 und 1908) fortgesetzt im Werk Rilkes finden. In ihnen wird er auch die Sage von Orpheus und Eurydice gelesen haben.

Was Rilke hier in literarischer Form begegnet sein mag, das trat ihm später auch in plastischer Unmittelbarkeit vor Augen. Denn in den Jahren 1902–1904 konnte er bei seinen Besuchen von Paris, Rom und Neapel in den dortigen Museen (Louvre, Villa Albani, Museo Nazionale) Exemplare jener berühmten Reliefs sehen, die Orpheus, Eurydice und Hermes auf dem Rückweg aus der Unterwelt zeigen.[3] Diese bildne-

---

[2] Näheres darüber bei E. Zinn (Rainer Maria Rilke und die Antike, in: Antike und Abendland III, 1948, S. 212 ff.). Als weitere Beiträge zum Thema „Rilke und die Antike" seien genannt: Veronika Czapski-Erdmann (Die Auseinandersetzung des gotischen Weltgefühls mit dem antiken bei Rainer Maria Rilke, in: Dankesgabe für Albert Leitzmann, hrsg. v. F. Braun u. R. Stegmann v. Pritzwald, Jena 1927, Sonderbd. der Jenaer germanistischen Forschungen, S. 104 ff.); H. Rüdiger (Rilkes Begegnung mit der Antike, in: Das humanistische Gymnasium 47, 1936, S. 87 ff.); H. Mielert (Rilke und die Antike, in: Die Antike 16, 1940, S. 51 ff.); Katharina Kippenberg (Rainer Maria Rilke. Ein Beitrag. Wiesbaden 1948, S. 298 ff.); W. Kohlschmidt (Rilke-Interpretationen, Lahr 1948, S. 37 ff.). Allen genannten Arbeiten weiß sich der Verfasser vorliegender Untersuchung verpflichtet.

[3] Vgl. dazu H. Wocke (Rilke und Italien, Gießener Beiträge zur deutschen Philologie, Gießen 1940, S. 47.) Bei den Reliefs handelt es sich um Kopien, die auf ein attisches Original des späten 5. Jahrhunderts zurückgehen. Abbildungen

rische Darstellung, die bei dem dafür so empfänglichen Dichter wohl einen stärkeren Eindruck hinterließ als die literarische Schilderung Ovids,[4] dürfte Rilke bei seinem Gedicht ›Orpheus. Eurydike. Hermes‹[5] vorgeschwebt haben, das er im Herbst 1904 während seines Aufenthaltes in Rom vollendete.[5a]

Dieses Gedicht stellt eines der frühesten und – neben der ›Alkestis‹ von 1907 – auch eines der bemerkenswertesten Zeugnisse für die eigentümliche und ganz selbständige Auseinandersetzung Rilkes mit antiker Tradition dar. Obgleich es deshalb in jeder Untersuchung des Rilkeschen Verhältnisses zur Antike einen vorderen Platz einnimmt, scheint es in einem gewichtigen Aspekt noch nicht voll gewürdigt zu sein. Denn diesem Gedicht kommt eine besondere Bedeutung dadurch zu, daß es die Auffassung Rilkes vom Tode und damit ein zentrales Anliegen seines Schaffens überhaupt auf einer relativ frühen Stufe seiner dichterischen Entwicklung klar widerspiegelt.

Um das zu verdeutlichen, ist es zunächst notwendig, Rilkes Gedicht ›Orpheus. Eurydike. Hermes‹ vor dem Hintergrund der beiden wichtigsten antiken Behandlungen des Gegenstandes zu betrachten, nämlich denen Vergils (georg. IV 453 ff.) und Ovids (met. X 11 ff./XI 1 ff.), von denen, wie schon angedeutet, die letztere Rilke direkt bekannt ge-

---

bei L. Curtius, Interpretationen von sechs griechischen Bildwerken, Bern 1947, S. 83 ff., T. V, VI; D. M. Robinson, A new fifth Roman copy of the Orpheus relief, in: Hommages à Joseph Bidez et à Franz Cumont, Coll. Latomus II, 1949, S. 303 ff., T. XXIV, XXV. Hinzuweisen ist noch, daß auch Rodin, bei dem Rilke einige Monate (1905/06) als Privatsekretär weilte, zwei Marmorplastiken des gleichen Gegenstandes geschaffen hat: „Orphée et Eurydice" (1894), „Orphée" (1905).

[4] Rüdiger (a. a. O., S. 87 ff.) hat schön gezeigt, wie überhaupt der Weg Rilkes zur Antike über die Betrachtung und Deutung antiker Plastik führte.

[5] Rainer Maria Rilke, Gesammelte Werke III, Leipzig (Insel-Verlag) 1927, S. 99 ff. Alle weiteren Stellenangaben zu Rilkes Werken und Briefen beziehen sich auf diese Ausgabe.

[5a] Daß neben der Plastik auch Vergils berühmte Szene der Begegnung zwischen Aeneas und Dido in der Unterwelt (Aen. VI 467–476) auf Rilke gewirkt hat, ist nach der jüngsten Interpretation dieser Szene durch O. Seel (Vergil und die Schuld des Helden, in: Verschlüsselte Gegenwart, Stuttgart 1972, S. 95 ff.; vorher in: Hommages à Marcel Renard, Coll. Latomus 101, Bruxelles 1969, S. 677 ff.) als wahrscheinlich anzunehmen.

wesen sein mag. Auf diese Weise soll einerseits das Neue und Charakteristische bei Rilke zutage treten, andererseits in einem tieferen Sinne aber auch die innere Verbindung zwischen Rilkes Dichtung und dem aus dem Altertum überlieferten Gedankengut erkennbar werden.

Rilke beginnt sein Gedicht mit einer Schilderung des Totenreiches, die er mit den für seine Auffassung bereits bezeichnenden Worten „Das war der Seelen wunderliches Bergwerk" einleitet. Auf die Einführung von Begriffen wie Cocytus, Styx, Cerberus, Erinyen und was dergleichen mehr an Charakteristika antiker Unterweltsbeschreibungen bekannt ist, verzichtet er dabei völlig, um bewußt Abstand von der Anschaulichkeit mythischer Tradition zu gewinnen. Denn Rilke begreift in diesem Gedicht das Jenseits weniger als Ort, sondern eher als eine Erscheinungsform des Daseins, als einen existentiellen Zustand, dem das Leben fehlt, der es aber zugleich bedingt:

> ... Zwischen Wurzeln
> entsprang das Blut, das fortgeht zu den Menschen.

Alles Gegenständliche dieser Beschreibung – Wälder, Brücken, Teich, Wiesen – erfährt durch die unwirkliche Umgebung, in der es steht, eine Verfremdung und kann so als Chiffre für die gemeinte wesenlose Unbestimmtheit des Tot-Seins dienen.

In diese gänzlich unmythische und damit metaphorisch gewordene Todeslandschaft stellt Rilke die drei Gestalten Orpheus, Eurydice und Hermes, die auf dem Wege ins Diesseits, d. h. auf dem Wege ins Leben sind. Damit setzt Rilke in einer Phase des Sagengeschehens ein, die in den Dichtungen des Altertums erst gegen Mitte der Darstellung nach ausführlicher Behandlung der vorausgegangenen Ereignisse erreicht wird (georg. 485 ff., met. X 53 ff.). Der Schlangenbiß, der Eurydices Tod verursacht hat,[6] die Trauer des Orpheus, sein Abstieg in die Unterwelt, die Wirkungen seines Gesanges, die mit den Hadesherrschern ge-

---

[6] Wenn Vergil (georg. IV 457 ff.) in diesem Zusammenhang von einer Flucht Eurydices vor den Nachstellungen des Aristaeus zu erzählen weiß, so scheint es sich, wie E. Norden (Orpheus und Eurydice. Ein nachträgliches Gedenkblatt für Vergil, Sitzungsberichte der preußischen Akademie der Wissenschaften, phil.-hist. Klasse XXII, Berlin 1934, S. 35 f.) meint, um eine Erfindung des Dichters zu handeln mit dem Zweck, die beiden ursprünglich getrennten Sagenkreise zu verbinden.

troffene Vereinbarung – all das fehlt in Rilkes Gedicht. Denn er will
nicht fortschreitende Handlung erzählen, sondern in der transparenten
Bildhaftigkeit der einmaligen Situation das Wesen des Todes sichtbar
machen. Seine Darstellung ist statisch und gleicht der Beschreibung
eines Bildkunstwerks.

Dabei ruht der Blick des Betrachters zunächst ausgiebig auf der
Gestalt des ungeduldig vorwärtsschreitenden Orpheus, dessen mit der
Umgebung kontrastierende Erscheinung die Nicht-Zugehörigkeit zu
dieser still in sich verharrenden Welt des Todes widerzuspiegeln
scheint. So fremd ist der Sänger in dieser Umgebung, daß er sein eigen-
stes Wesen vergißt:

> . . . seine Hände hingen
> schwer und verschlossen aus dem Fall der Falten
> und wußten nicht mehr von der leichten Leier,
> die in die Linke eingewachsen war
> wie Rosenranken in den Ast des Ölbaums.

Der Lebende steht in der Welt des Todes isoliert da, und obwohl ihm Eurydice und Hermes dichtauf folgen, gibt es keinen Kontakt zwischen
denen, die dieser Welt angehören, und ihm, der darin ein Fremdling ist:

> Er aber sagte sich, sie kämen doch;
> sagte es laut und hörte sich verhallen.
> Sie kämen doch, nur wärens zwei,
> die furchtbar leise gingen . . .

Überleitend ist damit bereits die Blickrichtung auf die nächsten beiden
Gestalten der Gruppe gewiesen, denen sich das Gedicht nun zuwendet.
Wenn Rilke dabei zunächst von Hermes, dem „Gott des Ganges und
der weiten Botschaft" spricht, bestätigt das die einleitend geäußerte
Vermutung, daß er dieses Gedicht vor allem unter dem Eindruck bild-
licher Darstellungen des Themas geschaffen hat. Denn während weder
bei Vergil noch bei Ovid der Seelengeleiter in Erscheinung tritt – die
antiken Dichter wollen das liebende Paar ohne trennende Begleitperson
vorführen, um die Intensität des tragischen Gefühlserlebnisses nicht zu
beeinträchtigen –, findet man die Gestalt des Gottes auf den erwähnten
Dreifiguren-Reliefs von Paris, Rom und Neapel.[7] Und in genauer

---

[7] Daß Hermes ursprünglich in die Umgebung des Orpheus gehört, hat neuer-

Übereinstimmung mit diesen bildlichen Darstellungen heißt es in
Rilkes Gedicht nach einer kurzen Beschreibung des Gottes:

> und seiner linken Hand gegeben: *sie.*

Kein Name wird also genannt, wenn der betrachtende Blick weitergleitet zu Eurydice. Überhaupt fällt auf, daß das gesamte Gedicht konsequent in der Anonymität verharrt und so über die Schilderung der einmaligen mythischen Situation hinaus auf Allgemeines von zeitloser Gültigkeit weist.

„Sie" wird in den folgenden Zeilen des Gedichtes aus ihrer Unpersönlichkeit herausgehoben und in ihrem Schicksal näher gebracht als

> Die So-geliebte, daß aus einer Leier
> mehr Klage kam als je aus Klagefrauen;
> daß eine Welt aus Klage ward, in der
> alles noch einmal da war: Wald und Tal
> und Weg und Ortschaft, Feld und Fluß und Tier.

In dieser Schilderung einer Trauer von wahrhaft kosmischen Ausmaßen wird das menschliche Empfinden verabsolutiert zu einer elementaren Grundbefindlichkeit irdischer Existenz. Der Dichter holt damit einen Aspekt der Handlung nach, der in den antiken Erzählungen (georg. IV 464 ff.; met. X 11 f.) an wesentlich früherer Stelle seinen Platz hat.

Durch ein solches rückschauendes Verlegen des Klage-Motivs in die Situation des Aufstiegs tritt die enge menschliche Bindung, die zwischen dem Mann und der Frau auf Erden geherrscht hat, an dieser Stelle mit besonderer Intensität vor Augen. Entsprechend schließt dieser Abschnitt des Gedichtes auch so, wie er begonnen hat, nämlich mit dem Blick auf „diese So-geliebte".

dings R. Böhme (Orpheus. Der Sänger und seine Zeit, Bern/München 1970, S. 232 ff.) gezeigt. Auf die ausführlichen Anmerkungen zu diesem Buche sei besonders verwiesen, da sie dem Interessierten eine Fülle von Literaturangaben zu den Themen „Orpheus" bzw. „Orphik" bieten, die hier nicht angeführt werden können. Über Richtigkeit oder Unrichtigkeit der dem Buche zugrundeliegenden These eines historischen Orpheus, der der mykenischen Welt des 15./14. Jahrhunderts als deren geistig-religiöser Repräsentant zuzuordnen sei, soll damit nicht geurteilt werden.

Gerade vor dem Hintergrund der Erinnerung an das Vergangene aber bekommt die nun folgende Schilderung der gegenwärtigen Situation erst ihre volle Ausdruckskraft. Denn in dem Bilde, das Rilke von der toten Eurydice zeichnet, liegt die entscheidende und – wie sich zeigen wird – für Rilkes Empfinden charakteristische Umgestaltung des traditionellen Motivs. Wo immer nämlich sonst die Sage von Orpheus und Eurydice erzählt wird, ob in Antike oder Neuzeit, stets folgt Eurydice dem Gatten als Liebende dem Geliebten. Die Tote bewahrt das Gefühl, das sie als Lebende dem Manne entgegengebracht hat; sie sehnt wie er das Wieder-Zusammensein nach langer Trennung herbei; der Tod hat offenbar die Bindung an den Gatten nicht zerstören können.

Ganz anders im Gedicht Rilkes. Hier erscheint das Tot-Sein Eurydices als totales Anders-Sein, das keine Verbindung mehr mit der früheren, lebendigen Existenz verrät. Durch nichts ist dieser tiefgreifende Wandel in der Auffassung besser zu verdeutlichen als durch Rilkes eigene Worte, mit denen er seine Eurydice beschreibt:

> Sie aber ging an jenes Gottes Hand,
> den Schritt beschränkt von langen Leichenbändern,
> unsicher, sanft und ohne Ungeduld.
> Sie war in sich wie eine hoher Hoffnung
> und dachte nicht des Mannes, der voranging,
> und nicht des Weges, der ins Leben aufstieg.
> Sie war in sich. Und ihr Gestorbensein
> erfüllte sie wie Fülle.
> Wie eine Frucht von Süßigkeit und Dunkel,
> so war sie voll von ihrem großen Tode,
> der also neu war, daß sie nichts begriff.
>
> Sie war in einem neuen Mädchentum
> und unberührbar; ihr Geschlecht war zu
> wie eine junge Blume gegen Abend,
> und ihre Hände waren der Vermählung
> so sehr entwöhnt, daß selbst des leichten Gottes
> unendlich leise leitende Berührung
> sie kränkte wie zu sehr Vertraulichkeit.
>
> Sie war schon nicht mehr diese blonde Frau,
> die in des Dichters Liedern manchmal anklang,
> nicht mehr des breiten Bettes Duft und Eiland
> und jenes Mannes Eigentum nicht mehr.

> Sie war schon aufgelöst wie langes Haar
> und hingegeben wie gefallner Regen
> und ausgeteilt wie hundertfacher Vorrat.
>
> Sie war schon Wurzel.

Die Verse bedürfen keines Kommentars; jedes erläuternde Wort könnte den tiefen Eindruck dieses an Eurydice exemplifizierten Tot-Seins nur verwischen. Gerade die letzten Zeilen des Zitats erhellen die eigentümliche Auffassung vom Tode, auf der Rilkes Eurydice-Bild basiert, mit besonderer Deutlichkeit: Tod ist Auflösung, ist Verlust menschlicher Individualität, ist ein Wieder-Eingehen in den allgemeinen Urgrund des Seins, zu den Wurzeln des Lebens, zwischen denen das Blut entspringt, „das fortgeht zu den Menschen", wie es zu Anfang des Gedichtes heißt.

Die hier gefundene Deutung des Todes steht in Rilkes Werk nicht isoliert, sondern bildet – was noch zu zeigen sein wird – ein Zentralproblem, um das sein dichterisches Schaffen unablässig kreist. Nur daraus erklärt sich auch die überraschende Wendung, die das Gedicht im folgenden nimmt, wenn von der Reaktion Eurydices auf das verbotene Sich-Umwenden des Gatten die Rede ist.

Die antiken Dichter bringen an dieser Stelle ergreifend den Schmerz des endgültigen und unabwendbaren Abschieds zum Ausdruck. So legt Vergil (georg. IV 494 ff.) der liebenden Gattin, die sich so kurz vor der Erfüllung ihres Sehnens durch die – freilich verzeihliche – Ungeduld des Gatten erneut dem Tode verfallen sieht, bewegende Worte der Klage in den Mund:

> illa 'quis et me' inquit 'miseram et te perdidit, Orpheu
> quis tantus furor? en iterum crudelia retro
> fata vocant, conditque natantia lumina somnus.
> iamque vale: feror ingenti circumdata nocte
> invalidasque tibi tendens, heu non tua, palmas.

> Klagend rief sie: „Wer nur verdarb mich Arme und dich, mein
> Orpheus, was für ein Wahn? Schon ruft mich grausam das Schicksal
> Wieder zurück, schon bricht Todschlaf die verschwimmenden Augen.
> Leb nun wohl, die gewaltige schlingt mich, die Nacht, ich versinke,
> Kraftlos nach dir – weh! nicht mehr dein! – ausbreitend die Arme."
>
> [Übersetzung von J. Götte]

Ovid (met. X 58 ff.) läßt statt lauter Klagen die stumme Geste rüh-
render Hilflosigkeit wirken, die nur von einem letzten Lebewohl an
den Gatten begleitet wird[8]:

> Bracchiaque intendens prendique et prendere certans
> nil nisi cedentes infelix adripit auras.
> Iamque iterum moriens non est de coniuge quicquam
> questa suo (quid enim nisi se quereretur amatam?)
> supremumque 'vale', quod iam vix auribus ille
> acciperet, dixit revolutaque rursus eodem est.

> Streckend die Hände, bemüht, gefaßt zu werden, zu fassen,
> greift die Ärmste nichts als flüchtige Lüfte, und schon zum
> zweiten Mal sterbend klagt sie dennoch gegen den Gatten
> nichts – denn was sollte sie klagen, als daß sie zu sehr sich geliebt sah?
> Nur ein letztes ‚Lebwohl‘, das kaum seinem Ohre vernehmbar,
> sprach sie und sank zurück dahin, woher sie gekommen.
>
> [Übersetzung von E. Rösch]

Nichts von alldem bei Rilke. Die antiken Darstellungen des Vorgangs
lassen den in seinem Gedicht vorhandenen Gegensatz dazu erst mit
voller Schärfe ins Bewußtsein treten, wenn es da nämlich heißt:

> Und als plötzlich jäh
> der Gott sie anhielt und mit Schmerz im Ausruf
> die Worte sprach: Er hat sich umgewendet –,
> begriff sie nichts und sagte leise: Wer?

Dieses „Wer?" kontrastiert in einer menschliches Fühlen geradezu ver-
letzenden Weise mit dem „vale" Ovids, und das könnte in der Tat miß-
deutet werden als brüskierende Satire auf das Ideal unsterblicher Gattenliebe. Doch in Wahrheit symbolisiert die Kluft, die sich zwischen
beiden Aussagen auftut, nichts anderes als die unüberbrückbare Trennung der beiden Daseinsbereiche, des Lebens und des Todes, wie sie
nach Rilkes Anschauung durch den Verlust der individuellen Persönlichkeit des Menschen im Tode gegeben ist.

Das Gedicht schließt mit einer Art Zusammenfassung, in der jede
der drei Gestalten der Gruppe noch einmal kurze Erwähnung findet.

---

[8] Darin hat Norden (a. a. O., S. 43 ff.) sicher mit Recht ein bewußtes Korrigieren des vergilischen Vorbildes gesehen.

Doch jetzt, nachdem der Kulminationspunkt des Gedichtes, der in Eurydices fragendem „Wer?" liegt, überschritten ist, begegnen diese Gestalten in einer veränderten Situation: Orpheus, nicht vergeblich um die abermals Entrissene klagend wie in den antiken Dichtungen – dafür ist hier kein Platz –, steht „dunkel vor dem klaren Ausgang" als „irgend jemand, dessen Angesicht nicht zu erkennen war". Die namenlose Unbestimmtheit der Aussage drückt erneut die gänzliche Bedeutungslosigkeit des Lebenden für die Tote aus. Seiner Blickrichtung folgend tritt als nächster Hermes in Erscheinung, der sich „mit trauervollem Blick" schweigend wendet. Der Gott gehört nicht zu den Toten, er steht über den Daseinsbereichen und kann deshalb mit dem Lebenden mitfühlen. Eurydice hingegen geht den Weg bereits zurück ohne sichtbaren äußeren Zwang, sie geht, wie sie gekommen ist:

> den Schritt beschränkt von langen Leichenbändern,
> unsicher, sanft und ohne Ungeduld.

Indem die Schlußverse des Gedichtes wörtlich das wiederholen, was von der dem Gatten folgenden Eurydice zu Anfang ausgesagt ist, stehen sie als äußeres Zeichen für das In-sich-Ruhen der Toten. Eurydice ist vom Besuch des Gatten überhaupt nicht berührt worden. Befangen in der Zeitlosigkeit ihres neuen Daseins, das gegenüber dem Leben ein totales Anders-Sein darstellt, kennt sie keine Ungeduld und bildet darin ein Gegenbild zum Lebenden.

Überblickt man nun rückschauend Rilkes Gedicht ›Orpheus. Eurydike. Hermes‹ in seiner Gesamtheit, so läßt sich feststellen, daß die wesentliche Neuerung gegenüber den antiken Versionen der Erzählung nicht in der veränderten Form, in der Beschränkung auf statische Situationsschilderung liegt, sondern in der Aussage. Das Motiv hat sich unter Rilkes Händen gewandelt vom zeitlosen Bilde treuer Gattenliebe zur symbolhaften Ausdrucksform für die Verschiedenheit der beiden elementaren Daseinsbereiche, die dennoch eine übergreifende kosmische Einheit bilden. Der Tod ist nach solcher Anschauung nichts anderes als ein Wiedereingehen in das allgemeine eigentliche Sein, aus dem individuelles Leben nur in zeitlicher Begrenztheit entspringt, um wieder dahin zurückzukehren.

Diese überraschend neuartige und einmalige Deutung des Orpheus-Mythos entspringt offenbar einer persönlichen Überzeugung des Dichters. Sie wird verständlich, wenn man sie einordnet in den Kreis der Todesvorstellungen, wie sie in seinem Werk fortgesetzt begegnen. Das wird im folgenden die Aufgabe sein; dabei ist Vollständigkeit im Erfassen der in Frage kommenden Stellen weder nötig noch beabsichtigt.

Bereits in einem der frühesten Gedichte des ›Stundenbuches‹, das mit den Worten „Ich liebe meines Wesens Dunkelstunden" [9] beginnt, findet sich der Gedanke von „einem zweiten zeitlos breiten Leben". Daß damit der Tod angesprochen ist, zeigen die in direktem Zusammenhang damit stehenden Worte „Grab" und „Wurzeln"; das letztere davon begegnete auch bei der Beschreibung des Totenreiches im Orpheus-Gedicht. Wenn es sich hier um das Grab eines Knaben handelt, so weist das auf die besondere Teilnahme Rilkes am Schicksal aller Zu-früh-Verstorbenen, die aus seinem Werk immer wieder spürbar wird. Auch Eurydice gehört zu diesen Zu-früh-Verstorbenen, worauf bei Ovid (met. X 36 f.) ausdrücklich Bezug genommen wird:

> Haec quoque, cum iustos matura peregerit annos,
> iuris erit vestri . . .

> Sie auch, wenn sie, gereift, vollbracht die bemessenen Jahre,
> wird euch fallen anheim . . .
> [Übersetzung von E. Rösch]

Deutlichere Form nimmt die Vollendung eines Jenseits-Bereiches, aus dem das Leben kommt und in den es mit dem Tode wieder mündet, in einem Gedicht des ›Buches von der Pilgerschaft‹ an; [10] da heißt es nämlich:

> Ich denke oft: Schatzhäuser müssen sein,
> wo alle diese vielen Leben liegen
> wie Panzer oder Sänften oder Wiegen,
> in welche nie ein Wirklicher gestiegen,
> und wie Gewänder, welche ganz allein
> nicht stehen können und sich sinkend schmiegen
> an starke Wände aus gewölbtem Stein.
> Und wenn ich abends immer weiterginge
> aus meinem Garten, drin ich müde bin, –
> ich weiß: Dann führen alle Wege hin
> zum Arsenal der ungelebten Dinge.

[9] Rilke, a. a. O., II S. 176 f.; entstanden am 12. Sept. 1899.
[10] Rilke, a. a. O., II S. 241; „Ich bin nur einer deiner Ganzgeringen, . . .";
entstanden am 19. Sept. 1901.

Die Vorstellung vom Tode als der eigentlichen Seins-Form des Menschen kleidet Rilke in einem Gedicht des Buches ›Von der Armut und vom Tode‹ in ein Gleichnis[11]:

> Denn wir sind nur die Schale und das Blatt.
> Der große Tod, den jeder in sich hat,
> das ist die Frucht, um die sich alles dreht.

Wie intensiv derartige Gedanken Rilke zeitweise beschäftigen, zeigt die Tatsache, daß sie in ein am selben Tage wie das vorher erwähnte geschriebenes Gedicht ebenfalls Eingang gefunden haben[12]:

> Herr: wir sind ärmer denn die armen Tiere,
> die ihres Todes enden, wenn auch blind,
> weil wir noch alle ungestorben sind.

Als besonders aufschlußreich erweist sich bei dieser Betrachtung das Schlußgedicht des ›Buches von der Armut und vom Tode‹[13], in dessen Mittelpunkt die Gestalt des heiligen Franz von Assisi steht. Seinen Tod begreift Rilke genau wie Jahre später den des Orpheus[14] als ein Aufgehen seines Wesens in der All-einheit des Seins, als ein befruchtendes Verschmelzen mit dem Kosmos:

> Und als er starb, so leicht wie ohne Namen,
> da war er ausgeteilt: sein Samen rann
>
> in Bächen, in den Bäumen sang sein Samen
> und sah ihn ruhig aus den Blumen an.
> Er lag und sang . . .

Nicht nur im Inhalt, sondern auch im Wortlaut fallen Übereinstimmungen mit den Versen auf, die das Wesen der toten Eurydice beschreiben und die nicht zuletzt deswegen bereits oben zitiert wurden.

Auch die Vorstellung vom Tode als einer Voraussetzung und Bedingung des Lebens, die ebenfalls im Gedicht ›Orpheus. Eurydike. Her-

---

[11] Rilke, a. a. O., II S. 273; entstanden am 16. April 1903.

[12] Rilke, a. a. O., II S. 274.

[13] Rilke, a. a. O., II S. 291 ff.; „O wo ist der, der aus Besitz und Zeit"; entstanden am 19./20. April 1903.

[14] Rilke, Sonette an Orpheus I 26, a. a. O., II S. 338 (Vgl. Verg., georg. IV 520 ff.; Ov., met. XI 1 ff.).

mes‹ zu finden war, begegnet bei Rilke bereits sehr früh im ›Requiem‹[15] aus dem ›Buch der Bilder‹, das in Erinnerung an Gretel Kottmeyer, eine Jugendfreundin der Gattin des Dichters, geschrieben ist:

> Für deinen Tod
> sind Leben erstanden.

Hier, in demselben Gedicht, hat Rilke auch den Gedanken vom Leben als einer nur partiellen und obendrein untergeordneten Seinsstufe zum Ausdruck gebracht. Die Formulierungen erinnern dabei zum Teil in Stimmung und Inhalt an episch-lyrische Aussagen der griechischen Frühzeit:

> Leben ist nur ein Teil . . . Wovon?
> Leben ist nur ein Ton . . . Worin?
> Leben hat Sinn nur verbunden mit vielen
> Kreisen des weithin wachsenden Raumes, –
> Leben ist so nur der Traum eines Traumes,
> aber Wachsein ist anderswo.

Überhaupt greift man – und das ist nur verständlich – die eigentümliche Todesnähe, ja Todesvertrautheit, die aus dem Werke Rilkes allenthalben spricht, dort mit besonderer Deutlichkeit, wo eines Menschen gedacht wird, der dem Dichter im Leben persönlich nahestand. Man spürt dann aus seinen Worten einen inneren Widerstreit zwischen dem Glauben an den Tod als einen neuen Anfang und der dadurch nicht aufhebbaren Trauer um den erlittenen Verlust. In bewegender Weise legen davon jene Verse Zeugnis ab, mit denen Rilke sein ›Requiem – Für eine Freundin‹ einleitet[16]:

> Ich habe Tote, und ich ließ sie hin
> und war erstaunt, sie so getrost zu sehn,
> so rasch zuhaus im Totsein, so gerecht,
> so anders als ihr Ruf. Nur du, du kehrst

---

[15] Rilke, a. a. O., II S. 162; entstanden am 20. Nov. 1900.

[16] Rilke, a. a. O., II S. 323; das zwischen dem 31. Okt. u. 2. Nov. 1908 entstandene Gedicht ist der Malerin Paula Becker-Modersohn gewidmet, die am 20. Nov. 1907 im Alter von 31 Jahren bei der Geburt ihres ersten Kindes gestorben war. Auch sie, die mit Rilke eng befreundet war, gehört also in jenen Kreis der Zu-früh-Verstorbenen im Werke Rilkes, denen Eurydice als mythisches Exemplum voransteht.

> zurück; du streifst mich, du gehst um, du willst
> an etwas stoßen, daß es klingt von dir
> und dich verrät . . .

Die hier zum Ausdruck kommende Anschauung von den Toten, die in ihrem neuen So-Sein „zuhaus" sind, weicht bedeutsam ab von der üblichen Vorstellung, nach der die Verstorbenen das Leben herbeisehnen. Deswegen kann Rilke sagen, die Toten seien „so anders als ihr Ruf". Wir erinnern uns in diesem Zusammenhang wieder der Umwandlung der Orpheus-Sage im Gedicht, von dem die Betrachtung ausgegangen ist; denn auch Eurydice, die sich zurückwendet, noch bevor der geleitende Gott zur Umkehr mahnt, die „sanft und ohne Ungeduld" den Weg geht, wie sie ihn gekommen ist, erscheint „zuhaus im Totsein".

Der gleiche Gedanke begegnet übrigens auch im ›Requiem für Wolf Graf von Kalckreuth‹[17]. Da dieser in jungen Jahren durch Freitod aus dem Leben geschieden war, erscheint der Gedanke nun in gesteigerter Form; denn der Tote wird hier mit Worten angeredet, die nur vor diesem Hintergrund verständlich sind:

> . . . Toter der du bist; du gerne,
> du leidenschaftlich Toter . . .

Aus allem – und die angeführten Stellen ließen sich unschwer vermehren – ist wohl deutlich geworden, daß Rilkes dichterisches Schaffen bereits in der Frühphase eine relativ einheitliche und geschlossene Vorstellung vom Tode kennt. Nur einbezogen in diesen Ideenkreis läßt sich die Umdeutung des Mythos im Gedicht ›Orpheus. Eurydike. Hermes‹ verstehen. Unter dem beherrschenden Einfluß einer Rilke in dieser Schaffensperiode eigenen Anschauung vom Tode erhält die alte Erzählung von unsterblicher Gattenliebe einen gänzlich neuen und auf den ersten Blick mit dem früheren unvereinbaren Gehalt. Die Sage wird zur symbolhaften Ausdrucksform für ein Totendasein, das in Wirklichkeit das wahre und eigentliche Leben bedeutet.

Es sieht damit so aus, als wurzelten die Gedanken, die hier zugrunde liegen, in der eigensten Gefühlswelt Rilkes, dessen dichterisches Schaffen in jedem Betracht ein ständiges Streben nach Erfassen des kosmi-

---

[17] Rilke, a. a. O., II S. 337; entstanden am 4./5. Nov. 1908.

schen Ganzen in seiner Allbeseeltheit verrät. Daher mag es weniger auf
bewußte Aneignung als auf ein unbewußtes und zufälliges Erahnen zurückzuführen sein, daß die im Gedicht ›Orpheus. Eurydike. Hermes‹
vorgenommene Umdeutung in einem tieferen Sinne doch Ideen aufnimmt, die gerade mit diesem Mythos und seiner Zentralgestalt
Orpheus seit ältesten Zeiten verbunden sind. Freilich kann und soll an
dieser Stelle nun nicht einmal umrißhaft auf jene vielschichtigen religiös-
kultischen Vorstellungen des Altertums eingegangen werden, die man
gemeinhin als orphisch-pythagoreische bezeichnet. Aber eines bleibt
hinter all den kontroversen Fragen und Problemen, auf die man beim
Betreten dieses Gebietes stößt, doch sichtbar, nämlich daß eine Jenseitslehre zugrunde liegt, die den Tod als Eingehen in ein zweites,
eigentliches Leben betrachtet. Das aber deckt sich wenigstens in gewissem Umfang mit Rilkes eigenen Vorstellungen, die sich – wie zu zeigen
war – in den Werken seiner frühen Schaffensperiode niedergeschlagen
haben. Es nimmt daher nicht wunder, daß der Dichter, als er später tatsächlich mit orphischer Lehre in Berührung kam, von den darin gefundenen Ideen stark angesprochen wurde. Auf sein weiteres dichterisches
Schaffen konnte das nicht ohne Wirkung bleiben.

Erste Bekanntschaft mit dem Gedankengut der antiken Orphik
machte Rilke durch die Vermittlung Alfred Schulers, der ein Schüler
Bachofens war. Der tiefe Eindruck, den ein Vortrag dieses Gelehrten
bei Rilke hinterlassen hatte, spricht aus einem Briefe, den der Dichter
am 18. März 1915 an die Fürstin Marie von Thurn und Taxis-Hohen-
lohe richtete[18]:

. . . stellen Sie sich vor, daß ein Mensch, von einer intuitiven Einsicht ins alte
kaiserliche Rom her, eine Welterklärung zu geben unternahm, welche die Toten
als die eigentlich Seienden, das Toten-Reich als ein einziges unerhörtes Dasein,
unsere kleine Lebensfrist aber als eine Art Ausnahme davon darstellte: dies alles
gestützt durch eine unermeßliche Belesenheit und von einem solchen Gefälle
innerer Überzeugung und Erhebung, daß der Sinn unvordenklicher Mythen,
gelöst, in dieses Redebett herbeizustürzen schien, den Sinn und Eigensinn des
seltsamen Sonderlings auf einer großen Strömung tragend – . . . ich habe einige
Stunden mit jenem Menschen verbracht, weiß nicht, ob es möglich ist, ihn wie-
derzusehen, – jedenfalls fühl ich mich von seinen Zusammenhängen, da ich

[18] Rilke, a. a. O., XII S. 44 f.

nicht weiter fragen und nicht genauer damit umgehen kann, ähnlich angezogen und abgetrennt, wie von der „Unbekannten" . . .

In Schulers Vortrag fand Rilke genau das ausgesprochen, was ihn selbst, wie sein Werk verrät, seit Jahren bewegte. Damit war seinem unbestimmt ahnenden Fühlen und Suchen auf diesem Gebiet erstmals eine unmißverständliche Wegweisung in Richtung auf das Altertum gegeben. Ende des Jahres 1917 hörte Rilke dann weitere Vorträge Schulers, dessen wissenschaftliches Denken vornehmlich um antike Anschauungen von Tod und Wiedergeburt kreiste. Durch ihn ist Rilke wohl auch direkt mit dem Werke Bachofens, vor allem mit dessen Abhandlung über ›Die Unsterblichkeitslehre der orphischen Theologie auf den Grabdenkmälern des Altertums‹ (1867) vertraut geworden; denn fortan weist manches auf einen Einfluß von dieser Seite.[19]

Es scheint dabei, als habe die Konfrontation mit dem Gedankengut der Orphik bei Rilke, eben weil er selbst dazu eine gefühlsmäßige Affinität besaß, zu einer Klärung, Vertiefung und Reife der eigenen Vorstellungen geführt. Die nun zeitlich folgenden Werke nämlich beschäftigen sich mit dem Problem des Todes in einer bis dahin unbekannten Eindringlichkeit. Bereits die ›Duineser Elegien‹, die Rilke zwar schon 1912 begonnen hatte – also vor seiner Bekanntschaft mit Schuler –, die aber erst 1922 vollendet wurden, enthalten Bilder und Symbole, die orphischen Jenseitsvorstellungen angehören. Die darin ausgesprochenen Gedanken über die Korrelation von Leben und Tod lassen gegenüber früheren Werken eine zunehmende Subtilität der Sehweise erkennen, die wenigstens zum Teil auf die Wirkung der durch Schuler und Bachofen vermittelten Ideen zurückzuführen ist. Zum anderen Teil äußert sich darin auch ein gedanklicher Reifeprozeß, ein inneres Fortschreiten des Dichters selbst in Richtung auf größere Deutlichkeit und Bestimmtheit seiner Haltung zu diesen Fragen. So ist am Ende der ersten Elegie,[20] die bereits am 21. Januar 1912 vollendet war, von den Toten und deren besonderem Wesen in einer Ausführlichkeit die Rede wie bis dahin nirgends:

---

[19] Wir können es uns ersparen, auf Einzelheiten näher einzugehen, da R. Krämer in einer Dissertation (Rilke und Bachofen, Diss. Frankfurt a. M. 1939) die Beziehungen Rilkes zu Schuler und Bachofen ausführlich untersucht hat.

[20] Rilke, a. a. O., III S. 263.

> ... Aber Lebendige machen
> alle den Fehler, daß sie zu stark unterscheiden.
> Engel (sagt man) wüßten oft nicht, ob sie unter
> Lebenden gehn oder Toten. Die ewige Strömung
> reißt durch beide Bereiche alle Alter
> immer mit sich und übertönt sie in beiden.
> Schließlich brauchen sie uns nicht mehr, die Früheentrückten,
> man entwöhnt sich des Irdischen sanft, wie man den Brüsten
> milde der Mutter entwächst. Aber wir, die so große
> Geheimnisse brauchen, denen aus Trauer so oft
> seliger Fortschritt entspringt –: *könnten* wir sein ohne sie?

Klar und deutlich ist in diesen Zeilen die Leben und Tod umspannende Einheit des Seins ausgesprochen, und jene gegenseitige Bedingtheit beider Existenzformen, die früher im Bilde von den im Totenreich liegenden Wurzeln des Lebens ihren Ausdruck fand, sie hat sich hier konkretisiert zur Frage nach der Möglichkeit des Lebens ohne die Toten, einer Frage, die die negative Antwort in sich trägt.

Sogar äußerlich sichtbar wird der Einfluß orphischer Ideen dann in dem letzten großen Werk Rilkes, das im Februar des Jahres 1922 entstanden ist; denn es ist an den Ahnherrn der antiken Jenseitslehre gerichtet und trägt seinen Namen im Titel: ›Die Sonette an Orpheus.‹

Der zweiteilige Gedichtzyklus kennt einen anderen Orpheus als den, der in den ›Neuen Gedichten‹ begegnet und dort als Lebender hinter der Zeichnung der toten Eurydice zurücktritt. Auch mit der antiken Sagengestalt hat der Schutzherr der Sonette nur wenig gemein. Denn hier nun steht Orpheus wahrhaft im Zentrum des Werkes als Symbolgestalt einer Daseinsanschauung, die den Wechsel von Tod und Leben in einer höheren Einheit begreift.

Der Tod bildet das eigentliche Thema der Sonette, die geschrieben sind „als ein Grab-Mal für Wera Ouckama Knoop", wie es im Untertitel der Sammlung heißt. Das hier genannte Mädchen war 1919 im Alter von noch nicht zwanzig Jahren an einer unheilbaren Krankheit gestorben. Am Neujahrsabend des Jahres 1922 hatte Rilke die Aufzeichnungen der Mutter Weras über Leiden und Tod ihrer Tochter gelesen,[21] und

---

[21] S. Brief (undatiert) Rilkes (a. a. O., XI S. 82 ff.) an Frau Gertrud Ouckama Knoop.

unter dem tiefen Eindruck, den sie bei ihm hinterließen, hat er seine Sonette geschaffen[22]. Wie sehr das Schicksal des Mädchens Rilke berührt haben muß, zeigt eine Stelle aus einem Brief des Dichters an Witold von Hulewicz noch vom 13. November 1925,[23] wo er von der jungen Toten spricht, „deren Unvollendung und Unschuld die Grabtür offenhält, so daß sie, hingegangen, zu jenen Mächten gehört, die die Hälfte des Lebens frisch erhalten und offen nach der anderen wundoffenen Hälfte zu".

Wera, die im Leben Musik und Tanz über alles liebte, steht in den Sonetten unter dem Geleit des göttlichen Sängers und Leierspielers Orpheus. Indem sie an seine Seite tritt, ersetzt sie gleichsam die Eurydice des Mythos. Doch zugleich verliert Orpheus seine volkstümlich-mythischen Züge und kann wieder zum göttlichen Inbild einer Lebensanschauung werden, wie er es in antiken Glaubensvorstellungen von alters her war. Wenn damit Rilke auch die Sage von Orpheus und Eurydice als Ganzes aufgab, so verzichtete er doch nicht auf deren einzelne Stationen und Momente, denen er Symbolkraft und Aussagefähigkeit für die Einheit des Seins abgewinnt.

Diese Einheit des Seins liegt nach Anschauung des Dichters im Wandel, und die Begriffe Wandlung, Verwandlung, Metamorphose – möglicherweise äußert sich darin ein Einfluß der früheren Ovid-Lektüre – erlangen gerade in den Sonetten zentrale Bedeutung. „Wolle die Wandlung" – beginnt das 12. Sonett des 2. Teiles,[24] und eben das ließe sich als Maxime über die Sonette als Ganzes schreiben. Die Idee der dem Dasein immanenten und es bedingenden Wandlung sah Rilke sinnbildhaft dargestellt in Gesang und Leierspiel des Orpheus mit all den davon aus-

---

[22] S. die Briefe Rilkes an Frau Ouckama Knoop vom 7. Februar, 9. Februar und 18. März 1922 (a. a. O., XI S. 98, 99 f., 119 f.).

[23] Rilke, a. a. O., XI S. 338. Der Brief an Hulewicz ist überdies in seiner Gesamtheit wichtig, da er die Richtigkeit der hier für den Dichter aus seinem Werk gewonnenen Vorstellungen von Leben und Tod bestätigt und zugleich jede Möglichkeit ausschließt, diese mit christlicher Lehre in Verbindung zu bringen (a. a. O., XI S. 337): „Wenn man den Fehler begeht, katholische Begriffe des Todes, des Jenseits und der Ewigkeit an die Elegien oder Sonette zu halten, so entfernt man sich völlig von ihrem Ausgang und bereitet sich ein immer gründlicheres Mißverstehen vor."

[24] Rilke, a. a. O., III S. 354.

gehenden Wirkungen auf die Umwelt. Wie ein vorangestelltes Motto
wirken daher jene Verse, die den Gedicht-Zyklus einleiten [25]:

> Da stieg ein Baum. O reine Übersteigung!
> O Orpheus singt! O hoher Baum im Ohr!
> Und alles schwieg. Doch selbst in der Verschweigung
> ging neuer Anfang, Wink und Wandlung vor.

Daß die Idee der Wandlung Rilke schon immer intensiv beschäftigt
hatte, davon legen seine früheren Werke Zeugnis ab. Doch erst unter
dem Einfluß der Orphik mit ihrer Lehre von Wiedergeburt, von Wandlung tellurischen in lunares und solares Sein – um Termini Bachofens zu
gebrauchen – scheint die Idee eine stützende Grundlegung erfahren zu
haben. So vertieft, konnte sie in den Sonetten zur Aussage dichterischen Selbstverständnisses und zur Deutung kosmischer Seinsbezüge
dienen.

Die alles verwandelnde Kraft des singenden und musizierenden Gottes, der ein Urbild des Dichtertums darstellt, wird zum Gleichnis für
das Dasein an sich. „Gesang ist Dasein" – heißt es im dritten Sonett des
ersten Teiles.[26] Die metaphorische Wesensgleichheit des göttlichen
Singens mit dem Prinzip existentieller Wandlung kommt wohl am deut-
lichsten im neunzehnten Sonett (1. Teil)[27] zum Ausdruck, dessen
Stanze ganz von diesem Thema beherrscht ist:

> Wandelt sich rasch auch die Welt
> wie Wolkengestalten,
> alles Vollendete fällt
> heim zum Uralten.
>
> Über dem Wandel und Gang,
> weiter und freier,
> währt noch dein Vor-Gesang,
> Gott mit der Leier.

Der durch die Kraft seines Gesanges verwandelnde Orpheus ist aber
zugleich auch der sich selbst Wandelnde. Denn indem er nach der Sage

[25] Rilke, a. a. O., III S. 313.
[26] Rilke, a. a. O., III S. 315.
[27] Rilke, a. a. O., III S. 331.

vom Diesseits ins Jenseits schreitet, hat er im Wechsel Anteil an beiden Existenzformen. Das läßt den Dichter auf die Frage[28]: „Ist er ein Hiesiger?" antworten:

> . . . Nein, aus beiden
> Reichen erwuchs seine weite Natur.
> Kundiger böge die Zweige der Weiden,
> wer die Wurzeln der Weiden erfuhr.

Orpheus war bei den Wurzeln des Lebens, er hat das Reich der Toten kennengelernt, und diese Erfahrung befähigt ihn zur Aussage elementarster Zusammenhänge; denn, wie es im bekannten neunten Sonett (1. Teil) heißt[29]:

> Nur wer die Leier schon hob
> auch unter Schatten,
> darf das unendliche Lob
> ahnend erstatten.
> Nur wer mit Toten vom Mohn
> aß, von dem ihren,
> wird nicht den leisesten Ton
> wieder verlieren.

Auch daß das, was man Leben nennt, in Wahrheit nur ein im Vergleich zum eigentlichen Leben unbedeutendes Übergangsstadium darstellt, auch dieser Gedanke, der uns bereits im früheren Werk Rilkes andeutungsweise begegnete, findet jetzt in den Sonetten sicherlich unter dem Einfluß orphischer Vorstellungen zu konkretisierter Aussage. So heißt es im vierzehnten Sonett (1. Teil) von den Toten, „die die Erde stärken", in einer Frage[30]:

> Sind *sie* die Herrn, die bei den Wurzeln schlafen,
> und gönnen uns aus ihren Überflüssen
> dies Zwischending aus stummer Kraft und Küssen?

Der Gott, der durch die Kraft seines Gesanges die Welt verändert und der vom Diesseits ins Jenseits schreitet – an diese Bilder, die Wandel und Einheit des Seins sinnfällig machen, schließt sich noch ein drit-

---

[28] Sonette I 6, Rilke, a. a. O., III S. 318.
[29] Rilke, a. a. O., III S. 321.
[30] Rilke, a. a. O., III S. 326.

ter Zug der Sage, der in den Sonetten mit kosmischer Sinngebung erfüllt wird: die Zerreißung des Gottes durch die thrakischen Mänaden. Nach den Vorstellungen antiker Unsterblichkeitslehre, wie sie sich in Bachofens Werk niedergeschlagen hat, geht die individuelle Seele des Lebenden mit dem Tode wieder ein in die allgemeine Weltseele, aus der sie auch ihren Ursprung genommen hat. Derartige Gedanken waren Rilke von eigenen Überlegungen her durchaus vertraut und entsprachen offenbar seinem Weltverständnis. Es ist nur zu erinnern an die „aufgelöste" und „ausgeteilte" Eurydice der ›Neuen Gedichte‹ und besonders an die Gestalt des Franz von Assisi, von dem es im Schlußgedicht des Stundenbuches heißt – die Stelle sei hier zur Vergegenwärtigung nochmals zitiert[31]:

> Und als er starb, so leicht wie ohne Namen,
> da war er ausgeteilt: sein Samen rann
> in Bächen, in den Bäumen sang sein Samen
> und sah ihn ruhig aus den Blumen an.
> Er lag und sang ...

Fast sieht es so aus, als habe der Dichter, bereits als er diese Verse schrieb, die Gestalt des Heiligen mit der des Orpheus identifiziert. Doch jetzt in den Sonetten, nachdem er die Sage und ihre kultisch-religiöse Relevanz besser kennengelernt hat, spiegelt das schreckliche Ende des göttlichen Sängers selbst – und nun im Bilde von zeitloser Gültigkeit – das Eingehen seiner Natur in die Gesamtheit des Alls wider. Die Zerreißung und das Verstreuen der Gliedmaßen durch die Mänaden versinnbildlichen ein befruchtendes Verschmelzen seines Wesens mit dem Urgrund des Seins. Das letzte der Sonette des ersten Teiles kündet von diesem Ende des Sängers, das zugleich in einem elementaren Sinne einen neuen Anfang bedeutet[32]:

> Schließlich zerschlugen sie dich, von der Rache gehetzt,
> während dein Klang noch in Löwen und Felsen verweilte
> und in den Bäumen und Vögeln. Dort singst du noch jetzt.
> O du verlorener Gott! Du unendliche Spur!
> Nur weil dich reißend zuletzt die Feindschaft verteilte,
> sind wir die Hörenden jetzt und ein Mund der Natur.

[31] Rilke, a. a. O., II S. 292.
[32] Rilke, a. a. O., III S. 338.

Die Einheit von Leben und Tod, die in Orpheus verkörpert ist, wird mit seiner Zerreißung der gesamten Natur mitgeteilt. Von daher partizipiert alles in der Welt an den beiden Grundformen der Existenz und läßt in seiner Erscheinungsweise solches erahnen[33]:

> Voller Apfel, Birne und Banane,
> Stachelbeere . . . Alles dieses spricht
> Tod und Leben in den Mund . . . Ich ahne . . .
> Lest es einem Kind vom Angesicht,
>
> wenn es sie erschmeckt. Dies kommt von weit.

Den tieferen Zusammenhang zwischen den beiden Daseinsbereichen und zugleich die Bedingtheit des Lebens bewußtzumachen, das war Rilkes eigentliches Anliegen in den Sonetten. Durch Orpheus, die Zentralgestalt antiken Jenseitsglaubens, versuchte der Dichter, das Gemeinte sinnfällig werden zu lassen. Orpheus erscheint so teils als bloßes Symbol einer Idee, teils als mehr, nämlich selbst als Bestandteil dieser Idee. In Anlehnung an sein Sagenschicksal und wohl auch an dessen Ausdeutung in orphischer Unsterblichkeitslehre erhebt Rilke seine Forderung nach Erkenntnis der Begrenztheit des Lebens und der Unendlichkeit des Tot-Seins, nach Wissen um die beide Bereiche in ihrer Verschiedenheit übergreifende Einheit des Seins[34]:

> Sei – und wisse zugleich des Nicht-Seins Bedingung,
> den unendlichen Grund deiner innigen Schwingung,
> daß du sie völlig vollziehst dieses einzige Mal.
> Zu dem gebrauchten sowohl, wie zum dumpfen und stummen
> Vorrat der vollen Natur, den unsäglichen Summen,
> zähle dich jubelnd hinzu und vernichte die Zahl.

Damit ist ein vorläufiger Schlußpunkt dieser Betrachtung erreicht, deren Ziel es war, die Verwendung des Orpheus-Motivs für die Aussage eigener Todesvorstellungen in Rilkes lyrischem Werk zu untersuchen.[35]

---

[33] Sonette I 13, Rilke, a. a. O., III S. 325.

[34] Sonette II 13, Rilke, a. a. O., III S. 356.

[35] Im größeren Zusammenhang und aus einem anderen Blickwinkel ist W. Rehm (Orpheus – Der Dichter und die Toten – Selbstdeutung und Totenkult bei Novalis–Hölderlin–Rilke, Düsseldorf 1950, S. 377 ff.) der Verwendung des Orpheus-Motivs bei Rilke nachgegangen. Allgemein über die Rolle des Orpheus-Symbols in der Literatur handelt W. Muschg (Tragische Literaturge-

Dabei wurde ausgegangen von der Umdeutung der alten Sage im Gedicht ›Orpheus. Eurydike. Hermes‹, die sich – wie zu zeigen war – einordnen läßt in einen größeren gedanklichen Zusammenhang von Todesvorstellungen aus Rilkes frühen Werken und so in ihrer überraschenden Neuartigkeit erklärbar wird. Mit dem durch Schuler und Bachofen vermittelten Wissen um die Ideen orphischer Unsterblichkeitslehre findet die anfängliche Periode vornehmlich intuitiver Todesanschauung im Werke Rilkes ihr Ende, und in der Folgezeit läßt sich eine wesentlich intensivere Beschäftigung des Dichters mit derartigen Problemen verbunden mit einer bedeutsamen Vertiefung der Sehweise beobachten. Dazu gehört, daß in den Sonetten ähnlich wie in antiker Jenseitslehre die Gestalt des Orpheus und sein Mythos metaphorische Aussagekraft erhalten für die Deutung des Tot-Seins in seiner Beziehung zum Leben und zum Sein an sich.

Von hier aus eröffnet sich unerwartet ein Ausblick auf die Fassung der Geschichte von Orpheus und Eurydice im vierten Buch der ›Georgica‹ (v. 453 ff.) Vergils. Auf diese wohl bekannteste Gestaltung der Sage ist in der vorliegenden Untersuchung bewußt noch nicht näher eingegangen worden, weil sie im Gegensatz zur Fassung Ovids als Quelle für Rilke nach allem, was wir aus dessen Leben wissen, kaum in Frage kommen kann. Und doch steht gerade Vergils Gestaltung mit der Verwendung des Orpheus-Motivs bei Rilke in einer gewissen Verbindung, die zu beleuchten Aufgabe des Schlußteils dieser Ausführungen sein soll.

Wir lesen das Epyllion von Orpheus und Eurydice am Ende des Bienenbuches, auf den ersten Blick scheinbar willkürlich und zusammenhanglos in den Gang des Lehrgedichtes eingefügt. Diese Tatsache und das Zeugnis zweier darauf zu beziehender, untereinander aber widersprüchlicher Serviusbemerkungen[36] entfachte um die in Frage stehende

schichte, Bern ⁴1969, S. 21 ff.). Beide Werke vermitteln wertvolle Hinweise und Anregungen.

[36] Serv., Verg. ecl. X 1: fuit autem amicus Vergilii adeo, ut quartus georgicorum a medio usque ad finem eius laudes teneret: quas postea iubente Augusto in Aristaei fabulam commutavit. (Indes war er so sehr mit Vergil befreundet, daß das vierte Buch der ›Georgica‹ von der Mitte bis zum Ende seinen Preis enthielt: ihn hat er später auf Geheiß des Augustus durch die Aristaeus-Sage ersetzt.)

Serv., Verg. georg. IV 1: sane sciendum, ut supra diximus, ultimam partem

Partie des Buches eine lebhafte Kontroverse, die bis heute nicht zum Erliegen gekommen ist. Dabei reicht die Skala der Meinungen von dem einen Extrem, die gesamte Aristaeus-Handlung ersetze ursprüngliche laudes Galli [37] bis zum anderen Extrem, die Behauptungen des Servius entbehrten jeder Grundlage, laudes Galli habe es im Bienenbuche nie gegeben [38].

Im teilweise erbitterten Hin und Her der Argumente, im Bemühen, immer neue Indizien im Text zu entdecken, die die Richtigkeit oder Falschheit der Serviuszeugnisse beweisen sollten, blieb die Würdigung des Epyllions als dichterisches Kunstwerk zumeist auf der Strecke. Erst Norden zeigte demgegenüber in seiner hier schon erwähnten Akademie-Abhandlung mit dem Titel ›Orpheus und Eurydice‹ die beziehungsvolle innere Verknüpfung der einzelnen Teile dieser Buchhälfte und ihre Bindung an das Ganze auf, um so Vergil als Dichter auch in diesem Betracht wieder zu seinem Recht kommen zu lassen. So gern man Norden darin folgen wird, daß die Geschichte von Orpheus und Eurydice im Gesamtplan des vierten Buches eine sinnvolle Funktion erfülle, so wenig kann man sich aber seiner daraus gezogenen Folgerung anschließen, laudes Galli im vierten Buche seien eine bloße Erfindung des Servius. [39] Was alles gegen eine solche Annahme spricht, ist schon mehrmals gesagt worden und braucht hier nicht wiederholt zu werden.

---

huius libri esse mutatam: nam laudes Galli habuit locus ille, qui nunc Orphei continet fabulam, quae inserta est, postquam irato Augusto Gallus occisus est. (Freilich muß man wissen, daß – wie ich oben erwähnte – der letzte Teil dieses Buches geändert worden ist: denn ein Preis des Gallus stand an jener Stelle, die nun die Orpheus-Sage enthält. Diese wurde eingeführt, nachdem Gallus sich den Zorn des Augustus zugezogen hatte und deswegen aus dem Leben geschieden war.)

[37] E. Sabbadini, La composizione della Georgica, in: Riv. di fil. 29, 1901, S. 16 ff.

[38] Norden, a. a. O., S. 4 ff. Auf Einzelheiten des Problems näher einzugehen, ist hier nicht der Ort. Statt dessen sei auf die maßvolle Stellungnahme dazu durch Will Richter in dessen Kommentar zu den Georgica (Das Wort der Antike V, München 1957, S. 107 ff.) verwiesen, wo man auch die wichtigste Literatur zu der Frage verzeichnet findet.

[39] Vgl. die Ablehnung der Ansicht Nordens durch O. Seel in Gnomon 14, 1938, S. 110.

Doch vielleicht ist es möglich, für die einstige tatsächliche Erwähnung des Gallus im Umkreis der Aristaeus-Geschichte ein weiteres Argument beizubringen, das – wenigstens soweit wir sehen – in der Diskussion bis jetzt noch nicht vertreten war. Ein solches glauben wir aus der Aufzählung der Nymphen gewinnen zu können, die Cyrene im Quellpalast Gesellschaft leisten (georg. IV 334 ff.):

> ... eam circum Milesia vellera nymphae
> carpebant hyali saturo fucata colore,
> Drimoque Xanthoque Ligeaque Phyllodoceque,
> caesariem effusae nitidam per candida colla,
> (Nessaee Spioque Thaliaque Cymodoceque)
> Cydippeque et flava Lycorias, altera virgo,
> altera tum primos Lucinae experta labores,
> Clioque et Beroe soror, Oceanitides ambae,
> ambae auro, pictis incinctae pellibus ambae,
> atque Ephyre atque Opis et Asia Deiopea
> et tandem positis velox Arethusa sagittis.

> ... Im Kreise geschart um die Göttin zupften die Nymphen
> Köstliche Wolle, getränkt von lichtgrünflutender Farbe.
> Drimo und Xantho, Ligea, Phyllodoke. Schimmernden Glanzes
> Wallte des Haares Fülle herab zum schneeigen Nacken.
> (Nesaee und Spio, Kymodoke auch und Thalia)
> Kýdippé und die blonde Lykorias, eine noch Jungfrau,
> Aber die andere erst eben bewährt in den Wehen Lucinas.
> Klio und Beroë, Schwestern, Ozeanus' Töchter die beiden,
> Beide mit Gold, mit farbigem Vließ umgürtet die beiden,
> Ephyre auch und Opis, aus Asien Deiopea,
> Und zuletzt, ohne Köcher und Pfeil, Arethusa, die flinke.
> [Übersetzung von J. Götte]

Der Katalog steht in epischer Tradition, und wie bei den Vorbildern Homer (Il. XVIII 39 ff.) und Hesiod (Theog. 244 ff.) ist die Abfolge der Namen aufgelockert durch gelegentlich hinzugefügte Angaben, die sich entweder auf das Äußere oder ein Charakteristikum der jeweils Genannten beziehen. Nur an einer Stelle ist dieses überlieferte Schema durchbrochen, wenn es nämlich von Lycorias heißt, sie habe eben ihr erstes Kind geboren. Dieser höchst individuelle Zug muß auffallen inmitten der sonst doch recht stereotypen Epitheta, und das um so mehr, als sich weder im Katalog Homers noch in dem Hesiods etwas auch nur

annähernd Vergleichbares findet. Das hebt Lycorias aus der Reihe der
übrigen Nymphen hervor, was besonders dem antiken Leser nicht entgehen konnte. Gerade er muß aber auch schon bei der Lautung des
Namens selbst, der im übrigen zu den sonst unbekannten des Katalogs
gehört,[40] aufgehorcht haben; denn „Lycorias" gleicht bis auf einen über-
schüssigen Vokal dem Namen „Lycoris", und eben so hieß die Frau,
deren Namen durch die Elegien des Gallus in aller Munde war.[41] Nach
allem dürfen wir in solch auffallender Sonderstellung der Lycorias innerhalb des Katalogs wohl einen entweder stehengebliebenen oder in einer
Zweitausgabe absichtlich eingefügten Hinweis auf die Person des Gallus sehen, der noch deutlicher ist als die ausführliche Erwähnung
Ägyptens (v. 287 ff.), als dessen erster Statthalter Gallus politische
Bedeutung erlangt hatte.

Nachdem also die frühere Existenz von laudes Galli in der zweiten
Hälfte des Bienenbuches für uns feststeht, ist weiter zu fragen, wo diese
darin genau ihren Platz gehabt haben könnten; denn daß sie einmal die
gesamte zweite Hälfte – wie es bei Servius zu Verg. ecl. X 1 heißt – ausgefüllt hätten, erscheint ganz unwahrscheinlich. Prüft man, was hier
nicht geschehen kann, mit dieser Zielsetzung die verschiedenen Indizien, die der Text zur Lösung der Frage an die Hand gibt, so wird man
am ehesten einstige laudes Galli dort lokalisieren wollen, wo man jetzt
die Geschichte von Orpheus und Eurydice liest, und dieses Ergebnis
stimmte auch mit der zweiten Serviusangabe (zu Verg. georg. IV 1)
überein.

Wenn dem tatsächlich so wäre, daß die Orpheus-Erzählung entweder ursprüngliche laudes Galli ersetzte oder aber solche in einer früheren Fassung selbst enthalten hätte, dann bedeutete das, daß in ihr

---

[40] Vgl. Richter, a. a. O., S. 377 ff. und Gertrud Herzog-Hauser in RE XVII, 1
Sp. 1 ff., s. v. Nereiden.

[41] S. Verg. ecl. X; Ov. am. 1, 15, 30; ars 3, 537; trist. 2, 445; Mart. VIII 73, 6.
Vor allem aus Serv. zu Verg. ecl. X 1 wissen wir, daß es sich bei dem Namen um
ein poetisches Pseudonym für eine gewisse Volumnia, eine Freigelassene, handelte, die auch den Namen Cytheris führte und eine Zeitlang die Geliebte des
Triumvirs Antonius war. Ob hinter Vergils Bezeichnung der Lycorias als Erstge-
bärender vielleicht eine echte Beziehung auf das Leben der historischen Lycoris
steckt, läßt sich auf Grund der spärlichen Nachrichten, die wir von dieser
haben, nicht entscheiden.

wenigstens für den um die Zusammenhänge wissenden Leser die Erinnerung an Gallus fortlebte. Ja, man könnte noch weitergehen und sagen, die Orpheus-Sage mit ihrer starken Aussagekraft für den Übergang vom Leben zum Tode hielte beziehungsreich das Gedächtnis an den im Jahre 26 aus dem Leben geschiedenen Gallus wach, dessen Ruhm offen zu künden nach seinem Sturz nicht mehr opportun war. Damit aber wäre eine gewisse, freilich ganz äußerliche Verbindung zur Verwendung der Orpheus-Sage in Rilkes Sonetten gegeben, wo sie ja auch im engsten Zusammenhang mit der Erinnerung an eine Tote ihre besondere Funktion erfüllt. Gallus und Wera träten so nebeneinander, und beider Gedächtnis lebte in Aussage und Bedeutung des Orpheus-Mythos weiter, beim einen verborgen, bei der anderen offen zutage tretend. Doch soll auf diese Vermutung, die sich nicht beweisen läßt, weiter kein Wert gelegt werden, zumal es – wie sich zeigen wird – noch einen echten und tieferen Zusammenhang zwischen der Auffassung der Orpheus-Sage bei Rilke und bei Vergil gibt.

Nach Nordens verdienstvoller Untersuchung, von der hier schon mehrmals zu sprechen war, kann heute wohl kaum mehr davon die Rede sein, das Orpheus-Epyllion stehe im vierten Buch der ›Georgica‹ beziehungslos zwischen den Teilen. Vielmehr ist deutlich geworden, daß es sich durchaus harmonisch in die Gesamtkonzeption einfügt. Das heißt aber: wenn eine Umarbeitung des Buches nach dem Sturz des Gallus stattgefunden hat, und daran zweifeln wir nicht, dann hat eine solche entweder auf Grund ihres geringen Umfangs die Gesamtanlage des Buches nicht wirklich zu stören vermocht, oder sie hat soweit wie möglich auf diese Rücksicht genommen. Davon haben wir bei den folgenden Betrachtungen auszugehen.

Friedrich Klingner hat in seinem ›Georgica‹-Buch[42] schön gezeigt, wie der am Schicksal Eurydices vorgeführte Aspekt des mit dem Tode endgültig und unwiederbringlich verlorenen Lebens ein kontrastierendes und zugleich komplementierendes Widerspiel zur Rückgewinnung und Erneuerung des Lebens in der Bugonie darstellt. Insofern bilden Bugonie und Orpheus-Epyllion eine poetische Einheit und sind als solche zu betrachten. Da sie am Schluß des Gesamtwerkes der ›Georgica‹

[42] F. Klingner, Virgils Georgica, Zürich/Stuttgart 1963, S. 227ff. (erneut abgedruckt in Klingners Virgil-Buch, Zürich/Stuttgart 1967, S. 353ff.).

stehen, läßt sich erwarten, daß ihre Funktion zur Aussage des Ganzen
in Beziehung steht. Aufschluß darüber verspricht somit am ehesten ein
Rückblick auf die Grobstruktur des Werkes und den Inhalt der einzelnen Teile.

Es ist seit langem bekannt, daß die in den vier Büchern der ›Georgica‹
behandelten Themen weniger bäuerlicher Lehrstoff sein wollen als über
den Gegenstand selbst hinausweisende Deutung kultivierten Menschseins. Nicht erst im vierten Buch wird hinter der scheinbar nur sachlichen
Aussage stets auch der wirkende Mensch in seiner Bezogenheit auf die
Natur sichtbar. Dabei scheint sich in der Abfolge der Themata, die in
den ersten drei Büchern von der Bearbeitung des Ackers über die
Baumkultur bis zur Viehzucht reichen, also von primitiver bäuerlicher
Tätigkeit zu immer diffizilerer fortschreiten, die Entwicklung menschlicher Zivilisation zu spiegeln. Darüber hinaus führen die Gegenstände
in ihrer Stufung als tote, belebte und schließlich lebende Materie immer
näher an die hinter allem stehende Idee des Menschseins heran, die
schließlich im 4. Buch – kaum noch gleichnishaft verhüllt – zum Ausdruck kommt. Denn das Bild, das Vergil vom Dasein der Bienen entwirft, trägt deutliche Züge menschlichen Gemeinschaftslebens. Zugleich weisen die Bienen, die nach des Dichters Aussage (georg. IV
149 f.) ihre besondere Natur von Jupiter selbst verliehen bekommen
haben, auch hin auf die Nähe des Menschen zum Göttlichen, die ihn
entscheidend über die Menge der übrigen Lebewesen hinaushebt. Der
Mensch ist also in den ›Georgica‹ stets gegenwärtig, und trotz der ihm
zugesprochenen Sonderstellung erscheint er in seiner Existenz eingefügt
in die großen Zusammenhänge des Daseins, denen die gesamte Natur
unterliegt. So betrachtet erweist sich das Werk als Spiegel des Lebens an
sich, des Lebens, das darin mit all seiner Zeugung und Tod umschlie-
ßenden Mannigfaltigkeit sichtbar wird.

Erst von hier aus läßt sich die Funktion des Orpheus-Epyllions im
Gesamtwerk begreifen. Denn mit der Sagenerzählung kommt am Ende
des Werkes noch einmal das Problem des Todes zur Sprache, das bereits am
Schluß des dritten Buches in der Schilderung der norischen Viehseuche
grell ins Blickfeld getreten war. Doch dort führte der Dichter am Hin-
sterben der Tiere in aller Realistik den Aspekt der Unwiederruflichkeit
des Todes vor Augen, unter dem er den Menschen zu erscheinen pflegt.
Hier nun, in der Bugonie, in die der Orpheus-Mythos gehört, weist er

dagegen auf die andere Seite des Todes hin, der für den an der ewigen Göttlichkeit Teilhabenden nur einen Übergang zu neuem Leben darstellt. Die Kontinuität des Daseins wird jetzt angesprochen, und damit am Ende des Werkes ein Akzent der Hoffnung gesetzt. Vergil selbst scheint zu solcher Deutung hinführen zu wollen, wenn er, unmittelbar bevor er auf Krankheit, Tod und Lebenserneuerung bei den Bienen zu sprechen kommt, die Ewigkeit des vom göttlichen Geist durchwirkten Alls hervorhebt in Versen, die durch Ton und Inhalt an Ciceros Somnium Scipionis erinnern (georg. IV 219 ff.):

> His quidam signis atque haec exempla secuti
> esse apibus partem divinae mentis et haustus
> aetherios dixere; deum namque ire per omnia,
> terrasque tractusque maris caelumque profundum;
> hinc pecudes armenta viros genus omne ferarum
> quemque sibi tenuis nascentem arcessere vitas;
> scilicet huc reddi deinde ac resoluta referri
> omnia, nec morti esse locum, sed viva volare
> sideris in numerum atque alto succedere caelo.

> Zeichen und Beispielen solcher Natur nachsinnend, erklärten
> Manche, die Bienen durchwirke ein Teil vom göttlichen Weltgeist,
> Feurigen Äthers Gewalt, denn Gott durchflute das Weltall:
> Länder und Meere, unendlich gedehnt, und die Tiefen des Himmels.
> Hieraus schöpfe sich Schaf und Rind und Mensch und der wilden
> Tierwelt ganzes Geschlecht das zartentspringende Leben,
> Hierhin ströme gelöst dann alles am Ende auch wieder
> Heim ins All, nichts sinke in Tod, nein, lodere lebend
> Auf zu Gestirnen und folge dem Schwung des erhabenen Himmels.
>
> [Übersetzung von J. Götte]

In diesem angedeuteten Zusammenhang steht das Orpheus-Epyllion und erhält durch ihn seinen Sinn. Denn der Todesgedanke, der im Bilde der Bienenregeneration gleichsam distanziert und gebrochen erscheint, gewinnt im Schicksal des mythischen Paares unmittelbare und konkrete Gestalt. Zugleich tritt mit Orpheus und Eurydice die Idee des Menschseins, die von Anfang an im Werke latent gegenwärtig ist, am Ende noch einmal direkt in den Vordergrund. Jenes reizende Genrebildchen vom Alten aus Tarent, das sich in der ersten Hälfte des Bienenbuches (v. 125 ff.) als Einlage findet, wirkt von hier aus gesehen wie eine vor-

bereitende Überleitung: Ein erfülltes Menschenleben steht an der
Schwelle zum Tode; in der Orpheus-Sage am Ende des Werkes ist diese
Schwelle dann überschritten.

Ob man nun die Erzählung aus dem Verständnis orphisch-pythago-
reischer Vorstellungen heraus begreift – ein Gesichtspunkt, der für Vergil und seine Zeit wohl nicht ausgeschlossen werden kann; denn diese
Dinge hatten stets unter und neben offizieller Religion ihre Gültigkeit
– oder auch nicht, in jedem Fall hat sich in ihr die uralte Hoffnung der
Menschen auf ein Fortleben nach dem Tode niedergeschlagen, und
eben diese Hoffnung bringt sie im Rahmen der Bugonie zum Ausdruck. Doch in der Erfolglosigkeit des göttlichen Sängers bei der Rückführung seiner Gattin zeigt sich zugleich, wie schwach und unsicher
diese Hoffnung ist angesichts des überwältigenden Gefühls von Trauer
und Schmerz, das den Verlust eines geliebten Menschen stets begleitet.
Das Orpheus-Epyllion als immanentes Widerspiel der Bugonie verbindet also jene angeborene Hoffnung der Menschheit auf ein Weiterleben
nach dem Tode mit dem dennoch vorhandenen Bewußtsein einer durch
nichts aufzuhebenden Trauer um die Toten.

Mit diesem Ausblick auf den Tod in seinem doppelten Aspekt von
Hoffnung und Schmerz schließt der Dichter sein Werk vom Leben ab,
das zugleich in einem tieferen Sinne eine umfassende Deutung menschlicher Existenz beinhaltet. Damit wird nun jene innere Beziehung zwischen Vergil und Rilke sichtbar, derentwegen das Orpheus-Epyllion
der ›Georgica‹ mit in diese Betrachtung einzubeziehen war. Denn auch
und gerade bei Rilke dient, wie zu zeigen war, die Sage vom göttlichen
Sänger zu symbolhafter Veranschaulichung einer auf Einheit des Seins
basierenden Todesvorstellung, der ein Ausdruck persönlichen Schmerzes nicht fehlt, wenn der Dichter – wie in den Wera gewidmeten Sonetten – selbst vom Verlust eines lieben Menschen betroffen ist.

Nicht primär auf einem Abhängigkeitsverhältnis – das nochmals zu
betonen, scheint wichtig – beruht diese Übereinstimmung der Ausdrucksmittel beim antiken und beim modernen Dichter, sondern auf
der Kontinuität menschlichen Fragens nach dem Wesen des Todes und
damit nach dem Sinn des Lebens. Im Mythos von Orpheus und Eurydice hat sich diese uralte Frage der Menschheit verdichtet zum archetypischen Bilde von zeitloser Gültigkeit. Vergil mag um die Symbolik des
Mythos gewußt haben; Rilke scheint sie mehr erfüllt zu haben, und die

Bekanntschaft mit orphischer Lehre konnte ihm wohl in erster Linie eine vertiefende Bestätigung des intuitiv längst Geahnten bringen. Doch eben diese Klarheit schaffende Bestätigung war notwendig, daß Orpheus und seine Sage sich in einer das Ganze so prägenden und bestimmenden Weise in den Sonetten des Dichters niederschlagen konnten, um darin Zeugnis abzulegen von der bis in die Gegenwart ungebrochenen Kraft des antiken Symbols.

Nachtrag 1986

Zu S. 286 oben:

John Warden nennt in der Einführung des von ihm herausgegebenen Werks (Orpheus–The Metamorphoses of a Myth, Toronto–Buffalo–London 1982, p. XIII) Rilkes Sehweise des Orpheus-Mythos "perhaps the most successful in our own century at restating and reintegrating the myth". Im übrigen ist das Buch für die hier vorliegende Fragestellung wenig ergiebig, da der darin behandelte Zeitraum nur bis zum Ende der Renaissance reicht.

Zu S. 287, Anm. 3:

Wie stark sich der prägende Einfluß der Bildhauerkunst gerade in den ›Neuen Gedichten‹ bemerkbar macht, hat erst jüngst wieder Martina Kriessbach gezeigt: Rilke und Rodin. Wege zu einer Erfahrung des Plastischen, Frankfurt a. M. 1984 (Diss. Frankfurt a. M. 1982). Wer sich eingehender mit Rilkes Verhältnis zu Rodin und zur bildenden Kunst überhaupt beschäftigen möchte, sei zusätzlich auf das Literaturverzeichnis dieser Arbeit (141 ff.) verwiesen.

Zu S. 289 unten:

Als außerordentlich anregend erweisen sich die Ausführungen von Viviane Mellinghoff-Bourgerie: A propos de l'Orphée de Cocteau et de l'Eurydice d'Anouilh – Les fluctuations d'un mythologème, in: Revue de litterature comparée 49,3 (1975), S. 438–469. Die Verfasserin legt zunächst sorgfältig die Gründe dar, die sie zu der Überzeugung bringen, erst Rilke habe in seinem Gedicht ›Orpheus. Eurydike. Hermes‹ die Gestalt des Gottes mit der scheiternden Rückführung Eurydikes durch Orpheus verbunden. Dabei sei der Dichter einer fehlerhaften

Interpretation des bekannten antiken Dreifigurenreliefs zum Opfer gefallen. Ob und inwieweit diese mit beachtlichen Argumenten vorgetragene These Glauben verdient oder nicht, kann hier nicht diskutiert und schon gar nicht entschieden werden. Vorbehaltlos zustimmen wird man indes, wenn ausgehend von der Hermes-Gestalt Rilkes eine konzeptionelle und motivische Verbindungslinie gezogen wird, die über den Heurtebise in Cocteaus ›Orphée‹ (1926) zum M. Henri in Anouilhs ›Eurydice‹ (1942) und weiter bis zu dem alten Hermès aus dem Film ›Orfeu Negro‹ (1958) von Marcel Camus führt.

Zu S. 294 unten

Eine eher poetologische Erklärung der überraschenden Sehweise Rilkes gibt Charles Segal: Eurydice: Rilke's Transformation of a Classical Myth, in: Bucknell Review XXI, 1973, S. 137–144. In der radikalen Änderung des antiken Mythos, in der Konzentration auf die Frau als autonomem psychologischen Zentrum der Erzählung möchte er das Symptom einer allgemeinen und prinzipiellen Problematik des Weltverständnisses moderner Dichter erkennen. Der Verlust Eurydikes, ihre Wesensverwandlung im Tode symbolisiere gewissermaßen die dem Dichter entfremdete, ihm nicht mehr selbstverständlich zugängliche Welt der konkreten Realität: "The new dimension of Eurydice's completeness in herself and in her death is also the new dimension of Rilkean and much other modern poetry" (144). – So originell und feinsinnig Segals Interpretation in ihrer gedanklichen Geschlossenheit anmutet, erscheint es doch fraglich, ob sie der spezifischen Besonderheit von Rilkes Umgang mit dem Mythos ganz gerecht zu werden vermag.

Leicht widersprüchlich wirkt demgegenüber die Auffassung von Gertrud Höhler (Rainer Maria Rilkes ›Orpheus‹, in: Mythos und Mythologie in der Literatur des 19. Jahrhunderts, Studien zur Philosophie und Literatur des 19. Jahrhunderts, Bd. 36, hrsg. v. H. Koopmann, Frankfurt a. M. 1979, S. 367–385), wonach es zwar nicht sachgerecht sei, „Rilke . . . für den antiken Mythos oder für eine gelehrte abendländische Neigung zur Antike gewinnen und verbuchen zu wollen" (372), die intensive Beschäftigung des Dichters mit der Orpheussage aber außer Frage stehe (377). Rilkes Kenntnisse anderer Mythen bleiben dabei ebenso außer Betracht wie seine aus der Anschauung von Bildkunstwerken gewonnenen Anregungen. Verdienstlich und überzeugend ist indes der Nachweis, daß Rilkes spezielles Interesse am Orpheus-Mythos in den dort zu findenden Entsprechungen zu der dem Dichter eigenen Kunst- und Liebeslehre begründet sei. Die Hinwendung gerade zu dieser Sagengestalt stelle demnach eine poetische Entscheidung dar.

Zu S. 301 ff.:
Ausschließlich den ›Sonetten‹ gilt eine Untersuchung von Sybil Noll: Rainer Maria Rilkes ›Sonette an Orpheus‹ und ihre antiken Quellen, Diss. masch. Frankfurt a. M. 1953. Wohl bedingt durch die selbstgewählte Beschränkung auf Rilkes Spätwerk wird hier die Transformation der von Ovid überlieferten Gestalt des Mythos einseitig auf den Einfluß der durch Bachofen vermittelten orphischen Jenseitslehre zurückgeführt. Hingegen bleibt die schon wesentlich früher zutage tretende Prädisposition des Dichters für eine Umdeutung der Sage im kosmisch-existentiellen Sinne weitgehend außer Betracht. Richtig gesehen ist aber, daß von Rilkes Orpheus-Symbol und seiner Einbeziehung des Todes in die Ganzheit menschlichen Soseins ein durchaus optimistischer Appell zur Lebensbejahung ausgeht.

Mit der Differenzierung der Orpheus-Idee in den beiden Teilen der ›Sonette‹ beschäftigt sich eingehend Walter A. Strauss: Descent and Return – The Orphic Theme in Modern Literature, Cambridge/Mass. 1971, S. 177 ff. Entsprechend der erkärten Zielsetzung, die Metamorphose der Orpheus-Gestalt in der Lyrik des 19. und 20. Jahrhunderts zu untersuchen, bietet das Buch vorwiegend werkimmanente Interpretationen, ohne daß die Aussage des antiken Mythos dazu in kausale Beziehung gesetzt würde. Mit Blick auf den Orpheus in den ›Neuen Gedichten‹ konstatiert Strauss (174) dessen Entwicklung zur Zentralgestalt der ›Sonette‹: "The eigtheen years that separate this Orpheus from the Orpheus of the Sonnets are crucial: whereas Eurydice remains the same, Orpheus had to learn precisely what Eurydice knew and more. He had to learn to encounter death, accept it, and transcend it by becoming the mediator between its realm and that of life, not by remaining rooted in death, but by drawing his very strength from this source so that it could be converted into the mediating power of song."

Zu S. 307ff.:

Ein Jahr nach der erstmaligen Publikation dieser Untersuchungen hat es Louis Roberts (The Orpheus Mythologem: Virgil and Rilke, in: Texas Studies in Literature and Language XV, 1974, S. 891–901) ebenfalls unternommen, eine Parallelität der Funktionen des Orpheus-Mythos in den Werken Vergils und Rilkes nachzuweisen. Da Roberts einerseits offenbar primär die ›Sonette‹ im Auge hat, andererseits die historisch-biographische Bedingtheit der Einführung der Orpheus-Gestalt durch den antiken und den modernen Dichter unbeachtet läßt, muß seine Deutung partiell und vordergründig bleiben: Orpheus erscheine sowohl bei Vergil als auch bei Rilke als Symbol eines Dichtertums, das berufen sei, Zeugnis abzulegen von den Problemen um Leben und Tod, von den Geheimnissen des Daseins.

Claude David, Le Vide et le Plein. Sur une métaphore du lyrisme de R. M. Rilke. In: Teilnahme und Spiegelung. Festschrift für Horst Rüdiger. In Zusammenarbeit mit Dieter Gutzen hrsg. von Beda Allemann und Erwin Koppen. Berlin/New York: Walter de Gruyter 1975, S. 453–464. Aus dem Französischen übersetzt von Ileana Beckmann.

DIE LEERE UND DIE FÜLLE

Über eine Metapher in der Lyrik R. M. Rilkes

Von CLAUDE DAVID

„Lieber Rilke, Sie schienen mir in reiner Zeit eingeschlossen, und ich fürchtete für Sie die Transparenz eines gänzlich gleichmäßigen Lebens, welches Tag um Tag durchläuft, den Tod stets deutlich vor Augen. Doch wie einfältig war ich, Sie zu bedauern, zauberte Ihr Denken aus dieser Leere doch Wunder und machte die Dauer zur Mutter." Die Leere, von der Paul Valéry in diesem Nachruf spricht, ist die des Rilkeschen Lebens, so wie er es 1924 in Muzot und ein weiteres Mal drei Monate vor dem Tod des Dichters hatte beobachten können: die Einsamkeit, in die Rilke sich einschloß, die völlige Untätigkeit, die er gleichsam hygienisch praktizierte. Die Leere ist jedoch auch eine Empfindung, die oft den Geist des Dichters beschäftigt, ein metaphorisches Thema, das sich durch seine ganze Lyrik hindurch verfolgen läßt. Und so wie er nach Valérys Aussage aus der Leere seiner Existenz Wunder zu zaubern wußte, so war es auch sein Vorsatz, mit dem Mittel des Gedichtes die Leere, wie er sie erlebte, in eine imaginäre Fülle, wie er sie sich vorstellte, zu verwandeln.

Wir möchten hier ohne Anspruch auf Vollständigkeit einige Richtpunkte setzen und einige dieser Metaphern der Leere untersuchen. Die meisten Beispiele sind den ›Neuen Gedichten‹ entnommen, da sich das 'Dinggedicht' besonders zur Illustrierung dieses Themas eignet. Aber die Bilder der Leere sind freilich nicht nur an eine Periode gebunden; sie durchziehen vielmehr das ganze Werk.

So zum Beispiel ›Der Platz‹: Der Furnes-Platz liegt offen und verödet, die kleinen Stadthäuser drängen sich um ihn gleich der Menge, die sich beim Schauspiel auf Zehenspitzen hochreckt. Doch es gibt nichts anderes zu sehen als die Leere; das imaginäre Gefolge, das sich auf dem Platz sammelt, besteht nur aus Abwesenheit:

> ladet der Platz zum Einzug seiner Weite
> die fernen Fenster unaufhörlich ein,
> während sich das Gefolge und Geleite
> der Leere langsam an den Handelsreihn
> verteilt und ordnet.

Oder etwa ein Weg (›Römische Campagna‹): Es handelt sich um die Via Appia, die zu den Grabmalen führt. Auch hier, wie in der kleinen belgischen Stadt, verfolgen ihn die fernen Fenster Roms, gleichsam mit dem bösen Blick; es ist, als ob sich der Weg beeilte, ihnen zu entfliehen, um seine eigene Leere auszukosten:

> Und er hat sie immer im Genick,
> wenn er hingeht, rechts und links zerstörend,
> bis er draußen atemlos beschwörend
> seine Leere zu den Himmeln hebt.

Der Leere des Weges entspricht die unwandelbare Leere des Himmels, die ihn noch überleben wird.

> geben ihm die Himmel für die seine
> ihre Leere, die ihn überlebt.

Die Basilika San Marco wird ihrerseits als ein hohler Körper beschrieben, in der, geschützt vor dem verräterischen Tageslicht, die Dunkelheit des Staates aufbewahrt wird:

> In diesem Innern, das wie ausgehöhlt
> sich wölbt [. . .]
> ward dieses Staates Dunkelheit gehalten
> und heimlich aufgehäuft, als Gleichgewicht
> des Lichtes . . .

Die Kirche ist eine ausgehöhlte Wölbung, ähnlich jener Laute, die in einem der folgenden Gedichte beschrieben wird; dieses Dunkel wird sich auf mysteriöse Weise fruchtbar erweisen; aus der Leere dieser Wölbung erklingt Musik:

> Ich bin die Laute. Willst du meinen Leib
> beschreiben, seine schön gewölbten Streifen: [. . .] Übertreib
> das Dunkel, das du in mir siehst.

Auch das Bild von San Marco wiederholt nur das Thema des Kirchturms von Furnes (›Der Turm‹), den Gegensatz nämlich zwischen der inneren Dunkelheit und dem Licht, mit dem Unterschied allerdings, daß in dem „Turm" die Entdeckung des Lichts nach dem langen Gang in die Tiefen der Erde wie eine Befreiung empfunden wird, während im venezianischen Gedicht das Erscheinen des Lichts, wie am Ende eines Stollens, mit einer Mischung aus Erleichterung und Bedauern aufgenommen wird:

> und du erkennst die heile
> Helle des Ausblicks: aber irgendwie
> wehmütig messend ihre müde Weile . . .

So zeichnet sich hier und dort eine Hohlform ab, eine Art Abguß oder Abdruck. Man denkt an die Beschreibung des zerstörten Hauses in den ›Aufzeichnungen des Malte Laurids Brigge‹: nicht an das lebendige, dem Nützlichen und Kohärenten zugewandte Haus, sondern an seine Negation, seine Spur, seine Trümmer, Überreste, seine Kehrseite. In dieser „verkehrten" Welt enthüllt sich plötzlich die sonst durch Gewohnheit, durch übermäßiges Licht oder durch den funktionalen Anschein verdeckte Wahrheit. Im Vordergrund gab es nur Theater oder Illusion, die Wahrheit aber befindet sich in der Kulisse. Das gleiche Bild wird in ›Die Brandstätte‹ (Neue Gedichte, Bd. 1, S. 592) in besonders auffallender Weise wiederaufgenommen: Das von Linden umgebene Haus ist abgebrannt, eine neue Wirklichkeit ist an seine Stelle getreten, „ein Neues, Leeres". Als der Sohn mit einer Stange zu graben beginnt und aus dem Gewirr von Balken und noch warmer Asche einen Kessel oder einen anderen Gebrauchsgegenstand hervorzieht, taucht plötzlich das, was nicht mehr ist, wieder auf, wahrer als wäre es real:

> Denn seit es nicht mehr war, schien es ihm so
> seltsam: phantastischer als Pharao.
> Und er war anders. Wie aus fernem Land.

Der banale Gegenstand ändert sich in seinem Wahrheitsgehalt; dem täglichen Gebrauch entrissen, nimmt er die Farben der Legende an. Damit dies möglich wurde, mußte gleichzeitig mit dem banalen Gegenstand das Nichts erscheinen, von dem er bedroht wird und dem er unaufhörlich entspringt. Nur vor diesem Hintergrund der Leere findet er seinen Sinn. Dank dieser immer verborgenen und doch stets erahnten Drohung sind die ›Neuen Gedichte‹ Rilkes etwas anderes als ein Museum toter Dinge, das man gelegentlich in ihnen entdeckt zu haben glaubte.

Aufgrund der Leere, die sie umgibt, hat diese Welt Tiefe. In den Gedichten herrscht ein Zittern, ein verhaltenes Pathos, das ihnen Leben und Daseinsberechtigung verleiht.

Man muß sich gleichwohl fragen, welche Funktion dieser Leere zukommt und zu welchem Zweck die Rilkesche Dichtung sie bestimmt. Denn diese von jeglicher Romantik entfernte Dichtung will keineswegs glauben machen, in der Nacht liege mehr Reichtum als im Tag, im Tod mehr Sinn als im Leben, in der Leere mehr Tiefe als in der Fülle. Sie möchte vielmehr das Gegenteil. Sie möchte von der allgegenwärtigen Bedrohung der Existenz das größtmögliche Maß an Wirklichem retten.

Dies ist eine der Bedeutungen, die Rilke dem Wort „Ding" gibt, und zweifellos die grundlegende. In seiner Monographie über Rodin schreibt er über die Bildhauer der Kathedralen: „Aus der Angst vor den unsichtbaren Gerichten eines schweren Glaubens hatte man sich zu diesem Sichtbaren gerettet, vor dem Ungewissen flüchtete man zu dieser Verwirklichung" (Bd. 5, S. 145). In der Malerei verbleibt noch ein Stück Illusion und Täuschung; die Skulptur aber ist da, als wolle sie es mit dem Unsichtbaren und Ungewissen aufnehmen; sie ist eine Zufluchtstätte, die für kurze Zeit die Angst vergessen läßt. Schon in der Antike und früher, zu undenkbaren Zeiten, an allen angstvollen existentiellen Wendepunkten, war das gefertigte „Ding", aus den Händen des Kunsthandwerkers hervorgegangen, in besonderem Maße gegen alle Bedrohungen geschützt. Dies wird auch in dem Vortrag über Rodin von 1907 deutlich: Es gelingt, aus der menschlichen und der tierischen Welt etwas zu erschaffen, das uns nicht in den Tod folgen wird, „ein Dauerndes, ein Nächsthöheres: ein Ding" (Bd. 5, S. 210). Die höchste Vollkommenheit, welche Rilke an den Skulpturen Rodins hervorhebt, ist die, daß man an der Oberfläche keine Stelle findet, an der nichts geschieht: „Es gab keine Leere" (Bd. 5, S. 149). Der Brief an Lou Andreas-Salomé vom 8. August 1903 drückte schon ganz ähnliche Ideen aus: Das Problem des Bildhauers besteht darin, die Dinge in den Raum, in „die weniger bedrohte Welt des Raums" einzugliedern, damit sie „sich nicht mehr bewegen": „das Modell scheint, das Kunstding ist."

Die Leere zu verdecken ist somit die erste Aufgabe der Kunst; sie verkündet und erforscht sie nur, um sie besser verleugnen zu können.

Nichts eignet sich besser dazu, die Leere zu füllen oder zu verstecken, als die plastische Form, wie sie unter den Händen des Bildhauers entsteht; dies ist der Grund, weshalb Rilke die Bildhauerei als die höchste Kunst betrachtet. Davon nicht grundsätzlich verschieden ist aber auch die Funktion der Dichtung; Rilke erklärt dies gleich im ersten der ›Neuen Gedichte‹, ›Früher Apollo‹. Wie zu Ende des Winters ein Morgen den Frühling erahnen lassen kann, so kündigt schon der Ephebe denjenigen an, der er sein wird; vorerst aber scheint er noch Schwere und Angst zu ignorieren. Er wirft einen Blick ohne Falsch und Mißtrauen auf die Welt. Ein schönes Bild der Jugend. Gleichzeitig jedoch gibt Rilke seinem Gedicht eine andere Bedeutungsaura. Die archaische Statue ist gleichsam vor der Geburt der Kunst da. Der Lorbeerzweig Apolls, zu schwer für seine Stirn,[1] wird in der Sonne des Südens erst später ergrünen. In dieser äußersten Einfachheit liegt eine Kühnheit, die erschreckt:

> so ist in seinem Haupte
> nichts was verhindern könnte, daß der Glanz
> aller Gedichte uns fast tödlich träfe.

Plötzlich und unerwartet wird hier die Idee der Dichtung eingeführt; tritt man an die Dichtung ohne Schutz heran, kann sie tödliche Wunden schlagen oder „fast" tödliche (so werden die Engel im wohlbekannten Beginn der zweiten Elegie als „fast tödlich" bezeichnet). Es sieht so aus, als ob uns in der entwaffnenden Reinheit des archaischen Epheben eine kaum erträgliche Wahrheit entgegenträte. Dieser Apoll, noch ohne Lorbeer, hat noch nicht zu singen begonnen; seine Lippen, so heißt es in dem Gedicht, sind noch stumm. Später, wenn er erwachsen sein wird und seine Gesichtszüge ausgeprägt sind, werden die Rosenblätter einzeln auf seine Lippen fallen, gleichsam um das Beben zu besänftigen. Später, scheint Rilke zu sagen, wenn sich dieser junge Apoll der Sprache bedienen wird, werden die Worte dasein, um die Angst zu betäuben. Jetzt aber, in dieser frühen Jugend, diesseits der Sprache, erscheint die Dichtung in ihrem erschreckenden Aspekt. Die Worte haben die

---

[1] Hier widersteht Rilke wie so oft nicht der Freude an Wortspielen: von der Idee des unschuldigen und weder Begierde noch Leidenschaft kennenden Schlafes („Schlaf" wird hier erstaunlicherweise im Plural verwendet) geht er zu den Schläfen über, die später den Lorbeerkranz tragen werden.

Funktion, das Entsetzen zu verbergen, die Angst zu mildern, sie erträg-
lich zu machen. In einem Gedicht aus dem ›Stern des Bundes‹ bekennt
sich Stefan George zu einer Auffassung von Dichtung, die von dieser
hier nicht allzu entfernt ist: der Dichter ist derjenige, der der Wahrheit
ins Auge schaut und damit den anderen erspart, dies tun zu müssen; er
steigt in die Hölle hinab, um den Talisman zu suchen, der es den Sterblichen ermöglicht, das Schauspiel der Welt zu ertragen. Die Aufgabe
der Dichtung besteht für George wie für Rilke darin, die Leere zu
verbergen, einen Schutzschild aufzurichten und die Angst zu zerstreuen.

Gedichte, in denen Metaphern der Leere und des Hohlen auftauchen, enthalten häufig auch eine historische Perspektive, so in dem Gedicht über den Furnes-Platz: der Platz ist heutzutage leer, die Phantasie
bevölkert ihn jedoch mit dem farbenfrohen Schauspiel der Vergangenheit, aus den Zeiten großer Lebenskraft und schöner Grausamkeit:

> von Wut und Aufruhr, von dem Kunterbunt
> das die Verurteilten zu Tod begleitet,
> von Buden, von der Jahrmarktsrufer Mund,
> und von dem Herzog der vorüberreitet
> und von dem Hochmut von Burgund, . . .

Dies ist die gleiche historische Landschaft wie die im letzten Teil des
›Malte‹, mit der gleichen Lust an Gewalt, an Folterungen, an gnaden-
losen Kämpfen; eine Unmenschlichkeit, in der sich bei diesem sanften
Dichter ein Ressentiment gegen die Schwäche ausdrückt. Der Bezug
zur Vergangenheit ist ein ständig wiederkehrendes Thema; er allein
erklärt die Gegenwart und hebt ihr Elend und ihre Leere hervor. „Auf
allen Seiten Hintergrund" heißt es im selben Text.

Das Gefühl der Leere, das den heutigen Dichter verfolgt, wird mit
einer recht konventionellen Deutung der Geschichte begründet. Die
Menschen früherer Zeiten lebten in der Fülle; uns bleiben nur noch
Armut und Tod. Dies ist schon das Hauptthema des ›Stundenbuchs‹.
Vorüber sind die Zeiten der Paläste und Gärten, der hanseatischen Patri-
zier, der Wüstenscheichs und der Hirtenkönige des Alten Testaments
(Bd. 1, S. 355):

> Das waren Reiche, die das Leben zwangen
> unendlich weit zu sein und schwer und warm.
> Aber der Reichen Tage sind vergangen,
> und keiner wird sie dir zurückverlangen . . .

Heute ist die Zeit des ruhmlosen Elends, der dumpfen Städte, der Wunden und des Wahnsinns:

> Die Zeit ist mir mein tiefstes Weh,
> so legte ich in ihre Schale:
> das wache Weib, die Wundenmale,
> den reichen Tod (daß er sie zahle),
> der Städte bange Bacchanale,
> den Wahnsinn und die Könige.

Die im letzten Vers erwähnten Könige sind dazu da, den Schrecken herrschen zu lassen, zu bestrafen und zu zerstören (Bd. 1, S. 289):

> Den Königen sei Grausamkeit.
> Sie ist der Engel vor der Liebe,
> und ohne diesen Bogen bliebe
> mir keine Brücke in die Zeit.

Rilkes eigenes Gebiet – wie man bereits wußte – ist das der negativen Zustände. Dies ist zumindest sein Ausgangspunkt, die Erfahrung, wie er sie erlebt, der Urstoff poetischer Verwandlung.

Die historischen Aspekte, mit deren Hilfe Rilke das Bewußtsein von Leere und Abwesenheit zu interpretieren sucht, nehmen im Zyklus der Kathedralen der ›Neuen Gedichte‹ eine deutlichere Form an, vor allem in der Folge der drei Gedichte mit dem Titel ›Das Portal‹. Das Portal der Kathedrale mit seinen Heiligenfiguren ist wiederum wie eine Hohlform beschrieben; es wird mit einer Ohrmuschel[2] verglichen:

> Jetzt fortgerückt ins Leere ihres Tores,
> waren sie einst die Muschel eines Ohres
> und fingen jedes Stöhnen dieser Stadt.

Im einige Tage zuvor verfaßten Gedicht ›Die Kathedrale‹ war es dagegen die Stadt, die ihr Ohr der für die Menge unverständlich gewordenen Botschaft der Kathedrale zu öffnen schien:

> wie ein Jahrmarkt [. . .]
> der sie bemerkt hat plötzlich und, erschrocken, [. . .]
> zu ihr hinaufhorcht aufgeregten Ohrs –

---

[2] Th. Ziolkowskis Interpretation (PMLA LXXIV, S. 300), "The church [. . .] is called metaphorically the ear (scil.: of God)" kann kaum aufrechterhalten werden.

Die Zeiten sind vorbei, in denen die Kathedrale lebendig und in der Lage war, die Seufzer der Stadt aufzunehmen. Die Statuen der Heiligen sind nur noch das Zeugnis einer vergangenen Epoche. Die Flut, die diese Figuren geformt hat, wie das Rollen des Meeres das Ufer unterhöhlt, hat sich zurückgezogen. Sie bleiben zurück, Überlebenden, Ruinen gleich: „Da blieben sie . . ."

Im zweiten Gedicht dieser Reihe ruft das Bild des Hohlen eine andere Metapher hervor, verbunden mit einer seltsamen theologischen Erfindung. Das Portal wird zur Kulisse einer Szene; wie die Leere der Kulisse für die Gegenwart der Welt steht, so enthüllt das Hohle einen unendlichen Sinn:

> Sehr viel Weite ist gemeint damit:
> so wie mit den Kulissen einer Szene
> die Welt gemeint ist.

Betritt normalerweise der Held die Bühne, so besteht in diesem besonderen Theater der einzige Akteur aus Abwesenheit und Finsternis; in der Dunkelheit des Tores beginnt die Handlung einer Tragödie:

> so tritt das Dunkel dieses Tores handelnd
> auf seiner Tiefe tragisches Theater.

Darauf kündigt sich die dritte Etappe dieser poetischen Metamorphose an: Verkündete früher Gottvater seine Gegenwart durch seinen Sohn, so sind heute, da die Botschaft Christi stumm geworden ist, die einzigen Zeugen göttlicher Anwesenheit diejenigen, die das Leben ausgestoßen hat: Blinde, Wahnsinnige, Opfer jedweder Art:

> Denn nur noch so entsteht (das wissen wir)
> aus Blinden, Fortgeworfenen und Tollen
> der Heiland wie ein einziger Akteur.

In den Jahrhunderten des Glaubens war das Leben erfüllt. Jetzt, da der Glaube gestorben ist, kann sich ein Sinn nur noch in der Negation, in der Entbehrung und im Leiden zeigen.

Rilke fügt indessen noch ein drittes Gedicht hinzu, wobei er auf die Heiligenfiguren zurückgreift, die trotz des Glaubensverlustes und des Elends der Welt weiterhin auf ihren Sockeln stehen, als ob sie dem Ablauf der Jahrhunderte trotzten. Unter den Konsolen gebärden sich wild

grimassierende Tiere und Dämonen, als wollten sie deren Gleichgewicht und Überleben gefährden. Aber – welch Wunder – weit entfernt davon, sie zu bedrohen, scheint das wilde Gebaren die Heiligen
geradezu zu tragen:

> weil die Gestalten dort wie Akrobaten
> sich nur so zuckend und so wild gebärden,
> damit der Stab auf ihrer Stirn nicht fällt.

Es ist, als brauchten die Zusammenhanglosigkeit der Welt, die Absurdität des Lebens die strengen und heiteren Figuren als Gegengewicht.
Das Thema dieses dritten Sonetts ist das gleiche wie im „Kapitäl" (zur
gleichen Zeit geschrieben): Die Pflanzen, Wesen und Monster tragen,
in den Lianen des Kapitells wild verschlungen, zusammen das Gewölbe
der Kirche; über dem Tumult des Lebens erhebt sich heiter das Kunstwerk. Denn darauf hin zielten alle Versuche des Dichters: Der Glaube,
der die Kathedralen errichtet hat, existiert nicht mehr, Gott ist tot; in
dieser entleerten Welt bleibt die Kunst jedoch bestehen; die Kathedralen sind immer noch da, als böten sie der Geschichte Widerstand. Der
Künstler ist der legitime Nachfolger des Priesters.

Doch damit nicht genug: Die Kunst ist weder ein 'Ersatz' für Religion, noch ist die Dichtung eine abgeschwächte Form des Glaubens.
Die Kunst ist die notwendige Metamorphose, die das Negative plötzlich in Positives verwandelt. Dies ist die Umkehr oder der 'Umschlag',
der von Rilke so oft beschworen und von seinen Interpreten so oft
erklärt wurde. So schreibt z. B. Paul de Man in einem der profundesten
und auch strengsten Texte, die über Rilke geschrieben worden sind, im
Vorwort zur französischen Übersetzung des dichterischen Werks[3]: „Die
negativen Erfahrungen [. . .] müssen, um Gestalt annehmen zu können, in sich selbst etwas Hohles, etwas Fehlendes enthalten. [. . .] Hieraus entfaltet sich im Rilkeschen Werk eine eigene Thematik negativer
Erfahrung: Die unmöglich zu stillende Sehnsucht, die Unfähigkeit zur
Liebe, der vorzeitige Tod, der Verlust der Kindheit, die Zerrüttung des
Geistes – alles dies sind Themen, die sich der Rilkeschen Sprachkunst
fügen, nicht weil sie Ausdruck seiner eigenen Erfahrungen sind . . .,
sondern weil sie die für das Leben seiner Gestalten notwendige Struk-

---

[3] Paris: Le Seuil, 1972, S. 37.

tur besitzen." Man muß Zusammenhanglosigkeit, Abwesenheit und Absurdität akzeptieren, Kompromisse und halbe Maßnahmen hingegen ablehnen. Hat man sich dieser Askese unterzogen, verspricht der Dichter eine wunderbare Metamorphose: Es genügt, die Abwesenheit zu sagen, um sie in Gegenwart und Sinn zu verwandeln. Mit anderen Worten, es genügt das Kunstwerk, um die Welt zu rehabilitieren. Im zweiten Sonett des „Portals" sieht man, wie sich die Thematik abzeichnet, die ungefähr fünfzehn Jahre später die vierte ›Duineser Elegie‹, in der Theorie und Programm der Rilkeschen Lyrik formuliert sind, bestimmen wird. Statt falscher, die Szene bevölkernder Helden Leere und Abwesenheit:

> Wer saß nicht bang vor seines Herzens Vorhang?
> Der schlug sich auf: die Szenerie war Abschied.

Uns selbst können wir nur in der Entbehrung, die Welt können wir nur als Hohlform erkennen:

> Da wird für eines Augenblickes Zeichnung
> ein Grund von Gegenteil bereitet, mühsam,
> daß wir sie sähen; denn man ist sehr deutlich
> mit uns. Wir kennen den Kontur
> des Fühlens nicht: nur was ihn formt von außen.

Doch wer Leere und kalte Zugluft, die von der Kulisse herweht, zu ertragen weiß, wird letztendlich entschädigt:

> Ich bleibe dennoch. Es giebt immer Zuschaun.

Wem es gelingt, die Welt auf ein Schauspiel zu reduzieren, wer sich der kontemplativen Askese, dem extremen Ästhetizismus, der Aufzählung der Gegenstände der Welt, seien sie schön oder häßlich, verzweifelt oder glücklich, unterzieht, dem winkt eine Belohnung: Die Leere verwandelt sich in Fülle, das Absurde erhält einen Sinn.

Wie läßt sich aber der Wert dieser Metamorphose ermessen? Hat der Dichter sein Versprechen gehalten? Oder ist diese Umwandlung nur imaginär? Wir wollen hier nicht auf die Deutung von Paul de Man zurückkommen, für den sich bei Rilke alles in verbale Virtuosität auflöst, in einen „Übergang zum Laut", in „linguistisches Spiel" und in „absolute Lautlichkeit". Nach ihm eignet sich der Gegenstand nur deshalb zur Verwandlung, weil ihn der Dichter zuvor seines Inhaltes entleert,

ihn der Willkür seines Blickes unterwirft und schließlich nur den poetischen Akt erfaßt, den all diese Gedichte, unter welchem Vorwand auch
immer (ein Tier, eine Blume, ein imaginäres Wesen, eine mythologische
Person), zum Ausdruck bringen und zur Genüge wiederholen. Die
Dichtung würde somit schließlich nur sich selbst finden und nicht die
Welt, die wiederzuentdecken und zu retten sie sich vorgenommen
hatte. Das letzte Wort der Rilkeschen Lyrik wäre demzufolge, in einem
der späten französischen Gedichte, ein Geständnis der Ohnmacht und
der Lüge (›Mensonges‹).

> Masque? Non. Tu es plus plein,
> mensonge, tu as des yeux sonores.

Wir werden diesen extremen Thesen Paul de Mans nicht folgen. Seine
Analyse vernachlässigt die ganze Kraft der sinnlichen Suggestion der
›Neuen Gedichte‹. Diese Gedichte sind nicht nur ein kalkuliertes Spiel
von Assonanzen; in vielen von ihnen ist das Ding präsent, erneuert
und mit ungewöhnlich evokativer Kraft rehabilitiert. Man muß sich
nur fragen, mit welchem Preis diese poetische Umgestaltung bezahlt
wird und in welcher Form sich die Dinge in diesem inneren Raum,
in den Rilke sie einschließen will, wiederfinden.

Wir wollen von „Die Treppe der Orangerie" ausgehen, einem der gelungensten der ›Neuen Gedichte‹; es ist zugleich ein Beispiel, das den
Analysen Paul de Mans recht zu geben scheint: die Treppe der Orangerie in Versailles wird in Wirklichkeit weder beschrieben noch erwähnt;
sie ist nur ein Vorwand für Rilke, zu sich selbst und seiner dichterischen
Arbeit zurückzufinden; mit Hilfe der Treppe findet der dichterische
Akt zu sich selbst, definiert sich als Programm und rechtfertigt sich
durch die augenscheinliche Abwesenheit von Zweck. Gleich dem Furnes-Platz und dem Weg der römischen Campagna ist die Treppe der
Orangerie leer; sie scheint sogar den Spaziergängern und den profanen
Leuten zu verwehren, sie mit ihren Füßen zu berühren:

> als ob sie allen Folgenden befahl
> zurückzubleiben, – so daß sie nicht wagen
> von ferne nachzugehen; nicht einmal
> die schwere Schleppe durfte einer tragen.

Die leere und scheinbar verlassene Treppe wird im Imaginären umgestaltet, verwoben mit einem Gefolge, welches gleichsam die Stufen hin-

aufschreitet. Doch wie in ›Der Platz‹ existiert dieses Gefolge nicht. Und wie in den übrigen Gedichten gibt es neben dem gegenwärtigen noch ein anderes, der Vergangenheit entliehenes Schauspiel. Früher war es Ludwig XIV., der die Stufen der Treppe emporstieg, und die Höflinge verneigten sich, wenn er vorüberging. Die Zeit der Könige ist vorbei, die Treppe heute verlassen; sie ist zu nichts mehr nütze; auf sich selbst reduziert, ist sie nur noch da, um eine sinnlose Rolle zu spielen:

> Wie Könige die schließlich nur noch schreiten
> fast ohne Ziel, nur um von Zeit zu Zeit
> sich den Verneigenden auf beiden Seiten
> zu zeigen in des Mantels Einsamkeit –:
>
> so steigt, allein zwischen den Balustraden,
> die sich verneigen schon seit Anbeginn,
> die Treppe: langsam und von Gottes Gnaden
> und auf den Himmel zu und nirgends hin.

So ist auch das Gedicht: Es steigt zum Himmel und führt nirgends hin. Wenn es schon die Könige nicht mehr gibt, so bleibt wenigstens diese verlassene Treppe übrig; sie allein nimmt die alte königliche Funktion wieder auf, die Funktion des Repräsentierens. Ohne Nutzen in steriler Einsamkeit gefangen, stellen die Gegenstände feierlich ihre Nutzlosigkeit zur Schau; weil sie nutzlos sind, können sie zu Kunstwerken werden; weil es die Leere gibt, kann die Kunst existieren.

Das Vorhaben einer vollständigen Rehabilitation, dem Rilke sich hatte verschreiben wollen, führt zu keinem Ziel. Die beschriebenen tristen Schauspiele werden in der dichterischen Bearbeitung, der er sie unterzieht, nicht verherrlicht; weder die Wahnsinnigen noch die Blinden noch die Säulenheiligen. Was bleibt übrig? Eine Sammlung seltener und preziöser Gegenstände, alten Trödels und großer Kunstwerke; ein Spitzenwerk und die Kathedrale von Chartres; eine vergilbte Daguerreotypie und ein archaischer Apoll; Venedig und Capri, Versailles und Brügge. Die Geschichte schreitet schnell voran; die Maschine wird es schnell dahin bringen, auch die letzten Spuren der Vergangenheit zu zerstören. Die ›Sonette an Orpheus‹ stellen dies immer wieder fest:

> Sieh, die Maschine:
> wie sie sich wälzt und rächt
> und uns entstellt und schwächt. (I, 18)

> Knaben, o werft den Mut
> nicht in die Schnelligkeit,
> nicht in den Flugversuch. (I, 22)

> Wandelt sich rasch auch die Welt
> wie Wolkengestalten,
> alles Vollendete fällt
> heim zum Uralten. (I, 19)

Es ist an der Zeit, daß der Dichter einige Zeugnisse früherer Zeiten in einem imaginären Museum hinterlegt. Dies ist das Programm der siebten und der neunten ›Elegie‹: die Pylone der ägyptischen Tempel und Chartres,

> das strebende Stemmen,
> grau aus vergehender Stadt oder aus fremder, des Doms.

In einer Goethe nachahmenden Strophe macht sich Rilke zur Aufgabe, inmitten des Wechsels die Dauer wiederzufinden (›Sonette an Orpheus‹ I, 22).

> Alles das Eilende
> wird schon vorüber sein;
> denn das Verweilende
> erst weiht uns ein.

In Wirklichkeit rettet er weniger „das Ewige" (hat dieses Wort im 20. Jahrhundert überhaupt noch einen Sinn?) als einige Relikte der Vergangenheit, eine Sammlung von Ruinen. Schon zur Zeit des ›Stundenbuchs‹ entwickelte Rilke das Bild des Erben; im ›Buch von der Pilgerschaft‹ bezeichnet er Gott als solchen; es handelt sich hier allerdings nur um einen sprachlichen Kunstgriff, denn was er Gott nennt, unterscheidet sich in nichts von seinem eigenen dichterischen Tun. „Gott" also erbt die Wunder der Welt (Bd. 1, S. 314):

> Du erbst Venedig und Kasan und Rom,
> Florenz wird dein sein, der Pisaner Dom,
> die Troïtzka Lawra und das Monastir . . .

Und die Dichter sind nichts anderes als Bildersammler (Bd. 1, S. 315):

> Für dich nur schließen sich die Dichter ein
> und sammeln Bilder, rauschende und reiche . . .

Seit seinen ersten Schriften hat Rilke das Gefühl, ein Spätberufener zu sein. Das Schicksal ließ ihn in einer Zeitenwende leben, in nahendem Niedergang. Er akzeptiert diese Rolle eines alexandrinischen Dichters. Er versucht zu retten, was noch nicht in Mitleidenschaft gezogen ist. Er zählt dem Engel – oder zukünftigen Zeiten – die Erfolge auf, die morgen auf immer unmöglich sein werden.

Das Museum, in dem Rilke seine Schätze anhäuft, wird von ihm „innerer" Raum genannt. Um zu ihm Zugang zu finden, müssen die Dinge schon die ersten Stigmata des Verfalls tragen, wie z. B. die beiden Hortensien: die blaue, deren Farben zu verblassen beginnen, und die rosa, deren Färbung sich in den Lüften aufzulösen scheint, um – wer weiß – von den Engeln aufgesammelt zu werden. Ein Überschwang an Nuancen, die ganze Pracht eines den einmaligen Charakter des Augenblicks empfindenden impressionistischen Bildes begleitet die Zerbrechlichkeit der Zeit und den drohenden Tod. Um sich jedoch in eine „Figur" zu verwandeln, muß der Gegenstand seine schillernden Allüren verlieren und erstarren. Hinter der täuschenden Zeit der „Vergänglichkeit" gibt es die unbewegliche Zeit, wie sie der Engel vom Meridian messen kann, der jenseits des drohenden Verfalls in einer todesähnlichen Starre lebt. In diese Bleibe der Toten bringt der Dichter seine Gaben (›Sonette an Orpheus‹ I, 7):

> Er ist einer der bleibenden Boten,
> der noch weit in die Türen der Toten
> Schalen mit rühmlichen Früchten hält.

Im inneren Raum beruhigt sich die Bewegung des Lebens, ohne doch gänzlich aufzuhören, und schließt sich in sich selbst ein, geschützt vor den Launen des Schicksals, den Engeln der zweiten ›Elegie‹ gleich:

> Spiegel: die die entströmte eigene Schönheit
> wiederschöpfen zurück in das eigene Antlitz,

oder dem Brunnen der Borghesegärten gleich, der, wie in der Beschreibung C. F. Meyers, in jedem Augenblick Bewegung und Ruhe, Leben und Tod versöhnt:

> Und jede nimmt und gibt zugleich
> Und strömt und ruht.

Am Ende des ersten Teils der ›Neuen Gedichte‹ findet man unter dem Titel ›Die Insel‹ eine der Sandinseln der Nordsee, wo abseits der Welt wenige armselige Fischerfamilien leben. Das Gedicht zählt nicht zu den gelungensten der Sammlung, doch gerade seine relative Unbeholfenheit läßt vielleicht die Voraussetzungen dieser Lyrik besser hervortreten; abends bleibt man in den Häusern sitzen und betrachtet im Spiegel den Widerschein der alten seltsamen Gegenstände, die auf den Kommoden liegen. Die Insel ist wie ein zu kleiner Stern, vom Raum vergessen:

> Die Insel ist wie ein zu kleiner Stern
> welchen der Raum nicht merkt . . .

Hinter dem Schutz der Deiche ahnen sie kaum etwas von dem, was außerhalb der Insel vor sich geht; sie sprechen wenig. Die Sprache dient ihnen gerade noch dazu, die Botschaften, die aus der Ferne eintreffen und die sie fast nicht mehr verstehen, zu begraben:

> Und jeder Satz ist wie ein Epitaph
> für etwas Angeschwemmtes, Unbekanntes . . .

Studi Germanici (N. S.) XIV (1976), S. 175–195.

DIE POETISCHE VERFAHRENSWEISE
IN RILKES ›NEUEN GEDICHTEN‹

Von Alfred Doppler

Bis zum Jahre 1903–1904 hat Rilke gefühlvolle, überschwengliche Verse geschrieben und in ihnen eine poetische Frömmigkeit zelebriert, die alsbald als ästhetische Ersatzreligion genossen wurde und die sich heute mit ihren Sehnsuchtsevokationen nostalgisch ausmünzen läßt. Was Rilke in den ›Aufzeichnungen des Malte Laurids Brigge‹ über Gedichte sagt, ist eine Auseinandersetzung mit dieser frühen Lyrik: „Denn Verse sind nicht, wie die Leute meinen, Gefühle (die hat man früh genug), – es sind Erfahrungen." Der Lyriker darf nämlich Blumen, Tiere, Dinge und Menschen nicht bloß mit seinem Gefühl erfassen, er muß sie sehen, kennen, erkennen, bedenken und durchdenken; er muß die Vergangenheit herstellen als etwas in der Gegenwart Wirkendes, er muß die Kindheit wieder erfahren als eine Lebensform, in der die Welt als Einheit erlebbar ist. Tod und Geburt müssen aufgenommen werden in Blut, Blick und Gebärde: „erst dann kann es geschehen, daß in einer sehr seltenen Stunde das erste Wort eines Verses aufsteht" aus der Mitte all dieser 'Erinnerungen'. Resignierend stellt Malte fest: „Alle meine Verse aber sind anders entstanden, also sind es keine" (6, 724f.) [1]. Da der autobiographische Gehalt dieser Stelle hoch anzuschlagen ist, läßt sich sagen, daß Rilke im ›Malte‹ seine frühen Dichtungen in ein fragwürdiges Licht stellt und eine Kunstauffassung formuliert, die seiner bisherigen Tätigkeit entgegengesetzt ist. Das beweisen auch seine Briefe aus der Pariser Zeit. Als bekannter und erfolgreicher Lyriker stellt er darin wiederholt fest, daß die romantische Gefühlsintensität seiner Verse ein allzu geläufiges poetisches Verfahren gewesen sei und daß er

---

[1] R. M. Rilke, Sämtliche Werke, hrsg. vom 'Rilke-Archiv', in Verbindung mit R. Sieber-Rilke, besorgt durch E. Zinn, Bd. 1–6, Wiesbaden–Frankfurt a. M. 1955–66 (Band, Seite).

erst mit den 1907–1908 veröffentlichten ›Neuen Gedichten‹ den Möglichkeiten einer zeitgemäßen Kunst entspreche.

Was ist nun das Neue dieser ›Neuen Gedichte‹? Die Lyrik soll fortan nicht bloß der Darstellung einer problematischen Innerlichkeit, einer Kultivierung der Individualität, einer gefühlvollen Intensivierung des Ichs dienen, sondern sie soll beitragen zu einer Ortung des Ichs in der Welt, zu einer Beschreibung seiner Stellung und seiner Beziehung zu Menschen und Dingen. Im Gedicht soll sich die Auseinandersetzung mit einer Welt ereignen, die nicht mehr wie in der klassischen Zeit im Einklang von Ich, Natur und Sprache steht. Robert Musil würdigte dieses Bemühen in seiner ›Rede zu Rilkes Tod‹, wenn er sagt: „Dieser große Lyriker hat [. . .] das deutsche Gedicht zum ersten Mal vollkommen gemacht", vollkommen, weil er es über das humanistische Kulturideal weg zu einem kommenden Weltbild geführt hat.[2]

Trotz einiger überzeugend formulierter Strophen und Verse und einiger für Rilke auch weiterhin wichtiger Gedanken gilt für die frühe Lyrik, was er in seinem Todesjahr an den Versuchen eines jungen Lyrikers aussetzt: „Mir ist [. . .] (wieder einmal) klar geworden, eine wie drückende und aussichtslose Beschäftigung das lyrische Gedicht in gewissen Jahren darstellt, eben weil es mit den Mitteln der Sprache arbeitet und nicht genug Handwerk anbietet, um in ihm ein Selbständiges (dies nun nicht im künstlerischen, sondern im rein vitalen Sinne gemeint) auszubilden. Das Ausgeatmete des Lebens schlägt aus ihm immerfort wieder in das Leben zurück –, ein Dasein, das sich, mittels seiner, zu entlasten versucht, belädt sich vielmehr mit dem gesteigerten Ausdruck seiner Unerträglichkeiten, [. . .]" (24. März 1926; B 5, 419 f.).[3] Der Brief variiert Gedanken aus dem ›Requiem für Kalckreuth‹, wo vom alten „Fluch der Dichter" die Rede ist, „die sich beklagen, wo sie sagen sollten, / die immer urteiln über ihr Gefühl / statt es zu bilden; die noch immer meinen, / was traurig ist in ihnen oder froh, / das wüßten sie und dürftens im Gedicht / bedauern oder rühmen. Wie die Kranken / gebrauchen sie die Sprache voller Wehleid, / um zu beschreiben, wo es

---

[2] R. Musil, Rede zur Rilke-Feier in Berlin am 16. 2. 1927, in: Deutsche Literaturkritik im 20. Jahrhundert, hrsg. von H. Mayer, Stuttgart 1965, S. 465 und 479.

[3] R. M. Rilke, Gesammelte Briefe, hrsg. von R. Sieber-Rilke und C. Sieber, Leipzig 1937–39 (B Band, Seite).

ihnen wehtut, / statt hart sich in die Worte zu verwandeln, / wie sich
der Steinmetz einer Kathedrale / verbissen umsetzt in des Steines
Gleichmut". Was jungen Lyrikern in der Regel fehle, ist die Einsicht,
daß man zwei verschiedene „Federn" zum Schreiben brauche; eine private, die Persönliches mitteilt, und eine, die reines Werkzeug ist zur
Herstellung von Kunstprodukten. Daher schließt der Brief mit der
Mahnung an den Empfänger: „Das handwerklich Hinausgestellte, das
diese [. . .] Feder umreißt, wirke nicht weiter in Ihr eigenes Leben zurück, sei eine Bildung, eine Umsetzung, eine Verwandlung, zu der das
‚Ich' nur der erste und letzte Anstoß war, die aber von da ab Ihnen
gegenüber bleibt, abstammend von Ihrem Impuls, aber sofort so weit
fortgeschoben auf die Ebene der künstlerischen Entfremdung, des
dinglichen Alleinseins, daß Sie nur noch als ein ruhiger Beauftragter an
der Vollendung dieses geheim Gegenständlichen sich beteiligt fühlen"
(B 5, 421). Was Rilke vorschwebt, ist ein Gedicht, das „plötzlich ganz
unmittelbar an technische Präzisionen heranreichen könne, sich gleichsam aus seinem Weltraum, wie reiner Tau, auf der Oberfläche eines
Problems niederschlagend" (an Dieter Bassermann, 5. April 1926; B 5,
422), und er betont, daß seine Arbeiten von der Überzeugung ausgin-
gen, „die Weite, Vielfältigkeit ja Vollzähligkeit der Welt in reinen Beweisen vorzuführen" (Vorrede zu einer Vorlesung aus eigenen Werken,
1919; 6, 1097). „Das handwerklich Hinausgestellte" der ›Neuen Gedichte‹, das die Kunstdinge als Erfahrungen, als das Umsetzen von
Kenntnissen verstanden wissen will, als Ergebnisse einer täglichen, geduldigen Arbeit, wird auch im Spätwerk Rilkes, in den ›Elegien‹ und in
den ›Sonetten an Orpheus‹, nicht preisgegeben. Das zeigt ein Aufsatz,
der unter dem Titel ›Ur-Geräusch‹ im Oktober 1919 im „Inselschiff"
veröffentlicht wurde. Rilke erwog die Überschrift *Experiment,* und er
sieht darin im Lyriker einen Experimentator, der die Grenzen zwischen
den einzelnen Sinn-Bereichen überwindet, um auf diese Weise den
Bereich der Erkenntnis auszuweiten. Er meint: „Stellt man sich den
gesamten Erfahrungsbereich der Welt, auch seine uns übertreffenden Gebiete, in einem vollen Kreise dar, so wird es sofort augenscheinlich, um
wieviel größer die schwarzen Sektoren sind, die das uns Unerfahrbare
bezeichnen, gemessen an den ungleichen lichten Ausschnitten, die den
Scheinwerfern der Sensualität entsprechen" (6, 1091). Wie die modernen Naturwissenschaften zeigen, ist das durch die isolierten Sinne Auf-

genommene tatsächlich weit entfernt, die Wirklichkeit zu erfassen, eine Wirklichkeit, die sich dem Forscher nur mit Hilfe von Modellen und Strukturformeln rechnerisch erschließt und deren Beschaffenheit und Bewegtheit sich nur in Abstraktionen nachvollziehen läßt. Der ungeheure Zuwachs an Kenntnissen kann, wie Rilke es ausdrückt, „sinnlich nicht durchdrungen, also nicht eigentlich ‚erlebt‘ werden" (6, 1092). Er glaubt daher, daß der über das normale Maß hinaus sensibilisierte Künstler hier rettend einzugreifen habe, um das völlige Fremdwerden der Welt zu verhindern: „Es möchte nicht voreilig sein, zu vermuten, daß der Künstler, der diese (wenn man es so nennen darf) fünffingrige Hand seiner Sinne zu immer regerem und geistigerem Griffe entwickelt, am entscheidendsten an einer Erweiterung der einzelnen Sinn-Gebiete arbeitet [. . .]" (6, 1092 f.). Eine „zugleich einsetzende Befähigung und Leistung aller Sinne" könne bewirken, „daß die [. . .] Welt unter einem bestimmten Aspekt auf jener übernatürlichen Ebene erscheine, die eben die des Gedichtes ist" und somit erlebbar gemacht wird (6, 1091).

Damit wäre für Rilke von 1903 (Aufenthalt in Paris) bis 1926 eine Konstanz der ästhetischen Anschauungen angedeutet, deren Entstehung verfolgt und deren Auswirkung in den Gedichten festgestellt werden soll.

Die Pariser Jahre von 1902 bis 1903 und vom September 1905 bis zum Ende des Jahres 1909 waren für Rilke eine Zeit entscheidender Erfahrungen: Mitten in den Wirrnissen eines angsteinflößenden Lebens begann er als ein „Anfänger" daran zu arbeiten, „langsam eine Kunst ohne Phrase und Lüge [zu] verwirklichen".[4] In Paris vollzieht sich eine entscheidende Verwandlung des lyrischen Ichs; es ist entschlossen, alles anders zu sehen, und es sucht nach Äquivalenten für das Gesehene, das Erfahrene und Erinnerte. Der Auseinandersetzung mit dem Leben, die sich in den Ängsten Maltes spiegelt, steht Rilkes Begegnung mit Rodin komplementär gegenüber. Durch diese Begegnung wird er mit der auf ein festes Ziel gerichteten Arbeit eines Künstlers konfrontiert, dessen Plastiken nicht einer großen Idee entspringen (wie Rilke meint), sondern sich auf eine „gewissenhafte Verwirklichung, auf das Erreichbare, auf ein Können" (5, 150) zurückführen lassen. Rodin vermittelte Rilke „eine Arbeitsatmosphäre voll Wärme und Fruchtbarkeit" (B 2, 101);

---

[4] Zitiert nach H. Himmel, Das unsichtbare Spiegelbild. Studie zur Kunst und Sprachauffassung R. M. Rilkes, Duino–Trieste 1975, S. 91.

war ihm früher „die Natur noch ein allgemeiner Anlaß, eine Evokation, ein Instrument, in dessen Saiten sich [seine] Hände wiederfan-
den" (B 2, 420), so wollte er nun in der Einsamkeit geduldigen Arbei-
tens, von den bestimmten Dingen ausgehend, das noch bestimmtere
Kunstding formen. Sich sammeln, die immer wieder andrängenden
Zerstreuungen abwehren, die Forderung Rodins erfüllen («Il faut toujours travailler – toujours»), sich das daraus entspringende handwerk-
liche Können aneignen: das sind die Voraussetzungen, die ein neues
Gedicht ermöglichen sollten. Erst wenn der Gemütszustand als Werk-
stätte und die Sprache als Werkzeug der Arbeit dienstbar gemacht sind,
kann es gelingen, „geschriebene Dinge" herzustellen. Rilke fragt 1903
Lou Andreas-Salomé, ob sie ihm eine moderne, wissenschaftlich gute,
deutsche Bibelübersetzung nennen könne. Er wünscht sich „ein wenig
Historikerhandwerk und Archivargeduld", und er will, um alle „Arbeiten sicherer anzugreifen [. . .] naturwissenschaftliche und biologische
Bücher lesen und Vorlesungen hören, die zum Lesen und Lernen solcher
Dinge anregen. (Experimente und Präparate sehen)".[5] Er studiert eingehend das Grimmsche Wörterbuch, um das innere Leben, das Wollen
und die Entwicklung der Sprache kennenzulernen. Da ihm Sprache das
Material ist, aus dem Kunst gemacht wird, ist er froh, in Paris zu sein,
wo er für das Alltägliche und Nebensächliche sich nicht des Deutschen
bedienen muß.

Unter den vielen Briefen, die Rilke 1907 in Paris geschrieben hat, ist
kaum einer, in dem er nicht das Wort „Arbeit" wie eine Beschwörungs-
formel einsetzt, die ihm zu seiner Verwirklichung als Künstler verhelfen
soll. Er spricht von „Arbeitshygiene", „Arbeitsbereitschaft" und von
„Arbeitserinnerungen" als produktiven Ansätzen zu neuer Arbeit. Er
will den Dingen nicht „nachdenken", sondern sie im „Erreichbaren"
lassen, denn „die ‚letzten Ahnungen und Einsichten' nähern sich nur
dem, der in der Arbeit ist und bleibt" (B 2, 344).

Dieses von Rodin ausgelöste Arbeitsethos und der dadurch einge-
leitete Prozeß der „seelischen Umgewöhnung" wurden bestärkt und
zugleich noch enger an die dichterische Produktion gebunden durch
Gemälde Cézannes, die Rilke im Oktober 1907 in Paris kennenlernte.

---

[5] R. M. Rilke–Lou Andreas Salomé, Briefwechsel, mit Erläuterungen und einem Nachwort hrsg. von E. Pfeiffer, Zürich–Wiesbaden 1952, S. 161, 164, 166.

Rilke wandte sich in seinem Bemühen um objektive Darstellung nicht mehr allein den Konturen der Dinge, sondern auch deren Farbigkeit zu, einer Farbigkeit, die er als ein Gegeneinanderstehen und Aufeinanderbezogensein von Farbwerten auffaßt. Denn wenn sich die Bedeutung eines Dinges in einer bestimmten Farbkonstellation zeigt, so kann in einem von den Dingen selbst und nicht vom Denken ausgelösten Abstraktionsprozeß dessen wesentliche Form erfaßt werden. Die Gegenstände werden in ihre malerischen Äquivalente umgesetzt, und zwar mit einer geduldigen „animalischen" Aufmerksamkeit. Jede innere Beteiligung wird aufgebraucht durch die „Aktion des Machens", durch ein „Aufbrauchen der Liebe in anonymer Arbeit" (B 2, 422). Der große Farbzusammenhang in den Bildern Cézannes schafft die Vorstellung *„als wüßte jede Stelle von allen"* (B 2, 447). Die berühmten Schlußverse des Gedichtes ›Archaischer Torso Apollos‹ sind eine Variation dieser Briefstelle: „denn da ist keine Stelle, / die dich nicht sieht". Nachdem die Cézanne-Ausstellung geschlossen war, schrieb Rilke am 22. Oktober 1907: „Und schon, da ich zum letzten Mal von dort nach Hause gehe, möchte ich ein Violett, ein Grün oder gewisse blaue Töne wieder aufsuchen, von denen mir scheint, daß ich sie hätte besser, unvergeßlicher sehen müssen. Schon, obwohl ich so oft aufmerksam und unnachgiebig davorgestanden habe, wird in meiner Erinnerung der große Farbenzusammenhang der Frau im roten Fauteuil so wenig wiederholbar wie eine sehr vielstellige Zahl" (B 2, 445 f.).

Die animalische Aufmerksamkeit, die Rilke in den Bildern Cézannes zu erkennen glaubt und die die Möglichkeit eines Einverständnisses von Schauendem und Angeschautem, von Blick und Ding in sich birgt, ist das Thema des Gedichtes ›Der Hund‹ aus dem zweiten Teil der ›Neuen Gedichte‹. Der Hund wird beschrieben, so wie dieser sich aus seiner auf die Menschenwelt gerichteten Perspektive begreifen könne:

> Da oben wird das Bild von einer Welt
> aus Blicken immerfort erneut und gilt.
> Nur manchmal, heimlich, kommt ein Ding und stellt
> sich neben ihn, wenn er durch dieses Bild
>
> sich drängt, ganz unten, anders, wie er ist;
> nicht ausgestoßen und nicht eingereiht,
> und wie im Zweifel seine Wirklichkeit
> weggebend an das Bild, das er vergißt,

> um dennoch immer wieder sein Gesicht
> hineinzuhalten, fast mit einem Flehen,
> beinah begreifend, nah am Einverstehen
> und doch verzichtend: denn er wäre nicht.

Oben, in der Menschenwelt, wird das Bild der Wirklichkeit durch Konventionen abgesichert und bestätigt. Nur manchmal durchdringt der Hund das vom Menschen gedeutete Weltbild und kommt so, gewissermaßen durch es hindurchschauend, nahe an ein Verstehen des Dinges, das sich neben ihn gestellt hat. Der Hund ist nach der Meinung Rilkes „nicht ausgestoßen und nicht eingereiht"; er ist dem Menschen nahe und vertraut, aber doch wesensverschieden von ihm. Sein Anderssein birgt die Möglichkeit des Erkennens und Verstehens, doch in der Selbstverleugnung entfremdet sich ihm das Ding, die Ahnung wird nicht zur Erkenntnis: „beinah begreifend, nah am Einverstehen / und doch verzichtend", so als wäre er nicht. Rilke hat sich bis zu den ›Elegien‹ mit der dem Menschen gegenüber gesteigerten Wahrnehmungsfähigkeit der Tiere beschäftigt, ihrem weiterreichenden Gespür und ihrem Vermögen, intuitiv einen Weg zu finden. Daß, von dieser Einschätzung ausgehend, der Hund hier nicht nur für sich, sondern auch für den Künstler steht, erweisen biographische Bemerkungen über van Gogh und Cézanne und die Art, wie Rilke die Selbstbildnisse der beiden Künstler deutet: Van Goghs „Selbstbildnis [. . .] sieht dürftig und gequält aus, verzweifelt fast, aber doch nicht katastrophal: wie wenn es ein Hund schlecht hat" (B 2, 392); Cézannes sachliches Anschauen „wird auf beinah rührende Weise durch den Umstand bestätigt, daß er sich selbst, ohne im entferntesten seinen Ausdruck auszulegen oder überlegen anzusehen, mit so viel demütiger Objektivität wiederholte, mit dem Glauben und der sachlich interessierten Teilnahme eines Hundes, der sich im Spiegel sieht und denkt: da ist noch ein Hund" (B 2, 450).[6]

Es ist nun die Frage zu stellen, wie es um diese Objektivität tatsächlich bestellt ist und wie weit sie Form und Thematik der Gedichte bestimmt. Nach Abschluß des ersten Teils der ›Neuen Gedichte‹ schreibt Rilke an seine Frau: „Es ist ein Buch: Arbeit, der Übergang von der

---

[6] Vgl. H. Meyer, Rilkes Cézanne-Erlebnis, in: Zarte Empirie, Stuttgart 1963, S. 244–286.

kommenden Inspiration zur herbeigerufenen und festgehaltenen" (B 2, 353) und im Vergleich zur Arbeitsweise Cézannes: „In den Gedichten sind instinktive Ansätze zu ähnlicher Sachlichkeit" (B 2, 422). Handelt es sich nun bei dieser Sachlichkeit um ein reines Wahrnehmen, um die Überwindung von Ichhaftigkeit und Subjektivität, wie dies bisweilen behauptet wird?

Rilke ist der Meinung, daß er die ›Neuen Gedichte‹ nach Modellen geschaffen habe, daß er mit Blumen, Tieren und Landschaften begonnen und dann allmählich zum Menschen übergegangen sei; zu lernen wäre, „wie jeder Gegenstand zur Arbeit ausschlagen und in der entschlossenen redlichen Bewältigung reine Größe erkennen lassen kann" (B 3, 207). Dazu ist festzustellen: Die Verfahrensweise des Anschauens beruft sich nicht auf Sachlichkeit oder Dingtreue, sondern sie spricht ausdrücklich eine Subjekt-Objekt-Problematik an, es soll eine Lebenswirklichkeit gezeigt werden, die gekennzeichnet ist durch eine Entfremdung von Ich und Dingwelt. Die künstlerische Problematik, die im Gedicht ›Der Hund‹ Gestalt annimmt, hat Rilke zuvor sehr genau in einem Brief dargestellt, wenn er schreibt, daß wir im Anschauen „ganz nach außen gekehrt [sind], aber gerade wenn wirs am meisten sind, [. . .] wächst in dem Gegenstand draußen ihre Bedeutung [das ist die Bedeutung der Dinge] heran, ein überzeugender, starker, – ihr einzig möglicher Name, in dem wir das Geschehnis in unserem Innern selig und ehrerbietig erkennen, ohne selbst daran heranzureichen, es nur ganz leise, ganz von fern, unter dem Zeichen eines eben noch fremden und schon im nächsten Augenblick aufs neue entfremdeten Dinges begreifend –" (B 2, 279 f.). Im geduldigen „animalischen" Anschauen also müßte die Entfremdung durch Benennung, durch sprachliche Formung überwunden werden.

In dieser Form des Anschauens sind demnach zwei Vorgänge in ein Gleichgewicht zu bringen: das Beschreiben der Dinge „draußen" und das Beschreiben des Bewußtseins, das mit diesen Dingen verflochten ist; die Darstellung der Oberfläche und die Spiegelungen dieser Oberfläche im Innern. Denn mit den Sachen ist immer zugleich ein Bewußtseinsinhalt gegeben, der in den Sachen selber steckt als Teil eines Erkenntnisprozesses.[7]

---

[7] Käte Hamburger hat in diesem Zusammenhang auf die Strukturverwandt-

Was muß aber geschehen, daß sich die in den Dingen enthaltene „reine Größe" wenigstens andeutungs- und annäherungsweise herausarbeiten läßt? Ein Zweifaches ist nötig. Erstens, die gemachten Dinge können neben die Dinge der Natur gestellt werden, weil sie nicht nur des Gebrauchs wegen, sondern auch um ihrer selbst willen da sind, weil sie in ihrer ursprünglichen Bedeutung Versuche sind, „aus Menschlichem und Tierischem, das man sah, ein Nicht-Mitsterbendes zu formen, ein Dauerndes" (5, 210), weil sie eine Oberfläche haben, aus der ein Geistiges hervorleuchtet, in dem „alles, was je Sehnsucht oder Schmerz oder Seligkeit genannt war", eingeschlossen ist (5, 212). Zweitens können in diesem Prozeß des Machens Sichtbares und Unsichtbares, äußere Wirklichkeit und Innerlichkeit in Beziehung gesetzt werden. Erkennen und Fühlen können zusammenwirken, um die Einzelerscheinung auf ihren allgemeinen Sinn hin zu befragen. Was sich ereignen soll, ist eine Reintegration von beiden, und zwar so, daß „das Erkennen die Betonung des Fühlens, das Fühlen die Scharfsichtigkeit des Erkennens" erlangt, wie dies Hofmannsthal in der Rede ›Der Dichter und diese Zeit‹ fordert.

Konkret geschieht dies bei Rilke, indem sich das Geschaute und die Spiegelung des Geschauten im Gedicht zu einer Einheit fügen, indem sich das Bild in einem Spiegelbild niederschlägt, das sich sowohl aus anschaulich bildhaften als auch aus rhythmisch-klanglichen und semantischen Elementen zusammensetzt. Durch dieses Spiegelbild wird „ein Dauerndes" konstituiert, da in ihm Vergangenes, Gegenwärtiges und Zukünftiges enthalten ist, sich also zeitlich Aufeinanderfolgendes in einem gemeinsamen Raum versammelt. Im ›Requiem für eine Freundin‹ heißt es von dem Ding: „Wir spiegeln es herein / aus unserm Sein, sobald wir es erkennen".[8]

Aus alldem ergibt sich eine durchgängige Zweischichtigkeit der Rilkeschen Gedichte, die nicht als direkte und symbolische Bedeutung auseinanderzufalten und zu lesen ist, sondern als ein Spiel auf zwei

schaft der Lyrik Rilkes mit der Phänomenologie Husserls hingewiesen (K. H., Die phänomenologische Struktur der Dichtung Rilkes, in: Philosophie der Dichtung, Stuttgart 1966, S. 179–268).

[8] Vgl. die aufschlußreiche Arbeit von H. Himmel, Das unsichtbare Spiegelbild, a. a. O.

Ebenen, welches das prekär gewordene Gleichgewicht von Außen und Innen bewahren will. Dazu ein Beispiel: Das Gedicht ›Gott im Mittelalter‹ steht im ersten Teil der ›Neuen Gedichte‹ als Abschluß der Kathedralengedichte, die eine Engelsfigur aus der Kathedrale von Chartres, die Kathedrale selbst, das Portal, die Fensterrose und das Kapitäl zum Gegenstand haben.

> Und sie hatten Ihn in sich erspart
> und sie wollten, daß er sei und richte,
> und sie hängten schließlich wie Gewichte
> (zu verhindern seine Himmelfahrt)
>
> an ihn ihrer großen Kathedralen
> Last und Masse. Und er sollte nur
> über seine grenzenlosen Zahlen
> zeigend kreisen und wie eine Uhr
>
> Zeichen geben ihrem Tun und Tagwerk.
> Aber plötzlich kam er ganz in Gang,
> und die Leute der entsetzten Stadt
>
> ließen ihn, vor seiner Stimme bang,
> weitergehn mit ausgehängtem Schlagwerk
> und entflohn vor seinem Zifferblatt.

Das Sichtbare spiegelt das Unsichtbare einer Zeitsituation: Der Vergleich der Kathedrale mit einem Uhr-Gewicht, das ihren Gott in kreisender Bewegung halten soll, wird bis zuletzt durchgehalten. Doch von dem Vers an „Aber plötzlich kam er ganz in Gang" sind Ding und Vergleichsebene übereinandergelegt, und die Kathedrale wird Zeichen eines geistigen Zustandes: Sie ist ursprünglich das Produkt persönlichen Glaubens gewesen, in der Folge aber verflüchtigt sich dieser, und die Kathedrale dient *nur* noch der Sanktionierung gesellschaftlichen Handelns; es besteht kein anderer Wunsch, als daß „Tun und Tagwerk" abgesegnet werden. Der so gebrauchte, verdinglichte Gott läßt sich aber auf solche Weise nicht in Dienst nehmen; daher ragt die Kathedrale als Zeugnis des „schweigenden Gottes" in die Gegenwart hinein. Von der Dingsphäre kommend, wird ein Thema der Jahrhundertwende angeschlagen, das z. B. Georg Trakl in einer Vorstufe des ›Psalm‹-Gedichtes aufnimmt: „Die Kirchen sind verstorben [. . .] in der zerstörten Stadt richtet die Nacht schwarze Zelte auf". Trotz der Hinwendung zu Ding und Gegenstand entsteht also keineswegs ein bloßes Kunst-Ding, das symbolisch gelesen werden könnte wie Konrad Ferdinand Meyers ›Römischer Brunnen‹; denn das Gesagte ist nicht den fließenden symbolistischen Bedeutungskreisen anvertraut, Dinge, Gestalten und Vorgänge werden vielmehr durch Vergleich und Metapher einem engumgrenzten Sinnbezirk zugeordnet. Gedichte dieser Art meinen daher gerade das Gegenteil von dem, was man ihnen unterstellt – etwa, daß sie eine Kathedrale ästhetisch verfügbar machen –; indem sie Kunst im Gedicht potenzieren, zeigen sie, wie etwas nur noch als entfunktionalisiertes Kunstding Bestand hat.

Im Gedichtpaar ›Der Gefangene‹ ist das Außen und Innen auf zwei Gedichte verteilt. Der erste Teil enthält unmittelbar die Mitteilung einer Befindlichkeit. Das lyrische Ich spricht in der Rolle des Gefangenen:

I

Meine Hand hat nur noch eine
Gebärde, mit der sie verscheucht;
auf die alten Steine
fällt es aus Felsen feucht.

Ich höre nur dieses Klopfen
und mein Herz hält Schritt
mit dem Gehen der Tropfen
und vergeht damit.

Tropften sie doch schneller,
käme doch wieder ein Tier.
Irgendwo war es heller –.
Aber was wissen wir.

Auf die Darstellung des Gefangenen folgt im zweiten Teil die Reflexion des Gefangenseins. Teil II setzt mit einem „Denk dir" ein und weist so auf den Abstand hin, der zwischen der unmittelbar dargestellten Situation und dem damit verbundenen Bewußtsein besteht.

II

Denk dir, das was jetzt Himmel ist und Wind,
Luft deinem Mund und deinem Auge Helle,
das würde Stein bis um die kleine Stelle
an der dein Herz und deine Hände sind.

Und was jetzt in dir morgen heißt und: dann
und: späterhin und nächstes Jahr und weiter –
das würde wund in dir und voller Eiter
und schwäre nur und bräche nicht mehr an.

Und das was war, das wäre irre und
raste in dir herum, den lieben Mund
der niemals lachte, schäumend von Gelächter.

Und das was Gott war, wäre nur dein Wächter
und stopfte boshaft in das letzte Loch
ein schmutziges Auge. Und du lebtest doch.

Der Wechsel „von der deskriptiven zur imaginativen Fiktion" (August Stahl)[9] wird verdeutlicht durch den Wechsel von der ersten zur zweiten Person, vom sprechenden Ich zu einem Du, das sich selber anspricht. Die irrealen Konjunktivformen „würde" und „wäre" deuten syntaktisch das Metaphorische des Gesagten an, ein Metaphorisches, das jeweils durch einen Vergleich in seiner Bedeutung gestützt wird. Die erste Strophe verweist vergleichsweise auf die nicht mehr zu überbieten räumliche Einengung des Gefangenen, in der zweiten wird das Zeitbewußtsein mit einer schwärenden Wunde verglichen, und in der dritten verformt sich die Erinnerung in ein irres Gelächter. Zuletzt die Frage nach Gott, der nur noch als boshafter Wächter empfunden werden kann. Das Sichtbare oder empirisch Erfahrbare des ersten Gedichtes in der direkten Aussage der ersten Person wird im zweiten Gedicht in seinem Übergang zum Unsichtbaren vorgeführt, zu einem Unsichtbaren, in dem sich die eigentliche Bedeutung des Sichtbaren offenbart. Die Schlüsselwörter des ersten Gedichtes „Hand", „Herz", „Stein", „Helle" werden im zweiten Gedicht wiederaufgenommen und verbinden über die Gedichtgrenzen hinweg das Außen und Innen. Außen und Innen stellen sich auch in der Gedichtform selbst dar: die Feststellung korrespondiert mit den einfachen vierzeiligen Strophen, die Reflexion und Einbildungskraft mit der Form des Sonetts. Die Wendung nach innen, die zum Begreifen der Geschehnisse führt, die draußen vor sich gehen, wird in den ›Neuen Gedichten‹ oft ausdrücklich bezeichnet:

[9] Vgl. A. Stahl, Das Sein im „angelischen" Raum. Zum Gebrauch des Konjunktivs in der Lyrik Rilkes, ZfdPh 89 (1970), S. 481–510.

„Was hindert uns zu glauben, daß", „Es wäre gut viel nachzudenken",
„Denk, es wäre nicht", „Denk: daß einer heiß und glühend flüchte"
u. ä.

Um im Bild das darin enthaltene unsichtbare Spiegelbild auszusagen,
verwendet Rilke manchmal auch das Stilmittel einer humorvoll getön-
ten Ironie. Gedichte wie ›Der König‹, ›Auferstehung‹, der Gedichts-
kreis, der Gestalten aus dem alten Testament darstellt, ›Der König von
Münster‹ und ›Totentanz‹ haben Anteil an dieser Stilform. Der ›Pa-
pageien-Park‹ kann als ein komisches Gegenstück zum berühmten
›Panther‹-Gedicht gelesen werden:

> Unter türkischen Linden, die blühen, an Rasenrändern,
> in leise von ihrem Heimweh geschaukelten Ständern
> atmen die Ara und wissen von ihren Ländern,
> die sich, auch wenn sie nicht hinsehn, nicht verändern.
>
> Fremd im beschäftigten Grünen wie eine Parade,
> zieren sie sich und fühlen sich selber zu schade,
> und mit den kostbaren Schnäbeln aus Jaspis und Jade
> kauen sie Graues, verschleudern es, und finden es fade.
>
> Unten klauben die duffen Tauben, was sie nicht mögen,
> während sich oben die höhnischen Vögel verbeugen
> zwischen den beiden fast leeren vergeudeten Trögen.
>
> Aber dann wiegen sie wieder und schläfern und äugen,
> spielen mit dunkelen Zungen, die gerne lögen,
> zerstreut und an den Fußfesselringen. Warten auf Zeugen.

In diesem Gedicht fällt die Fülle von Assonanzen und Alliterationen
auf, das gewollt Manieristische der Wortwahl und Wortfügung (es ist
bei Rilke nicht immer gewollt). Die klappernden daktylischen Langzei-
len erhalten im Rahmen des Sonetts eine Art von komischer Würde, die
gesteigert wird durch den Kontrast von gesucht und banal klingenden
Reimen (Parade – schade – Jade – fade – mögen – verbeugen – Trögen –
äugen – lösen – Zeugen). All das wirkt mit an einem Abstraktionsvor-
gang, der die sichtbare Arroganz der Papageien auf Arroganz schlechthin zurückführt. Wird im ›Panther‹ versucht, den „großen Tierblick"
zu deuten, dienen hier das Sich-Wiegen, das paradierende Sich-zur-
Schau-Stellen im Kontrast zu den duffen (farblosen) Tauben, das
Verbeugen der höhnischen Vögel und das „Warten auf Zeugen" der Dar-

stellung einer Haltung, die durch die Fähigkeit der Aras zu sprechen, ohne der Sprache mächtig zu sein, auf eine entfremdete Existenz verweist, die darauf wartet, daß man ihr kostbares, außergewöhnliches Dasein bestätige.

Wenn man Rilkes Lyriktheorie und die daraus hervorgegangene Praxis möglichst unvoreingenommen bewertet, wird man weder von reinem Wahrnehmen noch von einer Auflösung der Dinge im subjektiven Ausdruck sprechen können. Die bisweilen deutlich spürbare ästhetische Schwäche dieser auf die Dinge gestellten Dichtung besteht nicht in ihrem Verfahren, sie zeigt sich allerdings des öfteren in der Wahl der Gegenstände, im Hang zu überflüssigem Luxus und in der Tendenz zur Ornamentierung eines brüchig gewordenen feudal-bürgerlichen Lebensstils. Rilke, der „mit zerstreuten Dingen / von fern ein Ernstes, Wirkliches geplant" hatte, wie es im Selbstbildnis aus dem Jahr 1906 heißt, hat durch die Unmöglichkeit, die Ergebnisse seines Anschauens in eine sinnvolle Ordnung zu bringen (das strenge innerästhetische Ordnungsprinzip, das er dem Gedicht und der Gedichtfolge aufzwang, reichte dafür nicht aus), in den weiteren Jahren seiner Tätigkeit nach einer tragfähigen, sinnstiftenden Lebenseinheit gesucht und getrachtet, aus den losen Beziehungen der Dinge untereinander ein festes Netz von Bezügen zu knüpfen. Das führte ihn in einer von Verzweiflung und Zusammenbrüchen heimgesuchten Arbeit, die von 1910 bis 1926 geleistet wurde, zu einer Daseinskonzeption, wie sie schließlich in den ›Elegien‹ und in den ›Sonetten an Orpheus‹ verkündet wird. Diese späten Gedichte, die durch den geistigen Griff der „fünffingrigen Hand" seiner Sinne das Fremdwerden der Welt verhindern sollten, sind das Ergebnis einer weitergeführten Auseinandersetzung mit der Kunstauffassung der ›Neuen Gedichte‹, wenn sie auch rückblickend zur überwältigenden Inspiration und zur Weihe des Prophetischen stilisiert wurden.

Dazu einige Andeutungen: Das Leben soll, da die Dinge nicht zum Kosmos gefügt werden können, von Erlebnissen her erweitert werden, wie sie in den Erfahrungen des Kindes, der Liebenden und des Todes enthalten sind. Da es in der Zeit der Industrialisierung, wo jedes Gebrauchsding zu einem Verbrauchsding wird, keine sichtbaren Äquivalente mehr für das gibt, was um uns geschieht, muß das Schauen sich immer mehr in ein nachdenkliches Einsehen verwandeln, das nicht in einem Kunstding zur Ruhe kommt. „Die großen Worte aus den Zeiten, da / Geschehn noch sichtbar war, sind nicht für uns. / Wer spricht von Siegen? Überstehn ist alles." (Schlußverse aus dem ›Requiem für Kalck-reuth‹.) Aus der Beunruhigung, die Dinge durch die eigene Subjektivi-tät eingeschränkt zu haben, kommt die Sehnsucht nach einer Anschau-ungsweise, in der durch ein Vor- und Zurückschauen (auf den Tod hin und in die Kindheit zurück) die Kategorien und Klischees einer schlecht gedeuteten Welt überwunden werden sollten. Wenn Erich Hel-ler meint, in der späten Lyrik Rilkes hätte allein die unsichtbare Inner-lichkeit die sichtbare Welt vor der hervorbrechenden Zerstörung zu retten, und zum Beweis dafür den Vers aus der siebenten Elegie anführt: „Nirgends, Geliebte, wird Welt sein, als innen" [10], so übersieht er, daß in derselben Elegie verlangt wird, daß es auf „die Bewahrung der noch erkannten Gestalt" ankomme. Die Verwandlung ins Unsichtbare und die Rettung des Sichtbaren sind zwei Seiten ein und desselben Vorgan-ges. Die Wendung Rilkes gegen die abstrakte Malerei, die ihm als tra-gischer Verlust der Gegenständlichkeit bei Paul Klee schmerzlich bewußt wurde, ist verbunden mit einer Kritik an der zivilisatorischen Entwick-lung, deren Grundzug die Unsichtbarkeit ist, eine Unsichtbarkeit, die sich als technokratische Anonymität niederschlägt. „Die Welt zieht sich ein; denn auch ihrerseits die Dinge thun dasselbe, indem sie ihre Exi-stenz immer mehr in die Vibration des Geldes verlegen und sich dort eine Art Geistigkeit entwickeln" (an Lou Andreas-Salomé, 1. März 1912). Aufgabe des Dichters ist es, dieser Unsichtbarkeit aus Anony-mität die Unsichtbarkeit als persönlichen Besitz entgegenzustellen: „*Hier* ist des *Säglichen* Zeit, *hier* seine Heimat. / Sprich und bekenn. Mehr als je / fallen die Dinge dahin, die erlebbaren, denn, / was sie ver-drängend ersetzt, ist ein Tun ohne Bild". Daher die Aufgabe: „Sind wir vielleicht *hier,* um zu sagen: Haus, / Brücke, Brunnen, Tor, Krug, Obstbaum, Fenster, – / höchstens: Säule, Turm . . . aber zu *sagen,* ver-stehs, / oh zu sagen *so,* wie selber die Dinge niemals / innig meinten zu sein" (neunte Elegie).

Die Wirklichkeit soll in den Worten des Gedichtes zu einer trans-parenten Figur werden für einen den Menschen übersteigenden Welt-

---

[10] E. Heller, Nirgends wird Welt sein als innen. Versuch über Rilke, Frank-furt a. M. 1975 (st 288).

raum. Als mythische Repräsentanten dieses Weltraums erscheinen in den ›Elegien‹ der Engel und in den ›Sonetten‹ Orpheus als Urbild des Sängers, unter dessen Schutz sich der menschliche Dichter stellt.[11] Denn Orpheus war es, der das Leben auf den Tod hin offengehalten hat, er war im Totenreich und ist von dort zurückgekehrt. Nach seinem Vorbild bedeutet Anschauung jetzt: „Sei – und wisse zugleich des Nicht-Seins Bedingung". Der groß gemeinte Mythos einer Daseinslehre mit seinen Rückgriffen auf das Sprachdenken der Romantik und seinen Überanstrengungen, die dem dichterischen Wort darin auferlegt werden, der Nachklang von Nietzsches Vorstellung, daß die Kunst die letzte metaphysische Tätigkeit des Menschen sei, sollen hier nicht dargestellt werden. Unabhängig davon aber ist die Wirkung einer Kunst, von der Rilke in einer Notiz aus dem Februar 1922 spricht: „Kunst kann nicht dadurch hilfreich sein, daß wir helfen wollen und uns um die Nöte der anderen besonders bemühen, sondern insofern wir unsere eigenen Nöte leidenschaftlicher durchmachen, dem Überstehen einen vielleicht manchmal ... deutlicheren Sinn geben und uns die Mittel entwickeln, das Leiden in uns und seine Überwindung genauer und deutlicher auszusprechen, als das denjenigen möglich, die die Kräfte an anderes zu wenden haben" (B 1, 19*). Kunst wird hier verstanden als ein Hinweis zur Überwindung oder zum Überstehen des Leides durch den rechten Gebrauch des Irdischen, wie es im ›Brief des jungen Arbeiters‹ heißt: *Der rechte Gebrauch, das ists. Das Hiesige recht in die Hand nehmen, herzlich liebevoll, erstaunend, als unser, vorläufig, Einziges: das ist zugleich, es gewöhnlich zu sagen, die große Gebrauchsanweisung Gottes, [...]"* (6, 1115). Auf diese Leistung ist das zwölfte Sonett des zweiten Teiles der ›Sonette an Orpheus‹ bezogen, in dessen erster Strophe es heißt:

> Wolle die Wandlung. O sei für die Flamme begeistert,
> drin sich ein Ding dir entzieht, das mit Verwandlungen prunkt;
> jener entwerfende Geist, welcher das Irdische meistert,
> liebt in dem Schwung der Figur nichts wie den wendenden Punkt.

[11] Es handelt sich hier um mythische Schöpfungen, wie sie uns im Bereich der Dichtung der Jahrhundertwende häufig begegnen, etwa bei Mallarmé, Stefan George, W. B. Yeats, Georg Trakl u. a.

Journal of English and Germanic Philology (JEGP) LXXXII (1983), S. 66–95. Mit freundlicher
Genehmigung der University of Illinois Press, Champaign, Ill./USA.

DAS PHÄNOMEN DER ANDROGYNIE
DES SCHAFFENSPROZESSES IM SPÄTEN RILKE:
DAS BEISPIEL
„SOLANG DU SELBSTGEWORFNES FÄNGST . . ."

Von Richard Exner und Ingrid Stipa

1	*I*	Solang du Selbstgeworfnes fängst, ist alles
2		Geschicklichkeit und läßlicher Gewinn –;
3		erst wenn du plötzlich Fänger wirst des Balles,
4		den eine ewig Mit-Spielerin
5		dir zuwarf, deiner Mitte, in genau
6	*II*	gekonntem Schwung, in einem jener Bögen
7		aus Gottes großem Brücken-Bau;
8		erst dann ist Fangen-Können ein Vermögen, –
9		nicht deines, einer Welt. ⏐ Und wenn du gar
10		zurückzuwerfen Kraft und Mut besäßest,
11		nein, wunderbarer: Mut und Kraft vergäßest,
12		und schon geworfen *hättest* . . . . . (wie das Jahr
13		die Vögel wirft, die Wandervogelschwärme,
14	*III*	die eine ältre einer jungen Wärme
15		hinüberschleudert über Meere –) erst
16		in diesem Wagnis spielst du gültig mit.
17		Erleichterst dir den Wurf nicht mehr; erschwerst
18		dir ihn nicht mehr. ⏐ Aus deinen Händen tritt
19	*IV*	das Meteor und rast in seine Räume . . .

[31. Januar 1922]

In den für unser Thema [1] in seiner allgemeinsten Form sehr wichtigen
Briefen Rilkes an Franz Xaver Kappus – selbst sie bleiben freilich an Be-

---

[1] Gleich zu Beginn sei dankbar der Freundlichkeit Professor Ulrich Gold-
smiths gedacht, der uns aus seiner gerade in England erschienenen, während der
ersten Arbeitsgänge aber noch nicht verfügbaren Konkordanz (Ulrich K. Gold-
smith, Rainer Maria Rilke: A Verse Concordance to His Complete Lyrical

deutung hinter dem eine Generation umspannenden Briefwechsel mit
Lou Andreas-Salomé weit zurück – steht (unter dem 23. April 1903)
der Satz: „Lassen Sie Ihren Urteilen die eigene stille, ungestörte Entwicklung, die, wie jeder Fortschritt, tief aus innen kommen muß und
durch nichts gedrängt und beschleunigt werden kann. *Alles* ist austragen und dann gebären. Jeden Eindruck und jeden Keim eines Gefühls
ganz in sich, im Dunkel, im Unsagbaren, Unbewußten, dem eigenen
Verstande Unerreichbaren sich vollenden lassen und mit tiefer Demut
und Geduld die Stunde der Niederkunft einer neuen Klarheit abwar-
ten: das heißt künstlerisch leben: im Verstehen wie im Schaffen" (Briefe I, 47).[2] Etwa anderthalb Jahre später, am 20. November 1904 schreibt
Rilke an „ein junges Mädchen", es sei so natürlich für ihn, *„Mädchen
und Frauen zu verstehen* [Rilkes Hervorhebung]; das tiefste Erleben
des Schaffenden ist weiblich –: denn es ist empfangendes und gebären-
des Erleben. Der Dichter Obstfelder [1866–1900] hat einmal, da er von
dem Gesichte eines fremden Mannes sprach, geschrieben: ‚es war'
(wenn er zu reden begann) ‚als hätte eine *Frau* innen in ihm Platz genommen –'; es scheint mir, als paßte das auf jeden Dichter, der zu reden
beginnt" (Briefe I, 107). Wir werden an einigen Beispielen, vornehmlich aus dem Spätwerk,[3] untersuchen, ob dies auch auf den Dichter
Rilke, der schreibt, paßt. Um die seelische Komplexität Rilkes und
unserer Thematik noch deutlicher abzustecken, folge noch ein drittes
Zitat, charakteristisch früh und, ebenso charakteristisch, an niemand
anderen als Lou Andreas-Salomé gerichtet (8. August 1903): „O Lou,
in einem Gedicht, das mir gelingt, ist viel mehr Wirklichkeit als in jeder
Beziehung oder Zuneigung, die ich fühle" (RMR/LAS, BW, S. 88).[4]
Werk und Leben sollten ihm recht geben.

Poetry, Compendia: Computer-Generated Aids to Literary and Linguistic
Research, Vol. 10 [Leeds 1980]) mehrere Listen zum wesentlichsten Vokabular
des Gedichtes zugänglich machte. Auch Herrn Frederick A. Lubich sind die
Verfasser für seine Hilfe beim Durchgehen Rilkescher Texte und für bibliogra-
phische Überprüfungen zu Dank verpflichtet.

[2] Hier und im folgenden mit Band- und Seitenzahl zitiert nach Rainer Maria
Rilke, Briefe, besorgt durch Kurt Altheim, 2 Bde. (Wiesbaden 1950).

[3] Vielleicht genauer: „späteren" Werk, dessen Beginn wohl sehr bald nach
1904/1905 anzusetzen wäre.

[4] Hier und im folgenden zitiert als RMR/LAS, BW nach Rainer Maria Rilke

Zugespitzt ließe sich formulieren, Rilkes Leben und Werk vermittelten eine Art Rechtfertigung und Poetik der Androgynie, wie immer diese motiviert sein möge. Gelegentliche Hinweise auf Rilkes Biographie sind unumgänglich. Wir klammern aber in dieser Arbeit bewußt psychobiographische und psychoanalytische Reflexionen über Rilkes „Liebes-Philosophie" aus. Es besteht allerdings kein Zweifel, daß eine solche „Philosophie" oder „Lehre" auf reale gescheiterte Ich-Du-Beziehungen zurückgeht. Ebenso wie die „Liebes-Philosophie" wird Rilkes befristete, aber intensive Beschäftigung mit Fragen der Gleichberechtigung der Geschlechter zu kurz kommen müssen.[5] Und schließlich soll auf keinen Fall der Eindruck entstehen, man könne Rilkes Beschäftigung und Erfahrung mit androgynem Denken in vacuo sehen. Das von uns aufgegriffene Problem einer „Sprache der Androgynie" tritt zwar spezifisch, aber nicht isoliert in Rilkes Werken auf. Es ist aus den Werken mehrerer Zeitgenossen – als Beispiele seien nur Thomas Mann und Hugo von Hofmannsthal genannt – nicht wegzudenken. Und Rilke war sich nicht nur dieser Zeitgenossenschaft, sondern auch der „Ahnenreihe" eines androgynen Denkens bewußt.[6] Androgynie war für ihn ein Begriff der *psychischen* Konstitution. Unsere Überlegungen über den ausgewählten Text wollen als heuristischer Versuch gewertet werden, der uns einige neue Aspekte und Deutungsmöglichkeiten im späteren Werk Rilkes vermitteln soll.

Wir werfen nun einen raschen Blick auf Rilkes eigenes und durchaus von ihm auch so empfundenes androgynes Wesen, auf seine Vision einer androgynen Menschheit (sie ist nicht nur nicht auf die Kappus- und Lou-Briefe beschränkt und erschöpft sich keineswegs im Epistola-

---

und Lou Andreas-Salomé: Briefwechsel, hrsg. Ernst Pfeiffer (Zürich–Wiesbaden 1952).

[5] Siehe hierzu Joachim W. Storck, Emanzipatorische Aspekte im Werk und Leben Rilkes, in: Rilke heute: Beziehungen und Wirkungen, hrsg. Ingeborg H. Solbrig und Joachim W. Storck (Frankfurt 1975), S. 247–85.

[6] Siehe hierzu Richard Exner, Die Heldin als Held und der Held als Heldin: Androgynie als Umgehung oder Lösung eines Konfliktes, in: Die Frau als Heldin und Autorin: Neue kritische Ansätze zur deutschen Literatur, hrsg. Wolfgang Paulsen (Bern und München 1979), S. 17–54, und: Androgynie und preußischer Staat: Themen, Probleme und das Beispiel Heinrich von Kleist, Aurora, 39 (1979), bes. S. 53–60.

rischen!) und schließlich auf die für unsere Überlegungen fruchtbarste Thematik: auf den Künstler (jeden Künstler) als androgynes Wesen, auf die von Anthony Stephens so bezeichnete „androgyne Geistigkeit" Rilkes.[7] Rilke sah sich durchaus als geistig bisexuell. Hierfür finden sich im Werk und in den Briefen reichlich Beweise. Zwei seien angeführt. Im August 1911 schreibt er der Fürstin Taxis, in ihrem Hause lerne er etwas und könne „es fast schon", nämlich mit Männern umgehen.[8] Und im Februar 1912 erwähnt er, von Rudolf Kassner erzählend, vor Lou, Kassner sei „eigentlich der einzige Mann, mit dem ich etwas anzufangen weiß, – vielleicht besser so: der Einzige, dem es einfällt, aus dem Weiblichen in mir ein klein wenig Nutzen zu ziehen" (RMR/LAS, S. 267).

Der Traum von einer androgynen Menschheit, dank dessen sich die Gleichberechtigung der Geschlechter vollziehen ließe, findet häufigen Ausdruck, am denkwürdigsten wohl in den Briefen an Kappus. Eines Tages, versichert Rilke dem „jungen Dichter", würden Mann und Mädchen, „befreit von allen Irrgefühlen und Unlüsten", sich als Geschwister und Nachbarn zusammentun, um zusammen das ihnen auferlegte „schwere Geschlecht" als *„Menschen"* zu ertragen (Briefe, 1, 52). Ein knappes Jahr später, am 14. Mai 1904, liest derselbe Adressat, zuverlässige Zeichen sprächen dafür, daß in nicht allzu ferner Zukunft der „weibliche Mensch" da sein werde, dessen Substanz sich nicht im „Gegensatz zum Männlichen" erfüllen würde (Briefe, 1, 80). Vorbedingung sei allerdings, daß zunächst die bei einer solchen Entwicklung wohl unausbleiblichen Nachahmungen „männlicher Unart" erst noch zu überwinden seien (Briefe, 1, 79).

Diese programmatischen Äußerungen Rilkes, welche Zweifel sie in einem psychoanalytisch geschulten Leser auch aufsteigen lassen mögen,[9] kommen, wirft man einen Blick auf das Frühwerk, nicht von

[7] Anthony Stephens, Zur Funktion sexueller Metaphorik in der Dichtung Rilkes, Jahrbuch der Deutschen Schillergesellschaft, 18 (1974), 539.

[8] Rainer Maria Rilke und Marie von Thurn und Taxis: Briefwechsel, besorgt durch Ernst Zinn, 2 Bde. (Zürich–Wiesbaden 1951), I, 53 f.

[9] Der geschulteste und bedeutendste unter ihnen ist Erich Simenauer, der sich vornehmlich in drei Veröffentlichungen mit Rilkes Bisexualität auseinandergesetzt hat: Rainer Maria Rilke: Legende und Mythos (Bern 1953): Der Traum bei R. M. Rilke (Bern und Stuttgart 1976) und: Rainer Maria Rilke in psychoanalytischer Sicht. Psyche, 30 (1976), 1081–1112.

ungefähr. Rilkes intensive Beschäftigung mit einer androgynen Problematik setzte ein, als er zu schreiben begann. Im Herbst 1900 dichtet er:

> Das Mannsein, wie es uns naht,
> das Mannsein der täglichen Tat –
> dies Mannsein ist ein Verkleiden
> von Sehnsüchten und Seiden:
> ein geschmackloser Staat. (SW, III, 693)[10]

Man wird an mehrere Stellen des ›Stundenbuches‹ erinnert, an die Seele, die vor Gott „wie ein Weib", wie Ruth, ist (SW, I, 313), an das Gefühl, das als „mädchenhaft" bezeichnet wird (SW, I, 278). Die Rilke-Forschung verdankt Anthony Stephens den Hinweis, Rilke habe bereits vor Beginn seines späteren Werkes den Akzent vom androgynen Mann („Mach Einen herrlich, Herr, mach Einen groß ... und eine Nacht gieb, daß der Mensch empfinge ... und also heiß ihn seiner Stunde warten, da er den Tod gebären wird" [SW, I, 349f.]), dem Todgebärer, den er der „Gottgebärerin" entgegenstellt (SW, I, 350), auf die androgyne Frau verschoben, deren einige Repräsentanten (Sappho, Abelone) im ›Malte‹ auftreten.[11] Simenauer erfaßt das aufs Feminine und auf feminine Tätigkeiten gerichtete Vokabular Rilkes („empfangen", „austragen", „gebären") in seinem vollen Wert, warnt aber davor, daraus den Schluß zu ziehen, es gehe Rilke hier um echte Gleichberechtigung oder gar um eine Superiorität der Frau.[12]

Inzwischen aber mehren und vervielfachen sich die Vokabeln, die man sämtlich dem recht weitgezogenen Wortfeld des Androgynen zurechnen kann. In ›Hetären-Gräber‹ (1904), einem Gedicht, das in manchen Aspekten die Thematik der dritten ›Duineser Elegie‹ vorausnimmt, werden die Hetären nicht nur als Flußbetten bezeichnet, in denen der „Männer Ströme rauschten", sondern „Knaben aus den Bergen / der Kindheit, kamen zagen Falles nieder ..." (SW, I, 541). Aber schon 1907 hat sich nicht nur der Akzent von der männlichen auf die weibliche Androgynie verschoben; auch Rilkes Insistieren auf wirk-

---

[10] Hier und im folgenden mit Band- und Seitenzahl als SW zitiert nach Rainer Maria Rilke, Sämtliche Werke, besorgt durch Ernst Zinn, 6 Bde. (Wiesbaden 1955–1966).

[11] Stephens, Zur Funktion ..., S. 536.

[12] Simenauer, Rilke in psychoanalytischer Sicht, bes. S. 1085–91.

lichem Gebären hat nachgelassen – statt „Mutterschaft" fasziniert ihn das „Mädchentum", über das er sich früher gelegentlich äußerte, jetzt aber sehr dezidiert nachdenkt und schreibt. Ein unbetiteltes Gedicht, wahrscheinlich aus dem Herbst 1907, spricht das gleichsam programmatisch aus. Es ist zugleich eine schöne Illustration für die in der Androgynie-Literatur oft geäußerte Feststellung, Kindheit und Alter seien dem androgynen Denken und Handeln am gemäßesten, da die geschlechtsspezifische Rollen-Zeit, die mit der Pubertät einsetzt, dann den allseits erwarteten „Kampf der Geschlechter" eröffnet. Die hier wichtigen Zeilen lauten:

> Ein junges Mädchen: daß wir's niemals sind.
> So wenig hat das Sein zu uns Vertrauen.
> *Am Anfang scheinen wir fast gleich, als Kind,*
> *und später sind wir manchmal beinah Frauen*
> *für einen Augenblick;* doch wie verrinnt
> das fern von uns, was Mädchen sind und schauen.
>
> (unsere Hervorhebung: SW, II, 30)

Wir beobachten also: Es geht nicht primär um die soziopolitischen Konsequenzen der Androgynie und einer neuen menschlichen Gesellschaft. Die Frau wird zurückversetzt in ein vormütterliches Mädchentum, der Mann hingegen kann von sich sagen (wir zitieren aus dem frühen Gedicht über das „Mannsein"): „Ich weiß nicht was ich werde, / was ich zu sein versprach, / ich ahme nur der Erde / ernste Gebärden nach" (SW, II, 694) – eine geradezu hellseherische Bemerkung, sowohl die Annäherung an die „Gebärden der Erde" wie auch die Absonderung vom Rest der Menschheit betreffend. Auch wenn Rilke, wie wir gleich sehen werden, auf seiner und in seiner menschlichen Einsamkeit beharrte (nicht umsonst hatte er bereits 1899 in seinem Tagebuch als „ein Gesetz" Gottes festgehalten: „Sei einsam von Zeit zu Zeit. Denn er kann nur zu einem kommen oder zu zweien, die er nicht mehr unterscheiden kann"[13], so beharrte er ebenso auf dem Gedanken der Verin-

---

[13] Tagebücher aus der Frühzeit, hrsg. Ruth Sieber-Rilke und Carl Sieber (Leipzig 1942), S. 203. Im Anschluß an diese Aufzeichnung liest Stephens das „zu zweien" als: „die einzeln nicht mehr kenntlichen Liebenden sind gleichsam zu einem androgynen Wesen zusammengeschmolzen" (Zur Funktion ..., S. 528).

nerung eines zweiten Wesens oder, vielleicht genauer, auf der Wahrnehmung dieses seit eh und je (aber oft ungeliebten und daher unerkann-
ten) zweiten Geschöpfes in sich. Zur Zeit der Komposition der ›Sonette
an Orpheus‹ ging es ihm aus poetologischen (wie zwischen 1907 und
1914 aus persönlichen) Gründen um die Auslöschung von Grenzen und
Schranken, und zwar in sich selbst. Um so erstaunlicher ist es, daß er
in einem von ihm nicht in den Zyklus aufgenommenen Sonett noch
einmal die Vision einer androgynen Menschheit aufleuchten läßt. Orpheus, der Dichter-Gott, wird gebeten, uns einen Zauber zu brauen,
„in dem die Grenzen sich lösen", in dem das Einengende der Zeit sich
löst und – dies am wichtigsten für unsere Thematik – in dem „der
Rand" der sich „sinnlos verringenden" Geschlechter schmilzt (SW, II,
466). Es ist falsch, hier an die „Ränder" zu denken, an die (wie es Rilke
mehrmals andeutete, z. B. in SW, I, 697) Liebende treten, gegenseitig
und im andern, und sich dabei Sicht und Weg verstellen. Denn solche
Liebende „verringen" sich noch sinnlos, bis eben „der Rand der Geschlechter" überhaupt schmilzt und, so könnte man im Hinblick auf
unseren Text sagen, ein neues Gleichgewicht geschaffen ist.

Letzten Endes scheint der Gedanke an eine androgyne Menschheit
um diese Zeit aber bereits aufgegeben zu sein, da Rilke gewiß die un-
übersteiglichen gesellschaftlichen Hindernisse eingesehen hatte, die der
einzelne für sich, nicht aber für seine Mitmenschen ignorieren kann.
Wenn in einem jener ›Entwürfe aus zwei Winterabenden‹ (Muzot, Februar 1924) noch gesagt wird: „Auch dies ist möglich: zu sagen: Nein. /
Und stolz bei den Knaben zu bleiben; statt eines Mädchens Widerschein / in sich zu übertreiben" (SW, II, 155), so hatte sich Rilke längst
entschieden und den Imperativ der ersten Zeile des dritten Vierzeilers
jenes späten Gedichtes befolgt: „Über dich schweigend am Zarten und
Harten." (Ebd.) Aber die Vision hatte sich ja seit Jahren bereits auf das
eigene Ich, auf den Dichter, den Helden, den Künstler zurückgenom-
men und konzentriert. Die eigene „androgyne Geistigkeit" war längst
verwirklicht. Rilke schuf schon seit Jahren aus ihr.

Wir werden anhand des vorliegenden Textes erkennen, wie menschliches Geschehen zum Kunst-Ding wird, wie Rilke die ursprüngliche
mythische platonische Kugelförmigkeit und Heilheit des Menschen
(also den Zustand der Ungetrenntheit und Zweigeschlechtlichkeit)
nicht nur auf Kosten jeder zwischenmenschlichen oder gar gesellschaft-

lichen Akkommodation schafft, sondern daß er ihn zum sine qua non des Kunstschaffens und zum Kunst-Ding selbst ausgerufen hat. Künstlerinnen, seien sie wirklich wie Clara Westhoff oder fingiert wie Abelone im ›Malte‹, wird Männlichkeit zugesprochen, und selbst der Schauspieler wird im November 1919 apostrophiert als „der kühne Spieler, / der fraulich fühlt, Kind, Dämon ist und Mann . . .“ (SW, ıı, 240). Der Künstler hat, nach Rilke, nur *eine* Aufgabe, die er auf eigene Kosten und auf Kosten seiner Mitmenschen zu leisten hat: sich selbst zu vollenden, *ganz* zu werden und, zumindest während er schafft, *ganz zu bleiben.*

Das Gedicht „Solang du Selbstgeworfnes fängst . . .“ (SW, ıı, 132) wurde am 31. Januar 1922 geschrieben. Ulrich Fülleborn rechnet es unter die „Auftaktgedichte“ zu den zwei großen späten Zyklen der ›Duineser Elegien‹ und der ›Sonette an Orpheus‹. In seiner grundlegenden Studie über Strukturprobleme in der späten Lyrik Rilkes widmet er diesem Gedicht eine eigene Interpretation, auf die wir uns des öfteren stützen.[14] Er weist auf prosodische Elemente hin, ebenso auf Querverbindungen zu Gedichten von ähnlicher Thematik und aus der annähernd gleichen Zeit. Nur in Einzelheiten, die wir erwähnen werden, fügt sich Fülleborns Deutung nicht in den Rahmen unserer Thematik, die Fülleborn weder anstrebt noch eigens heraushebt, weshalb es uns erlaubt schien, dieses Gedicht dem Rilke-Leser erneut und im Detail vorzulegen.

Zu Anfang unserer Deutung sei mit Nachdruck auf Rilkes Insistieren auf sprachlicher Genauigkeit verwiesen. Wir geben nur zwei Beispiele. Das eine ist wohlbekannt. Wir alle kennen jene Figur des Poeten Arvers im ›Malte‹, die sich vom Totenbett erhebt, um ein Wort zu korrigieren, da ihr alles Ungefähre zuwider ist. Wir stellen dieser „Fiktion“ den wirklichen Brief vom 22. Februar 1923 an Ilse Jahr an die Seite, dessen herausgehobener Satz „. . . aber siehst Du, Eines ist mir jetzt wichtiger als alles übrige, *genau* zu sein“ (Rilkes Hervorhebung; Briefe, ıı, 396) zeitlich nach rückwärts und bis zu Rilkes Tod gilt. Das zweite Beispiel rechtfertigt das Abhorchen und Durchleuchten jedes einzelnen Wortes

---

[14] Ulrich Fülleborn, Das Strukturproblem der späten Lyrik Rilkes: Voruntersuchung zu einem historischen Rilke-Verständnis, Probleme der Dichtung, 4 (Heidelberg ²1973), bes. S. 126–133.

dieses Gedichtes, das wir für die nicht nur thematisch, sondern vor allem sprachlich vollendetste und genaueste Darstellung des androgynen Schaffensprozesses im späten Rilke halten. Wenige Tage nach Abschluß der beiden großen Zyklen spricht Rilke in einem Brief an die Gräfin Sizzo prinzipiell über das Metier des Schreibens, das um so schwerer sei, als das Material dieses Metiers nicht – wie bei den anderen Künsten – von vornherein „von dem täglichen Gebrauch abgerückt ist". Eben deshalb müsse der Dichter sein Wort von den bloßen Worten des Umgangs und der Verständigung wesentlich zu unterscheiden versuchen. Er meint es eher radikal als arrogant (und „elitär"): „Kein Wort im Gedicht (ich meine hier jedes ‚und' oder ‚der', ‚die', ‚das') ist *identisch* mit dem gleichlautenden Gebrauchs- und Konversations-Worte; die reinere Gesetzmäßigkeit, das große Verhältnis, die Konstellation [man beachte die Vokabeln!], die es im Vers oder künstlerischer Prosa einnimmt, verändert es bis in den Kern seiner Natur, macht es nutzlos, unbrauchbar für den bloßen Umgang, unberührbar und bleibend: eine Verwandlung, wie sie sich, unerhört herrlich, zuweilen bei Goethe (Harzreise im Winter), oft bei George vollzieht" (Briefe, II, 339f.). Wir sind nicht nur aufgefordert, sondern verpflichtet, ebenso genau zu lesen zu versuchen – und zwar besonders im Hinblick auf lexische Elemente –, wie Rilke geschrieben hat.

I
(Z. 1–2)

Solang du Selbstgeworfnes fängst, ist alles
Geschicklichkeit und läßlicher Gewinn –;

Wir beabsichtigen, sowohl die vollendete begriffliche und sprachliche Umsetzung des innerpsychischen, androgyn orientierten Schöpfungserlebnisses eines modernen Dichters und zugleich das poetologische Ereignis des Schaffensprozesses am konkreten Beispiel eines vor unseren Augen entstehenden Gedichtes darzustellen. Durch unsere Ausführungen sollte insbesondere deutlich werden, wie sich Rilke für ein spezifisches psychisches und dadurch für ihn unabdingbares Erlebnis die Kunstmittel schuf.

Dies gesagt, möchten wir aber doch davor warnen, den vorliegenden Text wesentlich autobiographisch zu verstehen. Wenn Fülleborn sagt, das im ersten Vers genannte „Du" könne nur Rilke selbst sein (S. 127), so meint er sicher auch – wir meinen es jedenfalls –, daß hier vom Dichter und Künstler überhaupt die Rede ist. Diese Einschränkung (oder Ausweitung) ist nicht überflüssig, wie wir erfahren werden, wenn später von der „Mit-Spielerin" die Rede ist.

Rilke charakterisiert das in den ersten beiden Versen, denen die letzten beiden summarischen strukturell fast spiegelbildlich entsprechen, was man als alles seiner Ansicht nach unzulängliche Kunstschaffen bezeichnen könnte. Also alles das, um noch einmal an den berühmten ersten Brief an den „jungen Dichter" Kappus und natürlich auch an Malte selbst zu erinnern – alles das, was genausogut hätte ungeschrieben bleiben können. Wir gehen einen Schritt weiter (warum, wird aus dem Folgenden klar werden) und sagen: alles, was aus purem un-erhörtem Narzißmus entsteht.[15] Da aber auch diese Art der Kunst zweifellos Können voraussetzt, muß es noch ein anderes Können, das über die landläufige „Geschicklichkeit" hinausgeht, geben; da jene zwar läßlich ist, aber immerhin Gewinn bringt, wird in dem Gedicht noch von einem anderen Gewinn die Rede sein müssen. Fülleborn sagt, Rilke verurteile das „subjektive Dichten, bei dem das eigne, private Gefühl in die Welt hinausprojiziert" wird, und hat damit den Dichter auch auf seiner Seite.[16] Wir möchten aber noch genauer unterscheiden: obwohl dem in den restlichen siebzehn Versen beschriebenen poetischen Schaffen des Künstlers eine gewisse „Subjektivität" nicht abgesprochen werden kann, hat im Dichtenden selbst aber ein Wandel stattgefunden. Rilke selbst gibt uns zwei gültige Parallelen an die Hand. In der Maskenszene des ›Malte‹ ist von den letzten Endes unverbindlichen „Verstellungen" die Rede, die nie ganz zur Selbstentfremdung führen. Malte berichtet: „Ich wurde kühner und kühner [man beachte auch hier die Wortwahl!]; ich warf mich immer höher; denn meine Geschicklichkeit im Auffangen war über allen Zweifel. Ich merkte nicht die Versuchung in dieser rasch wachsenden Sicherheit" (SW, vi, 804). Selbstgeworfenes also – und die Versuchung, dies als wirkliches Können anzusehen, während es

---

[15] Mit Nachdruck sei auf die vorzügliche Studie von Marcel Kunz verwiesen: Narziß: Untersuchungen zum Werk Rainer Maria Rilkes, Abhandlungen zur Kunst-, Musik- und Literaturwissenschaft, 100 (Bonn 1970). Wir verdanken ihr die wichtige Erkenntnis, daß Rilkes „Narziß" nicht nur das gängige Eben-Spiegel-Bild, sondern auch den erhörten Narziß (narcisse exaucé) evoziert.

[16] Fülleborn, Das Strukturproblem . . ., S. 126, 130.

doch, wie Malte erfährt, ein überaus „läßlicher Gewinn" ist. Um aber den Stellenwert des „gültigen" Spieles genügend hoch zu veranschlagen, erinnern wir noch an die einzige andere Anwendung des Wortes „läßlich" in Rilkes Dichtung. Im zwölften Sonett des Ersten Teiles der ›Sonette an Orpheus‹, das wir später erneut zitieren werden, bezeichnet Rilke die durchaus notwendigen und unverzichtbaren Geschäfte des sorgenden und handelnden Bauern gegenüber dem „Schenken" der Erde als „läßlich"; im Bereich der „reinen Spannung", wo die „Musik der Kräfte" herrscht, verwandelt sich, ohne unser Zutun, „die Saat in Sommer" (SW, 1, 738). Somit erhebt Rilke im vorliegenden Text, der auf die Charakterisierung des „Selbstgeworfenen" folgt, das in mehreren Eskalationen dargestellte wahre und gültige Werfen und Fangen schlechthin zum Schöpfungsakt.

II
(Z. 3–9)

> erst wenn du plötzlich Fänger wirst des Balles,
> den eine ewige Mit-Spielerin
> dir zuwarf, deiner Mitte, in genau
> gekonntem Schwung, in einem jener Bögen
> aus Gottes großem Brücken-Bau:
> erst dann ist Fangen-Können ein Vermögen, –
> nicht deines, einer Welt.

Seit Beda Allemanns grundlegender Studie über „Zeit und Figur" beim späten Rilke kann der auch vom Dichter selbst immer wieder eingesetzte Begriff der Figur, übrigens nicht nur in der Rilke-Forschung, als völlig etabliert gelten. In der „Figur", auch noch da, wo sie „trügen" sollte (wir denken an jene des „Reiters" im elften Sonett des Ersten Teiles der ›Sonette an Orpheus‹), muß es uns „erfreuen", an sie zu glauben. Mit der Figur bietet der Dichter der ihn fortreißenden Zeit die Stirn. Geradezu zahllos sind die Figuren im späten Rilke, mit denen der Dichter uns und sich selbst, als Schwindenden, die Hoffnung des Bleibens verspricht. Allemann hat überzeugend (und an vielen Beispielen) nachgewiesen, wie sehr sich in Rilkes dauerndsten „Figuren" Ruhe und Bewegung, Bleiben und Vergänglichkeit momentan die Waage halten,[17]

---

[17] Beda Allemann, Zeit und Figur beim späten Rilke: Ein Beitrag zur Poetik des modernen Gedichts (Pfullingen 1961), S. 49, et passim.

ein Phänomen, das für unseren Text von großer Bedeutung ist. Es kann ferner als vorgegeben gelten, daß der jeweilige Inhalt der Figur von Rilke im wahrsten und ersten Sinne des Wortes *er-innert* wird. Die Wichtigkeit der 1914 geschriebenen Gedichte „Waldteich" und „Wendung", das unbedingte, ja kniende Anschauen, bis der Dichter das Angeschaute „in sich gewann", ist heute ebenfalls für Rilke-Forscher gleichsam sprichwörtlich geworden. So gelang es Rilke, das Anschauen und Hinausschauen, das ihn, wie er meinte, verminderte und an ihm zehrte, wieder ins eigene Antlitz, ins Herz und in seinen Geist zurückzuschöpfen, wie dies – so die zweite ›Duineser Elegie‹ – den Engeln Natur ist. Ebenso zahllos sind die Bewegungen der Natur, an denen sich Rilkes Denken und Schreiben orientiert. Wiederum war es Allemann, der vor zwanzig Jahren feststellte, diese Übernahmen aus dem natürlichen täglichen oder wenn nicht täglichen, so doch zeitlich rhythmischen Geschehen (das Hin und Her der Zugvögel z. B.), diese „Signale aus dem Weltraum", dienten Rilke keineswegs nur als thematisches, zum Symbol erhobenes Element seiner späten Dichtung. Sie sind in der Tat „die Metapher für die Tätigkeit des Dichters selbst" [18].

Ist erst einmal diese Ebene von Dichten erreicht, kommt der Kritiker unschwer ohne die psychobiographische Methode voran. Nach Darlegung aller Motivationen für die mannigfachen Figuren, in denen sich „Schaun und Geschautes" (SW, 1, 669) die Waage halten, erkennen wir, daß sich Rilkes Gedichte nach einer ihnen eigenen Logik bewegen. Simenauer bezeichnet zwar die affektbegleitete Fähigkeit zur gestaltfreien Wahrnehmung als eher archaisch und somit als analysierbar, die Fähigkeit aber (im späteren Dichten Rilkes), „gestalthafte Übereinstimmungen zu spüren", als eine spätere Akquisition des Menschen, die sich *bewußt* (unsere Hervorhebung) vollziehe und deshalb über logische Ausdrucksformen zur Kommunikation verfüge. [19] Die schöpferischen Prozesse des späteren Rilke basieren zu einem Gutteil auf *bewußten* Denkvorgängen.

Eine der einprägsamsten Figuren ist die sowohl Ruhe wie Bewegung, Schwerkraft, Schwung und Wurf in sich zusammenfassende Figur des Balles und des Ballspieles. Willkür und Gesetzlichkeit lassen sich in die-

[18] Allemann, S. 233.
[19] Simenauer, Rilke in psychoanalytischer Sicht, S. 1102.

ser Figur vereinen. Ein kurzer, wesentlich chronologisch gehaltener, aber spätere Erwähnungen einzelner thematischer und lexischer Elemente nicht ausschließender Exkurs über die Entwicklung dieser für Rilke auch *vor* jener berühmten „Wendung" schon wichtigen Figur wird unseren Text, der ein sehr wichtiges, aber nicht das letzte Glied in der Kette dieser Beispiele ist (und innerhalb unserer Problematik der Androgynität des Schaffensprozesses einer der entscheidendsten im Werke Rilkes überhaupt), nicht nur „placieren", sondern auch erklären helfen.

Das Figuren-Potential von Ball und Ballspiel (als Spiel zu mehreren, zu zweit, allein und schließlich zusammen mit dem inneren Du) muß Rilke, lange ehe er unter relativ gleichbleibender Beibehaltung des Vokabulars („fangen", „werfen", „schleudern", „hohe Hände", usw.) gerade diese „Figur" zur Chiffre für das Schaffen von Kunst und für das Schaffen eigener Gedichte erhob, jahrelang fasziniert haben.[20]

Im September 1899 sagt der Autor des ›Stundenbuches‹, er hätte gewagt, Gottes (des „Dings der Dinge") grenzenlose Gegenwart zu vergeuden: „Wie einen Ball / hätt ich dich in alle wogenden Freuden / hineingeschleudert, daß einer dich finge / und deinem Fall / mit hohen Händen entgegenspringe . . ." (SW, ɪ, 265). Der Ball tritt hier nicht in den Vordergrund, eher das Werfen, einige lexische Elemente („hohe Hände") weisen schon auf spätere Manifestationen des Themas hin – im ganzen sind Ball und Fangen hier lediglich Gleichnis, also frührilkescher Wie-Vergleich. Nicht anders übrigens als 1906, im zweiten Teil eines von Zinn mit „Gedichtkreis für Madeleine Broglie" betitelten Gedichtes. Ein Mensch hebt die Hände auf: „auch dann kommt Traum, / kommt in sie wie das Fallen eines Balles –" (SW, ɪɪ, 194). Am 31. Juli 1907 entsteht dann das berühmte, von Rilke selbst hochgeschätzte Gedicht ›Der Ball‹, das in ›Der Neuen Gedichte Anderem Teil‹ eingereiht ist. Als reines Ding-Gedicht, des öfteren von Rilke-Forschern interpretiert, brilliert dieser Text in der genauen Darstellung der Bewe-

---

[20] Marcel Kunz (S. 40) sieht in der Figur des Ballspiels, dem Wunsch des lyrischen Ich, „Fangender und Ball" (SW, ɪɪ, 292) zugleich zu sein, lediglich die reine Narzißtik, allerdings im Sinne des erwähnten *narcisse exaucé*. Indem er den Akzent auf den Binnen-Spiel-Aspekt der Figur verlegt (S. 110–13), sieht er letzten Endes ähnlich wie Fülleborn nur den monologischen Aspekt (Kunz, S. 123 f.).

gung des geworfenen und fallenden Balles und bezeichnet zwei Ruhe-
punkte, den der Schwerkraft verdankten am Schluß und einen momentanen zwischen Flug und Fall, während dessen Dauer der Ball, nun
selbst Figur, auch noch Figur (der Spielenden, ihn Fangenden) erzeugt.
Für die Lektüre später entstandener Ball-Gedichte ist festzuhalten, daß
der „natürliche", der Schwerkraft folgende und ihre Flugbahn bezeich-
nende Fall als „einfach, kunstlos, ganz Natur" apostrophiert wird (SW,
I, 639 f.). 1907 werden Flug und Bahn, scheinbares Verweilen und
das den Händen Entgegen- und Zufallen, sämtlich noch als äußere
Vorgänge beschrieben.

Eine kleine, ›Fontäne‹ betitelte poetische Skizze von vier Zeilen aus
dem Sommer 1909 eröffnet gleichsam die inneren Aspekte der Ball-
Figur:

> Daß aus Aufsteigendem und Widerfall
> auch ganz in mir so Seiendes entstände:
> O Heben und Empfangen ohne Hände,
> geistigstes Weilen: Ballspiel ohne Ball. (SW, II, 366)

Hier ist, wie unser Text es ausführlicher beschreiben wird, das Ballspiel bereits geschehen, geschaut, nach innen verlegt und als realer Vorgang somit nicht mehr von Bedeutung. Es ist die kürzeste, das Gedicht
„Solang du Selbstgeworfnes fängst . . ." vorwegnehmende Formel des
schöpferischen Prozesses, dargestellt am verinnerlichten und abstra-
hierten Geschehen, am besten vielleicht mit Hilfe des Vorweggenom-
menen zusammenzufassen: etwas allem Verlust Entzogenes mag, einer
Fontäne gleich, entstehen, wenn du im Ballspiel ohne Ball und ohne
Hände *schon geworfen hättest*.

Unser Text, das nächste Beispiel in dieser chronologischen Reihe,
entstand fast dreizehn Jahre später. In ihm wird der Schaffensprozeß,
der dem Ballspiel nur scheinbar, tatsächlich aber den großen Bögen und
Flügen der Natur und des Weltalls abgeschaut ist, detailliert, sukzessiv
und eskalierend beschrieben. Wir kehren nach einem zeitlich vorausei-
lenden Blick zu diesem Text zurück. Eine sehr kurze Zurückverwei-
sung auf dessen Kontext findet sich im achten Sonett des zweiten Teiles
der ›Sonette an Orpheus‹, wo auf die nach dem Erinnern der Kindheit
und ihrer Gespielen gestellten Frage: „Was war wirklich im All?" die
Antwort gegeben wird: „Nichts. Nur die Bälle. Ihre herrlichen Bogen"
(SW, I, 755 f.). Diese die „natürlichen" Vorgänge spiegelnden Bogen

sind wesenhafter als selbst die Kinder. Man könnte summierend sagen: Das Sonett II, 8 zieht die Bilanz des Auftakt-Gedichtes, soweit Flug und Fall des Balles sternische Verbindungen und Wege der Natur bedeuten. Im November 1923, in den Versen ›Für Max Picard‹, wird durch das Hineinnehmen des Ballspiels in die Spiegel-Symbolik eine doppelte Abstraktion erreicht. Die Möglichkeiten des Spielens werden mathematisch potenziert:

> Da stehen wir mit Spiegeln:
> einer dort . . ., und fangen auf
> und einer da, am Ende nicht verständigt;
> auffangend aber und das Bild weither
> uns zuerkennend, dieses reine Bild
> dem andern reichend aus dem Glanz des Spiegels.
> Ballspiel für Götter. Spiegelspiel, in dem
> vielleicht drei Bälle, vielleicht neun sich kreuzen,
> und keiner jemals, seit sich Welt besann,
> fiel je daneben, Fänger, die wir sind.
> [. . .]
> Nur dies. [. . .]
> [. . .] Aber dieses lohnt. (SW, ii, 255 f.)

In diesem Ballspiel für Götter kommen die Bälle (die Bilder) „unsichtbar durch die Luft", aber, um es fast banal zu sagen: es kann in diesem Spiel nichts mehr passieren. Die Spiegel fangen auf; wir, uns spiegelnd und in Spiegeln, sind die Fänger. Man meint, man habe eine verspieltere, weitere Dimensionen einbegreifende Version des Ball-Gedichtes aus dem Jahre 1907 vor sich. Der Schluß des Gedichtes aber betont den Ernst auch dieses Spieles, für das man Kindheit, Not, Neigung und tiefe Abschiede hat erleben müssen.

Acht Monate später schreibt Rilke im siebten Stück von ›Im Kirchhof zu Ragaz Niedergeschriebenes‹: eine Gruppe von drei Gedichten über ›Das (nicht vorhandene) Kindergrab mit dem Ball‹ (SW, ii, 172 f.). Der Titel greift zurück auf die Fontäne-Skizze von 1909. Im ersten Gedicht wird einem imaginären Kindergrab als Mal und Schmuck weder Kreuz noch Englein beigegeben, „sondern es liege der Ball, / den du, zu werfen, dich freutest, / – einfacher Niederfall – / / in einem goldenen Netz / über der tieferen Truhe. / Sein Bogen und, nun, seine Ruhe / befolgen dasselbe Gesetz." Das Gedicht klingt aus in der Erkenntnis des Ding-Gedichts von 1907. Hier wird zum erstenmal ausdrücklich der Tod in die Figur des fallenden Balles hineingenommen. Das zweite Gedicht der Reihe repetiert in der ersten Strophe (im gleichen Sinne und mit anderen Worten) das Auffliegen und Etwas-von-uns-Mitnehmen des geworfenen Ding-Gedicht-Balles. Die zweite Strophe ist ohne „Solang du Selbstgeworfnes fängst . . ." nicht mehr denkbar, denn der himmlisch abgekühlte, dem Kind wieder entgegenkommende Ball überträgt auf den Fänger „das Übermaß in seinem Wiederkommen / mit allem Übermaß zugleich" – als käme dem fangenden Kind ein Himmelskörper entgegen. Diese Reminiszenz ist hier durchaus gerechtfertigt. Das dritte Gedicht, das in der zweiten Zeile „das Gesetz" des ersten wiederaufnimmt, repetiert vom Begrifflichen her den Text von 1907, also Ballwurf und das Aufeinanderzukommen von Ball und Fänger: „Da schwebt es hin und zieht in reinem Strich / die Sehnsucht aus, die wir ihm mitgegeben –, / sieht uns zurückgeblieben, wendet sich / und meint, im Fall, der zunimmt, uns zu heben."

Die beiden letzten Beispiele stammen aus dem ›Briefwechsel in Gedichten mit Erika Mitterer‹, ›Über dem Bildnis‹, das zweite Gedicht der „Neunten Antwort", spricht Erika Mitterer das eigene und eigentliche Dichter-Sein ab („*Wie* die Dichter bist Du doppelt innen / und gebunden an ein dunkles Du / (Kein Entrinnen [. . .] kein Entrinnen!) / Aber Dein Bejahen dieses Binnen- / spieles – und der Spielenden dazu" [unsere Hervorhebung; SW, ii, 310]).[21] Die letzte Zeile, die Frage nach Singular oder Plural „der Spielenden" bewußt offenlassend, bezieht sich, meinen wir, auf das Ballspiel ohne Ball, das innen gespielt wird, auf das Binnenspiel also zwischen den beiden Hälften des Ich, das den dichterischen Schaffensakt symbolisiert. Die dritte Strophe der dreizehnten Antwort, Rilkes späteste Erwähnung der Ballspiel-Thematik (August 1926), wird uns noch eingehend beschäftigen, wenn wir die beiden letzten Zeilen unseres Textes deuten. Auch hier wird der Ball zum Himmelskörper und Meteor, und in vier Zeilen gelingt es Rilke, nahezu alles zusammenzufassen, was er über einen Zeitraum von fast dreißig Jahren zu dieser ihn nie loslassenden, seine poetischen und poetologischen Intentionen summierenden Thematik ausgesagt hatte:

[21] Vgl. Anm. 12.

Über dem Nirgendssein spannt sich das Überall!
Ach der geworfene, ach der gewagte Ball,
füllt er die Hände nicht anders mit Wiederkehr:
rein um sein Heimgewicht ist er mehr. (SW, ii, 319)

Wir kehren zum Text zurück und fragen: Wer ist die „Mit-Spielerin", durch deren plötzliches Gewahrwerden der Ball-Spieler (Dichter) die ersten Schritte in Richtung auf sein schließliches „gültiges" eigenes Mitspielen unternimmt? Die Beantwortung dieser Frage ist nicht nur für eine adäquate Deutung dieses Textes, sondern für die Lyrik des späteren Rilke überhaupt entscheidend – ja, mit ihrer Beantwortung steht und fällt die Tragfähigkeit und Bedeutsamkeit unserer Fragestellung nach der Androgynie des Schaffensprozesses beim späten Rilke.

Wer ist sie also, die „Mit-Spielerin"? Ist es „Nike" (so wird der Text von Rilke selbst betitelt, als er ihn als Widmungsgedicht für Frau Nanny Wunderly-Volkart niederschreibt), eine mythische Nike, hinter der sich diskret die persönliche Zuneigung verbirgt, ist es also ein Liebesgedicht, oder ist es, da man in der Rilke-Forschung von diesem Gedanken völlig abgekommen zu sein scheint, vielleicht ein philosophisches oder ein rein poetologisches Gedicht?[22] Wenn man den konventionellen Beigeschmack des Liebesgedichtes auf einen Moment beiseite lassen kann, so ist es, meinen wir, auch eine Art Liebesgedicht. Das soll heißen: Wenn man nach 1913/1914 nach einem „Liebesgedicht" bei Rilke sucht, so wird man solche von der Art unseres Textes finden. Denn die „Geliebte" tritt in mannigfacher Form auf, nicht nur als „Mit-Spielerin", sondern als „Nike" (1920), als „Übertrefferin" (1924), als „Gefühlin" in der ›Siebenten Elegie‹ – und sie ist vorgezeichnet, noch ehe die „Wendung" stattfindet, als „starke Schließe" einer Perlenkette und als „So-geliebte". Diese Projektionen sollen nun, weil in *diesem* Zusammenhang irrelevant, ganz bewußt *nicht* im Kontext einer

---

[22] Zur Bedeutung der „Nike"-Figur für Rilke („Bewegung", „Bildnis griechischen Windes") s. Allemann (S. 48) und ebenso die von ihm zitierte Stelle aus Rilkes erstem Rodin-Essay (SW, v, 157–158); zu „Nike" ferner Fritz Klatt, Sieg über die Angst (Berlin 1940), S. 41–42. Die „Mit-Spielerin" hat natürlich die Rilke-Forschung ebenfalls beschäftigt. Siehe Dieter Bassermann, Der späte Rilke (Essen und Freiburg/Br. 1948), S. 515; Werner Günther, Weltinnenraum: Die Dichtung Rainer Maria Rilkes (Berlin ²1952), S. 39; O. F. Bollnow, Rilke (Stuttgart 1951), S. 255–266.

Rilkeschen „Liebes-Philosophie" gesehen, mit ihr kontaminiert oder psycho-biographisch aufgeschlüsselt werden.

Rilkes „Wendung" ging die Erkenntnis der „Dinge" voraus, die ihm nach der frühen Lyrik eine erste Rettung vor dem Entsetzen über das eigene Hinschwinden boten. So meinte er noch 1907, in einer Rezension der Briefe der Comtesse Anna de Noailles, wenn diese Frau ihre große hoffnungslose Liebe „abzulenken und in einem System von Kanälen zu den Dingen zu führen" imstande gewesen wäre, „so wären jene Gedichte entstanden, an deren Rand die Briefe überall heranreichen; denn es ist nur ein Schritt von der Hingabe der Liebenden zum Hingegebensein des lyrischen Dichters" (SW, vi, 1016). Deutlicher kann man es nicht sagen. Hiermit ist *die* allmächtige poetische Wurzel von Rilkes Spätlyrik bezeichnet, wie immer man sie „analysieren" möge. Die Beweislast dieser besonders Rilke eigentümlichen Poetik ist erdrückend. Im selben Jahr schrieb er im zweiten Teil seines Rodin-Essays: „Man sieht Männer und Frauen, Männer, und Frauen, immer wieder Männer und Frauen. Und je länger man hinsieht, desto mehr vereinfacht sich auch dieser Inhalt, und man sieht: Dinge" (SW, v, 215). Wenige Zeilen vorher wird von Orpheus als dem Dichter überhaupt gesprochen und daß es, um die anderthalb Jahrzehnte spätere Sonett-Formulierung heranzuziehen, immer Orpheus ist, wenn des Dichters Arm „auf einem ungeheuern Umweg über alle Dinge zu den Saiten geht" (ebd.). Der Dichter weicht also der Vergänglichkeit seiner Eindrücke und Gefühle in die dauerndere Präsenz der Dinge aus, die er sich, um sie für sich zu verewigen, wortwörtlich einverleibt und einverseelt. Danach eröffnet sich ihm die Möglichkeit ihrer Aussage und Rühmung, also ihres Weiterlebens in der Poesie.

Das eigentliche Thema der im Abschieds-Sonett (ii, 13) formulierten Seins-Bedingung des Orpheus klingt bereits 1904 in dem langen Gedicht über Orpheus, Eurydike und Hermes an:

> Die So-geliebte, daß aus seiner Leier
> mehr Klage kam als je aus Klagefrauen;
> daß eine Welt aus Klage ward, in der
> alles noch einmal da war: Wald und Tal
> und Weg und Ortschaft, Feld und Fluß und Tier;
> und daß um diese Klage-Welt, *ganz so*
> *wie um die andre Erde, eine Sonne*

> *und ein gestirnter Himmel ging,*
> ein Klage-Himmel mit entstellten Sternen –:
> Diese So-geliebte. (unsere Hervorhebung; SW, I, 544)

Wir haben hier wohl die deutlichste Vorwegnahme der späteren Einsicht des Doppelt-Innen-Seins, des unsichtbaren „dunklen Du". Eurydike ist eine im voraus verlorne Geliebte, d. d. h., erst *nach* ihrem Tode wird sie, die vorher seine Frau gewesen, die für Rilke *wahre* Mit-Spielerin des Orpheus. Und „plötzlich" (wie in unserem Text) spielt auch Orpheus „gültig" mit. Er mußte ihren Tod erfahren und sie innen in sich „erkennen", damit sie den Bereich des Todes in ihm, dem Lebenden, vertreten konnte, aus dem er dann (siehe wiederum ›Sonette an Orpheus‹, II, 13) „singender", „preisender", also gültig dichtend steigen konnte.

Wir erkennen, wie eng und vielfältig die Aussagen ineinander verflochten vor der „Wendung" der Jahre 1913/1914 Rilkes Werk durchziehen. Dann allerdings werden sie zum Programm erhoben. Von 1913/1914 wird jede Geliebte nur verinnerlicht poetisch fruchtbar. Die Wortfelder jener frühen Aussagen – etwa „glühen", um nur eines zu nennen – werden dann auch vollständig ins poetologische Vokabular übernommen.

Ein sehr wichtiger Faden im späteren poetologischen Gewebe ist, wenn man es so nennen kann, Rilkes *Lehre* von der Vervollkommnung. Vor seiner eigenen „Wendung" führt Rilke im Gedicht des öfteren nur-männlichen und somit unvollkommenen Gestalten eindrückliche Beispiele vor Augen, an denen sie deutlich erkennen können, was ihnen selbst noch fehlt. So begegnet – in einem Gedicht des Jahres 1909 – der schöne junge Jäger Endymion plötzlich der Mondgöttin, einem Wesen, „nievermählt, / / Jünglingin über den Nächten der Zeiten / [. . .] die sich selber ergänzte / in den Himmeln und keinen betraf" (SW, II, 36). Man beachte dieses „sich selber ergänzte", denn das unterscheidet die „frühen Geglückten", die Engel, in den Anfangsversen der zu Beginn 1912 geschriebenen zweiten ›Duineser Elegie‹ von uns, daß sie, ohne wie wir deshalb vor Spiegeln stehen zu müssen, auch zugleich Spiegel sind, die alles ihnen Entströmte „wiederschöpfen zurück in das eigene Antlitz" (SW, I, 689). Man begeht einen einigermaßen schwerwiegenden interpretatorischen Fehler, wenn man, die Thematik des Androgynen außer acht lassend, diese zweifellos lupenreine Narzißtik – allerdings wie bei Marcel Kunz im Sinne des *narcisse exaucé* – der Engel-

Projektion auf alle „Mit-Spielerinnen" des späteren Rilkeschen Werkes überträgt. Die im Juli 1912 apostrophierte „Geliebte", die als „starke Schließe" die wieder aufgereihten Perlen – gemeint sind Gedichte – des Dichters „verhalten" könnte, wird noch „begehrt" und herbeigesehnt, ehe es zu spät ist und der Dichter nicht mehr imstande wäre, sie zu „bestehen" (SW, II, 42 f.).[23] Die ersehnte „starke Schließe" muß ihm erst noch „aus der Fülle der Zukunft" entgegenkommen.

Im Winter 1913/14 wird die spätere „Mit-Spielerin", nicht ungleich der 1904 beschriebenen „So-geliebten" des Orpheus als „im Voraus / verlorne Geliebte, Nimmergekommene" (SW, II, 79) angesprochen. Wie Orpheus nach der Gewahrwerdung der einmal besessenen – man ist versucht, im Lichte der „Wendung" hinzuzusetzen: noch nie geliebten –, dann verlorenen Geliebten eine Klage-Welt, einem Universum gleich, hervorspielt, so verlegt der Dichter hier die bereits geschaute Welt („Alle die großen / Bilder in mir [. . .]") in die Nimmergekommene; alles Geschaute steigt ihm zur Bedeutung dieser Entgehenden an. Gegen Ende des Gedichtes wird der Prozeß der geisterhaften Androgynisierung beschrieben und auch sprachlich verwirklicht. Der Kontakt ist äußerst prekär. Eine Gestorbene hatte in Spiegel geschaut. Der sie nun in Toledo suchende Dichter spürt noch aus diesen Spiegeln ihr Bild: „. . . und die Spiegel manchmal der Läden der Händler / waren noch schwindlich *von dir* und gaben erschrocken / *mein* zu plötzliches Bild" (unsere Hervorhebung; ebd.).

Und nun beginnt nach dem Gesicht-Werk das „Herzwerk" an den bisher im Dichter gefangenen, überwältigten – gleichsam vergewaltigten und deshalb nicht „erkannten" – Bildern. Das berühmte Gedicht vom 20. Juni 1914 wird zwischen Rilke und Lou brieflich ausführlich besprochen. Das Gedicht, dessen Schlußzeilen unsere Thematik entscheidend aussprechen und bestätigen:

> Siehe, innerer Mann, dein inneres Mädchen,
> dieses errungene aus
> tausend Naturen, dieses
> erst nur errungene, nie
> noch geliebte Geschöpf. (SW, II, 84)

---

[23] Wir verweisen auf die außerordentlich erhellende, ausführliche Deutung dieses Gedichtes bei Fülleborn, S. 90–104.

Dieses „wunderliche" Gedicht hatte Rilke, wie er an Lou schreibt, „unwillkürlich" „Wendung" genannt, „weil's die Wendung darstellt, die
wohl kommen muß, wenn ich leben soll . . ." (RMR/LAS, BW, 341) –
unwillkürlich, also ganz wie von selbst bot sich dieser Titel an. Jetzt
geht es um die „entwachsene Stimme", mit deren Apostrophierung die
›Siebente Elegie‹ beginnt (SW, 1, 709); dieser Stimme zuliebe wird der
„Werbung", die auch im dritten Sonett des Ersten Teiles der ›Sonette an
Orpheus‹ für unzulänglich erklärt werden wird (SW, 1, 732), entsagt.
Die „entwachsene Stimme" ruft die „Freundin" herbei. Unüberhörbar
klingen die Wort- und Lautfelder der Sprache vor der „Wendung" an:
„deinem erkühnten Gefühl die erglühte Gefühlin" (SW, 1, 709). Wenn
wir ihnen im späteren Werk begegnen, etwa im Orangen-Sonett (›Sonette an Orpheus‹ I, 15): „daß die reife erstrahle / in Lüften der Heimat! Erglühte, enthüllt / Düfte um Düfte" (SW, 1, 740) oder in dem
„Für Nike" überschriebenen Gedicht aus dem Dezember 1923, wo es
vom dichterischen Wort heißt, es stehe, anstatt zu schwinden, „singend
und unversehrt" „im Glühn der Erhörung" (SW, 11, 257), gelten sie nur
noch im übertragenen, also poetologischen Sinn.

Ist erst das Errungene, im Schaun Überwältigte und Gefangene
geliebt, so kann in der Tat in einem „Nike" betitelten Gedicht vom
Dezember 1920 eine dem Helden und Sieger – also dem Dichter – voraus-
geflogene Siegesgöttin, wer immer sie sein möge, in einem poetologisch
so bedeutenden wie gewagten Wortspiel, den Raum *„leer"* bringen,
„den er *voll-bringt"* (SW, 11, 244). Sie kann Weite „in ein Gefäß", in ein
Maß, umwandeln, in dem sie sein Handeln zu „verhalten" vermag. Das
Widmungs-Gedicht endet: „Sie flog zum Gott [also zum Schöpfer] –,
und zögert ihm zu liebe, / und ihr zu lieb wird er dem Maß gemäß"
(ebd.). Das ist wörtlich mit dem vollen Gewicht auf der zweimal
genannten „Liebe" zu lesen. Nun ist das „nie / noch geliebte" Geschöpf der „Wendung" geliebt. So war für Rilke die Liebe möglich.
Diesen inneren Dialog *konnte* er nun. *Das* war, outriert oder nicht, die
Wurzel seiner Produktivität, welche „Solang du Selbstgeworfnes fängst
. . ." detailliert beschreibt und feiert. Bewußt oder unbewußt gesetzt:
„Nike" war der rechte Titel nicht nur für das Widmungsgedicht von
1920, sondern auch für unseren Text vom 31. Januar 1922.

Von nun an bezieht sich jede Aussage zu einer „Mit-Spielerin" oder
„Übertrefferin" oder „Geliebten" direkt oder indirekt auf den Akt des

dichterischen Schaffens. „Plötzlich", heißt es in der dritten Zeile unseres Textes, „wirst du Fänger" – wir denken an die Verse für Max Picard. Auch hier fällt nun der Ball nicht mehr „daneben"; der Spieler ist seiner Mit-Spielerin gewahr geworden. Ehe wir uns eingehender mit dem Vokabular des Textes befassen, werfen wir – zeitlich über das Gedicht hinausgehend – noch einen Blick auf die noch einmal an so wichtiger Stelle wiederkehrende Orpheus/Eurydike-Konstellation. Das bekannte Sonett II, 13 „Sei allem Abschied voran" wird von dem weniger oft zitierten I, 2 vorbereitet. Im Ohr, im Hören des Dichters, schläft ein Mädchen, man darf sagen, ein Mädchen wie Eurydike, die der Tod wieder in ihr ursprüngliches Mädchentum zurückversetzt hat. Der Gott hat sie vollendet, „daß sie nicht begehrte" („Gesang, wie du ihn lehrst, ist nicht Begehr, nicht Werbung um ein endlich noch Erreichtes" wird Rilke im nächsten Sonett formulieren [SW, 1, 732]), und so kann sie durch ihr Totsein den Dichter wahrhaft vervollkommnen.

Wir erfahren in den Sonetten, daß der Dichter nur im Doppelbereich, wo sich Tod und Leben durchdringen, gehört werden kann. Es erstaunt uns nicht, daß in II, 13 Orpheus aufgefordert wird: „Sei immer tot in Eurydike –, singender steige, / preisender steige zurück in den reinen Bezug" und „Sei – und wisse zugleich das Nicht-Seins Bedingung" (SW, 1, 759). Tod und Leben sind untrennbar. Eurydike ist tot. Orpheus soll immer tot in ihr sein. Dadurch ist sie nun auch in ihm immer gegenwärtig, so gegenwärtig, wie sie es im Leben nie war. Sie ist zu seinem „inneren Mädchen" geworden, und der singende Gott, androgyn wie alle Kunst-Schaffenden in Rilkes Weltbild, ist nun imstande, die Welt im Gesang neu zu schaffen. Die beiden Hälften vereinen sich auch hier zu der schon erwähnten goldenen Kugel. Die geschaffene Welt ist voller Bezug, den man, wie Rilke zwölf Monate nach Vollendung der Sonette an Ilse Jahr schreibt, „statt des Besitzes erlernt" (Briefe, II, 395). Eine solche innere Beziehung (C. G. Jung spricht von Animus/Anima), wie wir sie an Orpheus und am späteren Rilke konstatieren konnten, soll unauflöslich sein, weil ursprünglich Getrenntes nun untrennbar am Schaffen von Kunst teilhaben kann. Darum bittet der Dichter auch seinen «doux seigneur Sommeil» in dem 1923 geschriebenen Gedicht „Le Dormeur":

> Laissez-moi diffus, pour que l'interne Ève
> ne sorte de mon flanc en son hostile ardeur. (SW, II, 595)

Die Zweigeschlechtlichkeit des Künstlers, an der Rilke nie zweifelte, wirkt sich also kreativ anstatt – wenn der psychische Ver-Innerlichungsprozeß nicht stattgefunden hätte – prokreativ aus. Simenauer zitiert in seinem ersten Rilke-Buch Lou Andreas-Salomé, die berichtete, Rilkes Mannheit sei gerade daran aktiv geworden, daß sie ihre Totalität zusammengehalten und sich zum Zeugnis ihrer schöpferischen Kraft beide Geschlechtlichkeiten vereinigt hätten.[24] Simenauer setzt an dieser Stelle ebenfalls die beiden Zeilen aus ›Le Dormeur‹ und weist ferner darauf hin, daß Rilke wahrscheinlich die bei Pausanias belegte Variante des Narziß-Mythus gekannt hat, der zufolge Narziß eine Zwillingsschwester hatte, nach deren Tod er sich bei der Betrachtung seines Eigenbildes im Wasser damit tröstete, schließlich das Ebenbild seiner Schwester und nicht nur sich selbst anzuschauen.[25] Mit der «l'interne Ève» schließt sich der Kreis der Mit-Spielerin. Wir haben auf die immense poetologische Bedeutung der androgynen Geistigkeit bei Rilke hingewiesen. Im Sommer 1924 schrieb Rilke das Gedicht „Magie", in welchem nicht nur die wesentlichen Züge der orphischen Poetologie repetiert, sondern besonders auch die sprachlichen Konsequenzen gezogen werden. Was uns dieses Gedicht als besonders schlüssig für die androgyne Thematik der Mit-Spielerin erscheinen läßt, ist Rilkes Rückführung des dichterischen Schaffens auf den in seiner „Wendung" anerkannten Ursprung:

> Aus unbeschreiblicher Verwandlung stammen
> solche Gebilde –: Fühl! und glaub!
> Wir leidens oft: zu Asche werden Flammen;
> doch, in der Kunst: zur Flamme wird der Staub.
>
> Hier ist Magie. In das Bereich des Zaubers
> scheint das gemeine Wort hinaufgestuft . . .
> und ist doch wirklich wie der Ruf des Taubers,
> der nach der unsichtbaren Taube ruft. (SW, ii, 174 f.)

Es soll nun versucht werden, unseren Text auch durch Anleuchtung der Wortfelder von verschiedenen Seiten interpretierend zu erhellen. Viele lexische Fäden laufen neben- und ineinander: dieses Gedicht ist ein sehr dichtes lexisches Gewebe.

---

[24] Simenauer, Legende und Mythos, S. 634.
[25] Simenauer, Legende und Mythos, S. 637–638.

Zunächst eine Art „Narration": nach dem sinnlosen, geschickten „Selbstwerfen" des lyrischen Ichs wirft die Mit-Spielerin, die plötzlich wahrgenommene, mit natürlichem Können, das sie schon ewig übt. Nun vermag auch der Noch-nicht-Mit-Spieler wenigstens zu fangen, da der Ball seiner Mitte zugeworfen wurde, mit natürlichem Schwung, für den Rilke wiederum eine großgespannte Metapher eines uneigentlichen Gegenstandes wählt: „in einem jener Bögen / aus Gottes großem Brückenbau." Der Wurf der Mit-Spielerin wird dann durch das „wie" im III. Teil (Z. 12) auf eine große von der Natur selbst „gekonnte" Handlung bezogen: das Hin-und-Hergeschleudertwerden der Wandervogelschwärme. So soll auch *sein Wurf* Natur werden, der es zunächst noch nicht ist. Aber gegen Ende von II kann er bereits fangen, und zwar nicht aus eigenem „Vermögen", sondern weil seiner Mitte zugeworfen wird und weil gleichsam „eine Welt" in ihm, also etwas ihn weit Übertreffendes, den natürlichen Wurf auffängt. Der Fänger partizipiert in diesem der Natur selbstverständlichen Vermögen, indem er sich in sie einstimmt und sich nach und in ihrem Rhythmus bewegt. Gottes Brückenbögen, die Flugbahnen der Vogelschwärme, die Bahnen (siehe IV) von Himmelskörpern, gesteigerten Bällen, sind sämtlich *natürliche* Ereignisse und werden im Laufe des Gedichtes nun auch *kreative*. Das Ich, zunächst Spiel und schlechter Mit-Spieler dieser Kräfte, wird in der verinnerlichten begriffenen und „erkannten" Schöpfung durch die Erkenntnis und Einbeziehung der Mit-Spielerin völlig zum Geschöpf, das „einfach, kunstlos, ganz Natur" (SW, 1, 640) in der Schöpfung aufgeht und selbst Schöpfer wird.

Die Sprache hält mit der narrativen und begrifflichen Eskalation des Gedichtes Schritt. Das primäre Wortfeld des Gedichtes ist, von der „Narration" her, leicht abzustecken: WERFEN, WURF, FANGEN, FÄNGER, BALL, BOGEN, SCHLEUDERN, WAGEN, METEOR. Weitere Untergruppierungen wären möglich. Am lohnendsten ist zunächst die semantische Auffächerung von WERFEN, da das Wort der sich steigernden Intention des Textes entgegenkommt: künstliches, gekonntes, natürlich kunstloses Werfen, also „entwerfen". Unsere lexischen Vermessungen müssen sich aber in vernünftigen Grenzen halten.

Ein Entwurf „Morgenhimmel" (1913) deutet in der Zeile: „Ins Freie wirft sich die Welt" besonders die Intensität an, welche dieses Verbum für Rilke hat. Sehr oft, z. B. hier und in „Seele im Raum" (?1917), ist es

gekoppelt mit „staunen" und „anstaunen". Dies auch deshalb, weil es
zu entwerfen und somit in die semantische Richtung von „gebären"
hinzielt. Und so überrascht es nicht, wenn ein Vorgang wie die Geburt
eines Insekts, die acht Jahre später zu der bekannten Stelle in der achten
›Duineser Elegie‹ verarbeitet wird,[26] als Entwurf so lautet: „Siehe das
leichte Insekt, wie es spielt, nie entriet es / dem geborgenen Schooß.
Die es, *entworfen, empfing, trug es aus und erträgts* / die Natur . . ."
(unsere Hervorhebung; SW, ii, 416). Die große bewußte Wort-Kunst
des späten Rilke wird nicht nur an der semantischen Reihe dieses Zita-
tes und an der semantischen Mehrdimensionalität des „erträgts" offenbar, sondern auch an der Ein- und Verklammerung dieser Reihe durch
und in die „Natur". Vom Semantischen her ließe sich auf die zweite Erwähnung des zu kreierenden „es" durchaus verzichten; seine Setzung
rückt es noch einmal als wesentlich in die Mitte. Es scheint, um ein weiteres, verhältnismäßig frühes Beispiel zu wählen, daß unser Text als
Ganzes die wahre Antwort auf die Anfang 1917 von der „entrungenen",
im Raum schwebenden Seele zweimal gestellten, keineswegs rheto-
rischen Fragen „Wag ichs denn? Werf ich mich?" ist und daß das übrige
Gedicht „Seele im Raum" (SW, ii, 109–11) sehr denkwürdig den Übergang zum wahren „Können" beschreibt. Das Gedicht endet:

> Oder vergaß ich und kanns?
> Vergaß den erschöpflichen Aufruhr
> jener Schwerliebenden? Staun,
> stürze aufwärts und kanns?

Wir werden im dritten Teil des Gedichts an dieses „vergaß" denken
müssen, denn auch der Fänger soll ja Mut und Kraft *vergessen* und
schon geworfen haben! Wirft die Seele sich erst in die Figur, so ist die
Richtung, jetzt von der Schwerkraft unabhängig, nicht mehr von Bedeutung – wir denken nicht nur an das Aufwärtsstürzen hier, sondern
auch an Austauschbarkeit und Aufgehobensein von Steigen und Fallen
am Ende der ›Zehnten Elegie‹ oder, in unserem Text, an die Erschwe-
rung oder Erleichterung des Wurfes (17/18). In ›Sonette an Orpheus‹,

---

[26] „O Glück der Mücke, die noch *innen* [Rilkes Hervorhebung] hüpft, /
selbst wenn sie Hochzeit hat: denn Schooß ist Alles. / Und sieh die halbe Sicherheit des Vogels, / *der beinah beides weiß aus seinem Ursprung*" (unsere Hervorhebung; SW, i, 716).

I, 15 werden die Mädchen aufgefordert, die Orange zu tanzen und die
wärmere (in ihnen selbst und zu ihnen selbst) verwandelte Landschaft
auf sich zu „werfen" – also Raum auszuwerfen, um es, für Rilke, auf einen Generalnenner zu bringen. Und zeitlich über unseren Text hinaus
reicht die an Paul Celans *Atemwende* angrenzende, wohl radikalste Setzung des „Werfens" – nicht nur Schöpfung soll erreicht werden, sondern ihre nochmalige Um-Schaffung. Im Oktober 1925 schreibt Rilke,
die Götter sollten jede Wand in seinem Hause (im doppelten Sinne des
Wortes) „umschlagen". Dann heißt es: „Neue Seite. Nur der Wind, /
den solches Blatt im Wenden würfe, reichte hin, / die Luft, wie eine
Scholle, umzuschaufeln: ein neues Atemfeld" (SW, ii, 185).

Der Wurf geht dem „Schwung" voraus, der dann den zunächst
menschlichen Wurf in einen natürlichen Schwung verwandelt und das
Geworfene in eine „einer Welt" angehörende Flugbahn drängt.[27] „Entwerfen" ist das schöpferische Werfen, und der orphische Geist, der in
›Sonette an Orpheus‹, I, 12 als „uns verbindend" genannt und gegrüßt
wird, ist eben „jener entwerfende Geist" von II, 12 („Wolle die Wandlung . . ."). Er meistert das Irdische und „liebt in dem Schwung der
Figur nichts wie den wendenden Punkt" (SW, i, 758), der das Erstarren
verhindert. Von diesem „Schwung", der zur Figur-Werdung notwendig
ist, hatte Rilke bereits 1913 im Zusammenhang mit dem „Helden"
gesprochen: „Zuletzt / wirft ihn sein Schwung zu den gestirnten Bildern. / Daß er, in ihre Maße hineinversetzt, / nachgebe, sich am Kreisenden zu mildern" (SW, ii, 214). Die Entsprechungen zu dem 1920
geschriebenen „Nike" betitelten Widmungsgedicht sind zu verblüffend,
um übersehen zu werden.

Gottes großer „Brücken-Bau" erinnert jeden Rilke-Leser nicht nur
an die toledanische Brücke, auf der Rilke einmal stand und einen Sternenfall „einsah" (SW, ii, 104), sondern auch daran, daß er sich und uns
in der neunten ›Duineser Elegie‹ aufgefordert hatte, Worte und Begriffe

---

[27] Selbstverständlich sind auch hier die Belege zahlreich. Sonette an Orpheus,
II, 12, ist im „Schwung"-Kontext 1916 in einem Entwurf vorweggenommen:
„Unbeschreiblich sind wir einbezogen / in der Schöpfung langerstarrten
Schwung" (SW, ii, 446). Zu dem Begriffspaar „Schwung / Gegenschwung"
wären SW, ii, 176 und bes. das Gedicht „Schaukel des Herzens" SW, ii, 255, 478
heranzuziehen.

über die Meinung der Dinge selbst hinaus auszusagen, damit sie unverloren blieben (SW, I, 718). Zu diesen Worten gehört auch „Brücke". Daran wird zwei Jahre später erneut erinnert. Ein Entwurf aus dem August 1924 beginnt: „Nach so langer Erfahrung solle ‚Haus', / ‚Baum' oder ‚Brücke' anders gewagt" werden und endet mit der Aufforderung, uns aus diesen gewußten Figuren „ein Nachtgestirn" zu machen (SW, II, 496). Eine für unseren Text bedeutsame Steigerung stellen die einen Monat danach geschriebenen Verse „Aus dem Umkreis: Nächte" dar, in denen die Gestirne der Nacht als „diese Brücken, die ruhen auf Pfeilern von Licht" bezeichnet werden (SW, II, 177).

Diese die Dringlichkeit des Gedichtes allmählich steigernden Bilder, mit denen das wahre Fangen umschrieben wird, lassen an der Wichtigkeit des neuen Könnens, das nicht nur eine größere Geschicklichkeit ist, sondern ein seelischer Zustand, überhaupt keinen Zweifel. Die Äquivalente menschlichen Könnens werden in ihrer tragischen Unzulänglichkeit in der Saltimbanques-Elegie beschrieben. Die in den Raum hinausgeworfene Seele setzt selbst ihrem Können noch ein letztes Fragezeichen (SW, II, 111). Unser Text spricht sehr positiv vom schließlichen Können und nennt es ein nicht dem Könner selbst, sondern „einer Welt" zuzurechnendes „Vermögen". Rilke gibt diesem Wort neben seinen üblichen semantischen Inhalten, also Fertigkeit und Besitz, sehr oft die Aura des kreativen Schaffens. Die Götter werden (in ›Sonette an Orpheus‹, I, 25) als „hohe Vermöger" (SW, I, 747) bezeichnet, und dieses weltbewegende „Vermögen" wird in dem Gedicht „Musik" (1925) auch den Atomen zugesprochen.[28] Es bleibt zu zeigen, wie Rilke die Schritte der Steigerung vom vollen, auf der erkannten Präsenz der Mit-Spielerin beruhenden Vermögen zum „gültigen" Mit-Spiel und schließlich zur Schöpfung des Kunstwerks darstellt.

III
(Z. 9–18)

Und wenn du gar
zurückzuwerfen Kraft und Mut besäßest,
nein, wunderbarer: Mut und Kraft vergäßest,

---

[28] Die zweite Strophe dieses Gedichts beginnt: „Schlag an den Stern: die unsichtbaren Zahlen / erfüllen sich; Vermögen der Atome / vermehren sich im Raume. [...]" (SW, II, 267).

und schon geworfen *hättest* . . . (wie das Jahr
die Vögel wirft, die Wandervogelschwärme,
die eine ältre einer jungen Wärme
hinüberschleudert über Meere –) erst
in diesem Wagnis spielst du gültig mit.
Erleichterst dir den Wurf nicht mehr; erschwerst
dir ihn nicht mehr.

Jetzt erst beginnt der Austausch und innere Dialog mit der Mit-Spielerin, denn es geht um das Zurückwerfen. Hier überrascht die rein strukturelle Spiegelung der ersten beiden Zeilen, wo es nur auf Geschicklichkeit anzukommen schien. Man meint, es bedürfe nun zum Zurückwerfen eben nur der übrigens traditionell maskulinen, heldischen Eigenschaften von Mut und Kraft, Kraft und Mut, es bedürfe also dessen, was der mittlere Rilke einmal als die Umkehr der Furcht bezeichnet hat, nämlich der „Kühnheit"[29]. Nein, damit ist es nicht getan, sagt das Gedicht. Fülleborn zeigt deutlich, wie die strukturelle Anordnung und Reimstellung der beiden antithetischen Konjunktive „besäßest" und „vergäßest" diese scheinbar so wichtigen Tugenden als nichtig hinstellen. Das gültige Mitspielen verlange statt dessen einen „unbedingten blinden Gehorsam im Geist" (S. 128). Dieser Formulierung können wir nicht folgen, weil es uns in diesem Gedicht noch um anderes zu gehen scheint. Mehrfach stellte sich uns die Frage, ob hier Rilke dem Spielenden, d. h. dem Dichtenden, nicht die *désinvolture* des im Kleistschen ›Marionettentheater‹ alle brillanten Schläge und Volten parierenden Bären anwünscht, an dem sich der gute Fechter ermattet. Die Bälle fallen nicht mehr daneben. Sie werden von der Mit-Spielerin in die „Mitte" geworfen, und nun sind nicht nur Geschicklichkeit, sondern auch Kühnheit seines Wurfs nichts mehr wert und auch der Gehorsam im Geiste nicht, sondern nur ein „natürliches", „naives", unreflektiertes oder aber ein nach aller Reflexion durch die Wahrnehmung der Mit-Spielerin zum zweiten Mal naiv gewordenes Handeln. Wie manche Gestalten Kleists versucht der Spielende, der Dichtende, jetzt nicht, etwas Angestrebtes („endlich noch Erreichtes" [SW, 1, 732]) par-

---

[29] Vgl. „Für Ruth Rilke" (SW, 11, 231). Die ersten beiden Zeilen des Vierzeilers lauten: „Was Kühnheit war in unserem Geschlecht, / ward in mir Furcht: denn auch die Furcht ist kühn."

tout und mit Mut und Kraft und Kühnheit doch zu erreichen. Dazu müßte er nämlich antigrav und außerhalb seines seelischen Mittel- und Schwerpunkts handeln, und es läge wirklich an seiner Geschicklichkeit und Kühnheit, ob ihm das Fangen und das fangbare Zurückwerfen gelängen. Statt dessen handelt er nun nach dem Gesetz der eigenen Schwerkraft. Er kann gar nicht anders als „richtig" werfen, genau wie das Jahr die Vögel nicht zufällig einmal dahin oder dorthin wirft.

Hier fügt sich auch das „schon geworfen *hättest*" (Z. 12) mühelos ein, denn die Mühe muß ja sein, als habe es sie nie gegeben. Das von uns schon erwähnte Prinzip des Antizipierens vertieft auch das Kleistsche Element der Deutung. Wie der Prinz von Homburg, mit dem nicht-männlichen und nicht-kriegerischen Teil seines Inneren bekannt geworden, dann „richtig" handelt, als seien sein Ungehorsam und seine exzessive Ruhmsucht nie gewesen, so läßt Kleist dann auch das Urteil nicht korrigieren, vertagen oder aussetzen – sondern ganz einfach aus der Welt schaffen.[30]

Bei Rilke bemerken wir die gleichen Vorwegnahmen und Aufhebungen. Die Mit-Spielerin ist in ihrer Präsenz und ihrem „Vermögen" dem Mit-Spieler zunächst *voraus*. Dann spielt sie in ihm und er in ihr, und zwar „gültig". Im ›Florenzer Tagebuch‹ vom September 1898 hatte der noch nicht Dreiundzwanzigjährige die an Lou gerichteten Worte unterstrichen: „Du bist immer wieder vor mir. Meine Kämpfe sind Dir längst Siege geworden [. . .] aber meine neuen Siege gehören Dir mit, und mit ihnen darf ich Dich beschenken" (Tagebücher, 118). Ein von Fülleborn (S. 132) erstmals mitgeteilter, über zwanzig Jahre später geschriebener Brief an Frau Wunderly-Volkart repetiert dies fast wörtlich und interpretiert damit im nachhinein das mehrmals erwähnte Widmungs-Gedicht „Nike": „. . . wie sind Sie doch sicher vorangeflogen, unbeirrt, immer, und haben dem Geist den Raum seines Atmens offengehalten – der Sieg, der Sieg." Man beachte das in beiden Texten gesetzte „immer", das dem „ewig" der Mit-Spielerin entspricht. Bei den „Dingen" sind es Wurf und Abschied, denen man immer „voran" sein muß, und im Mythos ist es der Verlust Eurydikes und des Orpheus Totsein in ihr. Nicht nur im Binnen-Spiel, im Kreis des „moveoque-

---

[30] Siehe hierzu Exner, Androgynie und preußischer Staat . . ., bes. S. 70f.

feroque" des ovidschen Narziß ist das Sich-Verlieren aufgehoben,[31] es geschieht darüber hinaus etwas Produktives: der *narcisse exaucé* wird zum Schaffenden, zum Schöpfer. Denn auch er hat den Verlust der Zwillingsschwester hinter sich und sie nun auf ewig in sich. Der Schock der Trennung, des Todes, der „erschöpfliche Aufruhr" der „entrungenen Seele" ist vergessen (Z. 11), wie ja auch der Jüngling (in ›Sonette an Orpheus‹, I, 3), wenn er „in Wahrheit singen" will, vergessen haben muß, daß er in der ersten Bestürzung der Liebe „aufsang" (SW, I, 732). Die neue Vervollkommnung, das Zusammenkommen und Aufeinanderzukommen der getrennten Hälften hat bereits stattgefunden. Diese schon „ewig" mögliche Vollendbarkeit wird durch das „Erkennen" plötzlich vollzogen. Daher nun endlich auch nach den irrealen Aussagen der reale Indikativ (in Z. 16), in dem folgerichtig, auch vom rein Lexischen her, das Spiegelbild der Mit-Spielerin („. . . spielst du gültig mit") erscheint.[32]

Die Welt, das ganze Bezugs-System, das Mit-Spielerin und Spieler, die im Dichter nur *eines* sind, einbegreift, folgt den von Menschen nicht durchzureflektierenden, sondern höchstens naiv nachzuvollziehenden Bogen und Bahnen, auf denen sich Himmelskörper, Vogelschwärme und Bälle bewegen. Vielleicht denkt der Leser bei den Vogelschwärmen sofort an die zu Tode zitierte Stelle aus dem Gedicht „Es winkt zu Fühlung . . .", in welchem von dem in diesem Text statuierten „Weltinnenraum" gesagt wird, die Vögel flögen „still durch ihn hindurch" (SW, II, 93). Die Stelle wird hier nur zitiert, weil es eine der zahllosen Parallelstellen in Rilkes Werk ist, die vom Vogelflug handelt. Gerade diese Figur muß Rilke besonders ertragreich erschienen sein. So spricht er einmal fast emblematisch vom „schönen Wurf der Vögel", den er der in Toledo 1912 „Erwarteten" schon erschaut hat (SW, II, 388), dann, 1913, von einem „Wurf Tauben", der sich aus „dem erprobteren Raum" zurückschwenkt (SW, II, 394); er charakterisiert 1925 das „Innre" als „gesteigerter Himmel, / durchworfen mit Vögeln" (SW, II, 184) und findet die komplexeste kontextliche Formulierung des Vogelflug-Topos Anfang August 1924 in dem letzten Stück (IX) des Zyklus ›Im Kirchhof zu Ragaz Niedergeschriebenes‹. Die Zeichen des Mei-

---

[31] Siehe Marcel Kunz, S. 121.
[32] Vgl. Fülleborn, S. 127.

sters, der nächtlich den Bezug der „Sterne, Schläfer und Geister" plant, reichen nur in die Liebenden hinein. Diese aber sind – wie wir nicht zuletzt aus unserem Text wissen – durch ihr gegenseitiges Einander-Erkennen eins geworden. Das Gedicht endet:

> Während Entwürfe ihm keimen,
> wirft er, wie Vogelschwung,
> Spiegelbild des Geheimen
> durch den Glanz ihrer Spiegelung. (SW, II, 174)

Aber diese Bewegungen im All sind im hergebrachten Sinne des Wortes kein „Wagnis" oder „Abenteuer". Wir können Fülleborn nicht ganz zustimmen, wenn er dieses „Wagnis" aus der Ballspiel-Metaphorik des die Vogelschwärme von Kontinent zu Kontinent werfenden Jahres ableitet.[33] Zumindest ist hier von noch etwas anderem die Rede. Wir meinen, Rilke habe in diesem Gedicht den Ausgleich von maskulinen und femininen Elementen recht bewußt angedeutet, und die geistige Androgynie und ihre Produktivität, von welcher diese neunzehn Verse sprechen, ist eine Manifestation von Wagnis und Gleichgewicht in einem. Was bedeutet sonst in dieser schon mehrmals von uns zitierten letzten Strophe der „Dreizehnten Antwort": „Ach der geworfene, ach der gewagte Ball" (SW, II, 319)? Ein „Wagnis" kann des Jahres Vogel-Schleudern nur dem sein, der nicht an die natürlichen Bezüge der Welt glaubt, der ihre Verbindungen und Figuren nicht glaubt. Weder der Ball-Wurf noch das Hin und Her der Zugvögel ist ein Wagnis. Es ist vielmehr umgekehrt: *natürlich* wie dieses Hin und Her soll der wahre Ball-Wurf sein, der dann eben kein Wagnis ist. Die Natur, ihre „reine Spannung, ihre Musik der Kräfte" (›Sonette an Orpheus‹, I, 12; SW, I, 738), wirft die Vögel ja nicht geschickt oder ungeschickt oder läßt sie gar „daneben" fallen. Ist der Ballwurf „natürlich", so sind (in Z. 17/18) auch die Begriffe „erleichtern" und „erschweren" (wie „steigen" und „fallen", „aufwärts" und „abwärts") in der Welt dieser Kräfte völlig irrelevant. Sie allein, diese Welt, wird am Ende der zehnten ›Duineser Elegie‹ evoziert, wenn zwei dieser Begriffe, Steigen und Fallen, umgekehrt und aufgehoben werden.[34]

---

[33] Fülleborn, S. 128–129.

[34] „Und wir, die an *steigendes* Glück / denken, empfänden die Rührung, / die uns beinah bestürzt, / wenn ein Glückliches *fällt*" (SW, I, 726).

Rilke bestand darauf, jedes Wort habe im Gedicht seinen Eigenwert. Wir sahen es an „gültig" – wir können es auch an „Wagnis" sehen. Wie genaues Lesen und Hinhören eine jahrelang falsch verstandene Stelle des Gedichtes „Tränen, Tränen" korrigieren und dadurch zum erstenmal voll verständlich machen konnte,[35] so kann das Zusammen-Lesen von „wagen", „wägen" und „die Waage halten", von „Wagnis" und „Waage" die Deutung unseres Textes nachhaltig bereichern. Rilke läßt beide Bedeutungen anklingen: im vierundzwanzigsten Sonett des Zweiten Teils der ›Sonette an Orpheus‹ ist im ersten Quartett von den frühesten „Wagern" die Rede; im zweiten Terzett sind wir die unendlich „Gewagten" (SW, I, 747). Im vorliegenden Text wird aber außer dem „Wagnis" des großen Wurfs der Ausgleich gefeiert, das Gleichgewicht, das diesen Wurf ermöglicht und ihn, zum Ent-Wurf potenzierend, schöpferisch macht. 1913 spricht Rilke, in einem Essay „Über den jungen Dichter", dessen später getilgter, hier aber wichtiger Untertitel lautete: „Einige Vermutungen über das Werden von Gedichten", vom Dichter als dem „gewaltig Behandelten", der eben nur Raum hat,

auf dem Streifen zwischen beiden Welten [der inneren und der äußeren] dazustehn, bis ihm, aufeinmal [sic!] ein unbeteiligtes kleines Geschehn seinen ungeheuren Zustand mit Unschuld überflutet [das ist sehr kleistisch gedacht!]. Dieses ist der *Augenblick, der in die Waage, auf deren einer Schale sein von unendlichen Verantwortungen überladenes Herz ruht, zu erhaben beruhigter Gleiche, das große Gedicht legt.*   (unsere Hervorhebung; SW, VI, 1052f.)

Und noch eine letzte Überlegung hierzu: In dem Gedicht ›Der Magier‹ (1924) wird vom Magier verlangt, daß er Gleichgewicht schaffe, damit die Bindung sich herstellen kann (SW, II, 150). „Wagnis" und „Waage" – der Leser entscheide selbst.

IV
(Z. 18–19)

Aus deinen Händen tritt
das Meteor und rast in seine Räume . . .

Es gilt jetzt, die das „Selbstgeworfne", „Geschicklichkeit" und „läßlichen Gewinn" aufhebenden beiden letzten Zeilen des Gedichts zu

---

[35] S. Jacob Steiner, „Anschauung und poetische Imagination: Zu zwei Gedichten Rilkes", Recherches germaniques, 8 (1978), bes. S. 80–82.

erklären. Das Gedicht endet nicht nur in einer reimlosen Zeile, sondern wie wir schon sagten, auch typographisch so markiert, ins Offene hinein.

Da der Spieler, der Dichter also, jetzt *ist*, was er spielt, und nicht mehr nur um des Ballspieles willen spielt, wird er, wie Rilke es in ›Sonette an Orpheus‹, I, 23 in ähnlichem Zusammenhang formuliert, „überstürzt von Gewinn" (SW, 1, 746). Dieser Gewinn nimmt die an den Ball erinnernde physische Form eines Meteors an. Dieser Himmelskörper ist, wie Fülleborn im Hinblick auf den Meteor der ›Spanischen Trilogie I‹ sehr glücklich formuliert hat: „gestalthaft verdichtete geistige Glut."[36] Diese Formel ist auch auf die zweite „Meteor"-Stelle in Rilkes Gedichten anwendbar. Der Meteor bewegt sich, wie jener Meteor aus dem Gedicht von 1913, der „in seiner Schwere nur die Summe Flugs zusammennimmt" (SW, 11, 44),[37] wie der Ball des Gedichtes von 1907, nämlich „kunstlos, ganz Natur", aber er stellt zugleich auch reine Schwerkraft dar und ist „rein um sein Heimgewicht" *mehr,* um zum letzten Mal die Verse vom „geworfenen" und „gewagten" Ball zu zitieren (SW, 11, 319). Auch der Wurf ist unnötig geworden. Es ist, als ob der potentielle Werfer bereits geworfen hätte, denn im Idealfall, den unser Text statuiert, ist ja das wirkliche, noch so kunstlos-natürliche Werfen nach Gewahrwerdung der Mit-Spielerin nicht mehr nötig. Darin besteht ja der „Sieg" des Helden. Wir denken an die verschiedenen Bewegungen, die Rilke im Text erwähnt: werfen, fangen, schleudern: und jetzt *tritt* das Meteor einfach aus den Händen des Dichters *aus,* als müsse es so sein. Im ›Malte‹ folgten auf den Satz von der „heilen, goldenen Kugel" die Worte: „das massive Gestirn verlor an Gewicht und stieg auf in den Raum" (SW, vi, 929), jetzt zitiert, da wir auch in Z. 18/19 nichts von einem Fallen, nichts über eine wirkliche Ankunft des Meteors erfahren.

Das Kunst-Ding löst sich von seinem Erzeuger,[38] der es durch das plötzliche „Erkennen" seiner „Mit-Spielerin" entwarf, empfing, aus-

---

[36] Fülleborn, S. 129.

[37] Allemann (S. 85) sieht die „Summe Flugs" als den Sinn der Figur.

[38] Vgl. Hellmuth Himmels unseren Text übrigens nicht erwähnende Bemerkung am Ende seines Aufsatzes ›Zu drei späten Gedichten Rilkes‹, Österreich in Geschichte und Literatur, 14 (1970), S. 483.

trug und ertrug (vgl. oben SW, ii, 416). Die Mit-Spielerin kam ihm aus der „Fülle der Zukunft" entgegen, ehe es zu spät war. Empfängnis und Geburt des Kunst-Dings konnten stattfinden. Dieser schöpferische Akt ist nicht ein für alle Male geleistet. Jedes neue Gedicht verdankt sich ihm. Aber der Spielende, der Dichter, hat die Bedingungen dieses Spieles erkannt und anerkannt. Im Moment der Geburt des Kunst-Dings, des Gedichts, kann der Dichter – und in diesem Sinne ist „Solang du Selbstgeworfnes fängst . . ." in der Tat ein „Auftaktgedicht", besonders zur neunten ›Duineser Elegie‹! – den Abschluß gerade dieser Elegie als eigensten, ihn „überstürzenden Gewinn" aussagen: „Siehe, ich lebe. [. . .] Überzähliges Dasein entspringt mir im Herzen" (SW, i, 720).

Weder die persönliche Grund-Tragik von Rilkes dichterischem Dasein, noch der offene Schluß des Gedichtes vermögen die Summe des hier Erreichten und die Gültigkeit und den Ertrag dieser begrifflich und sprachlich außerordentlich geglückten Darstellung der geistigen Androgynie des dichterischen Schaffensprozesses auch nur im geringsten zu schmälern.

Originalbeitrag 1985

IM INNERN DES NIRGENDWO

Über Rilkes erlittene Utopie

Von RÜDIGER GÖRNER

I

Prosaisch-programmatische Selbstbesinnungen über das eigene lyrische Schaffen erinnern an angerauhte Spiegel: ihre Bilder und Motive verlangen nach Glättung, nach poetischer Glättung. Auch der junge Rilke erfuhr dies an sich. Mitten in seinem frühen, fiebrigen Poetisieren fand er zu klarer Vortragsprosa über ›Moderne Lyrik‹[1]. Am 5. März 1898 sprach Rilke zur lyrischen Sache und ihrem Geist, der Werfel, Mombert und Hugo von Hofmannsthal inspiriert hatte und von dem auch er sich durchdrungen wußte. Der Aufbruch ins Innere stand bevor: *„sich selbst zu finden* . . . mitten im Gelärm des Tages hineinzuhorchen bis in die tiefsten Einsamkeiten des eigenen Wesens"[2], das sei der in der „modernen Lyrik" zu beschreitende Weg. Rilke spricht vom „neuen Menschen", dem die Schönheit etwas Unwillkürliches werde, „etwas das er nicht einmal als Steigerung, sondern endlich als normale Bewegung und Äußerung seines Wesens empfindet". Synästhetisches Empfinden ist gefordert und die Suche nach der (verlorenen) natürlichen Form. Wer nach der (ästhetischen) Form suche, frage auch nach der Form seines eigenen Daseins, nach seinem Selbst. Was die „Äußerung" anbetrifft, erwartet Rilke vom Künstler – und hier eilt seine Theorie seinem eigenen Schaffen voraus –, daß er „statt *von den* Dingen *mit den* Dingen" spreche.[3] Wer mit den Dingen spricht, rechtfertigt –

---

[1] Rainer Maria Rilke, Sämtliche Werke Bd. V, hrsg. von Ernst Zinn, Frankfurt a. M. 1965, S. 360–394.

[2] Ebd., S. 360.

[3] Ebd., S. 370.

nach Rilke – seine Subjektivität. Der Weg nach innen, die ästhetische Erkenntnistheorie des frühen Rilke, liest sich dann im Zusammenhang so:

> Man lernte die eigene Seele betrachten, wie früher die äußere Umgebung, man wurde auch hier Realist und Naturalist den intimen, inneren Sensationen, wie vorher den *äußeren* Ereignissen gegenüber und lernte wie früher die Welt, nun ebenso genau die eigene Seele kennen, das heißt man fand in sich selbst Alles reicher und vielgestaltiger wieder, was man in der objektiven Schulzeit außerhalb der eigenen Persönlichkeit gesucht hatte.[4]

Die Kunst sei ein Weg, nicht ein Ziel – dieser Satz[5] sollte zu Rilkes bleibenden Überzeugungen werden. Auf diesem Weg wurde ihm rasch jener in ›Moderne Lyrik‹ skizzierte Zusammenhang zwischen Selbstfindung, Verinnerlichung und Dingbezug zum Problem, das für uns, die wir in einer noch ausgeprägteren Dingwelt leben, nichts an Wesentlichkeit eingebüßt hat.

Inmitten der produktivsten Auseinandersetzung mit der Welt der Objekte, die in der Sammlung ›Neue Gedichte‹ (1907) ihren Niederschlag fand, gestaltete Rilke diesen Problemkreis aus der Sicht des Künstlers:

> Der Dichter[6]
>
> Du entfernst dich von mir, du Stunde.
> Wunden schlägt mir dein Flügelschlag.
> Allein: was soll ich mit meinem Munde?
> mit meiner Nacht? Mit meinem Tag?
>
> Ich habe keine Geliebte, kein Haus,
> keine Stelle auf der ich lebe.
> Alle Dinge, an die ich mich gebe,
> werden reich und geben mich aus.

Nur das Nirgendwo, diesen Eindruck vermittelt das Gedicht, behaust den Dichter, den die Zeit verwundet hat und dem die Sinne in ihrer Funktion fragwürdig geworden sind. Wen die Zeit verläßt, der empfindet deswegen nicht unbedingt schon ein Gefühl von Ewigkeit; zunächst schmerzt ihn dieser Verlust. Um so unmittelbarer sieht sich

---

[4] Ebd.
[5] Ebd., S. 361.
[6] Rilke, Sämtliche Werke Bd. I, S. 511 f.

daher „der Dichter" den Dingen ausgeliefert, die ihm freilich den Verlust
an Verwandlung in der Zeit nicht ersetzen können. Daß sie den Dichter
„ausgeben", bedeutet eben gerade nicht, daß er sich dabei verwandelte;
er wird vielmehr im wahrsten Sinne des Wortes nur verschwendet.

Die Hinwendung des Künstlers zu den Dingen bringt ihm zwar
Gewinn, vor allem in Gestalt neuer Einsichten in ihr Wesen und damit
einer Vervollständigung seines Weltbildes; aber seine Gefährdung liegt
darin, daß er seine ganze Existenz an die Dinge verlieren kann. Mir
erscheint es wichtig, hier auf eine dialektische Beziehung in Rilkes
Schaffen hinzuweisen, die bei allem uns heute an ihm fremd anmutenden „Rühmen" und „Preisen" in seinen überschwenglichsten Versen
seine wahre „Modernität" mitbegründet: aus der frühen „naiven"
Freude an den Dingen entwickelte sich Kritik an ihnen, je mehr sich
Rilke auf sie einließ. So wie er später in den ›Sonetten an Orpheus‹ von
sich fordert, das „jubelnde Aufsingen" der ›Duineser Elegien‹ zu vergessen, so bezieht er auch schon in die Ding-Dichtung seine Kritik an
den Dingen mit ein. Die uralte Dialektik von Geist und Materie wollte
Rilke in seinen ›Neuen Gedichten‹ und ihrer Fortsetzung (›Anderer
Teil‹, 1908) offenbar aufheben. Nicht zufällig schließt die Sammlung
mit einem Buddha-Gedicht, in dem Rilke das Wort „Meditation" wörtlich versteht und die Mitte des Seins verherrlicht.

Aber die angestrebte Synthese wollte nicht gelingen; wann immer
Rilke vom Eigensten, vom Dichter, in den ›Neuen Gedichten‹ spricht,
bricht die Synthese der Mitte wieder auf. So etwa in der letzten Strophe
des Gedichts ›Der Tod des Dichters‹[7]:

> O sein Gesicht war diese ganze Weite,
> die jetzt noch zu ihm will und um ihn wirbt;
> und seine Maske, die nun bang verstirbt,
> ist zart und offen wie die Innenseite
> von einer Frucht, die an der Luft verdirbt.

Das in der Maske verdinglichte Antlitz des Menschen wurde gerade in
Rilkes Pariser Zeit zu einem wichtigen Bild. Man denke an die eindringliche Stelle im ›Malte Laurids Brigge‹, die von Maltes Begegnung mit
der Totenmaske Beethovens berichtet.[8] In der ›Vierten Duineser Elegie‹

---

[7] Ebd., S. 495 f.
[8] Rilke, Sämtliche Werke Bd. VI, S. 778 f.

aber wehrt sich Rilke dann gegen die Maske und spricht sich für die Puppe aus („Ich will nicht diese halbgefüllten Masken, / lieber die Puppe. Die ist voll"); und wieder stehen wir vor einem dialektischen Bezug. Was nämlich bedeutet die Maske im Hinblick auf Rilkes Ding-Verständnis und seine ursprüngliche Absicht, sich selbst *mit* den Dingen zu finden?

Gemeinhin steht die Maske für Erstarrung oder im Falle des Gedichts ›Der Tod des Dichters‹ für den Prozeß des Erstarrens. Aber hier betont Rilke eigens die Verwandlung der Maske selbst, jenes dem Menschen abgenommenen Dings. In der Maske konzentriert sich der dinghafte oder dingbezogene Teil der menschlichen Existenz. Im existentiellen Verständnis hatte bereits Nietzsche die Maske ins Spiel gebracht. In ›Jenseits von Gut und Böse‹ finden sich Stellen, die das Verständnis der Maske im Werk Rilkes erleichtern, ist doch mit hoher Wahrscheinlichkeit davon auszugehen, daß Rilke auch mit diesem Werk Nietzsches vertraut war. Nietzsche nun schreibt:

Alles, was tief ist, liebt die Maske ... Jeder tiefe Geist braucht eine Maske: mehr noch, um jeden tiefen Geist wächst fortwährend eine Maske, dank der beständig falschen, nämlich *flachen* Auslegung jedes Wortes, jedes Schrittes, jedes Lebens-Zeichens, das er gibt. ... Jede Philosophie *verbirgt* auch eine Philosophie; jede Meinung ist auch ein Versteck, jedes Wort auch eine Maske.[9]

Demnach verdeckte die Maske das Tiefe des Menschen. Sie wächst ihm zu als sein durchs Äußere gegangenes und dadurch verflachtes Selbst, an dem der dichterisch-philosophische Geist aber paradoxerweise Gefallen findet. Die Maske ist bei Nietzsche eine Art greifbares Zerrbild des sich bewußten Menschen.

Weniger grotesk gibt sich die Maske in Rilkes Arbeiten aus der Pariser Zeit. Rilkes Unwillen gegenüber der Maske spricht sich freilich erst in der ›Vierten Duineser Elegie‹ aus. Aber schon in seinem Gedicht ›Der Tod des Dichters‹ lernen wir die Maske als das nach außen gekehrte Innere des Künstlers kennen, als seine sichtbare Reife zum Tode.

Nur die Maske, das „menschliche Ding", verausgabt sich, wenn es, um mit den Zeilen des Gedichts ›Der Dichter‹ zu sprechen, den ster-

---

[9] Friedrich Nietzsche, Jenseits von Gut und Böse. In: Werke Bd. III, hrsg. von Karl Schlechta, Frankfurt–Berlin–Wien 1979, S. 49.

benden schöpferischen Menschen, ihr Urbild, „aufgibt". Die anderen Dinge, die weniger Abbild des Menschen sind als die Maske, gewinnen beim Absorbieren und Ausgeben der menschlichen Energie, die der Künstler für sie aufwendet.

Was bedeutet das nun im Hinblick auf Rilkes so früh gestellte Frage nach den Möglichkeiten der Selbstfindung im schöpferischen Prozeß? Zunächst doch nur so viel, daß Rilkes früh gefordertes „Mit-den-Dingen-Sprechen" offenbar von der Beschaffenheit des jeweiligen Dings abhängt; die Maske zum Beispiel eignet sich dafür nicht.

Für das, was man „Zeitgeist" nennen kann, ist es nicht unerheblich, daß der mögliche Zusammenhang zwischen Selbstfindung und Dingwelt nicht nur Gegenstand des lyrischen Schaffens dieser Jahre gewesen war, sondern auch, wenngleich um knapp ein Jahrzehnt versetzt, der philosophischen Reflexion. „Ich will mich innehaben", so schrieb Ernst Bloch zu Beginn seines Kapitels „Selbstbegegnung" im ›Geist der Utopie‹. Und diese Absicht verbindet sich auch bei Bloch mit Dingen, mit Glas und Krug, mit Gebrauchsgegenständen, die, wie er ausdrücklich vermerkt, „nichts Künstlerisches an sich haben" [10]. Diese wirkungsvolle Unauffälligkeit nun wünschte sich Bloch für das Kunstwerk. Dabei hatte Bloch die Annäherung an den „Geist der Utopie" im Sinn, also die Bestimmung des existentiellen Ortes im Ortslosen. Dieser „Ort" gibt sich in unserem Verhältnis zum Ding zu erkennen. Bloch führt aus: „Und doch bin ich noch unter dem Glas, aus dem ich trinke. Indem ich es bewege und das Glas schließlich zum Mund führe, stehe ich freilich darüber, und das Glas dient mir." [11] Hier liegt augenscheinlich das Gewicht zunächst auf der physikalischen Seite unserer Beziehung zum Ding; ihr Gehalt ergibt sich dann aus unserem Wissen über es: der Krug mag ein Kunstgegenstand sein oder ein Serienerzeugnis für den Gebrauch, sein Wert kann sich aus seiner Geschichtlichkeit ergeben oder aus seinem Material – immer verbindet sich beim frühen Bloch ein Gefäß mit der Innewerdung des Menschen.

Rilke dagegen hatte diese Innewerdung buchstäblich in jedem Ding

[10] Ernst Bloch, Geist der Utopie, 3. Aufl. Frankfurt 1980, S. 19. (Es steht übrigens zu vermuten, daß zumindest eine indirekte Vermittlung zwischen Rilke und Bloch im Berliner Salon von Gertrud und Georg Simmel sich zutrug.)
[11] Ebd., S. 17.

gesucht. Es bedurfte des Abstands von der herkömmlichen Dingwelt, um dies zu ändern. Die Nordafrika-Reise im Sommer des Jahres 1911, die Rilke auch nach Ägypten führte, schuf diesen räumlichen Abstand und mußte den Dichter dazu angeregt haben, sein Verhältnis zu den Dingen neu zu durchdenken. Das Ergebnis dieser Selbstprüfung liest sich im ersten der drei Lou Andreas-Salomé gewidmeten, nach der Nordafrika-Reise geschriebenen Gedichte eindeutig genug:

> Ich hielt mich überoffen, ich vergaß,
> daß draußen nicht nur Dinge sind und voll
> in sich gewohnte Tiere, deren Aug
> aus ihres Lebens Rundung anders nicht
> hinausreicht als ein eingerahmtes Bild;
> daß ich in mich mit allem immerfort
> Blicke hineinriß: Blicke, Meinung, Neugier.
> Wer weiß, es bilden Augen sich im Raum
> und wohnen bei. Ach nur zu dir gestürzt,
> ist mein Gesicht nicht ausgestellt, verwächst
> in dich und setzt sich dunkel
> unendlich fort in dein geschütztes Herz.[12]

Ich zitiere dieses Gedicht nicht wegen seiner kruden Mischung aus Unmittelbarkeit und Abstraktion, nicht wegen seiner gestelzten Sprache, sondern wegen Rilkes Selbstkritik, die aus diesen Zeilen spricht. Lerne vergessen, daß du jedem Ding dich hingabst, so möchte ich analog zu Rilkes Worten in den ›Sonetten an Orpheus‹ („Lerne vergessen, daß du aufsangst") den Gehalt dieser Verse zusammenfassen. Nicht nur der „Ball" und der „Panther" existieren im uns umgebenden Raum, sondern auch der menschliche Bezug, den Rilke offenbar durch ein zu intimes Verhältnis zu den Dingen für gefährdet hielt.

Ägypten hatte Rilke der unwiderstehlichen Wucht großer, aber in sich geschlossener Formen ausgesetzt; in Rilkes Augen genügten sich die Pyramiden und Sphinxe in ihrer „Großheit" selbst. Ihre Maße erschreckten und erhoben ihn zugleich. Das siebte Gedicht ›Aus dem Nachlaß des Grafen C. W.‹ bezeugt Rilkes fortwährende „ortsbestimmenden Versuche" und sein Bemühen, dem reisenden Suchen seinen Sinn abzugewinnen. Anhaltspunkt bleibt abermals das Ding:

[12] Rilke, Sämtliche Werke, a. a. O., Bd. II, S. 39.

> . . . Oh sieh, was ist Besitz,
> solang er nicht versteht, sich darzubringen?
> Die Dinge gehn vorüber. Hülf den Dingen
> in ihrem Gang. Daß nicht aus einem Ritz
> dein Leben rinne. Sondern immerzu
> sei du der Geber . . .[13]

Was Rilke hier im Umkreis der ersten Entwürfe zu den ›Duineser Elegien‹ ausspricht, klingt ähnlich wie der eine oder andere Vers mancher Ding-Gedichte um 1907. Aber ein wesentlicher Gedanke bereicherte und veränderte das Ding-Bild Rilkes: sich den Dingen hinzugeben, bedeutet ein sinnvolles Opfer.

Aber was genau opfert man – und opfert man den Dingen oder durch die Dinge? Eigentlich opfern wir – nach Rilke – der immer drohenden Spaltung von Ich und Ding, von Subjekt und Objekt, als verhielte sich diese Spaltung zu uns wie ein zürnender Gott, den es zu besänftigen gilt. Und wir opfern diesem Gott der Spaltung unsere Behaustheit und Geborgenheit. Daher befinden wir uns auf ständiger Wanderschaft. Sobald wir ein vermeintliches Ziel erkennen, wie im Gedicht die Sphinxallee, dann geht uns wenig später auf, daß auch dort keine Bleibe sein kann; denn: „Der Wächter an dem Eingang gab uns erst / des Maßes Schreck"[14].

Nun hatte Rilke auch schon vor seiner Ägypten-Reise zwischen jenen Dingen unterschieden, die in sich eine zwingende Geschlossenheit darstellen, und solchen, deren Form zur Offenheit tendiert. ›Der Reliquienschrein‹ steht beispielsweise für jene Geschlossenheit, während ›Die Kathedrale‹ das Offene mit einbezieht. Daneben kennt Rilke Zwischenformen, die an sich eine geschlossene bauliche Einheit bilden, aber Öffnung ermöglichen; ein solches Ding ist ›Der Balkon‹.

In Rilkes Gedicht ›Die Kathedrale‹ deutet schon die parodierte Form des Sonetts, dessen Verlängerung „fast groteske Ausmaße annimmt"[15], auf ein Über-sich-hinaus-Weisen des „Dings" Kathedrale. Auch die einzelnen Bauteile der Kathedrale, wie zum Beispiel ›Das Portal‹, ›Die Fensterrose‹ und ›Das Kapitäl‹ deuten auf das Offene oder dienen ihm.

---

[13] Ebd., S. 120.
[14] Ebd., S. 118.
[15] Judith Ryan, Umschlag und Verwandlung. München 1972, S. 64.

„Sehr viele Weite ist damit gemeint", so beginnt das zweite ›Portal‹-Sonett.[16] Und dennoch sieht sich die Öffnung eingebunden in den auch den Dingen nicht fremden organischen Kreislauf:

> ... alles aufwärtsjagend,
> was immer wieder mit dem Dunkel kalt
> herunterfällt, wie Regen Sorge tragend
> für dieses alten Wachstums Unterhalt.[17]

Eine in Rilkes Sprachsinn „reine" Offenheit wäre daher ebenso eine Utopie wie eine für den Menschen problemlose, verträgliche Geschlossenheit des Daseinsbereichs. Denn, um in der sakralen Welt zu bleiben, ein Ding wie der Reliquienschrein, ein vom Künstler, dem Goldschmied, als geschlossene (ästhetische) Einheit geschaffenes Werk, stellt das Dasein seines Schöpfers in Frage.[18] Die eigene Kunst bezwingt den Künstler. Diese Art „Ding" scheint nicht einmal mehr das Opfer unserer Behaustheit anzunehmen, das dem „offenen Ding" gegenüber noch vermeintlichen Sinn machte.

Beide aber, die absolute Geschlossenheit wie auch die absolute Offenheit repräsentierenden Dinge, stehen uns letztlich fern. Uns kommen die „Zwischen-Dinge" zu, Balkone zum Beispiel. Es ist kein Zufall, daß Rilke in einem Gedicht einen *Balkon* an sich bedichtet und in einem anderen eine *Dame auf einem Balkon*.[19] Im Zwischenbereich des Halboffenen oder Halbgeschlossenen findet sich unsere Existenz oder besser: es wird ihr ermöglicht, sich dort zu finden.

Rilke hatte nun diese in den ›Neuen Gedichten‹ entwickelte Unterscheidung zwischen offener und geschlossener Form auf den durch Ägypten erweiterten Erlebnisbereich angewendet. Pyramide und Sphinx stehen als geschlossene Einheiten der zuvor gewohnten Großform, der Kathedrale, gegenüber. Ein „Zwischending" ist hier nicht in Sicht, allenfalls das eigene Selbst, als Ding, als Käfig gefaßt, in dem die „Schrecken spielen", wie es in Rilkes Fragment ›Man muß sterben weil man sie kennt‹ (Aus den Sprüchen des Ptah-hetep, Handschrift um

---

[16] Rilke, Sämtliche Werke, a. a. O., Bd. I, S. 499.

[17] Ebd., S. 502.

[18] Vgl. dazu Ryan, a. a. O., S. 38.

[19] Rilke, Sämtliche Werke, a. a. O., Bd. I, S. 619.

2000 v. Chr.) heißt. Ein Verweis auf einen erstaunlich ähnlichen Gesamtentwurf mit ebenso bemerkenswert gleichen Bildsymbolen kann, wie ich meine, für das Verständnis dieser Zusammenhänge hilfreich sein: ich denke an Ernst Blochs Aussagen über den Raum in seinem Hauptwerk ›Das Prinzip Hoffnung‹.

Für Bloch vermittelte die ägyptische Pyramide den Wunsch nach einer „geschlossenen Welt- und Lebensverfassung"[20]. Der Raum, den die Pyramide umschließt, *ist* Dauer; das Organische hat in ihm keinen Platz. „In der fanatischen Geometrisierung der gesamten ägyptischen Kunst spricht sich ihre Bau-Utopie aus. Todeskristall als geahnte Vollkommenheit, kosmomorph nachgebildet"[21], schreibt Bloch. Dem setzt er die gotische Kathedrale gegenüber als Symbol des anderen, „imaginativ eröffnenden Lebens- und Freiheitsraum[s]"[22]. Seine Sympathie gehörte dieser „offenen Utopie", aber seine Kritik an der Abgeschlossenheit entwickelte sich an der den Pyramiden zugrundeliegenden Konzeption, dem „Raumglauben".

Zu bedenken ist hier, daß die Utopie, das Nirgendwo, an sich schon Kritik am Glauben an einen geschlossenen Raum beinhaltet. Denn die Utopie im strengen Wortsinn negiert den begrenzten Raum geradezu, beziehungsweise sie setzt seine Offenheit voraus.

Bloch predigte die Vorläufigkeit unseres Tuns, sah jede Art von „Erfüllung" mit dem Schleier der Melancholie umgeben und fand zu einer Ontologie des Noch-nicht-Seins, deren Zentrum die Kategorie der Möglichkeit bildete.[23]

Möglichkeiten entwickeln sich nur in offenen Systemen; aber die unabweisbare Grenze der Möglichkeiten und damit der Utopie ist – nach Bloch – der Tod. Somit ist der geschlossene Raum der eigentliche Ort des Todes. Kommt im Tod die Welt nur deswegen zu sich selbst, weil sie sich nicht mehr um das Lebendige kümmern muß?

---

[20] Eberhard Simons, Das expressive Denken Ernst Blochs. Freiburg–München 1983, S. 201. (Vgl. auch meine Rezension des Buches in: Philosophischer Literaturanzeiger, 38/1985 Heft 2, S. 109–111.)

[21] Zit. nach Simons, ebd., S. 203.

[22] Ebd., S. 224.

[23] Hermann Wiegmann, Ernst Blochs ästhetische Kriterien und ihre interpretative Funktion in seinen literarischen Aufsätzen. Bonn 1976, S. 14.

II

An einer Stelle in ›Das Prinzip Hoffnung‹ hat Bloch tatsächlich Rilke zitiert, und zwar die Schlußverse der ›Neunten Duineser Elegie‹: „Ja der Satz von der währenden Nichtbegegnung beider (Tod und Kern des Existierens) erfüllt sich in einem viel tieferen Sinn, eben in Ansehung des noch ungeborenen, also auch der Gruft unzugänglichen Grundimpetus, der in den Menschen, wenn auch verschieden stark, konzentriert ist." Und darauf folgt das Rilke-Motiv: „Kindheit und Zukunft werden in ihm nicht weniger, noch jenes überzählige und ungemessene Dasein, das sein Resultat nicht dahin hat." [24] Zum Bestand des „Grundimpetus", einer Art individualisiertem *élan vital*, gehört also die gelebte Erinnerung an die Kindheit und ihr Sinn, der sich uns als Zukunft erschließt. Gerade in der ›Neunten Elegie‹, der Bloch dieses Motiv entnommen hat („Siehe, ich lebe. Woraus? Weder Kindheit noch Zukunft / werden weniger ... Überzähliges Dasein / entspringt mir im Herzen"), hatte sich Rilke wieder auf die Vermittlung der Dinge bezogen. Selbst das menschliche Gefühl sah Rilke in dieser Elegie kristallisiert in einem Ding, das jetzt weniger problembeladen wirkt als verehrungswürdig. Vom „glücklichen Ding" ist die Rede, somit von einem emotionalisierten Objekt. In der ›Neunten Elegie‹ feiert Rilke das Hier und Jetzt als die räumliche und zeitliche Unmittelbarkeit der Dinge. Daß daraus sogar „überzähliges Dasein" entspringen kann, der neue Gefühlswert, bezeugt daher Rilkes Anliegen, die Einheit der Zeit zu gestalten.

Darüber hinaus vermittelt die ›Neunte Elegie‹ etwas, das mich dazu bewog, von Rilkes „erlittener Utopie" zu sprechen. Was damit gemeint ist, läßt sich aus ihrer Reihe absoluter Folgerungen entnehmen: „Also die Schmerzen. Also vor allem das Schwersein, / also der Liebe lange Erfahrung, – also / lauter Unsägliches. Aber später, / unter den Sternen, was solls: *die* sind *besser* unsäglich." [25] Das Ortslose, „Utopische" zählt demnach ebenfalls zum Unsäglichen, das in Rilkes Werk seinem Begriff und Gehalt nach ebenso zweideutig zu verstehen ist wie das

---

[24] Zit. nach: Rilkes Duineser Elegien, Bd. III, hrsg. von Ulrich Fülleborn und Manfred Engel, Frankfurt a. M. 1982, S. 269.

[25] Rilke, Sämtliche Werke Bd. I, S. 718.

„Utopische" selbst. Zum einen benennt es einen unantastbar reinen Bereich, ein im doppelten Sinn vom Dichter zu bestehendes „Meta-Physi-
kum", zum anderen stellt es, versteht man das Unsägliche als eine Art
Prüfung, eine ständige Herausforderung an den Sprachbegabten dar;
schließlich will er auch das noch so entlegen Wirkende aussagen.

Das Unsägliche, die versuchte Einheit der Zeit durch die Vermittlung
eines Dings, und die Hoffnung, die aus dem Leiden erwächst, sehen
sich auf bedeutende Weise in einem der Gedichte aus dem Zyklus ›Im
Kirchhof zu Ragaz Niedergeschriebenes‹ vereinigt: es handelt sich um
das Mitte Juli 1924 geschriebene dreiteilige Gedicht ›Das (nicht) vorhandene Kindergrab mit dem Ball‹[26]. Seine Dialektik umgreift die Gegenwart und Vergangenheit eines, wie im Titel ausdrücklich vermerkt,
nicht vorhandenen „Etwas" sowie eine aus diesen fiktiven Zeit- und
Seinszuständen abgeleitete, in die Zukunft weisende Einsicht. Ein
Motiv des Gedichts, der Ball, sein Flug und dessen symbolische Bedeutung, mutet wie ein Selbstzitat an, sofern man an Rilkes berühmtes
Gedicht ›Der Ball‹ aus dem Zyklus ›Neue Gedichte. Anderer Teil‹
denkt.[27]

Werfer und Geworfenes finden sich im Tod vereinigt. Kein anderes
Symbol aber als der daliegende Ball erinnert an das tote Kind, das mit
ihm gespielt hatte. Die Identität des Kindes hat sich somit auf das ihm
liebste Ding übertragen, um auf diese Weise „dinglich" weiterzuwir-
ken. Zweimal erwähnt Rilke in diesem Gedicht das Wort „Gesetz", das
auch hier sich eher im Sinne Stifters naturverwoben als schicksalverhaf-
tet darstellt, dessen Sanftheit aber in Frage steht; denn dieses Gesetz
gehört zu einem Leben, „wo immer wieder Wurf und Sturz sich stört"[28].

Was bleibt, heißt Täuschung. Der von seinem Werfer sinnbegabte
Ball meint, „im Fall, der zunimmt, uns zu heben". So schätzen uns die
Dinge falsch ein, wohl weil wir ihnen von Anfang an einen falschen
Sinn beigegeben haben. Erst in der Ruhe, wenn der Ball als Ding zu
sich selbst gekommen ist, erst im Tod des Werfers scheint die Sinn-

[26] Rilke, Sämtliche Werke Bd. II, S. 172–175.
[27] Siehe dazu den Beitrag von Otto H. Olzien, Rilkes „Der Ball". Sprache
und Ontologie, in: Germanisch-Romanische Monatsschrift 29/1978, S. 183–
193.
[28] Rilke, Sämtliche Werke Bd. II, S. 173.

widrigkeit im Bezug zwischen Ding und Mensch beseitigt. Aber bleibt nicht die Täuschung weiterhin bestehen? Handelt es sich nicht um ein erdachtes Kindergrab, um einen erdachten Bezug des verwaist daliegenden Balls? Sein Betrachter verknüpft mit ihm unwillkürlich einen (in diesem Falle kindlichen) Besitzer, er bedenkt die Funktion seines „Hierseins", weniger die Sache selbst. Aber klingt da nicht Rilkes frühe Forderung nach, *mit* den Dingen zu sprechen anstatt *von ihnen*? Wenn die Möglichkeiten und Bedingtheiten des Dings, hier des Balles, denen des Menschen im Prinzip entsprechen, wenn im Ballwurf auch die Kraft des Daseinsentwurfs liegt, dann erfüllt sich in einer solchen Konzeption das Reden mit den Dingen.

Rilkes Gedächtnis sei „dinggesättigt" gewesen, hatte Friedrich Gundolf in hymnischer Prosa behauptet.[29] Nein, „gesättigt" eben gerade nicht. Rilkes Bejahung des Leidens darf nicht mit Absättigung verwechselt werden, nicht einmal mit Fatalismus, sondern meint Lebensvollzug. Seine Zaubervokabel dafür hieß: „Leisten", ein Wort, das heute in Mißkredit geraten ist, ursprünglich aber einen sittlichen Wert bezeichnete, wie überhaupt die ethischen Imperative im Werk Rilkes gegen sein Ende hin häufiger wurden. Die ›Sonette an Orpheus‹, jene Künstlernovelle in Versen, versammelte sie alle – von: „Wolle die Wandlung"[30] zu: „Sei allem Abschied voran"[31] bis: „Daß doch einer, ein Schauender, endlich ihren langen Bestand / staunend begriffe und rühmte"[32]. Weiß sich hier schließlich das Ästhetische im Ethischen aufgehoben?

Aber Rilke stellte in seinen ›Sonetten an Orpheus‹ eine noch dringlichere Frage: die nach dem Ort. „Aber ist nicht am Ende ein Ort, wo man das, was der Fische Sprache wäre, *ohne* sie spricht?"[33] oder: „Singe die Gärten, mein Herz, die du nicht kennst; wie ein Glas / eingegossene Gärten, klar, unerreichbar"[34] und bedrohlicher noch: „Wehe, wo sind wir?"[35]

Max Kommerell hatte seine Deutung der ›Duineser Elegien‹ mit dem

[29] Friedrich Gundolf, Rainer Maria Rilke. Wien 1937, S. 27.
[30] Rilke, Sämtliche Werke, a. a. O., Bd. I, D. 758 (II, 12).
[31] Ebd., S. 759 (II, 13).
[32] Ebd., S. 763 (II, 19).
[33] Ebd., S. 765 (II, 20).
[34] Ebd., S. 766 (II, 21).
[35] Ebd., S. 768 (II, 26).

Satz zusammengefaßt: „Rilke ist der Dichter des Bezugs"[36]; ja, aber doch wohl des Bezugs zu der alles in Frage stellenden Bezugslosigkeit. Nicht mit Zukunft und Utopie habe Rilke gehandelt, so Kommerell, sondern mit der Innigkeit des hiesigen und augenblicklichen Lebens.[37] Aber diese Innigkeit ist ja gerade Utopie; unsere Zeit läßt es uns spüren, Rilke nahm dieses Gefühl vorweg. Die Innigkeit im Bezug? Gibt Rilke nicht deutlich zu verstehen, daß auch im Bezug der Tod herrscht? „Sei immer tot in Eurydike", ruft er seinem Künstler Orpheus zu. Statt dessen empfiehlt er den reinen Bezug als ein Schlafen mit den Dingen; nein, utopischer, ortsloser geht es wirklich nicht! Und wenn einmal der Ort anschaulich wird wie die Gärten von Isphahan oder Schiras (oder die Wüste in der ›Zehnten Elegie‹), dann bleiben sie eben „klar, unerreichbar", steril.

Rilkes Frage nach dem Wo gewann aber nicht erst bei der Niederschrift der ›Sonette‹ diese Dringlichkeit. Die unmißverständlich existentielle Not, die sich mit ihr verknüpft, drängte ihn zu folgendem zum ›Testament‹ zählenden Bekenntnis: „Was für Kräfte haben sich verabredet, in meinem Herzen zusammenzutreffen? . . . Sie ziehen sich zurück, wenn sie es bewohnt finden."[38]

Zum einen meint dieser Satz, daß ein bestehender Bezug keinen weiteren zuläßt; zum anderen vermitteln diese Sätze Rilkes Wissen, daß ein Bezug niemals sich selbst genügt und, obgleich er bereichert, doch auch insofern verarmt, als neue Einwirkungen auf keinen bereiteten „Herzgrund" treffen und damit verlorengehen.

Im Bezug, weder im „reinen" noch im persönlichen, vermag ich Rilkes Suchen nach Hoffnung nicht erfüllt zu sehen. (Ein solches Suchen brauche ich Rilke nicht eigens zu unterstellen, denn jedes geschriebene Dichterwort bezeugt eine Hoffnung.) Ich meine aber, diese Suche findet Widerhall im zweiten Teil der ›Sonette‹, vor allem im Wort „atmen".

Der Atemrhythmus bestimmt den Rahmen des zweiten Teils der ›Sonette‹. Atem schafft Raum, so lesen wir im ersten und letzten Sonett

---

[36] Max Kommerell, Rilkes Duineser Elegien. In: Gedanken über Gedichte. Frankfurt a. M. 1943, S. 501.
[37] Ebd., S. 500.
[38] Rilke, Das Testament. Hrsg. von Ernst Zinn, Frankfurt a. M. 1975, S. 42.

des zweiten ›Orpheus‹-Zyklus. Im natürlichen Atem scheint Rilke den einzigen „Bezug" zwischen Innen und Außen gefunden zu haben, der ihm im physikalischen, philosophischen und ästhetischen Sinn „wahr" erschien.

Doch selbst dieser „atemvoll" harmonisch wirkende Bezug sollte Rilke nicht bleiben. Jene zwei späten Gedichte, die den Atem noch einmal in den Mittelpunkt stellen, zeigen, wie sich ihm der Atem entfremdete und damit der letzte Bezug – außer dem zum Tod. Der zweite Teil der Trilogie ›Ô Lacrimosa‹ spricht diese Entfremdung an:

> Nichts als ein Atemzug ist das Leere, und jenes
> grüne Gefülltsein der schönen
> Bäume: ein Atemzug!
> Wir, die Angeatmeten noch,
> heute noch Angeatmeten, zählen
> diese, der Erde, langsame Atmung,
> deren Eile wir sind.[39]

Hier findet kein Austausch mehr zwischen Außen und Innen statt; an der Atmung haben wir keinen oder nur passiven Anteil. Zwar *hoffte* Rilke weiterhin auf ein „neues Atemfeld", das der Wind zu pflügen in der Lage wäre.[40] Aber um welchen Atem es sich auch handeln mag, er wendet sich schließlich gegen den Menschen. Und was dieser Atem an Substanz enthält, findet sich in einem Gedichtentwurf, der zeitlich einige Monate vor ›Ô Lacrimosa‹ liegt:

> Irgendwo blüht die Blume des Abschieds und streut
> immerfort Blütenstaub, den wir atmen, herüber;
> auch noch im kommendsten Wind atmen wir Abschied.[41]

Dem einen Naturgesetz des Atmens steht hier das andere des natürlich verbreiteten Abschieds gegenüber. Es kann nicht überraschen, daß Rilke in diesem Zusammenhang nicht mehr nach dem Ort des Daseins fragt. Er wird angesichts der blütenstaubähnlichen Verbreitung des Abschieds unerheblich. Dem Abschied begegnen wir überall. Scheinbar ungebrochen obsiegt aber der Rhythmus unseres Lebensgesetzes:

---

[39] Rilke, Sämtliche Werke, a. a. O., Bd. II, S. 183.
[40] Ebd., S. 185.
[41] Ebd., S. 502.

> zu der stillen Erde sag: Ich rinne.
> Zu dem raschen Wasser sprich: Ich bin.[42]

Diese Version der Goetheschen Systole und Diastole hat auch ihre Kehrseite:

> Geh in der Verwandlung aus und ein.
> Was ist deine leidendste Erfahrung?
> Ist dir Trinken bitter, werde Wein.[43]

Die im Werk Rilkes immer wieder beschworene Verwandlung bedeutet, wie diese Verse – ganz im Gegensatz zu Goethes Verständnis der Metamorphose – besagen, auch Anverwandlung des Leidens. Zu leiden und dabei selbst die Substanz des Leidens zu sein, das bedingt gleichsam die Würde der Subjektivität. Im Wort „Wein" verbanden sich für Rilke wohl elementare („dionysische") und im Sinne des Abendmahls vergeistigte Werte; insgesamt stellen die ›Sonette an Orpheus‹ ohnehin einen Versuch dar, eine lyrische Künstlerbiographie über Orpheus zu schreiben und gleichzeitig das Naturhafte in die Gewalt zu bekommen; dann nämlich hört, wie Adorno einmal mit Blick und Ohr auf Gustav Mahler gesagt hat, die Utopie auf, romantisch zu sein.[44] Und diesen wiederum philosophischen Bezug auf Mahler wähle ich nicht nur wegen des *bonmot*. Viele der Gedichte Rilkes sind nämlich im gewissen Sinn ein großes *Lied von der Erde*, ohne deswegen teutonisch bodenständig zu klingen. Weder Mahler noch Rilke ging es um germanischen „Boden", sondern um universalen Weltengrund; doch weder der eine noch der andere verlor darüber sein Verhältnis zum natürlichen Dasein.

Der vergleichende Blick auf Mahler ruft nochmals Rilkes Gedicht ›Das (nicht vorhandene) Kindergrab mit dem Ball‹ in Erinnerung, sofern man an Mahlers ›Kindertotenlieder‹ denkt. Und wieder halte ich ein Adorno-Wort für eine hilfreiche Erhellung. In den ›Marginalien zu Mahler‹ schreibt er: „Wohl aber sind die Toten unsere Kinder. . . . Die Toten werden in Kinder transfiguriert, denen das Mögliche noch möglich wäre, weil sie nicht gewesen sind."[45]

---

[42] Rilke, Sämtliche Werke, a. a. O., Bd. I, S. 771 (II, 29).

[43] Ebd.

[44] Theodor W. Adorno, Gesammelte Schriften Bd. 18, hrsg. von Rolf Tiedemann und Klaus Schultz, Frankfurt a. M. 1984, S. 230 (in: Mahler heute).

[45] Adorno, Marginalien zu Mahler, ebd., S. 235f.

Was hier auf Mahlers musikalische Bearbeitung der Verse Friedrich
Rückerts gemünzt ist, trifft auf den Kern des Rilke-Gedichts: der Mög-
lichkeit an sich gilt das Augenmerk, die sich – im Falle Rilkes – im
Dinglichen konkretisiert. Diese so wenigstens andeutungsweise „ding-
fest" zu machende Utopie schlägt dann aber in der späten Dichtung
Rilkes um in den Versuch einer Utopiekritik.

Aus Rilkes Daseinsentwurf entwickelt sich zwar seine in die Zukunft
weisende Entsprechung; aber sie genügt sich nicht selbst. Die immer
wieder im Werk Rilkes zu beobachtende Selbstzurücknahme, obgleich
sie nach außen hin weniger spektakulär wirkt als die Nietzsches, steht
an Intensität jener in ›Ecce Homo‹ in nichts nach. Ich greife nur die
mittleren Verse des letzten von Rilke geschriebenen Gedichts heraus:

> Ganz rein, ganz planlos frei von Zukunft stieg
> ich auf des Leidens wirren Scheiterhaufen,
> so sicher nirgend Künftiges zu kaufen
> um dieses Herz, darin der Vorrat schwieg.[46]

Ich wähle diese Verse nicht nur, weil sie zu Rilkes letzten und „hoff-
nungslosesten" gehören, sondern auch zu seinen gerade für unsere Zeit
bewegendsten. Und als solche wurden sie erkannt von Karin Struck bis
Christoph Meckel,[47] als etwas, was uns alle angeht.

Ein Gedicht über den Tod: „Komm du, du letzter, den ich aner-
kenne, / heilloser Schmerz im leiblichen Geweb." Hier werden die
Toten nicht mehr als Kinder aufgerufen, der Tod ist das Äußerste und
eben die „stärkste Nicht-Utopie", mit Bloch gesprochen. Von den
Möglichkeiten und Entwürfen frei zu werden, um schweigen zu dürfen, gilt Rilke als Vor-Schein des Todes, der im Sterben selbst wahr
wird. Von Verwandlung ist nicht mehr die Rede, der elegische Aufge-
sang verstummt, das Hörenlernen der ›Sonette an Orpheus‹ hat seinen
Sinn verloren. Die offene und geschlossene Hoffnungskonzeption gibt
ihre Bilder ab; Kathedrale und Pyramide üben keine Faszination mehr
aus: „Misch nicht in dieses was dich früher erstaunte"; mit diesem Vers
endet Rilkes erschütternder Abgesang. Daß sein Annehmen des Unwei-

---

[46] Rilke, Sämtliche Werke, a. a. O., Bd. II, S. 515.
[47] In: Rilke? Kleine Hommage zum 100. Geburtstag. Hrsg. von Heinz
Ludwig Arnold, München 1975.

gerlichen dennoch einem Akt der Freiwilligkeit ähnelt, den Anschein der individuellen Autonomie wahrend, bewirkt ein Gefühl der Würde in der Klage.

Vergangenheit bricht in diesen Versen an – mitten in der bedrohenden Gegenwart. Die Identität schwindet: „Bin ich es noch, der da unkenntlich brennt?" Aber die Vergangenheit bietet keine Ausflucht in angenehme Erinnerungen; der Leidende verbietet sie sich, entsagt ihr. Bevor der Tod ganz anzunehmen ist, gilt es, vergessen zu lernen, was man gewesen ist. Die wenigen Dinge, die das Gedicht noch einmal aufruft, das Holz, der Scheiterhaufen, dienen nicht mehr der Selbstfindung oder der Vermittlung zwischen dem Hier und Morgen. Sie sind zu abgelebten Symbolen geworden, die in der verzehrenden Flamme des Selbst aufgehen.

Rilke kennzeichnet das Leben als ein „Draußensein", als ein Raumgreifendes. Die Innerlichkeit dagegen hat sich in ihm entzündet: „Und ich in Lohe". Beherrschte gerade im Spätwerk Rilkes der Raum sein Schaffen, der, wie neuere Interpretationen zeigen, sogar der Zeit „ihre natürliche Zeitlichkeit" nahm und sie verräumlichte,[48] so verliert der Raum gerade im letzten Gedicht Rilkes seine Bedeutung.

Angesichts des alles überwältigenden Leidens verblassen Ortsbestimmungen; der Raum braucht nicht mehr näher bezeichnet zu werden. Das Leiden selbst macht ortlos; nur das sich verzehrende Selbst ist schmerzlich – im Innern des Menschen – zu orten. Die Utopie selbst sieht sich so um ihren positiven Gehalt gebracht. Das „Noch-Nicht" bezieht sich nunmehr nur noch auf das Eintreten des Todes. In Innerlichkeit verfangen, klingt der Ausruf „O Leben, Leben: Draußensein" zwar noch nach Hoffnung, ohne aber ein verläßliches „Prinzip" zu verkörpern. Dieses „Draußensein" ist Gegenstand des Abschieds. Abschied weht aus der Kehle desjenigen, um mit den Worten Rilkes zu sprechen, die der in seiner späten Übersetzung des ›Narziß‹ von Paul

---

[48] Vgl. dazu: Käte Hamburgers Beitrag ›„. . . Und die Zeit ist Raum". Zu Rilkes Anschauungsform‹. In: Zeit der Moderne, hrsg. von Hans Henrik Krummacher, Fritz Martini und Walter Müller-Seidel, Stuttgart 1984, S. 436. Ebenso meinen Vortrag ›„. . . und Musik überstieg uns . . ." Zu Rilkes Deutung der Musik‹. In: Blätter der Rilke-Gesellschaft, Heft 10/1983, S. 50–68, bes. S. 53 ff.

Valéry gebrauchte, der zu diesem letzten Ausruf findet.[49] Die innere Flamme, die den ganz verinnerlichten Menschen aufbraucht, gebricht des Heroismus, der noch aus Nietzsches wohlbekanntem Gedicht ›Ecce Homo‹ mit verzweifeltem Bekennermut spricht: „Flamme bin ich sicherlich."

Aber die Haltung des in physischen und psychischen Qualen „verbrennenden" Rilke erinnert doch an seinen Landsmann Jan Hus, der in Rilkes böhmischem Bereich seines Bewußtseins von Jugend auf fest verankert gewesen war. Rilke, der Märtyrer der Innerlichkeit? In jedem Fall aber ein Mensch, dem nur noch Narziß als wirklicher Gesprächspartner geblieben war. Die vom 4. bis 11. Juni 1926 übertragenen ›Fragmente zum Narziß‹ von Paul Valéry sprechen für sich. Wie alle Valéry-Übertragungen gehören auch die ›Fragmente zum Narziß‹ zu den Kostbarkeiten in Rilkes Werk, zumal sie Stellen enthalten, die Rilkes Selbstbekenntnisse sein könnten:

> Doch ich, geliebtester Narziß, ich habe nichts
> als meinen Kern verstanden;
> die andern gehn vorbei, unkenntlichen Gesichts,
> alle wie nicht vorhanden.[50]

Was in den Narziß-Gedichten vom April 1913 noch ungebrochen als künstlerische Notwendigkeit galt, nämlich die Verinnerlichung, Rilke gebrauchte dafür das Wort „einlieben" im Sinne von „einatmen"[51], ja, was selbst noch im dritten Sonett des zweiten Teils der ›Sonette an Orpheus‹ in günstigem Licht steht, nämlich der schöpferische Prozeß als Erlösung, auch das nimmt Rilke zurück. Daß er sich mit Narziß vergleicht und damit eingesteht, das Äußere, das Leben verkannt zu haben, steigert nur noch die Tragik, die aus Rilkes letztem Gedicht spricht. Er sieht wie Moses das Gelobte Land, das Leben heißt, er weiß von ihm, aber ebenso ist ihm bewußt, daß er es nicht betreten wird.

[49] Rilke, Gesammelte Werke Bd. VI, Leipzig 1927, S. 380.
[50] Ebd., S. 376.
[51] Rilke, Sämtliche Werke, a. a. O., Bd. II, S. 56 und 393. Vgl. zur Interpretation der Narziß-Gedichte: Irina Frowen, Rilke, Lou Andreas-Salomé und Freud. In: Symposion „Rainer Maria Rilke und Österreich" (Linz 1984). Hrsg. von Joachim W. Storck (im Druck).

Das Leben wird zu einem „Land, das ferne leuchtet", mit Mörikes ›Orplid‹-Gedicht gesprochen, eine im herkömmlichen Verständnis entrückte Utopie.

Und doch ist das kein Geringes, seinen „Kern zu verstehen". Wäre somit Selbsterkenntnis nur durch radikalen Narzißmus möglich? Ermöglichten demnach weniger die Dinge als Narziß Selbstfindung, womit wir bei Rilkes Ausgangsfrage angelangt wären?

Man möchte Nietzsche zitieren, eine Stelle aus der ›Geburt der Tragödie‹, in der er in anderem Zusammenhang vom Spiegel spricht, „in dem früher nur die großen und kühnen Züge zum Ausdruck kamen" und der „jetzt jene peinliche Treue" zeigt, „die auch die mißlungenen Linien der Natur gewissenhaft wiedergibt" [52].

Im Akt der Selbstbespiegelung aber verwischen sich die Konturen des „Erkenne-dich-selbst" und des künstlerischen Weiterbildens am Selbst. Schwerer dagegen wiegt der Verlust an Welthaftigkeit, sosehr er auch der ästhetischen Vervollkommnung dient. Diese beiden Welten miteinander zu vereinigen, vermochte letztlich auch Rilke nicht mehr; kein auch noch so schöner Vers kann darüber hinwegtäuschen. Zum so gepriesenen Dasein gehören ebenso die Greuel, die der junge Rilke in ›Frau Blahas Magd‹ schilderte, später im ›Malte Laurids Brigge‹ gültiger und verrucht städtischer neu gestaltete; zum gerühmten Hiersein gesellt sich das Grauen der Geschichte, neben den Hoffnungsbauten der Kathedrale und der Pyramide verfällt das Stammhaus der Brigges. Dieser Zerrissenheit noch einmal Einheit abzugewinnen, das Menschliche als Kunst und die Kunst als ein Menschliches unverbildet zu lieben, dem sah sich Rilke zwar nahe, aber es zerrann ihm schließlich unter den Händen. ›Die Fragmente zum Narziß‹ schließen in Rilkes Übertragung:

> Das scheue Liebesziel, das du dir auserlesen,
> zieht wie ein Schauer hin und bricht Narziß und flieht . . . [53]

Flieht – ins Nirgendwo, das wir mit Rilke teilen und dessen Inneres wir selbst bewohnen, unsicher geworden, ob dieses Nirgendwo, diese „Utopie", Zuversicht oder Verzweiflung birgt. Weil Rilke auch aus diesem Zweifel heraus schrieb, bleibt er ein zeitgenössischer – Narziß.

---

[52] Friedrich Nietzsche, Die Geburt der Tragödie, in: Werke Bd. I, a. a. O., S. 65.

[53] Rilke, Sämtliche Werke, a. a. O., Bd. VI, S. 380.

AUSWAHLBIBLIOGRAPHIE

(Neben den nachfolgend genannten Bibliographien möchte ich auf die in den Blättern der Rilke-Gesellschaft von Karl Klutz fortlaufend besorgte Rilke-Bibliographie hinweisen.)

WERKE, TAGEBÜCHER UND BRIEFE

Rilke, Rainer Maria: *Sämtliche Werke in 6 Bdn.* Hrsg. vom Rilke-Archiv. In Verbindung mit Ruth Sieber-Rilke besorgt durch Ernst Zinn. Frankfurt a. M. 1955 ff.

Ders.: *Übertragungen.* Hrsg. v. Ernst Zinn und Karin Wais. Frankfurt a. M. 1927.

Ders.: *Gesammelte Werke.* Leipzig 1927 und 1930.

Ders.: *Werkausgabe in zwölf Bänden.* Hrsg. v. Ernst Zinn. Mit einer editorischen Notiz von Ernst Zinn. Frankfurt a. M. 1975.

Tagebücher aus der Frühzeit. Hrsg. v. Ruth Sieber-Rilke und Carl Sieber. Frankfurt a. M. 1973.

Briefe in sechs Bänden. Hrsg. v. Ruth Sieber-Rilke und Carl Sieber. Leipzig o. J.

Briefe an seinen Verleger, 1906 bis 1926. 2. Ausg., 2 Bde. Wiesbaden 1949.

Briefwechsel mit Marie von Thurn und Taxis. Mit einem Geleitwort von Rudolf Kassner, hrsg. v. Ernst Zinn. 2 Bde. Zürich und Wiesbaden 1951.

Briefwechsel mit Lou Andreas-Salomé. Hrsg. v. Ernst Pfeiffer. Zürich und Wiesbaden 1952 (erw. Neuausgabe 1979).

Correspondance avec Merline. 1920–1926. Hrsg. v. Dieter Bassermann. Zürich 1954.

Lettres Milanaises 1921–1926. Hrsg. v. Renée Lang. Paris 1956.

Briefe an Sidonie Nádherný von Borutin. Hrsg. von Bernhard Blume. Frankfurt a. M. 1973.

Briefe an Nanny Wunderly-Volkart. Hrsg. v. Niklaus Bigler und Rätus Luck. 2 Bde. Frankfurt a. M. 1977.

Briefe an Axel Juncker. Hrsg. v. Renate Scharffenberg. Frankfurt a. M. 1979.

Briefwechsel mit Anita Forrer. Hrsg. v. Magda Kerényi. Frankfurt a. M. 1982.

Briefwechsel mit Inga Junghans. Hrsg. v. Wolfgang Herwig. Wiesbaden 1959.

Briefwechsel mit Helene von Nostitz. Hrsg. v. Oswalt von Nostitz. Frankfurt a. M. 1976.

Briefwechsel mit Benvenuta (Magda von Hattingberg). Eßlingen 1954.
Briefe an die Gräfin Sizzo, 1921–1926. Wiesbaden 1950.
Briefwechsel mit Rolf Freiherrn von Ungern-Sternberg. Hrsg. v. Konrad Kratzsch. Leipzig 1980.
Briefwechsel mit Marina Zwetajewa und Boris Pasternak. Hrsg. v. J. Pasternak, K. Asadowskij. Aus dem Russischen von H. Pross-Weerth, Frankfurt a. M. 1983.

Rilke, Rainer Maria: *Stimmen der Freunde.* Hrsg. v. Gert Buchheit. Freiburg i. Br. 1931.
Rilke, Rainer Maria: *Leben und Werk im Bild.* Bearbeitet von Ingeborg Schnack. Mit einem biographischen Essay von J. R. von Salis. Frankfurt a. M. 1956.
Rilke, Rainer Maria: *1875–1975.* Ausstellungskatalog des Deutschen Literaturarchivs im Schiller-Nationalmuseum Marbach. Hrsg. von Joachim Storck mit Eva Dambacher und Ingrid Kußmaul. Stuttgart 1975.

LITERATUR

Albert-Lasard, Lou: *Wege mit Rilke.* Frankfurt a. M. 1952.
Allemann, Beda: *Zeit und Figur beim späten Rilke.* Pfullingen 1961.
Andreas-Salomé, Lou: *Lebensrückblick.* Aus dem Nachlaß hrsg. v. Ernst Pfeiffer. Neu durchgesehene Ausgabe mit einem Nachwort des Herausgebers. Frankfurt a. M. 1980.
Dies.: *Rilke.* Leipzig 1929.
Angelloz, J.-F.: *Rainer Maria Rilke. Evolution spirituelle du Poète.* Paris 1936.
Ders.: *Rilke.* Paris 1952.
Bassermann, Dieter: *Der späte Rilke.* Essen–Freiburg. 2., durchges. Auflage 1948.
Ders.: *Rilkes Vermächtnis für unsere Zeit.* Berlin–Buxtehude 1947.
Becker-Güll, Sibylle: *Vokabeln der Not. Kunst als Selbstrettung bei Rainer Maria Rilke.* Bonn 1978.
Betz, Maurice: *Rilke Vivant.* Paris 1937.
Bradley, Brigitte L.: *Zu Rilkes Malte Laurids Brigge.* Bern und München 1980.
Dies.: *Rainer Maria Rilkes „Der Neuen Gedichte anderer Teil": Entwicklungsstufen seiner Pariser Lyrik.* Bern und München 1976.
Brecht, F. J.: *Schicksal und Auftrag des Menschen. Philosophische Interpretationen zu Rilkes Duineser Elegien.* München 1949.
Buddeberg, Else: *Kunst und Existenz im Spätwerk Rilkes.* Karlsruhe 1948.
Byong-Ock, Kim: *Rilkes Militärschulerlebnis und das Problem des Verlorenen Sohnes.* Bonn 1973.
Cämmerer, Heinrich: *Rainer Maria Rilkes Duineser Elegien. Deutung der Dichtung.* Stuttgart 1937.

Engelhardt, Hartmut: *Materialien zu Rilkes „Die Aufzeichnungen des Malte Laurids Brigge".* Frankfurt a. M. 1974 (1984).

Ders.: *Der Versuch, wirklich zu sein. Zu Rilkes sachlichem Sagen.* Frankfurt 1973.

Eppelsheimer, Rudolf: *Rilkes larische Landschaft. Eine Werkdeutung, mit besonderem Bezug auf die mittlere Periode.* Stuttgart 1975.

Faesi, Robert: *Rainer Maria Rilke.* Zweite, leicht veränderte Auflage mit einer Rilke-Bibliographie von Fritz Adolf Hünich. Zürich–Leipzig–Wien, o. J.

Fülleborn, Ulrich: *Das Strukturproblem der späten Lyrik Rilkes. Voruntersuchung zu einem historischen Rilke-Verständnis.* Zweite, durchgesehene Auflage, mit einem Bericht und einer Auswahl-Bibliographie zur Rilke-Forschung seit 1960. Heidelberg 1973.

Fülleborn, Ulrich, Manfred Engel: *Rilkes Duineser Elegien.*
  Bd. I: *Materialien zu Rilkes Duineser Elegien: Selbstzeugnisse.* Frankfurt 1980.
  Bd. II: *Forschungsgeschichte.* Frankfurt 1982.
  Bd. III: *Rezeptionsgeschichte.* Frankfurt 1982.

Grimm, Reinhold: *Von der Armut und vom Regen. Rilkes Antwort auf die soziale Frage.* Königstein 1981.

Hamburger, Käte: (Hrsg.) *Rilke in neuer Sicht.* Stuttgart 1971.

Dies.: *Rilke. Eine Einführung.* Stuttgart 1976.

Heller, Erich: *Nirgends wird Welt sein als innen. Versuche über Rilke.* Frankfurt a. M. 1975.

Höhler, Gertrud: *Niemandes Sohn. Zur Poetologie Rainer Maria Rilkes.* München 1979.

Holthusen, Hans Egon: *Rainer Maria Rilke in Selbstzeugnissen und Bilddokumenten.* Reinbek bei Hamburg 1958.

Jayne, Richard: *The Symbolism of Space and Motion in the Works of Rainer Maria Rilke.* Frankfurt a. M. 1972.

Jesi, Furio: *Rilke.* Firenze 1971.

Kassner, Rudolf: *Rilke. Gesammelte Erinnerungen 1926–1956.* Hrsg. v. Klaus E. Bohnenkamp. Pfullingen 1976.

Kippenberg, Katharina: *Rilkes Duineser Elegien und Sonette an Orpheus.* Frankfurt a. M. 1946.

Kramer-Lauff, Dietgard: *Tanz und Tänzerisches in Rilkes Lyrik.* München 1969.

Kunisch, Hermann: *Rainer Maria Rilke. Dasein und Dichtung.* Berlin 1944.

Kunle, Fritz: *Bibliographie der Vertonungen von Texten R. M. Rilkes.* Kehl 1980.

Leppmann, Wolfgang: *Rilke. Sein Leben, seine Welt, sein Werk.* Bern–München 1981.

Lucques, Claire: *Le poids du monde. Rilke et Sorge.* Paris 1962.

Meauprince, Natalie: *Rilke et les Roses.* Paris 1953.

Nalewski, Horst: *Rainer Maria Rilke und seine Zeit*. Leipzig 1985.

Olzien, Otto H.: *Rainer Maria Rilke. Wirklichkeit und Sprache*. Stuttgart 1984.

Ritzer, Walter: *Rainer Maria Rilke. Bibliographie*. Wien 1951.

Rose, William: (Hrsg.) *Rainer Maria Rilke. Aspects of his Mind and Poetry. With an introduction by Stefan Zweig*. London 1938.

Salis, Jean Rudolf von: *Rilkes Schweizer Jahre. Ein Beitrag zur Biographie von Rilkes Spätzeit*. Frankfurt a. M. 1975.

Samimi, Minou: *Rilke and Sufism. Rainer Maria Rilke's Expedition into Islamic Mysticism* (London, im Druck).

Sandford, John: *Landscape and Landscape Imagery in Rainer Maria Rilke*. London 1980.

Schlötermann, Heinz: *Rainer Maria Rilke. Versuch einer Wesensdeutung*. München–Basel 1966.

Schnack, Ingeborg: *Rilke. Chronik seines Lebens und Werkes*. 2 Bde. Frankfurt a. M. 1975.

Schrank, Willi: *Sein und Erziehung im Werke R. M. Rilkes. Ein Beitrag zur Phänomenologie erziehlicher Welthaltung*. Weimar 1931.

Schwarz, Egon: (Hrsg.) *Zu Rainer Maria Rilke. Interpretationen*. Stuttgart 1983.

Ders.: *Das verschluckte Schluchzen: Poesie und Politik bei Rainer Maria Rilke*. Frankfurt a. M. 1972.

Seifert, Walter: *Das epische Werk Rainer Maria Rilkes*. Bonn 1969.

Simenauer, Erich: *Rainer Maria Rilke. Legende und Mythos*. Frankfurt a. M. 1953.

Ders.: *Der Traum bei Rilke*. Bern 1976.

Simon, Walter: *Verzeichnis der Hochschulschriften über R. M. Rilke*. Darmstadt 1978.

Stahl, August: *Rilke, Kommentar zu den „Aufzeichnungen des Malte Laurids Brigge", zur erzählerischen Prosa, zu den essayistischen Schriften und zum dramatischen Werk*. München 1979.

Ders.: *Rilke-Kommentar zum lyrischen Werk*. München 1978.

Steiner, Jacob: *Rilkes Duineser Elegien*. Bern–München 1962.

Steiner, Johannes: *Rilkes Verhältnis zu seiner Zeit*. Gießen 1936.

Stephens, Anthony: *Rilkes Malte Laurids Brigge. Strukturanalyse des erzählerischen Bewußtseins*. Bern–Frankfurt a. M. 1974.

Storck, Joachim W.: *„Emanzipatorische Aspekte im Werk und Leben Rilkes"*, in: *Rilke heute: Beziehungen und Wirkungen*. Bd. 1, hrsg. von Ingeborg H. Solbrig und Joachim W. Storck. Frankfurt a. M. 1975, S. 247–285.

Ders.: *Politisches Bewußtsein beim späten Rilke*. In: Recherches Germaniques 8 (1978), S. 83–112.

Wolf, Ernest M.: *Stone into Poetry. The Cathedral Cycle in Rilke's Neue Gedichte*. Bonn 1978.

REGISTER

Namen

Begriffe

Rilkes Werke

DOING BUSINESS WITH THE NAZIS

DOING BUSINESS WITH THE NAZIS

Britain's Economic and Financial Relations with Germany 1931–1939

NEIL FORBES
Coventry University

With a Foreword by
RICHARD OVERY

FRANK CASS
LONDON • PORTLAND, OR

First published in 2000 in Great Britain by
FRANK CASS PUBLISHERS
Newbury House, 900 Eastern Avenue
London IG2 7HH

and in the United States of America by
FRANK CASS PUBLISHERS
c/o ISBS, 5824 N. E. Hassalo Street
Portland, Oregon 97213-3644

Website www.frankcass.com

British Library Cataloguing in Publication Data:
Forbes, Neil
    Doing business with the Nazis: Britain's economic and
    financial relations with Germany, 1931–1939
    1. Great Britain – Foreign economic relations –Germany
    2. Great Britain – Foreign relations – Germany 3. Great
    Britain – Foreign relations – 1936–1945 4. Germany –
    Foreign relations – Great Britain 5. Germany – Foreign
    relations – 1933–1945 6. Great Britain – Economic
    policy – 1918–1945 7. Great Britain – Commerce –
    Germany – History – 20th century 8. Germany –
    Commerce – Great Britain – History – 20th century
    I. Title
    337.4'1'043'09043

        ISBN 0-7146-5082-X (cloth)
        ISBN 0-7146-8168-7 (paper)

        Library of Congress Cataloging-in-Publication Data:
Forbes, Neil
    Doing business with the Nazis: Britain's economic and
    financial relations with Germany, 1931–1939 / Neil Forbes.
        p. cm.
    Includes bibliographical references and index.
    ISBN 0-7146-5082-X (cloth)
        1. Great Britain – Foreign economic relations – Germany.
    2. Germany – Foreign economic relations – Great Britain.
    3. Great Britain – Commercial policy. 4. Nazis.
    I. Title.

    HF1533.Z4 G34 2001
    337.41043'09'043–dc21   00-057004

Printed in Great Britain by
MPG Books Ltd, Bodmin, Cornwall

Contents

List of Illustrations

List of Tables

Foreword

One day in July 1945, the former German Economics Minister, Hjalmar Schacht, found himself under interrogation in an internment camp about why he had thrown in his lot with the Hitler government in 1933. The elderly, thoroughly bourgeois banker was distraught at being treated like a common criminal. At one point Schacht broke down when he thought about his friend Montagu Norman, the governor of the Bank of England. What if he appeared in court and said 'Schacht, you have become a scoundrel'? Schacht, the interrogators recorded, 'cried bitterly'.[1]

The relationship between Schacht and Norman dated back to the 1920s; Norman was godfather to one of Schacht's children. The personal bond became strained during the late 1930s as the political antagonism between the two states, Britain and Germany, became more marked. But Schacht still saw himself as a member of that special club of international financiers whose work he supposed could transcend the grubby world of popular politics. His place among the war criminals of the Third Reich he hotly contested, and the tribunal at Nuremberg finally acquitted him on all counts. His historical reputation has revived. The German economic recovery in the 1930s has come to be seen as his brainchild, before it was hijacked by the Party radicals to boost Germany's preparations for war.

The link with Norman was symptomatic of the deeper ties between the business communities of the two countries. These ties survived the shift to a Hitler regime in 1933. In most respects Britain was an important economic partner up until 1939 and the outbreak of war. The nature of that relationship has never before been properly explored. Neil Forbes has succeeded with scrupulous scholarship in reconstructing the complicated story of British-German economic relations, together with the motives and objectives that lay behind them. Britain was a major trader and lender to Germany, and did not want to lose that position at a critical time for the British economy. The Germans needed credit lines abroad and access to the raw materials and foodstuffs from Britain's Empire. Economic expediency, then as now, could always bridge the most incompatible political divide.

The temptation half a century later is to argue that Britain deliberately aided and abetted German Fascism; British businessmen and politicians can be portrayed as fellow-travellers, more hostile to communism than to national socialism. Economic appeasement seems to confirm the conventional Marxist view that capitalism in crisis gravitated towards right-wing authoritarianism. Norman can be seen to be as guilty as Schacht in underestimating Nazi radicalism and facilitating the establishment of a criminal regime bent on war and genocide. The great merit of *Doing Business with the Nazis* is the recognition that British policy towards Germany in the 1930s had a practical economic core to it, and was not the product of pro-fascist sympathies, any more than the current vast trade with Communist China suggests that western liberal governments endorse one-party dictatorships and the suppression of human rights. Britain traded with a great many unpleasant regimes in the 1930s. This was not yet an age of political correctness.

Forbes demonstrates convincingly that British business reacted to the Hitler regime in ways principally designed to improve their own economic interests. German government control over currency transfers, trade flows and debt repayment created an entirely new context for German relations with the external economy. British bankers and manufacturers needed the assistance of the government in navigating the new system, and protecting established claims. Schacht's presence helped to assure the British that the new government would not embark on a radical economic course. Policy was always more concerned with safeguarding British capitalism than with offering succour to dictatorship. When the political relationship soured in 1939, Forbes shows that British business did not try collectively to sustain appeasement and sell Poland short. Businessmen on both sides would have preferred peace, but their power to influence the political and military establishment was negligible in both states. Though it is sometimes recalled that Allied soldiers were shot at with shells containing copper bought from British Empire sources, it is also the case by the late 1930s that German machine tools helped to build British weapons. Trade has its own rationality. It was Norman who said with regret in 1938 that international economic relations were now characterised by 'politics and not ethics'.[2]

In this sense *Doing Business with the Nazis* highlights a central issue of our age. Why has it not proved possible to trade and loan abroad on entirely personal grounds? The explanations presented here for the survival of British-German economic links in the Hitler period show that there are no easy answers to what appears a deceptively straightforward question. For those currently debating the morality of trading with dictatorships, this admirable history should be required reading.

Richard Overy
King's College, London
September 2000

NOTES

1. Imperial War Museum, Speer Collection, Box S366, interrogation of Hjalmar Schacht, 31 July 1945, p.8.
2. Bank of England, German central bank papers, file S.89 (1), letter from Montagu Norman to Thomas Lamont, 24 August 1938, p.1.

Acknowledgements

In traversing the frontiers between disciplines I have depended on the advice and wise counsel freely offered by a number of scholars, colleagues and friends. It was a great privilege, and my good fortune, to be guided by Leslie Pressnell at an early stage of this study. I would also like to thank the following for their helpful comments: Robert Boyce, Mike Dorrington, Michael Gasson, Lesley Gordon, Edwin Green, Henry Gillet, John Keyworth, Frank Magee and Clemens Wurm. I would like to extend my thanks to Rosemary Lazenby for helping to make my visit to New York a fruitful and pleasant experience. For advice on how to arrange parts of the manuscript, I am indebted to Ian Talbot. In particular, I would like to thank Mike Strutt for generously devoting a considerable amount of time to read draft chapters; many improvements were made to the text under his expert guidance. I am especially grateful to Richard Overy for supporting the project over a lengthy period, for his incisive observations and for ideas on how to structure the book. In all respects, of course, I am entirely responsible for any remaining errors and inconsistencies.

For permission to reproduce copyright and other material I gratefully acknowledge the following: The Bank of England; University of Birmingham; Department of Special Collections and Western Manuscripts, Bodleian Library, University of Oxford; Archives Division, British Library of Political and Economic Science; BP Amoco Archive; Churchill Archives Centre, Churchill College, Cambridge (Phipps Papers); Confederation of British Industry; the Editors of the *Economic History Review*; Federal Reserve Bank of New York Archives; Group Archives, HSBC Holdings plc, Midland Bank Archives; The Robinson Library, University of Newcastle upon Tyne (Runciman Papers); and the Vickers Archives, Cambridge University Library.

Most of all, I have depended on the support and encouragement given to me by Pamela, Cassie and Ellen.

North Oxfordshire
Christmas 1999

Glossary and Abbreviations

Bank for International Settlements (BIS): owned by the major central banks, the BIS was set up at Basle, Switzerland, in 1930, to manage German reparations transfers.

Clearing agreement: a method of settling international trade and financial claims by avoiding the foreign exchange market. As Germany enjoyed a favourable balance of trade with Britain, the latter could have imposed a unilateral agreement. This would have required British importers of German goods to have paid their debts, in sterling, to a clearing office. British creditors would then have had their claims against Germany settled by payments from this office.

Committee of Imperial Defence (CID): comprising leading members of the British Cabinet and Chiefs of Staff of the three services; the Committee sought to create a unified approach to defence policy.

Federation of British Industries (FBI): predecessor organization of the Confederation of British Industry.

Golddiskontbank: a central banking body set up in the Weimar Republic in 1924 to facilitate the flow of credits from abroad and alleviate Germany's shortage of capital. Under the Nazis the bank bought blocked marks, at a large discount, for free currency.

Import Duties Advisory Committee (IDAC): set up in 1932 to advise on the level of duties imposed on imports entering Britain.

Industrial Intelligence Centre (IIC): set up in secret by the CID in 1930 to analyse the industrial and economic condition of potential enemy powers and consider how Britain might conduct economic warfare.

International Standstill Agreement (Standstill): the agreement, signed in 1931 and renewed until 1939, under which Germany's international short-term debts were frozen.

Joint Committee of British Short-Term Creditors (Joint Committee): formed in 1932 to act on behalf of British creditors involved in the Standstill; the Joint Committee comprised representatives from banks and acceptance houses.

Konversionskasse: an office set up in 1933 to collect the interest and sinking fund (amortization) payments on Germany's foreign debts and convert a proportion of the amount into scrip (blocked mark certificates).

Reichsmark (Rm): the official German currency, which remained linked to gold. As the Nazis refused to devalue, the Reichsmark became, in practice, a domestic currency. International transactions frequently used one of the many types of blocked marks.

Reichswirtschaftministerium (RWM): German Economics Ministry.

1 billion: 1,000 million

Abbreviations in Notes and Bibliography

BoE	Bank of England Archive
BP	BP Amoco Archive
Cmd	Command Papers
Parl. Deb.	Parliamentary Debates (Commons)
DBFP	Documents on British Foreign Policy
DGFP	Documents on German Foreign Policy
EcHR	*Economic History Review*
EHR	*English Historical Review*
FBI	Federation of British Industries Archives
FRBNY	Federal Reserve Bank of New York Archive
JCH	*Journal of Contemporary History*
JEEH	*Journal of European Economic History*
JMH	*Journal of Modern History*
MB	Midland Bank Archive
NA	National Archives, Washington, DC, USA
NC	Neville Chamberlain papers

At the Public Record Office:

CAB	Cabinet minutes, memoranda and papers
BT	Board of Trade files
FO	Foreign Office files
PREM	Prime Minister's office
T	Treasury files

The place of publication of sources cited in the notes and the bibliography is London unless otherwise stated.

1

Britain and the world economy

The Great Depression which began in 1929 was one of the pivots on which the twentieth-century world turned. International affairs in the inter-war years were mired in the related problems of reparations and war debts. In this sense, an economic dimension became a permanent, almost unchangeable, feature of the making of foreign policy. These developments had been predicted. In his famous philippic on the folly of the post-war peace settlement, Keynes had accused Sir Eric Geddes[1] of providing the 'grossest spectacle' in demanding that the German lemon should be squeezed until the pips squeaked. International trade, of which Anglo-German trade was of such importance, had worked with almost perfect simplicity until 1914 and it was trade-generated prosperity, Keynes argued, which would enable international co-operation to be restored and Britain to recover.[2] With the implementation of the Young Plan in 1929, hopes were raised that a line could be drawn under the problems of the post-war world: reparations were modified and a Bank for International Settlements (BIS) was established at Basle to receive and distribute the receipts.

But the arrival of the Great Depression made a mockery of plans to ensure financial stability: international investors first lost confidence and then panicked. When, in June 1931, Germany's credit crisis threatened to engulf the American banking system, President Hoover decided that a one-year moratorium on all intergovernmental debts was essential in order to avoid a global collapse. In the desperate search to find a solution to the problem of war debts and reparations before the expiry of the Hoover Year on 1 July 1932, British diplomacy was successful in persuading the Young Plan countries to paper over their differences.[3] When reparations were effectively annulled at the Lausanne Conference in 1932 internationalism appeared to be reborn. The question was whether Lausanne had come too late to enable the Weimar Republic to avoid political extremism; the resentful reaction of the German public to the settlement indicated that success would be fleeting. At this crucial juncture, Britain turned to consider the impending Ottawa Conference. But how could the policy on Empire be reconciled with the policy to save Europe?

The rise of Hitler made the question all the more poignant. Britain was turning away from Europe and embracing economic nationalism at the same time as the Weimar Republic faced collapse. Many in public and private life began to suspect that there was nothing coincidental about this synchronism. By abandoning the gold standard in 1931 and adopting Imperial Preference the following year, a great swath was cut across traditional economic relationships, particularly those between Britain and her important European trading partners. At the very least it was not difficult to imagine how change on such a scale would help to make Europe less rather than more politically stable. If Britain was doubtful about the extent of her power in the world, few doubted that it was wrong to exclude the issue of European stability from any list of responsibilities. One of the purposes of this book, therefore, is to show how the disorientating and disturbing effects of Britain's economic volte-face cast a deep shadow over the 1930s as a whole.

As the effects of the international economic and financial crisis dragged on, voices in the democracies calling for stabilization were drowned by the nationalist trumpeting of extremist ideologies. With the development of international markets for all kinds of goods, liberal democracies have been forced to contend with the dilemma of how to conduct peacetime trade with authoritarian and oppressive states which threaten to make war. When Hitler achieved power in 1933 Europe was confronted with a problem of unknown proportions. As the nature and significance of National Socialism became clearer in the course of the 1930s, Britain struggled to maintain commercial and financial relations with the Third Reich. But, with the international political climate deteriorating, Britain's dilemma became acute. International trade was in the nation's economic interest. But what kind of trade should be carried on with a state which was powerfully rearming? More to the point, by doing business with the Nazis was Britain helping to ensure the survival of the nation in the event of war?

Issues concerning the Great Depression, economic recovery, the managed economy and rearmament in the 1930s continue to demand the attention of economic historians. Yet, surprisingly, the study of Britain's commercial and financial relations with Nazi Germany has been neglected. Economic considerations figure in political and social histories, but largely as evidence of the policy of appeasement. In the continuing and emotive debate on the origins of the Second World War, the National Government of the 1930s has been more frequently condemned, especially by the political left, than exonerated. Typical of the genre is a work by Noreen Branson and Margot Heinemann in which Chamberlain is castigated for behaving as if Birmingham business ethics and municipal accounting would deal with the crisis and with Hitler. Worse than this, they accuse Chamberlain of looking to strike a profitable business deal between his own industrial supporters and Hitler's, which would allow German industry to find outlets in eastern Europe and Britain to continue in her old way.[4] Parker's recent and succinct survey, *Chamberlain and Appeasement*, is rather more authoritative in pointing out that economic approaches to the Nazi government were political in aim; economic advantages would follow later.[5] Paul Einzig, the journalist and author, was a contemporary critic of government policy. He was the first to attempt to show a consistency of purpose running through apparently isolated and individual acts of what he termed 'economic appeasement'. Einzig held the City of London responsible for pursuing a disastrous economic policy towards Germany and especially blamed Montagu Norman, the Governor of the Bank of England.[6]

Within the extensive literature on appeasement there are frequent allusions to the importance which should be attached to economic issues. In a landmark work, *The Roots of Appeasement*, the historian Martin Gilbert claims that the most serious efforts at appeasement, unbeknown to the general public, took place in the world of economics and trade. But while Gilbert points to various plans embraced by British officials in the 1930s, he does not explain what economic appeasement amounted to in practice.[7] One of the criticisms levelled at Gilbert's study concerned his analysis of the British Foreign Office. In emphasizing the desire of the Foreign Office to regain the initiative in foreign economic policy-making and, in the mid-1930s, to reach an agreement with Germany, W.N. Medlicott has pointed out that it was a question of how approaches were to be made. With the problems of economics and defence making up the substance of Anglo-German discussions after 1931,

Medlicott showed how the Foreign Office, or at least its Permanent Under-Secretary Robert Vansittart, was particularly disapproving of the activities of the Bank of England and the Treasury in negotiations with Germany.[8] The frustration felt by the Foreign Office is not difficult to identify. In a memorandum written for the Cabinet in 1934, Vansittart characteristically sounded the alarm. He feared that Germany was rearming by means of fraudulent bankruptcy and that autarky, or the drive to self-sufficiency, would make Germany less vulnerable in the next war. It was of the greatest significance, Vansittart suggested, that 'The City – whose policy in respect of Germany has been a mill-stone round the neck of this country – believes the Foreign Office is anti-German'.[9]

The use of the word 'appeasement' is, of course, one of the best examples of the elasticity of the English language. In the inter-war years it was understood to indicate international negotiation to relieve tension. With the coming of war the term suffered a degradation of meaning: appeasement represented a policy of simple piecemeal surrender to the dictators Hitler and Mussolini, in a futile attempt to ensure peace. In the early 1970s Bernd Jürgen Wendt, the German historian, set himself the task of releasing the term from a narrow political meaning. In *Economic Appeasement*, Wendt's intention was to substantiate the claims made by previous writers and to show that no clear line could be drawn between political and economic appeasement.[10]

Although controversial, Wendt's ideas continue to attract adherents.[11] His thesis is that the supporters of Anglo-German trade and finance continually exercised a considerable influence on the planning and execution of British policy. Wendt places heavy emphasis on the significance of capitalism. In looking for a re-establishment of political and economic trust as a basis for the revival of international trade and world prosperity, City institutions were prominent in regarding Nazi Germany, first and foremost, as belonging to the capitalist system of western Europe. They hoped, therefore, that a natural congruity of business interests would bridge political differences. According to Wendt, so long as the Third Reich wished to continue profitable trading and to remain a credit partner, interested circles were willing to overlook the repulsive and criminal practices of Nazism as an internal German affair.[12] But Wendt goes much further than this. He claims that a fusion of political-business interests between the City – especially the bankers – and the conservative-bourgeois National Government was a step away from being a conspiracy (*Verschwörung*).[13]

According to Gustav Schmidt, another German scholar, Wendt failed to show either the degree to which the articulations of various financial and economic interests were allowed to filter through the Cabinet committee system to infuence the decision-making process, or the grounds on which the government took decisions in favour of 'pro-German' economic interests. Consequently, Schmidt based his study on an encyclopaedic analysis of the ideas and schemes advanced by all those in political circles who could be counted as economic appeasers. Schmidt concludes that the importance of economic factors in influencing appeasement policies should not be overestimated.[14] But an examination of the substance of Britain's commercial and financial links with the Third Reich lies outside the compass of Schmidt's study.

Even today little is known about the interests of British industry and finance in relation to such a vital market as Germany in the inter-war years. In this respect it is important to understand the relationship between domestic structural change and global conditions between the two world wars. Apart from the deep and lasting psychological scars produced by the First World War, the delicate machinery of international economic and financial co-operation was left disrupted and never really recovered. A gradual amelioration in conditions promised a brighter future, but it is doubtful whether the 1920s were ever taken to be a new era in Europe. Indeed, the depression years of the 1930s were readily taken as evidence that the tasks of the preceding decade had not been achieved. International investment was moving to debt-ridden and war-damaged Europe from America instead of following the reverse movement of pre-war days. At the same time, gold flowed across the Atlantic from east to west. Uneasiness over these trends added to the sense of insecurity in important countries, such as Britain and Germany, which had not yet again found their place in the world economy.[15] International economic relations were conducted, therefore, in a climate of great uncertainty and bewildering change. With the rise of economic nationalism the system of multilateral trade and payments began to break down. Barely one-third of the century had passed and it seemed safe to consign to historians the study of how capital, labour and commodities moved freely across national boundaries.

Before 1914 Germany had rivalled Britain as the world export leader. Recovering in the 1920s, Germany had pulled ahead by 1930 and was ranked second to America. In terms of this global picture, Anglo-German bilateral trade was not insignificant. Both countries took a large share of the other's exports, with the trade balance lying in Germany's favour. Along with the Netherlands, Britain was, until 1932, by far the most important export market for Germany. The commodities traded covered a wide range of manufactured and finished goods, especially machinery, and also chemical products such as dyestuffs. Indeed, by imposing import duties in 1920 on a wide range of chemicals, Britain had tried to shut out German competition from the home market.[16] For British exports, especially those of coal, herrings and textiles, Germany was an important market. A White Paper, drawn up by the Board of Trade in 1919, looked to encourage British traders to compete in and secure a proper footing in the developing markets of the late enemy countries which had become open to the whole world.[17] Furthermore, just as in the decades before 1914, the accumulated fees paid to British shippers, insurers, bankers and commodity dealers by German industry provided invisible earnings which probably went a long way to offset the UK's deficit in visible trade with Germany.[18]

The coming of the depression was bound to cut into existing patterns of trade. But in the case of Germany's exports to Britain, the effects of the global downturn were then compounded by the depreciation of sterling and the imposition of British tariffs and Imperial Preference. The net result was that Germany's favourable trade balance declined from over £30 million in 1931 to about £5 million in 1932. French exports to the UK suffered a similar decline. It was not a matter of surprise, therefore, that British policy was far from popular in Europe. Even though Germany had herself imposed an average *ad valorem* 15 per cent duty on all imports as early as 1925, many were encouraged to attribute their political and economic ills to the lack of an empire, both as a source of raw materials and as a market for exports. In 1933 Britain once more assumed the place of the world's second greatest exporter and maintained it. But by the middle of the decade Germany – resurgent under National Socialism – was tending to improve her relative position.[19]

The rise of German industrial power in the second half of the nineteenth century was aided by the facilities London could offer for international trade. There was, in particular, a time-honoured tradition of financial transactions between the two countries. City houses provided finance not only for Anglo-German trade but also for the vast increase of raw material imports into Germany.[20] After 1918 British capital, in the shape of several different kinds of loan from several sources, formed a significant part of Germany's external debt. It was common, up to the Great Depression, for British banks to grant medium-term loans to German states and municipalities. However, the short-term credits made to German banks and industry were more important in terms of volume and function.

The problems of economics which acquired, for the first time, such an importance after the First World War, therefore placed new demands on government for economic management. It is questionable whether policy progressed very far down the road to interventionism during the 1930s. Fundamental change accompanied the depression, not because of any radical reassessment of *laissez-faire* thinking, but because new policies were implemented either on grounds of expediency or because short-term conditions forced them on a reluctant government. Ministers desired to intervene in the affairs of industry as little as possible.[21] Similarly, the role of economic doctrine in policy formation should not be overemphasized. What dictated policy was not official understanding of the tenets of economics but public attitudes. Leading politicians and Treasury officials shared certain fixed principles: the need to avoid risks, governmental retrenchment and an almost Gladstonian desire to reduce the public debt.[22] Theories which challenged this orthodoxy could make little headway; Keynesian ideas had taken to the offensive in the years before 1939 but there were many battles still to be fought.[23]

These qualifications notwithstanding, the 1930s witnessed a complete alteration in the direction of British economic policy and the adoption of entirely new purposes. At the beginning of the decade a *coup de théâtre* was staged. The first act was completely unplanned: with the suspension of the gold standard sterling was no longer fixed against the dollar and depreciated in value. The way was open for Britain to lower the bank rate to 2 per cent and establish a currency bloc based on sterling. Conversely, the second act – protectionism – had been rehearsed on political platforms since the end of the nineteenth century but was contingent on the first act.[24] Britain imposed tariffs on foreign imports and then, as a result of the Ottawa Conference in August 1932, Imperial Preference was established.[25] It is, perhaps, unrealistic to make much of a distinction between foreign economic policy and the domestic variety; domestic recovery owed a great deal to the cheap money policy. Nevertheless, the most decisive changes and the most significant attempts by government to aid recovery belonged to the external sphere.[26] What is pertinent to this study, however, is an analysis of what political and business circles in Britain felt the consequences of those measures to be.

Historians have interpreted the significance of the 1931 financial and political crisis in several ways. Peter Clarke argues that tariffs, in the context of the long-run of domestic politics, began to appear less important as soon as they were implemented.[27] The Conservatives had been prevented from bringing in protectionism by their election defeat of 1923. Now, in the guise of the National Government, they were presented with an opportunity to do so. Britain had experienced coalition governments before; but the idea that party considerations should be sacrificed for the greater good of the nation was unprecedented. If such elevated claims were to have any practical meaning, Ramsay MacDonald, the Prime Minister, needed the blessing of the Liberal Party as well as the endorsement of Baldwin and the Conservatives. The Cabinet decided to disagree publicly over the kind of protectionism which was to be imposed and Samuel and Snowden departed in protest over Imperial Preference. Thereafter, however, unity, or at least the appearance of unity, between ministers was of paramount importance.[28] Whatever the nature of opposition in or outside Parliament in the years which lay ahead, resignations, such as that of Anthony Eden in February 1938, were remarkable precisely because they were so rare.

The surviving National Liberals – Sir John Simon, who held several high offices of state throughout the 1930s, and Walter Runciman, President of the Board of Trade – appear to have enjoyed harmonious relations with their Cabinet colleagues.[29] Cowling stressed the significance of the class struggle in British politics. He saw 1931 as a victory for the forces of resistance and declared that, while liberal opinion remained important, *laissez-faire* was dead and buried by 1933. Chamberlain, the successful manager of the Conservative Party, received even the friendly attention of erstwhile Cobdenites who, in spite of Ottawa, believed in economic appeasement as the cure for war.[30]

Indeed, it is Walter Runciman who emerges from Philip Williamson's study of the crisis as a pivotal figure. When Runciman accepted the need to impose tariffs as a mechanism to defend the currency and economy, Conservative leaders were able to claim that protection was a 'national' policy. And Runciman's cogent arguments shaped the evolution of government policy thereafter.[31] Tariffs and Imperial Preference were thought of as temporary expedients. In introducing the bill on duties, Chamberlain told the House of Commons: 'We mean also to use it for negotiations with foreign countries which have not hitherto paid very much attention to our suggestions'.[32] Among other things, therefore, tariffs were to be used as a lever to restore 'fair' trade through bilateral agreements. It was particularly important for National Liberals to be able to show how the departure from free trade served the national interest. Sir John Simon justified bilateral trade agreements because they were so successful in securing increased exports for Britain.[33] Similarly, Runciman believed the policy was his special contribution to the Baldwin ministry – formed in June 1935. Runciman so resented any challenge to his authority to make and maintain trade treaties that he almost resigned from the Cabinet when, in 1936, it became divided over issues related to the agreement with Argentina, concluded three years earlier.[34]

As Clemens Wurm asserts, the economic changes had serious consequences for both foreign and domestic policy: Britain became entangled in the contradictions faced by any protectionist country and deep divisions were opened up between different sectors of the economy.[35] The political disorientation which followed the crisis of 1931, together with the constraints imposed by the Ottawa agreements and the needs of industry, all combined to frustrate hopes of breaking down tariff barriers. Later, the 1938 Anglo-American Trade Agreement, although a significant development in trade liberalization, actually confirmed the difficulties created by preference policies. Indeed, by focusing on Britain's commercial links with Germany it is possible to show that far from ending in 1932, Cabinet discord continued unabated as the new trade policies began to make their mark.

If the role of the 1931 crisis is considered in the context of long-term relative decline, it is important to remember that Britain was the only world power of any consequence in the 1920s and for most of the 1930s. Foreign observers continued to be impressed by British prestige.[36] Cain and Hopkins argue convincingly that the energy shown throughout the decade in pursuing resurgent imperialist ambitions hardly suggests that Britain was becoming moribund.[37] Nevertheless, while protectionist measures provided some respite from the ravages of the depression, concern over Britain's ability to command economic resources was no less prominent than it had ever been. In their annual defence review for 1932, the Chiefs of Staff noted the revolutionary change in the world situation since June 1931: the slump, the departure from gold and the general malaise in Europe were among the factors said to be involved.[38] Everywhere international investment was cut back in the aftermath of the financial crisis, capital repayments to creditor countries exceeded new loans and relations between debtors and creditors became strained. Because of her dependence on overseas trade, Britain also relied, more than any other power, on stability in international affairs. Yet, as Robert Boyce has written, it was obvious that the 1931 crisis had placed British capitalism at the crossroads: tariffs signalled the end of an era for the world, but the alternative to discrimination in international trade was not stability but the policies of extreme nationalism which increased the risk of war.[39] The National Government was continually preoccupied with the thinness of the veneer of British prosperity.

In addition to this distraction, the culture of domestic politics left many parliamentarians poorly equipped in the struggle to understand the significance of the ideology that underpinned authoritarian governments in Europe. While British statesmen rarely lacked guile and determination when defending national interests, they were also essentially pragmatic and moderate – the dominant values inherent in a parliamentary democracy. Eventually, as the concept of totalitarianism began to permeate the political discourse of the 1930s, Nazism came to be linked with communism.[40] In his recent biography of Baldwin, Williamson shows how the Conservative leader offered anti-totalitarianism and the need to rearm in the face of foreign threats as the justification for continuing with a national government.[41] But advocates of rearmament were always opposed by arguments about the need for prudence and stability in order to preserve the nation's economic resources.[42]

Whereas the desire to help in the economic recovery of Europe had once seemed admirable and sensible, it was not quite so appealing in the case of National Socialist Germany. Once Hitler's régime became established, various assumptions were made by government and influential interest groups in Britain about its nature. As in other areas of government, the administrative apparatus for the collation and analysis of intelligence was inadequate. While the Foreign Office ran the Secret Intelligence Service, each of the three service departments maintained its own independent-minded intelligence section.[43] In 1919 the Cabinet introduced the 'ten-year rule' and, in 1928, it was put on to a continuous basis. For as long as it applied, military chiefs were supposed to assume that Britain would not have to face a major war within the next ten years. The effects on military and defence policy were not necessarily all pernicious. Moreover, as the military-industrial sector continued to absorb a large share of national economic resources, it is possible to assert that Britain was more powerful than is often recognized.[44] Nevertheless, the delay, until 1932, in abandoning the ten-year rule could hardly have helped the experts in intelligence and strategy who had to plan how to resist emerging threats to national security.[45]

Political assessments in Britain came to be dominated by one idea: the course of events in the Third Reich would depend upon the degree of restraint Germany's 'moderates' could exercise over the 'extremists'.[46] On one side of this debate it was argued that a prosperous or 'fat' Germany would be good for British business and would enable the supposed moderates to exercise a stabilizing influence; on the other side it was held that prosperity would only facilitate Nazi rearmament – keeping Germany 'lean' would help, therefore, to preserve the peace in Europe. Armament exports could be proscribed while trade in war *matériel* could, in theory, be carefully monitored. But one of the lessons of the Great War was that most if not all commodities had a role to play in the prosecution of 'total war'.

In an age of economic nationalism, the principles of the free market inevitably fell into desuetude. Britain's business relations with the Third Reich were conducted within and regulated by a framework of several official or semi-official agreements. By far the most important was the 1934 Anglo-German Payments Agreement. Britain felt that it had driven a hard bargain and achieved a settlement more favourable than had any other country in Europe. Germany was allowed to enjoy a favourable trade balance in order to facilitate debt repayment of all kinds. Indeed, alone of creditor countries, Britain accomplished substantial liquidation of its old commercial claims. While the administration of the agreement fell to Germany, pledges were secured for the continued purchase of specific British exports, especially those of the struggling staple industries. Berlin's freedom to alter the terms of trade by means of Germany's comprehensive system of subsidy and licensing was thereby limited, the more so as subsidies for exports to Britain were probably extensive already because of sterling's depreciation. In negotiating the agreement British officials aimed to take up a strong bargaining position by acting as if the country could afford to turn to other export markets which was, of course, doubtful in the extreme. More importantly, Britain and the Empire were an unavoidable source of raw materials for industry in the Third Reich.

For this reason the Payments Agreement has always been criticized as an act of economic appeasement.[47] As hopes of preserving peace slipped away in the late 1930s, the evidence that the Third Reich was using her trade with the UK to build up a war reserve seemed compelling. Later, during war itself, Hubert Henderson, the economist, took issue with the claim that it had been impossible to interfere with this traffic, the significance of which was unmistakable, because this would have amounted to an offence against those principles of the liberal commercial code which still inspired respect. Henderson concluded that there was better reason for holding that the remains of economic liberalism helped the Axis powers to make war than that economic nationalism provoked them to it.[48] That the political complexion of the National Government is best characterized as a form of liberal Toryism is not in doubt.[49] But to suggest that the Payments Agreement was an example of sentimental attachment to an outmoded ideology, or to categorize it as an act of appeasement, is to be cavalier with the historical record. The intention of this book is to show that the agreement was a pragmatic and effective response to the multidimensional problems confronting Britain in the 1930s.

For officials who devised and initiated such bilateral structures there were virtually no precedents to follow. In this respect, as in many others, the corporate influence of the administrative class was at its peak in the 1930s. Although the sphere of government in the legalistic sense remained comparatively small, the Treasury, the Board of Trade and the Bank of England were becoming increasingly involved in domestic industry. The trend continued after 1931 to the extent that large interest groups (employers' organizations and trades unions) accepted the need for formal collaboration with the state in order that some kind of balance might be struck. In an increasingly hostile world, the tendency was for different sectors of society to band together. The change from government by parliamentarians to one dominated by a bureaucracy oriented towards the needs of the economy went forward slowly. Furthermore, the means to co-ordinate governmental business were only just being developed.[50]

The Treasury, especially, occupied a key role not just because of the perennial importance of financial matters but also because the offices of Permanent Head of the Home Civil Service and Permanent Under-Secretary of the Treasury were combined in the person of Sir Warren Fisher. The Second Secretary and Controller of Finance was Sir Richard Hopkins who, as the leading expert on fiscal matters and the principal link with the Bank of England, exercised a degree of influence which was not dissimilar to that of a Cabinet minister.[51] The same was true of Sir Frederick Leith-Ross who, in 1932, left his post of deputy to Hopkins to become Chief Economic Adviser to the government. Leith-Ross was based in the Board of Trade but he was occupied with the aspect of Treasury work which had developed after 1918: economic relations with foreign governments and financial institutions. Government departments tended to distrust most experts, although an exception was made for the financial experts in the Treasury and the Bank of England, with the former deferring to the judgement of the latter over matters of business confidence. After outstanding careers in the Treasury in the 1920s, Sir Otto Niemeyer and Henry Arthur Siepmann both joined the Bank and helped to reinforce the relationship between the two institutions.[52] Compelled to take into account a range of pressures, which included parliamentary opinion, the City, industrial interests, the reconciliation of conflicting departmental interests, as well as the strictly economic needs of the time, the Treasury was predisposed to be cautious in outlook.[53]

In the inter-war years the Foreign Office never recaptured the dominant position which it had held before 1914. Proposals advanced by Sir Victor Wellesley, Deputy Under-Secretary until 1936, caused such acrimony between departments that when the Commercial Diplomatic Service and the Department of Overseas Trade were created they were put under the joint control of the

Foreign Office and the Board of Trade. The new service was designed to assist the effort to secure export markets rather than to look for ways to integrate trade, finance and diplomacy. Yet conditions soon turned the new commercial ambassadors into the economic advisers of the diplomatic posts to which they were attached. Wellesley also strongly favoured the creation of an economic intelligence apparatus that could co-operate with the main economic departments and advise on long-term policy. Eventually, the Foreign Office's Economic Relations Section was allowed to creep into existence in 1933.[54] But, in reaching decisions on international trade matters, the Board of Trade remained a powerful arbiter. Inevitably by the mid 1930s the Board's own Commercial Relations and Treaties Department was becoming more important.

International commercial and financial relations in the years before the First World War were controlled almost entirely by businessmen. There was, therefore, little in the way of tradition in the field of intergovernmental economic relations and the machinery for economic diplomacy was rudimentary. The Bank of England had long carried on its own form of financial diplomacy through its contacts with other central banks; a forum for further co-operation was provided by the establishment of the BIS. Nevertheless, J.H. Richardson was able to observe in 1936 that the need for and the limitations of the co-ordination of economic with political policy had been discerned only in part. Inconsistencies were frequent and harmony was accidental.[55] Government certainly depended upon the business world for information. However, the extent of the influence enjoyed by business interests with ministers and government departments over the direction of foreign economic policy is yet to be clearly defined. Wurm has pointed to the methodological and theoretical difficulties which confront any analysis of these issues: while economic and political power work together in the arena of international relations, the two forms of power are not identical. Historians writing about the inter-war years have still to unravel the ways in which the interests of business and those of the state co-operated or collided in foreign markets and to establish how far business mobilized state power or vice versa.[56]

In this respect, Watt suggests that while the heads of a few major British multinationals – such as oil companies – have carried some weight in terms of foreign policy formulation, the influence exercised by other industrial concerns has been at best marginal.[57]

One of the more important multinationals was Dunlop Rubber, whose chairman was Sir Eric Geddes, a forceful industrialist who succeeded in restoring the company's fortunes after leaving Lloyd George's Coalition Cabinet in 1921. Consequently, while the British state was directly involved in oil matters for strategic reasons, issues relating to the rubber industry were certain to attract the attention of the National Government. Watt argues, however, that Geddes and Reginald McKenna – Asquith's war-time Chancellor of the Exchequer – enjoyed a degree of success in their commercial lives which was not matched by corresponding political influence. Of the two, McKenna, in representing finance, is reckoned to have been the more influential.[58]

As chairman of the Midland Bank, McKenna was a leading City figure and closely involved in Anglo-German financial matters. British bank loans formed part of Germany's short-term borrowing which was frozen under the Standstill Agreement (*Stillhalte-abkommen*) – a product of the London Conference of July 1931.[59] The intention was to create a temporary emergency measure. But the arrangements, born in such extraordinary circumstances, were maintained throughout the decade. The role of the Standstill in the financial crisis is considered in the works of Sayers and Sir Henry Clay, while the significance of the agreements for Germany has been analysed by Harold James.[60] Examining the Standstill in the Nazi era provides an opportunity to assess the role of British banks which, because of their importance in the national economy and the size and nature of their German commitments, represent an interest group of particular significance. Bankers were always quick to remind the government of the existence of these credits when relations with Germany became especially tense.[61]

The type of commercial capitalism practised by the City of London was naturally favoured by the Treasury and the Bank of England because it acted to reinforce their independence and institutional power. With the retreat from cosmopolitanism and free trade after 1931 and the arrival of conditions which favoured manufacturing industry and agriculture, it would have been reasonable to assume that the influence wielded by the City would diminish.[62] Yet Geoffrey Ingham, in his important study *Capitalism Divided?*, finds little evidence of a fundamental shift in the balance of power. Big business had no political party to champion its interests. The advocates of industrial capitalism continued to occupy a position in the policy-making processes subordinate to that held by the proponents of City-based cosmopolitan capitalism.[63] Similarly, David Reynolds points out that, as the interests of the state and of politically dominant groups within it (the City-Bank–Treasury axis) were global, support for maintaining multilateralism based on London never wavered.[64]

British bankers with commitments in Germany wanted to ensure that they continued to have the full attention of the authorities. To that end, the committee of banks and acceptance houses concerned with the Standstill was reorganized and became the Joint Committee of British Short-Term Creditors, in January 1932. Of all the lobby groups which existed in the inter-war years, the Joint Committee (as it was commonly known) was potentially one of the most powerful. But this was not how it seemed to the bankers. Feeling the need to justify the actions of their institutions which appeared to them to be the subject of widespread public misunderstanding, the reaction of the British bankers was, if anything, a defensive one.

The financial relationship between Germany and Britain in the inter-war years could not, of course, be the usual one between debtor and creditor nation. Although reparations were effectively annulled in 1932, the international payments made by Germany continued to be dominated by the Dawes and Young Loans. These two loans were guaranteed by the governments of the participating states, but it was the public and the financial institutions which subscribed to them. When the Nazis gained power they sought to equate any payment made abroad with one form of tribute or another, and they continually attempted to reduce the service of Germany's international debts, while this jeopardized London's position as the leading centre for international finance. Even so, the City seemed ready to believe Nazi warnings that the effect of any retaliatory action against Germany would be to disrupt, either deliberately or ineluctably, the intricate systems of British capitalism. But it is not possible to say that contemporaries exaggerated the dangers. British financial institutions did not collapse like several of their foreign counterparts. Relatively few insights are afforded to those who seek to probe the state of mind of leading figures in the 1930s. Without doubt, though, insufficient attention has been paid to the significance of the psychological and material effects of the crisis and its aftermath on individuals and institutions alike.

Actors on the economic stage ranged from private entrepreneurs to public companies; what they shared was an instinct to compete with each other in order to have the greatest influence over the making and the carrying out of official policy. Although tariffs affected British industry and commerce in various ways, business in general wanted to see the restoration of 'normal' relations with Germany. With the coming of the Third Reich such aspirations were shown to be utopian and every individual interest group argued that it merited special protection in advance of all others. The National Government was hard pressed in trying to respond both to the complex tangle of demands related to the national economy and to the dictates of foreign policy. Judgement was clouded by the contrasting but seemingly equally valid definitions of national interest. Britain's relations with Germany were certainly made more complex, even convoluted, by the variety of different financial and commercial interests. Some interpretations of Britain's descent from the pinnacle of power in the nineteenth century suggest that the nature of British society has allowed only one form of 'national interest' to be recognized – the securing of short-term profits. Foreign policies have supposedly pursued this objective even at the expense of future ruin.[65]

The problems which Britain's multinational companies, banks and several other commercial and financial interests had to confront in the Third Reich are examined separately in the chapters which follow. This offers an opportunity to see how much influence industrialists, bankers, bondholders, exporters and others were able to exercise with government as Britain tried to maintain commercial and financial relations with the Third Reich. This work is concerned with how financial and economic policy towards Germany was made, how it was executed and what it achieved. More light should be thrown, therefore, on the wider question of how well British institutions responded to the challenge posed by the Third Reich and whether the use of the term 'economic appeasement' aids or hinders historical understanding. Above all, the intention is to consider what the consequences were of doing business with the Nazis. But first, it is necessary to turn to consider the impact of the crisis of 1931.

NOTES

1. For detail on Geddes see below.
2. J.M. Keynes, *The Economic Consequences of the Peace* (Macmillan, 1920), p. 131.
3. S. Marks, *The Illusion of Peace: International Relations in Europe 1918–1933* (Macmillan, 1976), pp. 132–4.
4. N. Branson and M. Heinemann, *Britain in the Nineteen Thirties* (St.Albans: Panther, 1973), p. 17.
5. R.A.C. Parker, *Chamberlain and Appeasement: British Policy and the Coming of the Second World War* (Macmillan, 1993), p. 304. Parker refers to the involvement of banking interests in the attempts which were made to achieve market-sharing and price-fixing agreements with German industry.
6. See, for example, P. Einzig, *Appeasement before, during and after the War* (Macmillan, 1942). Einzig enjoyed both a network of information and the gift of lucid explanation of technical foreign exchange matters. But his works, comprising many books together with articles in the financial press, are not characterized by modesty. For his Churchillian claim that, 'Mine was a lone voice crying in the wilderness', see his autobiographical *In the Centre of Things* (Hutchinson, 1960), p. 177.
7. M. Gilbert, *The Roots of Appeasement* (Weidenfeld & Nicolson, 1967), p. 151.
8. W.N. Medlicott, *Britain and Germany: The Search for Agreement 1930–37* (Athlone Press, 1969).
9. CAB 24/248(104), Appendix 34, 'The Future of Germany'.
10. B.J. Wendt, *Economic Appeasement: Handel und Finanz in der britischen Deutschland-politik 1933–1939* (Düsseldorf: Bertelsmann Universitätsverlag, 1971).
11. For a recent example see S. Newton, *Profits of Peace: The Political Economy of Anglo-German Appeasement* (Oxford: OUP, 1996).
12. Wendt, *Economic Appeasement*, p. 17; see also, B.J. Wendt, '"Economic Appeasement" – A crisis strategy', in W.J. Mommsen and L. Kettenacker (eds), *The Fascist Challenge and the Policy of Appeasement* (Allen & Unwin, 1983).
13. Wendt, *Economic Appeasement*, p. 142.
14. G. Schmidt, *The Politics and Economics of Appeasement: British Foreign Policy in the 1930s* (Leamington Spa: Berg, 1986), pp. 45–7, 384. The work was originally published in 1981 as *England in der Krise: Grundzüge und Grundlagen der britischen Appeasement-Politik (1930–1937)*.
15. W.A. Lewis, *Economic Survey 1919–1939* (Allen & Unwin, 1949), p. 138; see also, D.H. Aldcroft, *The European Economy 1914–1970* (Croom Helm, 1978).
16. See W.J. Reader, *Imperial Chemical Industries: A History, Vol.2* (OUP, 1975), p. 239, for background to the Dyestuffs Act of 1920; also F. Capie, *Depression and Protectionism: Britain between the Wars* (Allen & Unwin, 1983), p. 40.
17. J.H. Richardson, *British Economic Foreign Policy* (Allen & Unwin, 1936), p. 19.
18. P. Kennedy, *The Rise of the Anglo-German Antagonism, 1860–1914* (Allen & Unwin, 1980), p. 295.
19. T 160/729/12829/2.
20. For a full analysis of the financing of bilateral trade through the medium of British and German banks see T 160/534/13460/04, Board of Trade memo. See also Kennedy, *The Rise of the Anglo-German Antagonism*, pp. 47–8, on complaints of protectionists and nationalists in both countries that Jewish financiers were putting their own interests above those of the state. Of course,

some important finance houses (such as Schroders) were staunchly Protestant.

21. L. Hannah, *The Rise of the Corporate Economy* (Methuen, 1983), p. 52.
22. Among the extensive literature the following are particularly relevant: H.W. Richardson, 'The economic significance of the depression in Britain', *JCH*, 4 (1969); C.P. Kindleberger, *The World in Depression, 1929–1939* (Allen Lane, 1973); E.W. Bennett, *German Rearmament and the West, 1932–1933* (Princeton, NJ: Princeton University Press, 1979); G.C. Peden, 'Sir Richard Hopkins and the "Keynesian revolution" in employment policy, 1929–1945', *EcHR*, 2nd Ser., Vol. 36, 2 (May 1983); R. Middleton, *Towards the Managed Economy: Keynes, the Treasury and the Fiscal Policy Debate of the 1930s* (Methuen, 1985); P. Temin, *Lessons from the Great Depression* (Cambridge, MA: MIT Press, 1989); A. Booth, *British Economic Policy, 1931–45* (Hemel Hempstead: Harvester Wheatsheaf, 1989); W.R. Garside, *British Unemployment, 1919–1939* (Cambridge: CUP, 1990).
23. R. Skidelsky, *John Maynard Keynes: Vol. 2, The Economist as Saviour 1920–1937* (Macmillan, 1992), p. 621.
24. J. Tomlinson, *Problems of British Economic Policy 1870–1945* (Methuen, 1981), pp. 116–7.
25. These developments are examined in more detail in Chapter 2.
26. H.W. Arndt, *The Economic Lessons of the Nineteen Thirties* (OUP, 1944), p. 94.
27. P. Clarke, *Hope and Glory: Britain 1900–1990* (Penguin, 1996), p. 177.
28. On the question of relations between leading political figures in the 1930s see N. Smart, *The National Government, 1931–40* (Basingstoke: Macmillan, 1999).
29. R. Bassett, *Nineteen Thirty-One: Political Crisis* (Macmillan, 1958), p. 355.
30. M. Cowling, *The Impact of Hitler: British Politics and British Policy 1933–1940* (Cambridge: CUP, 1975), pp. 6–7, 267.
31. P. Williamson, *National Crisis and National Government, 1926–32* (Cambridge: CUP, 1992), pp. 505–8. A similar point is made by Cowling, *The Impact of Hitler*, p. 42.
32. Parl. Deb.(Commons), 261, 4 February 1931, col. 287.
33. Sir John Simon papers (hereafter MS Simon), Bodleian Library, University of Oxford, 84, fol.5, Simon to Baldwin, 26 October 1936.
34. Viscount Runciman of Doxford papers, University of Newcastle Library, (hereafter Runciman papers), 282, draft letter to Baldwin, 23 October 1936. The letter was not sent because Runciman's plans were adopted by the Cabinet the next day. Runciman was a member of the Cabinet at the declaration of war in 1914 and in 1939 – a unique, if grim, distinction in British politics.
35. C.A. Wurm, *Business, Politics, and International Relations* (Cambridge: CUP, 1993), pp. 50–1.
36. See, for example, J.R. Ferris, '"The greatest power on earth": Great Britain in the 1920s', *International History Review*, 13, 4 (November 1991).
37. P.J. Cain and A.G. Hopkins, *British Imperialism: Crisis and Deconstruction 1914–1990* (Longman, 1993), p. 6.
38. Cited in C. Barnett, *The Collapse of British Power* (Stroud: Sutton, 1984), p. 342.
39. R.W.D. Boyce, *British Capitalism at the Crossroads, 1919–1932* (Cambridge: CUP, 1989), pp. 2, 373.
40. L. Schapiro, *Totalitarianism* (Macmillan, 1972), p. 14.
41. P. Williamson, *Stanley Baldwin* (Cambridge: CUP, 1999), pp. 313–21.
42. See, for example, K. Middlemas, *Diplomacy of Illusion: The British Government and Germany, 1937–39* (Weidenfeld & Nicolson, 1972), p. 12;

P. Kennedy, *The Realities behind Diplomacy* (Allen & Unwin, 1981), p. 255.

43. D. Dilks, 'Appeasement and "intelligence"', in D.Dilks (ed.), *Retreat from Power: Studies in Britain's Foreign Policy of the Twentieth Century. Vol. 1 1906–1939* (Macmillan, 1981), pp. 141–2.

44. For a critical review of these issues see J.R. Ferris, 'The Air Force brats' view of history: Recent writing and the Royal Air Force, 1918–1960', *International History Review*, Vol. 20, 1 (March 1998).

45. W.K. Wark, *The Ultimate Enemy: British Intelligence and Nazi Germany, 1933–1939* (Oxford: OUP, 1986), p. 24.

46. C.A. MacDonald, 'Economic appeasement and the German "moderates" 1937–1939. An introductory essay', *Past and Present*, 56 (1972), pp. 105–35.

47. See Chapter 4 for a detailed consideration of the literature.

48. H.D. Henderson, *The Inter-war Years and Other Papers* (Oxford: Clarendon Press, 1955), p. 290. The paper concerned was written in 1943.

49. M. Pugh, *The Making of Modern British Politics 1867–1939* (Oxford: Basil Blackwell, 1982), p. 273.

50. For a thorough examination of these issues see, K. Middlemas, *Politics in Industrial Society* (Deutsch, 1979); G.C. Peden, *British Rearmament and the Treasury: 1932–1939* (Edinburgh: Scottish Academic Press, 1979). See also, J.S. Eyers, 'Government Direction of Overseas Trade Policy in Britain, 1932–37' (unpublished D.Phil. thesis, Oxford University, 1977) for the observation that the interdepartmental committee was in its infancy.

51. See, in particular, D.C. Watt, *Personalities and Policies: Studies in the Formulation of British Foreign Policy in the Twentieth Century* (Longman, 1965); also M. Beloff, 'The Whitehall factor: The role of the higher civil servant 1918–39', in G. Peele and C. Cook (eds), *The Politics of Reappraisal, 1918–1939* (Macmillan, 1975). The Foreign Office remained outside the realm of Fisher's jurisdiction.

52. Niemeyer was an adviser to the Governors (1927–38) and made a director of the Bank in 1938. He was also a member of the Council of Foreign Bondholders of Germany. Siepmann was Acting Chief of the Overseas and Foreign Department (1932–35) and Head of the Central Banking Section until 1936.

53. F. Leith-Ross, *Money Talks: Fifty Years of International Finance* (Hutchinson, 1968), p. 247; P. Clarke, 'The Treasury's analytical model of the British economy between the wars', in M.O. Furner and B. Supple (eds), *The State and Economic Knowledge* (Cambridge: CUP, 1990), pp. 173–4. See also Middleton, *Towards the Managed Economy*.

54. F.T. Ashton-Gwatkin, *The British Foreign Service* (New York, NY: Syracuse University Press, 1950), p. 19. The author was head of the section.

55. Richardson, *British Economic Foreign Policy*, p. 24.

56. Wurm, *Business, Politics, and International Relations*, pp. 1–2.

57. D. Cameron Watt, *Succeeding John Bull: America in Britain's Place 1900–1975* (Cambridge: CUP, 1984), p. 11. See also Watt, 'The European civil war', in Mommsen and Kettenacker, *The Fascist Challenge*.

58. Watt, *Succeeding John Bull*, p. 47.

59. This is examined in more detail in Chapter 2.

60. R.S. Sayers, *The Bank of England, 1891–1944: Vol. 2* (Cambridge: CUP, 1976); Sir H. Clay, *Lord Norman* (Macmillan, 1957); H. James, *The Reichsbank and Public Finance in Germany 1924–1933* (Frankfurt-am-Main: F.Knapp, 1985). See also H. James, *The German Slump: Politics and Economics, 1924–1936* (Oxford: Clarendon Press, 1986).

61. For an earlier version of this analysis see, N. Forbes, 'London banks, the German Standstill agreements, and "economic appeasement" in the 1930s', *EcHR*, 2nd. Ser., 40, 4 (November 1987).
62. The City's position was under threat even before the Great Depression: while the absolute volume of bills in the London market in 1929 may have been higher than pre-war because world trade volumes were higher at the later date, the returns were lower as the City had to contend with international competition. See, Cain and Hopkins, *British Imperialism*, p. 42.
63. G. Ingham, *Capitalism Divided? The City and Industry in British Social Development* (Macmillan, 1984), pp. 171–90.
64. D. Reynolds, *Britannia Overruled: British Policy and World Power in the Twentieth Century* (Longman, 1991), pp. 301–2.
65. B. Porter, *Britain, Europe and the World 1850–1986: Delusions of Grandeur* (Routledge, Chapman & Hall, 1987), p. 95.

2

Britain's economic revolution and the demise of the Weimar Republic

The depression brought momentous, even iconoclastic, change to Britain. In a bewilderingly rapid succession of events, the gold standard was abandoned, tariffs were instituted and Imperial Preference was established. If the cumulative impact of the changes created a sense of a revolutionary break with the past, the revolutionaries were nowhere to be found. It was impossible to welcome a new dawn while fears of a descent into darkness remained so pervasive. Foreign investors withdrew funds worth more than £350m from the London money market between June 1930 and December 1931.[1] Ralph Hawtrey, the Treasury-based economist, observed soon afterwards that 'Such a panic-stricken withdrawal had never occurred before'.[2] To be at the mercy of the progressive collapse in confidence and consequent international capital flight was a traumatic experience. Richard Fry, the financial journalist, observed in 1945 that:

> Behind us lie such changes as few people would have believed possible. The City had suffered fearful losses. Although the merchant banks and others who had been caught with large assets in Central Europe were enabled to carry on they never recovered their nerve.[3]

Britain had already been badly affected by the general reduction in international trade: between 1929 and 1931 the surplus in invisible items in the balance of payments shrank from £359m to £219m. Within these totals, income from financial and other services declined from £65m to £30m. The diminution of income from British overseas interest, profits and dividends from £307m to

£211m was particularly serious.[4] In these conditions, a number of banking failures could not be ruled out.[5]

Apart from financial shocks, the very political culture of the nation was also profoundly shaken by the storm. With the world standing of British capitalism under threat, the 'moment of truth' had arrived: Ramsay MacDonald, the Labour Prime Minister, formed a National Government with Conservatives – the party of big business.[6] Yet even this political transformation was not enough to prevent further withdrawals from London and thereby save the gold standard.

In the struggle to survive the maelstrom of the world economic crisis, long-term political considerations were not necessarily accorded a high priority. But there was a growing realization in Britain that a reparations settlement was required sooner rather than later in order to give democracy in Germany the chance to see off the danger of dictatorship from either the left or the right. In this sense, British efforts to promote a general pacification of Europe intensified with the collapse of 1931.[7] In the course of the Hoover Year, Britain became increasingly anxious to secure international co-operation to sweep away the tangled web of reparations and war debts. That many economic and political benefits would flow from an early settlement of the problem was taken to be a self-evident truth. Equally, it was assumed that there would be a high price to pay for the failure to achieve a satisfactory solution.

The rise of political extremism in the Weimar Republic rekindled painful memories of the consequences of the Russian Revolution: there was a fear that the Allied powers would be left with their war debts to pay America and a 'Bolshevised' Germany which paid them nothing. With an estimated eight million Germans on the starvation line, all talk of reparations and a political truce suddenly seemed pointless and absurd.[8] But the machinery of international diplomacy had to be kept running while, at the same time, economic multilateralism was breaking down. Indeed, by embarking on an exclusive attempt to win national advantage, Britain herself helped to kill off the old economic order. What emerged was something rather different: a regional trading bloc comprising the Empire and other states closely linked to Britain.[9]

For the moment, there was nothing but uncertainty over what the changes portended. Harold Macmillan felt that he was witnessing the collapse of the solid foundations on which the strength of

Europe and the influence of Europeans in the world had been based.[10] The politicians, officials and private individuals caught up in the crisis could do little other than speculate over the likely consequences of any action they undertook. No one could be sure how the changes in Britain's external economic relations would influence political developments in Germany.

Departure from the gold standard: a victory dearly bought

Affected by the impending financial crisis in Austria, Germany began to experience heavy capital withdrawals in June 1931.[11] On 20 June the Hoover Moratorium was announced; its proposal to suspend all intergovernmental debts met initial resistance from the French government. The central bank credit to Germany for $100m (arranged on 25 June) was used up by 5 July. The next day the Hoover Moratorium finally came into effect. This was not enough to forestall further disastrous runs on German reserves, and on 13 July, with the Reichsbank's legal reserve all but exhausted, the Bank of England was approached for emergency credits. The next day the Darmstädter und Nationalbank closed its doors.

As attitudes in London towards Germany were ambivalent, the reparations and debts question was approached with some caution. The consensus was that Germany had brought the difficulties upon herself, even to the extent of manufacturing a political crisis.[12] Those looking for a conspiracy interpreted the Republic's declarations of bankruptcy as a smokescreen behind which an escape from reparations could be planned. This putative plot had run out of control only with the collapse of the Austrian Credit-Anstalt. But the world could not be saved and Germany punished at the same time. There was no equivocation, however, over the need to restore confidence as soon as possible. Most financial experts agreed that, while a long-term 'political' loan would be inappropriate, Germany did need a combination of a large or even unlimited credit to the Reichsbank, middle-term loans for individual banks, and a continuation of short-term loans and acceptances.

At the London Conference of 20 July 1931 the Reichsbank President Hans Luther was unable to win support for the idea of a new central bank loan. But the $100m central bank credit to Germany, already advanced equally by London, Paris, New York and the BIS, was renewed for a further three months. Private creditors were asked not to withdraw loans from Germany; two months later this was formalized under the Standstill Agreement (see below). Another recommendation of the conference was that Germany's problems should be investigated by a special committee. This was set up under the auspices of the BIS; Sir Walter Layton, editor of *The Economist*, was nominated as one of the experts and Albert Wiggin, of Chase Bank of New York, was made chairman. The committee enquired into the immediate further credit needs of Germany and studied the possibility of converting a portion of the short-term credits into long-term ones.[13]

A report was produced by mid August. It suggested that, if severe economic effects were to be avoided, it would be necessary to replace some of the capital withdrawn from Germany, not in the form of short-term credits which would only increase Germany's difficulties, but by a long-term loan from foreign sources. Germany's credit was not good enough to justify such action, so there was an urgent need to restore confidence. At the root of the problem lay reparations. Although this was an authoritative pronouncement, no instant solutions were on offer: the ball was passed back to the politicians. Given the failure by governments to agree on a common approach it was not surprising that the Wiggins-Layton report was veiled and circumspect over the reparations issue.[14]

The difficulty of withdrawing money from Germany aroused in its turn distrust of the position of those financial institutions which were known to be short-term creditors of Germany.[15] During the summer of 1931 the crisis spread to London which had never acquired a buffer stock of currencies or reserves sufficient to meet the abnormal strains being imposed on the international exchange system.[16] On 21 September the Gold Standard (Amendment) Act was hurriedly passed. The intention was to suspend convertibility for six months.[17] However, Britain had left the gold (bullion) standard never to return.

If the shock waves from the crisis brought about a political earthquake, what was the effect on the financial authorities? Was the departure from gold really such an unexpected and unwelcome development? After all, as co-operation between governments became more difficult and relations between central banks showed signs of strain, Britain's commitment to defend the gold régime at all costs was severely tested. Diane Kunz indicates that, while the

Governor of the Bank of England Montagu Norman and his senior colleagues may have privately come to the conclusion by the summer of 1931 that the gold standard was doomed, the manner and timing of its demise was actually determined by British actions.[18] Yet, according to Kunz, the authorities chose to portray suspension as bowing to the inevitable because it freed them from any guilt over what they had done; there did not have to be any questions over whether they had taken the coward's way out.[19] This provides an insight into the circumstances in which the gold standard was abandoned. Yet, what developed in the years which followed was precisely such a sense of guilty responsibility over the way in which devaluation affected Germany.

Similarly, in her study of Sir Charles Addis, Roberta Dayer points to the decision on 9 July by the Bank of England's Committee of Treasury to stop supporting the Reichsbank with further credits. This, it is argued, was a gamble to force the issue of war debts and reparations which willingly put the gold standard at risk. Furthermore, the defence of sterling in the weeks which followed is held to be a careful camouflage for the start of a new and independent monetary policy. Addis, one of the directors of the Bank and a leading financier, gave no indication of surprise or dismay when the *coup de grâce* fell in September.[20] At the very least, the prospect of being forced off gold was acknowledged early in the summer. A Special Committee on Foreign Exchange was established just before the sterling crisis. But it seems unlikely that the Bank of England regarded devaluation as anything other than a disaster.[21]

The crisis had brutally exposed the futility of attempting to achieve both domestic and external stability. In aiming to stabilize the domestic economy, devaluation was preferred to further doses of internal deflation, but only in the sense that it seemed the lesser of two evils. Devaluation was not a planned act of policy; it was foreseen by few and desired by fewer.[22] With the sudden and catastrophic end to Britain's struggle to maintain the gold standard, one of the pillars of the international financial system itself had collapsed. The British-led attempt to return to the normality of the pre-war order had ended in national humiliation. Gold was abandoned with extreme reluctance, for it represented, as Cain and Hopkins argue, a defeat for cosmopolitanism and the City, and for 'gentlemanly capitalism'.[23]

It was possible, of course, to articulate a philosophy which could embrace a new role for sterling; the relevant arguments had been rehearsed on many occasions. John Maynard Keynes was among those who were able to welcome developments: it was a vindication of the attack which he had mounted on the restoration of gold in 1925. Yet, in the following months, even Keynes was comparatively quiet on public issues, perhaps because the crisis had destroyed all available political vehicles for his ideas.[24] As he admitted at the time, 'most of us have, as yet, only a vague idea of what we are going to do next, of how we are going to use our regained freedom of choice.'[25]

Keynesian ideas were to dominate economic debate by the end of the 1930s. At the beginning of the decade, socialism in one form or another appeared to be the only clear ideological alternative to classical liberalism.[26] In a world which was rapidly abandoning the ideals of liberal capitalism there was little point in pretending that Britain's position could be anything other than uncertain. As Eichengreen puts it, if the crisis was an opportunity to surmount a barrier to the unilateral pursuit of stabilizing action, fears of 'a new inflationary era characterized by financial and political chaos' had first to be overcome.[27] More than ever, predicting the future seemed a particularly risky business. André Siegfried, another contemporary economist, wondered whether Britain would gravitate towards America and further away from Europe. He saw how, for the moment, Britain was hesitating: there was a conflict between those with interests in international trade who called for currency stabilization and industrial interests which desired the stimulus of a fresh depreciation. Siegfried felt entitled to remark that 'the Government, in keeping with the usual British practice, is feeling its way and waiting'.[28]

If national self-interest dictated the departure from gold, consideration of how the decision might affect other countries had, inevitably, to be left until later. Montagu Norman and Sir Ernest Harvey, the Deputy Governor, began the painful and embarrassing task of contacting other central banks. Since Norman had only just returned to London after his prolonged rest, it was Harvey who wrote to Luther:

> It cannot have been easy to appreciate from published accounts of what happened last week how suddenly we were faced with the necessity of suspension. Nothing could be more disturbing and

distasteful to us than that Central Banks should suffer as a result of
their association with the Bank of England.

While there had been practically no central bank withdrawals up to
that point, Harvey invited Luther to exercise his discretion in
deciding whether to withdraw Reichsbank funds from the Bank.
Harvey hoped that the day would come when co-operation would
be resumed on the basis of the gold standard; nothing else, to his
mind, could provide such stability. In the meantime, he appreciated
that normal banking relationships were probably going to be
interrupted or curtailed.[29]

This tactfully understated the true extent of the damage. The
Bank of England had indeed sought to maintain relations of mutual
confidence with all its central bank clients based on the idea that
they might be relied upon to stand together in all circumstances.
Among central bankers, Montagu Norman was especially committed
to this philosophy.[30] For that reason, if no other, foreign clients could
not be expected to view London's actions favourably. The central
bank of Belgium soon withdrew large amounts of funds from the
Bank of England and Clément Moret, Governor of the Banque de
France, threatened to do the same.[31] His institution had been
rendered technically insolvent because of its sterling losses and a
considerable proportion of the massive drain of gold which the
United States now experienced went to Paris.[32]

Yet Luther intended his reply to convey his warm and sincere
sympathy. He regarded it as tragic that the assistance the Bank of
England had generously and unhesitatingly afforded the Reichsbank
and other central banks in their hour of need had increased the
difficulties with which London had had to contend. The Reichsbank
would:

> not forget what the Bank of England and what you, dear Mr.
> Governor, have done for the co-operation of Central Banks. In a time
> of great disturbance and danger I derive the greatest comfort from the
> sincere friendship existing between our two Institutions.[33]

There were contemporary reports that the Bank of England
encouraged the Reichsbank to consider following Britain off gold.
But if there was any prospect of Germany voluntarily abandoning
the gold standard it did not last long.[34] The German government was

not deterred by the constraints of the Young Plan nor pressure from France. It was rather that Brüning and Luther regarded the British devaluation as inflationary and dangerous.[35] At the end of November 1931 Brüning told Layton that he could not contemplate going off gold except to a definite figure (he did not say what figure) or to sterling if sterling were stabilized. Luther was strongly against any departure from gold.[36]

The stabilization of the exchange rate was just one of the economic policy decisions which Britain was suddenly required to make with the precipitate suspension of gold. The unpredictable way in which the crisis hit London in 1931 had left no time to establish new ground rules and the instruments necessary to manage the currency had not been developed. The Treasury wanted a relatively low value for sterling and was not entirely persuaded by other points of view. Hubert Henderson, the prominent economist and member of the Economic Advisory Council, argued that any substantial depreciation of the pound would aggravate financial insolvency abroad.[37] Keynes made much the same point in *Essays in Persuasion*: Britain had gone some way in solving her own problems by abandoning the gold standard but had made matters worse for countries still adhering to it.[38] It was also widely understood that movements in the exchange rates would pose new problems for Germany. Britain's action had helped Germany in one way: a proportionate reduction took place in all Germany's sterling debts.

Against this there was the danger that the cutting of export prices by Britain (and countries such as Sweden) would make the trade position of Germany so uncomfortable that, in the long run, she would be forced off gold to avoid economic collapse. Sir Frederick Leith-Ross, who was about to become the government's Chief Economic Adviser, observed that, in the meantime, the longer Germany could keep itself on gold so much the better for British exports.[39] But such short-term views worried Robert Brand, the widely respected banker and partner in Lazard Brothers (one of the City houses dangerously exposed by the crisis in Germany). He cautioned that the advantages Britain was gaining from sterling's depreciation might be dearly bought by the additional knocks given to Germany in particular.[40]

Of necessity, however, the management of the domestic economy took priority over the facilitation of international co-operation. Sir Warren Fisher and Sir Richard Hopkins, the leading Treasury officials, laid down secret guidelines to aid the Chancellor of the Exchequer. They did not want to overlook the need for settled and far-reaching international understandings on gold policy, reparations and debts. But they were aware that, until the United States and France shared the same objectives as Britain, merely advocating co-ordination was not going to achieve anything. More than this, Hopkins and Fisher were worried that, by trying to force the pace, difficulties would be accentuated to the point where everything could be lost. Any conference, therefore, was foredoomed to fail.[41] The disastrous World Economic Conference in 1933 was a depressing demonstration of the accuracy of this prediction. It was not until the Tripartite Agreement of 1936 that anything substantial in the way of co-ordination was achieved.[42]

Import duties: playing the other 'trump card'

In the wake of the depression and financial crisis, and the fear and suffering it imposed, a broad alliance drawn from across business interests and the Conservative Party had turned to embrace protectionist ideas. Although the tariff question excited as much passion in 1931/32 as it had done at the beginning of the century, the circumstances were very different. The United States had already introduced import duties of up to 50 per cent – an unprecedented level – under the Smoot-Hawley legislation of 1930. Several other countries followed suit.

The debate in Britain, therefore, was over the scope and nature of tariff reform. Although tariffs formed an important part of the National Government's election platform, the Cabinet had been unable to reach a collective decision on the detail of policy. Although they could do no more than agree to disagree, victory in the elections seemed unstoppable. Against a background of a large deficit in Britain's balance of payments, MacDonald's triumphant second National Government brought in the Abnormal Importations Act and the Horticultural Products Act in November 1931. To stem the flood of imports, the Board of Trade was given powers for six months to impose duties of up to 100 per cent on a wide range of manufactured goods; similar powers were given to the Ministry of Agriculture.[43]

The features of the election campaign which were fixed in the public's mind were MacDonald's all-embracing appeal for a 'doctor's mandate' and Snowden's anti-socialist scare-mongering over 'Bolshevism run mad'.[44] Nevertheless, the Cabinet became fearful by the beginning of 1932 that the government's survival could depend upon bringing forward further tariff legislation.[45] Neville Chamberlain, the Chancellor of the Exchequer, moved the financial resolution of the Import Duties Bill on 4 February. In proposing a system of moderate protection he claimed that an effective instrument was being acquired for negotiations with foreign countries which discriminated against Britain. A general *ad valorem* duty of 10 per cent was announced along with the establishment of the Import Duties Advisory Committee (IDAC). On the recommendation of this body, the Treasury was empowered to impose further duties. Sterling's devaluation and the coming Imperial Conference were two complicating factors which made it judicious to postpone decisions on a more detailed and fixed system.[46]

Tariffs and sterling were becoming, for the Foreign Office, Britain's 'two trump cards in the game of foreign politics'.[47] To play the diplomatic hand effectively required finesse: tariffs could be used as a bargaining tool in the search for a general settlement of political and economic issues such as reparations and armaments. By advancing on a broad basis there was a chance that Britain might win an 'all-in' solution to foreign policy problems. Yet, with the increasing impact of economics on diplomacy, the Treasury and the Board of Trade were bound to count for more in decisions on foreign policy. The Foreign Office feared that if tariffs were imposed unwisely they would serve as a battering ram with the potential to stir up economic warfare. So many dangers seemed to lie ahead that, even in 1931, a sense of foreboding was developing over the future of European civilization itself.

Many in the government were persuaded that tariffs were still needed even though Britain had left the gold standard. They believed that the exchange rate was not capable of achieving external balance and that a large depreciation would undermine confidence in the economy, reduce the value of Britain's external assets and result in inflation.[48] For imperial protectionists, naturally, Britain was moving in the right direction. Leo Amery admitted that there was a tendency to forget that duties were on top of exchange depreciation. But he argued that any 'protective' value gained by depreciation applied to just the gold standard countries and then only so far as those countries had not taken special countermeasures. Amery cited the example of the deflationary measures taken under the German emergency decree of December 1931: the effect was sufficient, supposedly, to neutralize any advantage afforded by the fall of sterling.[49]

In April 1932 the IDAC made its first recommendation. In practice, a 20 per cent tariff was imposed on most manufactured imports. For British exports the fall in the pound helped, at the very least, to ward off the additional shrinkage which would have accrued in 1932. Exports to some countries actually began to revive and Britain's share of world exports increased. By December 1931 sterling's rate had fallen from $4.86 to $3.25; this represented a substantial 40 per cent appreciation for those countries which had not immediately followed sterling.[50] With price falls in raw materials and foodstuffs, devaluation led to an improvement rather than a deterioration in the terms of trade. In competition with the sterling bloc the 10 per cent devaluation of the Reichsmark could not achieve much. Germany rapidly lost her export capacity and her favourable balance dwindled in 1932 to a third of its 1931 magnitude.[51] German exports continued to fall until 1934 when they stood at just half of their 1929 volume; for the UK the comparable figure was 70 per cent.[52]

TABLE 1: INDEX OF BRITISH AND GERMAN PRICES, 1931/32
(third quarter 1931 = 100)

		1 UK wholesale index in gold	2 German wholesale index in gold	3 1 as % of 2	4 UK exports (finished goods) in gold	5 German exports (finished goods) in gold	6 4 as % of 5
1931	I	109.4	103.9	105.3	110.2	107.2	102.8
	II	107.5	102.8	104.6	107.1	104.0	103.0
	III	100.0	100.0	100.0	100.0	100.0	100.0
	IV	78.5	98.2	79.9	75.4	96.3	78.3
1932	I	75.0	93.9	79.9	70.3	94.8	74.2
	II	74.8	93.6	78.9	74.3	92.7	80.2
	III	69.8	87.3	79.9	68.6	87.8	78.1
	IV	66.0	82.6	79.9	65.1	90.6	71.9

Source: Ellis, *Exchange Control*, p. 180.

Defining the status of the international Standstill Agreement

In 1931 British banks had Rm922m short-term money in Germany. The dangerous level of capital withdrawal from Germany was obviously a matter of grave concern to bankers worried about the security of their loans.[53] For many years the City had financed drawers of good standing around the world by means of non-documentary credits.[54] About half of the acceptances advanced in the 1920s were finance bills which did not arise from transactions in goods but were used to extend credit to Germany – particularly the banks – and other central and eastern European countries. This proportion was probably even greater for American banks, many of whom had probably set up in this kind of business only after 1918. The German banks reloaned the money to domestic industry and the municipalities on long-term account. While the development of German industry promoted the growth of exports, some of the loans were used for the improvement of public amenities and even for speculation. If British banks were less exacting in their credit standards, it would seem that they were also less liquid than they had been. On the basis of bank data from 1927, the Macmillan Committee offered a reason for the frozen position of the London market: banks had departed from the pre-1914 ratio of a rough balance of short-term assets to short-term liabilities and, in 1931, the latter were several times the former.

The acceptance houses in particular greatly increased the ratio of revolving acceptances to capital. They were also especially involved in Germany: in the 1920s they took up short-term loans in Paris and New York at 2 or 3 per cent and lent long-term to Germany at rates as high as 8 per cent.[55] At the time, the security on offer seemed to be sufficient. The problems emerged when the German banking system itself was caught up in the financial crisis. Thus British banks faced criticism from the political left for profiteering and from the right for being overextended in Germany. So strong was the attraction of profits that warnings by the German government and the Reichsbank over the volume of credit were ignored. It was even suggested that this attitude helped to cause the crisis itself. Since the run on sterling followed hard upon the heels of the German bankruptcies, it looked as if continental holders of sterling claims had been motivated by knowledge of how exposed the City was by its commitments in Berlin. Yet, as Professor Gregory commented soon afterwards, it was questionable whether depriving Germany of the aid of foreign capital would have improved the European situation; those who condemned the banks for lending to Germany would have been the first to condemn them if no or little lending had taken place.[56]

This aspect of German indebtedness led the Bank of England and its Governor into a course of unprecedented action which stretched past the beginning of the Second World War. The Bank was already involved in the Austrian crisis. Sir Robert Kindersley, Lazards' chairman and a director of the Bank of England, negotiated a debt standstill between the Credit-Anstalt and its foreign creditors.[57] Montagu Norman now felt compelled, albeit reluctantly, to prevent what he took to be the imminent breakdown of Germany's international trading system and the consequent disastrous blow to the chances of world economic recovery. It was this continuing broad concern, rather than a conventional interest in factors affecting City firms, which determined the Bank's involvement. The Bank of England also believed that the lending carried out by London's bankers had been reasonably related to the growth of Germany's foreign trade; if an international collapse could be averted bankers could be left to look after themselves.[58] The view from London was that a large part of the loans which had been made by the US ought never to have been made at all. Above all then, British creditors were considered to have been more prudent than their European or American counterparts – a judgement which returned to haunt the British bankers as events unfolded later in the decade.

Norman stressed the importance of banks' maintaining their credit in Germany; he supposed that attempts to call them in would probably fail anyway and precipitate a worst collapse. But he was not prepared to take direct action. In mid June he told British bankers that he would not take responsibility for the maintenance of German credit.[59] Instead, a committee of clearing banks and acceptance houses agreed upon a policy. Through Norman and Harrison (the Governor of the Federal Reserve Bank of New York), the New York bankers were approached and adopted an identical policy.[60] As the Darmstädter und Nationalbank closed its doors, Norman told the committee on 15 July that renewal bills would not be eligible for rediscount at the Bank of England and that he was not prepared to make advances to houses to carry frozen positions arising out of the difficulties which then obtained.[61] The bankers then sought, at the London conference, to extract a guarantee of German foreign credit from either the German government or industry. Their demands were, however, too ambitious.[62]

When Norman met the committee again, on 25 July, he passed on a request from the Treasury for co-operation in carrying into effect the proposals of the London Conference. These were that the volume of credit already extended to Germany should be retained there and that a special committee should investigate German credit requirements and negotiate with the debtors. However, the major consequence of the conference was, in fact, the renewal of the central bank credit. This ensured that there was no German credit collapse and was the essential prerequisite for achieving the bankers' co-operation.

For when the London bankers asked Norman whether any guarantee would be forthcoming from the British government they were told that this was out of the question, especially as it would have been entirely contrary to the attitude adopted by the government at the conference.[63] Similarly, at a meeting of the American bankers in New York, Harrison emphasized that to connect the duration of the private standstill to the duration of the central bank credit to the Reichsbank was illogical and unjustified. Some of the private bankers held that it would be impossible for them to maintain their loans if the central bank credit were withdrawn. Harrison declared that he had no sympathy whatever with that position and would give no assurances about the extension of the credit at maturity.[64]

Lord Brand (the Lazards' partner) recalled that, when he was in Berlin in August 1931, he telephoned Kindersley to urge him to persuade the British and New York bankers to enter into a self-denying ordinance not to withdraw their credits.[65] The bankers agreed and helped, thereby, to ensure that German banks did not close their doors. Eventually, on 19 September this commitment was formalized when representatives from each of the ten creditor nations signed the Standstill Agreement; it was designed to run for six months. Existing credits were frozen on their original terms but service was guaranteed. Although estimates of the figures vary widely, one authority suggested that the agreement covered between one-third and one-half of Germany's aggregate, short-term debt.[66] Although Germany wanted the credit lines frozen at their level on 13

July, the end of the month was taken as the operative date. This meant that the credit lines were significantly reduced to approximately £300 million. Of this total amount, London institutions had extended some £65 million, comprising £46 million to German banks and about £19 million to German commerce and industry.[67]

Naturally creditors hoped that by treating Germany favourably – both economically and politically – they could ensure that they would not lose too much. But, as James points out, the agreement could operate only if creditors were persuaded that the Reichsbank was prepared to prevent *Devisen* (foreign exchange) from fleeing Germany or being allocated illegitimately for long-term debt reduction.[68] The agreement specified that there was to be no discrimination between the creditors and that the German debtors were to provide the creditors with bills eligible for acceptance. If creditors were not satisfied as to eligibility, the obligation was to be carried as a cash advance. This was to try to ensure that the debts would be represented, as far as possible, by readily marketable bills. Provision was also made for a reduction in the total credit lines: the Golddiskontbank could be required to take over 10 per cent of the acceptance credits.[69]

Although the Governor of the Bank of England was emphatic in rejecting any possibility of a governmental guarantee, Clay maintains that he did promise that if the position of the acceptance houses (or the clearing banks which gave them credits) came into such jeopardy that it constituted a national crisis, he would take it up with the government.[70] This could explain why, throughout the 1930s, the bankers were never slow in issuing warnings that such a crisis was imminent. Norman was not, however, prepared to define conditions for an extension of the Standstill and doubted whether Britain could afford to extend it all.[71]

Sir Frederick Leith-Ross believed that it would be hard to exaggerate the vital importance to Britain of securing the restoration of Germany's credit before the termination of the Standstill. This was in the interests not just of the City but of the whole commerce of the country. Leith-Ross admitted privately that it was also a direct interest of the government: British bankers would certainly argue that they entered the Standstill only at the request of the authorities and would therefore expect the government to secure them against any losses which arose as a result. Leith-Ross did not accept this argument unreservedly. But he saw what an extremely awkward matter it would be for the government if commercial obligations, which should have been naturally self-liquidating, could not be met because of the demands made on Germany by her reparations creditors. At the same time, he recalled how, under the Young Plan and the Hague Agreement, the Versailles Treaty provisions which made reparations a first charge on German assets had been definitely abrogated.[72]

These predictions were quite accurate. When Leith-Ross met the bankers in November it emerged that they did indeed expect the government to secure suspension of reparations until German commercial credit was completely restored. But Leith-Ross was intransigent: he told the bankers that the government had only proposed the Standstill scheme for consideration and that if the bankers had had a better idea it was up to them to have put it forward.[73] Philip Snowden, Lord Privy Seal in MacDonald's second National Government, was disturbed at this position. He, at least, felt himself to be under a moral obligation to the bankers: he thought they had been given a tacit assurance that there would be a *pari-passu* settlement of the reparations issue.[74] These differences in interpreting the circumstances which gave rise to the Standstill left the status of the agreement ill-defined and a matter of controversy for the rest of the decade.

As soon as the Standstill Agreement was signed the creditors started to fret over the question of renewal. Next to no progress was being made at governmental level in finding a solution to the reparations problem before the end of the Hoover Moratorium. Consequently, for the benefit of the Treasury and ultimately the British Cabinet, the newly-formed Joint Committee analysed the issues surrounding the Standstill.

They reminded the authorities that the City had for many decades financed German trade to a large extent by means of acceptances. Before the First World War this was done partly by the acceptances of the big German banks with their active branches in London. Subsequently it had been carried out by the joint stock banks and the acceptance houses. There were no figures available to show whether the amount of sterling acceptances for German account were larger after the First World War than before. It was certain that before the war they were considerable. Like Montagu Norman, bankers did not regard the amount of acceptance credits covered by the Standstill as excessive for London to have granted an important country such as Germany with her vast international trade. The business had operated for many years on a large scale with safety; credits were granted partly to the strongest banking institutions and partly to the best commercial firms with whom London had had business connections over a long period. Apart from affirming the quality of their loans, the bankers were also keen to deny that London institutions, in doing nothing more than to transact their normal business with Germany – essential for the smooth working of British and world commerce – had made exceptional profits.

British bankers were aware that additional loans had been made to fill the vacuum of working capital in Germany since 1918, but they had little idea how large the figure was. Such circumstances had produced a situation in the London market which the bankers thought was, quite simply, 'unprecedented in times of peace'. With the exception of the outbreak of war in 1914, unparalleled developments in the outside world threatened for the first and only time to cause serious difficulties. London's bankers believed that they had faithfully fulfilled their undertaking, but that the risks they were running in agreeing to maintain credits had become more fully apparent. It had become public knowledge that out of the total short-term indebtedness of Germany there was a very large sum not covered by the Standstill Agreement; the debts due to London bankers and acceptance houses represented a small fraction of that total. The committee was worried, therefore, that other creditors had received preferential treatment.

What the bankers feared most, however, was that they would be sacrificed to political exigencies if the British government allowed the reparations issue to imperil economic conditions. Commercial claims would then be subordinated to political debts and private creditors would continue by all means possible to withdraw their money from Germany and refuse to give any fresh credit. The committee predicted that the results would be disastrous in world terms and fatal to any hope of further reparations payments. The bankers called on the government to be prepared to stand behind its nationals if political difficulties made it necessary to extend the Standstill.[75] One version of the bankers' memorandum even asserted that foreign creditors proposed not to renew the Standstill unless, in the words of the Wiggin-Layton committee, 'the international payments to be made by Germany will not be such as to imperil the maintenance of her financial stability'. A further stipulation was that the German government would have to arrange some satisfactory scheme for postponing the payment of foreign short-term debts from German debtors outside the Standstill.[76]

Negotiations for the renewal of the agreement laboured therefore under the dual problem of reparations and Germany's other debts. This was an opportunity which the German government quickly tried to exploit, declaring that it would be impossible to pay short-term debts at the expiry of the Standstill given the new higher estimates (Rm28-29 billion) of total foreign indebtedness.[77] The obvious corollary was that reparations, too, could not be resumed.

Relations between the ten creditor countries themselves were far from harmonious, although many difficulties were successfully tackled by an arbitration committee set up by the BIS. British banks wished to limit the renewal arrangements to the safeguarding of bank credit. For while they had lent money direct to German industry, it was not so much as the French and especially the Swiss and the Dutch had. The American creditors were irritated because they thought the British had made excessive profits.[78] Americans felt that their interest rates had been just and reasonable and that the costs to German credit-takers had been less than for similar credits granted by other countries.[79] Because of the fall in sterling, which was widely expected to be only temporary, German debtors had attempted to take advantage of what looked like a unique opportunity to repay sterling debts. Indeed, whether the Standstill had laid the basis for a dismantling of German exchange control cannot be known: Britain had left the gold standard a few days after the agreement was signed, the Reichsbank lost Rm66m in *Devisen* in the following week and exchange control was tightened.[80]

Brand became a member of the British Joint Committee and one of the British nominees on the Joint Committee of Representatives of Foreign Bankers' Committee (of Germany). On one of his frequent visits to Berlin he wrote to Sir John Simon, the Foreign Secretary, on the prolongation of the Standstill. Brand repeated that the bankers needed to be satisfied that creditors outside the Standstill were not going to be repaid. He thought that he had grasped a simple truth – which all short-term creditors would be able to see if gradually educated – that a liquidation policy, or attempts to get debts repaid in cash, would be fatal. Instead, Brand believed that the best chance was to strengthen Germany and the Reichsbank so that most creditors would voluntarily leave their money there. The problem was that in the meantime the position was likely to get much worse and it was difficult for any idea to oust the paramount and familiar one in the minds of creditors of squeezing the lemon as hard as possible. Brand also thought that the risks involved would make it impossible to have a long agreement. The great danger for London was that, while Germany would be unable to find the exchange to pay the Standstill credits, German traders would make less and less use of them for various reasons such as the shrinkage of trade and the desire to avoid exchange risks.[81] Although Brand feared a Standstill which was no more than a shell, with Germans owing money but not producing the bills to make London's machinery work, the problems which lay ahead were to be of entirely different stamp.

Brand and his fellow financiers had reason enough to appear desperate to take initiatives in the crisis: they feared great losses and, in some cases, faced the prospect of seeing their businesses and even their own fortunes wiped out. Lazards was virtually bankrupted by its exposure in Germany. It was for this reason, and perhaps because Kindersley faced personal ruin, that Montagu Norman made an exception: the firm received £3m in support from the Bank of England.[82] A presidential address given by Sir Arthur Maxwell to the Institute of Bankers in November 1931 is indicative of the state of morale in the City. Maxwell asserted that members had nothing to be ashamed of in respect of the German loans. He wanted it to be recognized that, whatever faults his audience possessed, at least Britain had not been made to face the alarming series of bank failures which had occurred in many other important countries.[83]

Apart from Lazards, a further six City houses were most severely affected by the Standstill and left technically insolvent. Kleinworts was one of them. The company's acceptance business was especially hard hit: it fell from an average of £16.2m in 1929–31 to £12.1m by the end of 1931 and reached a low of £8.9m in 1933. The company's acceptances involved in the Standstill represented roughly one-tenth of the amount owed to the London banks generally. At the end of July 1931 Kleinworts had £5.8m outstanding on account of German companies. They also had a further £3.5m outstanding in advances and deposits in Germany and a further £2.7m in municipal loans. Kleinworts' lending-to-capital ratio was also a problem: it seems that it was higher than that of other houses and therefore Kleinworts looked more vulnerable. Certainly, the sum of £12m owed by defaulting debtors in 1931 was nearly four times that of the capital of the partners. The company was forced to take up an overdraft facility of £3.5m granted by the Westminster Bank. The terms were onerous: £2.5m of the total was secured against the private assets of the partners. Although the Bank of England recognized that Kleinworts was alone in having to take exceptional facilities, Norman could not be persuaded to underwrite the arrangement, however much this upset the partners.[84]

Also on the list of acceptance houses facing insolvency was J. Henry Schroder. Just as Chase was the most heavily committed bank in America, so Schroders was in Britain. Thus like Wiggin (Chase Bank), F.C. Tiarks, the Schroders' partner, was obliged to be friendly to Germany.[85] He was also a director of the Bank of England and could keep Montagu Norman informed of developments direct.[86] Tiarks took a leading role in securing the first Standstill and, in association with Brand, he continued to occupy a particularly influential position in the arrangements. Indeed, appointed chairman of the Foreign Bankers' Committee, Tiarks became foremost among the international bankers involved in the Standstill.

In comparison, the commitments of the Midland Bank, the largest clearing bank, appear light. Under the original Standstill the Midland's total commitments as creditors of German banks amounted to just over £3.5m (some £1.5m to Deutsche Bank and £880,000 to Dresdner Bank). Outside the Standstill commitments to German banks amounted to £615,000. By 1938 total Standstill credits to German banks stood at £2.7m and, in response to a Bank of England circular, the Midland returned a figure of £480,000 for its credits to Germany outside the Standstill.[87]

In December 1931 Brand and Tiarks met Flandin, the French Finance Minister, in Paris. A scheme was being taken to Berlin although it was assumed that creditors and debtors would sign nothing until the outcome of the reparations was known. The foreign bank creditors wanted to tell the German government that the Standstill would continue only if the reparations issue was settled. But the French would not agree to this, nor, because of war debts, would the Americans.[88] Nevertheless, on 22 January 1932 the Standstill was renewed; formally known as the German Credit Agreement of 1932 it was designed to run for a year from the end of February.

There was general surprise that all the foreign creditors actually sank their differences, especially as neither of the two most important conditions had been secured: it proved impossible to include the short-term debts of the German *Länder* and municipalities and the reparations conference was postponed until the end of the Hoover Year. But there was an important addition to the agreement – that of clause 10. This 'Swiss clause' (so-called after its proposers) allowed creditors to utilize a maximum of 50 per cent of their advances for purchases of German securities (capital participation). These would, however, remain blocked for five years; this was the origin of one category in the system of 'blocked' marks created by German exchange control. The agreement also provided for a reduction of principal sums by 10 per cent and debtors secured a promise that interest rates would be reduced to some conformity with rates in creditor countries. However, total Reichsmark credits had already been reduced by 20 per cent through repayments and sterling depreciation.[89] The Standstill committee reported that the debts covered by the agreement represented funds which were used for business purposes and used, on the whole, soundly. The acute financial crisis in Germany was blamed on recent excessive withdrawals of capital caused by a lack of confidence which, it was felt, was not justified by the economic and budgetary situation of the country.[90]

The Standstill creditors, ignoring the advice of the central banks, also inserted a provision which gave them the right to terminate the agreement if the Reichsbank was called upon to repay the central bank credit in whole or in part. Luther, President of the Reichsbank, also took the position that any repayment would be difficult. In the light of this, the stance taken by Paris worried London and New York. The Bank of France indicated that, if its statutes were not to be contravened, France's participation in any renewal of the credit depended upon some provision for amortization. Montagu Norman, ever fearful of a German moratorium, resolved to reach a compromise at Basle with Luther and Moret, Governor of the Bank of France.[91] Chamberlain found the French 'very tiresome'; he believed that the bankers would continue to renew the Standstill only if the French decided to be more reasonable.[92] Leith-Ross displayed an even greater condescension. He criticized the Bank of France for behaving in the manner of a pawnbroker. To Leith-Ross this was an absurd attitude which seemed to arise from a parochial conception of banking policy rather than out of a desire to press Germany over reparations.[93]

The British government realized that all the creditors would have liked to get out of the Standstill if they could, but thought that it was typical that only the French and the American ones appeared to be doing so. The French had made desperate efforts to extract their money from Germany; the Banque de Paris was said to have got back 40 per cent of its money in the course of the first Standstill year.[94] The liquidation of the Standstill gathered pace as more and more methods of payment behind it were found. Indeed, the assumption that the Americans would otherwise try to recall all their credits seemed to be all that was keeping the agreement going.[95]

It was difficult to find an acceptable rate of interest to charge German debtors. The London committee tried to persuade the City's banks and acceptance houses to reduce the rates. But several banks considered that the minimum 5 per cent on German short-term credit was too low: 6 per cent was proposed – 2 per cent above bank rate.[96] At the same time, the City was incensed at the Reichsbank's attempts to force a reduction by refusing transfer facilities for interest on loans running at rates above 7 per cent.[97] Yet the fear of a moratorium made international investors, as well as central bank governors, especially nervous. The creditors cut the rate to 6 per cent for bank loans and to 7 per cent for non-bank loans; in July, the rates were further reduced to 5 and 6 per cent, respectively.[98]

At the Standstill conference held in London on 1 July 1932 the creditors agreed that the prerequisite for the termination of the agreement was the freeing of the German exchange; this, in turn, depended on the decisions which were just then being taken at Lausanne. When the time was ripe an attempt would be made to reduce the amount of financing by releasing in succession large blocks of credits. More than half of the total outstanding credit granted by Britain was thought to be recoverable (even in the event of a financial collapse by Germany), although it was not clear how this was to be done. Paradoxically, London credits granted to Germany would probably have increased in the event of the abolition of the Standstill, for even in 1932 some fresh credits had been arranged.[99]

The loans to municipalities and *Länder* became the subject of their own Standstill in April 1932 – the German Public Debtors'

Credit Agreement. Like the main Standstill, it was made for one year and was to be renewed annually; it also provided for a 10 per cent reduction in the principal sum. Kleinworts were the main participant. In late 1931 a representative of the bank confided to the Foreign Office that British firms had been 'let in' over municipal short-term loans; no one had realized how heavily the German towns were borrowing or that such short-term loans were going to be used for long-term purposes. It was unusual for a firm to ask a municipality what it intended to do with the money when borrowing for three months, presumably because the town had sufficiently good credit. The Foreign Office was amazed at this avowal of how business was done; so feeble did it sound to them that they thought the French were justified in saying that the English financial houses had only themselves to blame for being in such a mess.[100]

In the course of 1932 attention began to focus on how the Standstill in conjunction with German exchange control affected Anglo-German trade. Credit lines open under the Standstill were supposed to be utilized in the usual fashion. The German importer asked a German bank into which he had paid the necessary funds and which had an open reimbursement account with a British bank, to draw on the latter. Once the bill had been accepted by the British bank it was discountable anywhere and the British exporter could thus obtain payment immediately. But the embargo placed by the Brüning government on payments abroad had begun to affect international trade. The embargo was not quite complete – German manufacturers were allowed in 1932 to buy foreign currency to a small extent of the value of goods imported in 1930–31. Nevertheless, selling British goods became almost impossible and German importers were compelled to turn to domestic substitutes, even if inferior. The British export trade to Germany was badly damaged.[101]

The German authorities contended that the Reichsmark balances blocked under the Emergency Decrees – Sperr marks – could not be used to pay for normal exports, existing trade debts or British governmental payments, for this would be to deprive the Reichsbank of foreign exchange.[102] Instead, the balances could be used solely for the payment of so-called additional exports (*Zusätzliche Exports*) from Germany. Broadly defined, these were goods which could not normally find an export market – prices were set as low as possible but the equivalent goods produced outside Germany were still cheaper. British goods would then, of course, have met with increased competition from German ones.

As far as Standstill funds were concerned, the German banking committee pointed out that these too could be used in Germany only for long-term investment, as under clause 10, or to facilitate additional exports. The use of Standstill monies to settle German claims would negate the essential purpose of the agreement which was to protect the foreign exchange situation of Germany.[103] Indeed, the great difficulty in transferring or exchanging Standstill money proved clearly that the Standstill had become an institution by which the Reichsbank protected the foreign deposits of the German banks.

In the months before the collapse of the Weimar Republic exporting became more and more difficult for Germany; trade barriers, the fall in the price of commodities and the stabilization of the mark at dollar prices were all contributory factors. Most significantly, the depreciation of sterling was a particularly harsh blow for the exporter trying to conduct business with Britain in the normal way. The German Economics Ministry (RWM) gave permission, therefore, for exporters to use Sperr marks, obtained at a considerable discount of 20–24 per cent, in part payment for exports. Similarly employed were liquidated, foreign-held, German securities or German bonds in dollars or sterling. They commanded much higher prices inside Germany than abroad, and the German exporter used the difference to cover his loss in respect of sales, mainly to Britain.[104]

There was some sympathy for the German position. British bankers were not unhappy with this 'natural' development of finding buyers of frozen accounts and the continuous efforts in exploiting new methods of using such accounts. By such means, the international trade of Germany was assisted. The only real criticism was reserved for the burden created by German officialdom. Francis Rodd, at the Bank of England, agreed that it was difficult to rail at principles which were fundamental to the Standstill. The problem was aggravated by the diversity of interests involved; commercial creditors could not make their voice heard in Germany. Rodd thought that the bankers would be happy to co-operate, but the machinery did not exist. He confirmed that the liquidation of blocked accounts was taking place – on a very considerable scale – where it served German interests. There was thus a very large market in blocked marks as bankers liquidated, although they did so at a discount. Many transactions were carried out through Zurich at a 22 per cent discount, while Americans were liquidating at 30 per cent, a rate unacceptable for London.[105]

The Board of Trade, however, was not so happy. German policy implied that British holders of blocked balances were to be forced to pay their German debts in sterling, although they were not parties to the Standstill. The Board always took the general line on exchange that British traders should not be placed in a position less favourable than those of any other country and it saw no reason why it should refrain from doing so in this case. A contrasting approach, put forward by the Berlin Embassy, was to explore whether the German authorities could be persuaded to relax exchange restrictions. The Foreign Office supported the proposition that British commercial interests needed help. Some attempt had to be made, independently of bankers, to secure the release of frozen balances held by traders.[106] Yet Britain was in no position to employ either bribery or force. To make matters worse, negotiations for the relief of commercial interests risked running counter to negotiations between the Standstill creditors and the German Foreign Debts Committee.

Reparations and the British economy

Tariffs and a managed currency were the instruments grasped by Britain in an attempt to salvage economic and financial interests from an international order which was breaking down. There was no time to consider how the new politics of economic nationalism might affect developments in the wider world, apart from the British Empire. Besides, by common consent, the issue which far exceeded all others in bedevilling international relations and in undermining the political stability of Europe was war debts and reparations. Without a long-term settlement of these international payments recovery from the world depression could not begin. And, with every passing month of the turbulent Hoover Year, the need to find a solution to the problem became more and more pressing. For Britain, distracted by the need to redefine the national interest, the impact of reparations on the domestic economy also attracted particular attention.

Not least among the many factors weighing against reparations was the marked impact they seemed to have on the UK's balance of payments. Hubert Henderson, the economist, tried to demonstrate how the payment of reparations by Germany was likely to be specially damaging to British industry. Both countries were largely specialized in similar activities and, as Germany could make the payments only by achieving an export surplus, she had to check imports and stimulate exports. In the course of the year before Britain left the gold standard, German exports (11.8 per cent of total world trade) exceeded British exports (10.1 per cent) for the first time.[107] Henderson did not see the need to seek alternative explanations for this trend; like many others he was already convinced that reparations harmed the cause of British exporting and crippled British trade with Germany – a customer of particular importance.

But there were, of course, two sides to the debate. It was said by some that a revival of German industrial competition would endanger Europe, just as in the years leading up to 1914. The French government certainly played on these fears as justification for not ending reparations and accused Britain of adopting Germany's thesis that she was not in a position to pay anything. Sir Roland Nugent, director of the Federation of British Industries (FBI), revealed that his organization strongly objected to complete cancellation.[108] Francis Rodd calculated that reparations payments had not stimulated German exports as much as Henderson maintained; as for imports, he reckoned that the steady fall in world prices had pushed down the value of the trade but that the volume had not declined to the same extent. Rodd was sympathetic, therefore, to the thesis that, once relieved of reparations, Germany would be in a position to capture the world's markets because of her highly rationalized plant and unrivalled productive and marketing organizations. This potential to compete successfully remained so impressive that it seemed to counter the assertion that, on purely economic grounds, Germany would never be able to pay anything.[109]

The Treasury, however, emphatically disagreed with this forecast for three reasons. First, it was useless to suppose that a great nation such as Germany could be held down permanently by the imposition of a foreign tribute. Second, Germany's disorganized economy and necessary dependence on foreign capital would be adequate safeguards against industrial supremacy. Third, at the moment when Britain was abandoning free trade she could afford to look with 'more complacency' upon the dangers of foreign competition.[110] For the Treasury to suggest complacency seems extraordinary; it pointed to the growing doubts over the changes in British external policy. Like Henderson, the Treasury was convinced that the real danger to the British economy arose from the way reparations had forced Germany to dump goods. The crisis had also forced Germany to reduce, by more than half, her imports of British goods. An expanding Germany might be expected, then, to benefit British industry more than threaten it.[111]

Bankers also believed that Germany would be able to pay reparations at some future date. Yet they reasoned that international confidence would be restored only when creditor governments renounced entirely all such hypothetical claims on the future. Of all the charges raised against reparations this was the most serious; by preventing the re-establishment of German credit they inflicted serious damage on Britain's financial sector. Germany's commercial creditors, with the City of London in the lead, looked to the authorities for reassurance that political obligations would not prevent Germany from honouring commercial debts. The markets, supported by the Bank of England, wanted a definite clearance: cancelling reparations would produce a natural inflow of foreign credits while mere postponement would be a signal to withdraw money from Germany in the meantime.[112]

Whatever other talents bankers possessed they could not reasonably claim to have special powers of insight. As one official wryly observed, they were neither politicians nor psychologists. The case made by the bankers was persuasive because the crisis seemed so serious. Creditor governments were facing Germany's willingness to default over reparations and were hardly strong enough to make good their claims. Accordingly, Britain would have to take risks in order to avoid being dragged down in the predicted universal collapse. One of those risks was the possibility of having to resume the struggle with Germany for world markets.[113]

But the very thought of facing German trade competition in the future seemed quite risible. As economic conditions in the Weimar Republic deteriorated, anxious British observers described the situation as irremediable and suggested that the cancellation of reparations would not be enough to restart the machine.[114] Germany's ability to continue unimpaired her service of foreign debt looked increasingly doubtful. With the new British tariff set to accelerate the decline in the Republic's export surplus, the City of London began to wonder whether even interest payments could be maintained.[115]

Brüning's economic policies foreshadowed those which were to be employed, albeit more systematically, by the Nazis. Autarky was rejected in theory, yet many of the individual measures taken were scarcely reconcilable with any other idea. The intention was to prevent the withdrawal of further foreign capital, to remain on gold and to pay debt interest. Attempts were made to reduce payments abroad by cutting down on imports. A default on foreign debt, however, would have cut an important thread connecting Germany with the outside world. Britain feared that it might open the door to the full regulation of trade and a degree of state control scarcely compatible with international capitalism.[116]

In seeking to have intergovernmental payments cancelled or reduced to a minimum, Britain followed the lead taken by the Special Committee of the Young Plan.[117] Some of these experts warned towards the end of 1931 that prompt measures had to be taken in order to avoid the declaration of a moratorium by Germany. Apart from the restoration of confidence which would allow credit to be left in Germany, the balance of payments had to be freed from the transfer of all reparations for several years.[118] Ramsay MacDonald wanted a conference to be held straight away.[119] Under the Young Plan the onus was on Germany to prove that she could not pay; the objective now was to have the onus placed on the creditor powers to prove that she could. On that basis, a compromise with the French government was envisaged: the Hoover Moratorium would be extended by at least three years as a first step towards general cancellation.[120]

France, on the other hand, was most unwilling to follow Britain along this path to a solution. There was, first and foremost, a general resistance to any idea of revising existing obligations. Moreover, as Robert Boyce has shown, the French viewed the Hoover Moratorium and demands for the cancellation of reparations as desperate attempts by the Anglo-Saxon powers to save their own over-exposed commercial banking systems at the expense of placing France's financial stability in jeopardy.[121]

Britain was more than able to repay the compliment: in London, French manoeuvring was held to be outrageous. France benefitted most from reparations and had comparatively few commercial credits in Germany; difficulties in reaching a settlement could be blamed, therefore, on Gallic self-interested obstructionism.[122] France was suspected of manipulating capital flows between financial centres in order to try to create the conditions for her own solution to the German question. The Treasury thought that the French recognized that reparations were dead but did not dare say so.[123] Neville Chamberlain could see that the rise of National Socialism posed great dangers. But he believed that the means to avert them lay in the hands of the unpredictable French: to insist on reparations before commercial credits was 'an extraordinary failure of that logic which is supposed to be their special characteristic',[124] for this kept British financial resources frozen and threatened the stability of the pound which the French were anxious to restore. Chamberlain thought it was absurd to keep the whole of Europe in a state of nervous anxiety, thereby precipitating the rise of Hitler, while making it impossible for Germany to pay any reparations.

Keynes remained passionately committed to the cause of abolition and he, too, held France responsible for the way in which Germany's short-term creditors had fallen into a panic. He endorsed the idea that Germany's future capacity to pay anything to anyone was largely dependent on restoring her credit.[125] He was in close contact with Ramsay MacDonald and, in the pages of the *New Statesman*, in January 1932, came down in favour of the government's policy.[126] As a result, Keynes was said to be hated in France.[127]

The government's perception was that all sections of British public opinion agreed that the existence of international political debts, and the consequent heaping up of gold in France and the United States, had played a considerable part in aggravating the economic crisis. There was no reason, therefore, why Britain should go out of its way to impoverish Germany in order to increase the creditor balances of France and America.[128] These two countries were accused of 'sterilising' gold: instead of allowing for world demand to be stimulated they had brought about widespread deflation by seeking, perversely, to hold down the money supply in their domestic economies.[129] The world crisis heightened Britain's desire to strengthen her own channels of international finance and trade by finding a solution to the reparations problem. This coincided, of course, with German interests. As such, it may be seen as an attempt to prevent French economic hegemony in Germany which brought Britain into competitive conflict with the United States.[130]

In fact, Britain found working with the Americans no less a strain than dealing with the French. While the US administration was thought to be sympathetic, Congress had set its face against debt revision. Consequently, it was assumed in London that some kind of leverage would be required to break the log jam, even though the suspension of 'tribute' was something entirely justifiable.[131] The aim was to pay to America only what was recovered from Germany and Allied debtors. But if receipts from Germany were technically just postponed rather than cancelled the British government did not see how it would be possible to ask Washington for anything more than a temporary suspension of British war debt.[132]

The modesty of the British government's proposals greatly disquieted Montagu Norman. He declared that anything less than a five-year suspension would produce a complete jam over Standstill bills and place the Bank of England in an impossible position. There was no doubt that Norman reflected the view of the market. However, in view of the stance taken by France, the Bank's ideas were quietly dismissed as politically disastrous and financially suicidal.[133]

Indeed, the French government made it clear by the start of 1932 that it would not accept anything beyond a two-year conditional moratorium. On Britain's suggestion the reparations conference was postponed until June. The London market favoured adjournment in the hope that conditions for securing a permanent settlement might be more propitious later in the year.

Yet, to entertain hope on this basis was very dangerous. There was an obvious risk that the Brüning government would be swept away and replaced by a National Socialist combination that would flatly reject any plan or suggestion of payment. The British Ambassador in Berlin warned that the deteriorating political and economic situation could, with justification, be blamed on external factors: trade figures showed the decline in Germany's purchasing power in the world and the progressively restrictive effect of protectionism in other countries.[134] These dangers were understood in London. But in his reply to the Berlin Embassy, Leith-Ross dissembled over the influence of the City authorities: 'You will realize that the attitude of ministers here is necessarily to a large extent influenced by the opinion of the Bank of England as to what the market wants.'[135]

With the postponement of the Lausanne conference until the end
of the Hoover Year, the British drive for an early solution ground to
a halt. In *The Spoils of War* Bruce Kent argues that there was, in any
case, no real effort to resolve the reparations problem in the six
months following September 1931 since the Standstill Agreement
had taken the edge off Germany's short-term credit crisis.[136] But the
diplomatic stalemate exposed Britain's banking interests to further
destabilization. The news at the end of January 1932 that the
Standstill was going to be renewed, even though a reparations
settlement had eluded governments was, therefore, as surprising as
it was welcome. Neville Chamberlain put the development down to
a widespread belief that, whatever governments might say, the
payment of reparations had come to an end.[137] It was self-evident to
members of the Cabinet that the twin purposes of a settlement – to
improve the economic position of Europe and to reassure the City
of London – were mutually reinforcing. In the absence of any
settlement, the Standstill was looked to as a possible alternative way
of achieving these objectives.[138]

No advance on the diplomatic front could be made in the first
half of 1932: America refused to discuss war debts, France refused
to discuss cancellation of reparations unless war debts were
included, and Germany refused to discuss anything other than
cancellation. With elections looming in all three countries, even
discussions on a formula for an eventual settlement were rendered
nugatory. France believed that a decision should depend upon
American action. Britain, on the other hand, took the opposite view
but dismissed any idea of acting unilaterally as too dangerous.[139]

The precise way in which Europe was supposed to act in concert
to deal with the American debts had to be left, therefore, for the
conference itself to consider. This ensured that there would be no
clean break at Lausanne: while decisions reached could take effect
immediately, they would be provisional and formal ratification
would depend upon a settlement with the United States. From
Britain's perspective, the advantage in delay was that the seemingly
inevitable crisis in transatlantic relations would be deferred for as
long as possible.[140] Turning debts into a presidential election issue
was thought to be a sure-fire way of stimulating American
denunciations of Europe. Consequently, no proposal to end
payments to the US would be made until the American elections on
5 November were out of the way.[141] In the meantime, the British

government omitted from its budget for the fiscal year 1932–33 all provision for both payments to America and receipts from reparations. The Chancellor's public explanation for this was that these two items were self-balancing and that their amounts were uncertain in the light of future events.[142]

On 30 May Brüning, the German Chancellor, was forced from office. Ramsay MacDonald, disturbed by the news, wanted Britain to lead in Europe and to start at Lausanne. MacDonald thought that it would be simply ridiculous and futile to keep the world waiting on the outcome of the discussions which were to take place at Ottawa. Instead, a 'big mind' was required to deal with all the economic questions.[143] One major concern which Britain had over the new Weimar government was that Schacht would replace Luther as Reichsbank President and then lead the German delegation at Lausanne. These anxieties were lifted when Luther received the confidence of von Papen, Brüning's successor, and it became obvious that Schacht would not go to Lausanne. Ironically, when Schacht did take up the office some nine months later the succession was welcomed in Britain: at least his brand of nationalism was not as extreme as the full-blown Nazi version.

The Lausanne Conference opened on 16 June 1932. Business in the City of London marked time; everyone assumed that failure at the conference would produce a panic reaction. Although the Standstill Agreements and transfer postponements served to hide future losses, a fresh crop of deliberate and unconcealed defaults would have been extremely destabilizing. Nevertheless, for the first time since the start of the depression an intergovernmental conference had given the City a reason to be expectant and hopeful, even if it was a hope bred of despair.[144]

There is a view that the conference did indeed prove to be a diplomatic triumph for MacDonald and that Britain did much to prepare the ground for international financial reconstruction.[145] Certainly, Lausanne bore fruits of a kind: reparations were effectively annulled with the pretence of a final payment by Germany. The British delegation was able to bring about a compromise on the basis of a plan sketched out earlier in the year. Under the Final Act of 9 July Germany was to transfer bonds to the BIS. An accompanying gentlemen's agreement confirmed that payment would only take place if the act were ratified, and ratification itself was made dependent upon a general settlement of debts.[146] Thus everything remained precariously poised. In these circumstances, British statesmen were greatly relieved to hear that the City, at least, was pleased with the settlement. For as Walter Runciman, one of the British negotiators, privately noted, Lausanne was leaving most of the important issues unresolved. He wondered what would happen in the months ahead, especially if America declined to ratify the agreement.[147]

Runciman's suspicions were well founded. Lausanne turned out to be a terminus rather than a staging post. Although conditions remained dangerously unstable, particularly in the Weimar Republic, the momentum behind the construction of a multilateral settlement was soon lost. The news from Lausanne persuaded President Hoover to issue a despatch to the Disarmament Conference to the effect that it was armaments expenditure, not war debts, which had caused the slump in Europe.[148] As for Britain, preparations for the Ottawa gathering – the next great step in the economic revolution – were a major preoccupation long before the Lausanne Conference had even assembled. However noble MacDonald's aspirations, in the course of 1932 the focus of attention shifted away from Europe and its problems.

The aim of the British government at Ottawa was to lower tariffs. But the Cabinet members who attended the chaotic conference struggled to make themselves heard and the results were again disappointing. In terms of economic development, the Empire had advanced some way since the tariff reform campaign at the turn of the century. The Dominions asserted their individual interests above all else; they believed that their infant industries needed protection, even against the UK, while the latter, in turn, was now concerned to protect her agricultural producers.[149] Eventually, Imperial Preference was established in a series of bilateral agreements in which the UK and the individual Dominions swapped mutual preferences and maintained or erected even higher trade barriers against foreign goods. With Samuel and Snowden now looking to resign from the National Government, Runciman was able to comfort MacDonald that he had at least been spared the cruelty of having to pass through the ordeal of Ottawa. Lausanne had seemed in comparison a much more wholesome and dignified affair.[150] Yet, with the collapse in the structures of world trade, even the City, which had been foremost in opposing an extension to tariffs, was forced to accept Imperial Preference and a modicum of protection.[151]

Britain continued to hold the ambition to try to secure reductions in duties by means of bilateral negotiations with particular countries.[152] Herein was recognition, at least, that tariffs had implications for foreign relations. This was one way to promote the cause of general European stability. But the scope was very limited: opportunities would arise only from negotiations over specific trading interests. Indeed, Ian Drummond, the economic historian, has found no evidence that consideration was given to the possible interactions between Ottawa, Lausanne, and the prospective World Economic Conference.[153] The National Government pretended otherwise. France and the United States had agreed at Lausanne that discussions on stabilization should continue: the League of Nations would be invited to convene a world economic conference. This was sufficient for Runciman to claim, in late 1932, that Britain had a 'Conference policy' which linked all of the international gatherings. Bilateral trade negotiations were, apparently, an essential part of that policy and a start had already been made.[154]

Doubtless, Runciman had in mind a development in the long-running story of British coal exports to Germany. The Lausanne Conference gave the President of the Board of Trade a chance to speak about coal restrictions to Konstantin von Neurath, previously Ambassador in London but now German Foreign Minister. The quota allocated by Germany to British coal imports had declined from 420,000 tons per month in October 1931 to 125,000 tons in April 1932. Britain took the reduction as evidence of trade discrimination. This appeared to contravene not only the 1924 Commercial Treaty but also a secret formal declaration, made at the same time, to the effect that the status quo in British coal exports to Germany would be maintained. Rumbold, the British Ambassador, had made repeated complaints to Brüning. The response was to claim that the British emergency duties and the Import Duties Act had in some cases fallen with special severity on German trade. Sterling's devaluation had, at the same time, allowed British exporters to secure advantages in the German market over domestic producers.[155]

By the end of 1932 Britain and Germany had opened negotiations. Germany no longer felt bound by the secret note in regard to coal because conditions had changed so much since 1924. A large proportion of British duties were still said to be 'specially injurious' and reductions were required. Furthermore, the German government highlighted the effect of the pound's devaluation and newly acquired unpredictability: a drop in the level of sterling had the potential to wipe out any concessions obtained from Britain. Giving voice to supposed grievances was an expected part of the bargaining process. In this case, the charges stood up and the British government knew that its negotiating position was not strong. Yet, as the German authorities were anxious to reach an understanding, the way to a compromise was open. The trade agreement was concluded in 1933 (see Chapter 7). But by then the Weimar Republic was no more.[156]

Indeed, the implications of the economic revolution which had swept the world were only just becoming clear. Many in Britain began to question how wise it had been to implement beggar-my-neighbour policies – especially when Germany was one of the neighbours. With the ideological support for Britain's new external policies resting on shallow foundations, a coherent and confident response to the threat posed by the Third Reich could not be mounted.

NOTES

1. A.R. Holmes and E. Green, *Midland: 150 Years of Banking Business* (Batsford,1986), p. 186.
2. R.G. Hawtrey, *The Art of Central Banking* (Longman, 1932), p. 224.
3. R. Fry, 'The work of a financial journalist', *Manchester Statistical Society Paper* (Manchester, 1945), p. 13.
4. C.H. Feinstein, *National Income, Expenditure and Output of the United Kingdom, 1885–1965* (Cambridge: Cambridge University Press, 1972), T.84: invisible items (balance of payments).
5. For an analysis of interwar bank rescues see G. Jones, *British Multinational Banking, 1830–1990* (Oxford: Clarendon Press, 1993), pp. 239–45.
6. Branson and Heinemann, *Britain in the Nineteen Thirties*, p. 12.
7. Reynolds, *Britannia Overruled*, p. 118.
8. T 188/21, note by Leith-Ross, 8 October 1931.
9. A. Booth, 'The British reaction to the economic crisis', in W.R. Garside (ed.), *Capitalism in Crisis: International responses to the Great Depression* (Pinter, 1993), pp. 41–2.
10. H. Macmillan, *Winds of Change 1914–1939* (Macmillan, 1966), p. 282.
11. For Anglo-German discussions on Austria's problems see H. Brüning, *Memoiren 1918–34* (Stuttgart: Deutsche Verlags-Anstalt, 1970), p. 337; also CAB 24/222, CP157. On the June crisis see S.V.O. Clarke, *Central Bank Co-operation, 1924–31* (New York, NY: Federal Reserve Bank, 1967), pp. 186–9; Kindleberger, *World in Depression*, p. 157; K.E. Born, *Die deutsche Bankenkrise 1931* (München: Piper, 1967).
12. FO 371/15210; see contemporaneous comments by Orme Sargent, head of the Foreign Office's Central Department.
13. *The Times*, 20 August 1931.

14. T 188 23, minute by Hopkins, 22 August 1931.
15. Henderson, *Inter-War Years*, p. 99.
16. Lewis, *Economic Survey*, p. 158; L.B. Yeager, *International Monetary Relations: Theory, History and Policy* (New York, NY: Harper & Row, 1966), p. 335.
17. Kindleberger, *World in Depression*, p. 159; S. Howson, *Domestic Monetary Management in Britain 1919–38* (Cambridge: CUP, 1975), pp. 75–82.
18. D.B. Kunz, *The Battle for Britain's Gold Standard in 1931* (Croom Helm, 1987), pp. 133–4.
19. Ibid., p. 188.
20. R.A. Dayer, *Finance and Empire: Sir Charles Addis, 1861–1945* (Basingstoke: Macmillan, 1988), pp. 223–30.
21. P.L. Cottrell, 'The Bank of England in its international setting, 1918–1972', in R. Roberts and D. Kynaston (eds), *The Bank of England: Money, Power and Influence 1694–1994* (Oxford: Clarendon Press, 1995), pp. 100–3.
22. D.H. Aldcroft, *From Versailles to Wall Street, 1919–1929* (Allen Lane, 1977), p. 186; A. Cairncross and B. Eichengreen, *Sterling in Decline* (Oxford: B.Blackwell, 1983), pp. 27, 102.
23. Cain and Hopkins, *British Imperialism*, p. 75.
24. Skidelsky, *John Maynard Keynes*, pp. 397–9; Williamson, *National Crisis*, p. 470.
25. J.M. Keynes, preface to 'Essays in Persuasion' (1931), in D. Moggridge (ed.), *The Collected Writings of John Maynard Keynes*, Vol.9 (Macmillan/CUP, 1972).
26. Temin, *Lessons from the Great Depression*, p. 108.
27. B. Eichengreen, *Golden Fetters: the Gold Standard and the Great Depression, 1919–1939* (Oxford: OUP, 1992), p. 286.
28. A. Siegfried, *England's Crisis* (London: Jonathan Cape, 1933), preface. The work was first published in 1931.
29. Bank of England Archives (hereafter BoE), OV34/81, 28 September 1931.
30. For an overview see H. James, H. Lindgren and A. Teichova (eds), *The Role of Banks in the Interwar Economy* (Cambridge: CUP, 1991).
31. R. Boyce, 'World depression, world war: some economic origins of the Second World War', in R. Boyce and E.M. Robertson (eds), *Paths to War. New Essays on the Origins of the Second World War* (Basingstoke: Macmillan, 1989), p. 76.
32. Kunz, *The Battle for Britain's Gold Standard*, pp. 148, 159.
33. BoE OV34/81, 6 October 1931.
34. James, *The Reichsbank*, pp. 288–91. See also K. Borchardt, 'Could and should Germany have followed Great Britain in leaving the Gold Standard ?', *JEEH*, 13, 3 (Winter 1984), pp. 447–9. Borchardt concludes that there was no political pressure put on Germany by Britain to follow the latter off gold.
35. Kindleberger, *World in Depression*, p. 163; see also FO 371/15211, Berlin Embassy despatch, 28 September 1931, which suggested that the German people as a whole confused devaluation with inflation. For a detailed study of Brüning's reasoning see, T. Balderston, *The Origins and Course of the German Economic Crisis 1923–1932* (Berlin: Haude & Spener, 1993), pp. 319–25.
36. T 188/23; see also H. Luther, *Vor dem Abgrund 1930–1933: Reichsbankprasident in Kreiszeiten* (Berlin: Propyläen Verlag, 1964), p. 154; Brüning, *Memoiren*, p. 395,
37. S. Howson and D. Winch, *The Economic Advisory Council 1930–1939* (Cambridge: CUP, 1977), pp. 102–5.

38. Keynes, 'Essays in Persuasion', p. 158.
39. FO 371/15211, Leith-Ross to Rowe-Dutton (Berlin), 28 September, and to Sargent, 30 September 1931.
40. Lord Brand papers, Bodleian Library, Oxford (hereafter Brand papers), File 112, letter to H.D. Henderson, 29 October 1931.
41. Neville Chamberlain papers, University of Birmingham Library (hereafter NC), 8/12/2, Treasury memo, 3 October 1931. Chamberlain replaced Philip Snowden as Chancellor after the election on 27 October. According to Fisher and Hopkins, the Treasury's primary objective was to avoid, and to be seen to be avoiding, inflation. The secondary objective was to establish a provisional policy to build up foreign currency reserves, but to postpone judgement on the question of 'pegging' the pound.
42. The Tripartite Agreement came into being when the cycle of devaluations was complete. The immediate challenge was to prevent a reopening of the cycle and to regulate the dollar–sterling rate. See, for example, R. Nurske, *International Currency Experience* (League of Nations, Geneva, 1944), p. 131.
43. W.N. Medlicott, *Contemporary England 1914–64* (Longman, 1967), p. 269. Goods from the Dominions and colonies were excluded.
44. A.J.P. Taylor, *English History 1914–1945* (Harmondsworth: Penguin, 1975), pp. 403–5; A. Thorpe, *The British General Election of 1931* (Oxford: Clarendon Press, 1991), p. 231.
45. CAB 23/70, 5(32) and 6(32).
46. A. Marrison, *British Business and Protection 1903–1932* (Oxford: Clarendon Press,1996), pp. 421–7.
47. CAB 24/255, CP301, 26 November 1931.
48. M. Kitson and S. Solomou, *Protectionism and Economic Revival: the British Inter-war Economy* (Cambridge: CUP, 1990), p. 3.
49. Parl. Deb.(Commons), 261, col.309, 4 February 1932. See also Amery's criticisms in J. Barnes and D. Nicholson (eds), *The Empire at Bay: The Leo Amery Diaries, 1929–1945* (Hutchinson, 1988), pp. 238–9.
50. Kindleberger, *World in Depression*, p. 162.
51. H.S. Ellis, *Exchange Control in Central Europe* (Cambridge, MA: Harvard University Press, 1941), p. 224.
52. Lewis, *Economic Survey*, p. 92.
53. James, *The Reichsbank*, p. 221.
54. For the following section see W.A. Morton, *British Finance, 1930–1940* (Madison, WI: University of Wisconsin Press, 1943), pp. 30–3, 270.
55. See, for example, Schacht's report of his conversation in 1929 with Baron Schroeder in H. Schacht, *My First Seventy-Six Years* (Wingate, 1955), p. 286.
56. T.E. Gregory, *The Gold Standard and Its Future* (Methuen, 1934), pp. 58–9.
57. D. Stiefel, *Finanzdiplomatie und Weltwirtschaftskrise: Der Krise der Credit-Anstalt für Handel und Gewerbe 1931* (Frankfurt am Main: F. Knapp, 1989), pp. 195–6. The Credit-Anstalt was the largest and by far the most important Austrian bank.
58. Sayers, *Bank of England*, pp. 502–5.
59. James, *The Reichsbank*, p. 221.
60. Clay, *Lord Norman*, p. 381. See also Federal Reserve Bank of New York Archives (hereafter FRBNY), C 261.1, cablegrams, Harrison to Norman, 15 July 1931 and Norman to Harrison, 16 July 1931. Harrison's position did not allow him to play such a central role in the American financial system as that played by Norman in the British system.

61. BoE OV34/129.
62. James, *The Reichsbank*, p. 221.
63. BoE OV34/129.
64. FRBNY C 261.12, minutes of meeting, 24 August 1931 and cablegram, Harrison to MacGarrah (BIS), 21 August 1931.
65. Lord Brand, 'A banker's reflections on some economic trends', *The Economic Journal*, 63, 252 (December 1953), p. 769.
66. Ellis, *Exchange Control*, p. 171.
67. BoE OV34/131 and OV34/149. The total was later thought to have been an overestimate (by up to £10m) although it continued in use.
68. James, *The Reichsbank*, p. 218.
69. The Golddiskontbank was a central banking institution set up in 1924.
70. Clay, *Lord Norman*, p. 381.
71. FO 371/15212, letter by Leith-Ross to Sargent, 31 October 1931. See also T 160/436/12630/02/1.
72. T 188/33; FO 371/15212, letter to Sargent, 3 November 1931.
73. T 188/33, note of meeting, 20 November 1931.
74. T 160/450/13050, letter to Leith-Ross, 29 December 1931.
75. CAB 24/255 (306), memo, by Joint Committee; also, T 160/438/12681/01. See C.R.S. Harris, *Germany's Foreign Indebtedness* (Oxford: OUP, 1935), p. 23 for the reference to a letter Brand wrote to *The Times* in 1935, in which he claimed that the amount of short-term money outstanding to Germany in 1931 was probably considerably smaller than the amount in 1914.
76. BoE OV34/149, memo, 30 November 1931.
77. FO 371/15212, memo, by the German Ambassador, 23 October 1931.
78. James, *The Reichsbank*, pp. 227–8. The 'returns' produced by British banks and acceptance houses show that Britain lent direct to German industry.
79. FRBNY C 261.12, letter from F. Abbot Goodhue (Chairman of American Standstill subcommittee) to E.R. Kenzel (Deputy Governor, FRBNY), 2 December 1931.
80. Ellis, *Exchange Control*, p. 171.
81. FO 371/15935/C31, letter dated 30 December 1931; see also T 160/450/13050.
82. Boyce, *British Capitalism*, p. 344.
83. *The Banker*, 20 (December 1931), p. 215.
84. J. Wake, *Kleinwort Benson: The History of Two Families in Banking* (Oxford: OUP, 1997), pp. 243–4.
85. James, *The Reichsbank*, p. 237. F.C. Tiarks was the son of Henry Friederich Tiarks who became a partner in 'Schroeders' in 1871.
86. Sayers, *Bank of England*, p. 503.
87. Group Archives, HSBC Holdings plc, Midland Bank Archives (hereafter MB), 30/190–1, 'Midland Bank's Commitments as Creditors of German Banks' – position at 31 July 1931 and 31 December 1938; note, dated 20 June 1938, of return made to Bank of England.
88. T 160/438/12681/01, memo, by Rowe-Dutton (Financial Advisor to the Berlin Embassy), 10 December 1931.
89. Ellis, *Exchange Control*, p. 178.
90. FO 371/15935.
91. FRBNY, Harrison Collection, 3125.3 and 3115.3, records of telephone conversations between, respectively, Lacour-Gayet (Bank of France) and Harrison, 9 February , and Harrison and Norman, 10 February 1932.
92. NC 18/1/770, to Hilda (Chamberlain's sister), 13 February 1932.

93. FO 371/15936/C1322, letter to Sargent, 10 February 1932.
94. FO 371/15935/C1042, note by Perowne and letter by Leith-Ross to Sargent, 3 February 1932.
95. FO 371/15937, undated despatch to Rumbold (Berlin), seeking confirmation of the accuracy of Sargent's City source – Nigel Law, the former FO official.
96. MB 30/99, Hyde's Diary, p. 180, 21 March 1932.
97. FO 371/15903/C2451, Law to Sargent, 23 March 1932.
98. James, *The Reichsbank*, p. 240.
99. FO 371/15903/C5937, Law to Sargent, 7 July 1932.
100. FO 371/15212, memo, 10 November 1931. See also, MB 30/202, position at 31 March 1939. This showed the total left outstanding under this agreement to be just over £1m (Britain's share coming to £975,000). These were insignificant amounts in comparison with the Standstill proper.
101. T 160/927/12750/2; see letter to British Consulate General, Cologne, from F.Spencer of Fine Spinners Ltd, indicating that the British textile industry was particularly disadvantaged.
102. FO 371/15937/C5771, despatch by Ambassador Rumbold, 2 July 1932.
103. T 160/927/12750/3, letter to Brand, 9 August 1932.
104. FO 371/15937/C8624, memo, no.8 (Financial Series), 30 September 1932, prepared by the Joint Committee at the request of Sir Walter Layton.
105. T 160/927/12750/3, Rodd to Pinsent (Treasury), 9 September 1932.
106. FO 371/15937, Jenkins (Board of Trade) to Pinsent, 26 August 1932; FO 371/15954/C8042, Rowe-Dutton (Berlin) to Leith-Ross, 15 September 1932; T 160/927/12750/3, Pinsent to Siepmann (Bank of England), 1 September 1932.
107. 'German Reparations and British Industry', February 1932, in Henderson, *Inter-War Years*, p. 92.
108. T 160/729/12829/1. Walter Elliot, Financial Secretary to the Treasury, was the recipient of this information.
109. BoE OV34/3, note, 22 January 1932. See also, K. Burk, *Morgan Grenfell 1838–1988: The Biography of a Merchant Bank* (Oxford: OUP, 1989), p. 100. Rodd left the Foreign Office in 1924; he joined the Bank of England in 1929 as an adviser to the Governors and became a partner in Morgan Grenfell in January 1933.
110. T 160/729/12829/1, minute by Hopkins.
111. Ibid. See also, BoE OV34/3, memo, by Leith-Ross, 12 January 1932, 'Germany's Competitive Power'.
112. T 188/21, Leith-Ross minute, 8 October 1931.
113. FO 371/15907/C1262, minute, 12 February 1932.
114. BoE OV34/3, Berlin Embassy reports by Thelwall (Commercial Counsellor) and Rowe-Dutton (Financial Adviser); see also copy of letter, 9 March 1932, Rowe-Dutton to Waley, and note by the Bank of England, 18 March 1932. The Bank did not know quite what to make of Rowe-Dutton: he was thought to be excessively gloomy and alarmingly pessimistic, yet this was said to be natural and well-founded.
115. FO 371/15903/C2030, letter by Nigel Law, 10 March 1932.
116. FO 371/15937/C4550, report by Rowe-Dutton, 12 May 1932.
117. CAB 24/227, memo, by Sir John Simon (Foreign Secretary), for Cabinet on 11 January 1932. The committee, which included four neutrals, met in Basle under the auspices of the BIS. Britain did not contemplate any interruption to the service of the Dawes and Young loans.

118. BoE OV34/148. These opinions formed, in effect, a minority report of the Special Committee.
119. T 160/450/13050; see also T 188/32.
120. FO 800/286, minute by Leith-Ross to Simon, 1 January 1932.
121. Boyce, *British Capitalism*, p. 336.
122. Boyce, 'World depression, world war', p. 70.
123. T 160/729/12829/1, minute by Hopkins.
124. NC 18/1/964, letter to Hilda Chamberlain, 6 December 1931.
125. Brand papers, File 112, 'A Note on the German Riddle', undated, by the Prime Minister's Advisory Committee on Financial Questions. Brand, Keynes, Henderson, Layton and McKenna were all members.
126. *New Statesman*, 16 January 1932.
127. T 160/436/12630/1.
128. T 160/439/12704, minute, 14 November 1931; see also T 160/436/12630/2, minute, 30 March 1932, by Leith-Ross.
129. Parker, *Chamberlain and Appeasement*, pp. 15–16. Parker suggests that the British public did not follow the technical arguments but shared a sense of grievance at French and American behaviour.
130. K. Jaitner, 'Aspekete britischer Deutschlandpolitik 1930–32' in J. Becker and K. Hildebrand (eds), *Internationale Beziehungen in der Weltwirtschaftskrise 1929–1933* (München: Vögel, 1980), p. 21.
131. T 160/450/13050, memo, 28 December 1931.
132. FO 371/15904/C258, minute, 11 January 1932.
133. T 160/450/13050, note of conversation between Leith-Ross, Fisher and Norman, 28 December 1931 and minutes by Leith-Ross, 31 December 1931 and 1 January 1932; see also T 188/32, for further discussions on 31 December 1931 which included Sir Ernest Harvey (Deputy Governor).
134. T 160/437/12630/02/2, Rumbold despatch, 20 January 1932.
135. FO 371/15901/C691, letter to Rowe-Dutton, 13 January 1932.
136. B. Kent, *The Spoils of War: the Politics, Economics and Diplomacy of Reparations, 1918–1932* (Oxford: Clarendon Press, 1989), p. 354.
137. CAB 23/70, 4(32).
138. CAB 23/70, 8(32), 26 January 1932.
139. FO 371/15905/C638, minute by Sargent, 20 January 1932; see also NC 18/1/770, Chamberlain's letter to Hilda, 13 February 1932.
140. T 172/1788, notes by Leith-Ross, 25 and 27 May 1932, for Chamberlain.
141. CAB 24/23a, memo, by Sir John Simon, confirming British policy on 31 May 1932 – the day after Brüning's resignation. See also, CAB 23/71, 37(32), letter, 20 June 1932, from Sir John Simon (at the Lausanne Conference) to Vansittart. Simon expressed his frustration at having to show such constraint at the negotiating table.
142. H. Feis, *1933: Characters in Crisis* (Boston, MA: Little, Brown, 1966), p. 17.
143. FO 800/286, letter to Sir John Simon, 31 May 1932.
144. FO 371/15903/C5806, letter, Law to F.O., 24 June 1932.
145. Williamson, *National Crisis*, p. 497.
146. T 172/1787.
147. Runciman papers, 258, notes by Runciman, 30 June and 1 July 1932.
148. D.Cameron Watt, *Succeeding John Bull*, p. 64.
149. S. Pollard, *The Development of the British Economy, 1914–1980* (Edward Arnold, 1983), p. 122.
150. Runciman papers, 251, letter written from Doxford, 2 September 1932.
151. E.H.H. Green, 'The influence of the City over British economic policy,

c.1880–1960' in Y. Cassis (ed.), *Finance and Financiers in European History, 1880–1960* (Cambridge: CUP, 1992), p. 200.

152. T 160/440/12800/01, Board of Trade memo, June 1932, 'Economic Questions at Lausanne'.
153. I.M. Drummond, *Imperial Economic Policy, 1917–1939: Studies in Expansion and Protection* (Allen & Unwin, 1974), p. 218.
154. Runciman papers, 254, letter to I.H.Tonking (constituency), 29 September 1932.
155. League of Nations, *British External Economic Policies* (Paris, 1939).
156. BT 11/138 /CRT/7082. See, in particular, memo, by Thelwall, 28 December 1932.

3

Britain and the rise of the Third Reich:
dealing with the legacy of reparations

To many people outside Germany, Hitler's appointment as Chancellor on 30 January 1933 did not seem to be an especially important event. Germany's political system was clearly inherently unstable; as alignments were constantly shifting, it was easy to dismiss the sudden influence wielded by the National Socialists as a temporary phenomenon. With British newspapers helping to create the impression that Hitler would not last long, he did not have to be taken too seriously.[1] Rarely, in the early part of 1933, was the attention of the British public focused on events inside the Third Reich. If anything, the new Germany was held to be an alien and relatively unimportant society.[2] Although the disgraceful behaviour of the Nazis towards the Jews was quickly condemned around the world, the prevailing opinion was that Hitler had to be given a chance to settle down, speculation being futile until he had proved himself in office.[3] Among the minority who thought otherwise, working-class movements and intellectuals were prominent. As the grim spectacle of the Nazis' consolidation of power was revealed, Oxford and Cambridge provided a stream of converts to Marxism and communism.[4]

Governing circles in Britain realized, at least, that the electoral success of the National Socialists would create fresh foreign policy difficulties, even though the 'German problem' had been acute for some time. Unless a way out of the impasse could be found, German claims for equality of status and hence rearmament would be difficult to deny. There was an uneasy awareness that opportunities had been lost with the collapse of the Weimar Republic. The Foreign Office was frustrated at what amounted to a failure to co-ordinate policy: the notion of viewing economic concessions as a potential political weapon was too novel to make much headway.[5]

Certainly there was a pronounced reaction inside the British Embassy in Berlin to the rise of Hitler. Given the perilous state of the German economy, Sir Horace Rumbold, the Ambassador, and the experts attached to the Embassy recognized that National Socialism presaged a dangerous future.[6] Reports despatched from Berlin made depressing reading but were highly esteemed in Whitehall none the less: a flow of informed opinion was necessary if some kind of understanding of the new Germany was to be formed. Whether the machinery of government in Britain was capable of producing relevant and appropriate responses was another matter.[7] Elizabeth Wiskemann later recalled how her contacts in Whitehall and at Westminster mostly failed to understand what was happening in Germany in 1933. The reaction of Sigi Waley, a Jewish official in the Treasury, appeared typical to Wiskemann: after hearing accounts of her visits to Germany, he decided that things could not be as disagreeable as her description of them.[8]

Unlike the Bolsheviks in the Russian Revolution, the National Socialists were not intent on smashing the structures of the state when they achieved power. Similarly, although National Socialism proclaimed, on ideological grounds, the rejection of liberalism, it did not serve Hitler's purposes to overturn the fundamentals of financial and economic policy. Pragmatism rather than innovation characterized the first measures taken by the Nazis in the economic sphere. Indeed, fiscal policy was, initially, highly conservative.[9]

Nevertheless, Nazi economics amounted to something more than a simple extension of the basic strategies of the last Weimar governments. Under Dr Hjalmar Schacht, President of the Reichsbank and, from 1934, Economics Minister as well, policies were sometimes extended to their limits. Although a nationalist, Schacht remained conservative and opposed to extreme autarky. This was to provide Göring with an opportunity to build his empire; under his administration of the Four Year Plan, launched in 1936, the economy was further distorted.[10] The result was the construction of an economic system of nationalist *étatisme* that was unique at the time.[11]

Although an economic recovery was soon to emerge, Germany was still in the trough of depression at the start of 1933. The new government was confronted with a completely disorganized capital market, a banking system with little liquidity, a negative amount of net investment and saving, and deplorable conditions in all government finances.[12] It was widely assumed that the future of the régime would depend on its degree of success in dealing with the desperate economic position and that the touchstone would be the curing of unemployment. By mid 1933 total unemployment had declined by a mere half a million from the 1932 peak of six million.[13] Hitler's view of economic priorities showed that the depressed state of the German economy would be something of an advantage to him: the rearmament he planned would not have to compete with other demands on labour and might for a time pass as a form of unemployment relief.

Though the underlying economic realities bore little resemblance to Nazi propaganda images, what struck contemporary observers was the appearance of reflation on an unprecedented scale. Although von Papen had attempted to alleviate unemployment in the Weimar Republic by public work schemes, the Nazis created the impression that a fruitless policy of orthodox deflation had to be completely abandoned and replaced by a vigorous, expansionist, recovery programme. With Germany's reputation for inflation, such rhetoric was bound to precipitate a further flight of capital. The Nazi programme had, consequently, an essential precondition: continuation of exchange controls. Taken as an emergency measure under Brüning, exchange control became, thereby, one of the pivots of the whole system.[14] The policy represented a powerful instrument in the hands of the régime, assuring it of both the potential for maximum freedom in its economic policy and a means of creating isolation in international relations.[15]

But such controls had serious implications for trade and, above all, international debts. There was an immediate warning from the British Embassy that the nationalists were in favour of reducing the service of foreign debt by unilateral action and that the prospect of a default was not going to restrain the Hitler régime from implementing schemes to make Germany more self-sufficient. The Foreign Office considered this refusal to play in international trade to be one of the most important and worrying factors in the European situation.[16]

In spite of these ominous signs, few predicted a sharp deterioration in Britain's financial and economic relations with Germany. It was assumed that, at worst, the atmosphere might become more strained. Yet, in the months which followed, the Nazis sought to give substance to the threats which they had made against Germany's foreign long-term creditors. When the difficulties besetting these bondholders began to escalate, divisions opened up between the different international creditors. Alarmed, Britain and the United States forged a diplomatic alliance to co-ordinate a response to the Third Reich. Co-operation proved to be limited and short-lived: it could not, by itself, arrest the steady deterioration in transatlantic relations.

In the spring of 1934 the Dawes and Young Loan bondholders in Europe and America heard that they too were to be punished. It seemed inevitable, therefore, that Britain would have to take retaliatory action. The ground was prepared for the imposition of a payments clearing system. However, such systems were thought to be highly disruptive of normal patterns of trade and finance. As long as Germany enjoyed a favourable balance of trade with Britain, a unilateral clearing arrangement would have required British importers of German goods to pay their debts to a London office. British creditors, both financial and trade, would then have received settlement of their claims from this office and the balance would then have been remitted to Germany. A bilateral scheme would have required the co-operation of both countries.

As they were revealed, the contortions in Nazi economics left creditors around the world, and most financial experts, bewildered. A despairing Leith-Ross admitted that he struggled to understand why Germany should wish to eschew an instant improvement in the international situation and in her credit-standing. All that was expected in return were commitments to pay Reich loans, fund other loans and treat creditors equally. The alternative, if obligations were not fulfilled, was that Germany would face clearings all round. This, Leith-Ross predicted, would bring disaster to the German economy and perhaps to the Hitler régime – a course of events he, for one, deprecated.[17]

In this was expressed the belief, commonly held in the Western democracies, that Hitler was a stabilizing influence: with his removal central Europe would fall to Bolshevism and the international economy would collapse.[18] The significance of Nazi ideology was continuously and disastrously underestimated. Ultimately, economic activity in the Third Reich was valued by Hitler in terms of what it could contribute to the fulfilment of his annihilationist goals.[19]

As the terms agreed at the Lausanne Conference were never ratified, reparations effectively came to end in 1932. Indeed, the payment made by Germany in 1931 before the start of the Hoover moratorium was to be the last. This seemed to bring few rewards. Instead, Britain was left to deal with the legacy – the attempts by the Reich authorities to dismantle the structure of Germany's long-term debts. As Harold James has observed, the wish of international creditors to unfreeze their debts formed the key element in a strategy of encouraging 'economic appeasement'; in the game of currency control and debt blocking, German economic diplomacy aimed to play off creditors against each other.[20] These tactics caused, of course, great resentment. Negotiations that produced the periodic transfer agreements – settlements over the interest and sinking fund payments (amortization) on Germany's foreign debts – would have to take account of political conditions as much if not more than economic ones. In Britain's case, however, resentment was tempered by some sympathy for Germany's position. For, although the burden imposed by the Versailles Treaty was becoming less onerous, Germany had to contend instead with the consequences of Britain's own economic revolution. The imposition of a clearing system was regarded, therefore, as a sanction of last resort. The mere suggestion that it should be used brought strong opposition from powerful City interests, revealed fundamental differences between financial and commercial interests and produced conflict among Britain's policy-making élite.

The Nazis and international 'tribute'

Once the Nazis were in power, Britain began to search for moderate figures. Men such as Konstantin von Neurath and Lutz Graf Schwerin von Krosigk, the non-Nazi Finance Minister, appeared to fall very much into the category.[21] Other leading figures, such as Schacht, were not so easily categorized. In order to finance the proposed vast schemes of rearmament, drastic changes were needed in the policies of the Reichsbank. Under Luther, an attempt had been made to reduce unemployment through measures such as the *Arbeitsschaffungswechsel* (work-creation bill); these bills were discounted by the Bank and funds were provided for a small-scale programme of public works. But Luther refused to extend the Bank's credit beyond the legal limit of Rm100 billion. He was replaced by Schacht who converted the device into an unlimited credit structure by using bills drawn on an essentially dummy company, Metallurgische Forschungs Gmbh (Mefo).[22]

Reaction in Britain to the news of Schacht's appointment as Reichsbank President was mixed. The Treasury approved; as a former holder of the office and negotiator of the Young Loan, Schacht promised to provide a certain degree of continuity and respectability. Governor Norman, who had already done much to establish a kind of fraternity of central bankers, told Luther in March 1933:

> I am sad to realise that an association is now to be broken which to me (and I hope also to yourself) has been a great pleasure over recent years and in times of such uncertainty. (I) assure you that for our part we shall endeavour to maintain and further those friendly relations which you have done so much to foster.[23]

Norman had every reason to expect that his endeavours would be successful: Schacht was a longstanding friend and a close professional relationship continued between them until Schacht was forced out of office in 1939. At that point, Norman told Joseph Kennedy, the American Ambassador in London, that for the preceding 16 years all his information on the German situation had come from Schacht.[24]

But the Foreign Office view of Schacht was that he was prickly regarding international issues – just how prickly Britain was soon to find out, Germany's lack of colonies was identified as a special bee in his bonnet.[25] On the service of foreign debt, the evidence pointed to a dangerously simple plan: Germany's favourable trade balance would be eliminated through autarky and foreign creditors told that with no export surplus there could be no debt payment. With Schacht appearing to subscribe to the Nazi propaganda line that the Dawes and Young Loans were camouflaged tribute, a moratorium by Germany seemed a strong possibility. To Ralph Wigram, soon to be head of the Foreign Office's Central Department, these tactics indicated that National Socialism was a modern but probably less trustworthy version of the German nationalist tradition.[26] Even seasoned observers of foreign affairs were slow to diagnose the pathogenic nature of National Socialism.

In May 1933 Germany's foreign long-term creditors were summoned to Berlin for the next round of talks. Schacht gave an intimation of the possible course of events. He slickly argued that reparations were the cause of Germany's indebtedness; creditors were told that the Reichsbank had been rendered unable to function by the scale of the transfers. On 7 June the Reichsbank announced that in the last resort international debt obligation could be fulfilled only through the movement of goods and services. This statement of the obvious was the warning tremor before the major shock two days later: the Reich authorities declared a moratorium from 1 July on all public and private long-term debts contracted before July 1931. This added the greatest single item to the list of international defaults, just as the World Economic Conference was about to open in London. The devaluation of the US dollar during July then completed the depressing picture of an international monetary system fragmented into different blocs and a world full of high tariff barriers.

The suspension of payments on the Dawes and Young loans was the most serious aspect of the threatened moratorium. In Nazi circles the effective ending of 'tribute' was hailed as a triumph.[27] But prompt threats by the creditor countries to impose clearing systems soon forced a compromise. The transfer of full interest and sinking fund payments on the Dawes and of interest on the Young loan were continued; payments of sinking funds on all other loans were suspended.[28] A *Konversionskasse* was created into which the debts were to be paid and the Reichsbank undertook to make the periodic transfers.

As for the interest quotas which were not transferred, the foreign long-term bondholders were to receive scrip. These scrip marks, in turn, could be sold to the Golddiskontbank for foreign exchange but only at a huge discount of 50 per cent. The justification offered by the Reichsbank was that the other 50 per cent would be earmarked to subsidize exports which would contribute to an increase in Germany's foreign exchange reserves. In other words, it was a way to subsidize so-called additional (*Zusätzliche*) exports. German exporters had, from 1931, received assistance in obtaining cheap marks as an alternative and fairly successful method of deflating costs. Under Hitler, the supply of even cheaper marks increased and the procedure which enabled German exporters to negotiate undercutting transactions was simplified. Scrip marks were added, therefore, to the already large reservoir of blocked marks, such as Sperr marks frozen under exchange regulations and Register marks arising from the Standstill. Blocked marks were traded on foreign markets at considerable discounts as they could be used only inside Germany for one specified purpose or another. The manipulation of the Reichsmark helped to bring about a selective depreciation of foreign-held securities. The intention was to provide another way to subsidize additional exports from Germany: the exporters concerned were permitted to use foreign exchange in order to buy up these securities cheaply and sell them at a profit in Germany. In spite of this, Schacht was able to claim in his memoirs that he did not act unilaterally over the transfer arrangements and that they continued only because they were entirely in accordance with the ideas of the creditors.[29]

In one sense, a substantial German export surplus was prevented by the policy of exchange control. But the pegging of the Reichsmark at gold parity level was also a significant factor in the export equation. Discriminatory exchange measures helped, therefore, to counter the effects of foreign devaluations. Fearing inflation, and for reasons of internal prestige, the Hitler government refused to devalue the mark. The deflation which accompanied other currency devaluations (such as that of the dollar) helped to depress world market prices. These movements intensified the disparity between German export prices and those for the rest of the world. The Reich authorities were able to watch this trend with equanimity; it provided the necessary pretext for unilateral action in reducing the foreign debt service.[30] Schacht never tired of repeating that Germany's ability to pay her debts depended on a favourable balance of trade. He blamed the creditor countries for not importing more.

Although the Foreign Office fretted over the hostile intentions of the Nazis, Britain's financial authorities were not so disturbed. The Treasury agreed that Schacht and the Nazis tried to magnify Germany's difficulties: the reserves had fallen so low partly because of events which lay beyond Germany's control but also through errors in German policy. Bondholders could plead with justification that German credit had been gravely impaired under the Weimar governments. Propaganda against reparations was blamed for causing the flight of capital from 1931; Brüning had shaken confidence and a hoped-for market recovery had then failed to take place because of wild utterances before and continued agitation after the Lausanne Conference. By threatening a default, Germany had depressed the prices of her bonds and then allowed foreign exchange, which should have been used to meet debt service, to be used instead to buy up the bonds at knockdown prices. Following the successes in obtaining a freeze of short-term debts and in settling reparations payments, Germany was now seeking to default on long-term debts.[31] Seen in these terms, Nazi behaviour, although unseemly, was a continuation of the economic nationalism of the Weimar Republic. It was assumed that Schacht's objective was the conservation of the Reichsbank's resources and the rebuilding of a position which would restore the confidence of short-term lenders. As this policy had considerable support in the City of London, the Treasury advised against putting pressure on Germany.

This response caused consternation in the Foreign Office. Sir Orme Sargent, Assistant Under-Secretary from 1933, characterized it as a 'spineless attitude'.[32] By propitiating the short-term creditors – banks and finance houses – Schacht hoped to isolate the long-term ones – the mass of private bondholders – and prevent a common front. A new committee was formed in London to represent the interests of the British long- and medium-term creditors. Sir Arthur Worley, of the British Insurance Association, was appointed chairman, while Sir Edward Reid, of Baring Brothers, and Tiarks, of Schroders, were deputed to represent the London issuing houses. Without the means of retaliation, they were not expected to put up a fight like the short-term creditors.

Although Sir John Simon, the Foreign Secretary, was surprised at the docile reaction in the City and among the public, he reasoned that there was little the government could do if the bondholders had agreed to a bad settlement. Allowing Berlin to impose a moratorium, on the other hand, had serious implications for Anglo-German relations. It would, argued Simon, be a case of using financial default as an instrument of national policy and, as he reminded Chamberlain, 'knowing the Germans as we do, we may count upon it that they will repeat the same tactic in other spheres of international policy.'[33] There was a clear case for making a diplomatic protest at the threat of an apparently fraudulent bankruptcy, regardless of the wishes or even interests of the City of London, and especially in concert with the French government who were pressing for joint action.

With conditions for economic diplomacy changing so markedly, the limits to the administrative competence of government departments needed to be defined. Simmering rivalries now burst out over the question of a protest to the Third Reich. The Governor of the Bank of England, claiming that a decision against diplomatic action had already been taken, argued against intervention. Montagu Norman much preferred to engage in private discussions with Schacht at meetings of the BIS.[34] The reluctance to challenge events direct infuriated the Foreign Office which felt this was a matter for the Cabinet, not the Governor, to decide. Vansittart greatly resented 'this attempted autocracy in matters of high international policy'. Sir Frederick Leith-Ross wanted to fall in with Vansittart's view.[35] Yet, with the future of Germany so uncertain, Britain's financial authorities were unwilling to call Schacht's bluff. The issue was postponed and no action was taken. If necessary, the interests of the long-term creditors would have to be sacrificed.

The 'extraordinary circle' of trade and debts

Doubts over the legality of intervention on behalf of the bondholders was the justification given for inaction. But if the British government was content to see short-term creditors gain some satisfaction while long-term ones suffered, this was not because financiers were favoured at the expense of the individual private investor. As the management of Britain's external economic relations became more complex there were many different interests which expected some form of official representation. It was impossible, of course, to satisfy all expectations. With conditions for certain investors deteriorating sharply, British exporters wondered whether their prospects were anything less than bleak.

Germany's difficulties were not lightly dismissed in Britain. The Reichsbank's position was regarded with understanding, even sympathy, because it was accepted that British policies were a significant factor in limiting German exports. Consideration by Britain of a punitive payments clearing office had contributed to the international pressure which had forced Germany to compromise on the issue of the Dawes loan repayments. But by early July 1933 the Treasury was arguing that a clearing arrangement was worthless given the balance of trade; with the imposition of British tariffs,

German imports had declined dramatically. The same reasoning led to the conclusion that protests to Germany would be ineffective as Britain did not possess a suitable weapon to back them up.[36]

No one could be sure, however, of the effects of Schacht's policies. The Federation of British Industries received complaints that Germany's currency dumping was hitting below the belt and that it had the potential to defeat tariffs. The Treasury expected that the outcry would be such that the British government would be forced to act. But neither the FBI nor the Board of Trade seemed especially concerned by these developments. Once again, there was no diplomatic protest. One inhibiting factor was the perceived effect of the fall in the value of sterling.[37]

The banking community shared this view. Tiarks went so far as to declare that the transfer of sterling by Germany to meet the obligations of bankers and investors had been seriously jeopardized by Britain's depreciation. He argued that the harm to British manufacturers caused by competition through the use of blocked marks was small and should be overlooked. Tiarks believed competition would really only become effective if Germany followed the example of Britain and America and similarly reduced the value of the currency.[38] The exchange rate for sterling certainly declined precipitately, from Rm20 under the gold standard to a level of Rm13 in November 1933.[39] It was open to question whether the cheap-marks procedure, which amounted to a partial depreciation of the currency, was less harmful to British trade than a general depreciation would have been.

Another slant to the currency question was provided by Wilfrid F. Crick, the manager of the Intelligence Department of the Midland Bank, who visited Germany in the autumn of 1933. Crick found it difficult to convince Germans of the theory that depreciation did little more than express the true relation between prices and costs. However, he suggested that Germany used, in effect, three different currencies: one for internal business, one for imports and one for exports (of which perhaps one-fifth of the trade was paid for in discount marks which approximated to the true value of the currency).[40]

The Bank of England, too, was ready to defend Germany's actions. From the debtor's point of view (rather than that of the foreign creditor or industrialist) the *Konversionskasse* and *Zusätzliche Exports* could be said to have their uses: some payment of interest on foreign loans was made possible, the Reichsbank acquired additional reserves of *Devisen* (foreign exchange) and the benefits of currency depreciation in promoting exports and increasing employment were secured with limited publicity.[41] Indeed, complaints about British commercial policy might well have been louder and more sustained. Ashton-Gwatkin, the Foreign Office official, thought that tariffs generally had been extremely severe on German products which had probably been hit harder than those of any other country. Ottawa had damaged German trade with the Dominions while other bilateral trade treaties made by Britain aimed to supplant German goods with British. Ashton-Gwatkin mused that the measure of success was, 'the diminishing German export trade, upon which the payment of money lent by the UK to Germany depends. It is an extraordinary circle.'[42]

Crick was one of many observers to suggest that the régime's continued existence depended upon economic success. German bankers feared that they would be turned out for a more radical alternative if the position did not improve. Crick thought that some highly protective trade policies and advanced monetary experimentation might be in store; external debts might then become subject to even more drastic treatment. But he could not believe that autarky was to be the keynote of Berlin's long-term policy. While a German revival would have made British traders anxious, Crick saw it as an unquestionable fact that a prosperous Germany was the best possible foundation for prosperity in central and eastern Europe. Only by increased exports could Germany resume the full service of her external debt.[43]

Putting the City in a 'blue funk'

In the autumn of 1933 information reached London that the Dutch and the Swiss government were negotiating separate arrangements for their bondholders with the Reich authorities. The Dutch feared that their creditors would suffer unless pre-emptive action were taken. It seems that by smoothing the path for Schacht in Britain and France Montagu Norman had raised the suspicions of Dr Trip, Governor of the Bank of the Netherlands.[44] Despite denials by Schacht, agreements were signed by mid October whereby Swiss and Dutch bondholders were to receive payment of their scrip in full so long as the final 25 per cent was covered by additional German exports to those two countries.

With this the united front of the creditors was broken. As preferential treatment was contrary to Schacht's promises, the British bondholders asked for an official protest to counter the discrimination. The *Financial Times* took up the call on 10 October: Schacht was vilified for showing a 'fraudulent preference' of an unprecedented kind. Discrimination against Britain was regarded as particularly unfair as London's loan market had been an 'indulgent milch cow' for an undernourished Germany. Urging the government to take action, the newspaper reminded readers that Germany's favourable balance of trade was a little treasure which the régime would not willingly expose to blizzards.[45]

But Montagu Norman continued to oppose the threat of a clearing. He regarded the whole episode as a regrettable necessity for Schacht and warned that a stalemate would occur if Britain were offered an agreement similar to the one accepted by the Swiss and the Dutch. In taking City opinion into account, Norman was adamant that the bondholders would not want intervention to prejudice advantages already secured, particularly those relating to the Dawes and Young loans. Thus the Treasury merely questioned whether a debtor was entitled to barter fulfilment of obligations against new trade advantages for himself.[46] The protest was couched in terms which would not cause embarrassment in the event of an impasse; in Foreign Office terms it was *par la forme* only – for domestic public and parliamentary consumption. Britain pointed out that 'additional' exports were already being taken from Germany as the volume of trade was controlled by the normal economic actions of individual buyers.[47] Instructions were despatched to Berlin on 7 November and the protest was accordingly lodged with the German government.[48]

However, the full implications of the scrip scheme were beginning to sink in: Britain was helping to create a fund which was used by Germany to subsidize dumping – a process without precedent in international trade.[49] The exact amount of subsidy made available to German exporters could not be computed although it was believed to be small. According to the Bank of England, this was just what British traders did not like about the system: they could not tell the extent of the competition nor the disadvantage to which they were exposed. The FBI and the National

Union of Manufacturers were soon reporting a rash of complaints.[50] Privately, it was conceded that the stakes would have to be raised and a clearing threatened to secure the full transfer on the scrip.[51]

Discrimination between creditors was at the heart of complaints made at a Reichsbank meeting in December. To make matters worse, the angry British delegates heard the Reichsbank President hint that a further reduction of interest rates was needed. The new arrangements announced by Schacht on 18 December sent shock waves through financial circles in Britain. The plan was to reduce the free-exchange element of the debt service from 50 to 30 per cent. The Foreign Office, believing that it had been opposed by a determined but naive and complacent Treasury, would not accept any blame for the failure to act. Sir Frederick Leith-Ross agreed that Schacht should have disillusioned anyone who still believed in German commercial honesty. Convinced that Germany was in a position to meet all her interest payments but was instead concentrating on building stocks of war *matériel* such as nickel and copper, Leith-Ross sounded an early warning over the purpose behind the restructuring of the German economy.[52]

TABLE 2: ESTIMATED DEBT SERVICE OF GERMANY TO THE UK
FOR 1934 IN £MILLION

Standstill debt interest and commission on £44m	1.6
Municipal Standstill debt interest	0.175
other short-term interest	0.857
interest at 6.5% on £60m long-term debt held in UK	3.9
sinking fund of Dawes Loan	0.628
sinking fund of Young Loan (if paid in paper)	0.144
Total	7.304

Source: T 160 642/8797/04/3, estimate by Waley, Nov.1933; nothing was allowed for invisible imports and exports as there seems to have been no reliable way of computing totals; the assumption was that this balance lay clearly in the UK's favour.

What Leith-Ross wanted, he told Tiarks, was to see London's financial interests join together and present Schacht with an ultimatum: either arrangements satisfactory to creditors as a whole were made or credit facilities would be withdrawn from Germany. Short-term creditors needed to show solidarity with their long-term counterparts; the former had to remember that their turn might come next. Tiarks, like the Governor of the Bank, did not want to blame Schacht for political decisions which had been taken over his head. Tiarks also defended the short-term creditors who, since 1931, had already accepted a 50 per cent reduction in interest and commission charges. He argued that threats to end the Standstill would have no effect because credits were all locked up and subject to transfer restrictions.[53]

Moreover, the continuing uncertainty over international exchange rates meant that the reservoir of sympathy for Germany had not yet run dry. Professor Henry Clay, an adviser to the Governors of the Bank of England, theorized that a partial default on long-term debts was the alternative to Germany's going off the gold standard. Clay argued that Britain could not object to this in principle, unless it could be proved that Germany could find the necessary foreign exchange, because the progress of recovery depended on the writing down of debts. The problem was, rather, the creation of conflict between different types of creditor and the discrimination between countries.[54]

A further protest was delivered by Britain on 22 December. But it merely pointed out that failure to observe the principles of negotiation would tend to undermine the credit of Germany as a whole and make it increasingly difficult to maintain international credit operations.[55] Although relations with Germany hardly evinced seasonal goodwill, protests by Britain continued to be restrained. The assessment made by the *Manchester Guardian* was, therefore, rather overstated: 'It is one of the British Government's objects to force the Reichsbank either to reverse its policy or to face the proof of its political motive.'[56]

Maintaining international credit operations was, of course, a primary interest of the City of London. The Third Reich's actions were jeopardizing the City's position; but the idea of reaching for a clearing system disturbed the City even more. The government had to be diverted from what was seen as an extreme measure of retribution. The short-term creditors complained that they had not been consulted over the likely effect of a clearing on the international character of the Standstill but confronted with a *fait accompli*. Although aware that the interruption of short-term credit to Germany was a weapon, the bankers claimed that very little business was being done anyway; the remarkably good terms offered by Germany indicated that the need was great and the supply very limited.[57] The Joint Committee informed the Foreign Secretary that the City was fearful of a general moratorium on all British financial claims. The impact of this on the Standstill creditors, particularly the acceptance houses, would have been serious.[58]

In emphasizing the international function of London's financial machinery the Standstill creditors might have hoped to take the wind out of the sails of those who – like the Foreign Office – reproached the City for acting against the interests of ordinary British citizens. The Nazis were beginning to draw propaganda value from the existence of groups in the City, said to be Tiarks and his friends, who did not look unfavourably upon the Third Reich and its behaviour over foreign debts.[59] Although financial transactions with Germany might have been in the interests of Britain's foreign trade and credit, it was not too demanding to make a case in favour of relegating those interests to ensure that Britain's international standing was not damaged.

Once again, Montagu Norman engaged in diplomacy behind the scenes with Schacht at Basle. The Bank of England was prepared to satisfy the long-term bondholders for two years by finding that part of their interest which was to be suspended under the new German regulations. To head off a collision Norman was prepared to take the risk (amounting to £500,000) and carry the scrip until it was paid off by Germany. Short-term creditors would have been relieved of their fears over the institution of a clearing and possible retaliation against their interests.

The drawback to Norman's scheme was quickly identified: it would create the impression that the threat of general economic chaos was sufficient to intimidate Britain from taking retaliatory action. Ralph Wigram, at the Foreign Office, thought this would show the Germans once again that, in the last resort, the government would always give in to the pro-German bankers of the City. He could imagine no procedure better calculated to weaken British prestige abroad and encourage discrimination against the nation's interests.[60] These objections (but not opinions about City bankers) were advanced by Neville Chamberlain, the Chancellor of the Exchequer, when he informed Norman that he could not agree to the proposal.[61] When the scheme miscarried, Norman, in conversation with Schacht, apparently referred to 'political difficulties'. Berlin's interpretation of this was that the British government was pulling back at the last minute in the face of Parliament's hostile attitude and after consultations with other governments.[62]

Instead, the Hitler government was informed, in mid January 1934, of Britain's concern over the transfer moratorium. With due diplomatic nicety, the Führer was asked to use his personal influence to find a way out of the problem. While the British Ambassador stressed how great the desire was to avoid a clearing, he also implied that there would be a trade war if Britain was left with no choice but to find a means of self-defence. This appears to have evoked a furious reaction in Hitler and the riposte delivered by von Neurath, the German Foreign Minister, was anything but diplomatic. He declared that Germany would not be intimidated, and that after two months at most not a pfennig would be transferred if the British government continued in its demand for cancellation of the Swiss and the Dutch agreement.[63]

Von Neurath also implied that the creditor nations had missed the opportunity which the World Economic Conference might have afforded the debtor countries for an international revision of the conditions of export and transfer. He employed the familiar argument that Germany's foreign indebtedness was not like that of other countries – the normal outcome of international trade. Rather, Germany's debts resulted from the past political situation and were, therefore, 'political debts'.[64] In resisting the British government's *démarche*, Hitler and von Neurath were prepared to see it not only as a form of extortion on behalf of the British creditors but also as a calculated move to exert general pressure in order to make Germany as tractable as possible, particularly over the disarmament question.[65]

By now finance and politics had become inextricably linked: payment and transfer problems were both the cause and the effect of the deteriorating political atmosphere. And finding a solution to the transfer question now became an issue of primary diplomatic importance for Britain. At the same time, it seemed doubtful that the principle of equal treatment in settling debts could be respected in any agreement. Thus, in preparing for the resumption of the negotiations in Berlin at the end of January, creditors planned to press for an end to discrimination or, failing that, a separate agreement with Germany. The Treasury found the German reply to the British notes of December quite indigestible. Great exception was taken to the idea that Germany's problems were special because so much could be attributed to the need to find foreign exchange for reparations. This implied that the Nazis had a moral responsibility to prevent payment. Sir Warren Fisher, in the Treasury, surveyed German history from the time of Frederick the Great and concluded: 'the Norman–Schacht conversations are shown more and more to have been unfortunate ... The German attitude in this matter is merely a repetition of her historic procedure'.[66]

However, the emergence of a new trend in Anglo-German trade undermined the obvious argument against action.[67] Buttressed by the knowledge that the balance of trade in favour of Germany had stopped declining, the programme for the instituting of a clearing was drawn up in London on 25 January 1934. In the event there was no need for an immediate decision. At the end of the month a deal was struck in Berlin: discrimination between creditors was to end later in the year; interest payments, however, were to be transferred in the proportions originally proposed by the Reichsbank.[68]

Reactions in Britain to the settlement were mixed. There was relief that a major dispute had been avoided. The Bank of England believed that not one of the clearing arrangements in operation around the world fulfilled the purpose for which it had been formed. Instead, trade was retarded. The Bank also wanted to avoid the responsibility for running any clearing office; technical knowledge other than that of central banking was required and there was a danger that relations with the commercial community would be damaged.[69]

Similarly, Chamberlain revealed in a letter to his sister Hilda that he had had an anxious time over the dispute. He had thought it most dangerous for Britain to allow herself to be bullied, but threatening Germany with a clearing had:

> put the City in a blue funk and the Chairmen of the 5 banks with other magnates proposed to come and tell me of the awful disasters which might follow. But before they could come we had a brilliant triumph. The Germans surrendered on both points. They agreed to give up discrimination and abandon their claim to unilateral decisions without consulting the creditors.

Chamberlain was able to reassure Hilda that, although the public might never hear how this great success was the reward for his boldness, he could, none the less, enjoy full satisfaction in the result.[70]

Yet the settlement was clearly a compromise and the more sceptically minded wondered how long it would survive. The bruising process of dealing with the new Germany had left its mark. One Foreign Office proposal was that Parliament should legislate for general powers to impose clearings. Taking pre-emptive action would have armed Britain's negotiators with an effective weapon and denied the domestic opponents of clearings the time to become even more powerfully organized. The plan impressed neither the Treasury nor the Board of Trade. Chamberlain assumed that the warning Britain had given to potential defaulters would be sufficient. He did not want to ask for general powers when there was no specific case in mind and Britain was engaged in negotiations with other countries where she had no desire to threaten a clearing. In the light of this, Simon, the Foreign Secretary took, characteristically, the path of least resistance.[71] He told his officials that to draw up a bill specifically aimed at Germany would be unnecessarily provocative. At the same time, he was persuaded that taking general powers *in vacuo* threatened the most serious domestic and parliamentary reactions and was not merely a piece of useful and innocuous machinery.[72]

The Foreign Office was far from jubilant for another reason: the negotiations had confirmed just how difficult it was to carry out policy. Relations with the City authorities were thought to be in urgent need of an overhaul. To officials used to working with other government departments by means of close personal contact rather than through official letters, the Bank was wrapped in mystery. The lack of co-operation was a long-standing grievance; repeated attempts to find a remedy had been largely unsuccessful. Sargent noted:

> In spite of all our efforts Mr Montagu Norman continues to carry on his own foreign policy, certainly without consulting the Foreign Office and without, I suspect, taking even the Treasury very much into consideration. The present dispute with the German Government affords indeed a glaring instance of this independent action by the Bank of England for the settlement .... was almost wrecked not so very long ago by the sudden intervention of Mr Norman.

Sargent reasoned that, until some system of collaboration existed, the Foreign Office would always be exposed to the danger of being tripped up and double-crossed. Vansittart saw Norman as:

a misguided though pleasant person. His methods seem to me intolerable, and I wish the country were well rid of him – though I suppose that such sentiments are heresy in his City Cenaculum. I have tried keeping in touch, but it has not worked. We must leave him to the Treasury – if they will deal with him.[73]

To Vansittart, the City was guided too much by purely commercial considerations – the 'short view' – and failed to appreciate the weighty political issues involved in financial relations with Germany.[74] With the Foreign Secretary reluctant to face the task of winning over Cabinet colleagues, the beleaguered officials began to reflect on how to educate the public to the German menace.[75]

The limits to Anglo-American co-operation

Relations between the leading democracies, already strained by the 1931 crisis and the Lausanne Conference in 1932, deteriorated rapidly over the abortive attempt to achieve financial stabilization at the World Economic Conference, held in London, in 1933. Britain, France and America became so alienated from each other that a state of virtual war existed in their economic relations.[76] Watt points out that no one in the new American administration understood the degree to which the National Government's proposals for stabilization represented the last stand of economic internationalism in Britain. Injured pride, mutual suspicion and feelings of personal betrayal characterized attitudes on both sides of the Atlantic.[77] The German bondholder question gave Britain and the United States an opportunity to administer balm to the wounds. In both categories of Germany's foreign debts (long- and short-term) America was ranked first in the list of creditor nations. Of the total long-term debt – estimated in 1933 at Rm10.265 billion – just over half was owed to American creditors.[78]

Herbert Feis, economic adviser to the American government, had received the usual categorical assurance from Schacht that he would not sanction any policy that discriminated between different creditor nations.[79] The preference shown to the Swiss and the Dutch was bound, therefore, to cause great offence. The new Nazi practice, carried out in America as elsewhere, of buying up bonds at prices depreciated by declarations that there was no money to pay interest, inflamed feelings all the more. But, unlike Britain or, indeed, Switzerland and the Netherlands, America was not in a position to threaten retaliatory action. German imports from America (especially cotton and other raw materials) were considerably greater in value than German exports. Washington was also conscious of a substantial difference between British and American bondholders: the former were well organized while the latter were poorly represented. It was clearly in America's interest to respond immediately and positively to a request by Britain, at the end of 1933, for a co-ordinated, formal diplomatic protest to be made in Berlin.[80] The State Department promptly instructed Ambassador Dodd, in Berlin, to make a protest identical to the one issued by the British Embassy. Extended collaboration with Britain over the question of preferential treatment was then authorized as it was 'important to maintain a unity of judgement'.[81]

Washington was not, however, completely free of doubts about London's intentions. After all, the British, like the Swiss and the Dutch, were in a position to be bought off by the German government. Furthermore, the sympathies of the Governor of the Bank of England for the German scrip practices were well known. The State Department feared that Norman and Schacht would work out some plan of conciliation which did not include American interests. On 19 January 1934 President Roosevelt personally instructed Dodd to tell Hitler that if discrimination continued a serious demand would arise in America for practical action 'to which the American Government could not lend a deaf ear'.[82]

Britain was presented with an opportunity, therefore, to show consideration to Washington. There was particular anxiety over the effect of a clearing on transatlantic relations: Germany was thought capable of defaulting completely to the United States, hoping thereby to embroil the latter with Britain. The American government's vigour in supporting Britain's stance, in spite of the dangers, was greatly appreciated in London. Indeed, in seeking to consolidate opposition to any compromise, the Foreign Office sought to influence Britain's press to be as outspoken as their American counterparts with their references to fraudulent bankruptcy.[83]

The Reichsbank and the long-term creditors were scheduled to meet in Berlin in the spring of 1934 for the Transfer Conference. No one expected the negotiations to be easy; but serious divisions began to emerge before the conference between the creditors themselves. The Swiss and the Dutch representatives strongly urged the British to abandon what they regarded as sentimental objections to discrimination. They wanted Britain to join with them in insisting that Germany should pay 100 per cent to all creditors who bought German goods and only cut down payments to America with whom her balance of trade was so unfavourable.[84]

The contention that the arrangements made by the Swiss and the Dutch were not discriminatory because they were based on extra purchases of German goods was not one which Cordell Hull, the American Secretary of State, was likely to accept. From his side of the Atlantic it seemed that these two small European nations had made a special calculation – tied up with a bilateral trade movement of a limited character – which secured preferential treatment for themselves at the expense of America. Hull thought it impossible to segregate a small part of bilateral trade from the rest of the international trade system, for this ignored invisible items, the results of triangular trade and purchases in third countries. As an example, he cited the way American imports of rubber from the Dutch East Indies created purchasing power in the Netherlands which, in turn, helped the Dutch to buy German goods.[85]

Washington was also wary about the implications of a British suggestion that Germany should pay no cash interest on her long-term debts during the remainder of 1934. Although this was seen as sound financial judgement it was also thought to favour British interests. In America, the bonds were held by some 300,000 small private investors; the British bondholders were the large insurance companies and other financial institutions. While American citizens would suffer a discount on cashing the funding bonds received as part of this settlement, British institutions could afford to leave the bonds lying in vaults for some years. Cordell Hull noted that the situation would not be improved if British and French bondholders secured a settlement in their interests because the Dawes and Young loans had been floated by the J.P. Morgan bank – 'popularly known as the fiscal agents of the British and French Governments'.[86]

In early 1934 the American legal authorities declared that token war debt payments were illegal. As a consequence, Britain fell foul of the new Johnson Act, which stopped foreign powers in default from borrowing in America. This prompted the National Government to turn aside from the prolonged attempt to reach a compromise with the administration in Washington.[87] With the refusal to continue payment of American war debts, mutual anti-pathy deepened.[88] Franklin Roosevelt, who epitomized the ambivalent attitude held by many Americans towards Britain, appears to have concluded by the middle of 1934 that London did not want to co-operate with the United States.[89] It proved impossible to sustain the co-ordination of Anglo-American financial diplomacy in such an atmosphere.

The threat to the Dawes and Young Loans

The international creditors maintained an uneasy truce at the Berlin conference and accepted the inevitability of some reduction in German transfers. But the Long-Term Creditors Committee, meeting in Basle in May, discovered that payments on the Dawes and Young loans were also being threatened once more.[90] Britain was again thrown on the defensive. Neville Chamberlain wanted an immediate declaration that these loans could not be subject to a transfer moratorium, though he still hoped to avoid any reference to a clearing.[91] Nevertheless, any move on the part of the Swiss and the Dutch towards a clearing would have forced Britain to follow suit straightaway. If, on the other hand, creditors were no longer to be treated equally, Britain had to ensure that its creditors would be treated just as well as the Swiss and the Dutch bondholders.

It was suggested to Montagu Norman that City bankers could help by impressing on their German friends that it was no bluff that Britain would impose a clearing if London remained dissatisfied.[92] Chamberlain too saw the need 'to show the Germans that this country means business'.[93] He approved the setting up of an Anglo-German clearing office on a basis which obviated the unpleasant necessity for separate legislation: a general bill was drafted in which Germany was included. Even these legislative steps were far from straightforward. Payments defined as reparations could be collected only by a reimposition of the Recovery Act of 1921; this would have involved abrogating Lausanne and contradicting the diplomatic notes which had just been sent to America.

The Reichsbank announced on 14 June 1934 that a moratorium on the transfer of interest by foreign exchange on all Germany's debts would take effect from 1 July. Foreign creditors were offered ten-year funding bonds bearing interest at 3 per cent. Germany's foreign exchange reserves in 1932 had stood at well over Rm1 billion, thanks to foreign credits; now, just two years later, they amounted to a mere Rm200m.[94] A state of virtual exhaustion, which became the norm from now on, had been reached because imports, not only of raw materials but also of manufactured articles, had increased while exports had declined. Although British experts could only speculate at the time, the shrinkage in gold and foreign exchange reserves was made more spectacular by the Reichsbank itself through the hurried repayment of certain loans.[95] International creditors suspected that Germany was manipulating her foreign exchange reserves to produce timely losses.

Every country in a position to do so started negotiations for more favourable treatment. The day after the Reichsbank's announcement Chamberlain told the House of Commons that he proposed to seek powers to set up an Anglo-German clearing office. The reaction of the Nazi government, informed at the same time, was immediate and aggressive. According to Leopold von Hoesch, the German Ambassador in London, Britain had overlooked the fact that the British Empire as a whole enjoyed a favourable trade balance with the Third Reich. In the event of a clearing, corresponding reprisals against English and Empire imports into Germany were possible, he threatened. This did nothing to deflect the National Government. Chamberlain considered that the Treasury had made a 'most damaging exposure of a fraudulent debtor'. The Cabinet agreed that a clearing would provide some defence in regard to a form of discrimination against Britain which no other defaulting country had attempted.[96]

However, the powerful counsels in London which had previously advised against any clearing system were not among the converted. Governor Norman, regarded by the Treasury as a conciliatory force, was particularly effective in passing on his worries over the dispute. Sir Richard Hopkins, for example, realized that preparations for a clearing were inevitable but wondered what Hitler would do in turn about the Standstill. No one knew whether the City would continue to hold Standstill bills. Yet the mere contemplation of having to pass legislation which put them into cold storage and guaranteed the Governor against loss upon them was enough to scare Hopkins.[97]

Norman was strongly supported by the London joint stock banks. He acted as intermediary between the Joint Committee and the

Chancellor of the Exchequer. Beaumont Pease, the committee's chairman, told the Governor that bankers were apprehensive lest conditions arose which might make it impossible to continue with the operation of the Standstill. Maintaining the credit facilities covered by the Standstill was, the bankers argued, of the first importance for all those with an interest in Germany's economic stability. This included British bondholders and merchants. Beaumont Pease warned that the bankers who looked to the Reich authorities for provision of the foreign exchange necessary to meet the obligations of German debtors would be compelled instead to look to a clearing for support. It would then be very embarrassing if, at any time, the clearing did not show a surplus.

Seemingly bankers never tired of pointing out that the Standstill was entered into at the express request of governments represented at the London Conference of July 1931. The intention had been to stop the continued withdrawal from Germany of banking facilities of all kinds, and thus avert a general economic breakdown. Bankers were proud that this had proved effective in preserving for Germany facilities which were essential for her trade. They felt that their actions had been not only in their own interests, but also those of the medium- and the long-term creditors, and in accordance with the policy of the British government.

The Joint Committee backed up their case by describing, in a detailed memorandum, the role of the several different kinds of bank credit involved in Germany's foreign trade. The intention behind this analysis was to show how any clearing would upset the balance of limitations and obligations undertaken by both sides and to deter government from interfering in an area of business which was always technical and sometimes highly complex. For the bankers did not see how credits, with such a high volume of daily transactions, could be excluded from a clearing. A further objection was that sterling payments to the Reichsbank might be delayed, interrupting the flow of foreign exchange necessary to procure the continuation of credits. The acceptance houses feared that they would be placed under an enormous strain if the Standstill broke down and no alternative arrangements had been made. Bills worth £34m, payable within three months and mostly discounted on the London market, would not have been renewed at maturity.[98]

In defending its own interests, the City was quick to advance a credible economic argument against clearing mechanisms. They were in their nature destructive of anything except bilateral trade and particularly destructive of the trade of most industrialized countries which, like Germany, bought and sold in different and separate markets. Reinforcing the economic rationale was an assessment of political risk. Imposition of a clearing would, it was said, create an hostile environment over the question of debts, and extreme elements in Germany would be given grounds for default.

The bankers appeared to forget that a clearing was being considered only because a German default was imminent. They also overlooked, of course, the ways in which National Socialism had begun to destroy multilateral trade. The Treasury estimated that the amount of trade financed by Standstill credits was, in any event, small enough to render the problem a negligible one. Moreover, under the clearing proposed, British exports to Germany were to be excluded and a large proportion of the sterling derived from the sale of German goods to the UK would remain at the disposal of the Reichsbank. Foreign exchange would then be available to cover bills at maturity. The Treasury also compared the £34m of British capital under the Standstill to £60m in long- and medium-term loans.[99]

With the bankers' protestations failing to make much of an impact, rumours of a powerful anti-City influence in the Treasury began to circulate. Nevertheless, the government had to be careful that it was not accused of favouritism towards high finance.[100] Chamberlain wrote to the Governor in an attempt to pacify the banking community. The Chancellor stressed that, while the government felt that it had no option but to obtain clearing powers, Britain had clearly not taken the lead as France, Switzerland and Holland had already obtained similar powers from their legislatures. Although Chamberlain agreed that any clearing should be as limited in scope as possible and that the maintenance of the Standstill was desirable for both Germany and Britain, he claimed that he did not envisage any problems with a scheme.[101]

Privately, the government was less self-assured. Chamberlain knew that a clearing would disturb trade, but he confessed that he did not know what else to do to ensure that Britain was not left out of retaliation against the potential 'swindlers'.[102] Hopkins reluctantly agreed with Norman that an agreement extracted from the Germans would be a political triumph of a far higher order than the imposition of a clearing, and also far better for British industry.[103] The obvious point was not made: the extent of a political triumph would depend on the terms of any agreement and on how smoothly it worked in practice.

What British industry wanted was payment for its exports to Germany, something which was becoming increasingly difficult. Debts had piled up because of the successive reductions in exchange quotas; some trades – the herring exporters, for example – were in a dire condition. The London Chamber of Commerce informed the Chancellor that a proportion of its members had already stopped shipments because the problems had intensified. One trade of great importance to Germany was the import of oil seeds, oils and fats. The biggest supplier was a British company which was demanding a change of attitude by the German government. The importers could not obtain confirmed bankers' reimbursements and so there was no security for the fulfilment of contracts. Business had come to a stop.[104] A reduction in trade to Germany might have improved the prospects of sterling payment for those who continued to export, but the UK's balance of payments would have suffered.

It was not obvious to British industry, therefore, why it should join the opposition to a clearing. The London Chamber of Commerce considered it unfair that the government should undertake to collect, first and foremost, the debts of bondholders from a clearing.[105] The National Union of Manufacturers went further and suggested that it would be both inequitable and injurious if the operation of a clearing were to place a heavy burden on British trade just for the purpose of relieving certain bondholders. Exporters feared that their problems would be magnified rather than solved if Germany were left with even less sterling at its disposal. This pressure compelled the Department of Overseas Trade to admit that a clearing which settled just bondholders' claims fell far short of what commercial interests were expecting. The latter did not want negotiations confined solely to the issue of the Dawes and Young loans; assurances were sought that both current and outstanding trade debts would be liquidated from the proceeds of German exports.

Nevertheless, the Treasury did not want to appear to be influenced by the commercial sector any more than by banking interests. Britain would get what it could by way of a settlement of old trade debts. In the meantime, it was hoped that British traders would quietly sell their blocked marks at a discount, just as they had been willing, in many cases, to make a sacrifice to get out of other countries in which they had been stuck.[106] This was an extraordinarily relaxed position to take over the imposition of what amounted to a German tax on British exporters, especially when trade was still depressed.

Then, towards the end of June 1934, the Nazi authorities decided to ignore all previous exchange permits and to ration exchange in accordance with the amount available on any one day. There was a growing realization that trade debts would have to be given priority immediately after the Dawes and Young loans.[107] Beset with anxieties, the National Government pressed ahead with the tactic of preparing for a clearing. Parliament hurriedly passed the Debts Clearing Offices and Imports Restrictions Bill. It provided for a 20 per cent *ad valorem* duty on imports. Another new technique in the art of British commercial diplomacy had been acquired.[108] The Act received the Royal Assent on 28 June. The intention was to publish the order in the newspapers of 2 July and then start the operation three days later if, in the meantime, no agreement had been reached.

With this legislative lever to hand, Britain should have been able to secure particularly favourable terms. If the German delegates in London were put under pressure, they were probably relieved to have been out of the way of the murderous purge of Röhm and associates just then taking place throughout Germany. The talks were quickly concluded and on 4 July the Anglo-German Transfer Agreement was signed. Britain agreed not to exercise her newly created clearing powers. In return, the Reich government confirmed the provisions of the Berlin Transfer Conference of 29 May 1934.[109] In effect, discrimination between creditors was to end and sterling was promised for the purchase of Dawes and Young coupons. Interest on loans other than these two was to be paid in 3 per cent funding bonds (with the proviso that bondholders were entitled to put forward a claim in the event of discrimination). Amazingly, no direct provision at all was made for the liquidation of debts due to British traders. One of the German delegates, Dr Berger, simply gave an undertaking that negotiations on exchange and commercial payments would commence without delay.

For that reason, Paul Einzig, the journalist, fulminated against the agreement. Naturally, those concerned with the Dawes and Young loans were delighted; bankers in general were pleased that the application of the new Act had been suspended. But exporters feared that the agreement had been concluded at their expense; they remained at the mercy of Schacht.[110] Nevertheless, the government's determination was widely praised in the City: bankers were ready to admit to the value of the method which first placed 'the British boot firmly on the Teutonic face'. Relief that economic warfare had been put off for the time being was tinged with pessimism as German credit had been very effectively undermined.[111] While Schacht was now widely regarded in London as a purveyor of calamitous policies, he was said to justify himself by claiming the support and approval of Montagu Norman. The latter was alleged to have spoken of how indifferent he was to the fate of the long-term creditors and how he would back Schacht in every way possible to keep Germany's short-term position satisfactory. The Governor apparently revealed how much he admired Schacht as a great banker and a great man. Whether this affected Norman's desire to protect Britain's financial interests was another matter: Leith-Ross wanted to place on record that, as much as a clearing was disliked and feared, the Governor and his officials had given loyal and valuable assistance in its preparation. Yet, convinced by Schacht that the alternative to Nazism was Bolshevism, Norman was said to be obsessed with the idea that moderate parties in all countries – and with them democracy – were doomed.[112]

As for the Foreign Office, a fundamental shift in policy was necessary to meet the challenges posed by Hitler's consolidation of power. Officials condemned as erroneous the belief, held continuously since Versailles, that Germany could be conciliated by a policy of unilateral concessions. Likewise, the belief that inadequate concessions by the former allies had produced the Hitler régime was dismissed. The new guiding principle, the Foreign Office insisted, was to be that weakness simply tempted the Germans to overplay their hand. To Vansittart, the Anglo-German Transfer Agreement was a vindication of all that he had said:

> the German climb down on the main point is a triumph for the Foreign Office not only over the Germans but over the other departments of His Majesty's Government, who were distinctly reluctant to talk the only language which Germans understand.[113]

Chamberlain, too, showed resolution in the negotiations. He had doubted whether the Germans would sign the agreement:

> for they bluff so persistently and as a rule so successfully that it was

hard for them to believe that we really meant business. But finally we gave them an ultimatum and they collapsed. Everyone was very pleased and undoubtedly the Government stock went up further.[114]

The sorry and sudden end to Chamberlain's life in 1940 left him no time to defend his own reputation. Recent historical analysis has sought to rescue Chamberlain from the libel that he was stupid or ignorant.[115] The shrewd and successful tactics which he employed in the first half of the 1930s were a powerful demonstration of the negotiating skills of the businessman-politician. But although Chamberlain understood how, in dealing with the Nazis, the stakes would be raised to the highest possible level, ultimately he lacked the insight to comprehend that, to Hitler, the rules of the game meant nothing.

NOTES

1. R. Graves and A. Hodge, *The Long Weekend: A Social History of Great Britain 1918–1939* (Hutchinson, 1985), p. 267.
2. R. Griffiths, *Fellow Travellers of the Right* (Constable, 1980), p. 9.
3. For the confused attempts of the press to be 'fair' to the new Germany see for example, A. Scharf, *The British Press and Jews under Nazi Rule* (OUP, 1964), p. 35.
4. R. Skidelsky, *John Maynard Keynes, Vol.2*, pp. 514–16.
5. Medlicott, *Britain and Germany*, p. 4. Medlicott was unable to find any evidence of Sir Warren Fisher's alleged attempts to prevent the Foreign Office from strengthening its economic side. Foreign Office venom was reserved for the Bank of England.
6. Sir Eric Phipps replaced Rumbold in the summer of 1933.
7. K.G. Robbins, *Munich 1938* (Cassell, 1968), p. 46. Robbins plays down the strength of reaction in official quarters to the Nazi election.
8. E. Wiskemann, *The Europe I Saw* (Collins, 1968), p. 38.
9. H. James, 'Innovation and conservatism in economic recovery: The alleged "Nazi recovery" of the 1930s', in T. Childers and J. Caplan (eds), *Reevaluating the Third Reich* (New York, NY: Holmes & Meier, 1993), p. 124.
10. For an expert analysis of how Schacht and his conservative allies in business and the military were to lose this power struggle see R.J. Overy, *Goering: The 'Iron Man'* (Routledge & Kegan Paul, 1984).
11. A. Barkai, *Nazi Economics: Ideology, Theory and Policy* (Oxford: Berg, 1990), p. 10. On the continuities in policy from Weimar Republic to Third Reich see E. Teichert, *Autarkie und Grossraumwirtschaft in Deutschland 1930–1939* (München: Oldenbourg, 1984).
12. C.W. Guillebaud, *The Economic Recovery of Germany from 1933 to the incorporation of Austria in March 1938* (Macmillan, 1939), p. 32. After visiting Germany, Guillebaud, a Cambridge economist, emphasized what he took to be the solid economic achievements of the régime in solving the twin problems of mass unemployment and stagnation. See D. Welch, *The Third Reich: Politics and Propaganda* (Routledge, 1993), p. 59.

13. B.H. Klein, *Germany's Economic Preparations for War* (Cambridge, MA: Harvard University Press, 1959), p. 3.
14. Arndt, *Economic Lessons* , p. 157.
15. Ellis, *Exchange Control*, p. 40.
16. FO 371/16693/C1188, minute by Ashton-Gwatkin.
17. T 160/590/8797/05/3, minute by Waley to Leith-Ross and note by latter.
18. For further examples see A.P. Adamthwaite, *The Making of the Second World War* (Allen & Unwin, 1979), p. 43.
19. See Overy, *Goering*, p. 51, for Hitler's comments in 1936 on how economic life had to serve exclusively the German people's struggle for existence. See also, I. Kershaw, *The Nazi Dictatorship: Problems and Perspectives of Interpretation* (Edward Arnold, 1993), pp. 57–8.
20. James, "Innovation and conservatism", p. 128.
21. For background see, I. Kershaw, *Hitler. 1889–1936: Hubris* (Allen Lane, 1998), pp. 370–2.
22 . G.L. Weinberg, *The Foreign Policy of Hitler's Germany: Diplomatic Revolution in Europe 1933–36* (Chicago, IL: University of Chicago Press, 1970), p. 30; see also W.A. Boelcke, *Die Kosten von Hitlers Krieg: Kriegsfinanzierung und Kriegserbe in Deutschland 1933–1948* (Paderborn: Schöningh, 1985), p. 17.
23 . BoE OV34/83, letter, 20 March 1933.
24 . National Archives, USA (hereafter NA), 862.50/1040, telegram, Kennedy to Secretary of State, 27 February 1939.
25. FO 371/16693.
26. FO 371/16695/C4949.
27. FO 371/16696/C5106 and C5438, report by Pinsent.
28. Guillebaud, *The Economic Recovery*, p. 63.
29. Schacht, *My First Seventy-Six Years*, pp. 315–16.
30. Ellis, *Exchange Control*, p. 60.
31. T 160/465/8797/01, memo, by S.D. Waley, 19 June 1933; FO 371/16696/C5584.
32. FO 371/16697/C6025.
33 . FO 371/16697/C6046, letter, 5 July 1933.
34 . T 160/465/8797/01, Leith-Ross to Vansittart; FO 371/16699/C8678.
35 . FO 371/16697/C6493 and C6691.
36 . T 160/465/8797/01.
37 . T 160/642/8797/04/1, memo, by Waley, 9 August 1933.
38 . Ibid., memo, by Tiarks, 'Zusätzliche Exports', 30 August 1933.
39 . *Financial Times*, 21 November 1933.
40 . MB 30/207, Crick's report on visit to Germany, September/October 1933. Crick went on to be a General Manager of the Bank (between 1947 and 1961) – at the time a unique distinction for an economist.
41 . T 160/642/8797/04/1, Bank of England memo, 6 September 1933. It is interesting to note how much had changed with the onset of the Great Depression: Britain's return to the gold standard – just eight years earlier – produced an overvalued pound which damaged the chances of a recovery in exports.
42 . FO 371/16700/C9561.
43 . MB 30/207, Crick's report of visit, September/October 1933.
44. NA 862.51/3713, report by US Legation at The Hague, 11 October 1933.
45. *Financial Times*, 10 October 1933.
46. T 160/642/8797/04/2, note of Norman/Hopkins meeting, 17 October 1933

and minute, Phillips to Hopkins, 28 October 1933.

47. FO 371/16700 C9637.

48. DGFP, Ser. C, Vol.2, Doc.103, pp. 179–80.

49. T 160/642/8797/04/3, Ambassador Phipps to Simon, 31 October 1933 and Pinsent to Waley, 9 November 1933. Frustrated officials suggested that in the last resort, discriminatory tariffs might prove the only, if brutal, way to move Germany, even though that option was debarred under the 1924 Anglo-German Commercial Treaty.

50. Ibid., Bank of England to Waley, 28 November 1933.

51. T 160/642/8797/04/4. An interdepartmental meeting was held on 1 December 1933 with Colonel Colville (Board of Trade) in the chair.

52. T 160/642/8797/02/1; also T 160/642/8797/04/5.

53. BoE OV34/195, correspondence of 28 and 29 December 1933.

54. Ibid., note by Clay. Prominent as a Professor of Economics at Manchester, Clay was an influential Adviser.

55. FO 371/16702/C11241.

56. *Manchester Guardian*, 1 January 1934.

57. T 160/642/8797/04/6.

58. T 160/642/8797/04/7, letter from Stopford (Secretary, Joint Committee) to Simon, 25 January 1934. Commitments had declined from the original £65m to £54m, with actual availments totaling £43.6m, although repaid credits were held open for redrawing if desired.

59. T 160/602/8797/04/6, Pinsent to Rowe-Dutton, 8 January 1934.

60. FO 371/17675/C315, minute by Wigram to Vansittart, 16 January 1934.

61. NC 2/23A, Political Diaries 1933–36, 22 January 1934.

62. DGFP, Ser. C, Vol.2, Doc.204, p. 382.

63. Ibid., Doc. 196, p. 382.

64. Ibid., Doc. 200, p. 387.

65. Ibid., Docs. 193 and 197, pp. 380–3.

66. T 160/642/8797/04/7.

67. T 160/642/8797/04/3, Board of Trade returns (unadjusted). Germany's export surplus for each quarter of 1933 was assumed to be: I – £566,000; II – £859,000; III – £1,502,000; IV – £2,400,000.

68. This was 30 per cent cash and 70 per cent scrip (with the Golddiskontbank redemption rate increased from 50 to 67 per cent of face value).

69. BoE OV34/198, memo, 27 January 1934.

70. NC 18/1/859, 3 February 1934.

71. On this issue see, for example, D. Dutton, *Simon: a Political Biography of Sir John Simon* (Aurum Press, 1992), p. 170.

72. FO 371/17676/C749, minutes by (i) Sargent, 2 and 9 February, (ii) Vansittart, 13 February, (iii) Simon, 16 February 1934.

73. FO 371/17676/C749, minutes, 1/2 February 1934.

74. FO 371/17677/C1232, 22 February 1934. Vansittart looked to enlist the support of Fisher to bring about a change in the attitude of the Governor and the City.

75. FO 371/17742/C1590, 27 March 1934.

76. For a critical account of Britain's position see P. Clavin, 'The World Economic Conference 1933: The failure of British internationalism', *JEEH*, 20, 3 (Winter 1991). Clavin also shows how Germany was frustrated by Britain's apparent failure to acknowledge the damage caused by the Ottawa agreements. See also P. Kennedy, *The Rise and Fall of the Great Powers: Economic Change and Military Conflict from 1500 to 2000* (New York, NY:

Random House, 1987), pp. 333–6.

77. D. Cameron Watt, *Succeeding John Bull*, pp. 66–8.
78. NA RG59/862.51/3704, report by US Commercial Attaché (Berlin), 1 September 1933.
79. NA RG59/862.51/3698, telegram, Cordell Hull to Dodd (Berlin), 9 October 1933.
80. NA RG59/862.51/3782, letter from Lindsay (British Ambassador, Washington) to William Phillips (Acting Secretary), 23 December 1933.
81. NA RG59/862.51/3789, telegrams, 29 December 1933 and 15 January 1934.
82. NA RG59/862.51/3806, telegram, 19 January 1934.
83. FO 371/17675/C77. The news department of the Foreign Office asked, unofficially, the 'important' newspapers to drop hints about the possible institution of a clearing. A uniform approach was avoided, however, in case it gave rise to accusations of a conspiracy. The tone of the press in January 1934 suggests that Fleet Street was only too happy to co-operate.
84. T 160/590/8797/05/1, minute by Sir Warren Fisher.
85. NA RG59/862.51/3930A and 3931, telegrams from Cordell Hull to Swiss and Dutch Legations, 10 and 11 April 1934.
86. NA RG59/862.51/4007, memo, by Cordell Hull, 14 May 1934; see also RG59/862.51/4019, report by US Chargé d'Affaires (Berlin), 16 May 1934.
87. B.J.C. McKercher, *Transition of Power: Britain's Loss of Global Pre-eminence to the United States, 1930–1945* (Cambridge: CUP, 1999), pp. 172–6.
88. Boyce, 'World depression, world war', pp. 85–8.
89. D.Cameron Watt, *Succeeding John Bull*, pp. 80–1.
90. T 160/590/8797/05/2, telegram from Pinsent (Berlin) to Treasury, 18 May 1934.
91. T 160/590/8797/05/1.
92. BoE OV34/198, Leith-Ross to Governor, 13 June 1934.
93. T 160/590/8797/05/3, letter to Runciman, 4 June 1934.
94. Guillebaud, *Economic Recovery*, p. 64; G. Stolper, *The German Economy 1870 to the Present* (New York, NY: Harcourt, Brace & World, 1967), p. 114. In the first six months of 1934 *Devisen* reserves deteriorated so rapidly that they did not exceed 2.5 per cent of note circulation.
95. Ellis, *Exchange Control*, p. 200.
96. T 160/590/8797/05/3; CAB 24/249, 169, memo by Chamberlain and Runciman, 18 June 1934.
97. T 160/590/8797/05/3, 12 June 1934.
98. T 160/534/13460/08, letter by Beaumont Pease to Governor, 21 June 1934 with enclosed memo. See MB 30/189 for the aforementioned letter in draft form, 20 June 1934, which asserted that, in the event of any difficulties, the government would have assumed a great responsibility towards those bankers and merchants in need of help. See also BoE OV6/290 for Stopford memo, 12 June 1934. This assumes the worst: a clearing would lead to a breakdown of all arrangements for dealing with German debts internationally with consequent competitive grabbing by the several creditor countries. Deprived of the purchasing power for essential imports, Germany would be reduced to a state of economic chaos.
99. T 160/534/13460/08, minutes by Waley and Leith-Ross, 23 June 1934.
100. FO 371/17682/C3805, letter, Law (the FO's City informant), to Sargent, 15 June 1934.
101. T 160/534/13460/08, 28 June 1934.
102. NC 18/1/876, letter to Ida (Chamberlain's sister), 22 June 1934.

103. T 160/590/8797/05/4, memo, 27 June 1934.
104. T 160/534/13460/04, Frank Fehr & Co., to Chancellor, 11 July 1934.
105. Ibid., London Chamber to Chancellor, 27 June 1934.
106. T 160/534/13460/06.
107. Ibid., Waley to St.Quinton Hill (Board of Trade, Commercial Relations and Treaties Department).
108. E.V. Francis, *Britain's Economic Strategy* (Jonathan Cape, 1939), p. 272.
109. Cmd 4640.
110. 'The German agreement: robbing Peter to pay Paul?', *Financial News*, 6 July 1934. Einzig also highlighted the extent to which German imports had been financed by new commercial credits outside the Standstill. Most banks had been unwilling to grant new credits to Germany, yet exporters had continued to ship goods on a credit basis. The longstanding connections between British exporters and German importers meant that the former had been willing to deliver goods against book credits, or bills drawn upon them and accepted by the importers. See also T 160/522/12750/02/3; the Treasury simply dismissed the article as a reflection of the views of some of the less reasonable members of the London Chamber of Commerce.
111. FO 371/17684, information from Nigel Law.
112. T 188/77, Leith-Ross to Foreign Office, 11 July 1934. Leith-Ross had been given the letter which alleged that this conversation took place at the Bank of England on 9 June 1934.The identity of the writer was not revealed in order, presumably, to maintain maximum confidentiality.
113. FO 371/17684/C4611, C4613 and C4699, minutes by Sargent, Wigram and Vansittart.
114. NC 18/1/878, letter to Ida, 7 July 1934.
115. Parker, *Chamberlain and Appeasement*, pp. 9–10.

4

Britain's trade and payments with the Third Reich: 'economic appeasement'?

If the Anglo-German Transfer Agreement of July 1934 allowed British bondholders an opportunity to relax a little, British exporters to Germany continued to wait anxiously for assistance. This finally arrived in November of that year in the form of the Anglo-German Payments Agreement, signed after extremely difficult negotiations. Of all the economic and financial arrangements Britain made with the Third Reich, the Payments Agreement was by far the most important. It established an official framework for regulating economic relations and it was to remain in operation largely unchanged until the outbreak of war. It has even been linked with the Anglo-German Naval Agreement, concluded six months later, as one of the two pillars of British policy towards the Third Reich.

Was Britain wrong to choose a bilateral agreement as the instrument with which to implement the policy of maintaining trade with Nazi Germany without increasing credit commitments? In all the arrangements of this kind made by Germany, the terms secured with Britain were the most favourable. Under the trade ratio agreed, the Third Reich was able to go on collecting the considerable proceeds of its export surplus with Britain – so-called free sterling. For this reason Paul Einzig came to regard the agreement as 'the first act of economic appeasement'.[1] Peter Ludlow suggests that, strictly in terms of Britain's national interest, the agreement was not disastrous: it was an example of the National Government's 'sound management'. Britain was the most successful state in Europe in steering her economy through the economic crisis of the 1930s. But seen in terms of its implications for the recovery of the Western European economy and its significance to those who ruled in Berlin, the agreement, according to Ludlow, was destructive of international trade. It provided an early indication that Britain was prepared to pursue its own comfort and security, even at the expense of harming its neighbours and accepting terms laid down by the Third Reich.[2]

This judgement may be challenged on several counts. In the fractured commercial world of the 1930s it was not unusual for states to practise stringent exchange control arrangements. The first German bilateral trade and payments conventions were set up as emergency measures in 1932. Trade could then be conducted on a quota basis. Under National Socialism, the agreement made with Britain was the most important: it provided a blueprint for the many which were to follow with other countries.[3] These arrangements formed a fundamental part of the Nazi strategy to build an autarkic bloc in *Mitteleuropa*.[4]

But another central objective of Nazi economic policy was the progressive reduction in the amount of free exchange available to foreign creditors. It became obvious in 1933/34 that payments between Britain and Germany would have to be controlled in some way: the suffering experienced by British trade and financial interests was widespread. Without a structure which defined and formalized relations, a complete breakdown seemed likely. There were calls for Britain to impose a unilateral clearing system or even exchange controls. The authorities resisted these demands and, after failed experimentation, negotiated a more liberal structure instead.

The formation and operation of the Anglo-German payments system must be seen against the wider picture of Britain's external economic relations. When considering the effect on world trade of any British bilateral agreement, businessmen and politicians alike were in no doubt that clearings were the worst form of impediment. These arrangements were strenuously opposed by Britain throughout the world crisis and, to reiterate the point made earlier, action against Germany would have been taken only as a last resort. The fundamental objection was that clearings injured international trade, especially entrepôt trade – regarded as one of Britain's greatest resources. The Treasury was afraid that once general powers were established there would be continuous pressure to use them in all sorts of cases and that Britain would then find itself trying to conduct foreign trade under a system of perpetual government interference.[5]

At first sight such a robust defence of free trade, when imperial preference had just been embraced, seems curiously anachronistic. But it is precisely the events of 1931/32 which help to explain why clearings were so disliked. Everyone in the political class was conscious of the part Britain had just played in the world economic crisis; some felt that it was a part in which the country could hardly take pride. For the benefit of his Treasury colleagues, Sir Frederick Phillips reinforced a point already made by others:

> No country ever administered a more severe shock to international trade than we did when we both (1) depreciated the £. (2) almost simultaneously turned from free trade to protection. Overwhelming reasons can be given why we were compelled to do these things but the point is we ought not to be too touchy at developments abroad which interfere with us.[6]

This candid confession gives an insight into how self-reproach shaped British policy. A dark cloud of uncertainty and unease started to gather as the implications of Britain's revolution in external economic policy became clearer. By 1934 no one could say that the Nazi régime had been given insufficient time to settle down. Unfortunately, there was very little in its behaviour from which a liberal democratic state could draw comfort. While the collapse of the Weimar Republic could hardly be blamed on Britain's abandonment of the old economic certainties, every opportunity had to be taken to try to preserve a vestige of the collapsing liberal trade structure even, or perhaps especially, in relations with the most illiberal of states.

The rise and fall of the Anglo-German Exchange Agreement for Commercial Payments

British exporters experienced problems in trading with Germany before the Nazis came to power. In commenting on the extent of the injury to British firms in 1932, the Berlin Embassy referred to the possibility of a payments clearing agreement with Germany.[7] Once raised, this idea retained the power to stir up strong feelings for the rest of the decade. Anything which remotely resembled a clearing, or which caused central banks to interfere with the business of merchant banks, immediately aroused the suspicions of London bankers. In his capacity as a director of the Bank of England, Charles Hambro produced the usual theoretical objections to the proposal, and reasons why the Bank would decline to act as agent. These included fear of the 'canalization' of trade, the risk of exchange dumping to the disadvantage of British industries producing for the home market, and depletion of the Reichsbank's reserves. It was also highly desirable for British trade (diversified, changing and largely credit-based), to be as free as possible from bureaucratic control, he argued.[8]

The problem of trade debts was obviously not going to disappear with the collapse of the Weimar Republic. The British Embassy in Berlin decided to advocate some sort of exchange agreement with Germany as an alternative way forward. To the diplomats, bankers appeared to be selfishly pursuing their own interests: Britain was disadvantaged by being the only important European trading nation which did not have this kind of agreement with Germany. Hambro was accused of failing to understand that different types of Reichmark, with various limitations attached to them, commanded different prices. Marks resulting from exchange agreements were commercially free and, because they were used for certain non-commercial payments, were priced higher than the limited blocked marks.[9]

Other attempts were made to persuade the Bank of England that an agreement would not so fetter trade that Britain's business with Germany would soon shrink. The Conservative MP Sir Walter Preston, company chairman and friend of the Governor, pointed out that no one objected to the whole of Russia's trade coming to Britain through the agency of the All Russia Co-operative Society (ARCOS); traders submitted to this condition as they wanted Russia's business. But the Governor continued to be concerned that British exporters would assume commitments without being aware of the uncertainties and risks of *Konversionskasse* marks.[10]

Exchange agreements between Germany and other countries seemed to work well. But they tended to have the effect of diverting trade to those countries and away from Britain. A number of British exporters even sent goods through Holland in order to reach German clients who had exhausted their exchange quotas. An agreement was seen as a gratuitous means of maintaining Britain's position against further damage on the German market. When, finally, the Chancellor of the Exchequer and the President of the

Board of Trade accepted that an agreement was necessary, the Bank of England did not wish to stand out against it any longer. Cameron Cobbold, adviser to the Governors, conceded that their arguments had always been rather thin and that, while an agreement would undoubtedly be a nuisance to the Bank, it would aid some exporters.[11]

But there was to be no immediate relief: the scheme lay dormant while the more pressing affairs of the bondholders received attention. Reports of the hardships and difficulties facing British traders began to mount. Companies always tried to assure themselves that their German customers possessed sufficient foreign currency to cover orders placed. No provision could be made, however, for the rapid reduction which took place in the basic foreign exchange quota, from 50 per cent in February to 10 per cent in June 1934. German customers were unable to pay for anything other than the minimum of imports necessary to keep business going. Although British traders hardly ever bought from and sold to the same German firm, such were their losses that they clamoured to be allowed to offset their credits against their debts, especially as their European competitors enjoyed such an advantage.[12]

Once the bondholders had reached an agreement, the way was open for official trade talks to take place in Berlin. Surprisingly, the Board of Trade was content to have frozen trade debts excluded. Sir Henry Fountain, the Second Secretary, acknowledged that the question was a vexed one which seriously disturbed many traders, particularly the coal exporters and the Lancashire cotton spinners. But neither government wanted to burden the scheme proposed with the additional marks necessary for the liquidation of frozen debts.[13]

An Exchange Agreement for Commercial Payments was signed in Berlin on 10 August 1934. German importers of British goods, having used up their foreign exchange quota (which took next to no time), were now able to pay the balance into a Sonder mark account, opened at the Reichsbank in the name of the Bank of England. Payments into this special account were to be suspended when the balance exceeded Rm5m marks. The Bank of England could make payments out of the account for goods exported from Germany. The agreement was not intended to lead to the alteration in the balance of Anglo-German trade. It also seemed experimental in nature: only two weeks' notice of termination by either side was necessary.[14]

Moreover, the scheme was voluntary. It depended for its success on the extent to which British importers of German goods used the account in paying for their purchases. With Britain importing more than she exported, demand for Sonder marks was expected to be adequate for the scheme to work. New British exports could be financed without straining German foreign exchange reserves.

The financial authorities in Britain realized almost immediately that this was not a satisfactory solution to the problem. Cobbold thought that the Germans hated the agreement and that they would call Britain's bluff and themselves impose a clearing on the Empire.[15] The arrangement was, indeed, so unsatisfactory that it was in trouble within a few weeks. The Bank's fears were realized, but for reasons opposite to the ones suggested: British traders were only too aware of the risks attached to currency transactions. The supply of Sonder marks was greater than the demand. The London Chamber of Commerce reported that many importers were going to avoid speculation in exchange and continue to buy for sterling. A forward market for Sonder marks would have made little difference; German exporters were not trusted to carry out their contracts if the mark depreciated and, in any case, they much preferred payment in freely convertible sterling. Montagu Norman was able to express his general abhorrence of the scheme. Exactly one month after the signing of the agreement the total unsold balance reached Rm7m and payment in Sonder marks for British exports was subsequently suspended.[16]

In the Bank of England, Siepmann and Clay – both advisers to the Governors – clashed over whether the initiative lay with Britain. Siepmann, like Cobbold, questioned the assumption that Germany found Empire raw materials indispensable. By diverting her purchases and threatening a compulsory Empire clearing, Germany might have created endless trouble for Britain. Siepmann recommended, therefore, that commercial arrears would just have to be overtaken by new trade. He also envisaged abandoning the middle- and long-term bondholders to their fate, even though Britain had already done remarkably well, because the doctrine of non-discrimination could no longer be sustained in practice. Siepmann has to be counted among those who were greatly disturbed by the change in external policies. On tariffs, on competitive currency depreciation, and on disarmament he believed Britain had allowed herself to be forced to do harmful things which many people regretted. He had no doubt that there was everything to gain by being 'sensible' with Germany; this involved abandoning the idea of substituting the financial authorities for the original claimants.

In contrast, Henry Clay was fearful of virtually relinquishing control of policy to Schacht, who seemed to be attempting the impossible, and he predicted that Germany's deteriorating trade position would continue to be the governing factor in relations. As a consequence, he believed that the problem of the priority of different British claims would be brought up every few months with each piecemeal settlement exciting fresh ill-feeling. Machinery was necessary, therefore, in order to balance conflicting British claims and to agree with Germany the order in which they should be met.[17]

The suspension of the exchange agreement caused immense frustration in London. Admitting that he was 'desperately gloomy' about the chaotic situation, Leith-Ross also saw the need to forestall complete control of trade by Germany.[18] The Foreign Office, increasingly desperate to prevent Germany from enjoying a potentially dangerous advantage, wanted any new agreement to cover the whole field of economic and financial relations.[19] The political and economic élite in Britain were becoming particularly disillusioned with Schacht. Although he was not held responsible for the economic policies of the Hitler régime, he had seemed to represent the best safeguard against extremism. It was, none the less, in the Third Reich that the world's most extreme form of economic nationalism was being perfected. Schacht was roundly condemned, therefore, as a financial fraudster. His crime was to act on the basis of his allegation that Germany's foreign loans were political just because money had been borrowed during the years of reparations payments. His angry refusal, in public at least, to accept that autarky would reduce the German population to a low standard of living appeared quite irrational and blind. That the rewards for taking the lead in trying to re-establish Germany's political and financial position should be so meagre was greatly resented.[20]

The experiences of British industry from the 1920s revealed a similar pattern. Germany managed to obtain imports without paying for them, first by long-term loans on which the country had defaulted; secondly via unpaid, short-term Standstill credits, and thirdly by failing to carry out promises to exporters. Sonder marks carried the process a stage further: goods were obtained on credit while no assistance was given in the liquidation of the account. The reluctance of the Nazi Party to honour past financial obligations invited comparison with the behaviour of Bolshevik Russia. Exporters in Britain felt compelled to offer extended credit terms. If they tried to demand cash against documents, business was diverted to those countries able to offer more favourable terms involving various forms of compensation arrangements or private clearings. Organizations such as the FBI regarded Schacht's subordination of international trade to the primary object of stimulating German domestic production and employment as amoral patriotism.[21]

Protecting traders or preference for bankers?

In the late summer of 1934 Britain was faced with a problem growing more serious by the day. While the government had shown how reluctant it was to protect the interests of exporters, it had become obvious that an agreement of some kind could not be postponed indefinitely. But the procedure selected had effectively failed almost as soon as it was put into operation and trade was beginning to collapse. The Lancashire spinning industry, owed commercial debts of £400,000 by German importers of cotton yarn, decided to stop further deliveries, even though they feared that they might lose their market share to the Swiss and the Czechs. At the invitation of the importers, a delegation of cotton spinners went to Berlin to try to obtain their money through separate arrangements. Sir Henry Fountain, rather less sanguine than before, warned that Schacht probably intended to divide British interests by satisfying only those whose exports were necessary to Germany.[22]

Indeed, divisions already existed in Britain between some sectors of industry and financial interests, and between industry and the government. Leslie Burgin, the Parliamentary Secretary to the Board of Trade, received a delegation of cotton, woollen and coal interests. Their hostility was taken as an indication of the passion which had been roused in the country. It was the exporters with frozen debts who were the most vocal in complaining that they had suffered discrimination. Burgin reported to Runciman that the position was ugly: the Bradford 'ring-leaders' had no confidence whatever in the government's position or its efforts. The delegation told Burgin that they suspected a preference for finance over commerce. London banks, including Schroders, had just sent representatives to Berlin at Schacht's invitation.[23] Suspicions were aroused because Leith-Ross was also in Berlin to begin preliminary talks. But as soon as his audience had gathered, Schacht staged another *coup de théâtre*: on 19 September 1934 he announced even more stringent foreign-exchange controls. It served the purpose of the Reich authorities to admit that, with such an enormous *Devisen* deficit, Germany's whole quota system of foreign exchange allocation was failing abysmally. Schacht's New Plan abolished all the general exchange permits and subjected all imports to licensing. The few remaining openings for British exporters seemed to be closing rapidly.

Not surprisingly, the Anglo-German discussions began angrily. Leith-Ross tried to convince von Neurath, the Foreign Minister, that the German market was not so strong that other countries would be forced to supply goods on credit rather than not export to Germany at all. He warned that Britain would cut off trade if her exports were reduced and that she would last longer in any competition in suicide. The devious response, furnished by Schacht, was to insist that there was no desire to divert purchases of raw materials from normal channels. It cost nothing to recognize London as the best centre through which to organize buying or to welcome the maintenance of the bills and facilities for international trade offered by the City. Schacht also took the opportunity to recite his mantra: British war debts to America were analogous to the Dawes and Young loans because the latter were incurred in order to pay reparations.[24]

On several occasions throughout the decade Britain assumed that Germany was on the point of economic collapse. In late 1934 Britain expected the inconsistency between Nazi financial and economic policy to produce, at the very least, an impasse and a forced devaluation. This was not particularly unrealistic. According to one leading historian of the Third Reich, the progress of the Nazi economic miracle was then stalling; the public's enthusiasm was fading so fast that, by 1935, the mounting problems were to turn rumbling discontent into visible displays of unrest.[25]

Assumptions in Whitehall about the state of the German economy buttressed the case for a clearing: the Nazis could be taught a lesson because resources for imports and raw materials would be curtailed and unemployment and discontent accentuated. It was hoped that at the last moment the Reich government would recoil in horror at the awful prospect of economic disaster. Significantly, no one suggested that Britain should deliberately seek to facilitate political upheaval and thereby threaten the very existence of the Third Reich. Recent events had proved that disasters could not necessarily be confined to one country. German instability might have precipitated a collapse with serious ramifications for the world economy. And, of course, there was no consensus on the likely effect of a clearing.

Consequently, the British position was largely one of bluff. Leith-Ross predicted in September 1934 that Germany had the capacity to last out a long time on her own resources and could not be blockaded into submission. He cautioned against the mistake of expecting any sudden change in the Nazi régime: 'We should, therefore, do all we can to maintain our trade with Germany so long as we can do so without increasing our credit commitments to her.'[26] Leith-Ross did not feel the need to revise this judgement when he wrote his semi-autobiographical *Money Talks* more than 30 years later. Trade sanctions would have meant restricting British commerce and compounding economic difficulties, while the Nazi Party would have been given an excellent pretext for the anti-foreign propaganda on which it relied to justify the tightening of the belts of the German people. Yet, *Money Talks* does reflect on the way surplus sterling allowed the Reichsbank to finance the import of raw materials such as tin and copper. The Germans feared that in a clearing system Britain might require sterling to be used for the purchase of British-made products.[27] Leith-Ross neglects to add that such a requirement was never seriously contemplated.

That Neville Chamberlain, as Chancellor, should also be greatly exercised by the state of Anglo-German economic relations in 1934 was to be expected. But the source of his frustration was his inability to exploit the situation in order to direct foreign policy. In a private letter in October he put down a revealing early marker to the way British policy-making was to evolve: he felt that he had to try to bring about an understanding with 'another country' but was 'contending all the time with the lethargy of the Foreign Office'. Chamberlain was almost embarrassed at Britain's continued economic improvement while the rest of the world, and Germany in particular, seemed to be continually running downhill.[28] Nevertheless, Leith-Ross was to be allowed a free hand in order to fight the Germans over trade issues as hard as possible.

Many in Britain now argued that the only way to get Germany to make a satisfactory arrangement for existing or future trade debts was through a clearing. At the same time, Berlin's threats to boycott Empire trade, or to impose a clearing based on the Empire, were taken seriously. Schacht constantly criticized British colonial trade practices. Recent analysis has confirmed, however, that Britain was correct to assert that Germany could not show that she was being denied access to colonial raw materials. The volume of German purchases of certain raw materials from the Empire – particularly strategic commodities such as rubber and copper – increased significantly in the period 1932–38.[29] While Britain was careful to give consideration to German complaints concerning the colonial issue, the threats made against Empire trade could not be dismissed: Germany was already attempting to obtain as many raw materials as possible through barter. Consequently, the British Cabinet decided on 3 October 1934 that negotiations with the Nazi government should begin for a bilateral clearing which would operate from 1 November. Although the talks started with the avowed aim of setting up a clearing there was considerable reluctance on both sides to take this step if some other acceptable method could be found.[30]

In preparing the draft order the Treasury estimated the likely outcome of exchange requirements between Britain and Germany for the whole of 1934. It was assumed that Germany would have a balance of £1.5m available as a result of the merchandise transactions between the two countries, including British re-exports. To set against this, however, Germany required some £5m to service UK debts (less than previous estimates). In addition, the total outstanding commercial debt owed to the UK, comprising more than 393 claims, stood at some £4.7m.[31]

The renewed prospect of a clearing propelled the bankers of London on to the offensive once again. This time, the Joint Committee sought to highlight the difference between bankers and traders. The former, it was suggested, had never looked to the government for aid in the collection of their claims, although they continued to fear that this would change when a clearing rendered renewal of the Standstill inequitable or impracticable. Rather, the government had sought the co-operation of the bankers in abstaining from collection, at a time when German capacity to pay was much greater than it had subsequently become. In contrast, debts due to British traders had been incurred at a time when the German economic situation, legislative restrictions and practical limitations affecting the provision of exchange were all a matter of public knowledge. The bankers did not want to appear too unsympathetic: it was just that they wanted to secure as much protection for financial claims as for those of other classes.[32]

However much influence the bankers had with Montagu Norman, and however much respect the latter could command in Treasury circles, Leith-Ross, for one, was not over-impressed by the combined weight. Reflecting on the extent of governmental responsibility for the Standstill, he concluded that in 1931 the bankers had been between the devil and the deep blue sea: without the Standstill arrangement Germany would have imposed a moratorium and the bankers would have been compelled to ask for protection. The effect of the Standstill had been to freeze up that volume of German indebtedness, with really only interest being paid, as the only alternative to a complete breakdown.[33] Although the objective was to liquidate frozen trade debts gradually, German exports did tend to decline under clearing systems and this was a danger for Britain too. The Treasury was persuaded, therefore, that some of the big short-term creditors were genuinely frightened lest the end of the Standstill was in sight. Although correspondence flowed between the Chancellor and the bankers via Governor Norman, each steadfastly refused to accept completely the case put by the other side.

The Payments Agreement and the hidden hand of the Bank of England

A major reason for Norman's concern stemmed from the fact that the Bank of England itself played a significant part in the business of the Standstill. Having decided to encourage and even sponsor London participation in the arrangement, the Bank did everything possible to ensure marketability. The Bank held many of the bills which represented the greatest part of the credits given by London. The Governor's willingness to rediscount these bills was a necessary basis of the system so far as the City was concerned.[34] In the first half of 1932 nearly half of the bills discounted at the Bank were of German origin. Yet the Bank disliked their artificiality, believing that while they circulated the commercial bill was prostituted. One idea was to follow the Dutch central bank and launch an official

1. Anglo-French discussions at Downing Street, 9 April, 1932.
Left to *Right*: Runciman (President of the Board of Trade), Chamberlain (Chancellor of the Exchequer), Tardieu (Premier), MacDonald (Prime Minister), Flandin (Minister of Finance), Fleuriau (French Ambassador), Simon (Foreign Secretary). *(Topham Picturepoint)*

2. At the Lausanne Conference: Ramsay MacDonald, with daughter Ishbel, and Neville Chamberlain. *(Special Collections, The Robinson Library, University of Newcastle)*

3. On Board the *Empress of Britain* en route to Ottawa.
Left to *Right*: (standing) Gilmour, Cunliffe-Lister, Lord Hailsham, Runciman, (seated) J. H. Thomas, Baldwin, Chamberlain. *(Special Collections, The Robinson Library, University of Newcastle)*

4. Lord Runciman and Frank Ashton-Gwatkin (Foreign Office) returning from Prague, 16 September, 1938. *(Hulton Getty)*

5. Sir Warren Fisher,
Permanent Secretary to
the Treasury and head of
HM Civil Service,
January, 1939. *(Hulton
Getty)*

6. Sir Richard Valentine
Nind Hopkins, Second
Secretary to the
Treasury.
(Hulton Getty)

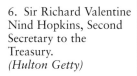

7. Sir Frederick Leith-Ross, Chief
Economic Adviser to the government.
(Topham Picturepoint)

8. Sir Robert Vansittart, Permanent Under-Secretary to the Foreign Office, leaving his Mayfair, London, home. February, 1934. *(Hulton Getty)*

9. Montagu Norman, Governor of the Bank of England, leaving Southampton for Canada on board the *Duchess of York*, 15 August, 1931. *(Hulton Getty)*

10. Sir Frank Platt, Lancashire Cotton Corporation. *(Topham Picturepoint)*

11. Sir Eric Geddes *(Centre)*, Dunlop Rubber Company, surrounded by the 'Geddes Axe' committee. *(Topham Picturepoint)*

12. Reginald McKenna, Chairman of the Midland Bank. *(Topham Picturepoint)*

13. Sir John, later Lord, Cadman, Chairman of the Anglo-Iranian Oil Company. *(© BP Amoco plc)*

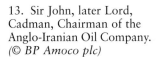

14. Freddie Morris, Deputy Director in charge of Continental Affairs, Anglo-Iranian Oil Company. *(© BP Amoco plc)*

15. Aviation Service of Olex (the German subsidiary of the Anglo-Iranian Oil Company) at Berlin, 1930. *(© BP Amoco plc)*

16. Olex filling station and attendant, Pappenheimstrasse, Marsfeld-Munich. *(Phototechnische Anstalt, Paul Hartlmaier, München 2 SW 5. From the BP Amoco Archive)*

17. Wagons being filled with *Leuna-Benzin*, the synthetic oil produced by IG Farbenindustrie in partnership with Standard Oil and Shell.
(Photo: AKG London)

operation to take the bills off the market. But rather than give an impression of too much government involvement, the Bank opted instead to monitor carefully the implications of Standstill indebtedness. Sayers points out that while the Bank encouraged the 'fiction' that it was proper for these bills to be held in the market, it was also remembered that those firms which were especially dependent on their value might, at some time, need supporting.[35]

In late 1934 it seemed that that time had almost arrived. If the Standstill had broken down the City would have refused to deal in the bills and any default by the acceptors would probably have provoked a crisis requiring intervention by the authorities to avoid a collapse of the London market. On 24 October the chairman of the National Provincial Bank (which carried the accounts of most of the acceptors) was called to the Bank of England and the Governor warned the Committee of the Treasury that the Bank might have to join in a rescue operation for four of the firms. The exposure to all the warnings issuing from the City and to the threats and excuses of the German authorities had a marked effect on Chamberlain:

> I have been having a very worrying time over this Anglo-German negotiation. Horrible possibilities of a German Default and the consequent bankruptcy of some of the great English financial firms have been hanging over me ever since I took office and just lately they have been very menacing.[36]

Meanwhile, the British delegation in Berlin received revised proposals. Schacht, decrying the need for a clearing, had in mind a scheme for liquidating the frozen trade debts (particularly the claims of the herring, coal and textile exporters). Assurances would be given about maintaining British exports on some proportional basis. This scheme involved raising a loan in London using as collateral outstanding sums due to Germany from England.[37] Schacht knew that he could count on Norman's support. The latter, at this stage of the 1930s, was neither concerned about the difficulties of political presentation nor did he entertain suspicions about the bona fides of Germany. Any instrument which was more technically convenient than a clearing was desirable to Norman. Leith-Ross, too, could begin to hope that a combination of Schacht's scheme and the continuation of the Transfer Agreement might enable the government to claim 'Peace with Honour'.[38]

The determination shown in British tactics finally produced a settlement. A clearing was kept in reserve, ready to be imposed if necessary at the last minute. This involved accepting the risk that London's credit business and the raw materials market would suffer direct damage. On 1 November the Anglo-German Payments Agreement was announced. A clearing was avoided once again. Yet, the justification which was offered for not pressing on to obtain safeguards for all payments was that this would have required the institution of novel, cumbrous and expensive machinery which many traders disliked and most bankers detested. Instead, a new technique in British commercial relations had been invented. The President of the Board of Trade, anything but optimistic, warned traders to be cautious. Germany undertook to adjust monthly her imports from Britain to ensure that they amounted to 55 per cent in value of the trade travelling in the opposite direction. If this gave Germany a substantial surplus it also meant, in theory, that the volume of trade was determined exclusively by British initiative.[39]

Under Article 4 of the agreement Germany was bound to make a payment of £400,000 to British trade creditors. Over and above this, the Reich undertook to provide a monthly allocation, provisionally fixed at 10 per cent of the value of German exports to the UK, sufficient to liquidate the outstanding trade debts within one year. German claims on the UK were also to be realized, by a credit operation or otherwise. The phrasing of this last clause was left deliberately vague. Taken together, the terms amounted to a modified version of a clearing. Payments were made in free *Devisen* – an elusive concept under the Nazis – in place of settlement by the offset of clearing balances.

The operation to grant Germany credit was the scheme's most remarkable feature. During the negotiations Schacht had prepared lists of British debtors for the Governor to appraise. The plan was to secure advances from each of the joint-stock banks in respect of the debts owed by their own customers. Norman estimated that the operation would take three weeks and so it was decided to extend credit to Schacht in any case. With this, it appears that the Treasury had been persuaded at the last minute that a clearing could be avoided.[40] Always pessimistic, Norman was frequently autocratic too. He reserved the right to arrange the terms between himself and Schacht and desired written absolution from the ordinary wish of the government that new credits should not be given to Germany.

The Governor confirmed that the Bank of England had been requested to discuss terms for an advance of up to £400,000 in case the Reichsbank needed funds in order to fulfil obligations connected with frozen debts and Sonder marks. Chamberlain readily accepted. While he was not prepared to give a guarantee that any debt incurred by the Reichsbank would be immune from a future clearing, he thought the whole idea was in line with British interests.[41]

Chamberlain not only hoped the Payments Agreement would provide a solution to the difficulties with Germany, he was also delighted with an outcome very much better than the one he had expected. In private, he was generous in his praise for the skills of British officials in calling Schacht's bluff.[42] The agreement was at first well received in public too: the House of Commons greeted it in a positive atmosphere, the City was overjoyed and even traders seemed to be satisfied. But when Schacht made no move in Berlin to commence the credit operation the authorities became uneasy. Britain had been induced to accept the agreement on the understanding that claims on Britain totalled more than £5m. This was sufficient to pay off all the frozen debts. It transpired that the claims comprised up to 8,000 small debts – hardly a good basis on which to raise credit.[43]

Prompted by a telephone call from Cobbold, the Reichsbank proposed to honour its 10 per cent monthly payment to trade creditors by arranging a further credit of £1m with the Bank of England.[44] With the total credit now standing at £1.4m, the question of security had to be taken more seriously. The Bank could justify accepting business only with considerable risk on grounds of public policy. On the other hand, a larger distribution of outstanding debts could be arranged and the Bank was seen as having a better chance than the British government in getting money out of Schacht. Chamberlain and Fisher agreed that the risk was justified.

As trade and government circles began to realize, in late November 1934, that the Payments Agreement was not working well, the euphoria which had accompanied its inception rapidly dissipated. The level of support had almost certainly been based upon relief that a clearing had been avoided. References to a likely breakdown began to appear in the press. The price was being paid for the failure to fix up a relevant and well-defined administrative machinery during the Berlin talks. Although Leith-Ross tried to stop public discussion of the issues, he had serious misgivings over a situation he described as unclear and even 'full of mystery'.[45]

By 4 December Schacht had managed to arrange a credit for £750,000 with the Bank of England. This was to be added to the £400,000 already paid and a sum of £264,000 which represented the 10 per cent allocation for November. The agreement could now start to function. But the ever cautious Norman revealed to Leith-Ross that:

> It is bound to become public knowledge that Germany only makes the payments owing to the advance granted to the Reichsbank. On the other hand the conditions which permitted the advance to be arranged are by agreement held in secrecy between the Chancellor and myself. I think these two points are important: the former may be published abroad; the latter must be hidden.[46]

While knowledge of the advance did become public a day or two later, the conditions were indeed kept hidden. According to a report in the *Financial News*, commercial banking circles were very critical of what appeared to be a straightforward credit to the Reichsbank for a full year, with nobody but the authorities aware of the nature of the debts on which it was secured. There was speculation that the security given would not have been acceptable to a private banking consortium. With the authorities ready to take special measures to expedite payments, it seemed likely that British exporters would be encouraged to sell on credit and that Germany would be financially assisted. The *Financial News* wanted to know, therefore, whether the transaction was in accord with the government's Parliamentary assurances that the extension of fresh credit to Germany was against public policy.[47]

The Foreign Office was certainly not satisfied that the £750,000 advance was in the national interest (as Chamberlain claimed in the Commons on 11 December). Upset at their exclusion from discussions, officials were particularly angry that the nature of the security had been kept secret; they suspected it was little more than a verbal IOU from Schacht. Vansittart was adamant that they should at least have had 'some intelligible explanation' since they were 'not children'.[48] Leith-Ross sought to reassure him:

> I do not know whether you have ever attempted to raise money from the Old Lady, but my belief is that you would find her pockets very

tightly buttoned up unless you could produce extremely good security...and I fancy that however Schacht might treat obligations to other people, he will be extremely anxious to keep faith with the Bank of England.[49]

It is now possible to trace the terms and course of the credit. It was to be for a maximum of one year with interest at variable bank rate plus 1 per cent with repayment in sterling. Security was provided by approved external bills (bona fide trade bills such as the Reichsbank would normally discount), covering the advance with a margin of 10 per cent on sterling bills and of 15 per cent on bills of other currencies. The Reichsbank had to try to arrange that at least 50 per cent of the collateral should always be in sterling bills. By February 1935 the Bank of England thought that the advance was not looking too happy. The shortfall in funds at the end of the term for the repayment of frozen debts was estimated to be £425,000; with the Bank's advance this gave a total deficit of £1.18m. Repayments needed to be increased. Siepmann claimed that he always reckoned the Germans would be this amount short of their undertakings. He immediately contacted Reichsbank director Puhl and £200,000 was swiftly paid back. When the credit balance was reduced later in the year to £150,000 Siepmann was able to note that the situation was 'extremely satisfactory, as was to be expected'.[50]

On the specific matter of the credit, Leith-Ross was not misguided to place his trust in the 'Old Lady'. What is remarkable, though, is just how far the Bank of England was prepared to go to in helping to head off the danger of a clearing system. This was accomplished by the narrowest of margins and only because the Bank facilitated the setting up of a preferred but none the less novel alternative device. Indeed, no one expected the agreement, born after such a painful and protracted labour, to survive for more than a year. There were early complications: the German authorities quickly rejected the original proposal to grant import certificates freely for British wares and started to impose severe restrictions. Nor did the terms granted to British creditors undergo any improvement. In spite of this, the agreement grew into a robust infant. The performance of the agreement was thought to be so satisfactory that it was left, by mutual consent, to run on without modification for more than three years. This was not simply a case of bureaucratic inertia or a natural reluctance to tamper with an arrangement which actually worked. The Bank of England praised the structure as a model of lucidity and simplicity. However, the entire operational responsibility lay with the Reichsbank. The satisfactory results were said to be, therefore, a product of Germany's efficient systems of trade and foreign exchange control.[51]

Yet, with the threat of war looming larger in the second half of the 1930s, it became ever more important for Britain to ensure that external commercial agreements did not operate at the expense of national security. This posed a dilemma virtually impossible to resolve. As Paul Kennedy has shown, Britain hoped to build up her strength and conserve her resources by pursuing economic interests which were best served in a peaceful world. At the same time, the security of the nation required economic as well as military preparations which were likely to be at the cost of trading interests. Of course, what was uppermost in the German mind was, in Kennedy's words, 'A future war, not eternal peace'.[52]

With Hitler's reoccupation of the Rhineland on 7 March 1936 all proposals relating to further agreements with the Third Reich underwent drastic revision. There was even talk of economic sanctions. But the proposition that the Locarno Treaty powers alone should attempt trade reprisals against Germany was quickly ruled out. In Britain the Treasury warned of a potential farce: the Standstill monies would be cut off and, while the Nazi authorities would be free to import whatever they required through dozens of loopholes, Britain's own trade would be damaged. Sir Warren Fisher's opinion of sanctions was that 'Even Alice in Wonderland would regard the idea as lunacy'.[53] It was inevitable that the Payments Agreement would also be called into question. Renewed criticism appeared in Einzig's 'Lombard Street' column of the *Financial News*. The agreement was said to leave Germany with an annual balance of £10m for arms expenditure. But this figure did not take into account British re-exports or the service of several debts. When these payments were included, Germany was left with an unfavourable balance.[54]

Anxieties were eased, therefore, when Germany paid off, relatively speedily, her heavy commercial debts and continued to pay interest in full to British holders of Dawes and Young loans. Altogether, denunciation of the agreement did not appear to be in Britain's interests: a way had been found to settle, for the time being at least, most commercial and financial questions. On this foundation, economic relations with Nazi Germany could be built. There was, for example, a rapid growth in British exports as a result of purchases by Germany of British goods. But this by itself does not explain why the agreement came to be regarded with special favour in some quarters. The useful contribution it appeared to make to good political relations was considered to be just as important. Frank Ashton-Gwatkin, in the Foreign Office, felt able to claim at the end of 1937 that the agreement had led to goodwill and mutual understanding.[55]

The impact of Anschluss

Hitler's annexation of Austria on 12 March 1938 shattered the illusion of goodwill. Suddenly, Britain had to choose between revising the Payments Agreement or renouncing it. The agreement nearly collapsed, but not for political or strategic reasons. Although the Anschluss marked a new and frightening stage in the growing European crisis, London's first concern was what the ending of Austrian independence implied for the upholding of international financial obligations. As the Nazis created the myth that Austria had never been a separate national or economic entity, they naturally claimed as a matter of principle that the Third Reich could not recognize Austrian financial obligations. Berlin's objective was to get international loans written off. The door to recognition of other Austrian treaty obligations could then be kept firmly shut.[56]

Hitler secured gold and reserves of the Austrian National Bank estimated by Britain to be up to £20m, with £80m in realizable foreign securities. But no undertaking was given to honour the service of the Austrian reconstruction loans – the Guaranteed 4.5 per cent Conversion Loan of 1934, the Guaranteed 3 per cent Loan of 1933 and the 7 per cent Loan of 1930. These had been issued under the auspices of the League of Nations and were controlled by the august-sounding Committee of Guarantor States of the Loans for the Reconstruction of Austria. As one of those international guarantors, the British government was liable to pay £675,000 per year in case of total default.

By 1938 Britain remained the only country where the Third Reich negotiated direct with creditors; in all other cases Germany negotiated with the government of the creditor country. If this distinction was quite unreal in the circumstances pertaining in 1934, it was stripped of any meaning by the Anschluss. There was little doubt that negotiations would have to be backed up with the threat of a unilateral clearing.[57] The problems contingent upon imposing such a structure remained the same as in 1934: serious dislocation of trade and termination of existing debt payments. Yet such drawbacks counted for much less: the British government felt that it was confronting a state which had never shown the slightest hesitation in ruthlessly exploiting its politico-economic power. It was assumed that a clearing would harm Britain but do even greater damage to Germany.[58]

Any offer which fell short of unconditional full payment of the service of the loans automatically required the intervention of the international control committee. In the event that the international negotiations failed, Britain planned to approach the Third Reich for a bilateral agreement, as part of the main negotiations over the Payments Agreement. To complicate matters further, the Lever Committee (representing British long- and medium-term creditors of Germany) made informal proposals to the German authorities concerning interest rates for the Dawes and Young loans.[59] So revision of the Anglo-German payments structure to include Austria was linked to the question of Austrian debts and the Dawes and Young loans. An opportunity had arisen for an all-round financial settlement.

Trade between Austria and the UK was roughly balanced through the mid 1930s. Put another way, British exports to Germany and Austria amounted to 70 per cent of the combined export trade of the two states to the UK. An increase in the ratio allocated to Britain under the Payments Agreement from 55 per cent to a notional 65 per cent would still have left the Third Reich with a free surplus of about £3.5m. That such a liberal attitude risked compromising national security had always been an obvious if rarely articulated point: Germany greatly valued free sterling as a means to purchase raw materials. The smooth working of the agreement was now seen as an act of British benevolence which had to be justified.[60] Free sterling could have been used to wipe out debt. But the Bank of England was concerned that the terms for revision should not be pressed too harshly in case Germany reneged on all her existing arrangements for servicing British financial claims; setting a sufficiently low percentage figure would leave a margin for those claims.[61] In spite of this, Chamberlain, the Prime Minister, decided that a 70 per cent allocation was justified on trade grounds.[62]

This was the figure Leith-Ross put to Rudolf Brinkmann at the start of negotiations in Berlin in the last week of May 1938. While the figure was accepted, responsibility for the Austrian loans was denied. Brinkmann was a Schacht protégé, but Göring had made him state secretary in the RWM because of his Nazi convictions. His outrageous behaviour became too much even for the Nazi hierarchy to tolerate; he was spirited away in 1939 on grounds of mental illness.[63]

Leith-Ross wanted to give notice right away that Britain intended to bring the Payments Agreement to an end. The Board of Trade, having secured the objective of 70 per cent, was entirely against denunciation. The Bank of England reasoned that any declaration should come after 1 June by when it would be known whether the Austrian loans were in default.[64] Much to the delight of his officials, Viscount Halifax, the Foreign Secretary, was persuaded by Sir John Simon (now Chancellor) to allow Leith-Ross a free hand in Berlin.[65] The notice of termination (one month) was issued when the Reich authorities repeated that they had no legal authority to pay the Austrian interest instalments.

A bemused Cabinet met on 27 May to contemplate how and why Britain had come to use such a 'steam-hammer' of a weapon, even though it was felt that special account had been taken of German psychology. Discussion was interrupted by news of the German response. Britain was asked to persuade the Dawes and Young loan bondholders to accept a reduction in interest rates; in return, interest on the Austrian loans would be paid in full. This capitulation instantly restored self-confidence in British tactics; Chamberlain was able to recall that it confirmed previous experience of how great firmness was needed in negotiating with Germany.[66] The Cabinet's attitude is all the more surprising given that, just a few days before, Anglo-French firmness had led to the war scare over the Sudetenland.

So many British poltico-economic interests had become wrapped up with the Payments Agreement that denunciation was bound to be seen by many as a doubtful expedient, if not something worse. The Berlin Embassy warned that every opportunity had to be given to the Nazi government before Britain slammed the door and greatly increased the political tensions.[67] In City circles it was naturally the

Standstill creditors who were most concerned that existing financial arrangements should not disintegrate. Thus, in circumstances very similar to those of 1934, Lord Wardington (formerly Beaumont Pease) reminded the authorities, just in case they needed it, that bankers believed the Standstill to be in a special position. An interruption to its service would mean that bills worth some £22m would be taken off the market (thereby depriving Germany of the cheapest money it enjoyed), and bankers would look to the government for the protection they felt they deserved. On the advice of the Bank of England that the proceeds of goods financed by Standstill bills should be exempted from a clearing, all references to the Standstill were left out of the draft Treasury order.[68] The government let it be known through the Bank that it would give the Standstill the same priority as Reich Loans.[69]

A greater weight of opinion, however, believed that the time had come to make a firm stand. The Association of Chambers of Commerce pointed out how much investment capital had already been lost: the Young loan and *Konversionskasse* bonds were quoted at less than £40 per £100, while other obligations were quoted at £25. The Association's members were not only prepared to endure sacrifices for the sake of a clearing, they actually urged the government to set one up, if necessary, in order to see fair play for British investment abroad.[70] Certain bankers apart, the City also appeared solidly in favour of taking the same line. The German technique of depressing the price of a stock and then repatriating the few remaining ones on which payment was made had become sickeningly familiar. The feeling was growing that it had always proved useless, on general political grounds, to make concessions of any kind to Germany. As for a retaliatory switch of trade in raw materials away from the Empire, the City estimated that Germany had already located all the other possible sources of supply.[71]

The international control committee for the Austrian loans assembled in London in early June 1938 and made its protest. With the withdrawal of Italy from this League of Nations body, Leith-Ross became president of the trustees. The German reply represented a further advance in that some payment on the loans was offered but, as before, a condition was stipulated: Britain and the colonies would have to take in more German exports. With this, the international negotiations were deemed to have failed and the Chancellor of the Exchequer was advised, on 13 June, that Britain should immediately move towards a unilateral clearing.[72] The next day the developments became public when the Chancellor announced to the Commons that the Payments Agreement would end on 1 July. Britain calculated that this foreshortened period of notice, albeit mutually agreed, would put maximum pressure on Germany.

The Hitler government wanted, at the very least, to keep the negotiations going. There was a report that Walter Funk, the Nazi fanatic who replaced Schacht first as economics minister and then as Reichsbank president, had delivered an optimistic speech on the possibility of compromise.[73] In late June Dr Wiehl arrived in London to negotiate on the whole range of financial obligations (except the Standstill). Wiehl offered to pay on the Austrian loans but expected a great deal in return: reductions in interest rates on all loans, particularly the Dawes and Young loans, and concessions on trade. With the Lever Committee standing firm, Britain made a counter-offer: revision of the trade allocation under the Payments Agreement to 65 (rather than 70) per cent, with provision for further reductions if requested to ensure sufficient free exchange to meet total financial payments.[74] There was also a suggestion that the Bank of England should advance the sums necessary to make the payments on the Austrian loans. But there was to be no repetition of the events of 1934. The Bank did not like the idea. An advance, even for a short period, would probably have been seen as a political act and made difficulties for the government and the Bank.[75]

In the face of the Third Reich's triumphalism over Austria and aggressive designs on Czechoslovakia, the internecine rivalries that plagued Whitehall erupted once again. Quite suddenly, the Board of Trade decided to object strongly to the priority given to creditors over traders and wanted to resile from the policy of allowing financial claims as the first charge on the clearing. Leith-Ross insisted that the only treatment that Germany understood was the exercise of power without hesitation: last-minute changes would be misinterpreted. He counted the Chambers of Commerce, Fisher at the Treasury, and the widely representative Board of the Midland Bank among those who supported him.[76] Leith-Ross felt that he was being assailed by 'defeatist' Board of Trade arguments. Vansittart was a close ally but he had been kicked upstairs to the post of Chief Diplomatic Adviser; he could do little more than concur with the hope that the Foreign Office would help to defeat the defeatist Board of Trade.[77]

Sir Alexander Cadogan, Vansittart's successor, did not need to be convinced that there were politico-military advantages to be derived from the imposition of a clearing. Cadogan wanted German purchases of essential raw materials to be restricted unless it could be shown that the prejudice to British trade would be so serious that no other consideration could be put in the balance against it.[78] But the Chancellor and the President of the Board of Trade could not resolve their differences over the question of the priority of claims. The Treasury was forced to postpone the announcement of the Clearing Order without any idea of when it was going to be possible to reach some understanding.[79] In the meantime, Wiehl kept up the pretence that new obligations could not be undertaken without the assurance of additional exports to the UK and colonies and that Austrian assets were not available to meet Austrian debts.

Nevertheless, on 1 July – the very last moment – a tripartite agreement was reached between the British and the German government and the Lever Committee. Most of what Britain wanted was secured. Interest rates were reduced but there was to be a full transfer on the Austrian loans. A sliding scale was created for British exports, a large proportion of which were to be of finished goods, to the so-called Greater Reich. In line with the British proposal, it was to be open to Germany to ask for a reduction in Britain's trade allocation if necessary.[80] The Bank of England calculated that Germany would be paying £1m more per year to Britain under the new agreement. Yet, as the amount decreased through amortization, and as Germany would be left with a free surplus of £3m after paying off trade arrears, it was assumed that there would be a margin for an increase at some point in the service of non-Reich commitments.[81]

The threat to impose a clearing had opened the way to the setting up of the Payments Agreement in 1934. The same tactics were used again in 1938 to ensure that Britain's economic interests were protected through a revision of the structure. At the same time, a settlement of the Austrian debt question was secured. In contrast to 1934, however, Britain resorted to tricks to force agreement. Forms printed for the Clearing Office were left conspicuously on a desk at the Embassy in Berlin for an invited German official to spot; it was not long afterwards that Wiehl was despatched to London. When the resumed negotiations still did not go smoothly the official in charge of the embryonic Clearing Office visited the German delegation and passed in his card.[82] In the allocation of civil servants to the Clearing Office thought was given to the idea of engaging a German speaker who could be sent to Germany to gain experience of clearing methods.[83] Finally, when the conversations became completely deadlocked on 27 June Leith-Ross took out of his pocket an order signed by Chamberlain introducing an exchange clearing on 1 July.[84] These threats to impose a unilateral clearing proved to be a most effective device, while the complicated formula which was arranged allowed Germany, at the same time, to save face. The revision did not escape criticism; in addition to the reduction in rates the claims of all the Austrian creditors were made subject to the crippling exchange regulations which applied to German debts. However, the Board of Trade was satisfied that nothing had been given away.[85]

In the age of the dictators a new artfulness, if nothing else, accompanied the defence of British financial and economic interests. To be taken seriously by the Nazis, British officials were quite prepared to dispense with conventional diplomatic etiquette. There was a more serious side to the game of financial diplomacy. The impact of *Gleichschaltung* on the German authorities so alarmed Leith-Ross that he identified it as a revolution taking place in the administration. With Germany's old civil servants swept away and the Nazi Party in control of the RWM, he believed that the Third Reich was governed according to the more or less arbitrary decisions of a few men.[86]

German banking circles were also uneasy at the developments over Austrian debts. Schacht, too, was probably relieved that he did not have to participate in the negotiations. By handling the monetary technicalities, the Reichsbank had helped to pave the way for the Anschluss. Schacht's increasingly desperate attempts to persuade Hitler of the danger of financial collapse were to end with his removal from the Reichsbank in January 1939. On these grounds and because of the ambiguity in his stance on anti-Semitism, Schacht was able to escape conviction at Nuremberg.[87] His regret at the expulsion from the Reichsbank of Jewish colleagues, such as Otto Jeidels, appeared to be genuine. Similarly, Schacht always defended his record of running the German economy on grounds of patriotism. In the middle of 1938 he privately caricatured Nazi policy as a compound of the recipes of Lenin and Keynes.[88] There could be no acknowledgement, of course, that the Soviet Union provided a model for a centrally-planned economy. Keynes, on the other hand, was widely respected in Germany.[89] And many observers, in Germany and abroad, failed at the time to understand how totalitarian methods enabled Hitler to postpone the day of economic reckoning.[90]

Britain's preparations for war: the trade dilemma

The outcome of the Austrian negotiations was taken as a victory, not just for British policy but also for the supposed moderate Nazis who still had some influence. The Payments Agreement was, according to Ashton-Gwatkin, the ark of salvation for the 'moderates': it stood for what was left of Germany's aspirations for international trade. The revision would, therefore, encourage this 'peace party' just as the May crisis, when Hitler was rebuffed over the Sudeten question in Czechoslovakia, had been a check to the 'warmonger party'. The economic appeasers entertained hopes of a spiralling growth in trade and credits which would lead to marketing agreements with Germany.[91]

Some of the assumptions underlying the Payments Agreement had been questioned by British officials even before the Anschluss. The evident enthusiasm of the German government to preserve the arrangement reinforced fears that the whole basis of British policy was misguided.[92] J.H. Magowan, Commercial Counsellor in the Berlin Embassy, drew attention to how the demands of Germany's economy pressed hard against the general 1932/33 scheme of trade – which Britain had wanted to freeze. In 1936 Germany applied a ratio of 65 per cent (not the 55 per cent due under the agreement) in trading with Britain; in 1937 this rose to 71 per cent. Increases in commodities such as scrap metals, destined for Germany's armaments industries, accounted for the steep rise in British exports.[93]

Following the fateful Munich conference in September 1938 Magowan repeated his criticisms of what he now regarded as a discredited policy. He caused, thereby, a minor sensation in Whitehall. As Germany was 'practically at war' with Britain, he wanted trade relations surveyed afresh in order to give weight to factors other than the purely commercial.[94] This so perturbed the Department of Overseas Trade that Magowan was temporarily recalled to London.[95] Undeterred, he carried on his solitary campaign to show how Germany was able, between 1932 and 1938, to reconstitute imports from Britain.

TABLE 3: ANGLO-GERMAN TRADE 1929–38 IN £MILLION

Year	British exports to Germany	(re-exports)	British imports from Germany	Balance to Germany
1929	60.2	(23.3)	68.8	8.6
1930	44.1	(17.3)	65.5	21.4
1931	32.0	(13.6)	64.2	32.2
1932	25.4	(10.8)	30.5	5.1
1933	24.6	(9.8)	29.8	5.2
1934	22.9	(8.9)	30.6	7.7
1935	28.1	(7.8)	31.8	3.7
1936	27.9	(7.4)	35.3	7.4
1937	31.4	(8.0)	38.8	7.4
1938	28.5	(6.6)	31.9	3.4

Source: compiled from UK Customs and Excise Dept, *Annual Statement of the Trade of the United Kingdom 1932*, IV (1934), *1935*, IV (1937), *1939*, IV (1941).

TABLE 4: GERMAN IMPORTS OF CERTAIN COMMODITIES FROM THE UK IN RM000s

Commodity	Average imports 1932/33	Exchange available in 1937 under Payments Ag. quotas (based on 1932/33 trade returns)	Actual Imports 1937
scrap iron and steel	1,408	1,126	3,900
copper	4,326	3,461	19,876
lead	40	32	1,728
aluminium	932	746	1,959
platinum, palladium and irridium	822	658	5,765
rubber, gutta-percha and waste	102	81	1,575
glycerine	150	120	1,227

Source: abstracted from T 160 821/12750/086, memo, by Magowan, 3 Jan. 1939.

How methodologically sound it was to compare the depth of the slump – 1932/33 – to the peak of the moderately strong recovery in 1937 was open to question: the resumption of some kind of predepression trade pattern might have been expected in any case. What was incontrovertible was the evidence of the significance of access to London's world-wide market in raw materials. The Payments Agreement had come to play an important role in British trade: in 1938 Germany was, after India, the UK's best customer, taking exports to the value of £20.6m. This just exceeded exports to the USA at £20.5m and Argentina at £19.3m. Clearly, Britain provided not only a margin of free exchange but also the best market in which to spend it. A large proportion of these 'gratuitous' German imports comprised strategic raw materials rather than the consumption goods reflected in the spending pattern of the early 1930s. The Nazi authorities depended upon free sterling, therefore, not only for the successful working of their exchange-control system, but also for the purposes of rearmament.[96]

Magowan received generous, if not unqualified, support from the Foreign Office. The strategy of subjecting Anglo-German economic relations to the criterion of national security, rather than the normal peace-time criterion of the trade balance, was thought to be entirely sensible. Denunciation of the Payments Agreement on the grounds of national defence was not difficult to envisage. Yet to close down on the degree of liberty which was still allowed in trade relations with Germany would cause, it was imagined, a great economic shock.[97] Ways to improve Britain's trade with the Third Reich had to be found while the scope for rearmament afforded by the use of London's facilities had to be reduced. Halifax wanted the matter referred to the Committee for Imperial Defence.[98]

According to one recent account, the arguments put up against Magowan were weak and the resistance to change was based on a concern to protect the position of the acceptance houses.[99] But this assessment does not do justice to the complexities of the problem. Abrogation of the agreement would certainly not have been in Britain's wider financial interests: the service of the Standstill and long-term debt was financed by one-quarter of the proceeds of German exports. Apart from satisfying financial morality, Leith-Ross regarded payment of this 'tribute' as one of the best ways of strengthening Britain and weakening Germany. He was unsuccessful, however, in convincing the Board of Trade that fully manufactured goods should take up a bigger proportion of the trade.[100]

The Payments Agreement worked on the understanding that coal would be the main export product to Germany. This tended to crowd out other British goods: combustibles increased from 45.7 per cent in 1934 to 60.3 per cent in 1937 as a share of total British exports to Germany.[101] Yarn and herring were also important raw material exports in terms of value. The Board of Trade wanted no truck with any revisionism which might have led to a loss of market share. Alternative sources for these British commodities could still be found or, in the last resort, replaced by German domestic resources. Furthermore, much of Germany's free sterling was devoted to re-exports and Britain lost out whenever transfers of trade occurred. As the agreement required Germany to take a quantity of manufactured goods rather than all raw materials, the Board suggested that the real question was whether Britain should impose specific export embargoes.[102] This was rather mischievous. Anything so provocative as a trade embargo would have run completely against the grain of Chamberlain's policy.

It might also have been counterproductive. The balance in strategic materials did not automatically lie in Germany's favour. In 1936 and 1937 Britain imported from Germany machinery for manufacturing shells and bombs.[103] Surveying Anglo-German trade in this light, Major Morton, of the Industrial Intelligence Centre (IIC), clinched the argument against change. He did not deny that the Payments Agreement facilitated Nazi war preparations by providing access to London's financial-commercial machine. But this rubbed both ways. Morton pointed out that Britain's most significant imports from Germany were machine tools and machinery, for these items were not easily obtained elsewhere and the progress of Britain's own rearmament programme would have been even tardier without them. Expedience dictated that, at the very least, an alternative source of supply had to be secured before the existing one was cut off.[104]

As Simon Newman has written, Magowan left himself open to the charge that he had underestimated the advantages to Britain in the agreement.[105] The Board of Trade rightly assumed that the Treasury would want to kill off Magowan's ideas. Claiming that the CID had already considered the problem, the two economic departments blocked plans for further discussion. The Treasury's verdict was that abrogation of the agreement and the imposition of a unilateral clearing on Germany would involve difficulties and losses which would impede Britain's war preparations. That was, 'in their Lordships' view ... the essential consideration but it is also the case that such a drastic step would be difficult to reconcile with a policy of attempting to improve political relations between this country and Germany.'[106]

When the Wehrmacht marched into Prague on 15 March 1939 the balance of arguments shifted once more. The Foreign Office, despairing of ever being able to fight its way through the 'tangled undergrowth of Departmental obstructionism', prompted Halifax to initiate Cabinet-level discussions on Magowan's ideas.[107] The Foreign Secretary duly suggested to the President of the Board of Trade, Oliver Stanley, that the deterioration in relations made it advisable to reconsider the position of the agreement. Stanley was reminded that he had himself said in Cabinet that Britain and Germany were virtually in a state of war; consequently, he was asked whether it would be in Britain's interest to maintain the agreement after the outbreak of hostilities. Sir William Brown, Permanent Secretary at the Board of Trade, noted privately and caustically: 'No. And in these conditions it would be in our interests to bomb Berlin. Should we do that now ?'[108]

Stanley rejected the idea of revision until a decision was taken to bring down in ruins the German economy – at whatever cost to British trade and the general peace. But this was misguided to say the least: any opportunity to inflict economic destruction had long since disappeared. Halifax retreated once more. Some solace could be drawn from the rapid fall off in German exports in the course of 1939 and the consequent diminution of free exchange.

But the Third Reich now had little need to maintain international trade. Instead, Hitler had started to plunder the assets of neighbouring states. The Reichsbank organized the seizure or control of the monetary reserves – particularly gold – of Austria, Czechoslovakia and then the rest of occupied Europe. The painful and controversial process of tracking down these and other looted assets, and making restitution, remains incomplete even at the beginning of the twenty-first century.

With the invasion of Czechoslovakia, Britain blocked all Czech accounts held in London. The intention was to exert pressure in negotiations over blocked British balances, non-payment of interest on loans and the freeing of foreign exchange to assist Czech refugees. The problem was that negotiations could not take place because the legality of the annexation was not recognized.[109] On the other hand, some £6m in Czech gold was held in a BIS account at the Bank of England and, by convention, BIS assets were granted immunity. The BIS, under the influence of its pro-Nazi directors and acting on instructions from occupied Prague, asked London to transfer the account to the Reichsbank's BIS account. Neither the Bank of England nor the Treasury had the legal right to refuse the request.[110]

In May 1939 a German delegation arrived secretly in London to discuss the question of Czech assets. They departed empty-handed after questions in Parliament led to a debate on the subject. Nevertheless, the German government agreed, at the end of May, to a further revision of the Payments Agreement to cover debts owing from the Sudetenland. The document was signed on 16 June. However, Britain's impotence in the face of BIS procedures, together with Whitehall's apparent subterfuge, ensured that the gold affair acquired a certain notoriety in the final months of peace.[111] Certainly, the Czech BIS sub-account at the Bank of England was closed. But, contrary to what is sometimes asserted, the gold was never physically transferred. The Reichsbank had given no instructions by the outbreak of war for the bullion to be moved to Germany; the authorities in London were spared further embarrassment and the gold stayed where it was, in the vaults at Threadneedle Street.[112]

The Payments Agreement, therefore, was never renounced. It ran largely unaltered until, like much else, it met its fate and was simply swept away when Britain declared war. In seeking to understand why the system was established and survived it is necessary to focus on the enduring effects of the collapse of multilateralism at the beginning of the decade. The agreement with Germany must be placed, first of all, in the context of general British policy on negotiating bilateral treaties over trade matters. The policy emerged as a result of the 1931 crisis and for the rest of the decade was repeatedly commended by the Cabinet to Parliament and the country.

Nevertheless, the Payments Agreement operated at some cost to Britain in her trade, not only with Germany, but with other countries in north and west Europe too. In view of the drive for exports, the willingness to accept unfavourable trade balances with European states is surprising. The explanation lies in the extreme reluctance to channel international trade through clearings. This had a directly adverse effect on Britain's own trade and indirectly helped Germany to achieve a favourable balance of trade with other European trading nations. As Scandinavian states, for example, were unable to sell in Germany unless they bought there, it was to their advantage to divert orders from Britain to Germany. Sweden spent in Germany a large part of the proceeds of her export surplus with Britain.

On the other hand, bilateral trade agreements with Denmark, Poland, Russia and Argentina all tended to divert trade to Britain at Germany's expense. Above all else, the Payments Agreement was a liberal arrangement which offered, at the same time, some security for long-suffering exporters to the Third Reich and, potentially, other creditors too. There is little substance to the charge that Britain, engaged in an act of appeasement, was looking to make life comfortable for herself at the expense of her neighbours.

NOTES

1. Einzig, *Appeasement*, p. 94.
2. P. Ludlow, 'Britain and the Third Reich', in H. Bull (ed.), *The Challenge of the Third Reich* (Oxford: Clarendon Press, 1986), pp. 151–2.
3. W.A. Boelcke, *Deutschland als Welthandelsmacht 1930–1945* (Stuttgart: W. Kohlhammer, 1994), p. 60.
4. Teichert, *Autarkie und Grossraumwirtschaft*, pp. 31–2.
5. T 160/612/13460/1, minute by Hopkins.
6. T 160/612/13460/2, 30 April 1934. After the departure of Leith-Ross from the Treasury in 1932 Phillips assumed the position of deputy to Hopkins.
7. FO 371/15937/C5771, Rumbold despatch, 2 July 1932.
8. T 160/521/12750/02/1, letter to Treasury, 13 March 1933.
9. Ibid., Thelwall (Commercial Counsellor), to Rowe-Dutton, 3 March and 8 August 1933. The logical conclusion of Hambro's analysis, according to Thelwall, was to suggest that British and Turkish bonds should command the same price because they were both bonds.
10. T 160/521/12750/02/2. Preston was chairman of Platt Brothers & Co., (machinery makers to the textile industry), which was being reorganized and rationalized.
11. Ibid., (i) memo by Thelwall, 21 November , (ii) Thelwall to Waley, 15 December, (iii) Cobbold to Waley, 18 December 1933. In Thelwall's memo, considered too strident for circulation, the Governor was criticized for failing to distinguish between an exchange agreement and a clearing system. See also, BoE OV34/195, Cobbold to Deputy Governor, 18 December 1933. Cobbold was Adviser to the Governors (1933–38) and Acting Deputy Chief of the Overseas and Foreign Department (1933–35).
12. T 160/522/12750/02/3.
13. T 160/522/12750/02/6, draft memo to President (Board of Trade), 6 August 1934.
14. Cmd 4673.
15. BoE OV34/197, memo 16 August 1934. Cobbold appealed to his colleagues not to be misled by Einzig's claims that the government believed a satisfactory

settlement had been achieved.

16. T 160/558/12750/02/01/1, minutes by Phillips, 7 September 1934 and Waley, 3 October 1934; see also T 160/535/13460/010/2.

17. BoE OV34/200, memo by (i) Siepmann, 4 September , (ii) Clay, 10 and 14 September 1934.

18. T 160/559/12750/020/1, memo for Chancellor by Leith-Ross, 13 September 1934.

19. T 188/93, Vansittart to Leith-Ross, 13 September 1934.

20. T 160/714/8797/07/1, unsigned memo entitled 'The Debts Impasse'. Hitler's expansionist policies, with consequent rising demand for raw materials, and domestic politics, resulting in foreign boycotts of German goods, were blamed for exacerbating the transfer difficulties.

21. T 160/534/13460/010/2, letter from the General Economic and Intelligence Division, FBI, 4 October 1934.

22. T 160/534/13460/010/1, Fountain to Runciman, 23 August 1934.

23. Runciman papers, 260, letter by Burgin to Runciman, 19 September 1934.

24. T 160/522/12750/017/1, British Embassy note of Leith-Ross's conversations with von Neurath, 25 September 1934, and Schacht, 26 September 1934.

25. I. Kershaw, *The Hitler Myth: Image and Reality in the Third Reich* (Oxford: Clarendon Press, 1989), pp. 64, 74.

26. T 160/559/12750/020/1, memo 'Trade negotiations with Germany', 28 September 1934 and minutes. See also CAB 24/250, 218.

27. Leith-Ross, *Money Talks*, p. 184. See, too, p. 247 for the claim that he disagreed with those who thought that political difficulties could be solved by removing economic thorns from the flesh. He believed rather that politics in international affairs governed actions at the expense of economics, and often of reason.

28. NC 18/1/891, letter to Ida, 13 October 1934.

29. D. Meredith, 'British trade diversion policy and the "colonial issue" in the 1930s', *JEEH*, 25, 1 (Spring 1996), pp. 54–6.

30. T 160/534/13460/010/1.

31. T 160/535/13460/010/1–2.

32. T 160/534/13460/08, letter to the Governor (Bank of England), 12 October 1934.

33. Ibid., memo by Leith-Ross, 12 October 1934.

34. Clay, *Lord Norman*, p. 449.

35. Sayers, *Bank of England*, p. 508.

36. NC 18/1/893, letter to Ida, 27 October 1934.

37. T 160/535/13460/010/3, Leith-Ross to Treasury and Board of Trade; telegram, Phipps to Simon, 19 October 1934. The proposal was made on 24 October by Dr Ulrich, a subordinate of Schacht.

38. Ibid., Hopkins to Fisher and Chamberlain, 18 October 1934; Leith-Ross telegram to Treasury and Board of Trade, 25 October 1934.

39. Cmd 4726 and 4963. On Runciman's insistence, negotiations had been conducted simultaneously for a clearing, ready to be initialled for inclusion in the agreement. See also, Ellis, *Exchange Control*, p. 211; Richardson, *British Economic Foreign Policy*, p. 78; Arndt, *Economic Lessons*, p. 187.

40. T 177/20.

41. T 160/544/13999/01, Hopkins to Fergusson (PPS to Chancellor), 26 October 1934.

42. NC 18/1/894, letter to Hilda, 3 November 1934.

43. T 160/544/13999/01, Leith-Ross to (i) Fisher and Chamberlain, (ii) Norman,

(iii) Phipps, 8 November 1934, (iv) Pinsent, 16 November 1934.

44. T 188/179
45. T 160/544/13999/01, 1 December 1934.
46. Ibid., Norman to Leith-Ross, 5 December 1934.
47. *Financial News*, 7 December 1934.
48. FO 371/17738/C8738, minutes 11 and 12 December 1934.
49. T 188/79, Vansittart/Leith-Ross correspondence, 17/18 December 1934.
50. BoE OV34/85, note, 7 February 1935, by Peppiatt (Chief Cashier); minutes by Siepmann, 18 February and 12 August 1935.
51. BoE OV34/204, minute by Cobbold, 21 April 1937.
52. P. Kennedy, *Strategy and Diplomacy, 1870–1945* (Allen & Unwin, 1983), pp.103–4.
53. T 160/935/13456/2, minute, 17 March 1936, on 'Report for CID Sub-Committee: Economic Pressure on Germany'.
54. *Financial News*, 29 June 1936; T 160/543/13900/08.
55. Ashton-Gwatkin felt that the Payments Agreement was in the economic world what the Naval Agreement was in the political sphere – a sign of moderation, almost of friendship. This offered an opportunity, he believed, to construct further economic understandings which could pave the way for a comprehensive political agreement with Germany. See (i) FO 371/18851/C7752, memo, 21 November 1935; (ii) CAB 27/599, G(36)2, memo, 28 February 1936; (iii) T 160/743/13999, letter to H.M. Legation, The Hague, 4 December 1937.
56. T 188/215, memo, 29 May 1938; Leith-Ross to Hopkins, 16 June 1938.
57. FO 371/21641/C1966, Leith-Ross to Board of Trade, 17 March 1938. Exporters had to be warned to restrict commercial credit.
58. T 188/214, record of an interdepartmental meeting held at the Treasury, 4 April 1938.
59. FO 371/21644/C4592, memo by Waley, 12 May 1938. In return for a reduction of the Dawes rate from 7 to 5.5 per cent and the Young rate from 5.5 to 4 per cent, the establishment of a sinking fund was proposed.
60. BoE OV34/205, interdepartmental statement of British desiderata submitted to the Chancellor of the Exchequer, 6 April 1938.
61. BoE OV6/290, Gunston to Waley (Treasury), 6 April 1938.
62. T 188/214.
63. P. Hayes, *Industry and Ideology: IG Farben in the Nazi Era* (Cambridge: CUP, 1987), pp. 167–8; D. Marsh, *The Bundesbank: The Bank that Rules Europe* (Heinemann, 1992), p. 130.
64. BoE OV34/205, note, 27 May 1938. Payments on Austria's external debts due 1 April were made, but only because Germany did not revoke Austrian instructions issued before the Anschluss.
65. FO 371/21644/C5223, minute, 27 May 1938.
66. CAB 23/93, 27(38).
67. T 188/215, telegram from Berlin Embassy, 10 June 1938; see also, T 160/769/15447/09, 16 June 1938.
68. BoE OV6/291, letter from Lord Wardington to Bank of England, endorsed by Catterns (Deputy Governor) and recommendation made to the Chancellor, 15 June 1938.
69. BoE OV34/202, note, 16 June 1938, of communication between Cobbold and Tiarks.
70. BoE OV34/206, letter to Sir John Simon, 1 June 1938.
71. FO 371/21645/C6067, letter from Law to Sargent, 17 June 1938.

72. T 188/215, Leith-Ross to Chancellor, 13 June 1938.
73. D. Petzina, *Autarkiepolitik im Dritten Reich*, (Stuttgart: Verlags-Anstalt, 1968), p. 67; *The Times*, 17 June 1938.
74. BoE OV6/291, Leith-Ross to Phillips, 22 June 1938.
75. BoE OV34/206, note by Cobbold, 23 June 1938, of communication with the Treasury.
76. T 160/769/15447/010, Leith-Ross to Sir William Brown (Board of Trade), 21 June 1938.
77. FO 371/21646/C6237, minutes, 24/25 June 1938.
78. FO 21645 C5787, Cadogan to Leith-Ross, 24 June 1938.
79. T 160/769/15447/010, Leith-Ross to Waley, 24 June 1938.
80. Rates on the Austrian 7 per cent and Dawes loans were reduced to 5 per cent with a 2 per cent cumulative sinking fund; rates on the Young and Saarbrucken loans were reduced to 4.5 per cent with a 1 per cent cumulative sinking fund beginning after two years. For details see Cmd 5787 and 5881, Anglo-German Payments (Amendment) Agreement, 1 July 1938; also, BoE OV6/291, memo by Gunston.
81. BoE OV34/206, Gunston to Waley, 6 July 1938.
82. Einzig, *Appeasement*, p. 80.
83. BoE OV6/290, minute, 3 June 1938.
84. Paul Einzig papers, Churchill College Archives Centre, Cambridge (hereafter Churchill College Archives), 1/6, letter from Baron Stackelberg (Foreign Manager, *Financial News*), to Einzig, 5 July 1938.
85. BoE OV6/291, resumé memo, 29 July 1938; Francis, *Britain's Economic Strategy*, p. 324; BT 11/896/CRT8278, minute by Brown, 9 July 1938.
86. T 188/215, memo, 29 May 1938. See also J. Caplan, *Government without Administration: State and Civil Service in Weimar and Nazi Germany* (Oxford: Clarendon Press, 1988), p. 225 for discussion of the effects of *Gleichschaltung* on the civil service.
87. Marsh, *The Bundesbank*, pp. 113–20.
88. T 188/215, memo, 29 May 1938.
89. Barkai, *Nazi Economics*, p. 65. In view of the kind of dirigiste policies advocated by Keynes after the war, Schacht's comment was not too wide of the mark.
90. Schacht's last visit to London while still in office was in December 1938. It was noted that he was distancing himself from the Nazis. He spoke warmly of the Reichsbank, describing it as an island of good men. See T 188/227, minutes by Ashton-Gwatkin, 15 December, and Leith-Ross, 16 December 1938. For the Cabinet's aspirations in relation to the visit see, CAB 23/227, 57(38), 30 November 1938; also, CAB 23/96 60(38), 21 December 1938.
91. FO 371/21647/C7853, minute, 13 July 1938.
92. See, W.G.J. Knop, 'Germany and Europe' in *The Banker*, 46 (June 1938) for criticism of the way Germany had access to raw materials.
93. BoE OV34/205, 23 February 1938.
94. BT 59/540A, memo, 6 December 1938, and personal despatch to departmental colleagues, 7 December 1938.
95. FO 371/22950/C164, minute by Strang, 10 January 1939; see also, FO 371/21648/C15187, minute by Sargent, 17 December 1938. Officials in London thought Magowan to be 'rather rattled and losing his sense of proportion'. However, he was supported by George Ogilvie-Forbes, Commercial Attaché in Berlin.
96. Ibid., memo by Magowan, 7 March 1939.

97. FO 371/22950, Ashton-Gwatkin minutes, 11 and 20 January 1939.
98. T 160/821/12750/086, Foreign Office to Treasury, 20 January 1939.
99. Newton, *Profits of Peace*, p. 92.
100. FO 371/22950/C959, Leith-Ross to Sargent, 24 January 1939.
101. J. Gillingham, *Industry and Politics in the Third Reich: Ruhr coal, Hitler and Europe* (Methuen, 1985), p. 99.
102. BT 11/1045, minute, 31 January 1939. The export of wool direct from South Africa to Germany was one example of a transfer of trade.
103. C. Barnett, *The Collapse of British Power*, p. 483.
104. FO 371/22950, Morton to Sargent, 9 January 1939.
105. S. Newman, *March 1939: the British Guarantee to Poland* (Oxford: Clarendon Press, 1976), p. 84.
106. T 160/821/12750/086, Phillips to Foreign Office, 2 March 1939.
107. FO 371/22950/C2581, minute by Sargent, 19 March 1939.
108. BT 11/1045, minute concerning Halifax/Stanley correspondence, 31 March, 6 and 28 April 1939. Brown replaced Sir Henry Fountain as Second Secretary in 1936 and was appointed Permanent Secretary in 1938.
109. BoE OV34/206, copy of letter by Waley (Treasury) to Foreign Office, 25 March 1939.
110. Francis, *Britain's Economic Strategy*, p. 328; Einzig, *Appeasement*, p. 127; *Financial Times*, 9 June 1939.
111. Einzig papers, Churchill College Archives, 1/8, letter from Einzig to Waley (Treasury), 21 December 1939.
112. FO 371/22952/C7795; Einzig, *In the Centre of Things*, pp. 186–94; A.L. Smith, *Hitler's Gold* (Oxford: Berg, 1996), pp. 5–8.

5

British industry and the Third Reich:
trading in strategic raw materials with the future enemy?

The argument that the economic fortunes of Britain, if not the world, were closely linked to those of Germany was one favoured by many who had studied the development of the international economy. On these grounds the City and the Treasury steadfastly opposed the principle of a clearing arrangement with Germany, for channelling trade and payments in this way posed a serious threat to the interests of British finance. But taking the long-term internationalist view was not an answer to the problem of how to conduct trade, on a day-by-day basis, with potential enemy powers. With the increasingly menacing build-up of armaments by the Fascist states, Britain had to confront the uncomfortable issue of the composition of her overseas trade. British companies exported raw materials, and offered related financial facilities to every corner of the globe including, of course, the Third Reich. According to Gustav Schmidt, studies of appeasement share a common approach to this question: they assume that the British government allowed German subsidiaries of British multinationals, on the basis of short-term credits or cash payment, to import raw materials which were essential for Nazi arms production.[1] One way to test such assumptions is to analyse the business and government strategies which underpinned commercial operations or proposed operations in the Third Reich.

Although there was no real secret about Nazi intentions, rearmament was begun cautiously by Hitler because of the weakness of the economy and because he feared foreign intervention.[2] Nevertheless, the Third Reich soon appeared to be rearming on a considerable scale and at a pace which certainly showed no signs of slackening. In late 1934 the British Foreign Secretary, Sir John Simon, noted in his diary that the day was fast approaching when Germany would be strong enough to repudiate openly the Versailles limitations which she was secretly disregarding.[3] The announcements of rearmament, on a step-by-step basis, led to a series of foreign affairs crises between 1933 and 1936.[4]

As these aggressive intentions were revealed, many observers in the democratic states were persuaded that the only safe course was to try to keep Germany lean. The question of whether the Third Reich could be compelled to abide by the arms clauses of the Versailles Treaty was the first case to be considered by the Committee of Imperial Defence when, in 1933, it turned to examine the problem of exerting peacetime economic pressure on a potential enemy. The one result of any pressure which was predicted with certainty was severe damage to British financial and economic interests.[5] However, the importance of scrutinizing the composition of Britain's trade with Germany was to grow in proportion to the number of German industries devoted to the fulfilment of rearmament orders of one kind or another.

The export of British armaments to Germany was the most obvious trade for the government to proscribe. Indeed, British and French policy was so restrictive that the Third Reich took the opportunity to export its own armaments even to countries which were potentially hostile.[6] Arms exports required a licence. Companies were also expected to stop exporting to countries where the items concerned were being adapted for military purposes. With the British public continuing to cling to the ideals of collective security and disarmament, the view that the manufacture of armaments should be left to the state, rather than the private sector, was not confined to the political left. British manufacturers were acutely aware of how easy it was to acquire or, indeed, reacquire the sobriquet 'merchant of death'. Between February 1935 and September 1936 the structure and nature of the industry was scrutinized in minute detail by the Royal Commission on the Private Manufacture of and Trading in Arms. In particular, industrialists had to defend themselves against the charge that their clients included Fascist régimes.

As one of the world's leading armaments manufacturers, Vickers-Armstrong was constantly called to account for its activities. The annual shareholders' meetings did not always proceed as smoothly as the board might have wished. At the AGM in 1934, a question was raised by Eleanor Rathbone, the Independent MP – best known as the campaigner for family allowances. Her enquiry concerned advertisements that Vickers had placed in the German publication *Militär-Wochenblatt* at the end of 1932. Although the intention had been to reach potential clients in South America, the notices had ceased in 1933. Vickers affirmed that it was not knowingly involved in the rearmament of Germany because the company could not export arms without the complete sanction and approval of the Foreign Office.[7] As part of its evidence to the Royal Commission, Vickers submitted records of the foreign visits made by its executives which indicated that no company official visited Germany after May 1933.[8] The Third Reich seemed, none the less, to offer a climate more favourable than the Soviet Union in which to do business. Among those whom Stalin had just put on trial for sabotaging power stations were six Vickers engineers.[9]

The British public continued to hold suspicions over the activities of leading manufacturers even in the second half of the 1930s. Philip Noel-Baker accused Armstrong-Siddeley of providing the Luftwaffe with the benefits of 16 years of British research by selling aircraft engines to Germany in April 1934. Likewise, the De Havilland Aircraft Company was criticized for its advertisement in the July 1934 edition of *Aeroplane*: listed among the clients that had been supplied with Tiger Moths – used as a training machine by air forces – was none other than the German government.[10] As for Vickers, advertisements for the company could still be seen circulating in Germany in 1935.[11] British armaments and aircraft manufacturers did not face such accusations alone. Big industrial concerns could also come under pressure to reassure shareholders and the public that they had no direct involvement in the arms trade. Imperial Chemical Industries rejected the allegation that the company was involved in poison gas production, although the constituent materials were available for sale to foreign purchasers.[12] As a public relations exercise, ICI's stance was not only clumsy it was also dissembling. Teichova has shown how, even in the late 1930s, the company was carefully protecting its interests in Czechoslovak operations which manufactured explosives among other products.[13]

The identification of armament exports, or exports which can be converted to military use (such as aircraft and chemicals), is relatively easy. To establish a satisfactory definition of war *matériel* and, thereby, to apply this definition to certain categories of export, is much more demanding. An élite group of British strategists were the first to understand that the implications of this approach for the global economy were far-reaching. In 1930 the secretive Industrial Intelligence Centre was established by the CID. The systematic planning which it helped to conduct from 1936 provided the framework for the establishment of the Ministry of Economic Warfare at the outbreak of hostilities.[14] As Robert Young has written, the IIC undertook its work on the assumption that, in the age of 'total war', almost any commodity commercially exchanged in peacetime was capable of being turned directly or indirectly to some military purpose.[15] Whitehall studies of the German war economy were strongly influenced by the notion that industry in the Third Reich would be organized for total war. The IIC considered the raw materials situation to be the most intractable problem facing Germany.[16]

Germany was not well endowed with natural resources; many kinds of raw material had to be imported. Some were of vital strategic importance in themselves, such as oil, or when employed in processes in the armaments industry. Britain became aware in early 1934 that German purchases of raw materials used in the production of war munitions were especially heavy.[17] Although such purchases were not necessarily disclosed in the German custom statistics, the dependence of the Nazi economy on imported raw materials was not a secret; it was self-evident to anyone who cared to undertake little more than a rudimentary analysis of Germany's foreign-trade statistics. An American banker calculated in 1934 that, in terms of total economic consumption, Germany depended on imports for 80 per cent of her iron ore, 92 per cent of her wool, 50 per cent of animal oils and fats, and 100 per cent of cotton, rubber and copper.[18]

As Germany rearmed the shortage of raw materials became so critical that, in 1936, Hitler established the Four Year Plan; its purpose was to increase domestic production, if necessary by synthetic means, in order to make Germany as self-sufficient as possible.[19] It was always recognized that there were limits to what could be achieved through autarky: some dependence on foreign supplies, especially those of strategic importance, could not be avoided. Nevertheless, in many ways indirect rearmament became more important than weapons production and, in these broad terms, war preparation was everywhere in evidence after 1936.[20]

Intelligence on these developments was channelled to Britain. Sir Robert Vansittart established his own secret network which was based around Group Captain Malcolm Christie.[21] Vansittart's fears were fuelled, from the mid-1930s, by the direct access he gained to the situation reports which were compiled by the economic section (*Wehrwirtschaftsstaab*) within the German War Ministry, and the secret speeches by General Thomas, the head of the section.[22] German industrialists also supplied information to their British counterparts which detailed the effect of war preparations; it reinforced the impression of an economy being driven to the verge of collapse.

Historians have considered the reasons for, and the consequences of, the failure to understand the nature of the German economy. Overy refers to conservative groups in Germany that successfully exported their fears of political instability to foreign audiences. There was already in Britain a predisposition to regard the German economy as a fragile structure; National Socialism was seen, therefore, as a crisis-ridden movement that was trying to stave off the consequences of the over-heating of the economy.[23] Peden suggests that the inadequacies of the system of economic intelligence gave rise to the belief in Germany's assumed Achilles' heel of dependence on raw materials; the importance of conventional economic factors in Hitler's decision-making was also vastly over-rated. The Foreign Office argued from the beginning of 1937 that Germany would have to decide within a year whether to limit arms expenditure or embark on a foreign policy adventure rather than face economic collapse. The Treasury was rightly sceptical of this thesis (which dictated that Britain should immediately spend more on rearmament) even if the Foreign Office were right (for the wrong reasons) to urge that a decision was at hand.[24] However, it is also the case that German stocks of raw materials were so low when war came that the Ministry of Economic Warfare could not believe the figures they obtained.[25]

What the German economy needed, Britain could supply. British companies led the world in processing, shipping and selling all kinds of raw material, while the City of London provided the associated global financial resources. Vansittart's agitation over what he saw as Britain's failure to stand up to the Nazis is well known.[26] He found the absence of regulation in the area of raw materials and credits particularly frustrating. Sir Maurice Hankey, the Cabinet Secretary, believed that, in paying too much attention to his secret service intelligence, Vansittart was apt to get jumpy and had 'got on a good many people's nerves'. Although his patriotism, abilities and industry were never questioned, leading members of the Cabinet were looking to make a change at the Foreign Office from 1936.[27] Hankey himself disliked being depressed by Vansittart's forecasts of the dismal time which lay ahead. While Hankey was an advocate of rearmament, he also wanted to avoid any disruption to trade-generated wealth; money was, for Britain, the sinews of war.[28] Vansittart was finally removed at the beginning of 1938 and given the position of Chief Diplomatic Adviser.

In contrast to manufacturers of finished goods, exporters of raw materials to Germany could not ensure that only those industries producing for the civilian market were supplied. In his study of the German economy and Nazi war preparations, H.E.Volkmann pays particular attention to textile raw materials, unvulcanized rubber and motor fuel.[29] British firms were prominent in each of these international trades in strategically vital raw materials. This chapter focuses on three of them: the Dunlop Rubber Company and the Anglo-Persian Oil Company – both multinationals with investments in Germany – and the Lancashire Cotton Corporation which had just been set up to try to revive the fortunes of the industry.

The challenge of guiding the Third Reich towards a liberal prosperity was made all the more difficult by the structure of Britain's economic relationship with Germany. Major British companies, already experiencing difficult trading conditions under National Socialism, looked to the government to protect and advance their interests. At the same time, ministers had to try to decide which trades should be sanctioned and which should be prohibited. It was imperative for Britain to strike the right balance – one which would not place the very safety of the nation in jeopardy.

British industrialists and Nazi Germany

In addition to exports, British industry had substantial interests in manufacturing and distribution within Germany in the inter-war years. While conditions in late Weimar Germany were far from easy, British industrialists became extremely concerned about the security of their investments and the viability of their businesses under National Socialism.

Unilever, the Anglo-Dutch group, had initially invested heavily in German operations in order to circumvent tariffs and supply the biggest edible fats market in Europe.[30] But from 1931 such foreign-owned concerns invested in Germany as an inevitable consequence of the system of blocked marks. When the German authorities began to discriminate in favour of German margarine manufacturers and butter-producing farmers, Unilever's position became peculiarly vulnerable.[31] Amelioration of Unilever's problems was sought by Francis D'Arcy Cooper, its chairman, and Paul Rijkens, the financial expert who looked after continental business and later became a vice-chairman. They met Hitler in Berlin in October 1933 and were reassured by him that foreign-owned companies would not be discriminated against as long as production was not transferred from Germany.[32]

D'Arcy Cooper and Rijkens were just two of the important businessmen taken to Berlin in 1933 by E.W.D. Tennant. Interviews with Schacht and Hitler were easy to arrange as Tennant was friendly with Ribbentrop.[33] Tennant, who had interests in ferrous metals and alloys, was proud of having worked for years with Ribbentrop in an attempt to improve relations between England and Germany.[34] As a self-appointed interlocutor in the world of Anglo-German commerce, he came close to holding a semi-official position of apologist for the Nazi régime. Another British businessman – Frank Tiarks – also tried to use his contacts for propitiatory purposes and he acquired a similar reputation. As one of the leading international financiers of the age, Tiarks had commitments which went beyond the world of finance. He was appointed a non-executive director of the Anglo-Persian Oil Company at the beginning of 1917 and he continued to hold this position until the middle of 1949.

There was nothing unusual about British businessmen visiting Germany. As already indicated, several trade and financial representatives were involved in attempts to resolve specific problems over payments. This demonstrated a pragmatic approach to business and should not be confused with the support extended to the Nazis by fellow-travellers. But in September 1934 the British government was informed that certain leading suppliers of raw materials (including oil, soap, chemicals, metals, jute and rubber) were sending an unofficial mission to Berlin. The delegation, again arranged by Tennant, comprised leading executives from seven British industries; it included a representative from Dunlop but not from ICI. The group was led by Rijkens who claimed that the visit had the blessing of the Board of Trade. This was denied by officials; they disliked the plan and surmised that the German objective was to look for credit on easy terms. It would have been difficult to raise official objection to the visit, so the government was relieved to find that the people involved were 'reputable' and not specifically selected for their pro-German leanings.[35]

Unilever provided an illustration of Germany's policy of attempting to obtain extended credit terms. The company received a proposal from an important German textile concern which sought a large loan in Credit Sperr marks. These marks belonged to the Dutch arm of Unilever. But, as Unilever's London representative delicately put it, such an international concern preferred to refrain from definite negotiations until certain opinions had been obtained. The Board of Trade made its opinion abundantly clear: any such loan would be regarded as a deplorable move. The proposal was dropped.[36]

The unofficial delegation of British industrialists and traders met Schacht and were received by Hitler on 20 September. The British Embassy was furious that Schacht had been afforded the opportunity to sell the line that Germany would shortly be back on her economic feet and all that was wanted was reasonable credit. As some of the businessmen had enjoyed no fewer than seven hours of Schacht's company it stretched credulity to believe that the meetings had been of a purely social nature. The reluctance of members of the mission to be open about any proposals encouraged gossip and rumour to spread. A plan to pay off frozen debts and start up trade again was suspected. Supposedly, this required new credits to be opened at the Bank of England by the Reichsbank (which would deposit collateral made up of balances owned by Germans in England).[37]

Although the discussions seemed vague in character, the objective in Berlin was probably to get a feel for what the big British export firms were prepared to do. But Vansittart wished that a firmer line had been taken initially and that Montagu Norman had been a little more discouraging.[38] The general feeling in Whitehall was that the British mission had served Nazi propaganda purposes. Businessmen could be portrayed as falling over themselves in their eagerness to sell raw materials to Germany. By intervening, the British government could easily be blamed for damaging relations which up until then had been enjoyed in a state of perfect harmony and confidence.

Tennant later claimed that the industrialists drew up and initialled several documents which formed, on the German side, the basis of the Payments Agreement.[39] Rijkens's meetings with Schacht, Wilhelm Keppler, Hitler's economic adviser, and Brinkmann, head of the export division of the RWM, were certainly a success from Unilever's point of view. The Unilever executive pressed for an alternative to investing further funds in Germany. A programme, based mainly in Hamburg, of building ships for Unilever was devised; it allowed the company to bring a considerable amount of its profit out of Germany.[40]

Another result of the mission was the formation of the Anglo-German Fellowship which first met on 11 March 1935.[41] The moving spirits were Tennant and J. Piggot of the British Steel Exports Association. Tennant boasted that the British business magnates had been so pleased with their reception in Berlin that he was able to co-opt them into helping to form and finance the start of the Fellowship. Lord Mount Temple was made chairman and Professor Conwell-Evans became the secretary. Other founder members were Proctor (Overseas Director of Dunlop), Rijkens and D'Arcy Cooper, Sir R. Kindersley (Lazards), Agnew (Shell Transport and Trading), Spencer (Price Waterhouse), A. Guinness (Guinness Mahon) and Evans (C.T. Bowring). Further missions to Germany were planned.[42] Frank Tiarks was also active in the Fellowship. The German counterpart – the Deutsche-Englische Gesellschaft – counted Schacht among its members. Staff exchanges between British and German banks were, therefore, easily arranged.[43]

Supplying rubber: the Dunlop Rubber Company

One raw material which assumed a place of strategic significance in international trade after the First World War was rubber. It was generally accepted that to ensure mobility in wars of the future, armed forces would have to be continuously supplied with motorized vehicles and aircraft which, in most cases, needed tyres. The RWM came to regard unvulcanized rubber as one of the most important raw materials in the entire rearmament drive and war economy and yet, initially, the Third Reich depended entirely on overseas supplies.[44]

German demand for rubber grew rapidly from 1933 and world prices began to reach levels above those of most running contracts. But, in common with most other trades, the problem of German debts had to be overcome. The London-based Rubber Trade Association wanted a united front of British, Dutch and French suppliers to put pressure on Germany. A channel of communication with Dr Hammesfahr, the Third Reich's so-called Rubber Controller, had been opened.[45] But Hammesfahr was derided for trying to pull off a big bluff in relation to synthetic rubber (Buna). Although he claimed that this production process was simple and that the product was remarkable, he remained surprisingly concerned over future deliveries of raw rubber. It was feared that the delegates on the 1934 trade mission, duped by Nazi propaganda, had returned with the firm idea that Germany could satisfy her requirements by ersatz processes. While British officials had a strong desire to see British visitors such as these woken up, they did not want to give Germany the impression that she was being blockaded.[46]

What could not be dismissed so lightly were the consequences of Dunlop's participation in the Berlin visit. For the company was beginning to suffer acute problems with its German subsidiary. Acquired before the First World War, the Deutsche Dunlop Gummi Compagnie AG was kept going after the war because of the potential of the German market. Indeed, the manufacturing plant at Hanau, close to Frankfurt-am-Main, represented a very heavy capital investment.

But in autumn 1934 Schacht decided, as part of his inventory of the whole foreign exchange position, not to give any permits for the import of rubber. Yet stocks across Germany were sufficient to keep manufacturing going for no more than two months. Dunlop was left in an even worse position: with only three weeks' worth of stocks, the Hanau plant was threatened with imminent and indefinite closure.[47] This restriction was just one of many which increasingly limited the ability of the company to trade freely. Paradoxically, Dunlop's German management had welcomed the Nazis' consolidation of power in 1933: after the turbulence of the Weimar era it offered an opportunity to achieve stability and secure the company's profitability. Given the lack of German shareholding interests, Dunlop felt reassured to know that a local Nazi official looked favourably upon the subsidiary because of the absence of Jews in the management.[48]

The Continental Rubber Company, the German national company based at Hanover, helpfully suggested a way forward. The plan was for Dunlop to supply Continental with rubber and other raw materials to a total value of £480,000; Continental would then resell in Reichsmarks one-quarter of the goods to the Hanau subsidiary. Finally, with the Reichsbank guaranteeing payment of the bills, Continental would reimburse Dunlop in sterling at the end of three years. However, the Foreign Office quickly condemned this proposal because of the material's strategic nature. The IIC thought the rubber was needed in connection with the German motorization programme, the military aspect of which could not be discounted. Sir Eric Geddes himself admitted, 'tyres are, of course, by no means merely a peacetime product'.[49]

The issue was, however, even more complicated than making a distinction between products for the civilian market and those put to military purposes. Dunlop was at the centre of an industry which indirectly contributed to rearmament. One historian of the Third Reich, R.J. Overy, suggests that *Motorisierungspolitik* was a major stimulus to industrial revival and re-employment in the critical early years of the régime.[50] Even if Continental's proposal did not amount to direct financing of the German war machine, any acceptance implied, at the very least, support for National Socialism. Vansittart, holding the régime to be dangerous, was adamant that everything possible should be done to 'keep Hitler's Germany lean'.[51]

In London, the Foreign Office, the Treasury and the Board of Trade, in a rare show of unanimity, were all alarmed by the prospect of such a large expansion of new credit. Schacht's behaviour was considered indistinguishable from blackmail and there was an obvious risk that credits would be frozen. Officials wanted Dunlop to be told that, should it embark on such a project, no governmental help would be forthcoming in any recovery operation. The recommendation to the Cabinet was to stand completely aside from the proposition.[52] Nevertheless, the problem of what to do with Dunlop's Hanau investment remained. Furthermore, as the Chancellor of the Exchequer confirmed to the Cabinet on 3 October 1934, the government had no power to stop Dunlop if it decided to proceed. Instead, it was to be made plain that the government disapproved of the scheme and that the entire risk rested with the company. The Chancellor proposed to remind Geddes that a guarantee by the Reichsbank was not comparable to one given by the Bank of England.[53]

This was communicated to Dunlop just as the company received an amended, more favourable, proposal. In crude business terms, Dunlop felt that it would be unwise to turn the transaction down. Indeed, Geddes now regarded Continental as 'our friendly competitor'. He accepted that the government could not accept responsibility. Nevertheless, he still wanted to secure an official blessing or at least understanding that repayments made by Continental would not be prevented in the future by measures such as clearings. Geddes was prepared to engage in special pleading of almost Schachtian proportions. Dunlop claimed that it occupied a unique position among those who traded with Germany: it had been forced to manufacture there by German tariffs. Geddes told the government that Dunlop would suffer enormous losses of plant and skilled manpower if, on 'patriotic grounds', sanction of the scheme was withheld. Leith-Ross appreciated that if the company was prepared to accept the commercial risks involved it would be very hard for the government to tell Dunlop to 'write off this important British investment'. The last thing the government wanted was to stimulate a potentially far-reaching reaction in either country by telling the company to close down the factory for political reasons.[54]

Even so, the Treasury had no desire to see fresh credit being granted to Germany, especially under the kind of pressure being applied and when so many existing credits had been frozen. Continental Rubber might easily have found itself short of foreign exchange as German clearing arrangements with other countries developed. Care had to be taken not to set a precedent which would encourage Germany to seek credit in other directions; the list of traders who would inevitably experience difficulty in receiving payment needed no additions. Granting credits which allowed such easy access to raw materials and severely hampered Britain in negotiations over trade debts was viewed by the Embassy in Berlin as an advanced form of lunacy. The advice of Edwards, the Commercial Counsellor, could not have been less diplomatic: 'If I were a shareholder of Dunlop's, I would suggest that the directors be publicly flayed for considering such a proposal.'[55]

Instead, the government found it very difficult to declare that the tactics of blackmail, which threatened the existence of subsidiary companies operating in Germany, were contrary to the national interest and would be stopped. Chamberlain was unwilling to take such a firm line in the case of Dunlop and sought justification for non-intervention. The transaction was now deemed to be too small and the military use too doubtful and indirect for it to be stopped on grounds of national defence. Such pragmatism was partly determined by domestic political considerations: Geddes was not going to be allowed to tell his shareholders that they had lost their investment because the government had disapproved of the company's proposal. This decision allowed the government to face both ways at once. The idea of British nationals being persuaded by a foreign power to provide credits of an exceptional character, which were needed not for the purposes of the business but for the foreign power's own economy, was condemned. The government would not extend moral support to Dunlop nor would it offer exemption from any action required in consideration of the national interest. At the same time, Geddes was assured that the Chancellor fully recognized that the case of companies with foreign subsidiaries presented special difficulties. Consequently, Dunlop would not have to suffer the intervention of the government on patriotic grounds.[56]

In the final stage of this affair Continental Rubber dropped out of the picture. After conversing with Schacht at Basle, Montagu Norman decided that Proctor had either completely misunderstood the whole matter or had been bluffed by Continental. Schacht maintained that it was not possible for the Reichsbank to give the undertaking which Proctor alleged he had received and that the Hanau subsidiary was, in any case, soon to be guaranteed foreign exchange for its normal imports. As if to confirm the strategic importance of the commodity, Schacht indicated that the German government would look to take over any tyre factory where production had stopped. For whatever reason, Dunlop Hanau now negotiated an agreement direct with the Rubber Controller and the RWM. The company undertook to supply itself with raw materials over four months to a total value of £120,000. Repayment in sterling was to be made by 1937, and so credit was extended for about two years. The Dunlop board believed it to be a prudent investment and Geddes did not relinquish his hope that the government would lend assistance, if need be, in obtaining repayment. The chairman was informed, however, that Dunlop was to be put into a different class to those trades (such as coal, textiles and herring) that were receiving preferential treatment.[57] The Treasury viewed the outcome as unexceptional. Apparently, several similar agreements had been reached without any communication to a government department.

As for Dunlop, Geoffrey Jones has suggested that the company was held hostage in Germany. Sales boomed during the mid 1930s although profits and the range of products were controlled. More capacity was established at the end of 1936. Dunlop's justification for this decision to expand was that friendly relations with Hitler's government depended upon the company's showing just how willing it was to contribute to the motorization of Germany.[58] Further considerable capital expenditure was demanded because the company was forced to switch from natural to synthetic rubber over a two-year period. As one history of the company notes, Dunlop was, to some extent, a victim of its own commercial success. The company continued to build its international reputation for reliable delivery of top-quality products without regard to the ideological complexion of the foreign state where its plants were located or with whom it traded.[59] The facilities based at Hanau were, however, in a class of their own: they had a part to play in helping to prepare the economy of the Third Reich for war. In the absence of any coercion from the British authorities to close the plant, or even encouragement to let production run down, Dunlop was certainly not going to let worries over the nation's security get in the way of protecting this important foreign investment. The company was destined, therefore, to repeat the experiences of the first part of the century. Sir Eric, however, was saved from any embarrassment by his untimely death in June 1937.

It is now clear that the Third Reich delayed production of Buna because the unfavourable price gap between synthetic and natural rubber caused the RWM to abandon plans for plant construction.[60] While technical problems with synthetic rubber had still to be overcome, the world price for natural rubber, even in the mid-1930s, remained at just a quarter of its late 1920s level. The total cost of German rubber imports was far below the bill for fuels and fibres, reaching a mere Rm25m in 1935 and Rm70m in 1936.[61] But reserves of unvulcanized rubber were all but exhausted by 1936 and Germany was to start the war with virtually no stockpiles of natural or synthetic rubber. Military planners in Britain had Nazi economic policies to thank, rather than the strategic foresight of their own government, for creating such shortages.

Supplying oil: the Anglo-Persian Oil Company

As with the harnessing of coal in the nineteenth century, control over the sources and distribution of mineral oil dominated economic life in the twentieth. Among raw materials of strategic importance, oil had assumed the place of *facile princeps* even before the First World War. Without a powerful industrial base the war-making potential of the state was limited. Coal remained a vital factor of production. But the security of oil supplies was of direct military significance and therefore a first consideration for military and other strategic planners. Yet, in line with Britain's general tardiness in preparing for war, detailed oil planning began only with the expansion of the relevant administrative machinery from 1936.[62]

In the debate which took place in Britain in the 1930s over supplying raw materials to Nazi Germany, no commodity or natural resource commanded more world-wide interest than mineral oil. In planning to create critical shortages in the event of war, there was more optimism in Britain over the case of liquid fuels than over any other of Germany's deficiency materials.[63] Both countries were able to exploit vast domestic coal deposits but both were dependent upon foreign sources for oil. Britain, however, enjoyed a massive advantage: the state was the majority shareholder in the Anglo-Persian Oil Company (APOC), one of the world's oil majors in production and distribution.

Anglo-Persian was one of the three European market leaders which supplied Germany with the bulk of her oil imports; the other two were Standard Oil of New Jersey and Royal Dutch Shell. Standard's subsidiary was the Hamburg-based Deutsch-Amerikanische Petroleum Gesellschaft which held a 28 per cent share of the civilian market. Shell's German subsidiary was the Rhenania-Ossag Mineralölwerke AG, with 22 per cent of the market. Nazi rearmament and *Motorisierungspolitik* ensured that the production of petroleum would become the most dynamic element of the Third Reich's energy sector. A rapid increase in the production, refining and distribution of petroleum products was required. At the same time, the oil majors were put under considerable pressure and trading conditions became extremely difficult. For Hitler was also determined to end the dominance of the Anglo-American multinationals in German fuel markets.[64] The development of synthetic fuel, which played a key role in the drive towards autarky, offered a lever. Germany was already advanced in the extraction of oil from coal: IG Farbenindustrie operated a large hydrogenation plant at Leuna, near to Leipzig, and had entered into licensing agreements with Standard during the 1920s.[65] By the time Hitler took power the Leuna plant had demonstrated its capacity to produce about 100,000 tons of synthetic fuel annually. But the cost per litre worked out at about triple the world price for gasoline.[66]

Anglo-Persian's German subsidiary was Olex – the Deutsche Benzin und Petroleum Verkaufsgesellschaft – which held a market share of about 17 per cent. APOC acquired a 40 per cent holding in 1926 and obtained complete control in July 1931. Olex did not trade without difficulty in the Weimar period. In 1932, the company was compelled to negotiate a kind of barter arrangement. Conditions under National Socialism were not expected to be any easier. Nevertheless, Anglo-Persian had no intention of withdrawing from the German market in 1933. Although past performance was poor and forecasts were gloomy, these problems were seen as common to the oil industry as a whole and the market was held to have considerable long-term potential.[67]

In July 1934 Freddie Morris, APOC's deputy director in charge of continental affairs, received a report from Dr Krauss, chairman of Olex. Krauss had been summoned to the RWM, along with representatives from the other two oil majors, and presented with the outline of a scheme. In return for the provision of all current requirements and a large reserve, all on credit with little prospect of much foreign currency payment for five years, German officials indicated that some undertaking would be given to limit production of synthetic oil and to maintain the market for the oil companies. Assurances were given that the idea of complete autarky in oil products was not in any way the policy of the Nazi Party because of the high costs of domestic production.[68] Shell and APOC already had frozen debts amounting to £845,000; the viability of their German investments was now also thrown into question. By the autumn of 1934 the biggest commercial debt owed to Britain was that held by APOC of more than £500,000 for petroleum supplies.[69]

Anglo-Persian, predicting that the German proposition would

hardly go down well in London, was in no hurry to explain it to the Foreign Office.[70] As they played an important role in industrial intelligence, APOC executives and other British oil companies were in a potentially embarrassing position. Major Desmond Morton, head of the IIC, made discreet approaches to the companies to derive accurate information on the location and extent of German underground storage tanks and the overall supply situation.[71] As soon as he was informed, Vansittart certainly became extremely agitated. He called on APOC to organize a united front of the companies to reject the plan and he promised that the Foreign Office would similarly organize a diplomatic front without caring whether offence were caused. This involved asking the Americans to put pressure on Standard Oil, Britain exerting influence over Sir Henri Deterding of Shell, and Vansittart himself approaching the Russian Ambassador. Vansittart dismissed the twin-headed threat of German synthetic production and the separate throwing over of APOC.[72] But he seemed to be unaware that the scheme originated in a meeting between Deterding and Feder, State Secretary at the RWM, and that the head of Rhenania (the Shell subsidiary) had already been acting as an adviser to the Reich government.

Deterding was known to be an admirer of the National Socialists. Indeed, he retired from Shell in 1936 after the London directors became so alarmed at his activities that they approached the British government for help.[73] With the coming of war the search began for guilty men; Sir Henri, who had just died, was named as one of the industrialists suspected of facilitating Hitler's rise to power through financial support.[74] The American consul in Hamburg reported in 1934 that Deterding, because of his fear of the Soviet Union, was favourably inclined toward the German government as a necessary safeguard against the spread of communistic ideas in western Europe. The consul added:

> Sir Henri had contributed fairly large sums to the National Socialist treasury before the advent of the Party into power and since Herr Hitler's assumption of the Chancellorship; he had offered to supply the Reich with all their oil requirements in return for payment in blocked reichsmarks ...

Deterding supported the Nazis in the belief that the alternative would be the downfall of the Reich and a violent swing to the left.

A further consular report of early 1935 claimed that Shell was anxious to obtain a monopoly in Germany. There were also rumours that the company had extended a large loan to the German government.[75]

The lack of solidarity among the companies was a worry for Anglo-Persian. But when the British government signalled its whole-hearted support for rejection of the scheme, with its proposed contracts for a special reserve, APOC became more determined to act – alone if necessary. The company decided that no more than three months' stock would be held. In addition, they resolved to insist upon payment of 90 per cent of the price (cost, insurance, freight) in foreign currencies of the oil delivered to Olex (the latter taking 10 per cent commission). Finally, no contract would be entered into which exceeded two years.[76]

But the resolve lasted just a few days. The oil companies indicated that they would probably continue to supply without getting paid. In Anglo-Persian's judgement, prudence was called for when each of the companies had large amounts of capital locked up in Germany and their businesses were threatened with closure. Of course, some in the oil business had an eye to future profits and were looking to expand rather than contract. Rhenania had taken the commercial decision to invest some £17m in immovable assets. Germany's requirements for oil supplies, in line with the development in aviation and especially motor spirit and diesel oil for the motorization programme, were projected to rise sharply. A comparison of motor traffic utilization undertaken by Shell revealed the scope for expansion in the German market.[77]

TABLE 5: ESTIMATED PETROLEUM CONSUMPTION IN 1933

Population (millions)		Tons
UK	48	3,960,000
France	41	2,500,000
Germany	66	1,500,000

Source: T 160 602/12750/09, memo, by the Asiatic Petroleum Company, 30 July 1934; 'Asiatic' was the old name for Shell's trading company; British officials continued with the usage.

Deterding reported that the Board of Shell, at a meeting in The Hague, had agreed to accept no proposals that were objectionable to the British government. Even so, cash payment for oil deliveries was to be postponed indefinitely. Leith-Ross found this position 'lamentably weak'. Vansittart despaired that, just as empty sacks could not be made to stand upright, government departments could do little if the companies did not have the stuff of resistance in them. The Treasury reasoned that once the companies began looking at the position from a commercial point of view it would be very difficult to change their minds in order to secure a political end. After all, the government directors of APOC were not supposed to interfere with the commercial administration of the company, although they had the right to veto the company's activities if they affected questions of foreign military policy.[78]

Representatives of IG Farben put forward an alternative proposal on behalf of the Reich authorities. The companies would supply oil products to the value of £4m for delivery over five years (with IG having the option to call for the whole delivery in two years), so that a reserve stock could be built up in Germany. With the arrival of each cargo, 10 per cent of the value (free on board) would be paid and the balance remitted in six-monthly instalments over the period of the five years. As an inducement to the oil majors there was the promise of a cartel arrangement to govern selling conditions in the German market.

Anglo-Persian reminded the British government that it had an important distributing organization in Germany and confirmed how it was very anxious to avoid the loss of goodwill. Ministers were well aware that the strategic arguments had to be weighed carefully. In so doing, they found themselves caught between Charybdis and Scylla. Clearly, the position of the Third Reich became stronger in proportion to the level of oil reserves which were established. On the other hand, it was not in Britain's interests to push the Nazi government in the direction of either looking for alternative supply channels or increasing the exploitation of domestic resources. Germany's annual domestic production of natural petroleum was estimated to be 300,000 tons and the authorities were encouraging the discovery of further deposits through subsidies. Furthermore, the trend towards self-sufficiency already suggested a strengthening of the Third Reich's defence position – despite the fact that it implied a diversion of effort from other activities – and a weakening of Britain's strategically vital oil organization. There was a chance, therefore, that the long-term effects of demanding immediate cash payment for supplies would be negative. On 14 November 1934 the Cabinet accepted that there were no clear grounds of public policy on which APOC could be advised to reject the proposal.[79]

While Anglo-Persian, at least, did not carry this scheme through, the oil companies were subjected to continuous pressure to reach some agreement on supplies. The 1934 Payments Agreement stipulated that Germany should produce proof that out of the total foreign exchange allocation there was sufficient for the purchase of British goods in customary proportions. Yet, the oil companies continued to face problems in securing the necessary foreign exchange certificates (*Devisenbescheinigungen*). The German authorities sought to justify this restriction on the grounds that the products were not of British origin, even though it had been agreed previously that oil refined in Britain would count as such. At one point Anglo-Persian threatened to divert cargoes already bound for German ports if the certificates were not forthcoming. The problem had become so severe by the beginning of 1935 that Olex was on the point of shutting down.[80]

APOC knew, of course, that it would be unable to repatriate funds in the event of liquidation; the Reichsmarks would, of necessity, have to find their way to other forms of investment. While the book value of APOC's holding was not great, the capital assets, largely fixed, were extensive. They included 26 depots and 13 service stations on land owned by the company, and more than 200 depots (including aviation depots) and a further 140 service stations on leased land. It is hardly surprising that the management in Britain and Germany hoped that any closure of Olex would be temporary.[81]

Anglo-Persian acted on two fronts: Freddie Morris in London asked for diplomatic representations to be made and Dr Krauss paid a visit to Dr Helmuth Wohltat in Berlin. Wohltat was well known and respected in London for his business career which was concerned with the international trade in oils and fats. But he had recently entered the civil service and had been put in charge of the routine allocation of foreign currency to the several clearing houses (*Überwachungstellen*). Eventually, he became Göring's trade assistant and achieved notoriety for the talks which he held in London with British officials on the eve of war (see Chapter 7).

APOC did not compare favourably with the other oil majors from Germany's point of view. Following the Dutch-German Payments Agreement, Shell had been able to keep payments going between the subsidiary and the parent group by a process of re-exports and large barter transactions. Standard Oil had greatly facilitated its currency position by placing orders in Germany. Wohltat wanted to know why APOC, which had heavy requirements of technical equipment, could not do the same. When he said that he could not imagine that APOC would risk the value of its large German interests by a refusal to supply oil, Britannic House believed that its bluff was being called. The stakes were high for Germany too. Krauss asked the RWM not to lose sight of the far-reaching psychological effects on public opinion of a shut-down by Olex. It was calculated that 2,000 employees would have to look for other jobs. More importantly, 6,000 petrol-pump keepers would have to close their pumps which, Krauss warned, 'would be an all too visible symptom, even in the smallest towns and villages, of Germany's foreign currency and economic difficulties.'[82]

But Olex was far from confident that it would survive. Sir Henri Deterding, who had recently visited Berlin, was expected to take a conciliatory line over the supply of oil products to Germany in view of his past promises. Olex feared a further weakening of its negotiating position. Although APOC might claim that it had done much for German industry, it was becoming clear that Shell and Standard had done more. Olex wondered whether this might justify some relaxation in London's attitude. In view of the potential of the German market, the subsidiary believed that a great deal was at stake for itself and APOC.[83] However, Britannic House was in no mood for relaxation. Olex was told that it was entitled to secure supplies from elsewhere but only in so far as no loss occurred, otherwise London would have the right to object very strongly. As far as the investment of capital in Germany was concerned, APOC did not want to make new commitments given the conditions ruling in the country and while existing funds were being unfrozen. Morris stated: 'there is no likelihood that I can see of our changing our policy, which is "No cash, no oil".'[84]

The other two oil majors certainly did do more for the Third Reich than APOC. Standard Oil entered into a contract with IG (the exclusive purchasing agent in Germany for a number of vital products including oil and rubber) to sell the rising outputs of the Leuna plant. Shell reached a similar agreement in 1935. As a reinsurance against future competition from synthetic fuel, both these majors took a 25 per cent shareholding in IG's Deutsche

Gasolin AG. In strictly commercial terms this decision made sense. By 1939 IG's synthetics factories produced no less than one-half of the petroleum consumed in the Third Reich.[85] Indeed, the policy on autarky was beginning to take effect. German consumption of mineral oils increased by about 56 per cent between 1933 and 1936, and then by a further 24 per cent until 1939. But the proportion of consumption which was foreign-sourced fell from about 75 to just under 50 per cent between 1933 and 1939.[86]

In 1935 the Anglo-Persian was renamed the Anglo-Iranian Oil Company (AIOC). In the months which followed the British government and various industrial interests, particularly the colliery owners, sought to find out more about the developments taking place in German catalytic processes. It seemed as if it might be possible to produce synthetic fuel at costs much less than those achieved by ICI at its hydrogenation plant in Billingham in the north of England. In September 1936 Ruhrchemie AG was visited by W.H. Cadman (brother of AIOC's chairman) and a coal industry representative. Krupps, Mannesmann and Gutehoffnungshutte were the major shareholders in the German company. Unfortunately, the British visitors were not allowed a close inspection of the plant and the general lack of data meant that AIOC did not feel that it could make a decision on the viability of purchasing a licence. Thereafter it became apparent to AIOC that the industrial processes remained so uneconomic that there was no commercial case for the establishment of plants in Britain.[87] This indicates that the Third Reich had little to gain from the British petrochemical industry in the way of relevant scientific or technical expertise; rather, the question was whether it was worth paying for the technology to be transferred from Germany to Britain.

Olex continued to exist from hand to mouth for supplies and attempted to weather the storm by taking steps to cut down deliveries. By April 1936 the company was managing to do no more than keep its petrol pumps going. This represented just 50 per cent of normal trade. All capital and publicity expenditure was eliminated and Olex executives were forced to try to make up the shortfall in supplies by following 'the unnatural practice' of buying oil from Romania.[88] Apart from Russia, Romania was the only state which had been prepared to supply Germany on a Reichsmark basis. This lasted until the Romanian National Bank decreed, in 1935, that shipments were only to be made against 100 per cent free exchange.

Nevertheless, German imports of oil rose considerably up to 1937 and came mostly from Romania. The German-Romanian Payments Agreement provided the solution. It also helped to effect a trade substitution: instead of Britain supplying oil plant to Iran, Germany supplied oil plant to Romania.[89]

Several attempts were made by AIOC and British officials in London and Berlin to secure an allocation of currency under the Payments Agreement for British-supplied oil to Germany. In London an exasperated Morris reminded the Petroleum Department, in September 1936, that the simple facts were that AIOC was a British concern with important interests in Germany. As such, the company felt that it should be one of the first to receive an allocation of significant amounts of foreign exchange. AIOC wanted reassurance that its interests would not be prejudiced in favour of competitors – such as Standard Oil supported by the American administration – which was able to bring barter or compensation business to Germany.[90]

Nevertheless, Olex always struggled to survive, sometimes literally, in the Third Reich. Meanwhile, news reached London of 'a tragi-comedy' taking place in Leipzig. A Luftwaffe machine had taxied across the airfield but had been unable to take off. Defective aviation spirit was held to blame. As the benzene in question had been supplied by Olex from its local depot, the manager was arrested by the Gestapo and thrown into prison pending trial for industrial sabotage. But the quality of the spirit at the oil installation, at Aachen, complied with official regulations. The real 'culprit' turned out to be a few rusty barrels in which the supplies to Leipzig had been delivered. Olex took steps to try to ensure that the company and the manager received no more than a reprimand.[91]

Rumours persisted in Germany and Britain that the Anglo-Iranian was looking to sell the subsidiary. The parent company found it difficult to understand why such ideas should circulate. Although attractive sterling offers would have been considered, such a prospect was not in sight and a disposal of the subsidiary was not sought.[92] Still, as Morris himself noted in March 1939, 'Many producers in Germany would like to get hold of a good distributing organisation such as Olex.'[93] This was why, in spite of all the enduring difficulties, there was such interest in acquiring the subsidiary. It also helps to explain why Anglo-Iranian was prepared to take a long-term view of its asset. Such a policy made commercial sense. The assessment of the potential of the market was borne out by a recovery in Olex's sales even under the burdens imposed by National Socialism. In the mid 1930s Olex's share in the covering of Germany's requirements of mineral oil products was: for motor spirit about 10 per cent, for aviation spirit more than 35 per cent, for gas oil more than 10 per cent, and for kerosene about 25 per cent.[94] By 1938 the total market share commanded by AIOC was about 10 per cent; Standard Oil and Shell remained the clear market leaders with 26 and 22 per cent, respectively.[95] This followed roughly the same pattern as elsewhere in Europe and was not far out of line with the position in late Weimar Germany a few years before.

Following the Anschluss in 1938, all remaining barriers between Austria and Germany were dismantled.[96] Anglo-Iranian realized that it would have to meet competition from both German companies and Shell; London was concerned that an unfavourable situation might develop, particularly in regard to European aviation. For, in this aspect of the business, AIOC's interest was almost entirely concentrated on the 'considerable amount of trade' with Lufthansa and the German air force. As for the motor trade, consumption of benzene was increasing and Anglo-Iranian stuck to the view that important possibilities remained in Germany which represented a large potential market for the future. The expectation was that Olex would soon start to generate surplus marks. Consequently, in order to extend trade the investment of such blocked funds in the purchase of an Austrian oil company was under consideration.[97]

At the outbreak of the Second World War most British investments tied up in central Europe suddenly seemed destined to be lost well before any long-term benefits could be realized. But then clearly the risks had been growing throughout the 1930s. With Hitler determined to prepare the German economy for war, commercial decisions could also carry significant political and strategic implications. Business interests in the Third Reich that were foreign-owned could be made effectively to chose between closure or some kind of co-operation with the régime. Anglo-Iranian's policy was to try to resist Nazi pressure up to but not beyond the point where the Olex organization was likely to collapse. Closure of the business would have left the field wide open for Standard and Shell to exploit; the two arch-rivals might then have gained a massive and irreversible competitive advantage with potentially serious consequences for the British company. Inevitably, therefore,

Olex was caught up in facilitating the Nazi rearmament effort, albeit in a minor and indirect way.

For AIOC was the odd one out among the oil majors. By participating with IG Farben in joint hydrogenation projects, Shell and Standard were afforded both a degree of political protection for the operations of their German subsidiaries and investment opportunities for profits which could not be repatriated. Looked at purely in terms of the oil business, these two companies were well placed: at minimum cost they maintained the option to benefit from the future development of the German market. However, Anglo-Iranian enjoyed no such privileges. This was the penalty to be paid for the failure to contribute either to the Third Reich's strategic reserves or to the drive to achieve self-sufficiency. During the war decisions on military strategy pivoted on the need to secure oil supplies. In this respect, hostilities reduced Olex to little more than a marketing organization; the seizure of the assets by the Nazi state could hardly have helped Germany's war effort. Instead, with Hitler's failure to capture the oilfields of the Caucasus in 1941–42, the Third Reich came to depend upon synthetic fuel in a futile attempt to stave off final defeat.

Supplying textiles: the Lancashire Cotton Corporation

Unlike the oil and rubber multinationals, firms in the textile industry did not own significant subsidiary organizations in Germany. But, in common with the other two commodities, the trade in textiles was subjected to the same critical scrutiny in the interests of national defence. After all, Britain remained the world's leading supplier and the market for cotton and textile products was not exclusively civilian. In the case of the German textile industry, imports accounted for 95 per cent of all the raw materials used in 1928.[98] To meet rising demand, German producers added synthetic fibres to fabrics. However, wool and cotton were never in danger of being replaced. The terrible effects on the German Army of exposure to Russian winters during the Second World War was to demonstrate the inadequacy of clothing made with synthetic products. Textile raw materials represented, therefore, one of the key deficiencies of the Third Reich identified by the IIC before the war.[99]

As the Wehrmacht grew in size in the 1930s, the need to provide uniforms for the enlisted ranks became ever more urgent. Indeed, Volkmann confirms that in the textile sector consumer and rearmament interests clashed and Germany's precarious dependence on world markets was a source of particular anxiety to the Nazi leadership.[100] They had every reason to be anxious. In 1933 imports of cotton and wool cost the Reich Rm570m; in 1935 they took about Rm700 million – a staggering 44 per cent of all foreign exchange expended on raw materials.[101] Yet, by the mid 1930s Nazi propaganda proclaimed that the new Germany would have both guns and butter. Why should Britain help the Third Reich in its hungry search for the raw materials which were necessary to satisfy both civilian and military orders?

The British cotton industry, like most of the staples, was heavily committed to the export market: in 1925 it accounted for 25.8 per cent of total British exports by value. By 1937 this figure had dropped to 13.1 per cent – an illustration of the magnitude of the problem confronting traditional British exports.[102] Along with the coal trade, the export of manufactured and semi-manufactured cotton and textile goods in the nineteenth and the early twentieth century had brought Britain into close commercial contact with Germany.[103] The Great Depression had badly damaged this relationship and British textile exporters continued to experience very difficult conditions even after the Anglo-German Payments Agreement.

Well before the depression struck it had become clear that the cotton industry would never see a return to the position of pre-eminence enjoyed in the nineteenth century. But attempts were made to manage the effects of the decline. Although many firms amalgamated, particularly in the spinning sector of the industry, financial performance remained poor.[104] The Lancashire Cotton Corporation, established in January 1929, was the biggest combination of all. It has been described as a giant corporate oddity which provided emergency support to those clearing banks which were in difficulty because of lending to cotton firms.[105] In drawing up plans for the rationalization of the industry, the cotton manufacturers received advice and assistance from the Bankers' Industrial Development Company which operated under the auspices of the Bank of England.[106] But the LCC did not prosper and the influence exerted by City financial interests was resented in Lancashire. Ironically, the entrepreneur who, in 1931, was asked to investigate the crisis was Sir Eric Geddes.[107] The LCC was reorganized the following year and Frank Platt was appointed a director. This straight-talking Lancashire man was one of the more successful figures in the industry and in 1933 he took over as managing director.

Nevertheless, desperate attempts to rescue the industry continued into the 1930s. These even included a plan to collaborate with the anti-modern trading practices of National Socialism. In 1935 Platt devised a scheme for barter trade between Britain and Germany. The objective was to increase the ability of the company to sell in the Third Reich by trading direct with the users of cotton yarns. Schroders, the merchant bank, told Platt that their Berlin office would be able to make the necessary arrangements with the German exporting interests; these comprised IG Farben, the Steel Trust and Siemens-Schückerts. By way of contrast to the nature of the scheme, Platt's hope that a reduction in selling prices might have stimulated employment in Britain was calculated to appeal to the economically orthodox. He also claimed that compensation agreements were constantly being put to him by his customers; he only wished to systematize a type of business which was already carried on in many instances.[108]

Platt was right in suggesting that there was a movement towards barter transactions. British exporters were no longer sure of getting foreign exchange certificates and the institution of a private clearing would have effected an equal exchange as between German and British products. In principle, the Board of Trade and the Treasury condemned such arrangements. But there was a feeling that the government should not even try to stop Platt.[109] Indeed, as Garside has shown, the government and many of the entrepreneurs concerned had temporarily abandoned any idea of a more far-reaching reconstruction of the industry. It seemed that the only way forward, as always, was to look for a revival of export markets.[110] However, the authorities in both countries had to ensure that barter deals did not begin to impinge upon the working of the Payments Agreement. The German government began, in any case, to forbid most of the transactions involving the direct exchange of German for British goods; they claimed that many goods imported to Germany on barter deals were being priced at inflated levels.

But Platt was not so easily deterred. In September 1936 he put forward a new scheme to sell cotton yarn to Germany. The bankers who were to provide the credit sought approval from the Bank of England. This was forthcoming since the transaction was safeguarded in commercial terms. Indeed, the Bank made it plain that, if a decision were taken to disallow the scheme, they would require some precise indication of the kind of transaction to which no objection would be taken. The Governor wanted to know what commodities and what credit terms would be regarded as normal in the abnormal and unprecedented conditions under which British trade was being carried on with Europe generally and Germany in particular.[111]

It was now the turn of the Board of Trade to raise objections. Nothing was allowed to interfere with the elaborate system devised by the British and German representatives who sat on the consultative committee to oversee the working of the Payments Agreement. Under the 55 per cent ratio, the amount of foreign exchange for each trade was worked out for the succeeding six months. With anxieties over the danger of frozen debts remaining high, the Germans were accused of playing the same game as the Russians – trying to get British goods on larger and longer credit. There was another important reason to veto the new scheme: it enabled the government to avoid any suggestion of favouritism. Relations between Platt's company and its rivals were already dominated by jealously; the rivals alleged that special favours had been shown to Platt because of the influence of the Bank of England. An increase in the Lancashire Cotton Corporation's share of trade would probably have resulted in a corresponding diminution for that of other companies.[112]

The last act in this particular drama was played out some two months later when the company put forward a proposal to sell a modest £50,000-worth of cotton waste to Germany over a year. Hambros Bank was to pay the company in cash and receive the obligations of the Dresdner Bank in nine or ten months. Before 1931 such sales had been effected on 30-day credits. Professor Clay, in the Bank of England, thought that the banks had to be encouraged rather than discouraged to assist industry in this way. With Treasury approval, Montagu Norman wrote to Sir Charles Hambro to say that, while it would be in order to open such a credit, it was important that the credit should represent genuine commercial transactions under normal banking conditions. Six months later the Governor wrote again to give his approval for Hambro to open a non-revolving credit for a further £100,000 on account of the LCC. Hambro did indeed open a credit (apparently for £50,000) and the scheme duly went ahead.[113]

Many commodities had a real or potential role to play in the German rearmament effort and the government had to decide which trades should be sanctioned. Yet, as the Dunlop and Anglo-Iranian experiences show, it was the manner in which British-owned companies were treated by the German authorities which caused most excitement in London; the fact that a raw material was of indirect or even direct military value was far less important. It is doubtful whether the issue of supplying rubber to Germany would have arisen at all but for the difficulties created for Dunlop Hanau. Similarly, although the British government was aware of the strategic significance of textile raw materials, there is no evidence that this dimension of the problem merited even the slightest consideration in the deliberations over the Lancashire Cotton Corporation.

In analysing the links between British industry and the Third Reich, a line may be drawn between manufactures connected in some way with the arms trade and companies involved in supplying raw materials; while the former were under the watchful eye of a public ready to condemn any transgression, the latter drew little, if any, criticism for their foreign operations. In the absence of any particular pressure from popular opinion, government policy continued to concentrate on the need to nurture Britain's fragile economic recovery: anxieties over the implications of German rearmament were outweighed by fears that the imposition of official controls would damage business. British multinationals were largely left to decide for themselves whether to exercise self-restraint and forgo commercial opportunities. The extent to which the same may be said for the way in which the City did business with Germany is examined in the following chapter.

NOTES

1. Schmidt, *The Politics and Economics of Appeasement*, p. 35.
2. R.J. Overy, *War and Economy in the Third Reich*, (Oxford: OUP, 1994), p. 9.
3. MS. Simon, Diaries, fol. 7, 20 November 1934.
4. M. Geyer, 'Military revisionism in the interwar years' in W. Deist (ed.), *The German Military in the Age of Total War* (Leamington Spa: Berg, 1985), p. 126.
5. CAB 47/8, 1118.B, report on 'Economic Pressure on Germany', 30 October

1933. The CID agreed on 6 April 1933 to set up a sub-committee of the advisory committee on trade questions in time of war.

6. C.M. Leitz, 'Arms exports from the Third Reich, 1933–39: the example of Krupp', *EcHR*, 51, 1 (February 1998), p. 153.

7. Vickers Archive, Cambridge University Library, 58.76, extracts from the report of the AGM held on 26 March 1934.

8. Ibid., 57.3. See also, J.D. Scott, *Vickers: A History* (Weidenfeld & Nicolson, 1962), pp. 238–56.

9. A. Bullock, *Hitler and Stalin: Parallel Lives* (BCA/HarperCollins, 1991), p. 316.

10. P. Noel-Baker, *The Private Manufacture of Armaments* (Victor Gollancz, 1936), pp. 47, 195.

11. A.D. Smith, *Guilty Germans?* (Victor Gollancz, 1942), pp. 92, 230.

12. D.G. Anderson, 'British rearmament and the "merchants of death": The 1935–36 Royal Commission on the Manufacture of and Trade in Armaments', *JCH*, 29 (1994), p. 21.

13. A. Teichova, *An Economic Background to Munich: International Business and Czechoslovakia 1918–1938* (Cambridge: CUP, 1974), pp. 287–94.

14. W.N. Medlicott, *The History of the Second World War: The Economic Blockade. Vol.1* (HMSO, 1952), pp. 12–16.

15. R.J. Young, 'Spokesmen for economic warfare: The Industrial Intelligence Centre in the 1930s', *European Studies Review*, 6 (1976), p. 482.

16. Wark, *The Ultimate Enemy*, pp. 170–4.

17. T 160 590 8797/05/1, minute by Sir Warren Fisher, based on a CID paper.

18. NA RG59/862.51/4096, material sent to H. Feis by Charles Dieckman, Chase Manhattan Bank (but formerly at the Berlin Embassy), 29 June 1934.

19. R.J. Overy, 'Hitler's war plans', in Boyce and Robertson, *Paths to War*, pp. 104–5.

20. Overy, *War and Economy*, p. 21.

21. For background to the IIC and Vansittart's private network, see C. Andrew, *Secret Service: The Making of the British Intelligence Community* (Heinemann, 1985), pp. 354–5, 382–5.

22. Malcolm Christie papers, Churchill College Archives, 180/1/24, details of *Wehrwirtschaftberichte* including extracts from situation reports, 1 June and 1 October 1937; see also, report, 1 January 1938, on prospects for the year ahead, and speech by Thomas to Wehrmacht officers, May 1938.

23. Overy, *War and Eonomy*, p. 212.

24. G.C. Peden, 'A matter of timing: The economic background to British foreign policy, 1937–1939', *History*, 69 (February 1984), pp. 23–6.

25. M. Balfour, *Withstanding Hitler in Germany 1933–45* (Routledge, 1988), p. 36.

26. For a recent and incisive treatment of the topic see, B.J.C. McKercher, 'Old diplomacy and new: the Foreign Office and foreign policy, 1919–1939', in M. Dockrill and B.J.C. McKercher (eds), *Diplomacy and World Power: Studies in British Foreign Policy, 1880–1950* (Cambridge: CUP, 1996).

27. Sir Eric Phipps papers, Churchill College Archives, I 3/3, private letter from Hankey to Phipps (in Paris), 11 January 1938.

28. S. Roskill, *Hankey: Man of Secrets, Vol. 3, 1931–1963* (Collins, 1974), pp. 237–8.

29. H.E. Volkmann, 'The National Socialist economy in preparation for war', in W. Deist, *et al.* (eds), *Germany and the Second World War* (Oxford: Clarendon Press, 1990), p. 246.

30. C.H. Wilson, *The History of Unilever: Vol.2* (Cassell, 1954), p. 330.
31. Ibid., p. 335.
32. Marsh, *The Bundesbank* , p. 275, n.86.
33. PREM 1, 335, Tennant's letter to Chamberlain, 4 July 1939, and enclosures.
34. MS. Simon, 78, fol. 94, letter from Tennant to Simon, 20 February 1934.
35. T 160/728/12750/012/2, minute by Leith-Ross,14 September 1934. The information came to the Treasury from the Bank of England.
36. T 160/573/13460/011, Browett (Board of Trade) to Waley, 29 September 1934. The loans would have been taken for five years, repaid in Dutch florins with the marks taken at par, carried interest at 4.5 per cent and guaranteed by one or more of the large German banks.
37. T 160/573/13460/011, report by Edwards (Commercial Secretary); Leith-Ross to Chancellor, 2 October 1934. Leith-Ross suspected that it amounted to a desire to draw on unavailed credit.
38. T 188/147, 4 Oct 1934.
39. PREM 1, 335, Tennant's letter to Chamberlain, 4 July 1939, and enclosures.
40. Wilson, *History of Unilever*, p. 370.
41. The Anglo-German Association had been dissolved in 1933 because it contained so-called non-Aryan elements. For a discussion of the role of the Fellowship as a pressure group, see Schmidt, *The Politics and Economics of Appeasement*, pp. 43–8.
42. FO 371/18878/C2168. See also, PREM 1, 335, Tennant's letter to Chamberlain, 4 July 1939, and enclosures.
43. Runciman papers, 285, letter, 29 May 1937, from the Fellowship to Runciman inviting the latter to become a member.
44. Volkmann, 'The National Socialist economy', p. 267.
45. T 188/147, Walter Fletcher to Leith-Ross, 5 September 1934.
46. T 160/573/13460/011.
47. Ibid., Geddes to Norman, 28 September 1934. The plant was managed by Proctor's German brother-in-law.
48. G. Jones, 'The growth and performance of British multinational firms before 1939: The case of Dunlop', *EcHR*, 2nd Ser., 37, 1 (February 1984), p. 48–9.
49. T 160/573/13460/011, quoted in letter by Vansittart to Fisher, 10 October 1934.
50. Overy, *War and Economy*, p. 7.
51. T 160/573/13460/011, Vansittart to Fisher, 10 October 1934.
52. Ibid., memo by Waley, 1 October 1934. The Governor viewed the Dunlop scheme favourably.
53. CAB 23/79, 33(34)3.
54. T 160/573/13460/011, record of meeting between Geddes, Leith-Ross and Norman. See also letters from Geddes to Fergusson (PPS to Chancellor of the Exchequer), Leith-Ross to Vansittart, and memo by Fergusson, all dated 5 October 1934.
55. T 160/573/13460/011, Edwards to Leith-Ross, 6 October 1934.
56. Ibid., Fergusson to Geddes, 8 October 1934.
57. Ibid., minute by Fergusson, 10 October 1934; Fergusson to Geddes, 29 October 1934.
58. Jones, 'The growth and performance', p. 49.
59. J. McMillan, *The Dunlop Story* (Weidenfeld & Nicolson, 1989), p. 75.
60. Volkmann, 'The National Socialist economy', p. 303.
61. Hayes, *Industry and Ideology*, p. 148.
62. D.J. Payton-Smith, *Oil: A Study of War-Time Policy and Administration*

(HMSO, 1971), pp. 40–4. By 1934 the Petroleum Department comprised three full-time and three part-time officials.

63. Medlicott, *The Economic Blockade*, p. 33.
64. Gillingham, *Industry and Politics*, p. 71. See also, CAB 24/248, CP83, CID Sub-Committee Report, October 1933, 'Economic Pressure on Germany'.
65. D. Yergin, *The Prize: the Epic Quest for Oil, Money, and Power* (Simon & Schuster, 1991), pp. 330–1.
66. Hayes, *Industry and Ideology*, p. 115.
67. For the background on Olex see J.H. Bamberg, *The History of the British Petroleum Company: Vol.2, The Anglo-Iranian Years, 1928–1954* (Cambridge: CUP, 1994), pp. 131–3. For details of barter arrangement see T 160/927/12750/2, Rowe-Dutton (Berlin) to Waley, 1 June 1932. Olex placed an order in the Rhineland as part of a pipeline which they were constructing. The order, worth £200,000, had to be paid for in sterling.The RWM agreed that Olex could either have the sterling resold to them in order to purchase petroleum to import into Germany or they could pay for the pipeline in marks from blocked accounts.
68. BP Archive, University of Warwick (hereafter BP), 72179, Krauss to Morris, 13 July 1934.
69. T 160/534/13460/010/1–2.
70. NA RG59/862.6363/153, report of a meeting, in London on 25 July 1934 of the companies.
71. Wark, *The Ultimate Enemy*, p. 164. See also Young, 'Spokesmen for economic warfare', n.34, for quotation by an annonymous officer which reveals that the IIC knew just how small German stocks of oil were in relation to the vast quantities required in wartime.
72. T 160/602/12750/09, Waley to Leith-Ross, 25 July 1934.
73. Yergin, *The Prize*, p. 369.
74. Smith, *Guilty Germans?*, p. 188.
75. NA RG59/862.6363/155 and 165, reports, 21 August 1934 and 15 February 1935, respectively.
76. T 160/602/12750/09, Leith-Ross to Sir George Barstow (APOC), 26 July and to Waley, 25 July 1934. See also, CAB 24/251, CP252, 9 November 1934, 'Supplies of Pertroleum to Germany'.
77. T 160 602/12750/09, memo, 30 July 1934.
78. Ibid., correspondence between the Treasury and Foreign Office, 1 August 1934 and also Perowne to Leith-Ross,12 September 1934.
79. CAB 24/251, CP 252.
80. T 160/615/13999/07. See minute by Mines Department to Board of Trade, 7 March 1935.
81. BP 72201, Berthoud (APOC's permanent representative at Olex) to Morris, 29 October 1934.
82. Ibid., Krauss to Morris, 7 February 1935.
83. BP 72201, correspondence from Krauss and Berthoud to Morris, 12 February 1935.
84. Ibid., Morris to Berthoud, 14 February 1935. Berthoud had also suggested triangular and barter deals as a way out of the difficulties.
85. Gillingham, *Industry and Politics*, pp. 75,163. The output of hydrogenation-produced petrol rose 300 per cent between 1936 and 1942.
86. Volkmann, 'The National Socialist economy', pp. 263–4, 301.
87. BP 72488, letter from Sir John Cadman (chairman) to Sir Frank Smith (Department of Scientific and Industrial Research), 23 March, and to Sir

Horace Wilson (the government's Chief Industrial Adviser), 27 March 1936, and note for the chairman; see also, record of visit on 17/18 September 1936 by W.H. Cadman and Miles Reid of Powell Duffryn Associated Collieries Ltd, and the former's secret memo (undated), 'On the Present Views of the Anglo-Iranian Oil Company Limited', marked 'property of HMG, committee on synthetic processes'.

88. BP 72201, Berthoud to Morris, 17 May 1935.
89. A. Schweitzer, *Big Business in the Third Reich* (Bloomington, IN: Indianna University Press, 1964), p. 304; T 160/615/13999/07, Petroleum Department to Board of Trade, 1 April 1936.
90. BP 72201, Morris to Coleman (Petroleum Department), 2 September 1936.
91. Ibid., Blackwood (Berlin) to Morris, 29 December 1936. Blackwood refers to Aix-la-Chapelle rather than Aachen.
92. BP 72201, correspondence between Blackwood and Morris, 7/8 October 1936.
93. BP 72177, minute by Morris, 17 March 1939.
94. BP 72201.
95. Bamberg, *History of British Petroleum*, p. 133.
96. For background see, H. Matis and F. Weber, 'Economic Anschluss and German *Grossmachtpolitik*: the take-over of the Austrian Credit-Anstalt in 1938', in P.L. Cottrell, H. Lindgren and A. Teichova (eds), *European Industry and Banking between the Wars* (Leicester: Leicester University Press, 1992).
97. BP 69052, memo by Morris, 25 April 1938.
98. Barkai, *Nazi Economics*, pp. 230–2.
99. Medlicott, *The Economic Blockade*, p. 35.
100. Volkmann, 'The National Socialist economy', pp. 262–7.
101. Hayes, *Industry and Ideology*, p. 145.
102. S. Glynn and J. Oxborrow, *Inter-War Britain: A Social and Economic History* (Allen & Unwin, 1976), p. 73.
103. L.G. Sandberg, *Lancashire in Decline: a Study in Entrepreneurship, Technology, and International Trade* (Columbus, OH: Ohio State University Press, 1974), pp. 159–61.
104. W.R. Garside and J.I. Greaves, 'Rationalisation and Britain's industrial malaise: the interwar years revisited', *JEEH*, 26, 1 (Spring 1997), p. 56.
105. B.W.E. Alford, 'New industries for old? British industry between the wars', in R. Floud and D. McCloskey (eds), *The Economic History of Britain since 1700: Vol.2* (Cambridge: CUP, 1981), p. 325.
106. For a recent analysis of the role of Montagu Norman see W.R. Garside and J.I. Greaves, 'The Bank of England and industrial intervention in interwar Britain', *Financial History Review*, 3, 1 (April 1996).
107. Hannah, *The Corporate Economy*, p. 76.
108. T 160/559/12750/033, Platt to Browett (Board of Trade, Commercial Relations and Treaties Department), 28 January 1935.
109. Ibid., St.Quinton Hill (Board of Trade) to Waley, 29 January 1935 and to Rawlins (Berlin), 31 March 1935.
110. Garside, *British Unemployment*, pp. 228–9.
111. T 160/673/13999/018.
112. Ibid., Waley to Hopkins, 1 October 1936.
113. T 160/673/13999/018, minutes, 3 December 1936 and 22 June 1937.

6

British banks and the Third Reich:
financing the Nazis or a once smart business going bad?

Only those initiated in the art of military strategy grasped the significance of how preparedness for war had come to depend upon a secure supply of certain essential commodities such as oil. By way of contrast, the related issue of access to international finance was debated much more widely. The pattern of lending to Germany in the 1920s was well known. While British banks had provided a large volume of finance for German banks and industrial or commercial concerns, many of the credits were originally used for the movement of goods. However, with the contraction of trade after 1929 the credits came to represent general finance for German business. Much of this lending was frozen under the Standstill Agreement of 1931. This then formed the basis for Anglo-German financial relations until 1939.

In agreeing to maintain the Standstill after the collapse of the Weimar Republic, British bankers could be assured of some continuity in relations. Even if the very existence of the Standstill were threatened by the extreme measures to which the Nazis resorted, it was always seen in the Third Reich as an important instrument of policy. Yet, with German industry gearing up for rearmament and the chances of war in Europe looming ever larger, the Standstill was bound to stir up fresh controversy every time it was renewed.

Even greater alarm was caused in Britain by the suspicion that bank lending to the Third Reich also had a private face – hidden from public scrutiny. Rumours circulated throughout the 1930s that the City of London was issuing substantial trade credits that allowed the Nazis to purchase war materials. In one recent study this putative lending is seen as a response to the collapse of the multilateral clearing system and the result of German discrimination in favour of British banks and against underrepresented American bondholders.[1] Nevertheless, it is supporting evidence rather than repetition which confers on an allegation the status of an indisputable fact. If rumours over lending are to be substantiated, the limited amount of material to have emerged from the very private world of merchant banking must be reviewed.

Historically, the City has always sought to operate in the money, goods and capital markets with as little external regulation by the state as possible. Geoffrey Ingham points out that, in spite of the obvious changes brought about by the 1931 crisis, there was no fundamental restructuring of the banking and commercial system. Innovations were introduced cautiously, in order to avoid disturbing orthodox practices, and relations between the City, the Bank of England and the Treasury remained as close as ever.[2] Yet the reluctance on the part of the City and authorities to meddle with the intricacies of international finance had to be reconciled with the changes taking place in international relations. In this regard, the complexity of the structure which connected British banks with German trade served to inhibit changes to financial practices, even after Hitler achieved power.

Although all such banking credits had a bearing on Anglo-German trade, only a small proportion of them were used to finance direct trade between the two countries. The English banking system also provided a large volume of credit for the financing of international transactions in which Germany was concerned, particularly trade with British colonies and the Dominions involving raw materials into, and manufactures out of, Germany.[3] The total volume of credit was very much greater than that for direct Anglo-German trade. Bankers were keen to point out how the continual use of such international credits since the financial crisis had been a vital factor in helping to maintain Germany's export surplus, and consequently her ability to service her long- and medium-term debt. On these grounds the Third Reich, too, had to maintain adequate facilities for buying in the world market.

Yet there were other factors to consider when defining Britain's national interests. Hitler had been in power for less than a year when Vansittart applied one all-important criterion: 'I have always thought that financial stringency in Germany was going to be our principal safeguard against wholesale German rearmament, and that we should do all we can to keep Germany lean, even at a cost to certain people here.'[4] Vansittart hoped that a distinction could be made between short-term lending to Germany, strictly for commercial purposes, and finance for German industry which would provide a direct incentive to the Reichswehr to press on with rearmament.

What remains intriguing today is why Britain, compared with other nations, maintained a much higher proportion of her Standstill credits to Germany, even up to the outbreak of war. As the threat to European peace and stability grew, how could British bankers be sure that the Standstill continued to serve the interests of the nation more than it served the interests of National Socialism? And further, what impact did the growing menace of the Third Reich have on the City's traditional freedom to lend money wheresoever and to whomsoever it chose?

Restraining the urge to do new business

When considering the involvement of Hambros Bank with the Lancashire Cotton Corporation in 1936, the Treasury observed that 'an embargo on commercial credits to Germany, if too strictly applied, does more harm than good politically, besides interfering with legitimate export business.'[5] This intriguing statement of the theoretical position tends to conceal more than it reveals of the reality of British policy concerning new lending to the Third Reich. Surely an embargo that was not strictly applied would have been pointless. Further, officials knew how difficult it was to define 'legitimacy' in the context of the export business to the Third Reich. If an embargo was supposed to be in place, when was the decision taken and under what circumstances?

During the crisis over British bondholders in 1933/34, officials felt that existing loans to Germany were hanging round their necks like millstones. The Treasury confirmed Foreign Office suspicions that quite fresh money was being advanced. Short-term credit had recently been granted in an 'appreciable amount' for the purchase of wool and wheat. This was said to be a healthy development because it was being conducted on a normal commercial basis, or, in other words, the substitution of three months' credit for frozen credit. Although money was thereby released for an alternative purpose, prohibition of the credits carried the risk of damaging Britain's commercial machine.[6] Other schemes to supply raw materials on credit were less healthy and probably formed part of a concerted policy by the Nazi authorities. There was an unsuccessful attempt, in April 1934, to arrange some kind of trade agreement when German interests were negotiating in the City for long-term credits for oil, tin and rubber. The Treasury and the Foreign Office together had already done what they could to discourage the extension of similar credits by the oil companies.[7]

It was in the aftermath of the unfortunate visit by British businessmen to Berlin, in September 1934, that the government first asked the Bank of England to discourage any new arrangements being made for credit in respect of German exports to the UK. The houses thought most likely to be involved were Lazards, Barings and Hambros. Hambros did, indeed, inform the authorities about a £1m credit it had made earlier in the year to IG Farbenindustrie. The objective was to finance IG trading with Britain, the Dominions and other countries with free exchanges. Whenever IG drew on the credit it informed Hambros of where the goods were consigned and the buyers gave an irrevocable undertaking to remit the proceeds in sterling to the bank. The credit was a revolving one: IG could draw at three months' sight on the bank at any time.

The problem was that Hambros wished to continue with the arrangement, believing that it had worked smoothly and resulted in a considerable turnover of trade with Britain and the Dominions. What worried Olaf Hambro was whether the right to terminate the credit, at the end of the year, meant that the credit had to be regarded as a new advance. The likely impact of any clearing had to be considered too. The Treasury did not want credits extended to the point where a large proportion of the income of a clearing system would be absorbed by the claims of the accepting houses. As about 30 per cent of the IG credit was secured on German exports to Britain, nearly all those exports would have come within the scope of a clearing. It was suggested to Hambros that the bank could reduce its credit to the amount covered by IG exports elsewhere.[8]

Although these exports to Britain allowed Germany access to free exchange, they did at least fall within the accepted boundaries of conventional international trade. But Hambros Bank was not always so scrupulous. The London house offered to extend credit to facilitate the purchase by Germany of Egyptian cotton, security being taken on German exports (of machinery rather than finished cotton goods) to Egypt.[9] The transaction would have allowed the Nazis to put pressure on Egypt to buy German goods as a condition of the sale of the cotton. There was an obvious danger that British exports would be displaced and dumping by Germany encouraged. Indeed, German efforts to promote barter transactions were likely to succeed only if her exports could be forced upon foreign markets at the expense of third countries including the UK. This was another scheme which was destined to make no progress: if it sounded attractive in banking terms, the wider commercial audience in Britain would have found it distinctly unappealing.

Many of the activities of Hambros Bank were transparent. The attempt to gain a broader view of the secretive world of merchant banking poses an altogether more exacting challenge. In 1934 the US State Department received information from the General Motors Export Company of New York. The company's finance department in London had asked several of its 'friends' – clearing banks, acceptance and discount houses – whether new German commitments had been taken up by the English banks. The fact that certain export credits outside the Standstill had been granted by English banks to German exporters was definitely confirmed. Hambros Bank was just one of the institutions which told General Motors about its new credit facilities. It was reported that the amounts concerned were quite small and that the credits did not increase commitments in Germany. But, with commission rates of 3 or 4 per cent because of Germany's poor credit standing, such business was very profitable for English banks. As for import credits, General Motors was certain that no new business outside the Standstill had been done in view of the situation with long- and medium-term debts.[10]

So by the end of 1934 a policy of trying to restrain new credit was in operation. But there were several setbacks. In May 1935 there were reports that Schacht had approached the Bank of England for a fresh credit. Siepmann, at the Bank, denied that there was a shred of truth in the story: it was an invention by Einzig, the *Financial News* journalist. Siepmann wondered whether there was anything the Treasury could do to moderate the damage done. The Bank had already made several efforts to 'scrag' Einzig, but he enjoyed a long-term contract with the newspaper. Phillips, in the Treasury, bemoaned the fact that the editor and proprietors could not do much to help, even if they had been on good terms with his department, which they were not. The Bank of England was not without its own friends in the press who could deny, for the purposes of counter-publicity, that a new credit had ever been contemplated. However, Leith-Ross admitted:

> I do not think that we can object to fresh business being done on normal 3/6 month credit: indeed, it was one of the arguments that I addressed to Schacht that if he settled his frozen debts satisfactorily, merchants would resume business on the normal credit terms.[11]

The evidence suggests that an embargo on new credit, official or unofficial, amounted to no more than a vague idea and that the policy of restraint was so insubstantial that it could easily be ignored. There was nothing to impede Hambros Bank and Schroders from becoming involved in other attempts to stimulate Anglo-German business.

In 1936 a plan was developed for the formation of a company called Compensation Brokers Limited which was to be run under the auspices of the two banks.[12] The object was to organize the export, primarily to the Dominions and colonies, of German goods which would not compete with British exports, and to use the proceeds to finance purchases by Germany of raw materials. The facilitation of contacts and agreements between industrialists in Britain and Germany was seen as an added advantage. Compensation Brokers aimed to find foreign buyers for German exports and, in close co-operation with the relevant authorities, arrange payment in sterling for exports of raw materials to Germany. Suppliers prepared to grant subsidies to German exporters would also be contacted. The role of the two banks was to grant acceptable credits to supposedly sound buyers of German goods. To complete the picture, the selling agent acting on behalf of the German principles was to be Tennant and Sons. German exports needed to be stimulated, it was reasoned, in order to allow existing suppliers of raw materials to Germany a chance to receive payment for commodities already sold. The means of escape was said to be at hand for Germany – a country caught in an economic impasse and in semi-isolation with all the attendant political difficulties. The scheme's backers imagined that it would be welcomed in official circles in Britain. Naturally, it had been viewed favourably in Nazi circles.

One of the proposers, Tiarks of Schroders, attempted to enlist the support of Montagu Norman. Tiarks claimed that many agents were carrying on such business without the interests of the Empire at heart; they were unregulated and extracted extortionate premiums. What the Empire required, apparently, were many manufactured articles which could not be supplied just then by Britain but were available in Germany. In an ideological vein likely to appeal to the Governor, Tiarks complained: 'you will readily understand how difficult it is to carry on business when such ordinary commercial transactions have to be explained and submitted for approval.'[13]

It is quite incredible that Tiarks could suppose that it was national policy to promote every practicable way of enabling Germany to obtain access to raw materials. While the idea of bringing the Third Reich back into the sphere of normal international trade relationships commanded universal support, few in government were prepared to apply unreservedly the means suggested to achieve it. Indeed, the meeting of high-ranking officials which considered the scheme, in November 1936, feared that a popular outcry would greet any approval. There were several grounds on which the plan could be opposed: anything which represented a great extension of barter was economic heresy, German trade competition was severe already and British re-exports to Germany had to be protected. Plans for trade expansion between Germany and the Empire were for the Dominions themselves to consider, but a trend of increasing trade was already under way. In terms of national security, however, Britain faced an ever-present danger. While the commodities in question did not represent war *matériel*, making facilities available might have encouraged the development of channels for other, potentially less innocuous, raw materials.

But the economic and strategic arguments seemed to carry less weight when the plan was viewed in the light of diplomatic considerations. The officials vacillated: they assumed that their political masters would want to prevent any new arrangement between British interests and the German government only if, in the opinion of the Treasury, it involved some kind of loan or credit to Germany. It seemed unreasonable to make Compensation Brokers wait for a political settlement between the two countries before commencing operations. Consequently, there was no recommendation that the government should veto the scheme.[14]

The Foreign Office, however, was determined to kill off the

scheme since it was viewed as part of a much bigger structure. Any loan or credit from the City of London would have artificially relieved Germany of the penalty which she was paying for having sacrificed her economy and foreign trade to the intensification of rearmament. Vansittart lambasted the plan as sheer lunacy and suicidal; the sponsors, Tiarks and Piggot, were branded as 'the two arch-German propagandists in this country'. On 26 November Anthony Eden, the Foreign Secretary, wrote in discouraging terms to the Chancellor of the Exchequer.[15]

In the absence of official support the chances that the operation of the plan would be successful were considerably reduced, not just in the event of difficulties with Germany, but because it suggested that the business establishment would treat the scheme with suspicion. Indeed, British industry was not at all happy: the FBI had to write to its members to reassure them that it had been in touch with the new organization to ensure that every effort would be made to safeguard British export interests throughout the world.[16] Unable to overcome the adverse criticism, Compensation Brokers disappeared from sight.

But this did not bring to an end contemporary allegations that a number of banks were continuing to grant new credits to Germany. In a special edition of *The Banker* magazine, devoted to reviewing the effects of four years of Nazism, those who argued that Hitler needed English money to stem the tide of communism were roundly condemned. The magazine regretted that it had to admit that: 'from a small, but rather influential circle, in the City of London there flows a constant stream of propaganda in favour of credits for Germany.'[17] Einzig later claimed that, as a result of persistent criticism in the press and Parliament in the spring of 1937, the Treasury prompted the Bank of England to send out a circular requesting the banks to abstain from granting new credit to Germany. Einzig concluded that not only did the use of such credits to finance raw material purchases release resources which facilitated German rearmament but that even firms actually engaged in German rearmament, such as IG, received credits from London houses.[18]

It remains difficult to substantiate such claims. Even Nigel Law, the Foreign Office's City informant, admitted that he was passing on 'hardly more than well-authenticated rumours'. Most credits were probably for exports from Germany; they did not create but anticipated the foreign exchange that the Third Reich would eventually obtain. Only those credits capable of being used or misused as working capital could be considered as creating foreign exchange. But Law thought it highly unlikely that any open credits had been granted even by the most pro-German of London firms.[19] Taking this as a basis for calculation, the City did not provide money for German rearmament.

In response to the difficulties surrounding Anglo-German relations, the British Bankers' Association passed the resolution that no new credits should be granted for financing German business which could be financed by means of Standstill lines. There was a particular request to regard the resolution as confidential and to take precautions to ensure that it did not reach the press.[20] Presumably, an inference might have been drawn that the practice of granting credit outside of the Standstill had been widespread up to that point.

But it seems likely that some British short-term credit was still being extended to Germany outside the Standstill. The Bank of England instructed its employees that information on this subject was confidential and was not to be passed to any person inside or outside the Bank without the consent of the Discount Office.[21] A few days after the 1938 Standstill Agreement came into effect – and just before the Anschluss – the British government indicated to the City that in view of the terms of the renewal and the expressed desire to see as many credits as possible put on a sound commercial basis, the granting of credit outside the Standstill was undesirable. The Joint Committee wrote to the Committee of London Clearing Banks regarding a secret letter of 30 November 1937. The subject was the mutual agreement not to grant further credits of any kind to Germany for any purpose which could be achieved by use of Standstill lines – the resolution passed by the British Bankers' Association. The instruction was to remain in force.[22]

But bankers were not immune to the ordinary commercial pressures of international competition just because Europe was tottering on the abyss of war. Towards the end of 1938 Douglas Miller, Commercial Attaché at the American Embassy in Berlin, filed a report entitled *New York Banks Smelling New Business in Germany*. Visiting American bankers were exploring whether they could advance new short-term credits. British bankers, he noted, had already been thinking along these lines.[23]

In Washington the Federal Reserve Board took up with the State Department the question posed by Miller: did the administration share the view of the British government which had discouraged British bankers from extending new German credit because such action was contrary to public policy? The Board felt that it would have no reason to comment adversely; it did not doubt that the banks would find sound credit risks which were unobjectionable from the banking point of view. Winthrop Aldrich, President of Chase Manhattan, was reported as saying that, as much as everyone disliked the things going on in Germany, America had still to do business there.[24]

This was a staunch defence of the time-honoured principle that financiers should devote themselves to the pursuit of profit, however heavy the burden imposed by a troubled conscience. But when the State Department hinted that President Roosevelt was not unsympathetic to the Board's concerns, Chairman Eccles passed word to Governor Harrison to take the matter up informally in New York. In carrying out this delicate task the Federal Reserve Bank of New York criticized the comparison drawn between British and American bankers. British houses had practically liquidated none of their old German commitments and so were hardly likely, in the foreseeable future, to be able to take up new business in Germany. This presented an opportunity for American institutions. They had pushed the liquidation of their old German commitments much further and so might have wanted to reconsider the problem of new business. But as the volume of international trade moving was insufficient for Germany to take up all the credit available under the remaining American Standstill obligations, there was probably next to no new business transacted. The National City Bank, for example, had total commitments under the Standstill of $4.3m, but $1.5m of this sum remained unutilized.[25]

From the cases documented above of actual and proposed business dealings with Nazi Germany, it is possible to draw a tentative conclusion concerning the evolution of government policy on the supply of credit. Whether by instinct or by training, the City clearly found it impossible to stop dealing with Germany altogether. Yet, if Hambros Bank is at all representative of how new business was financed, it would seem that the amounts of money concerned were relatively small and that the transactions were carefully monitored by the Bank of England and the Treasury. Very little business of this kind occurred after the Bank's discreet requests late in 1934. The Treasury retreated, thereafter, from any idea of imposing a hard line. Instead, from 1935 the intention was to bring about a voluntary restriction on new credits for Germany. Ordinary commercial concerns were a factor in determining this policy. Germany had to ensure that frozen debts were liquidated. Of course, the threat to Britain's security posed by Nazi rearmament also weighed heavily. However, if no actual war *matériel* were involved, the government was not going to forbid extensions of new credits.

To some extent, self-policing did work; the City had no wish to be reviled by the British public. Shortly before the outbreak of war, Norman and Sir Otto Niemeyer were criticized in the House of Commons by Hugh Dalton, the Shadow Foreign Secretary. They were accused of attempting to persuade Dr Funk, at a BIS meeting, to devalue the Reichsmark in return for a foreign loan. In a letter to the Chancellor of the Exchequer Norman angrily defended himself by claiming that there was not one atom of truth in the report.[26]

The Americans and French desert the Standstill

Members of London's financial community were among the first foreigners to bear witness to the rise of the Nazi state. The next scheduled round of Standstill discussions began in Berlin in early 1933, just days after Hitler had taken power. The British representatives – Brand of Lazards and Tiarks of Schroders – were given their first taste of negotiating in the new political atmosphere. Information was cabled from London that the clearing banks would object strongly to any reduction in the interest rate for cash advances below 5 per cent – the minimum charged to British nationals. It was estimated that on average Germany already paid rates of below 3.5 per cent for cash advances and acceptances. The Midland Bank, the largest of the contemporary clearers, tried to resist this trend. The bank did not want to see foreign debtors who were unable to fulfil their engagements placed at an advantage compared with many domestic borrowers. Frederick Hyde, the Midland's Managing Director, made it clear that the Bank could see no justification in accepting the revised schedule, and that it was not prepared to do so.[27]

When the negotiations in Berlin finally closed after three weeks, Brand returned to London. It was left to him to explain to the Midland how the representatives had finally unanimously agreed to the new schedule, and to defend them from the charge that they had 'bounced' the London bankers into the revised agreement. Brand exhibited a blend of optimism and realism. He hoped that the creditors might dispense with the Standstill in a year or two; everyone wanted it to end as soon as possible. But the arrangement was not without its advantages. It enabled creditors to present a united front and, enjoying the guarantee of the Golddiskontbank, to avoid being brought under the German Emergency Decrees. The Standstill also provided more exchange for interest and commission on banking debts than would otherwise have been the case. As far as comparative rates were concerned, it could be argued that German industrialists ended up paying higher rates than their British counterparts because of the commission taken by the German banks.

Above all, Brand believed the Standstill to be a set of compromises self-evident to anyone who attended the meetings. The interests of the creditors were dissimilar. The Swiss, the Dutch and the British were not so anxious for a reduction in outstanding credits as they were to avoid any reduction in interest rates. The Americans, on the other hand, regarded a reduction in credit lines as absolutely vital to them and were willing to agree to a reduction in rates, if necessary, to obtain it.

The agreement was, of course, a compromise between the creditors and the debtors. Brand thought that the fact that German credits were not being paid was irrelevant. He recognized the risk associated with Germany and from that point of view considerably higher premiums would have been justified. But the German situation was quite 'abnormal': the transfer problem could not in any way allow rates comparable to the risks involved.

There was a yet more important reason why the Standstill represented a compromise. All the delegates were aware of the political situation and regarded the minimum reduction made as some insurance against the dangers of government interference. Brand noted ominously, 'very powerful interests in the new German Government have opinions about interest rates and foreign debts decidedly different from those of bankers, and there seemed a considerable risk for the future in our adopting a completely uncompromising attitude.' He therefore appealed for unity among banking creditors in the face of all the new political elements in Germany. He regretted that an institution of such importance and world-wide fame as the Midland should dissociate itself from co-operation with all the rest.[28] Of necessity, unity was indeed maintained. For the next six months the rate for cash advances and fixed loans was set at a maximum of just under 4 per cent. In return, unavailed credit lines were cancelled – a substantial amount of credit had not been utilized in 1932.

The American and the French creditors, on the other hand, continued along the road of liquidation. The French, by this time, had become by far the biggest converters of blocked accounts into Register marks which were released to finance additional exports and travel inside Germany. The Americans resorted to a variety of arrangements: some Rm1.5m of US credits affected by the Standstill were used to help to pay for the construction in Hamburg of the largest crude oil refinery in Germany.[29]

Holland-Martin, the Joint Committee's secretary, thought that the greatest amount of 'bad' business had been done by American banks and the 'smartest' by the British banks. Thus, while the Americans wished to liquidate as soon as possible, the British were willing, for genuine short-term finance of trade, to grant credits to Germany free of restrictions, up to an equal or possibly even greater amount than was outstanding.[30] A similar point is made by Sayers: with the London market experiencing a great scarcity of commercial paper at the end of 1934, Standstill bills were traded at almost the best rates; the more questionable names among debtors had been gradually weeded out leaving 'good' bills.[31]

Without doubt, the German Standstill was an issue of the greatest importance for America's domestic banking system. In 1931 American banks had held much of Germany's long-term external debt; they were worried that the banking inspectors would find this position unsatisfactory. At the very least, therefore, American banks wanted to limit their short-term exposure in order to improve their balance sheets; some of the smaller banks had closed out their credits altogether.[32] None the less, the total for German short-term credits in the United States was estimated in late 1932 to be $492m, of which $382m was included in the Standstill. Of the 58 banks which extended credit, 13 had commitments of more than $10m. Bank acceptances represented some $350m of the total short-term credits; the greater part of this was discounted from time to time with the Federal banks and was carried by them. While 30 of the creditor banks were located in New York City, the other 28 were to be found in the major cities across the country.[33]

By 1934 the American creditors had achieved an enormous reduction in both credit lines and availments. Indeed, the reduction was so greatly in excess of the rates provided for in the Standstill Agreement that Cordell Hull, the Secretary of State, asked for information on the methods and sources behind it. Herbert Feis, the administration's economic adviser, shared the sense that there was some unknown element in the situation as currency depreciation could not have been a relevant factor in explaining the apparent flood of dollars in 1934.[34]

But the Federal Reserve Board confirmed the scale of the sales of Register marks by the New York banks, mostly for surplus exports but also for travel. Measuring the amounts against total sales of German goods in America, it seems that a substantial part of American purchases from Germany were financed by means of Register marks. They were sold at varying discounts from par, with one bank reporting an average discount of 34 per cent for 1934. Germany would, then, have received little free exchange for her sales in the United States.[35]

Repayments of American credits were, to a certain extent, counterbalanced by fresh drawings in the case of other creditor countries, and in Britain's case availments actually increased. Nevertheless, the shrinkage in Germany's total foreign trade obviously required a decreasing amount of foreign credit; this was shown in the growing gap between credit lines and availments.[36] Apart from forcing bondholders to go short of interest, Germany was able to cut her foreign debt at a prodigious rate. The first reduction in the Standstill to 1932 was a result of sterling dep-reciation; the second to February 1933 represented actual transfers, and the third reduction to March 1934 was to a large extent due to the devaluation of the dollar. The original Standstill seems to have embraced Rm6.3 billion. In 1935, the German Standstill Committee indicated that indebtedness stood at just under one third of the original total.[37]

Schacht: defender of the last remaining international agreement

By 1935 the distribution of the Standstill credits was quite different from the 1931 pattern. Britain had clearly replaced the United States as the biggest creditor.[38] With other creditors having pulled out on whatever terms they could secure, the Standstill had become mainly an Anglo-German problem. The British creditors were in no hurry to liquidate as their long-standing business connections allowed them to hope that they would benefit, sooner or later, from the revival of Germany's international trade.[39]

But Britain's position was far from secure. It was bad enough that interest rates were being continually forced down. In early 1935 Schacht appeared to jeopardize the chances of renewing the Standstill when, for the first time, he questioned the special position of the arrangement. Creditors had always enjoyed preferential treatment by receiving a full transfer of interest, but Schacht now expressed serious doubts about whether it would be possible to continue with this practice. He continued to encourage the illusion, of course, that he acted as a responsible central banker first and as a Nazi Reichsminister a distant second. It was the only international agreement, he told Tiarks, which had been maintained throughout the whole world economic crisis; it was always renegotiated without political assistance and he hoped it would be possible to maintain it until Germany returned to an economy free from *Devisen* restrictions.[40] Although there was no mention of when this might be, Tiarks believed in Schacht's good faith. Some months before he had told Brand that Schacht was firm in his purpose to look after the Standstill credits.[41]

Other trends which had emerged by the mid 1930s posed new problems. Clearing arrangements, barter and compensation deals all tended to reduce the trade available for cover by Standstill bills. Where British banks had granted new credits, such as those for the South African wool trade, an attempt to bring them into the scope of the Standstill was considered. There was a real danger that the effects of trade diversion, among other things, would cause a progressive deterioration in the quality of Standstill bills. The rigid control of German imports and exports, which interfered with the direct debtor–creditor relationship, tended to make the German authorities arbiters not merely of what foreign exchange would be allocated but also of what bills were to be drawn. With capital repayments suspended and a full transfer of service in doubt, the question arose as to whether the acceptance houses as a whole should split the Standstill by salvaging the good bills while they could.[42]

A basis for renewal of the Standstill, acceptable to both Germans and international creditors, continued to be found. But the arrangements were put under greater scrutiny by Britain's press from 1936. There were comments to the effect that Standstill credits had increased in the preceding year and a question was put down in the House of Commons for 19 May concerning commercial credit to Germany. In response, the Joint Committee released a press statement with the intention that it should be used by the government in the House of Commons. The British bankers explained that the idea that they had increased their credits while every other country had reduced theirs was a misapprehension: no new credit could be granted under the Standstill. However, one of the apparently unwelcome provisions of the agreements obliged creditors to maintain credits, temporarily repaid in the normal course of business, for reuse by the debtors. It was unnecessary, according to the statement, 'to add that the maintenance of these frozen credits is exceedingly unwelcome to the Bankers concerned whose constant efforts have been and are devoted to obtaining repayment of them.' While minor changes were responsible for appearing to show an increase in used credits, total British credits – both used and unused – had decreased in 1935 by £1m. The Joint Committee explained that the larger reductions in the credits of other countries were a result of the willingness of creditors there to accept repayments in marks with the heavy capital losses which they involved. In certain cases, governments assisted their nationals in obtaining repayments by special methods.[43]

The concern to reduce liabilities was a genuine one; it is evident in the attitude of the short-term creditors to the machinery of the Payments Agreement. By 1936, outstanding trade debts had been liquidated through the allocation of 10 per cent of the proceeds of German exports to Britain. Although there was no obligation on the part of the German authorities to allocate the 10 per cent for any other purpose, the Joint Committee, among others, lodged a claim with the Treasury for a portion of the allocation. This move was endorsed by Montagu Norman. He took the view that, while frozen banking credits did not differ in origin from trade debts, they had taken second place on the grounds that traders could not wait for their money but that bankers could. Norman felt every sympathy with the request both on its merits and because every chance had to be taken to reduce the great weight of Standstill debt and to liquefy the frozen positions in the City.[44]

But two leading members of the Joint Committee soon realized that pressing forward with the claim might have put the Standstill in jeopardy. Beaumont Pease and Brand did not want to cause trouble with other Standstill committees nor to provide any opportunity for it to be said that British creditors were now looking to their government rather than to Germany for help. Beaumont Pease informed the chairman of the Acceptance Houses Committee that there did not seem to be any way in which they could accept a share of the 10 per cent allocation without discriminating against short-term creditors in other countries. This would have been a breach of the agreement.[45]

There is more than one way to interpret the role of the City bankers who, by the mid 1930s, had to come to terms with the implications of maintaining the Standstill for the Third Reich. The experiences of 1934 had marked a turning point for the market: despite the pressure applied by the banking lobby, the authorities had been ready to impose a clearing on Germany. For the first time, some bankers now publicly admitted *mea culpa*: the Standstill bill had been a merciful improvisation in the attempt to correct the grave errors committed by the international banking community over a period of years. *The Banker* magazine summarized how the principles of sound banking had been violated. Individual houses had lent, in one foreign country, several times their own capital resources. Moreover, they had granted to particular concerns in that country unsecured lines of credit which frequently represented an undue proportion of such resources.[46]

With the Bank of England giving voice to its wish that there should be a reduction in the volume of bills, the City began tacitly to accept that realization in full would never happen. A pretence was maintained that the claims were 100 per cent, but privately the authorities suggested that the bills were worth a small fraction of their face value. The Governor, Sayers points out, was warning the market by August 1936 that the central European situation would have to be squarely faced: a writing down of the debts was inevitable. In September 1936 the Bank announced that, from October 1937, the amount of Hungarian Standstill paper eligible at the Bank was to be limited to £500,000 for any one acceptor. City institutions were not surprised, therefore, when the Bank notified them on 17 March 1937 that their liabilities on German Standstill bills should be reduced by 30 per cent by the end of September that year.[47]

But Charles Gunston, a Bank of England official, indicated that there were a variety of attitudes in the City. In 1936 the National Provincial Bank decided to accept payments in Register marks where previously, like other London creditors and unlike, for instance, the Americans or Swiss, it had accepted these only to a small extent. The loss to the bank for that year was estimated at £1m. Both Schacht and Tiarks wanted to discourage any tendency which might weaken the banking relationship between Germany and London. They wanted to maintain London's credits to Germany at about their existing level, feeling that Germany would have need of British credits on this scale after the Standstill was wound up.

Gunston noted that however directive the Bank of England wished to be in relation to the dangers associated with Standstill bills, it seemed that some banks could not accept that full realization would be unobtainable. He reasoned that British banks held the largest share of credit lines because they were the least inclined to write off their claims as worthless and they had refused to accept any discount. British banks in general, therefore, maintained their credits in the belief that they would ultimately become good. Moreover, the market had not experienced any particular difficulties – Germany regularly transferred the service in sterling without interruption – which was more than could be said for other debts. So British Standstill claims were regarded as first-class banking credits expressed in sterling.[48]

By 1937, however, the deteriorating political situation in Europe started to put the Standstill arrangement under much greater pressure. The cracks which began to appear from this time, both in the previously united front of British banking creditors and among the international creditors, indicated the build-up in these tensions. At the beginning of the year the clearing bankers contemplated whether, in the absence of a mechanism for the progressive capital reduction of Standstill debt, they should decline to carry their obligations on bills any longer.

Representations to the Governor and the Chancellor of the Exchequer were made independently of the acceptance houses, for the latter were prepared to renew the agreement on existing terms for a further six months. The clearing banks, prompted by Reginald McKenna, the Midland chairman, had become concerned that Standstill creditors had refrained for three years from pressing for any capital repayment and thereby had assisted the financing of

German rearmament. Matters could be brought to a head, it was argued, if bills were no longer accepted. The clearers appreciated that such action would cause great difficulties for the accepting houses, but it was considered better that it should be taken while they were prosperous.

The Treasury responded by advancing a circular argument. The Payments Agreement had worked satisfactorily; anything which imperilled British trade and started a fresh quarrel with Germany had to be avoided. It was admitted, however, that the Nazis had been helped to rearm by the £3m which had been made available since the frozen trade debts had been paid off. Meanwhile, creditors received no interest and holders of non-Reich loans, for example, had to make do with 4 per cent interest not in cash but in funding bonds. The difficult exchange position of the Third Reich made it likely, however, that Britain would need to use threats – scarcely desirable as the will to carry them out seemed to be lacking. As Waley saw it: 'One can only hope that Mr Governor's influence with the Germans on the one hand and with the British creditors on the other will enable some satisfactory agreement to be reached with a minimum of alarms and excursions.'[49]

Nigel Law reported to the Foreign Office, at the beginning of 1937, that the feeling in the City was more anti-German than he had ever known it; the view held, especially in Bank of England circles, was that the Standstill should be brought to an end in the near future. One of the largest private banks in Germany provided the information that, of the £35m in British credits outstanding, £25m were really being used as working capital by German firms. A repercussion of this new City attitude was, Law noted, 'severely to curtail the activities of Mr F. Tiarks ... who is now regarded as having been in the past too easily won over to the German point of view and too fond of presenting his colleagues with a fait accompli.'[50]

Here, then, was a further dimension to the problem. It was reported from Berlin in early February that Tiarks had interpreted the moves of the clearing banks as a kind of revolt against his leadership. Tiarks had good reason to feel rejected: Lidbury of the National Provincial was brought in to lead the negotiations for renewal. In theory, Lidbury's brief from the clearing banks was to demand a 10 per cent repayment or otherwise to consent to a temporary agreement as a warning that Britain intended to break away from the international Standstill.[51]

Even this apparently steadfast edifice was built on shifting sands. The diary of Frederick Hyde, of the Midland Bank, records a conversation with Lidbury about the line the latter was to take at the Berlin negotiations. They hoped that there might be a 5 per cent reduction in the amount of the original Standstill but would have welcomed any move in that direction.[52] So the delegates intended to ask for 10 per cent but were prepared to accept 5 by way of a reduction. When Schacht offered nothing the delegates recommended acceptance. In the middle of the negotiations Lidbury and Brand returned briefly to London. They wanted the opportunity to benefit from any revision of the Payments Agreement in much the same way as the French had been allowed to get their Standstill credits repaid in coal.[53]

Did the British bankers back down in their demands because they were persuaded by arguments over the economic condition of the Third Reich? Germany's export surplus in 1936 was estimated to be Rm550m. But, with 80 per cent of this amount tied up in clearing arrangements, the German authorities claimed that the remaining 20 per cent for free disposal in *Devisen* was insufficient to meet the interest liabilities under the Standstill. Nearly all of the decrease in the volume of credit lines had been repaid in Register marks. In order to bridge the period of time between *Devisen* requirements and *Devisen* influx, the German delegates considered a broad-minded maintenance of the remaining open credit lines to be an absolute necessity.[54] Astonishingly, the international creditors were prepared to be so broad-minded that they did not even try to begin to question why German trade had become structured along such lines.

Political factors, therefore, weighed more heavily than economic arguments. The British Embassy in Berlin took the view that attempts to break down the Standstill would weaken Schacht's position – he was still held to be one of the moderates in the Nazi leadership – and that until Britain was prepared to face the consequence of this any move was inadvisable. The time was not right to make an all-out attack on the German position, not least because the Embassy had doubts about the leadership qualities of the British delegation. Lidbury, for example, was thought to be very unsatisfactory. He made fire-eating remarks about the continuous swindle by the Germans but appeared to work on the assumption that the City would be rescued by the British government. He was ready, in other words, to see the imposition of a clearing rather than to be forced to go without cash.

British officials found it particularly ironic that Standstill creditors once violently opposed to clearings in the interests of others should demand one in their own. No one could be sure whether better terms for creditors would ever be obtained in the future or whether any government support would be forthcoming. Waley, from a Treasury perspective, noted ruefully that there were a great many other and much wider questions about Germany on which the government apparently still had to make up its mind. In any event, Tiarks thought that the demonstration by the creditors in Berlin would satisfy McKenna.[55]

Throughout 1937 the London creditors pondered whether to ask for government help for increased cash payments. At the same time, they did not want to press their claims if Schacht's position appeared to be weakening. Perhaps by way of a distraction, creditors began to refer to the 'recommercialization' of the Standstill. A distinction was drawn between the best type of bill (commercial) on the one hand and other bills and cash advances on the other; each accounted for about half the world total. Creditors believed that recommercialization had one big advantage: if claims on Germany were held in the form of commercial bills, London would be in a good position to retain the financing of Germany's external trade once the Standstill had come to an end.[56]

Any satisfaction felt by McKenna at the renewal of the Standstill in 1937 could not have lasted for very long. When the Joint Committee met in October he at first declared his opposition to any agreement without repayment and his wish to appeal immediately for government support. Brand pointed out that such support would be given very unwillingly. He advised that it would be wiser for the Committee to keep appeals in reserve in case the Standstill broke down and they found themselves in a worse position. McKenna was impressed with the argument that premature action might prejudice requests for help which would be more strongly justified at a later, more crucial stage.[57]

The issue of capital repayment was raised once again when Tiarks met Schacht in Berlin in November 1937. The Golddiskontbank had agreed under the original agreement to guarantee 10 per cent of the bills of each creditor. But the payments had been suspended in 1933; Tiarks wanted the sum involved for that year paid in 1938. Schacht disapproved and simply referred Tiarks to Göring. This timely reminder of the difficulties facing Germany as a whole and Schacht in particular was sufficient to deter British creditors, once again, from pressing their claims.[58] Tiarks, however, told the Acceptance Houses Committee that he thought Schacht's position in Germany was better than it had ever been.[59] Just at that moment, Hitler formally accepted Schacht's resignation as Minister of Economics. But he had already left this post (and that of Plenipotentiary for the War Economy) in abeyance over the summer in protest at Göring's intrigues.[60] Tiarks could not have been more unfortunate in his timing; he clearly suffered from political myopia, if nothing worse.

The talks with Schacht were to prepare for the next round of negotiations between Germany and the Standstill creditors; this took place in London in December 1937. The conference heard how, under the substantial expansion of Germany's international trade, the foreign credits still left to the German economy were all the more urgently required for the future. This increase in the volume of trade also offered, of course, a tempting opportunity to make provision for its financing on an increasing scale in the shape of bills drawn under the Standstill. Again, it seems that international creditors were not prepared to cause embarrassment by asking questions about the composition of this trade expansion. Instead, the ideas advanced by the German committee were seen as an expression of the British plan for the recommercialization of existing credit lines.[61] So a new scheme was introduced under the 1938 agreement. Availment of credit lines was to be restricted to bills drawn for financing international trade and not for the purpose of creating foreign exchange or financing international business. Nevertheless, despite the worsening political climate the agreement was preserved.

A short-term freeze? British bankers left at the 'North Pole'

As Schacht's influence in Nazi circles declined and Hitler started down the path of annexation in Europe, so the Standstill relationship became ever more troubled and confused. Before 1938 the problems had been partially mitigated by the close association between Schacht and Norman, though the latter had to contend with the political charges that the City was lending afresh to Germany.[62]

In the wake of the Anschluss, Britain challenged Hitler's

government over Austrian debt payments. Now a new crisis threatened the Standstill (see Chapter 4). By the end of 1938 the British creditors felt that there was no point in having an international agreement and they looked for ways to come out of the Standstill. Because of the now-delicate relationship between Britain and the Third Reich, the bankers thought it wise to advise the government or the Bank of England of their point of view, before committing themselves to any renewal of the agreement. They knew that they might need to rely on official action through the Payments Agreement to secure the service and amortization of debts.[63] Some improvement in placing credits on a more truly commercial and liquid basis had been achieved in the course of 1938. But with Britain again threatening to impose a clearing on Germany, the creditors realized the difficulty of their position. They were party to an international rather than separate agreements and so were unable to enjoy a free hand to claim the government's protection. However, it suited the Chamberlain government to leave the existing agreement undisturbed. There was no desire to see it denounced in order to obtain better terms for creditors. Although the Treasury could not stop the creditors from taking such action, it was made plain that they could not expect government support.[64]

Throughout 1938 the Bank of England monitored the distribution of Standstill bills in the market to deal with the implications of the continuing lack of liquidity of the bills. The clearing banks had become reluctant to take them as security and had thereby forced up the rates of discount at which they changed hands. The high rates had tempted some of the smaller discount houses which appeared to hold amounts dangerously large in relation to their own capital resources. In February 1939 Norman asked the clearing banks not to refuse to take Standstill bills as security for loans in the market, but only to use the rates to discriminate against them. This helped to keep the market in the bills alive while the agreement was being renegotiated.[65]

But international events were now moving fast and the bankers feared even more for their money. A few days after Hitler annexed the remainder of Czechoslovakia on 15 March the short-term creditors outlined the problems surrounding the Standstill to Montagu Norman. Credits had been generally of a self-liquidating nature. But as Germany's foreign trade had progressively fallen off, so an increasing percentage of the credits had not been employed for financing the movement of goods but had been used as working capital in Germany. The creditors wanted it known that this was contrary to the wishes of the banking institutions who were, in any case, powerless in the matter.

The Governor was reminded that there had been attempts to get the Germans to increase the utilization of credits for financing genuine international trade transactions and to repay credits not so employed. Of the £36m still outstanding, £20m was carried in the form of bills. But Standstill bills, particularly those not drawn against the movement of goods, were becoming increasingly unacceptable to the discount market. The creditors reached the conclusion that an increasing number of bills would have to be taken up for cash, depriving the market of perhaps £10m, and requiring banks and acceptance houses to provide a corresponding amount of cash in a short period.

The bankers wanted, first, an assurance that to negotiate along such lines would not be inconsistent with official British policy and that they were right to assume that they could rely upon the support of the government. And secondly, they wanted the government to confirm that their interests would be protected if negotiations broke down. The Chancellor replied to Basil Catterns, the Deputy Governor, with an affirmative to the first question; but he still would not commit himself on the second.[66]

In June 1939 the Bank told the clearing banks that the Governor had written to the acceptance houses asking them to reduce, in the following six months, the volume of their acceptances of Standstill bills on the market by 40 per cent.[67] In the case of Kleinworts, for example, the Bank of England's Discount Office had first written in April 1937 to request a reduction in their bills by 30 per cent to £3,461,000. A further reduction of £1,485,000 was requested in 1939. In writing off German debts of £3.1m, Kleinworts' partners had to arrange once again an overdraft facility – £1m – secured against their private assets. By the outbreak of war, £4.5m was still owed to Kleinworts – about half the total commitments of the firm frozen under the Standstill agreements with Germany, Austria and Hungary. Kleinworts, like other British banks and finance houses, had preferred not to sever relations with long-established clients in Germany, particularly in view of the need to facilitate the repayment of debts.[68]

Now, therefore, the creditors were in an intractable position. The

Midland Bank felt that, although the Standstill situation was highly unsatisfactory, a determination of the agreement would make matters worse. Creditor nations or groups contemplating leaving the agreement also had to consider the 'official flavour' which from the outset had coloured the Standstill – the original decision to extend credit to Germany in 1931 and the international co-operation to avoid discrimination.[69]

With £36m outstanding to British creditors (two-thirds to the acceptance houses, one-third to the banks), Lidbury visited the Midland to discuss what could be done about the problem. An emphatic McKenna tried to impress on a sceptical Lidbury that the Midland, at least, would not go on with the Standstill unless there was a 10 per cent reduction in the total. Lidbury was asked to pass this message on to Tiarks in very definite terms. As before, little was achieved. In what was to be the last round of negotiations for the renewal of the agreement – from the end of May 1939 – the Germans wanted recommercialized credit lines maintained for three years. Lord Wardington, formerly Beaumont Pease of Lloyds Bank, was not disposed to do this, but the other three clearing banks agreed. The other German proposals were described by the Midland as 'barefaced effrontery' and by Lidbury as 'monstrous'. Even the pretence of mere postponement of the fulfilment of obligations – the sentiment of former agreements – was seemingly abandoned in the new scheme. Instead of a short-term freeze the creditors were offered the 'North Pole', for a period of which the end was nowhere in sight.[70]

The acceptance houses, however, felt inclined to accept the German proposals and, to begin with, disagreed strongly with the banks' insistence that a substantial cash repayment should be made. Finally, all the British creditors agreed that, unless the Germans paid something acceptable within six months, they would put an end to the Standstill. Nevertheless, in return for a cash offer they were also prepared to discuss the possibility of extending to Germany fresh credit from British creditors who had been allowed to contract out of the Standstill.[71] That such a fantastic proposal could emerge at this point is, perhaps, an indication of the desperate circumstances in which creditors found themselves.

As the likelihood of war in Europe became ever greater that summer, the short-term creditors were left to fend for themselves; the British government had set itself against any change in the financial and economic relations with Germany. The force of the argument in favour of renunciation of the Payments Agreement was admitted: it was contrary to Britain's interests to afford Germany the means to buy potential war materials in Britain and free exchange to buy raw materials from the British Empire. But renunciation, it was thought, would not make the Germans any more co-operative.[72]

The British creditors had, therefore, to make plans for a determination of the Standstill Agreement in the event of war. Britain and America were in a position to put this into effect as they held some 75 per cent in face value of the credit lines outstanding. There was already in America, as in London, a reluctance on the part of banks to increase German commitments by the acceptance of fresh bills; the American committee was anxious that, if hostilities broke out in Europe, the agreement should be legally determined with the shortest possible delay. If it were not, and no legislation was passed in America to prohibit the further acceptance of bills for German account, American banks would have been liable to continue acceptances or to run the risk of legal action by the German debtors, as was the case after the First World War. Having resolved to act through the agency of the American creditors, the British Joint Committee cabled the necessary request to the United States on 2 September. The next day the American Bankers Committee determined the Standstill Agreement.[73]

With the declaration of war, Britain made a start on the economic blockade of Germany. Under the Trading with the Enemy Act – which took immediate effect – offending cargoes in the process of being shipped were to be seized.[74] By the middle of September the *Financial Times* described creditors as playing a game of hide-and-seek. The British and the Americans were busy finding the whereabouts of cargoes in respect of which Standstill bills were drawn. American institutions sequestrated about £5m of German gold securities. It was also reported, however, that the termination of the Standstill had not unduly strained the British acceptance houses. The pre-war era of the Standstill was concluded when Lord Wardington, now chairman of the Joint Committee, wrote to the Public Trustee with the information that £34m was owed to Britain at the outbreak of war. The justification offered for this position was that the methods of repayment, such as travel marks which sold at a large discount, had involved creditors in heavy losses.[75]

In the 1930s London's banks were faced with making one of two choices: either to reduce their credit lines at considerable cost, or to trust that the situation in Germany would finally improve. They chose the second course because they believed that a special relationship in financial affairs existed between the two countries. Proof of this condition was to be found in the way in which business relations had become intimate after generations of contact. The friendship between Schacht and Norman also seemed to confirm it. With the political demise of the former, the bankers could no longer retain any illusions about the extent of Hitler's revolution. By then, however, it was too late to change course. In measuring the balance of political and economic factors, they had given insufficient weight all along to the immovable goals of Nazi ideology. But, in this, London bankers were not alone.

TABLE 6: SOME MEMBERS OF THE JOINT COMMITTEE OF BRITISH
SHORT-TERM CREDITORS IN 1933

Brand, Hon. RH	Lazard Bros. & Co.Ltd
Caulcutt, Sir J.	Barclays Bank Ltd
Goschen, Sir H.*	National Provincial Bank Ltd
Guinness, A.	Guinness, Mahon & Co.
Hambro, R.O.	Hambros Bank Ltd
Holland-Martin, R.	Martins Bank Ltd
Lever, E.H.	Prudential Assurance Co.
Beaumont Pease, J.W.*	Lloyds Bank Ltd
Rothschild, A.de	New Court
Tiarks, F.C.	J.Henry Schröder & Co.
Tiarks, H.F.	

* Joint Chairman. FC Tiarks was also Chairman of the Joint Committee of Representatives of Foreign Bankers' Committee (of Germany), and Brand was a member.

Source: BoE OV34/133.

TABLE 7: TOTAL RETURNS OF BRITISH BANKS AND ACCEPTANCE
HOUSES UNDER THE GERMAN STANDSTILL AGREEMENTS
(Credit Lines (and availments) in £ million)

Date	German Banks		German Commercial and Industrial		Total	
31 July 1931	46.1		18.6		64.7	
30 Sept.1932	43.1	(36.3)	16.5	(14.0)	59.6	(50.3)
31 Nov.1932	42.4	(35.6)	15.9	(13.4)	58.3	(49.0)
1 March 1933	39.3	(32.9)	14.8	(12.5)	54.1	(45.4)
15 Dec.1933	39.0	(31.6)	15.0	(12.1)	54.0	(43.7)
31 Dec.1934	36.3	(31.0)	13.9	(10.4)	50.2	(41.4)
31 Dec.1935	36.5	(33.6)	12.7	(10.0)	49.2	(43.6)
31 Dec.1936	34.0	(31.7)	11.8	(9.4)	45.8	(41.1)
1 Nov.1937	31.6	(30.4)	10.2	(8.8)	41.8	(39.2)
31 Aug.1938	30.1	(28.9)	8.1	(7.4)	38.2	(36.3)
28 Feb.1939	28.4	(27.3)	7.7	(6.8)	36.1	(34.1)

Source: compiled from BoE OV34/131, OV34/133 and MB 30/190.

TABLE 8: COMPARISON OF TOTAL CREDIT LINES UNDER THE GERMAN
STANDSTILL AGREEMENTS IN RMMILLION

Date	USA	UK	Total for all countries
15 July 1931	1,629	1,051	4,390
31 March 1931	1,698	892	3,841
30 Sept. 1933[1]	1,440	825	
28 Feb.1934[1]	1,196	826	
28 Feb.1934	715	724	2,528
30 Sept.1934	569	660	2,140
28 Feb.1935	511	613	1,961
30 Sept.1935	432	602	1,644
28 Feb.1936	416	611	1,567
30 Sept.1936[2]	343	582	1,330
28 Feb.1937	333	561	1,165
28 Feb.1938	249	518	970
28 Feb.1939	203	463	806

Notes: 1. Rates @ 28 Feb. 1933
2. Rates @ 29 Feb. 1936

Source: compiled from BoE OV34/133, 135, 137, 138, 139, 147, 190.

TABLE 9: PERCENTAGE SHARE BY COUNTRY OF TOTAL CREDIT LINES
UNDER THE GERMAN STANDSTILL AGREEMENTS

Country	8 Oct.1931	30 Sept.1937	28 Feb.1939
USA	36.2	26.7	26.4
UK	28.2	52.3	56.3
Switzerland	16.0	10.1	8.7
Holland	13.0	7.2	6.7
France	4.5	1.1	0.7
Belgium and others	2.1	2.6	1.2

Source: compiled from MB 30/190, German memoranda to the Standstill
Conferences, Dec.1937 and May 1939.

NOTES

1. K.O. Oye, *Economic Discrimination and Political Exchange: World Political Economy in the 1930s and 1980s* (Princeton, NJ: Princeton University Press, 1992), pp. 114–15.
2. Ingham, *Capitalism Divided?*, pp. 79, 190–9.
3. Wool is a good example: in 1933 German imports from the UK were valued at Rm22.5m while imports from the Empire amounted to Rm138.4m. The Australian trade typified such transactions. The German importer arranged a credit with London via his German bank. An Australian agent would buy wool for spot cash, draw a documentary bill for that amount on the London bank and then have it discounted at an Australian bank. After the wool had been shipped (usually in German vessels), the bill was accepted by the London bank when the documents reached the bank's agent at the port of discharge, or the German bank or importer. In the case of a confirmed credit, the London bank, having paid the acceptance at maturity, debited the acceptance credit and in due course was reimbursed by the German bank; otherwise, the German importer undertook to put the London bank in funds before the date of maturity. See T160/534/13460/04, Board of Trade memo. For a contemporary reference work see also R.J. Truptil, *British Banks and the London Money Market* (Jonathan Cape, 1936).
4. FO 371/17675/C76, minute (undated, but December 1933), to Sir Warren Fisher.
5. T 160/818/12681/05/5, Waley to Leith-Ross and Phillips, 3 December 1936.
6. FO 371/17676/C749, minute, 8 February 1934.
7. T 160/573/13460/011, Vansittart to Fisher, 10 October 1934.
8. T 160/573/13460/012, correspodence between (i) Waley and Holland-Martin, 14 October 1934 and 10 January 1935, (ii) Hambro to Norman, 20 December 1934, (iii) Phillips to Norman, 28 December 1934.
9. T 160/573/13460/011, Pinsent to Leith-Ross, 9 October 1934.
10. NA RG59/862.51/4130, letter by James D. Mooney (company president) to William Phillips (Assistant Secretary of State), 20 June 1934.

11. T 160/728/12750/012/3, Phillips to Leith-Ross, 18 May 1935; minute by Leith-Ross, 17 May 1935.
12. See Wendt, *Economic Appeasement*, p. 405.
13. T 177/20.
14. Ibid. The interdepartmental meeting, chaired by Leith-Ross, was held on 17 November 1936.
15. FO 371/19936/C8070 and C8261.
16. Modern Records Centre, University of Warwick Library, FBI Archive (hereafter FBI), Economic Adviser's papers (Glenday files) No.7, 5 January 1937.
17. *The Banker*, February 1937, 41 (February 1937), pp. 106–7.
18. Einzig, *Appeasement*, p. 77.
19. FO 371/19932/C3524, 6 May 1936.
20. MB 301/190, extract from minutes of British Bankers' Association committee meeting, 9 December 1937. An exception was made for the British Overseas Bank; there was no intention to interfere with its longstanding business of financing through credits German imports. See also, Jones, *British Multinational Banking*, pp. 243–4, for details of how an attempt to rescue this bank was just beginning. However, the bank did not survive the war.
21. BoE OV34/139.
22. MB 30/190, internal memo, 4 March 1938, and Joint Committee letter (undated), to Chairman of the Committee of London Clearing Bankers.
23. FRBNY C/261/Germany, copy of report of 28 November 1938.
24. NA RG59/862.51/4702 and 4703, minutes by Livesey (State Department), 7 January and 25 February 1939.
25. FRBNY C/261/Germany, minutes by L.W. Knoke (Vice-President, Head of Foreign Department) to Harrison, 6 and 24 February 1939.
26. T 172/1903, letter, 2 August 1939.
27. MB 30/190, Frederick Hyde (Managing Director, 1929–38) to Holland-Martin (secretary of the Joint Committee), 24 February 1933.
28. Ibid., memo, by Joint Committee. For the Brand qoutation and background on the Midland Bank, see Holmes and Green, *Midland*, pp. 186–7.
29. NA RG59/862.6363/162 and 163, minute by Division of Western European Affairs concerning Hamburg Consular Reports of December 1934/January 1935.
30. BoE OV34/133, note, 10 April 1933.
31. Sayers, *Bank of England*, p. 510.
32. Burk, *Morgan Grenfell*, pp. 146–7.
33. FRBNY 261.12, note for W.W. Aldrich (Chase National Bank) on 'German Short-Term Credits', May 1933.
34. NA RG59/862.51/ 4230A and 4231, telegram, Hull to US Embassy (Berlin), 11 January 1935; minute by Feis, 17 January 1935.
35. NA RG59/862.51/4270, letter by F.E. Crane (Deputy Governor, FRBNY) to Feis, 23 January 1935; minute by Feis for Hull, 25 January 1935.
36. T 160/817/12681/05/1, memo, by Rowe-Dutton, 3 May 1934.
37. For a contemporary estimate of the reduction see, Ellis, *Exchange Control*, p. 193; see also, BoE OV 34/133, memo, by Mendel & Nenk Ltd, 3 February 1934, which suggests that Germany gained Rm500m through dollar depreciation alone. For German Committee memo to the 1935 Standstill

conference see BoE OV34/135.

38. T 160/817/12681/05/2; *Financial Times*, 18 February 1935.
39. Sayers, *Bank of England*, pp. 503, 508.
40. BoE OV34/135, letter to Tiarks, 2 February 1935.
41. Brand papers, File 190, letter, 21 August 1934.
42. BoE OV34/135, note by H.A. Siepmann, 31 January 1935.
43. BoE OV34/137, proposed answer to Parliamentary Question; note by C.F. Cobbold, 15 May 1936; press statement by Joint Committee.
44. T 160/818/12681/05/3; BoE OV34/203, letter, 22 May 1936.
45. BoE OV34/203, minute by Cobbold, 25 May 1936; MB 30/190, letter, 22 June 1936.
46. 'Standstill bills on the discount market', in *The Banker*, 32 (December 1934), pp. 197–204.
47. Sayers, *Bank of England*, p. 510; Clay, *Lord Norman*, p. 449; 'Standstill bills', in *The Banker*, 42 (May 1937), p. 126.
48. BoE OV34/137, notes by Gunston, 29 October and 10 December 1936. See also, FO 371/20724/C2072, letter, 11 March 1937, Law to Sargent.
49. T 160/818/12681/05/4, minute to Phillips and Hopkins, 14 January 1937. See also an anonymous memo, dated 16 January 1937, which may have originated in the City. It made the obvious point that a severe blow would be struck at what remained of Germany's international trade if the services of the London market were withdrawn. But it went on to argue that there was little reason to allow Germany to enjoy the benefits of Britain's liberal exchange policy if Germany responded negatively to political offers. In other words, the use of the Standstill as an instrument of political policy was advocated.
50. FO 371/20724/C627, letter to Sargent, 22 January 1937.
51. T 160/818/12681/05/4, note by Leith-Ross, 5 February 1937, of conversation with Arthur Guinness.
52. MB 30/99, Hyde's Diary, 2 February 1937.
53. T 160/818/12681/05/4, Pinsent (Berlin Embassy) to Waley, 10 February 1937, and note by Leith-Ross, 15 February 1937.
54. MB 30/190, German Committee memo, to the Standstill Conference, February 1937.
55. T 160/818/12681/05/4, Pinsent to Waley, 18 January and 22 February 1937, Waley to Pinsent, 4 March 1937.
56. BoE OV34/138, note by Gunston, 22 September 1937.
57. Ibid., record of meeting, 20 October 1937.
58. T 160/818/12681/05/5, memo, by Waley, 4 November 1937.
59. Brand papers, File 193, record of meeting on 4 November 1937.
60. Overy, *Goering*, p. 68.
61. MB 30/190, German committee memo, to the Standstill Conference, December 1937.
62. Sayers, *Bank of England*, p. 511.
63. MB 30/190, memo (unsigned), 9 November 1938.
64. T 160/818/12681/05/5, memo, by Waley, 14 November 1938.
65. Sayers, *Bank of England*, p. 511.
66. MB 30/190, memo, and letter of Joint Committee, 31 March 1939.
67. Ibid., extract from minutes of meeting of Committee of London Clearing

Bankers, 1 June 1939.

68. Wake, *Kleinwort Benson*, pp. 254–5.
69. MB 30/190, internal memo, 14 April 1939.
70. Ibid., (i) extract from Herbert A. Astbury's Diary, 19 April 1939, (ii) memo (undated) of Lidbury/McKenna conversation, (iii) note, 27 April 1939. Astbury was Chief General Manager, 1938–43.
71. BoE OV34/140, notes by Gunston, 28 April 1939 and May 1939.
72. T 160/818/12681/05/5, memo, by Waley.
73. MB 30/190, memo, and Joint Committee resolution, 25 August 1939.
74. Medlicott, *The Economic Blockade*, p. 18.
75. MB 30/190, *Financial Times*, 14 September 1939, and letter by Lord Wardington, 26 September 1939.

7

British protectionism and the Third Reich:
a fat or lean Germany?

As Hitler consolidated his power in the months after January 1933, the debate on what role Britain should play in helping to restart the German economic machine began in earnest. Any too rapid increase in German prosperity entailed serious dangers. Believing that Hitler's magic had already transformed Germany's outlook, Vansittart, at the Foreign Office, expressed his anxiety in high rhetoric: 'The most formidable Jericho, standing at the Threshold of the Promised Land, is the economic one. If this fortress were to appear to fall at the first blast of the Nazi trumpet, would not self-confidence inevitably become over-weaning ?'[1] Germany was said to be arriving at the World Economic Conference in the summer of 1933 like a sturdy beggar; the Nazis seemed poised to harness a strength which no preceding German government had ever enjoyed. The great fear in London was that Hitler intended to use any renewed prosperity to rearm and so undermine international security by acting aggressively in foreign affairs. It was clearly desirable to avoid facilitating 'Teutonic' hubris.[2]

Unfortunately, the alternative was no less worrying. There was a danger that the Nazis would be driven to adopt more and more extreme and experimental methods to maintain themselves in power. Continued economic depression might have forced Hitler into a more spectacular foreign policy in order to divert popular attention from domestic difficulties. The Foreign Office assumed that the answers it provided to this critical question would largely determine future government policy. Whether Britain was justified in easing Germany's economic and financial difficulties depended upon how much weight was attached to the several political factors.

Vansittart judged by the militarism and bitterness which he saw and doubted whether Hitler could be trusted. Sir John Simon, the Foreign Secretary, was equally sceptical about Germany's long-run intentions; but he was prepared to strike a bargain, even a bad one, 'before the iron gets too hot'.[3]

In spite of these concerns, Britain's attempt to create a favourable climate through policies which appeared understanding and sympathetic was generally supported. The reaction, for example, to the news in October 1933 that Germany was to leave the League of Nations and the Disarmament Conference was muted. The objective was to secure an agreement with Hitler – perhaps an economic one – while he continued in a supposedly peaceful mood. In this respect, Medlicott's thesis is endorsed by McKercher: Vansittart and others in the Foreign Office were not against making concessions, but only as a means to alter the international status quo peacefully in a way which did not weaken British interests.[4]

The periodic attempts from 1933 onwards to resolve outstanding international trade issues, both bilateral and multilateral, helped to create an impression of concomitant opportunities to make progress on the political front. This was particularly so in the middle of the decade as the long-established trade rivals resumed the struggle over export markets. As the threat of war grew, so the British Cabinet became more inclined to hope that an Anglo-German industrial agreement might provide a basis for achieving an accommodation with Hitler.

This presupposed that a unity of purpose underpinned Britain's economic strategy (never mind political strategy). However, the contradictions which, since 1932 had been implicit in Britain's stance on external economic relations, were to make it virtually impossible to achieve any kind of consensus on the objectives of foreign economic policy. The revolutionary economic changes brought about by the events of 1931/32 had supposedly provided the nation with a way to secure economic salvation. Nevertheless, a deep ambivalence over the effects of protectionism soon began to pervade business and political circles. Some of the advantages Britain had won for herself by turning to protectionism were beginning to disappear by the middle of the decade in the face of industrial competition. And yet here was a paradox. There was an uneasy sense that, by her own actions, Britain had helped to stimulate that competition in the first place. Tariffs were blamed for the way in which they had made it more difficult to achieve stability in international economic and political relations. In spite of that, in the eyes of the National Government and its business supporters tariffs remained a welcome means of defence against what was perceived as the unfair trade practices of industrial competitor nations such as Germany. A reversal of national and imperial policies was inconceivable.

The revival of lagging exports was a fundamental objective of the National Government and remained so throughout the 1930s. Tariffs gave Britain, in theory, the opportunity to protect the home market and to hold a strong position, particularly when negotiating specific trade agreements with countries outside the Empire. A series of 20 bilateral trade agreements were implemented with foreign countries which enjoyed particularly favourable balances of trade with the UK. The effects, however, were strictly local and hardly compensated for the loss of a multilateral trading system.[5] Concessions for British exports were gained by mere promises to refrain from either increasing duties or reducing quotas. A considerable increase in minimum export quotas for coal was one of the most important concessions Britain was able to win. This applied to agreements reached in 1933/34 with France and the Scandinavian and Baltic states.

Coal exports were also at the heart of a treaty Britain concluded with Germany in April 1933. Historically, Britain had enjoyed a large trade with north-west Germany, where imported British coal was used for the bunker trade of the North Sea ports and for domestic consumption because it was cheaper than German coal. The restriction of British shipments was achieved only when coal from the Ruhr began effectively to receive liberal subsidies in the form of preferential freight rates.

The assumption of power by the Nazis made no difference to the coal talks which had been under way since the Lausanne Conference in 1932 (see Chapter 2).[6] The Anglo-German Trade Treaty provided a stimulus to German exports. In return, Britain secured stabilization in the progressive reduction in her coal and coke export quota: Germany promised to take not less than 180,000 tons every month.[7] Exports actually increased because there was a proviso that this figure would rise proportionately for every percentage increase in Germany's total monthly consumption in excess of 7.5 million tons. In spite of this, the value of coal exports (as a proportion of total exports) was to remain below the pre-1931 level.

TABLE 10: BRITISH COAL EXPORTS TO GERMANY

Year	tons	£000
1929	5,520,944	-
1930	-	3,421
1931	-	2,518
1932	2,308,507	1,518
1933	2,360,300	1,552
1934	2,540,929	1,713

Source: Compiled from Political and Economic Planning, British Library of Political and Economic Science, WG 17/2 2503/35/coal, memo, dated 7 June 1935; and League of Nations, *British External Economic Policies*.

The arrangements were criticized in the House of Commons on the grounds that they lowered tariffs to German imports without adequate consultation with British businessmen.[8] In June, Walter Runciman, the President of the Board of Trade, reassured von Neurath, the German Foreign Minister, that the criticism was purely factional and did not indicate any inimical feeling towards Germany. Runciman blamed Austen Chamberlain for instigating the opposition on behalf of his constituents who had interests in the artificial jewellery trade. However, the British minister was also careful to emphasize that he did not feel able to embark on a more comprehensive trade agreement while Germany continued in a 'state of instability'.[9] Runciman regarded the trade treaty as a small one. However, according to Arndt, writing in 1944, it was the only instance before the Anglo-American Trade Agreement of 1938 of 'substantial reductions in duties made by Great Britain'.[10] But the Anglo-German Trade Treaty did not herald an improvement in overall relations: the crisis over Germany's foreign bondholders developed soon afterwards. Rather, the agreement merely reflected the depressed condition of British coal exports and the effect of tariffs on Weimar and Nazi Germany.

None the less, it was evidence of what could be achieved in the mutual interests of both countries. If Britain wished to build on her economic recovery, a plausible case could be advanced in favour of allowing Germany to grow fat, and this was precisely what Professor Henry Clay at the Bank of England advocated. During the negotiations which eventually produced the Payments Agreement the following year, Clay wanted to see Britain recognize Germany's difficulties and co-operate in any plan for restoring the latter's position in the commercial world. To justify this position, Clay did not think it necessary to look further than the distribution of world trade in the 1930s. As an export market for the UK's own products, Germany was merely the eighth largest. But if re-exports were included, Germany became Britain's biggest single market after India – a dramatic illustration of how important this triangular trade was for the British Empire. It was this market which would have been lost with a collapse of German trade or currency. But Clay was more concerned about possible world-wide dislocation: only Britain and America enjoyed a share of world trade greater than that of Germany, and Germany's trade was particularly diversified and widespread.

It was commonplace to believe that the economic stability of the Third Reich could be guaranteed only by Dr Schacht, for all his faults. Clay warned that the alternative to Schacht was something much more extreme and dangerous to the whole world. However, in a familiar refrain, Clay added that while Germany was hit exceptionally hard by British tariffs and bilateral trade agreements, 'The depreciation of our exchange hit them more than any other country because their export industries are mainly competitive with ours, not complementary like the USA's.'[11] There seemed to be just one course to take: Britain had the responsibility, means and self-interest to prevent a collapse and to help to steer Germany back on to the course of economic liberalism. Failure so to do would have the most severe consequences.

It was debatable whether the opportunity for action still existed or whether it had ever existed. What the National Socialists held to be desirable or unavoidable were the ingredients of economic nationalism – rearmament, controlled trade and autarky, even if the régime dithered between 1933 and 1936 over the direction in which this was pushing the economy.[12] It did not take long for Schacht's New Plan to begin to accomplish the tasks for which it had been called into being.[13] Exchange control continued to be the linchpin of the whole system. But the justification for the policy shifted completely from financial or monetary areas. Instead, exchange control was used by Berlin to determine the volume, direction and composition of Germany's international trade – altogether its non-economic character. With Hitler set against devaluation, the Reichsmark became a kind of fictitious currency; the imposition of multifarious *ad hoc*, but concealed, devaluations became a necessity.[14] In practice, the New Plan involved a great extension of bilateral trading through clearing or payment agreements and barter compensation deals. The Nazi economy also incorporated an extensive system of private compensation agreements which assumed several different forms. 'Aski' marks were frequently employed in such transactions.[15] These were used to pay for certain vital imports, such as copper, but they were blocked: although the imports commanded a premium price, the marks had to be used, in turn, on purchasing German goods. German exports began to receive not only indirect subsidy by such means but direct subsidy as well. A British estimate put the average subsidy on all exports at 20 per cent and up to 40 per cent in particular cases.[16] Between 1936 and 1937 Germany expanded her exports in finished goods by 23 per cent in value.[17]

The implications for the British economy were serious: the advantages gained earlier in the decade for several classes of export stood in danger of being wiped out. Up to 1935 British exports outstripped the growth in world trade.[18] At that point, a new trend seemed to emerge: British export trades faced increasingly stiff competition from German goods, particularly in south-east Europe, Central and South America, China and even India. Indeed, manufacturers began to complain to the British government that they were being completely shut out of continental and Near Eastern markets.[19]

One of the most striking developments in this pattern of foreign trade was the Third Reich's growing politico-economic interest in South-east Europe. With the difficulties in making purchases from strong-currency countries, Germany consistently drifted away from importing from most west European creditor countries and developed with south-east Europe the most extensive barter and bilateral trading system. The effect was to supplant Britain in the trade of the region. Germany's share of Turkey's import trade rocketed from under 18 per cent in 1929 to 44 per cent in 1937; Britain's share dropped from 12 to 7 per cent. In Bulgaria, Germany raised her share from 30 to 58 per cent, while Britain's was halved from 10 to 5 per cent. Germany's share of Greece's import trade increased from 10 to 30 per cent.[20]

The response of the Board of Trade was to produce the extensively researched *Survey of German Competition in World Export Trade*. This offered confirmation of the obvious: Germany was attempting to recapture ground which had been lost because of the world depression and collapse of multilateralism. In 1935 an estimated 60 per cent of world exports, including the bulk of European trade, were paid for through clearings or similar arrangements. But in Germany's case the estimate for foreign trade covered by one kind of agreement or another was put at 80 per cent. Just as Germany imposed clearings on countries with whom she had an import surplus, in those cases where Germany enjoyed an export surplus, the countries concerned imposed the same kind of mechanism. This canalization helped to push world export levels even lower: between 1931 and 1935 trade shrank by 40 per cent in gold values and by 8 per cent in volume. Over the same period, Germany's exports fell by over 55 per cent in value and 14 per cent in volume. Britain did not fare so badly: the value of British exports fell by about 30 per cent but the volume actually increased.[21]

TABLE 11: GEOGRAPHICAL DISTRIBUTION OF BRITISH AND GERMAN
EXPORTS IN £000s (AVERAGE EXCHANGE RATE)

Area	UK exports (January to June)		German exports (January to June)	
	1935	1936	1935	1936
Europe	80,828	75,695	120,290	130,150
South and Central America	18,451	18,726	13,360	18,900
Total for all areas	206,475	207,890	162,310	182,040

Source: abstracted from CAB 24/265 CP339, 'The Balance of Payments', by Leith-Ross, 7 Dec. 1936.

The British coal industry was also presented with a serious problem through Germany's determination to challenge Britain's supremacy in world markets. Coal, and dyes based on coal and tar, accounted for some 10 per cent by value of German exports between the wars. Confronted with Britain's devaluation in 1931, Germany drastically reduced her coal export prices. The effect of this, together with exchange restrictions and the severe limitations placed

TABLE 12: COMPARISON OF BRITISH AND GERMAN EXPORT TRADE

(A) *Shares of UK, Germany and USA in World Export Trade*

Year	Gold values (millions gold dollars)	UK (%)	Germany (%)	USA (%)
1913	18,195	14.08	13.21	13.46
1924	25,127	14.01	6.19	17.90
1929	33,021	10.75	9.73	15.62
1931	18,908	9.37	12.09	12.58
1932	12,895	9.92	10.60	12.22
1933	11,740	10.37	9.88	10.90
1934	11,364	10.47	8.62	11.03
1935	11,444	10.83	8.90	11.60

(B) *Value of British and German Import and Export Trade*

Year	Germany (Rmmillion) imports	exports	UK (£000) imports	exports	re-exports
1913	10,770	10,097	768,735	525,254	109,567
1924	9,135	6,533	1,277,439	800,967	139,970
1929	13,447	13,483	1,220,765	729,349	109,702
1931	6,728	9,599	861,253	390,622	63,868
1932	4,667	5,739	701,670	365,024	51,021
1933	4,204	4,871	675,016	367,909	49,081
1934	4,451	4,167	731,414	395,986	51,243
1935	4,159	4,270	756,936	425,921	55,265

(C) *Distribution of British and German Exports by Continental Group as a Percentage of Total Exports*

(a) Germany

Continental Group	1913	1926	1931	1934	1935
Europe	75.0	71.0	81.0	76.4	71.6
Asia	6.2	9.4	6.6	9.4	10.9
Africa	1.9	2.5	1.9	2.5	2.9
America	15.0	16.0	10.0	10.8	13.7
Australasia	1.0	0.7	0.4	0.6	0.7

(b) UK

Continental Group	1913	1926	1931	1934	1935
Europe	34.65	26.29	43.29	38.62	37.27
Africa	9.86	12.00	12.85	14.15	15.37
Asia	25.20	25.24	17.91	18.13	17.43
America					
North and Central	11.99	14.18	12.18	11.97	12.81
South	9.59	8.93	7.06	7.49	6.93
Oceania	8.71	13.36	6.71	9.64	10.19

Source: T 160 729/12829/2, 'Survey of German Competition in World Export Trade', Appendix 2, produced by the Board of Trade.

on imported coal by France, Belgium and Germany herself (Britain's major markets), prevented the full advantage of devaluation from being realized. The level of British export prices in the mid 1930s was virtually the same as in 1930, while German and Polish prices were, respectively, more than 50 and 40 per cent lower than at the start of the decade. The German industry was able, therefore, to achieve an export record during the 1930s that was far superior to its British counterpart.[22] In 1929 German coal exports were equivalent to 50 per cent of British exports; by 1937 the figure had risen to 90 per cent.[23]

Some regions of Britain were badly affected by the extent of the competition in foreign coal markets. A drop of more than 2.5m tons in exports from South Wales was reported in 1936. The greater part of this loss was caused because coal from the Third Reich was substituted; the industry there was known to benefit from subsidies.[24] In Spain, Egypt, Palestine and Greece market share was lost to Germany; the last also gained more ground than Britain in France and Scandinavia.

The Anglo-German Trade Treaty had given an indication of how important coal was in Britain's overseas trade. In the mid 1930s coal represented about 8 per cent of British exports.[25] British exports to Germany had increased as a result of the treaty. But towards the end of 1936 there was a 5 per cent shortfall in the allocated monthly quota. This reduction might have reflected a rise in British prices; but a more likely cause was the application of price control measures by Berlin. No approach was made to the Reich authorities: the British coal trade had benefitted more from the increased quota secured under the treaty than had German trade to Britain from the corresponding reduction in tariffs.

The reaction in Britain to this emerging trend was remarkable. Among political and business circles it seemed to confirm the generally held assumption that the Nazi economy, while not on the point of collapse, was certainly in crisis.[26] It was assumed that the concealed devaluation of the mark could not go on endlessly and that a rise in world prices or a collapse of the gold bloc – expected at any time – would then force a formal devaluation. The Third Reich's export drive was taken to be a sign not of strength but of desperation.

But there was also something profoundly disturbing in the good fortune which Britain had enjoyed since 1931 in comparison with

Germany. For if National Socialism were responsible for much of the contraction in Germany's foreign trade it was accepted that Britain too could be blamed for participating in the destruction of multilateralism through 'beggar-my-neighbour' policies. The agreements with the Scandinavian and Baltic states, for example, deprived Germany of markets in those countries. It seemed reasonable to ask, therefore, why the thorny path of central and south-east Europe should not be left to Germany. By bringing forward economic initiatives Britain could help to tackle the distress which, it was assumed, was the cause of Nazism, and perhaps prepare the way for a wider political settlement. Chief among the 'economic appeasers', according to Gustav Schmidt, were Frank Ashton-Gwatkin and Gladwyn Jebb, of the Foreign Office's economic section.[27] The basis of their thesis was that Germany had to be provided with trade outlets which would allow her to expand, in the sense of securing new external markets, and prevent the country from going bankrupt and thus starting a European war.[28]

With the international outlook darkening in the mid 1930s, Britain was forced to contemplate the likely political and economic costs of rearmament. A Cabinet committee was formed in 1936 to consider how to approach the problem of reaching an agreement with Germany. Anthony Eden, the Foreign Secretary, suggested:

> It is only in the economic and financial spheres that Hitler's policy has not proceeded according to plan, and is now having to face extensive and maybe insuperable difficulties ... Perhaps Hitler's economic difficulties may make him less uncompromising than he would otherwise be.[29]

Also before the new committee was Vansittart's memorandum, *Britain, France and Germany*. He had come to accept, in principle at least, that co-operation rather than ostracism was more likely to counter German economic distress and, therefore, military adventurism. He did not think the insistent demand for export markets was in itself unreasonable, given the steady decline in German export totals over the preceding seven years. Britain had already shown her willingness through the trade and payments agreements and Germany's desire for further advances was not in doubt. Vansittart argued that if Britain was to retain the large measure of influence and considerable friendship it still enjoyed in

commercial and financial circles in Germany, it was essential that
trade was not reduced – by tariffs on Britain's part – except for the
pressing needs of industry.[30]

The importance of this point was reinforced by Pinsent, Financial
Adviser at the Berlin Embassy. As far as commercial expansion was
concerned, Pinsent saw the disadvantages in trying to encourage
German trade in particular directions. Instead, to follow a policy of
economic understanding with Germany it was necessary to look
nearer to home: Britain could make a contribution by moderating its
régime on tariffs. He suggested that the time had come when general
considerations, more particularly those of foreign policy, should be
allowed a far greater weight in determining British tariffs. The
theory that Britain had far more to gain in the long run by an
increase in the exchange of goods than to lose in the short run by
intensified German competition in particular commodities appeared
to attract widespread support.[31] Understandably, it seemed less
appealing to the manufacturers of the commodities concerned.
There were demands for further action to exclude German goods
from the British market. The government had to decide whether to
resist this pressure.

The notion that the economic question was the prime motive for
German action or that a solution was to be found in granting
economic concessions did not find support in the Treasury. Sir
Frederick Phillips, the Under-Secretary, regarded many of the causes
of Germany's plight as irresistible in the sense that they could not be
put right in the early future. Britain's adoption of protectionism
exemplified the problem: although Germany had been hit very
heavily, Britain was not going back to free trade.[32]

Almost immediately, a test case presented itself. Unusually large
quantities of calf leather were being imported at prices which
appeared to bear little relation to production costs. This was because
most dressed leather imports came from Germany and the trade
benefited from subsidies of up to 35 per cent of value. With the
interest of domestic producers in mind, the IDAC recommended that
Britain should increase duties.

Anthony Eden was against any move which might jeopardize the
chances of reaching a general European political settlement. But
Runciman, President of the Board of Trade, had his eye firmly on the
British producers who were being driven out of business.
Chamberlain, similarly, saw great difficulty in telling traders that

their application had passed all the tests of the IDAC but had failed at the last minute because of political factors. So the Cabinet decided to let commercial, or rather domestic political, considerations prevail: extra duties had to be imposed in order to avoid any danger of provoking a dangerous storm of criticism and resentment.[33]

Just as Runciman was able to prevail over his Cabinet colleagues in this specific case so his department, after consulting the Colonial Office, argued aggressively against all the proposals which emanated from the Foreign Office at the beginning of 1936. None of the options for a policy initiative that were countenanced were thought likely by the Board to alter Germany's political outlook and render her less dangerous. Particular exception was taken to talk of tariff-cutting; Germany had, in any case, increased import duties herself in the previous three years on a number of British exports.[34] The Colonial Office, joining in what had now become a highly charged debate, launched a vitriolic attack on Vansittart and accused him of encroaching on territory that was not his preserve.[35]

Hitler's reoccupation of the Rhineland in March 1936 temporarily set back ideas of an initiative in the economic sphere. Eden made one further attempt to pursue the question of a British tariff reduction, but Runciman quashed it. He decreed, in August 1936, that Eden's proposals were a complete reversal of the government's policy. To abandon Imperial Preference and 'moderate' protection – policies which had been endorsed by the electorate in 1931 and 1935 – would, Runciman argued, only create trouble at home without securing any real advantage abroad.[36]

British companies were also reporting intensified competition from their German rivals in tendering for important contracts overseas. As a result, business was either lost or prices were forced down to uneconomic levels.[37] The Board of Trade survey revealed that the heavy engineering sector was particularly affected: manufacturers of agricultural and textile machinery, locomotives and combustion engines all reported problems. On the basis of figures published by the Reichs Kredit Gesellschaft, the survey tried to show how German export trades were only trying to recapture lost ground. In contrast to the other leading suppliers of engineering products (America and Britain herself), Germany's share of the combined value of exports had fallen from 45 per cent in the second half of 1932 to 28 per cent in the first half of 1935. Resigned to seeing this trend thrown into reverse, the Board could do no more than point to the development of cartels as a way to modify competition. This seemed to be the case in tinplate and chemicals; the only other sector of industry which was effectively organized as a cartel was steel.[38]

But the steel industry was in a unique position in inter-war Britain: the state followed the banks in becoming involved in the affairs of the industry. This was the exception which proved the National Government's rule of non-intervention. The European steel cartel (Germany, Belgium, France and Luxembourg) was revived in February 1933 and then concentrated on undercutting the British tariff by selling cheaply into Britain. In response, the newly formed British Iron and Steel Federation wanted tariffs raised as a bargaining tool to facilitate entry into the cartel.[39] The threat to use tariff power in this way was successful and, in 1935, British steel producers took their place in the Iron and Steel International Agreement (*Entente Internationale de l'Acier*) on favourable terms. Agreements covered the reservation of home markets, allocations of quotas for the world export trade and price fixing.[40]

In October 1936 the decision was made to encourage British industrialists, particularly those who were suffering from competition, to enter into discussions with their opposite numbers in Germany. There would be no direct intervention by the British government in Berlin, even though Germany was believed to be ready to discuss international trade questions.[41] If any economic deals were to be struck with Germany they would be on an industry-to-industry basis rather than at a governmental level.[42] The aim of achieving a rationalization of markets as part of a general political settlement was pushed into the background. The best way to protect British export markets, it was now argued, was by reaching agreements with German industry – the greatest threat to those markets.

The problems over export markets added to the fear that Britain's economic strength was slipping away. Exports to the Dominions in the late 1930s were more than 20 per cent lower than they had been before the depression struck. On the other hand, the trade surplus which the Dominions enjoyed with the UK doubled.[43] Treasury officials warned against the effects of the adverse balance of payments on the country's international purchasing power represented by its gold and foreign exchange reserves, overseas investments and ability to raise international credit.[44] The first stage of an economic review, produced for the Cabinet by Leith-Ross, conveyed the severity of the threat which British rearmament posed to the nation's export trade. The contraction of export markets and the domestic orientation of Britain's recovery from depression were coupled with the effects of rearmament: the country seemed to be in danger of losing, irretrievably, her position in world trade.[45]

The Cabinet paper concentrated on the competition that British exports faced from German and Japanese goods. Because of the close connection between manufacturers and banks, Germany enjoyed a number of structural advantages over Britain. For example, Britain could not suddenly expect the financial establishment to engage in long-term contract financing. Nor was it open to the British state to imitate the expedients the Third Reich had adopted for the development of export markets. The promotion of arrangements between industries in Britain and Germany for a reasonable allocation of markets seemed, therefore, to be one of the few possible ways forward.[46]

As Cain and Hopkins argue, British industrialists did not need to be pushed in the direction of market-sharing agreements; although the outcome of Imperial Preference proved to be a great disappointment, the National Government continued to defend the basic structure of tariffs.[47] This position was broadly supported by the Federation of British Industries: it was committed to exploring the situation in Germany, but believed that it was the power of the IDAC to raise duties to new levels that had induced the German authorities to seek agreements. Indeed, the Federation had already helped industries to make contact with their opposite numbers in Germany. An agreement was reached, for example, between British and German textile machinery makers. This involved fixing a minimum price for each market, quoting a credit term of no more than 12 months and, in markets where Germany had clearing or compensation agreements, quoting prices at parity with Britain.

The FBI regarded Germany as the best industrially organized country with which to negotiate cartel arrangements. Hitler's government had taken an industrial system that was already cartel-minded and imposed centralized controls.[48] There was even a possibility that industry structured along these lines might facilitate a return to prosperity and stability. Gillingham has illustrated how, with liberal economics languishing in a discredited condition, the Reich provided an economic role model for some European states.

The British coal industry was one sector which had an opportunity to benefit from German methods of industrial organization.[49]

The structure of capitalism in Britain was, of course, quite different. Although trade associations were expected to take a lead in organizational matters, any one industry could comprise a number of competing interests and rivals. The FBI also appears to have overestimated the significance of the cordial relationship it thought it had established with its German counterpart, the Reichs-gruppe Industrie (RGI), during previous years.[50] Federation representatives complained about the 'Moscow' atmosphere which prevailed in Berlin when they visited in March 1937: German officials and businessmen were afraid to talk and everywhere political considerations stood in the way.[51] Although the Nazis left the ownership of industry in private hands, this counted for less and less in the Hitler state.

Little progress was made in 1937 in fashioning further industrial agreements, even though there was heightened anxiety over Britain's deteriorating export position in the face of German subsidies. The National Government looked to sponsor private and non-official negotiations. Even the Foreign Office considered this to be sound policy which might act to improve relations between the two countries. Industrial arrangements would serve to meet German complaints about trade restrictions and obviate the bad impression caused by the imposition of duties on German goods.[52] Robert Hudson, appointed Secretary for the Department of Overseas Trade, wanted the government to play a more active role in facilitating negotiations because he was convinced that industrial co-operation would have a favourable effect on political appeasement.[53] In this respect, he was to follow his own advice in 1938 and 1939.[54]

At the end of 1937 the democracies were able to entertain a small degree of optimism over the international political situation. The US State Department announced on 18 November that a trade agreement with Britain was in sight. Walter Runciman, President of the Board of Trade, had visited Washington at the beginning of the year; he agreed in principle to a more liberal trade policy while emphasizing how difficult it would be for Britain to extricate herself from Empire preferences. Indeed, the negotiations were lengthy and bitter.[55] When the Anglo-American Trade Agreement was finally signed, on 17 November 1938, the reduction in tariffs and discrimination, however small, was thought to be very significant:

the two largest trading nations naturally competed on the level of manufactured products and Britain discriminated against American agricultural produce.[56]

For Cordell Hull, the American Secretary of State, the agreement was a triumphal step forward in his plan to preserve world peace by economic appeasement. He believed that the banding together of nations such as Britain and the United States on economic grounds would show recalcitrant nations such as Italy and Germany the undoubted benefits of joining in the same movement. Thus Hull expected the political effect – a reduction in tension – to carry as much weight around the world as the economic.[57] Neville Chamberlain shared this hope; he also calculated that the educative effect of the treaty on American opinion would encourage the country to act more and more in line with Britain.[58]

Dealing with America provided no answer to the competition that British export markets continued to face from Germany. But a connection between the various international trade questions was readily established. The origin of most problems seemed to lie in protectionism and, consequently, Britain's own foreign economic policy. The sense of regret for the impact of that policy on Germany, a constant refrain throughout the decade, was now at its keenest. Self-recrimination was never more evident than in a note composed by Leith-Ross in early 1938 for the Van Zeeland Committee which, on behalf of the League of Nations, was looking at ways to promote international economic co-operation. In it he admitted that protectionism and imperial preference were so successful that German exports to Britain had been reduced by half. The fall in trade between the Dominions and Germany he described as catastrophic. To meet the deficiency, Germany had deliberately turned to European and Near Eastern countries for supplies, the latter having lost their former free entry into Britain. This in turn affected British export opportunities to those countries. While Britain had been successful in passing on part of her difficulties to countries such as Germany, the cost could now be counted: the counterpart to Ottawa, and its concomitant strengthening of political and trade relations, was German buying in Europe. It had become obvious that, in an age of economic nationalism, each country which attempted to take measures to alleviate its own difficulties viewed measures taken by other countries as inspired by deliberate ill will.[59]

There was little that was new or unexpected in this diagnosis. The Foreign Office saw itself as the one department which could be exonerated from all blame. It had recommended, in November 1931, that special reference should be made to the question of security in Europe before tariff policy was definitely decided. Instead, international trade had been killed as a result of the choice made in 1931/32. Ashton-Gwatkin crystallized economic policy in the formula 'Home industries and agriculture first; Dominions second; foreigners last'.[60] There was no scope for Britain to contribute to the economic appeasement of Germany. Some economic departments saw nothing wrong in putting foreigners last. Apart from the continuing crisis over Czechoslovakia, Hudson's plans were undermined by the Board of Trade. Brown, the Permanent Under-Secretary, declared that the main difficulty in negotiations with Germany was that Britain had nothing to give and little to gain.[61] This was not strictly the case. There was a very real economic motive for reaching an agreement with the Third Reich: British industry was trying to resist the threat posed by German export subsidies.

While tariffs did not turn out to be as hard as the emergency duties, and the 1933 trade treaty had provided some relief, it seemed in retrospect that Britain had locked the last door in Germany's face when protection came on top of depreciation. For this reason, Ashton-Gwatkin could only marvel that doors were being opened as wide as they were to the United States. He took this as an indication that the large economic bloc, or *Grossraumwirtschaft*, would soon become dominant. Some consolation was to be drawn from the thought that the richest bloc might comprise Britain and America. Naturally, it was given to few to foresee how the world was about to be turned upside down. Ashton-Gwatkin's prediction that the economic, even political, influence of this group would be the decisive factor in the twentieth century was not so very wide of the mark. Yet, ironically, when Britain did eventually join such a bloc – the European Economic Community – the most powerful member was Germany.

By mid-1938, business circles were becoming alarmed at the state of the export industry; Germany's 'un-economic' trade policies were held to be partially responsible for Britain's balance of payments deficit.[62] In spite of the outcry, the quantity of German exports in 1937 was at 69 per cent of its 1929 level, while the corresponding British figure was 83 per cent. Indeed, Germany's export trade seemed to suffer more than Britain's in the recession of 1937–38. However, while rearmament brought an ever increasing intensity of activity inside the Third Reich, the effect of the recession on Britain caused attention to be paid to the state of export markets.[63] Pressure began to mount on the British government to meet the challenge of German industrial competition around the world and to counter the Nazi penetration of south-east Europe. A scheme was evolved to lessen German penetration of the region by government intervention in the free market: purchases of Romanian wheat, for example, would place sterling at the disposal of the Romanian government. This represented a radical departure and opened up the long-standing political divisions in the Cabinet and in Whitehall.[64]

Chamberlain sought to bring such initiatives into line with his efforts to reach a settlement with Hitler. The Prime Minister was hopeful that a dialogue with the Führer was still possible. The fusion of political with economic diplomacy that took place in the final months of peace has been analysed in many studies.[65] Chamberlain took with him to Munich in September 1938 a proposal for Anglo-German co-operation in the Balkans. Hitler declined to discuss it.[66] This did not deter Halifax, the Foreign Secretary, from pushing for an 'alternative policy' of assisting Germany to develop the countries of the region. He advised that anything which could appear deliberately obstructive, such as direct governmental purchases which diverted trade to Britain, would have to be abandoned and that Germany should be permitted to obtain all she materially required in the region.[67] In meetings between British and German officials, held up to February 1939, schemes were put forward which offered Germany more free exchange in order to pay for increased imports from south-east Europe.[68]

While it was Germany which first mooted, at the World Economic Conference in 1933, the idea of a cartel for coal, it was the British government that had taken the lead thereafter in trying to stimulate interest in some kind of convention. In fact, negotiations between the respective industries did not take place until 1938 and were concluded only when the National Government threatened to subsidize coal exports.[69] Germany's objective was to consolidate the vast economic gains already made with a view to ending subsidies. At the same time, Reich officials did not want to jeopardize foreign exchange earnings.[70] A new agreement was reached on the basis that undercutting was to cease; the ratio of British to German exports would be 65:35 and all prices were to be agreed by a trade association comprising industrialists of both nations.[71] This accord was hailed as a prelude to the formation of a European coal cartel. The British Cabinet, and especially Chamberlain, hoped that the celebrations would be followed by a dialogue with the Nazi leadership.[72] But the agreement was suspended as a result of Hitler's invasion of Czechoslovakia and never put into operation.

Chamberlain believed, however, that all his information went to show that the Germans were in no mood for war and that Hitler was preoccupied with his economic difficulties. It is in this context that the extraordinary and secretive talks took place, in June and July of 1939, between Sir Horace Wilson (Chief Industrial Adviser) and Wohltat, and between the latter and Hudson. This inglorious episode was the final formal attempt to preserve peace by means of working towards some kind of politico-economic agreement with Germany. The negotiations, which had commenced with the FBI-RGI talks and had grown out of a trade drive for British exports against German trading methods, were to end in a blaze of humiliating and damaging publicity over what appeared to be economic appeasement.

Wohltat had already met leading civil servants and City figures when he visited London in June 1938 in connection with the International Whaling Conference.[73] In Berlin, in May 1939, an unofficial British intermediary (Henry Drummond-Wolff) discreetly re-established contact over the economic talks. This was put on to a diplomatic level when Wohltat visited London the next month for discussions on whaling and the refugee problem. On this occasion, Wohltat met Ashton-Gwatkin and Wilson. He proposed to Ashton-Gwatkin an economic settlement in which Britain would recognize the German sphere of influence in south-east Europe.[74]

On his next visit to London Wohltat had further talks with Wilson (18 July) and with Hudson (20 July). Controversy has surrounded these conversations ever since. In particular, the veracity of the records left by the participants remains open to question. Wohltat's memorandum of his talk with Wilson contains proposals put forward by the latter for a far-reaching settlement which included a resolution of Germany's debt problems and loans for the Reichsbank. Wilson's record contains no such proposals.[75] Hudson claimed that he told Wohltat that a readiness by Hitler to disarm, and to accept adequate safeguards against rearming, could open the way to establishing Germany on a strong economic basis. After signing the whaling agreement and meeting Waley over the matter of the Czech gold, Wohltat left London.[76]

On 22 July the British press announced that Britain had proposed a fantastic loan to Germany. The news shocked Europe. Von Dirksen, the German Ambassador, informed Sargent that Wohltat's description of the conversation with Hudson was very different from the press articles. Indeed, in his report to Berlin, von Dirksen put the blame both on Hudson's morbid desire for self-assertion and on his loquacity; this provided an opportunity for 'war-mongering correspondents' and their 'henchmen' such as Churchill and Foreign Office officials.[77] Sir Alexander Cadogan thought even less of Hudson, describing him as 'an eel', and he also believed that the minister had been responsible for recent press leaks.[78]

An angry Chamberlain was left to face a storm of protest in Parliament as he sought to distance the government from the rumours. But the question remained as to how far Hudson had been acting on his own initiative. Chamberlain left a candid record of the affair in his correspondence with his sisters. He wrote that entering into conversations with Germany had been made worse by the rumours over a loan, with different newspapers citing varying amounts. Hudson had made no mention of a loan in his account to Chamberlain, but the latter was not sure that he had been told the whole truth. Hudson was regarded as a clever fellow with a persuasive tongue, but also as someone with a reputation as a disloyal colleague who was always trying to advance his own interests at the expense of his friends. A favourite Hudsonian device, according to Chamberlain, was to take ideas on which other people had been working for years and to put them forward as his own: 'The ideas which he put to Wohltat for instance, as his own personal suggestion, on an economic agreement (not including a loan) are just those which we have been discussing in the Departments for 12 months'. Chamberlain thought that 'Master Hudson' became so pleased with himself when Wohltat did not react unfavourably that he talked to the press, with disastrous results. Much to the Prime Minister's annoyance, Wilson's interview with Wohltat, which covered other matters, had also become public knowledge, 'and so now the loan idea is given a demi-semi-official air and all the busybodies in London, Paris and Burgos have put two and two together and triumphantly made five'.[79]

Chamberlain, still incensed a week later over the extent of the harm caused by Hudson's 'gaffe', did not intend to add to his own troubles by sacking the man just then. But the episode had revealed how completely Hudson lacked a sense of ministerial responsibility. In the meantime, Chamberlain wanted to maintain contact through more discreet channels in order not to discourage those in Germany who were continuing to look for an understanding.[80] Whether the details of a loan were ever discussed must remain, therefore, a matter of speculation. What is clear, however, is that the substance of the scheme advanced by Hudson was not so very far removed from official policy. Certainly, as far as the Prime Minister was concerned, the logic of the policy, with its emphasis on moderates in Hitler's government, still held good.

In the course of the 1930s the process of constructing and revising financial and trade agreements with Germany was never less than tortuous. That said, Britain believed that relations with the Third Reich were better in the economic sphere than in any other. The German authorities largely observed the rules of the agreements and the administrative machinery worked relatively smoothly. Against the odds, the arrangements survived one shock after another and endured until broken by war. The Standstill, established in the last months of the Weimar Republic, continued to operate even after Schacht's political demise. The Payments Agreement withstood the tests of Nazi adventurism and was revised where necessary rather than abandoned. Anglo-German economic and financial relations self-evidently exhibited a quality lacking elsewhere: in a turbulent and increasingly violent age they offered a measure, however small, of stability and continuity.

Ironically, this was taken as evidence of the fragile nature of the economy of the Third Reich. Such reasoning suggested that the agreements survived only because the Nazis depended on them. It seemed highly likely, therefore, that any political understanding with the Third Reich would be preceded by the conclusion of some kind of new trade deal or an offer of economic concessions. But events show that it was never realistic to imagine that the policies established at the beginning of the 1930s could be modified in a substantial way. And, by the end of the decade, only a fantasist could suppose that modifications which tended to increase trade with Europe might also yield political and economic benefits. Finally, with Europe on the brink of war, there never was any question of granting economic concessions to Germany without a return by Hitler to the conference table and a demonstrable and fundamental move towards disarmament.

NOTES

1. FO 371/16696/C5456, 'Political aspects of German economic revival'.
2. Ibid., see also C5931, minute by Ashton-Gwatkin.
3. FO 371/16728/C9489 and C10268.
4. McKercher, 'Old diplomacy and new', p. 114. See Chapter 3 above for reference to Medlicott.
5. M.W. Kirby, *The Decline of British Economic Power since 1870* (Allen & Unwin, 1981), p. 66.
6. For the background see T. Rooth, *British Protectionism and the International Economy: Overseas Commercial Policy in the 1930s* (Cambridge: CUP, 1993), p. 145.
7. See Cmd 4297, Exchange of Notes, 13 April 1933, Anglo-German Commercial Relations.
8. Weinberg, *The Foreign policy of Hitler's Germany: 1933–36*, p. 379.
9. Runciman papers, 265, memo, 16 June 1933, of an informal conversation with von Neurath.
10. Arndt, *Economic Lessons* , p. 113.
11. BoE OV34/6, 3 September 1934.
12. Overy, *War and Economy*, p. 32.
13. The term 'autarky' first came into common usage during the 1930s. Some commentators referred to 'autarchy', or the power to control one's own destiny. Indeed, many understood the basic idea underlying German trade policy to be a combination of these two factors, particularly in regard to south-east Europe where attempts were made to form commercial links so close that the countries of the region would find it impossible to divert exports to alternative markets. See A.G.B. Fisher, *Economic Self-Sufficiency* (Oxford: Clarendon Press, 1939).
14. Ellis, *Exchange Control*, pp. 239–44. It remains difficult, therefore, to establish a reliable index for German prices. In terms of gold, the value of British and German exports declined just about equally from 1929–37; as German prices had not declined so much, she obtained, in theory, more for her exports.
15. 'Aski' was the acronym for *Ausländer-Sonderkonten fur Inlandszahlungen*.
16. CAB 27/599, note by Ashton-Gwatkin, 28 February 1936, 'Present Economic/Financial Situation in Germany'.
17. Guillebaud, *Economic Recovery*, pp. 68,148.
18. D.H. Aldcroft, *The Inter-War Economy: Britain, 1919–1939* (Batsford, 1970), pp. 281–2.
19. T 160/643/8797/04/6, see letter from Textile Machinery Makers to Department of Overseas Trade, 27 February 1936. See also FO 371/19933/C4326, Sir Edward Crowe (Comptroller General, Department of Overseas Trade) to Vansittart, 13 June 1936.
20. Francis, *Britain's Economic Strategy*, p. 278. Germany also made gains at Britain's expense in much of South America, although the trend was reversed in Russia and parts of northern Europe.
21. T 160/729/12829/2.

22. N.K. Buxton and D.H. Aldcroft (eds), *British Industry between the Wars: Instability and Industrial Development 1919–1939* (Scolar Press, 1979), pp. 51–5.
23. Francis, *Britain's Economic Strategy*, p. 251.
24. League of Nations, *British External Economic Policies*.
25. B.W.E. Alford, *Depression and Recovery? British Economic Growth 1918–1939* (Macmillan, 1972), p. 58.
26. CAB 27/599, note by Ashton-Gwatkin, 28 February 1936, 'Present Economic/Financial Situation in Germany'.
27. Schmidt, *The Politics and Economics of Appeasement*, pp. 84–93.
28. FO 371/19884/C807.
29. CAB 27/599, CP13(36), 17 February 1936.
30. Ibid., CP42(36), 11 February 1936.
31. T 160/856/14545/1, note, 7 March 1936.
32. Ibid., minutes, 17 March 1936.
33. CAB 24/260, CP59–60, 24–25 February 1936; CAB 23/83, 11(36), 26 February 1936. On Chamberlain's instructions, improvements in the arrangements for consultation between the Foreign Office and the IDAC were made in order to spare the Cabinet the difficult task of having to resolve such issues.
34. CAB 27/599, G(36)7, 'Possible Development of Existing Commercial Agreements with Germany as Regards the UK and Colonies'.
35. T 160/856/14545/1, 6 March 1936. The author of the attack, Clauson, argued that the English should have had some sympathy with German racial aspirations. He accused Vansittart of exaggerating the German menace but, at the same time, suggested that Britain should book a seat in the German bus before it was too late
36. FO 371/19934/C5567, letter, 23 August 1936.
37. FO 371/19933/C4326, Sir Edward Crowe to Vansittart, 13 June 1936.
38. T 160/729/12829/2.
39. S. Tolliday, *Business, Banking, and Politics: The Case of British Steel, 1918–1939* (Harvard University Press, 1987), p. 309.
40. FO 371/20731, minutes by Laurence Collier and Ashton-Gwatkin, 23–30 December 1936, concerning the instructions by the Board of Trade on industrial co-operation with Germany. These instructions took some in the Foreign Office by surprise and provoked an angry reaction. See also, D.E. Kaiser, *Economic Diplomacy and the Origins of the Second World War* (Princeton, NJ: Princeton University Press, 1980), p. 187.
41. T 160/729/12829/2, record of interdepartmental meeting held at the Board of Trade on 30 October 1936.
42. Wurm, *Business, Politics, and International Relations*, p. 71.
43. Clarke, *Hope and Glory*, p. 176.
44. Peden, *British Rearmament*, pp. 63, 84.
45. Eyers, 'Overseas Trade Policy', p. 204.
46. CAB 24/265, CP339, 'The Balance of Payments', 7 December 1936.
47. Cain and Hopkins, *British Imperialism*, pp. 97–8.
48. FBI 200/1/1/78, Tariffs and Commercial Treaties Committee, minutes of meeting, 15 December 1936, headed 'German Export Subsidies'; see also FO 371/20731/C87.
49. Gillingham, *Industry and Politics*, pp. 90–1.
50. FO 371/20731, memo, by Magowan, and letter to Mullins (Department of Overseas Trade), 15 February 1937.

51. Ibid., Mullins to Browett, 24 March and 5 April 1937; see also, FBI 200/F/1/1/78, Report, 23 March 1937. For a comprehensive treatment of the FBI–RGI talks see, R.F.Holland, 'The Federation of British Industries and the International Economy, 1929–39', *EcHR*, 2nd Ser., 34, 2 (May 1981).

52. T 160/729/12829/4, memo, 9 March 1937.

53. FO 371/20731/C8263, minutes by Ashton-Gwatkin, 2 and 7 December 1937; FO 371/21705/C2239, Hudson to Oliver Stanley (President, Board of Trade), 9 March 1938.

54. FO 371/21647/C7853, Hudson to Halifax, 8 July 1938. Hudson was unfortunate in his timing. His initiatives were delayed by the Anschluss and had to wait until the revised Payments Agreement produced a German request for economic negotiations.

55. D.Cameron Watt, *Succeeding John Bull*, p. 85.

56. Arndt, *Economic Lessons*, p. 82.

57. C. Hull, *The Memoirs of Cordell Hull* (Hodder & Stoughton, 1948), p. 530.

58. NC 18/1/1029, letter to Hilda, 21 November 1937. See also R.N. Kottman, *Reciprocity and the North Atlantic Triangle, 1932–1938* (New York, NY: Cornell University Press, 1968); T.K. McCulloch, 'Anglo-American Economic Diplomacy in the European Crisis 1935–39' (unpublished D.Phil. thesis, Oxford University, 1979).

59. FO 371/21701/C1828, note, 25 February 1938, for the Van Zeeland Committee.

60. Ibid., private note to Leith-Ross, 10 March 1938.

61. BT 11/901, 25 August 1938.

62. The Association of British Chambers of Commerce held a conference in October 1938 to discuss the need for countermeasures. See G.J. Van Kessel, 'The British Reaction to German Economic Penetration in South-Eastern Europe, 1936–1939' (unpublished Ph.D. thesis, University of London, 1982), p. 172; *British Export Gazette*, 31, 371 (November 1938); *British Trade Journal and Export World*, 76, 910 (December 1938); *The Times*, 17–19 November 1938, report on 'German trade aims'.

63. Lewis, *Economic Survey*, p. 92; Guillebaud, *Economic Recovery*, p. 148.

64. CAB 24/277, CP127, 24 May 1938; Einzig, *Appeasement*, p. 91; Middlemas, *Diplomacy of Illusion*, p. 258.

65. See, in particular, D. Cameron Watt, *How War Came: The Immediate Origins of the Second World War, 1938–1939* (Heinemann, 1989), pp. 162–87, 395-403.

66. M.J. Rooke, 'The British Government's Relations with the States of South Eastern Europe, 1934–36' (unpublished Ph.D.thesis, University of London, 1980), p. 201.

67. CAB 24/280, CP257, 10 November 1938.

68. Kaiser, *Economic Diplomacy*, p. 286. The countries of the region would then have been in a position to purchase more from the British Empire.

69. Gillingham, *Industry and Politics*, pp. 96–8.

70. Rooth, *British Protectionism*, p. 280.

71. *The Times*, 2 March 1939. See Gillingham, *Industry and Politics*, p. 91, for the Ruhr's insistence upon applying the *Gruppenschutz* principle which was concerned to prevent competition in established markets; the British industry committed itself to form syndicates.

72. CAB 23/97, 3(39), 1 February 1939; FO 371/22950/C1343, Leith-Ross to Stanley, 31 January 1939. For Chamberlain's reaction to the speech by the Duke of Coburg, at an Anglo-German Fellowship dinner in Berlin, which

welcomed the coal agreement, see NC 18/1/1086, letter to Hilda, 19 February 1939.

73. DGFP, Ser. D, Vol.II, No.279, report by Wohltat, 4 July 1939.
74. Wendt, *Economic Appeasement*, p. 604; S.Aster, *1939: The Making of the Second World War* (Deutsch, 1973), p. 233; DBFP, 3rd Ser., Vol.V, No. 741, minute by Ashton-Gwatkin, 7 June 1939.
75. DGFP, Ser. D, Vol.VI, No.716, Berlin, 24 July 1939; DBFP, 3rd Ser., Vol.VI, No.354, 18 July 1939. See also MacDonald, 'Economic Appeasement', p. 129; MacDonald concludes that while Wohltat probably inflated the contents of the talk and Wilson might have implied more than he subsequently claimed, the approach to the German official was sanctioned by Chamberlain as a last attempt.
76. DBFP, 3rd Ser., Vol.VI, No.370, 20 July 1939; DGFP, Ser. D, Vol.VI, No.698.
77. FO 371/22990/C10371, minute by Sargent, 24 July 1939; DGFP, Ser. D, Vol.VI, No.718, 24 July 1939.
78. D. Dilks (ed.), *The Diaries of Sir Alexander Cadogan O.M. 1938–1945* (Cassell, 1971), pp. 128,150. On the British press and international reaction, see D. Cameron Watt, *How War Came*, pp. 399–401.
79. NC 18/1/1108, letter to Ida, 23 July 1939.
80. NC 18/1/1110, letter to Hilda, 30 July 1939.

Conclusion

From Britain's perspective, the economic dimension to the 'German problem' was present long before the onset of the Great Depression. Under the impact of the financial crisis of 1931 the cancellation of reparations before the end of the Hoover Year became a major objective of policy towards Germany. This position commanded the support of Britain's economic as well as its political élite, although it stimulated a vigorous debate over the significance of reparation payments. Planning to remove an economic handicap from a great trading rival, just when Britain was discovering a new national purpose, was not popular in some business quarters and dissentient voices were raised. But commercial interests in general were poised to derive considerable benefit from the competitive advantage which tariffs and the devaluation of sterling had suddenly given to Britain. In pressing for cancellation of reparations and debts, Britain could afford to discount the commercial risks inherent in a reinvigoration of the German economy. The risks in taking no action seemed, in comparison, infinitely greater – potentially a widespread financial collapse which would severely damage the international position of the City of London. The prevention of such a calamity was an urgent and overriding priority.

On those grounds, the National Government put British banking interests above those of commerce in the struggle to carry on business in late Weimar Germany. Some Whitehall officials demurred; their argument was that relief for commercial interests had to be secured, even if that left the position of banking creditors unprotected.[1] Yet, while everyone in government recognized that it was desirable to liquidate trade debts, official policy before 1933 was shaped by the assumption that the most formidable obstacle to the revival of Britain's export trade was the stoppage of acceptance business.

Distracted by imperial concerns, Britain was slow to identify the political dangers which were inherent in the economic dislocation of Germany. For as long as the Weimar Republic was allowed to continue in a condition of economic distress, fertile ground was provided for Communists and National Socialists to sow their seeds of discontent. Again, there was equivocation over the response which was required from Britain. The Foreign Office was attracted to the idea of using economic concessions as a political weapon. Vansittart desired to see reparations ended, but in exchange for a 'political truce' with Germany; he believed he shared with the public the feeling that getting everything for nothing was not right. Nevertheless, it soon became obvious that a prompt cancellation of reparations stood the best chance of disrupting the dynamic which was leading to the political deterioration of Europe. Conversely, to wait for the most suitable international climate, in order to give the Lausanne Conference the greatest chance of success, was to risk indefinite delay and to court disaster. Although the dire warnings of collapse which issued from Berlin did not go unheeded, Britain was obliged to engineer postponement of the conference.

The concurrent revolution in Britain's external economic policies had a more direct and adverse effect on Germany. The reparations settlement at Lausanne – notwithstanding the effect of the delay – together with Brüning's ruthless deflation policy and the Standstill Agreement, might have succeeded in turning round the Republic's economy. But Germany's effort to attain price and exchange equilibrium was brought to nothing by the depreciation of sterling. The circumstances of the financial crisis did not allow time for consideration of the likely international ramifications of the departure from gold. But the economic and hence the political problems of the Weimar Republic were compounded when Britain brought in protectionism. Just as some of the burdens imposed by Versailles were being lifted, Britain turned to beggar-my-neighbour policies. The triumph of political extremism in Germany – the very danger that co-ordinated diplomatic action was designed to avert – was not long delayed.

Once Hitler had become Chancellor it was difficult to know how, if at all, the damage could be repaired. In an age of nationalism and dictatorship, the democratic powers were aware that little would be achieved by conducting diplomacy along traditional lines. In this respect, economic issues were clearly taking on a new significance. Most pressing of all was the need to revise the criteria for assessing the nature of the risks attached to different policies. As the Nazis tightened their grip on power, opinion in Britain divided over the question of the revitalization of the German economy. Whitehall energetically sought to form a realistic picture of the Third Reich. What was required was an answer to the riddle of whether, by withholding economic concessions, Germany's privation would act to retard rearmament or whether growing prosperity would supply the antidote to political extremism. The problem was one of finding the right circumstances and the right time to offer concessions. When, by the mid 1930s, the threatening scale of Nazi rearmament could no longer be ignored, the spectacle of economic recovery staged by Hitler began to pall. By then, fearful of the hazardous consequences which were likely to follow any radical shift in its position, Britain was paralysed: no move could be made either to promote or stifle German economic recovery.

Nazi attitudes towards the servicing of Germany's medium- and long-term foreign debts ensured that the issue would move from the private and institutional sphere into the realm of international politics. To Britain's surprise and great disappointment, Schacht embarked upon a mission to discriminate between creditor nations in order to split one from another. The Third Reich could then begin the process of withdrawing from its international obligations. These objectives were partially realized. Britain's attempts to co-ordinate diplomatic action with America in protest over the challenge to the Dawes and Young loans could not be sustained.

In addition to the bondholders, conditions for British exporters deteriorated rapidly after 1933. Furthermore, Schacht welcomed the divisions opening up between the different classes of British creditor as a weakness to be exploited. If dealing with the Nazi challenge was to mean something more than a constant stream of defensive reactions, a strategy had to be devised for managing the competing claims arising from the diverse range of Britain's commercial and financial interests. The task was made considerably greater because institutional constraints prevented the formulation of a coherent foreign economic policy. Just when Britain's external role was being reshaped and new international dangers were emerging, the powers and areas of competence of government departments and financial institutions suddenly seemed very poorly defined. Behind a facade of unity, the apparatus of the British state was riven by rivalries. The Board of Trade was highly suspicious of the activities of the Foreign

Office, while the extreme hostility the latter showed to the attitudes of the Bank of England, and to the machinations of Montagu Norman, has been underestimated.

But was the power of finance so over-weening that it influenced policy towards Germany to the detriment of the wider national interest? Demonstrably, the City was in a privileged position in relation to other commercial interests because its representatives enjoyed easy access to the inner counsels of government. The banking community feared that any form of exchange-clearing system – but especially a clearing arrangement – would deprive it of part of its business. Justification for this stance was found in the belief that the Standstill would be put in jeopardy. In vigorously supporting the bankers, the Bank of England was prepared to take extraordinary and clandestine steps to ensure the success of an alternative payments structure – the novel device of the Payments Agreement. The reluctance within the Treasury to implement a policy of clearings was in no small measure attributable to the influence of banking circles. Consequently, calls from exporters and others for a stringent exchange control arrangement were resisted. Traders were made to wait while the problems of the bondholders received attention.

But, beyond that, no preference was shown to finance. Whatever the extent of the pressure applied by the banking lobby, the Treasury remained even-handed in the task of trying to reconcile different interests. As the conflict of opinion between the clearing banks and the acceptance houses shows, there was no unanimity as to the wisdom of maintaining credits in Germany. It is even doubtful whether the bankers themselves should be seen as an homogeneous interest group. They were unable to extract a clear commitment from the government to recognize the special position of the Standstill. Although the bankers represented an important class of creditors, the Treasury did not forget that there were many other interests tied up in doing business with Germany.

Claims that there was a fusion of interests between the City and government cannot be substantiated. There is no evidence of anything which was even remotely conspiratorial about the relationship. The government would certainly have brought in a clearing system in 1934 and 1938 if negotiations with Germany had failed to secure adequate protection for other commercial and financial interests. Complaints from the City that British policy was endangering the Standstill were rejected. While the German short-term debts held by London were a significant factor in helping to determine the structure of policy towards Germany, they remained, after all, just one of several.

At first sight, the special characteristics of the Payments Agreement seemed to favour Germany. The arrangement quickly became the foundation on which business with the Third Reich was constructed or reconstructed. As such, it was also seen as a possible vehicle for making a political approach to Germany. In part, this rested on the mistaken assumption that the Nazi régime comprised moderates and extremists. In seeking to understand the realities of power in the Third Reich, the British political élite were deluded in thinking that Schacht might be a moderating influence, even though he was excoriated for his fraudulent and duplicitous behaviour.

But the Payments Agreement cannot therefore be dismissed as a form of appeasement. Throughout the decade Britain inhabited a world in which there was a constant struggle over Standstill and long-term market debt, and advances to the BIS (which largely formed the cover for BIS long-term debts due to reparations creditors in France and Germany itself). The prospect, as surveyed by Britain's financial authorities, was not altogether pleasing. Although nothing effectively protected the BIS debts, the Payments Agreement – and behind it the threat of a clearing – protected at least the interest of the long-term market and Standstill debts.[2] The amounts involved were not trivial. Total British financial claims on Germany stood at some £135m in late 1937.[3] As the Hitler dictatorship was established, Britain acted to protect, as far as possible, the whole range of her economic and financial interests and vigorously defended the position until the outbreak of war.

Above all else, the Payments Agreement reflected a broad concern to remain as flexible as possible over international trade issues. Britain was highly conscious that, although Germany had been left to suffer the economic and political consequences of the flight from multilateralism, she was, none the less, still expected to uphold a range of international financial obligations. The agreement was felt to be justified, therefore, because it was a comparatively liberal structure which offered, at the same time, some protection for Britain's wider economic interests. It was maintained because it seemed to be the least worst option: Britain could imagine that she had preserved a vestige of the old free trade order and was providing a means to guide Germany away from the extremes of autarky and nationalism. The futility of holding such aspirations was revealed in the course of 1938; attention focused instead on how the agreement affected the strategic defence of the nation. Arguments for and against a fundamental change were finely balanced. But, given the circumstances of the belated rearmament effort it was feared that Britain's security would be impaired rather than enhanced by abrogating the agreement.

In the second half of the 1930s the thrust of British policy was mostly in the direction of seeking to foster agreements between British and German industry and to tackle the growing problem of competition in world export markets. The National Government hoped thereby to achieve a basis for working towards a political understanding. Accommodation rather than confrontation was seen as the way out of the impasse. But little came of the efforts to arrange industrial agreements. The negotiations could not progress within the terms set for them. On the one hand government in Britain was ideologically unsuited to persuade industry to co-operate and, on the other, the political control of industry in the Third Reich extended even further than British industrialists feared.

More importantly, with anxieties over the fragility of Britain's own recovery remaining at a high level, the National Government and its supporters were determined to persevere with the new economic strategy. No evidence can be found to give credence to interpretations of British foreign policy which suggest that vital commercial interests were sacrificed for the sake of political approaches. However persuasive the case for the economic appeasement of Hitler's Germany, domestic conditions simply left no room for manoeuvre. Although the legacy bequeathed to Britain by the depression and the financial crisis was a deeply disturbing one, there could be no retreat from protectionism and a managed currency. The paper schemes of the economic appeasers counted for nothing against the harsh realities of the commercial world. British manufacturers, readily supported by the economic departments of government, easily won the argument for extra protection against imports from Germany.

In all parts of British society there was a concern to protect the commercial livelihood of firms trading with Nazi Germany. In addition, any interruption to Anglo-German trade might have provoked a worsening in Germany's domestic position and, consequently, the international climate – the very thing which

Britain most wanted to avoid. Firms such as IG Farben were always seen to be at the centre of the Nazi rearmament effort; an appreciation that it was unrealistic to draw distinctions between industrial organizations in a command economy – which was itself so powerfully directed towards furthering rearmament – took longer to develop. The deteriorating international situation in the second half of the decade naturally dictated a more prudent approach. It then became appropriate to ask whether Britain should trade with the Third Reich at all. It was assumed that the consequences of stopping trade would be disastrous. The consequences of continuing to trade were, at least, uncertain. The time to engage in economic warfare was at the outbreak of war, not before.

Throughout the 1930s industry resisted the idea that the organization of Britain's armaments production would be best served by the imposition of government controls. Industrial leaders knew full well that, in ideological terms at least, they could count on the sympathies of the National Government. However, Chamberlain's reluctance to intervene was based more on a concern that the resistance of industry would disrupt the rearmament effort and the economy as a whole.[4] Similarly, there was no desire within government to set up controls or even to draw up guidelines on how Britain might continue to trade internationally in strategic raw materials. The commitment to non-intervention was tinged with pragmatism: nothing was to be done to alienate the National Government's business supporters. Some of the raw material transactions were brought to the attention of the government; it seems likely that many more were not. When a British firm ran into difficulties the case was treated individually and on its own merits. As the dilemma over whether to supply vital raw materials to the Third Reich could not be resolved, a clear and consistent policy never emerged.

Just as haphazard were the attempts to formulate policy over the related matter of providing new credits to the Third Reich, and to communicate this policy to the financial and commercial world. A partial Treasury embargo on long-term foreign issues was imposed in 1930 and intensified in 1931. But no law was ever passed against anybody giving a commercial credit to Nazi Germany and it was unnecessary, of course, to obtain permission from the Foreign Transactions Advisory Committee.[5] Nevertheless, the operation of the City's credit machinery was effectively constrained by political factors. Montagu Norman certainly resented such interference, but he did not want to see the Bank of England exposed to criticism in Parliament over the question of new lending to Germany.[6]

It is frequently asserted that Britain was extremely reluctant to relinquish the idea of empire in the twentieth century. This is supposed to have impeded the development of an alternative vision – the nation as an important member of a family of European nations. The uncertainty in Britain over the rejection of economic internationalism did not dissipate after the traumatic upheavals of 1931/32 but rather grew in intensity in the years before the Second World War. Sterling's devaluation and the imposition of tariffs opened up a breach with Europe. In the face of economic nationalism at home and abroad, leading figures in British commercial and political life struggled to prevent a complete breakdown in economic relations with Germany – by far the most important trading partner in Europe. Many feared that their problems were partially self-inflicted: the new economic burdens which Britain, in abandoning multilateralism, had imposed on Germany had helped to bring on the collapse of the Weimar Republic. Such guilt-ridden anxieties over the effects of British strategy became more pronounced in the course of the 1930s.

The consequences were severely destabilizing; a consensus on how the national interest should be redefined was never achieved. Ultimately, in trying to confront the growing menace of the Third Reich, Britain failed to devise mechanisms which could reconcile a panoply of political, financial, economic and strategic considerations. A self-confident and powerful nation would have found this a difficult task to accomplish. For Britain, with resources stretched to the limit, it was quite impossible.

NOTES

1. FO 371/15954/C8042, memo, by Rowe-Dutton, 14 October 1932.
2. BoE OV9/100, minute by Sir Otto Niemeyer, 17 January 1938.
3. T 160/759/14466/1, estimate (undated) by Waley, based on a memo, by Lever (of the Prudential). The total comprised: Standstill – £44m., Dawes and Young loans – £26m, non-Reich loans – £21m, states and rents – £37m, and Funding Bonds – £7m.
4. R.P. Shay, *British Rearmament in the Thirties* (Princeton, NJ: Princeton University Press, 1977), pp. 291–3.
5. RIIA, *The Essential Interests of the United Kingdom: Vol.I* (1938), p. 71. The committee was set up in 1936 to examine all foreign borrowing proposals.
6. Per Jacobsen papers (British Library of Political and Economic Science), Diary, Vol.3, conversation with Norman, 6 April 1936. Per Jacobsen was Head of the Monetary and Economic Department, BIS.

Bibliography

Unpublished Sources

Private papers (individuals and organizations)
Bank of England Archive, Bank of England, London
Lord Brand papers, Bodleian Library, University of Oxford
BP Amoco Archive, University of Warwick
Neville Chamberlain papers, University of Birmingham Library
Malcolm Grahame Christie papers, Churchill Archives Centre, Churchill College, Cambridge
Paul Einzig papers, Churchill Archives Centre, Churchill College, Cambridge
Federal Reserve Bank of New York Archive, New York
Federation of British Industries Archive, Modern Records Centre, University of Warwick
Group Archives, HSBC Holdings plc, Midland Bank Archives
Sir Maurice Hankey papers, Churchill Archives Centre, Churchill College, Cambridge
Per Jacobsen papers, Archives Division, British Library of Political and Economic Science
National Archives, Washington, DC
Sir Eric Phipps papers, Churchill Archives Centre, Churchill College, Cambridge
Political and Economic Planning, Archives Division, British Library of Political and Economic Science
Viscount Runciman of Doxford papers (Walter Runciman), Robinson Library, University of Newcastle upon Tyne
Sir John Simon papers, Bodleian Library, University of Oxford
Sir Robert Vansittart papers, Churchill Archives Centre, Churchill College, Cambridge
Vickers Archive, Cambridge University Library

Public Record Office

Cabinet:	CAB 23	Minutes and Conclusions of Cabinet Meetings
	CAB 24	Cabinet Papers (Memoranda)
	CAB 27	Cabinet Committees
PREM I:	Prime Minister's Office	
Board of Trade:	BT 11	Commercial Relations and Treaties Department
	BT 59	Overseas Trade Development Council
	BT 64	List of Industries involved in FBI–RGI discussions
Foreign Office:	FO 371	Country Series (Political/Central Department/Germany)
	FO 800	285-91: private papers of Sir Alexander Cadogan, Lord Halifax, Sir Orme Sargent, Sir John Simon
Treasury	T 160	Overseas Finance Division (the 'F' preceding the piece number is omitted from this class)
	T172	Chancellor of the Exchequer's Office
	T177	Sir Frederick Phillips papers
	T188	Sir Frederick Leith-Ross papers

Theses

Diaper, S.J., 'The History of Kleinwort, Sons & Co., in Merchant Banking, 1855–1961' (Ph.D., University of Nottingham, 1983).

Eyers, J.S., 'Government Direction of Overseas Trade Policy in Britain, 1932–37' (D.Phil., Oxford University, 1977).

McCulloch, T.K., 'Anglo-American Economic Diplomacy in the European Crisis 1935–39' (D.Phil., Oxford University, 1979).

Rooke, M.J., 'The British Government's Relations with the States of South-Eastern Europe, 1934–36' (Ph.D., University of London, 1980).

Van Kessel, G.J., 'The British Reaction to German Economic Penetration in South-Eastern Europe, 1936–1939' (Ph.D., University of London, 1972).

Published Sources

Official publications

Documents on British Foreign Policy, 1919–1945, 2nd and 3rd Series (HMSO, 1946 on).

Documents on German Foreign Policy, 1918–1945, Series C and D (HMSO, 1948 on).

Parliamentary Debates (House of Commons).

Parliamentary Papers (Command Papers).

UK Customs and Excise Department, *Annual Statement of the Trade of the United Kingdom* (1931–1939).

UK Department of Overseas Trade, *Economic Conditions in Germany: Annual Reports* (1931–1934, 1936).

Publications by organizations

League of Nations, *Monetary and Economic Conference* (Geneva, 1933).

—— *Commercial Banks 1925–1933* (Geneva, 1934).

—— *Present Phase of International Economic Relations* (Geneva, 1937).

—— *British External Economic Policies* (Paris, 1939).

—— *Commercial Policy in the Interwar Period: International Proposals and National Policies* (Geneva, 1942).

—— (Nurske, R.) *International Currency Experience: Lessons of the Interwar Period* (Geneva, 1944).

Royal Institute of International Affairs, *The Problem of International Investment* (1937).

—— *Germany's Claim to Colonies* (1938).

—— *Anglo-American Trade Relations* (1938).

—— *The Essential Interests of the United Kingdom: Vol.I* (1938).

—— *South-Eastern Europe* (1939).

Newspapers and periodicals

British Export Gazette.
British Trade Journal and Export World.
Daily Telegraph.
Economist.
Financial News.
Financial Times.
Manchester Guardian.
New Statesman.
The Banker.
The Times.

Books and articles

Adamthwaite, A. P., *The Making of the Second World War* (Allen & Unwin, 1979).

Aldcroft, D.H., *The Inter-War Economy: Britain, 1919–1939* (Batsford, 1970).

—— *From Versailles to Wall Street, 1919–1929* (Allen Lane, 1977).

—— *The European Economy 1914–1970* (Croom Helm, 1978).

Alford, B.W.E. *Depression and Recovery? British Economic Growth 1918–1939* (Macmillan, 1972).

—— 'New industries for old? British industry between the wars', in R. Floud and D. McCloskey (eds), *The Economic History of Britain since 1700: Vol.2* (Cambridge: Cambridge University Press, 1981).

Anderson, D.G., 'British rearmament and the "merchants of death": The 1935–36 Royal Commission on the Manufacture of and Trade in Armaments', *JCH*, 29 (1994).

Andrews, C., *Secret Service: The Making of the British Intelligence Community* (Heinemann, 1985).

Arndt, H.W., *The Economic Lessons of the Nineteen Thirties* (Oxford University Press, 1944).

Ashton-Gwatkin, F.T., *The British Foreign Service* (New York: Syracuse University Press, 1950).

Aster, S., *1939: the Making of the Second World War* (André Deutsch, 1973).

Balderston, T., *The Origins and Course of the German Economic Crisis 1923–1932* (Berlin: Haude & Spener, 1993).

Balfour, M., *Withstanding Hitler in Germany 1933–45* (Routledge, 1988).

Bamberg, J.H., *The History of the British Petroleum Company: Vol.2, The Anglo-Iranian Years, 1928–1954* (Cambridge: Cambridge University Press, 1994).

Barkai, A., *Nazi Economics: Ideology,Theory, and Policy* (Oxford: Berg, 1990).

Barnes, J. and Nicholson, D. (eds), *The Empire at Bay: The Leo Amery Diaries, 1929–1945* (Hutchinson, 1988).

Barnett, C., *The Collapse of British Power* (Stroud: Sutton, 1984).

Bassett, R., *Nineteen Thirty-One: Political Crisis* (Macmillan, 1958).

Beloff, M., 'The Whitehall Factor: the role of the higher civil servant 1919–39', in G. Peele and C. Cook (eds), *The Politics of Reappraisal, 1918–1939* (Macmillan, 1975).

Benham, F., 'the muddle of the thirties', *Economica*, 12 (1945).

Bennett, E.W., *Germany and the Diplomacy of the Financial Crisis, 1931* (Cambridge, MA: Havard University Press, 1962).

—— *German Rearmament and the West, 1932–1933* (Princeton, NJ: Princeton University Press, 1979).

Bidwell, P., 'Prospects of a Trade Agreement with England', *Foreign Affairs*, 16 (1937/38).

Blum, J.M., *From the Morgenthau Diaries: Years of Crisis, 1928–1938* (Boston, MA: Houghton Mifflin, 1959).

Boelcke, W.A., *Die Kosten von Hitlers Krieg: Kriegsfinanzierung und Kriegserbe in Deutschland 1933–1948* (Paderborn: Schöningh, 1985).

—— *Deutschland als Welthandelsmacht 1930–1945* (Stuttgart: W. Kohlhammer, 1994).

Borchardt, K., 'Could and Should Germany have followed Great Britain in leaving the Gold Standard?', *JEEH*, 13, 3, Winter (1984).

Booth, A., *British Economic Policy, 1931–49* (Hemel Hempstead: Harvester Wheatsheaf, 1989).

—— 'The British reaction to the economic crisis', in W.R.Garside (ed.),

Capitalism in Crisis: International responses to the Great Depression (Pinter, 1993).

Born, K.E., *Die deutsche Bankenkrise 1931* (München: Piper, 1967).

—— *International Banking in the 19th and 20th Centuries* (Leamington Spa: Berg, 1983).

Boyce, R.W.D., *British Capitalism at the Crossroads, 1919–1932* (Cambridge: Cambridge University Press, 1987).

—— 'World depression, world war: some economic origins of the Second World War', in R.W.D. Boyce and E.M. Robertson (eds), *Paths to War: New Essays on the Origins of the Second World War* (Basingstoke: Macmillan, 1989).

Boyle, A., *Montagu Norman: A Biography* (Cassell, 1967).

Bracher, K.D., *Die Auflösung der Weimarer Republik* (Stuttgart: Ring-Verlag, 1955).

—— *Deutschland zwischen Demokratie und Diktatur* (Bern: Scherz, 1964).

Brand, Lord, 'A banker's reflections on some economic trends', *Economic Journal*, 63, 252 (December 1953).

Branson, N. and Heinemann, N., *Britain in the Nineteen Thirties* (St. Albans: Panther, 1973).

Bruck, W.F., *Social and Economic History of Germany from Wilhelm II to Hitler* (New York, NY: Russell & Russell, 1962).

Brüning, H., *Memoiren 1918–34* (Stuttgart: Deutsche Verlags-Anstalt, 1970).

Bullock, A., *Hitler and Stalin: Parallel Lives* (BCA/HarperCollins, 1991).

Burk, K., *Morgan Grenfell 1838–1988: The Biography of a Merchant Bank* (Oxford: Oxford University Press, 1989).

Buxton, N.K., 'The role of "new" industries in Britain during the 1930s: A reinterpretation', *Business History Review*, 44, 2 (1975).

Buxton, N.K. and Aldcroft, D.H. (eds) *British Industry between the Wars: Instability and Industrial Development 1919–1939* (Scolar Press, 1979).

Cain, P.J. and Hopkins, A.G., *British Imperialism: Crisis and Deconstruction 1914–1990* (Longman, 1993).

Cairncross, A. and Eichengreen, B., *Sterling in Decline* (Oxford: Basil Blackwell, 1983).

Capie, F., *Depression and Protectionism: Britain between the Wars* (Allen & Unwin, 1983).

Caplan, J., *Government without Administration: State and Civil Service in Weimar and Nazi Germany* (Oxford: Clarendon Press, 1988).

Carroll, B.A., *Design for Total War: Arms and Economics in the Third Reich* (The Hague: Mouton, 1968).

Chapman, S.D., *The Rise of Merchant Banking* (Allen & Unwin, 1984).

Child, F.C., *The Theory and Practice of Exchange Control in Germany: A Study of Monopolistic Exploitation in International Markets* (The Hague: Martinus Nijhoff, 1958).

Clarke, P., 'The Treasury's analytical model of the British economy between the wars', in M.O. Furner and B. Supple (eds), *The State and Economic Knowledge* (Cambridge: Cambridge University Press, 1990).

—— *Hope and Glory: Britain 1900–1990* (Penguin, 1996).

Clarke, S.V.O., *Central Bank Co-operation, 1924–31* (New York, NY: Federal Reserve Bank, 1967).

—— *Exchange-Rate Stabilisation in the Mid-1930s: Negotiating the Tripartite Agreement* (Princeton, NJ: Princeton University Press, 1977).

Clavin, P., 'The World Economic Conference 1933: The failure of British internationalism', *JEEH*, 20, 3 (Winter 1991).

Clay, Sir H., *Lord Norman* (Macmillan, 1957).

Coghlan, F., 'Armaments, economic policy and appeasement. Background to British foreign policy, 1937–39', *History*, 57 (1972).

Colvin, I., *Vansittart in Office* (Victor Gollancz, 1965).

Conze, W. and Raupach, H., *Die Staats – und Wirtschaftskrise des deutschen Reichs 1929/33* (Stuttgart: Klett, 1967).

Cottrell, P.L., 'The Bank of England in its international setting, 1918–1972', in R. Roberts and D. Kynaston (eds), *The Bank of England: Money, Power and Influence 1694–1994* (Oxford: Clarendon Press, 1995).

Cowling, M., *The Impact of Hitler: British Politics and British Policy 1933–1940* (Cambridge: Cambridge University Press, 1975).

Dayer, R.A., *Finance and Empire: Sir Charles Addis, 1861–1945* (Basingstoke: Macmillan, 1988).

Deist, W. et al. (eds), *Germany and the Second World War* (Oxford: Clarendon Press, 1990).

Deist, W. (ed.), *The German Military in the Age of Total War* (Leamington Spa: Berg, 1985).

Dilks, D. (ed.), *The Diaries of Sir Alexander Cadogan OM 1938–1945* (Cassell, 1971).

—— 'Appeasement and "intelligence"', in D. Dilks (ed.), *Retreat from Power: Studies in Britain's Foreign Policy of the Twentieth Century. Vol.1, 1906–1939* (Macmillan, 1981).

Drummond, I.M., *British Economic Policy and the Empire, 1919–1939* (Allen & Unwin, 1972).

—— *Imperial Economic Policy, 1917–1939: Studies in Expansion and Protection* (Allen & Unwin, 1974).

—— *The Floating Pound and the Sterling Area, 1931–1939* (Cambridge: Cambridge University Press, 1981).

Dutton, D., *Simon: A Political Biography of Sir John Simon* (Aurum Press, 1992).

Eichengreen, B., *Golden Fetters: the Gold Standard and the Great Depression, 1919–1939* (Oxford: Oxford University Press, 1992).

Einzig, P., *Germany's Default: The Economics of Hitlerism* (Macmillan, 1934).

—— *World Finance: Vol.1, 1914–35* (New York, NY: Arno Press, 1978).

—— *Appeasement Before, During and After the War* (Macmillan, 1942).

—— *In the Centre of Things* (Hutchinson, 1960).

Ellis, H.S., *Exchange Control in Central Europe* (Cambridge, MA: Harvard University Press, 1941).

Erbe, R., *Die nationalsozialistische Wirtschaftspolitik 1933–1939 im Lichte der modernen Theorie* (Zurich: Polygraphischer Verlag, 1958).

Eucken, W., 'On the theory of the centrally administered economy: An analysis of the German experiment', *Economica*, 15, Pt I, 58 and Pt II, 59 (1948).

Eyck, E., *A History of the Weimar Republic: Vol.2* (Cambridge, MA: Harvard University Press, 1964).

Feiling, K., *The Life of Neville Chamberlain* (Macmillan, 1946).

Feinstein, C.H., *National Income, Expenditure and Output of the United Kingdom, 1885–1965* (Cambridge: Cambridge University Press, 1972).

Feis, H., *1933: Characters in Crisis* (Boston, MA: Little, Brown, 1966).

Ferris, J.R., 'The Air Force brats' view of history: Recent writing and the Royal Air Force, 1918–1960', *International History Review*, 20, 1 (March 1998).

—— '"The greatest power on earth": Great Britain in the 1920s', *International History Review*, 13, 4 (November 1991).

Fischer, A.G.B., 'Economic appeasement as a means to political understanding and peace', *Survey of International Affairs: I* (Royal Institute of International Affairs, 1937).

—— *Economic Self-Sufficiency* (Oxford: Clarendon Press, 1939).

Forbes, N., 'London banks, the German Standstill Agreements, and "economic appeasement" in the 1930s', *EcHR*, 2nd ser., 40, 4 (November 1987).

Forster, F., *Geschichte der Deutschen BP 1904–1979* (Hamburg: Deutsche BP/Reuter & Klöckner, 1979).

Francis, E.V., *Britain's Economic Strategy* (Jonathan Cape, 1939).

Fry, G.K., *Statesmen in Disguise: The Changing Role of the Administrative Class of the British Home Civil Service 1853–1939* (Macmillan, 1969).

Fry, R., 'The work of a financial journalist', *Manchester Statistical Society paper* (Manchester, 1945).

Gannon, F.R., *The British Press and Germany 1936–1939* (Oxford: Clarendon Press, 1971).

Garside, W.R., *British Unemployment, 1919–1939* (Cambridge: Cambridge University Press, 1990).

Garside W.R. and Greaves, J.I., 'The Bank of England and industrial intervention in interwar Britain', *Financial History Review*, 3, 1 (April 1996).

—— 'Rationalisation and Britain's industrial malaise: the interwar years revisited', *JEEH*, 26, 1 (Spring 1997).

Geyer, M., 'Military revisionism in the interwar years', in W. Deist (ed.),

The German Military in the Age of Total War (Leamington Spa: Berg, 1985).

Gilbert, M., *The Roots of Appeasement* (Weidenfeld & Nicolson, 1967).

Gillingham, J., *Industry and Politics in the Third Reich: Ruhr coal, Hitler and Europe* (Methuen, 1985). .

Gladwyn, Lord, *The Memoirs of Lord Gladwyn* (Weidenfeld & Nicolson, 1972).

Glynn, S. and Oxborrow, J., *Inter-war Britain: A Social and Economic History* (Allen & Unwin, 1976).

Graves, R. and Hodge, A., *The Long Weekend: A Social History of Great Britain 1918–1939* (Hutchinson, 1985).

Green, E.H.H., 'The influence of the City over British economic policy, c.1880 – 1960', in Y. Cassis (ed.), *Finance and Financiers in European History, 1880 –1960* (Cambridge: Cambridge University Press, 1992).

Gregory, T.E., *The Gold Standard and its Future* (Methuen, 1934).

—— 'Lord Norman: A new interpretation', *Lloyds Bank Review*, 88 (1968).

Griffiths, R., *Fellow Travellers of the Right* (Constable, 1980).

Guillebaud, C.W., *The Economic Recovery of Germany from 1933 to the Incorporation of Austria in March 1938* (Macmillan, 1939).

Hannah, L., *The Rise of the Corporate Economy* (Methuen, 1983).

Hardach, K., *The Political Economy of Germany in the Twentieth Century* (Berkeley, CA: University of California Press, 1980).

Harris, C.R.S., *Germany's Foreign Indebtedness* (Oxford: Oxford University Press, 1935).

Harvey, J. (ed.), *The Diplomatic Diaries of Oliver Harvey, 1937–40* (Collins,1970).

Hawtrey, R.G., *The Art of Central Banking* (Longman, 1932).

Hayes, P., *Industry and Ideology: IG Farben in the Nazi Era* (Cambridge: Cambridge University Press, 1987).

Heineman, J.L., 'Constantin von Neurath and German policy at the London Economic Conference of 1933: Backgrounds to the resignation of Alfred Hugenberg', *JMH*, 41 (1969).

Helbich, W.J., *Die Reparationen in der Ära Brüning* (Berlin: Colloquium Verlag, 1962).

Henderson, H.D., *The Inter-war Years and Other Papers* (Oxford: Clarendon Press, 1955).

Hillman, H., 'The comparative strengths of the great powers', *Survey of International Affairs: the World in March 1939* (Royal Institute of International Affairs, 1939).

Hodson, H.V,. *Slump and Recovery 1929–1937* (Oxford: Oxford University Press, 1938).

Holland, R.F., 'The Federation of British Industries and the international economy, 1929–39', *EcHR*, 2nd series, 34, 2 (May 1981).

Holmes, A.R. and Green, E., *Midland: 150 Years of Banking Business* (Batsford, 1986).

Howson, S., *Domestic Monetary Management in Britain 1919–38* (Cambridge: Cambridge University Press, 1975).

Howson, S. and Winch, D., *The Economic Advisory Council 1930–1939* (Cambridge: Cambridge University Press, 1977).

Hull, C., *The Memoirs of Cordell Hull* (Hodder & Stoughton, 1948).

Ingham, G., *Capitalism Divided? The City and Industry in British Social Development* (Macmillan, 1984).

Jacobsen, H.A., *Nationalsozialistische Aussenpolitik 1933–38* (Frankfurt-am-Main: Metzner, 1968).

Jaitner, K., 'Aspekete britischer Deutschlandpolitik 1930–32', in J. Becker and K. Hildebrand (eds), *Internationale Beziehungen in der Weltwirtschaftskrise 1929–1933* (München: Vögel, 1980).

James, H., *The Reichsbank and Public Finance in Germany 1924–1933* (Frankfurt-am-Main: F.Knapp, 1985).

—— *The German Slump: Politics and Economics, 1924–1936* (Oxford: Clarendon Press, 1986).

—— 'Innovation and conservatism in economic recovery: The alleged "Nazi recovery" of the 1930s', in T. Childers and J. Caplan (eds), *Reevaluating the Third Reich* (New York, NY: Holmes & Meier, 1993).

James, H., Lindgren, H., Teichova, A. (eds), *The Role of Banks in the Inter-war Economy* (Cambridge: Cambridge University Press, 1991).

Jones, G., 'The growth and performance of British multinational firms before 1939: The case of Dunlop', *EcHR*, 2nd Series, 37, 1 (February 1984).

—— *British Multinational Banking, 1830 –1990* (Oxford: Clarendon Press, 1993).

Kaiser, D.E., *Economic Diplomacy and the Origins of the Second World War* (Princeton, NY: Princeton University Press, 1980).

Kennedy, P., *The Rise of the Anglo-German Antagonism, 1860–1914* (Allen & Unwin, 1980).

—— *The Realities behind Diplomacy* (Allen & Unwin, 1981).

—— *Strategy and Diplomacy, 1870–1945* (Allen & Unwin, 1983).

—— *The Rise and Fall of the Great Powers: Economic Change and Military Conflict from 1500 to 2000* (New York, NY: Random House, 1987).

Kent, B., *The Spoils of War: the Politics, Economics and Diplomacy of Reparations, 1918–1932* (Oxford: Clarendon Press, 1989).

Kenwood, A.G. and Lougheed, A.L., *The Growth of the International Economy, 1820–1960* (Allen & Unwin, 1971).

Kershaw, I., *The 'Hitler Myth': Image and Reality in the Third Reich* (Oxford: Clarendon Press, 1987).

—— *The Nazi Dictatorship: Problems and Perspectives of Interpretation* (Edward Arnold, 1993).

—— *Hitler. 1889–1936: Hubris* (Allen Lane, 1998).

Keynes, J.M., *The Economic Consequences of the Peace* (Macmillan, 1920).

—— 'Essays in persuasion' (1931), in D. Moggridge (ed.), *The Collected Writings of John Maynard Keynes*, Vol.9 (Macmillan/Cambridge University Press, 1972).

Kindleberger, C.P., *The World in Depression, 1929–1939* (Allen Lane, 1973).

Kirby, M.W., *The Decline of British Economic Power since 1870* (Allen & Unwin, 1981).

Kitson, M. and Solomou, S., *Protectionism and Economic Revival: The British Inter-war Economy* (Cambridge: Cambridge University Press, 1990).

Klein, B.H., *Germany's Economic Preparations for War* (Cambridge, MA: Harvard University Press, 1959).

Kolko, G., 'American business and Germany, 1930–41', *Western Political Quarterly*, 15, 4 (1962).

Kottman, R.N., *Reciprocity and the North Atlantic Triangle, 1932–1938* (New York, NY: Cornell University Press, 1968).

Kreider, C.J., *The Anglo-American Trade Agreement* (Princeton, NJ: Princeton University Press, 1943).

Kunz, D.B., *The Battle for Britain's Gold Standard in 1931* (Croom Helm, 1987).

Leith-Ross, F., *Money Talks: Fifty Years of International Finance* (Hutchinson, 1968).

Leitz, C.M., 'Arms exports from the Third Reich, 1933–39: the example of Krupp', *EcHR*, 51, 1 (February 1998).

Lewis, W.A., *Economic Survey 1919–1939* (Allen & Unwin, 1949).

Ludlow, P., 'Britain and the Third Reich', in H. Bull (ed.), *The Challenge of the Third Reich* (Oxford: Clarendon Press, 1986).

Luther, H., *Vor dem Abgrund 1930–1933: Reichsbank-präsident in Krisenzeiten* (Berlin: Propyläen Verlag, 1964).

MacDonald, C.A., 'Economic appeasement and the German "moderates" 1937– 1939. An introductory essay', *Past and Present*, 56 (1972).

Macmillan, H., *Winds of Change 1914 –1939* (Macmillan, 1966).

Marks, S., *The Illusion of Peace: International Relations in Europe 1918–1933* (Macmillan, 1976).

Marrison, A., *British Business and Protection 1903–1932* (Oxford: Clarendon Press, 1996).

Marsh, D., *The Bundesbank: The Bank that Rules Europe* (William Heinemann, 1992).

Mason, T., 'Some origins of the Second World War', *Past and Present*, 29 (1964).

—— *Social Policy in the Third Reich: The Working Class and the 'National Community'* (Oxford: Berg, 1993).

Matis, H. and Weber, F., 'Economic Anschluss and German *Grossmachtpolitik:* the take-over of the Austrian Credit-Anstalt in 1938', in P.L. Cottrell, H. Lindgren and A. Teichova (eds), *European Industry and Banking Between the Wars* (Leicester: Leicester University Press, 1992).

McKercher, B.J.C., 'Old diplomacy and new: the Foreign Office and foreign policy, 1919–1939', in M. Dockrill and B.J.C. McKercher (eds), *Diplomacy and World Power: Studies in British Foreign Policy, 1880–1950* (Cambridge: Cambridge University Press, 1996).

—— *Transition of Power: Britain's Loss of Global Pre-eminence to the United States, 1930–1945* (Cambridge: Cambridge University Press, 1999).

McMillan, J., *The Dunlop Story* (Weidenfeld & Nicolson, 1989).

Medlicott, W.N., *The History of the Second World War: The Economic Blockade. Vol.1* (HMSO, 1952).

—— *Contemporary England 1914–1964* (Longman, 1967).

—— *Britain and Germany: The Search for Agreement 1930–37* (Athlone Press, 1969).

Meredith, D., 'British trade diversion policy and the "colonial issue" in the 1930s', *JEEH*, 25, 1 (Spring 1996).

Merlin, S., 'Trends in German economic control since 1933', *Quarterly Journal of Economics*, 57 (February 1943).

Middlemas, K. and Barnes, J., *Baldwin: A Biography* (Macmillan, 1969).

Middlemas, K., *Diplomacy of Illusion: The British Government and Germany, 1937–39* (Weidenfeld & Nicolson, 1972).

—— *Politics in Industrial Society* (Andre Deutsch, 1979).

Middleton, R., *Towards the Managed Economy: Keynes, the Treasury and the Fiscal Policy Debate of the 1930s* (Methuen, 1985).

Mommsen, W.J. and Kettenacker, L. (eds), *The Fascist Challenge and the Policy of Appeasement* (Allen & Unwin, 1983).

Morton, W.A., *British Finance, 1930–1940* (Madison, WI: University of Wisconsin Press, 1943).

Moulton, H.G. and Pasvolsky, L., *War Debts and World Prosperity* (Washington, DC: Brookings Institution, 1932).

Nathan, O., *The Nazi Economic System* (Durham, NC: Duke University Press, 1944).

Neal, L., 'The economics and finance of bilateral clearing agreements: Germany 1934–8', *EcHR*, 32, 3 (August 1979).

Newman, S., *March 1939: The British guarantee to Poland* (Oxford: Clarendon Press, 1976).

Newton, S., *Profits of Peace: The Political Economy of Anglo-German Appeasement* (Oxford: Oxford University Press, 1996).

Noel-Baker, P., *The Private Manufacture of Armaments* (Victor Gollancz, 1936).

Orde, A., *British Policy and European Reconstruction after the First World War* (Cambridge: Cambridge University Press, 1990).

Ovendale, R., *'Appeasement' and the English-Speaking World* (Cardiff: University of Wales Press, 1975).

Overy, R.J., *The Nazi Economic Recovery 1932–1938* (Macmillan, 1982).

—— *Goering: The 'Iron Man'* (Routledge & Kegan Paul, 1984).

—— 'Hitler's war plans', in R.W.D. Boyce and E.M. Robertson (eds), *Paths to War: New Essays on the Origins of the Second World War* (Basingstoke: Macmillan, 1989).

—— *War and Economy in the Third Reich* (Oxford: Oxford University Press, 1994).

Oye, K.A., *Economic Discrimination and Political Exchange: World Political Economy in the 1930s and 1980s* (Princeton, NJ: Princeton University Press, 1992).

Parker, R.A.C., 'Economics, rearmament, and foreign policy: The United Kingdom before 1939 – A preliminary study', *JCH*, 10 (1975).

—— 'The pound sterling, the American Treasury and British preparations for war, 1938–1939', *EHR*, 98, 387 (April 1983).

—— *Chamberlain and Appeasement: British Policy and the Coming of the Second World War* (Macmillan, 1993).

Payton-Smith, D.J., *Oil: A Study of Wartime Policy and Administration* (HMSO, 1971).

Peden, G.C., *British Rearmament and the Treasury: 1932–1939* (Edinburgh: Scottish Academic Press, 1979).

—— 'Sir Warren Fisher and British rearmament against Germany', *EHR*, 94, No. 370 (January 1979).

—— 'Sir Richard Hopkins and the "Keynesian revolution" in employment policy, 1929–1945', *EcHR*, 2nd Ser., 36, 2 (May 1983).

—— 'A matter of timing: The economic background to British foreign policy, 1937–1939', *History*, 69 (February 1984).

Pentzlin, H., *Hjalmar Schacht: Leben und Wirken einer unstrittenen Persönlichkeit* (Berlin: Ullstein, 1980).

Petzina, D., *Autarkiepolitik im Dritten Reich* (Stuttgart: Verlags-Anstalt, 1968).

—— 'Germany and the Great Depression', *JCH*, 4 (1969).

—— *Die deutsche Wirtschaft in der Zwischenkriegzeit* (Wiesbaden: Steiner, 1977).

Plummer, A., *International Combines in Modern History* (Pitman, 1934).

Pollard, S., *The Development of the British Economy, 1914–1980* (Edward Arnold, 1983).

Porter, B., *Britain, Europe and the World 1850–1986: Delusions of Grandeur* (Routledge, Chapman & Hall, 1987).

Pratt, J.W., *Cordell Hull, 1933–44* (New York, NY: Cooper Square, 1964).

Pugh, M., *The Making of British Politics 1867–1939* (Oxford: Basil Blackwell, 1982).

Reader, W.J., *Imperial Chemical Industries: A History, Vol. 2* (Oxford University Press, 1975).

Reynolds, D., *Britannia Overruled: British Policy and World Power in the Twentieth Century* (Longman, 1991).

Richardson, H.W., 'The economic significance of the depression in Britain', *JCH*, 4 (1969).

Richardson, J.H., *British Economic Foreign Policy* (Allen & Unwin, 1936).

Robbins, K.G., *Munich 1938* (Cassell, 1968).

Roberts, R., *Schroders: Merchants and Bankers* (Basingstoke: Macmillan, 1992).

Rooth, T., *British Protectionism and the International Economy: Overseas Commercial Policy in the 1930s* (Cambridge: Cambridge University Press, 1993).

Roseveare, H., *The Treasury: The Evolution of A British Institution* (Allen Lane, 1969).

Roskill, S., *Hankey: Man of Secrets, Vol. 3, 1931–1963* (Collins, 1974).

Sandberg, L.G., *Lancashire in Decline: a Study in Entrepreneurship, Technology, and International Trade* (Columbus, OH: Ohio State University Press, 1974).

Sayers, R.S., *Modern Banking* (Oxford University Press, 1938).

—— *The Bank of England, 1891–1944: Vol.2* (Cambridge: Cambridge University Press, 1976).

Schacht, H., *End of Reparations* (Jonathan Cape, 1931).

—— *Account Settled* (Weidenfeld & Nicolson, 1949).

—— *My First Seventy-Six Years* (Wingate, 1955).

Schapiro, L., *Totalitarianism* (Macmillan, 1972).

Scharf, A., *The British Press and Jews under Nazi Rule* (Oxford University Press, 1964).

Schmidt, G., 'The domestic background to British appeasement policy', in W.J. Mommsen and L. Kettenacker (eds), *The Fascist Challenge and the Policy of Appeasement* (Allen & Unwin, 1983).

—— *The Politics and Economics of Appeasement: British Foreign Policy in the 1930s* (Leamington Spa: Berg, 1986).

Schoenbaum, D., *Hitler's Social Revolution: Class and Status in Nazi Germany 1933–1939* (Weidenfeld & Nicolson, 1967).

Schweitzer, A., *Big Business in the Third Reich* (Bloomington, IN: Indiana University Press, 1964).

Scott, J.D., *Vickers: A History* (Weidenfeld & Nicolson, 1962).

Shay, R.P., *British Rearmament in the Thirties* (Princeton, NJ: Princeton University Press, 1977).

Siegfried, A., *England's Crisis* (Jonathan Cape, 1933).

Simpson, A.E., 'The struggle for control of the German economy, 1936–37', *JMH*, 31 (1959).

—— *Hjalmar Schacht in Perspective* (The Hague: Mouton, 1969).

Skidelsky, R., *John Maynard Keynes: Vol.2, The Economist as Saviour 1920–1937* (Macmillan, 1992).

Smart, N., *The National Government, 1931–40* (Basingstoke: Macmillan, 1999).

Smith, A.D., *Guilty Germans?* (Victor Gollancz, 1942).

Smith, A.L., *Hitler's Gold* (Oxford: Berg, 1996).

Snyder, R.C., 'Commercial policy as reflected in treaties from 1931–1939', *American Economic Review*, 30a (1940).

Stachura, P.D., 'National Socialism and the German proletariat,1925–1935: Old myths and new perspectives', *Historical Journal*, 36, 3 (1993).

Stewart, R.B., 'Great Britain's foreign loan policy', *Economica*, 5 (1938).

Stiefel, D., *Finanzdiplomatie und Weltwirtschaftskrise: Der Krise der Credit-Anstalt für Handel und Gewerbe 1931* (Frankfurt-am-Main: F.Knapp, 1989).

Stolper, G., *The German Economy 1870 to the Present* (New York, NY: Harcourt, Brace & World, 1967).

Taylor, A.J.P., *English History 1914–1945* (Harmondsworth: Penguin, 1975).

Teichert, E., *Autarkie und Grossraumwirtschaft in Deutschland 1930–1939* (München: Oldenbourg, 1984).

Teichova, A., *An Economic Background to Munich: International Business and Czechoslovakia 1918–1938* (Cambridge: Cambridge University Press, 1974).

Temin, P., *Lessons from the Great Depression* (Cambridge, MA: MIT Press, 1989).

Tennant, E.W.D., *True Account* (Max Parish, 1957).

Thorpe, A., *The British General Election of 1931* (Oxford: Clarendon Press, 1991).

Tolliday, S., *Business, Banking, and Politics. The Case of British Steel, 1918–1939* (Harvard University Press, 1987).

Tomlinson, J., *Problems of British Economic Policy 1870–1945* (Methuen, 1981).

Treviranus, G., *Das Ende von Weimar: Heinrich Brüning und seine Zeit* (Düsseldorf: Econ-Verlag, 1968).

Truptil, R.J., *British Banks and the London Money Market* (Jonathan Cape, 1936).

Vansittart, Lord, *The Mist Procession* (Hutchinson, 1958).

Volkmann, H.E., 'The National Socialist economy in preparation for war', in W. Deist, *et al.* (eds), *Germany and the Second World War* (Oxford: Clarendon Press, 1990).

Wake, J., *Kleinwort Benson: The History of Two Families in Banking* (Oxford: Oxford University Press, 1997).

Wark, W.K., *The Ultimate Enemy: British Intelligence and Nazi Germany, 1933–1939* (Oxford: Oxford University Press, 1986).

Watt, D. C(ameron), *Personalities and Policies: Studies in the Formulation of British Foreign Policy in the Twentieth Century* (Longman, 1965).

—— 'The European civil war', in W.J. Mommsen and L. Kettenacker (eds), *The Fascist Challenge and the Policy of Appeasement* (Allen & Unwin, 1983).

—— *Succeeding John Bull: America in Britain's Place 1900–1975* (Cambridge: Cambridge University Press, 1984).

—— *How War Came: The Immediate Origins of the Second World War, 1938–1939* (William Heinemann, 1989).

Weinberg, G.L., *The Foreign Policy of Hitler's Germany: Diplomatic Revolution in Europe 1933–36* (Chicago, IL: University of Chicago Press, 1970).

—— *The Foreign Policy of Hitler's Germany: Starting World War II* (Chicago, IL: University of Chicago Press, 1980).

Welch, D., *The Third Reich: Politics and Propaganda* (Routledge, 1993).

Wendt, B.J., *Economic Appeasement: Handel und Finanz in der britischen Deutschlandpolitik 1933–1939* (Düsseldorf: Bertelsmann Universitätverlag, 1971).

—— 'Economic appeasement – a crisis strategy', in W.J. Mommsen and L. Kettenacker (eds), *The Fascist Challenge and the Policy of Appeasement* (Allen & Unwin, 1983).

Williamson, P., *National Crisis and National Government, 1926–32* (Cambridge: Cambridge University Press, 1992).

—— *Stanley Baldwin* (Cambridge: Cambridge University Press, 1999).

Wilson, C.H., *The History of Unilever: Vol.2* (Cassell, 1954).

Wiskemann, E., *The Europe I Saw* (Collins, 1968).

Wurm, C.A., *Business, Politics, and International Relations* (Cambridge: Cambridge University Press, 1993).

Yeager, L.B. *International Monetary Relations: Theory, History and Policy* (New York, NY: Harper & Row, 1966).

Yergin, D., *The Prize: The Epic Quest for Oil, Money, and Power* (Simon & Schuster, 1991).

Young, R.J., 'Spokesmen for economic warfare: The industrial intelligence centre in the 1930s', *European Studies Review*, 6 (1976).

Index